Das Bild in der Dichtung

von

Hermann Pongs

III. Band

Der symbolische Kosmos der Dichtung

N. G. Elwert'sche Verlagsbuchhandlung Marburg
1969

1. Auflage 1969
Druck: Oberhessische Presse Marburg
Printed in Germany

Vorwort

Die zum III. Band erweiterte Darstellung vom „Bild in der Dichtung" kann als Ganzes eines mit Nachdruck ins Bewußtsein rufen: daß alles, was mit Metapher und Symbol zu tun hat, immer beides ist: rational und überrational. Darum läßt sich solche Forschung nicht eigentlich machen, sie muß wachsen. Das Exemplarische am Wachstum vom I. zum III. Band soll hier dargestellt werden.

Die Anstöße zum I. Band kamen aus dem Rückzugsjahr 1918, nach vier Jahren Krieg, aus dem drohenden Zusammenbruch. Gerade daran stärkte sich die Gewißheit, daß eines unzerstörbar blieb: die dichterische Kraft zur Vision; Kraft, vom Bild her Welt zu verwandeln. Das Buch reifte unter dem Eindruck der großen Expressionisten in Bild und Schrift. Das Gefühlsbild rückte in die Mitte mit allen seinen komplexen Möglichkeiten. So entstand der „Versuch einer Morphologie der metaphorischen Formen" 1927.

Das Buch schloß mit dem Ausblick auf Sinnbild, Symbol. Das schien zum Greifen nah. Aber als 1939 der II. Band erschien, brachte er nur „Voruntersuchungen zum Symbol". Es zeigte sich, daß der Boden brüchig geworden war, der Symbole bildet. Die sich ausbreitende Psychoanalyse durchleuchtete mit ihrem Schlüsselbegriff der „Ambivalenz" eine lähmende Zeitneurose. (So wie heute Mitscherlichs Buch „Die Unfähigkeit zu trauern" die Lähmungserscheinungen in der Bundesrepublik aus derselben Freudschen „Ambivalenz" herleitet.) Symptome schoben sich vor die Tiefenschichten der Symbole. Davon wurde der Aufbau des Buches von vornherein gezeichnet. Zwei Gegenhalte wurden aufgerufen: die Kunst der Novelle mit dem Zug zu klaren Wertentscheidungen, zu bewußter Symbolmitte. Und der moderne Existenzbegriff, der Bewußt und Unbewußt zu verschmelzen schien. Rilke als exemplarischer Dichter in zerrütteter Zeit schien in Triumphen seiner lyrischen Ekstasis Umrisse einer großen symbolischen Existenz zu entwerfen. Zugleich wuchs bereits das Dritte Reich herauf, verführte zu Scheinsymbolen, die vom Volkhaften her Ergänzungen anzubieten schienen. So blieb die Symbolforschung des II. Bandes überall ans Zeitverhängnis infragegestellter Werte gebunden.

Als die Neuauflage des II. Bandes 1962 nötig wurde, war inzwischen dem Autor klargeworden, daß er von der allgemeinen Verflachung der Werte im Dritten Reich unwillkürlich mitbewirkt worden war. Der Schlußteil war darum neu zu schreiben. Rilkes Symbolsprache wurde nochmals mit Eindringlichkeit auf Überwindungen des ambivalenten Zeitgeistes überprüft. Damit erst waren die Voruntersuchungen abgeschlossen, der Weg frei zum III. Band.

Warum erhielt der III. Band den herausfordernden Titel: „Der symbolische Kosmos der Dichtung"? Die Herausforderung erklärt sich abermals aus dem Zeitverlauf. Die Kluft zwischen den Generationen, der Haß der Jungen gegen die Alten, die noch das Dritte Reich haben durchstehn müssen, sind zu solcher Verzerrung gediehen, daß man sagen kann: jede Faszination des „sym" ist hier zerstört, ohne die Symbole nicht mehr zu Kraftzentren werden können. Man hat bereits die Generation, die überjung in die Schreckkatastrophen der letzten Kriegszeit geworfen wurde, die „Tabula-Rasa-Generation" genannt. Das will besagen, daß hier mit allem tabula rasa gemacht wird, was frühere Generationen, Väter und Söhne, von der Tradition her verband. Symbole sind zu „Chiffren" verfremdet; Grundwerte der Goethe-Welt: Einfalt, Gemüt, Urbild, Urphänomen sind wie weggewischt. Was Goethe der „anschauenden Urteilskraft" abgefordert hatte, läuft leer: „daß wir uns durch das Anschauen einer immer schaffenden Natur zur geistigen Teilnahme an ihren Produkten würdig machen." Wer alles Irrationale als Phrasen-Erbe der Vergangenheit mit Haß verfolgt, verfällt der Starre, die zum Haß gehört, wird sich von nichts mehr mitbewegen lassen. Abermals hat sich eine jüngste Generation, die erst nach dem Kriege geboren wurde, zur Rebellion entschlossen, tief unbefriedigt von dem, was ihr Universität und Wohlstandsgesellschaft zu bieten hat: Rebellion, die mit allen Autoritäten tabula rasa macht.

Zu solcher Zeit kann ein Weltblatt wie die FAZ den Ruf erleben: „Ist die Germanistik noch zu retten?" (Solange Germanistik Herzensangelegenheit war, Dienst an der Muttersprache, am Vaterland, konnte solche Frage gar nicht gestellt werden.) Antwort darauf bildet der III. Band mit seinem Titel: „Der symbolische Kosmos der Dichtung". Er will zum Ausdruck bringen, daß es Zeit ist, sich auf Grundwerte zu besinnen. Nichts konnte den Autor mehr ermutigen, nach der Vorbereitung von vierzig Jahren, aus den Kunstwerken selbst wieder Symbolkräfte überzeugend zu machen, gegen einen viel durchwühlteren Zeithintergrund. Symbole können die Welt nur bewegen, wenn sie ganz und gar mitbewegt sind von Spannungen, bei denen es um die Grundwerte geht. Da erst erprobt sich das symbolische Vermögen, als Antwort des weltoffenen Menschen, Gnadengabe, die großen Grundzüge des Weltgefüges als Analogia entis zu erfahren und im Symbol Gestalt werden zu lassen.

Die besondre Kühnheit unsres Versuchs liegt im Spannungsbogen über die Spaltung: Ost-West hinweg, die inzwischen im Buch „Dichtung im gespaltenen Deutschland" ausgemessen wurde. Der Versuch kann sich daran bestätigen, daß in Amerika ältere und jüngere Generation im Ruhm der „symbolischen Transformation" zusammenstimmen: Susanne K. Langer (Jahrgang 1895) und Susan Sonntag (Jahrgang 1933). Susanne Langer prägt zur „Verehrung der Lebenssymbole" das Bild von Zettel und Einschlag: „Die Kette des Gewebes besteht aus dem, was wir Daten nennen, es sind die Anzeichen, auf die zu achten die Erfahrung uns gelehrt hat, und auf die hin wir, oft ohne uns dessen bewußt zu sein, handeln. Der Einschlag besteht in Symbolen. Aus Anzeichen und Symbolen weben wir unser Gewebe der Wirklichkeit." Susan Sonntag läßt beides in der Dynamik der Lichtsymbolsprache zusammenschmelzen: „Der höchste Wert in der Kunst . . . ist heute die Transparenz, die Erfahrung der Leuchtkraft des Gegenstandes selbst."

Mit dem Bild von Kette und Einschlag können wir an unsre Darstellung im II. Band anknüpfen. („Orpheus"): Goethe überwölbt das technische Bild aus dem Weltganzen: Zettel ist ihm „die moralische Weltordnung", Einschlag, was er unter dem „Dämonischen" versteht. Bei George und Rilke werden Symbolschöpfungen daraus: bei George „Der Teppich des Lebens", bei Rilke das „Gewebe" der Orpheusgestalt. Die polare Spannweite des zusammenziehenden und aufschließenden Symbolvermögens zeichnet sich ab. Bei George zieht sich das „Dämonische" ins „Gebilde" zusammen. Bei Rilke heißt die Leuchtkraft des Gegenstandes: „Orpheus" als „reiner Widerspruch". Durch die Nüchternheit der modernen Aussage Amerikas schlägt die „Transparenz" europäischer Erfahrungen.

Inhaltsübersicht

Einleitung

Das griechische „Symbolon“ würde nicht in alle Kultursprachen eingedrungen sein mit eignem Wortgewicht, wenn es nicht eine unmittelbar überzeugende Wahrheitskraft in sich trüge. Solche Kraft geht sowohl von dem Verbum: „symballein“ = zusammenwerfen aus, als insbesondre von der Faszination des „sym“. So kann man damit beginnen, daß der innere Blick für „Zusammenwürfe“ im Grundgefüge unsrer Einbildungskraft an erster Stelle steht. Schon die Öffnung der Sprache für den Impuls, „einen andern Namen heranzutragen“, um etwas neu zu benennen, schon die „Metapher“ bei Aristoteles in der „Poetik“ bezeugt das „Merkmal des ursprünglichen Genies“: „Ähnliches in ungleichen Dingen intuitiv wahrzunehmen.“ Wie anders sollte die überzeugende Prägnanz zustandekommen, durch den neuen Namen genau das zu benennen, was der Sprechende meint und was dem Hörer einleuchtet? Es setzt eben jenen Zusammenwurf voraus, der im Weitauseinanderliegenden das Ähnliche entdeckt und daran sprachschöpferisch wird.

Damit haben wir uns bereits den Ursprüngen der Sprache genähert, in dem Sinn wie sie sich Max Picard („Der Mensch und das Wort“ 1955) vorstellt: „Alles, was zur Grundstruktur des Menschen gehört, ist ihm vorgegeben.“ Was der Mensch sprechend erfährt, ist „die Einheit des Einander Entgegengesetzten“. Eben das geschieht durch ein geistiges Vermögen von „Zusammenwürfen“. Der Geist, der sich im Menschen regt, bedient sich dessen, der spricht, um Dinge zu erworten. Für Picard stellt dabei die Sprache zugleich ein Maß her zwischen Welt und Mensch. Die Katastrophensprache der Dinge würde ihn erdrücken, besäße er nicht die Kraft, ihr durch Zusammenwürfe zu begegnen. Im Ausgleichen polarer Grundspannungen. Picard hält sich ans Dichterwort und zitiert aus Goethes Märchen: „Was ist erquicklicher als Licht? — Das Gespräch.“

Auch wir folgen dem Medium des Dichters.

In Hölderlins Hymne „Germanien“ 1801 geht es um die Schöpfungsmythe vom Ursprung alles Sprechens. Der Adler des Zeus ist als Götterbote zur Priesterin entsandt, der „stillsten Tochter

Gottes", von der es heißt, daß sie „zu gern in tiefer Einfalt schweigt". Die Götter entsenden ihren Boten, weil sie von Staunen ergriffen sind darüber, „daß Eines groß an Glauben wie sie selbst". Der Adler aber neigt sich zur Träumenden. Er spricht mit ihr und läßt ihr als Ursprung alles Sprechens „die Blume des Mundes" zurück:

Und heimlich, da du träumtest, ließ ich
Am Mittag scheidend dir ein Freundeszeichen,
Die Blume des Mundes zurück und du redestest einsam.
Doch Fülle der goldenen Worte sandtest du auch
Glückselige! mit den Strömen, und sie quillen unerschöpflich
In die Gegenden all. Denn fast, wie der heiligen,
Die Mutter ist von allem,
Die Verborgene sonst genannt von Menschen,
So ist von Lieben und Leiden
Und voll von Ahnungen dir
Und voll von Frieden der Busen.

Als Freundeszeichen, Zeichen der Liebe, empfängt die Träumende „die Blume des Mundes", das Sprechen aus dem Ursprung. Was dabei heraufdringt, ist zugleich die Stimme der Ströme und alles was die Mutter alles Lebens in die Träumende gelegt.

Die Metapher von der „Blume des Mundes" ist hier in einen Zusammenhang eingetieft, der mit Göttern und Menschen einen Kosmos umgreift. Der „Zusammenwurf" ist in die Tiefe unbewußter Gesamtkräfte gegangen. Martin Heidegger, der die Stelle auslegt, spricht vom „Erwachen des weitesten Blicks", und vom „Wort, zurückgeborgen in seine Wesensherkunft". Außerdem erwähnt er ausdrücklich „die sanfte Gewalt der Einfalt des Hörenkönnens".

So scheint es zum Wesen jedes Zusammenwurfs zu gehören, daß er über die Einzel-Metapher hinaus ins Gesamtgefüge vordringt, das mit erkannten Ähnlichkeiten aufleuchtet. Da tritt dann etwas hervor, was die Metapher durchaus übergreift. Es geht aus von der Faszination des „sym". Auch zu jeder Einzel-Metapher gehört ein Sprecher und ein Hörer. Ein Zusammenhang des Miteinander, in den hineingesprochen wird. Karl Bühlers Sprachtheorie hat ein „Organon-Modell" entwickelt, wobei stets dreierlei zusammenkommt: Sprache als „Kundgabe", Ausdruck eines Sprechers; Sprache als „Appell" an den Hörer, in dem die Antwort ausgelöst wird; und Sprache als Darstellung, auf den Gegenstand gerichtet, der zu benennen ist. Alle drei Faktoren bilden im Zusammenwurf der Metapher eine Einheit. Karl Bühler bringt ein Beispiel aus dem Leben: daß zwei Riesenbäume im Schwarzwald als „Hölzle-König" und „Hölzle-Königin" benannt worden sind. Die Kühnheit des Zusammenwurfs liegt in der „Sphären-Zweiheit": „Ich denke Königliches einem Baum an." Die Metapher ist so treffend, daß sie sich durchgesetzt hat. Die Bäume sind unter ihrem Namen ein Ziel für Schwarzwaldwanderer geworden. Dennoch erschöpft sich hier die glücklich geschaffene Metapher in der Prägnanz des Namens. Karl Bühler betont das Flüchtige der Metapher, wenn er fragt: „Ist diese Sphärenmischung nicht ein sehr merkwürdiges Cocktailverfahren, und wozu das Ganze?"

Hier wird deutlich, daß der einzelnen Metapher Grenzen gesetzt sind. Wo sich Willkür eines Cocktailverfahrens aufdrängt, wird jedenfalls kein sich erhellender Kosmos sichtbar. Wir wählen ein extremes Beispiel aus unsrer Zeit:

„Denen, die anheben von Deiner Liebe zu reden,
Kehrst du das Wort im Munde um, läßt sie heulen
Wie Hunde in der Nacht!"

Extrem ist dies Beispiel, weil es die Widersprüche ins Absurde treibt als das schlechthin Widersinnige: wie kann ein göttliches Du angesprochen werden, das zugleich als böser Dämon denen, die ihn lieben, die Worte im Munde umkehrt, daß Menschen „heulen wie Hunde in der Nacht"? Eine bis ins Sprachvermögen selbst getriebene Verdrehung, die jede Gottschöpfung in Frage stellt. Die Verse stehen im „Tutzinger Gedichtkreis" von Marie Luise Kaschnitz 1957. Hier hat ein Radikalismus der Verzweiflung das Cocktailverfahren ins Absurde getrieben. Die Dichterin glaubt damit Ausdruck mindestens einer Generation zu sein: „Was vom Gedicht der Jetztzeit tatsächlich vermittelt werden kann, ist die vielfach gebrochene und stückhafte Innenwelt des heutigen Menschen, eines in der Welt und an die Welt Verlorenen, der die Gefahren seiner Verlorenheit kennt." Was hier verlorengegangen ist, ist die „Blume des Mundes", das Sprechen aus dem Ursprung. Verloren ist jede Faszination des „sym". Die Dichterin drückt auch das eindeutig aus: „Die Sprache singt nicht mehr in unserem Essigmund."

Zu welchen Exzessen des Cocktailverfahrens das nach dem Absurden und Grotesken hin führt, kann die Stilistik des modernen Manierismus lehren, wie sie heute unter dem Titel: „Die Welt als Labyrinth" aufgestellt wurde und als „Struktur der modernen Lyrik" sich unter den Begriff „Weitsprung der Metapher" bringen läßt. Karl Bühlers Frage findet sich bestätigt in der Ansammlung negativer Vokabeln: „Das Abstruse, Absurde, Abnorme, Monströse, Morbide, Deformierte, Skurrile, Bizarre, Vertrackte" usw. Es kann nur verdeutlichen, welches Gewicht dem zukommt, was im Grundgefüge unsrer Einbildungskraft im Blick für Zusammenwürfe auf das „sym" hin angelegt ist: als ein Mitbewegtsein mit allem, was für Hölderlin in der „Blume des Mundes" aufgetan wird, was sich in „Einfalt" auf die „Mutter" alles Lebens beruft.

Wie sollen wir uns solches Mitbewegtsein vorstellen?

Eine religiöse Stimme unsrer Zeit hat das Abstruse unsrer Gegenwart im Kernpunkt entlarvt: Martin Buber in dem Aufsatz: „Wo stehen wir heute?" 1960: „Nicht zwischen Mensch und Mensch allein, sondern zwischen dem Wesen Mensch und dem Urgrund des Seins ist die Unmittelbarkeit verletzt worden." Das ist aus dem Vertrauen in eine Schöpfungsbewegung gesprochen, die alles trägt, und die zerstört werden kann. Buber hat das bereits 1950 im Aufsatz „Urdistanz und Beziehung" darzutun versucht. Er beleuchtet die Stelle, wo sich Tier und Mensch von einander trennen. Während das Tier sich in seiner Merkwelt befindet „wie der Fruchtkern in der Schale", ist der Mensch, dem die Sprache gegeben ist, in eine „doppelte Bewegung" gestellt: in der „Distanz" zur Welt wird er sich deren Einheit und Ganzheit bewußt, zugleich erfährt er die „Beziehung" zum Mit-Leben als Zwiesprache, als Begegnung. Buber erschließt eine Mitbewegungskraft mit der Seele des Andern, die er „Realphantasie" nennt, um ihre faktische Lebensnähe darzutun:

> „daß ich mir vorstelle, was ein andrer Mensch eben jezt will, fühlt, empfindet, denkt, und zwar nicht als abgelösten Inhalt, sondern eben in seiner Wirklichkeit, das heißt, als einen Lebensprozeß dieses Menschen".

Solche Mitbewegung ist wechselseitig, einer bestätigt sich am andern. Buber findet dafür ein eigengeprägtes schöpferisches Bild: „Einander reichen die Menschen das Himmelsbrot des Selbstseins." Buber veranschaulicht damit zugleich, daß es der dialogische Sprachgrund ist, der selber bildschöpferisch wird und als solcher erkannt wird. Auch zu den Dingen wird der Mensch bildschöpferisch, wenn er „Bildzeichen" einritzt in Höhlenwände und sich gegen die Katastrophensprache der Dinge auf solche Weise behauptet.

Das Entscheidende an Bubers „doppelter Bewegung" ist es, daß die Unmittelbarkeit nicht verletzt wird, daß der Mensch zwischen Distanz und Realphantasie immer derselbe von der Mitbewegung Mitgetragene bleibt, dem sich in der Zwiesprache die Bildkräfte steigern, die sich der Welt zu bemächtigen vermögen. Gleichursprünglichkeit in der gleichen Mitbewegung mit dem Ursprung läßt als Ziel heraufsteigen die Zwiesprache mit den Schöpfungsmächten. Der Sprachmetaphysiker Ferdinand Ebner hat dafür nach der Erschütterung des Ersten Weltkriegs (1922) die Ursprünglichkeit des Ich-Du-Verhältnisses, parallel zu Martin Buber, herausgehoben als das Angesprochensein durch ein göttliches Du.

Die Erfahrungen, die bei Buber und Ebner hervortreten, machen klar, daß damit der Blick für Zusammenwürfe sich weitet über jede einzelne Metapher hinaus. Es ist die tiefergreifende Erfahrung des Daseins selbst, die sich in der wechselseitigen „Realphantasie" ausweitet bis zu Zusammenwürfen mehrerer Seinsebenen, die alles Mitmenschlich-Vordergründige nach dem allumfassenden Schöpfungsganzen hin transzendieren lassen. Wieder ist es die dichterische Vision, die uns den Blick dafür erweitert.

Rilke hat in einem Spätfragment, in Muzot 1922, zur selben Zeit wie Buber und Ebner, dem Ausdruck gegeben, in einem Gedicht ohne Überschrift:

> Solang du Selbstgeworfnes fängst, ist alles
> Geschicklichkeit und läßlicher Gewinn —;
> erst wenn du plötzlich Fänger wirst des Balles,
> den eine ewige Mit-Spielerin
> dir zuwarf, deiner Mitte, in genau
> gekonntem Schwung, in einem jener Bögen
> aus Gottes großem Brücken-Bau:
> erst dann ist Fangen-Können ein Vermögen, —
> nicht seines, einer Welt.
> Und wenn du gar
> zurückzuwerfen Kraft und Mut besäßest,
> nein, wunderbarer: Mut und Kraft vergäßest
> und schon geworfen hättest . . . (wie das Jahr
> die Vögel wirft, die Wandervogelschwärme,
> die eine ältre einer jungen Wärme
> hinüberschleudert über Meere —) erst
> in diesem Wagnis spielst du gültig mit . . .

Läßt sich das „Selbstgeworfne" im Raum der Metapher denken, dann öffnet Rilkes Vision der Schicksalsbögen in Gottes großem Brücken-Bau sich der Welt das „sym": der von der „ewigen Mitspielerin" in die „Mitte" zielenden Bewegung, die die Kraft zum antwortenden Zusammen-Wurf erweckt, zum Mitbewegtwerden im schöpferischen Impuls. Es ist die Weltkriegserschütterung, die hier den „Erlebnis"-Begriff (auch noch in seiner Vertiefung durch Georg Simmel als „Momente des Lebensprozesses selbst") ins Mit-Leben, Mit-Bewegen, Mitbewegtwerden, Mitgelebtwerden hinübertreibt.

Wenn wir im II. Band, der fast zur Hälfte Rilkes Ekstasis des Herzens gewidmet ist, nur ganz am Ende der „Sinnbilder des reinen In-Bezug-Seins" gedenken, die „den bewegten Kosmos spiegeln, selber mitbewegt", damit auch des „Fängers", des „Mitspielers" im Ballspiel der Götter, ohne gerade auf dies Gedicht und sein Symbolgewicht genauer einzugehen, dann deuten sich die Grenzen an, die dem II. Band als „Voruntersuchungen zum Symbol" gesetzt waren. Eben diese Grenzen, die bei Rilke im Verhängnis seiner Ambivalenzen lagen, sollen jetzt überschritten werden. Rilke selbst weist mit diesem Gedicht über sich hinaus.

Damit stellt sich der Begriff des „Symbolischen" ein. Wir können nicht erwarten, daß wir in unsrer gestörten Gegenwart dafür die exemplarisch-klaren Einsichten gewinnen. Wir greifen zurück in eine Zeit, in der die „Unmittelbarkeit mit dem Urgrund des Seins" noch nicht so verletzt war wie heute. Wir wählen die Goethezeit, und in ihr nicht die Theoretiker (Kant, Schelling, Solger, Hegel), sondern Goethe, als die totale Lebensgegenwart jener Zeit, Goethe, der wie keiner im allmählichen Wachsen durch die ihm gewährten Lebensstufen zugleich gestaltend und auch reflektierend Rechenschaft abgegeben hat von den Symbolkräften, die mit ihm wuchsen.

Es beginnt bei Goethe mit der Entdeckung des „symbolischen Gegenstands". Als er 1797 die Vaterstadt Frankfurt wiedersah, erfuhr er an sich selbst einen im Sinn Schillers „sentimentalischen Zustand". Er entdeckte Gegenstände, die „durchaus nicht poetisch waren", denen er mit rationaler Betrachtung gegenüberstand, und die dennoch als „Repräsentanten von vielen andern dastehn", damit „an eine gewisse Einheit und Allheit Anspruch machen". Goethe nennt sie darum „symbolische Gegenstände". An Schiller schreibt er: „Die Sache ist wichtig, denn sie hebt den Widerspruch, den ich früher niemals lösen konnte, sogleich und glücklich auf." Goethe entdeckte, daß in den Gegenständen selbst etwas lag, was seinem symbolischen Vermögen entgegenkam. Sie heben sich als Typen heraus und erleichtern dem Dichter den Blick in die „millionenfache Hydra der Empirie". Es ist Goethes wachsendes Vertrauen in die Mitbewegung mit den ihn tragenden, ihm begegnenden Umwelten. Er spürte, daß sich die frühen Widersprüche zwischen metaphorischem Überschwang und symbolischer Gegenständlichkeit ausgleichen würden.

Im selben Jahr 1797 bat Goethe seinen Ideen-Antipoden Schiller, er möge ihm die Forderungen vorlegen, die er aus dem

Ganzen des Faustgedichts machen würde. Schiller antwortete mit der Forderung der „symbolischen Bedeutsamkeit": „Die Einbildungskraft wird sich zum Dienst einer Vernunftidee bequemen müssen." Dabei gesteht Schiller: „Ich finde keinen poetischen Reif, der eine so hoch aufquellende Masse zusammenhält." Schiller hat nicht mehr erlebt, welche Lösung Goethe der Zwiesprache mit dem Freund entnommen hat. Die geforderte Vernunftidee ist in die Lichtsymbolik des „Prologs im Himmel" eingegangen. Eben damit war der „poetische Reif" gefunden.

Ehe Goethe dann 1825 daran ging, sein riesiges Faustfragment zum Abschluß zu bringen, hatte er sich inzwischen seine Altersgedanken zum Symbol gemacht und geradezu eine eigne Symbollehre entwickelt. Sie ist insofern durch die Reife des Alters geprägt, als der die eigene Klassikstrenge durchbrechende Dichter sich mit der Leidenschaft eines Selbstbehauptungsaktes gegen alle Übergriffe des Rationalen und Theoretischen zur Wehr setzte. Es ist abermals die Mitbewegungskraft mit dem ihn vorwärtstragenden Kosmos, die sich als eine Art Offenbarungsvertrauen in das Unbewußte der Schöpfungsvorgänge kundgab.

Immer wieder läßt sich feststellen, daß Goethe seinen Symbolbegriff heraushebt und abgrenzt gegen alle Formen der Allegorie. Dabei ist es von historischem Interesse, daß es Schiller war, auf den für Goethe die erste Scheidung: Symbol — Allegorie zurückging. Goethe selbst führte das auf eine „zarte Differenz" mit Schiller zurück. Während Schiller die Spannungsbegriffe Naiv-Sentimentalisch entdeckte, wurde Goethe die Spannung zwischen Symbol und Allegorie bewußt. Es fand ersten Niederschlag in Maxime 279:

> „Es ist ein großer Unterschied, ob der Dichter zum Allgemeinen das Besondere sucht oder im Besondern das Allgemeine schaut. Aus jener Art entsteht Allegorie, wo das Besondere nur als Beispiel, als Exempel des Allgemeinen gilt, die letztere aber ist eigentlich die Natur der Poesie, sie spricht ein Besonderes aus, ohne ans Allgemeine zu denken oder darauf hinzuweisen. Wer nun dieses Besondere lebendig faßt, erhält zugleich das Allgemeine mit, ohne es gewahr zu werden, oder erst spät."

Eindeutig wird hier die Allegorie der Ratio zugeordnet. Die Kraft zu Zusammenwürfen, in denen das Besondre und das Allgemeine identisch wirken, bleibt dem Symbol vorbehalten.

Eine zweite Maxime entstammt dem Nachlaß (1113):

> „Die Symbolik verwandelt die Erscheinung in Idee, die Idee in ein Bild, und so, daß die Idee im Bild immer unendlich wirksam und unerreichbar bleibt, und selbst in allen Sprachen ausgesprochen doch unaussprechbar bliebe. — Die Allegorie verwandelt die Erscheinung in einen Begriff, den Begriff in ein Bild, doch so, daß der Begriff im Bilde immer noch begrenzt und vollständig zu halten und zu haben und an demselben auszusprechen sei."

Wieder wird die Allegorie dem Rationalen, dem Begriff zugeordnet, als die Grenze, die der dichterischen Verwandlungskraft gesetzt ist. Dagegen die Symbolik, indem sie verwandelt, verschmilzt Gegenstand, Idee, Bild zu einem Ganzen von unausschöpflicher Tiefe des Lebens. Überraschend ist gegen den „Begriff" als rationale Mitte der Allegorie hier die „Idee" herausgehoben, als überrationales Element: „im Bild immer unendlich wirksam und unerreichbar". Was sie für Goethe bedeutet, hatte er im Aufsatz zur „Anschauenden Urteilskraft" 1817 dargetan: Idee als das „Anschaun der immer schaffenden Natur" und zwar ein solches Anschaun, daß es uns „zur geistigen Teilnahme an ihren Produkten würdig macht". Die Idee hilft also die Umfassungskraft des Symbols verstärken. Es weitet sich aus auf die Schöpfungsgesetze der Natur. Es ist schöpferische Mitbewegung selbst, die Goethe zu der Einsicht führt 1823: „Jeder neue Gegenstand, wohl beschaut, schließt ein neues Organ in uns auf."

Es ist nur noch ein Schritt zu der Goetheschen Gesamtsicht:

> (Briefwort von 1818): „Alles, was geschieht, ist Symbol, und indem es vollkommen sich selbst darstellt, deutet es auf das übrige. In dieser Betrachtung scheint mir die höchste Anmaßung und die höchste Bescheidenheit zu liegen. Diese Forderung haben wir mit dem Obersten und dem Geringsten gemeinsam."

Goethe spricht jetzt aus dem Einsgefühl mit dem Weltgeschehen selbst, in das nicht nur der Dichter, sondern alle einbezogen sind. Neu sind die Spannungsbegriffe, die Goethe einfügt: „höchste Anmaßung — höchste Bescheidenheit". Sie deuten die Spannweiten der Zusammenwürfe an. Höchste Anmaßung: wenn alles was geschieht Symbol ist, dann kann dem Dichter alles zum symbolischen Gegenstand werden; höchste Bescheidenheit: auch der Dichter selbst, indem er gestaltet, ist nur Stimme des Seins und seinem Geheimnis untertan.

Nach zwei polaren Kräften im Dichter selbst scheint sich die Zusammensicht, die Kühnheit der Zusammenwürfe auszuweiten. Goethe hat sich auch das bewußt gemacht. Beim Anblick eines Gegenstandes in der bildenden Kunst sagt Goethe („Philostrats Gemälde" 1820):

„Es ist nach unserem Ausdruck ein Symbol. Das natürliche Feuer wird vorgestellt, nur ins Enge gezogen zu künstlerischem Zweck, und solche Vorstellungen nennen wir mit Recht symbolisch ... Es ist die Sache, ohne die Sache zu sein, und doch die Sache; ein im geistigen Spiegel zusammengezogenes Bild, und doch mit dem Gegenstand identisch."

Die Verwandlungskraft des Symbols, die mit der Kühnheit des Zusammenwurfs Sache und Bild identisch setzt, wird hier zurückgeführt auf die Zusammenziehungskraft ins Bild, als eine geistige Tat, die der Bildmitte im Kunstwerk dient. Solche Konzentration zur Bildmitte als Leistung des „geistigen Spiegels" mag wohl im Künstler höchste Anmaßung heraufrufen.

Aber das ist nur der eine Pol im Künstler. Die Gegenformel hat Goethe 1826 in „Kunst und Altertum" geprägt; es ist die berühmteste Symbolformel, mit der Goethe der künftigen Symbolforschung die Richtung gibt:

„Das ist die wahre Symbolik, wo das Besondere das Allgemeinere repräsentiert, nicht als Traum und Schatten, sondern als lebendig-augenblickliche Offenbarung des Unerforschlichen."

Diese Formel steigert alle früheren. Es geht nicht mehr um die fast abstrakt-dialektische Konfrontation: „das Besondere — das Allgemeine", sondern um den Wurf ins Komparativische: „das Allgemeinere". Eine unendliche Richtung ist damit der Sprache aufgetan. Dann werden Grenzen gesetzt: „nicht als Traum", Flucht ins Traumhaft-Phantastische (bis zum Weitsprung der Metapher im Manierismus); und „nicht als Schatten": Abgleiten in das Schattenhaft-Abstrakte (Allegorie). Was vielmehr angesprochen ist, ist das Konkreteste: der lebendige Augenblick des Jetzt und Hier, das konkrete Ich, das konkrete Du in ihrer schicksalhaften Begegnung. Mit jener „höchsten Bescheidenheit", die um die „Offenbarung des Unerforschlichen" weiß, die immer in der gewaltigen Mitbewegung des Kosmos bereit liegt. Denn hier geht es nicht um die Bildmitte, die der Künstler bestimmt, sondern um die Sinnmitte im Dasein selbst, deren Stimme der begnadete Künstler werden kann, wenn ihn die gewaltige Mitbewegung des Kosmos trägt. Hier geht es um keine zusammenziehende Spiegelkraft des Geistes, hier gilt vielmehr das Wort: „Jeder neue Gegenstand, wohl beschaut, schließt ein neues Organ in uns auf." Kosmomorphes Fühlen, aufgetanes Erfühlvermögen weiten die Seele für die „lebendig-augenblickliche Offenbarung des Unerforschlichen". Keine zusammenziehende, eine aufschließende Offenbarungskraft des menschlichen Geistes wird hier dem Künstler zuteil.

Damit hat Goethe im Abschluß seiner Symbollehre den Blick geweitet nicht nur für polare Spannkräfte im Dienst des Symbols, für ein zusammenziehendes und aufschließendes Vermögen im Künstler, das sich als höchste Anmaßung und höchste Bescheidenheit abzeichnet, Kräftespannung wie zwischen dem männlichen und weiblichen Pol in der Seele, sondern er hat auch einbezogen ein Spannungsfeld im Kunstwerk zwischen Bildmitte und Sinnmitte, derart daß es dem Künstler wohl in die Hand gegeben ist, mit der Konzentration aller Kräfte auf eine Bildmitte hinzudringen, daß es aber nicht in seine Hand gegeben ist, Bildmitte und Sinnmitte in einszuschmelzen. Hier bedarf es der Mitbewegung des Kosmos selbst, dem der Dichter mit seinen Lebenskräften bis in alle Regungen seines schöpferischen Unbewußten selber immer eingeschmolzen ist. Hier sind ihm die Schicksalsbegegnungen bereit, die bewirken, daß der Dichter, indem er ergreift, selber ergriffen wird. Eins mit dem Gegenstand, der „wohl beschaut, ein neues Organ in uns aufschließt". Ohne den Schicksalseinsatz im Jetzt und Hier keine „lebendig-augenblickliche Offenbarung"; und nur, indem der Dichter ganz selber zur Stimme des Seins geworden ist, erschließt sich ihm in der Sinnmitte seines Kunstwerks „das Unerforschliche" als Augenblicks-Geschenk.

Damit hat die Kraft des Zusammenwurfs, von der alle Symbolbetrachtung ausgehen muß, dank der Wortsuggestion des „Symbolon" sich eingetieft in ein Gesamtgefüge, bei dem nur noch vom symbolischen Kosmos der Dichtung gesprochen werden kann. Denn nur soweit der Künstler selber in der großen Mitbewegung des Kosmos seinen unverrückbaren Platz hat, kann es ihm gelingen, Bildmitte und Sinnmitte in dem Kunstwerk, das ihn selbst weit übersteigt, zu verschmelzen. Wie weit es ihm dabei vergönnt ist, das Besondere ins „Allgemeinere" auszuweiten, bleibt Begnadung der „wahren Symbolik" und wird sich auswirken nach dem Grade, in dem der dichterische Kosmos zum Spiegel des größeren allumfassenden Kosmos geworden ist.

Vorerst gilt es an dieser Stelle dem Komplementärbegriff zum „Symbolon", dem griechischen Worte „Kosmos" auf den Grund zu kommen.

Wenn die Naturwissenschaften die riesigen Forschungsergebnisse der letzten Jahrzehnte nur den unbeirrbaren Gesetzen des Kosmos, Makrokosmos und Mikrokosmos, verdanken, so haben die Griechen schon vorauserkannt, welche göttliche Schöpfungsordnung sie trägt und vorwärtsbewegt; sie erfanden den Begriff „Kosmos" als Inbegriff der „Ordnung"; Ordnung, die die Summe der Einzeldinge zum Ganzen zusammenfaßt, Ordnung, die selber das Ganze ist, das Universum, das Weltall. (Zugleich bereits begriffen die Griechen das Geordnete als das Schöne, das sich zum Schmuck für Frauen zusammenzieht.)

So ist jeder Ausgriff symbolischer „Zusammenwürfe" auf das Gesamtgefüge des Kosmos angewiesen, der von unbegrenzten Ursprungskräften bewegt wird und sich im Mikrokosmos jeder Einzelseele wiederfindet. Als dann in Alexandria der griechische Kosmosbegriff vom Judentum des Hellenismus übernommen und auf das griechisch geschriebene Neue Testament angewendet wurde, drang die weltumstürzende neue Botschaft des Christentums in den Kosmosbegriff ein und verwandelte ihn. Es bildete sich etwas heraus, was als das Ur-Paradigma aller symbolischen Zusammenwürfe die Fassungskraft des einzelnen menschlichen symbolischen Vermögens übersteigt: daß der Kosmos selbst geschaffen ist als Urzeugung des Vaters im Sohn aus dem Heiligen Geist, derart daß es im ersten Kolosserbrief des Apostels Paulus heißt: „welcher ist das Ebenbild des unsichtbaren Gottes, der Erstgeborene vor allen Kreaturen. Denn durch ihn ist alles geschaffen, das im Himmel und auf Erden ist, das Sichtbare und das Unsichtbare, es seien Thronen oder Herrschaften oder Fürstentümer oder Obrigkeiten; es ist alles durch ihn und zu ihm geschaffen." Zugleich aber nun ist der griechische Götter-Kosmos durch den Sündenfall des Menschen entwertet, und damit ist ein Riß quer durch die Welt gegangen, der abermals nur mit der Kühnheit eines Weltsymbol-Blicks aus ungeheuren Zusammenwürfen überschwungen werden kann: daß Christus selbst, als der Sohn Gottes, Mensch wurde und sich kreuzigen ließ, um die Menschen aus ihren Sünden zu erlösen. Christus, der Sohn Gottes, der Gekreuzigte und Auferstandene, als das Ursymbol der Christenheit, um das alle ausdenkbaren Paradoxien kreisen. Wie soll ein einzelner Symbolblick das verkraften? Im Lukasevangelium kommt das zum Ausdruck, als Maria, ihr Kind in der Krippe vor Augen, Inbegriff aller Unschuld der Welt, durch die Hirten die Engelsbotschaft erfährt: „Ehre sei Gott in der Höhe und Friede auf Erden, und den Menschen ein Wohlgefallen." Da heißt es bei Lukas: „Maria aber behielt alle diese Worte und bewegte sie in ihrem Herzen." Im Griechischen ist hinzugefügt: ‚symbállousa', indem sie sie im Herzen zusammenwarf. Hier ist vorausgedeutet, was an Zusammenwürfen Maria wird zugemutet werden, wenn sie dereinst ihren Sohn am Kreuze hängen sieht.

Was hier an einer winzigen Stelle zum Durchbruch kommt, wird das ganze Neue Testament mit dem verwandelten Kosmosgehalt als ein Doppelgesicht alles Symbolischen durchdringen: daß es einen eigengründigen gottgeschaffenen Kosmos gibt, und einen eigengründigen von Menschenschuld und Sünde befleckten, der sich allein im Blut und Tode Christi am Kreuz wird reinwaschen können; durchleuchtet zugleich vom Wissen um den Auferstandenen.

Dies Ur-Paradigma eines Kernsymbols um die Gottvatergestalt und das Vater-Sohn-Mysterium der christlichen Glaubenslehre, das im Zusammenwurf des Höchsten und des Erniedrigtesten gipfelt, hat nicht nur ein Jahrtausend beherrscht, bis in alle Formen der Kunst und des Kultes, es hat auch der inneren Struktur des symbolischen Vermögens Tiefenzüge hinzugeprägt. Der Jesuit Erich Przywara hat in seinem Buche „Analogia entis" (1932, 1960) die Folgerung gezogen. Er geht aus von dem Analogie-Verhältnis, das zwischen Gott als Schöpfer und seinem Geschöpf, dem Menschen besteht, weil der Mensch als „Imago dei" angelegt ist. Aber diese Analogie, nur in Gleichnissen ausdrückbar, ist niemals Identität. Sie bleibt in einem „dynamischen Schwebezustand", derart, daß „aus jeder noch so großen Ähnlichkeit zwischen Gott und Geschöpf eine je immer größere Unähnlichkeit entspringt". Daraus aber ergibt sich eine Formel für das Symbol, die ihr Eigengewicht erst am Vergleich mit der berühmten Goetheschen Formel von der „wahren Symbolik" wird erfahren können:

> „Einerseits gibt sich das Symbol in einer noch so großen Ähnlichkeit fast identisch mit der symbolischen Realität. Anderseits aber ist jede symbolische Realität asymptotisch immer nur auf dem Wege, über sich hinaus, zum reinen Symbol in sich, in einer je

immer größeren Unähnlichkeit zwischen symbolischer Realität und reinem Symbol in sich."

Wir stellen nochmals Goethes Formel gegenüber:

„Das ist die wahre Symbolik, wo das Besondere das Allgemeinere repräsentiert, nicht als Traum und Schatten, sondern als lebendig augenblickliche Offenbarung des Unerforschlichen."

Wollen wir beide Formeln unterbringen im Weltbereich des Symbols, dann zwingt sich uns eine Mehrdeutigkeit auf, die neue polare Spannweiten umschließt. Goethe entscheidet aus dem Mikrokosmos der Einzelseele, er sucht die Schmelzglut der Begegnungen, damit Symbol entsteht, immer voll Betroffenheit vom Unerforschlichen. Er ist dialogisch aus immer mitbewegtem, dialogischem Sprachgrund.

Bei Przywara ergibt sich ein dialektisches „Einerseits — andererseits", aus einer vom Jetzt und Hier des Einzelnen absehenden Haltung. Es ist der Geist der Analogia entis, aus dem heraus ein „Asymptotisches", ein Nicht-Zusammenfallendes, postuliert wird, derart, daß Ähnlichkeiten nur zu immer größeren Unähnlichkeiten führen. Es wird vom Makrokosmos her gemessen: in der Mitte des Makrokosmos der Gekreuzigte-Auferstandene und die ihn verehrende Kirche.

Dennoch gibt es eine Symbolsprache, die beides überwölbt. Das Urphänomen, das dem goetheschen Kosmos ebenso wie dem christlichen Kosmos eignet, ist d a s L i c h t.

Die Idee, die Schiller Goethe empfahl als poetischen Reif um den „Faust", wurde bei Goethe zur Lichtsymbolsprache: der Sonnenhymnus der drei Erzengel, in dem Sonne und Gott selbst in eins gesetzt werden mit ihren unbegreiflich hohen Werken. Der Rahmen des Mysterienspiels, der Faust zwischen Gott und Satan stellt, bis zuletzt Faust, von der Welt verblendet, des Augenlichts beraubt wird und ein „inneres Licht" erfährt, erschließt einen symbolischen Kosmos der Dichtung ebenso wie um 1200 sich das mittelalterliche Weltbild zusammenschließt in „Ezzos Gesang" zum Ordnungsgefüge des großstrophigen Gedichts um das Lichtgeheimnis Christi. Da heißt es in der 13. Strophe als Mittel- und Gipfelstrophe:

Do irscein uns der sunne
uber allez manchunne
in fine seculorum:
so irscein uns der gotes sun

in mennisclichemo bilde:
den tach braht er von himele.

Hier ist es die Gleichnisform, die den Aufgang der Sonne und den Gottessohn, als den Tag, der vom Himmel her die Finsternis vertreibt, einander zuordnet, sie einander gleichsetzt. Was hier waltet, ist Glaubenseinfalt, der Sonnenlicht und Christuslicht dasselbe Gotteslicht sind. Inmitten aber der Zusammenwurf: Gottes-Sohn und Menschen-Bild.

Wie hier die „Strophe" neu erobert wird, spiegelnd in 34 Strophen die 34 Lebensjahre Christi, einstmals „Wendung" des schreitenden Chors, hier für den christlichen Chor aus dem Ursprung neugeschaffen, wobei sich Wortdichter und Tondichter vereinen, spürt man, wie sich Bildmitte des Kunstwerks und Sinnmitte aus dem Geist des Sacrums verschmelzen. Zur Sinnmitte aber berufen wir die Sprache der Bibel selbst. Da heißt es im 1. Buch Mosis: „Und Gott sprach: Es werde Licht. Und es ward Licht!" Johannes 8, 12 aber heißt es: „Da redete Jesus abermals zu ihnen und sprach: Ich bin das Licht der Welt; wer mir nachfolgt, der wird nicht wandeln in der Finsternis, sondern wird das Licht des Lebens haben." Die geistliche Auslegung durchdringt hier alle 34 Strophen. Dargeboten wird die Weltschöpfung, und die Rolle, die das „Lux in tenebris", das Licht in der Dunkelheit, Christus, seit dem Sündenfall spielt, als das „Kind", das Wunder tut, bei dessen Kreuzigung Wunder geschehen, und dessen Auferstehung ein einziges, geistlich auszudeutendes Wunder ist. Alles „Allegorische" aber ist in der Gipfelstrophe in einsgenommen und wird im Zusammenwurf von Gott und Mensch zum Symbol.

Es ist hier nicht der Ort, Goethes Lichtsymbolsprache durch das Faust-Mysterium zu verfolgen. Wie sich durch 12111 Verse Bildmitte und Sinnmitte verschmilzt, ist eines der mächtigsten Ereignisse in deutscher Dichtung. Daß Goethe an Fausts Gang durch die Welt bis zur Schöpfung aus dem inneren Licht, zur landesväterlichen Vision vom freien Volk auf freiem Grund, bis zum Tod des Hundertjährigen und seinem Triumph des Lichts unter dem Leitwort: „Und hat an ihm die Liebe gar von oben teilgenommen", daß Goethe in allem die Grundzüge der eignen Goetheschen Symbolformel sich auswirken läßt, dürfen wir hier vorwegnehmen: es geht um den Mikrokosmos der Seele Fausts, und er treibt in lebendig augenblicklicher Offenbarung seine faustische Dynamik durch die Welt, immer auf das Unerforschliche gerichtet. Zugleich aber wölbt sich um ihn der ganze symbolische Kosmos der Dichtung, in dem sich aus dem Altersblick Goethes sein gesamtes Weltbild widerspiegelt. Eines geht dabei nie verloren, Fausts Zwiesprache mit dem, den er einmal den „Erhabnen Geist" genannt, seine Zwiesprache mit den Mächten, die sein Selbst durch alle Stufen hindurch mitbewegen, bis zur letzten Zwiesprache des Doctor Marianus mit dem Chor der Büßerinnen, mit der höchsten Büßenden, Gretchen, und im verehrenden Hymnus auf die Mater gloriosa.

Wenn Goethe zuletzt im Chorus mysticus die weltberühmten Verse dichtet: „Alles Vergängliche ist nur ein Gleichnis", dann hat er den Mikrokosmos der Einzelseele verlassen und schaut vom Makrokosmos her, aus dem Lichtmeer des Himmels zurück und mißt vom Ewigen her. Da ist dann alles nur noch Gleichnis. Da berührt sich Goethe mit dem Geist, der alles aus der Analogia entis gezogen hat.

Was der Vergleich des Goetheschen und des christlichen Kosmos hier aber lehren kann, ist die größere Spannweite, die über die Goetheschen Formeln hinaus dem Wesen der mittelalterlichen Allegorien zukommt. Was Goethe von der Symbolmitte her ins Begrifflich-Allegorische abdrängt, erhält aus der Mitbewegungskraft der christlichen Gläubigen mit den paradoxen Grundlehren der Kirche, aus denen sich das ganze kirchliche Leben vorwärtsbewegt, ein so selbstverständliches Eigenleben, daß allegorische Deutungen im symbolischen Kosmos der Dichtung von der Sinnmitte aufgesogen werden. Wir wählen als extremes Beispiel ein geistliches Kirchenlied, das im Dienst der Marienverehrung steht: „Der geistliche Jäger": Die beiden Schlußstrophen:

Er jagt das edle Einhorn
mit seinem Windspiel groß
er jagts gar säuberlichen
in Mariae, der Jungfraw, Schoß.

Der Jäger bließ sein Hörnlein,
das lautet also wol:
„Gegrüsset seystu, Maria,
bist aller Gnaden voll!"

Volkslied-Einfalt vereinfacht, was ehedem der „Physiologus" ausgelegt hatte.

Dennoch bleibt im Ursprung des christlichen Kosmos mit der Entwertung der sündig gewordenen Welt dem symbolischen Vermögen ein „Schuldgefühl" beigemischt, das nach den Beobachtungen Walter Benjamins (zum „Ursprung des deutschen Trauerspiels") die treibende Grundkraft zur Allegorie geworden ist. „Schuld wohnt nicht nur dem allegorisch Betrachtenden bei, der die Welt um des Wissens willen verrät, sondern auch dem Gegenstande der Kontemplation", der gefallenen Kreatur. So leitet Benjamin die Allegorie her aus der „Einsicht in die Vergänglichkeit der Dinge und aus der Sorge, sie ins Ewige zu retten". Und er entdeckt in Luzifer „die urallegorische Figur".

Die Perspektive, die damit aufgerissen ist, würde sich am Trauerspiel des Barock zu rechtfertigen haben. Das Gesamtbild erweitert sich. Hinter der Barock-Allegorie „lockt der Schein der Freiheit im Ergründen des Verbotenen; der Schein der Selbständigkeit in der Sezession aus der Gemeinschaft der Frommen; der Schein der Unendlichkeit in dem leeren Abgrund des Bösen". Dem entspricht die Scheinwelt der Emblemata, der überfüllten Metaphorik im Marinismus, Gongorismus, Manierismus.

Damit erst rückt der geniale Griff ins Licht, mit dem Goethe den Teufel des Volksbuchs zum Gegenspieler seines Faust gemacht hat. Wie zum Licht der Schatten, so gehört diese Art Allegorie zum Symbol. Und Goethe läßt ihn fast sprechen wie Faust, so fluktuierend, verwandlungsfähig in seiner dialektischen Geistigkeit. Goethe wagt den „Zusammenwurf", wie ihn die mächtigsten Barockdichter, Shakespeare, Calderon Jahrhunderte voraus gemeistert haben, den Zusammenwurf des Elementarischen mit dem Allegorischen. Goethe wagt ihn im Triumph der Lichtsymbolsprache.

Lassen wir nunmehr das Ur-Paradigma, den um Kirche und Kult, um die Mitbewegung aller Gläubigen gewachsenen christlichen Kosmos mit dem Ursymbol Christus als dem Kühnsten Zusammengeworfenen: Gott und Mensch, Höchstes und Niedrigstes, aus unsrer Betrachtung heraus. Wir werden ihm im Hintergrund überall begegnen. Unsere Aufgabe soll es sein, von der Überzeugungskraft der Wahrheit im Symbol der Dichtung eine Übersicht in exemplarischen Entfaltungen des dichterischen Kosmos zu geben und die Gesetze zu erkunden, die zur Einschmelzung von Bildmitte und Sinnmitte führen.

Doch ehe wir vom Bewegungszentrum des christlichen Kosmos unseren methodischen Abschied nehmen, bleibt doch noch eines nachdrücklich zu machen, was sich als Gegenwart des Heiligen allen symbolischen Ausdrucksformen mitteilt. Ein Forscher hat an der bildenden Kunst 1954 den Unterschied herausgehoben, der in der Malerei zwischen „Eigenlicht" und „Beleuchtungslicht" besteht. Innerhalb der Lichtsymbolsprache wird hier deutlich gemacht, daß die Betroffenheit vom Numinosen ursprünglich die Farbe ganz zur „Funktion des Lichtes" macht. Da wird in Goldgrund gemalt, weil Licht als Gold, Gelb, Glanz aufgefangen wird. Im 15. und 16. Jahrhundert tritt dafür die reiche Entfaltung des „Beleuchtungslichtes" ein, mit einer riesigen Farbenvielfalt, wofür Rembrandt der Weltrepräsentant wird.

Die Frage bleibt zu stellen, welche dichterischen Mittel der Betroffenheit vom Numinosen im „Eigenlicht" entsprechen, als objektive Spiegelungen des Heiligen, und wie sich später der Übergang zum „Beleuchtungslicht" in der Dichtung darstellt, in allen Variationen eines schöpferischen Einzelwillens, jenes erhabene Eigenlicht aus kühnen Eigenbegegnungen schicksalhaft in ein neues Zeitalter einzuformen. Der Lichtsymbolsprache wird hier überall der Vorrang gebühren. Und als Postulat bleibt bestehen, daß die Betroffenheit vom Numinosen als einem „Urlicht" allen Entfaltungsformen des Symbolischen im dichterischen Kosmos vorausgeht.

Bei der Betrachtung dessen, was seit Urzeiten Forscher und Dichter dem Urphänomen der Dichtung gegenüber nachgedacht und auf Formeln zu bringen versucht haben, tritt am nachdrücklichsten das Wort des Aristoteles uns entgegen: „Kunst ist Mimesis". Kunst ist Nachahmung. Das Wort „Mimus" verweist auf kultische Tänze zurück, auf ein Zusammenwirken von Musik, Tanz, hymnischem Lied. Das will besagen: Mimesis ruft alle Mimus-Kräfte auf, um nachahmend darzustellen. Wenn dagegen Platon im „Staat" im 10. Buch, im Gespräch des Sokrates mit Glaukon, jede Art Mimesis verbietet, aus dem Staat verbannt, dann scheint die Mimesis jedenfalls der wichtigsten Forderung Platons, nach „Wahrheit", nicht zu genügen. Aristoteles, dem es um die praktischen Regeln einer Poetik geht, die er aus den Mustern der Dichtung abzieht, macht die Mimesis zum Grundmerkmal seiner Poetik.

Erich Auerbach hat den Versuch gemacht, die „Mimesis" als „Wirklichkeitsdarstellung" durch alle Jahrhunderte zu verfolgen. Er beginnt mit dem Gegenüber einer Szene aus der Odyssee mit einer Bibelszene: Isaaks Opferung durch Abraham. Er kommt auf den Unterschied des Homerisch-Horizontalen (bei gleichmäßig beleuchteter, gleichmäßig objektiver Gegenwart) gegenüber dem „Figural-Vertikalen" in der Bibel. (Gottes tyrannischer Befehl, Abrahams unbedingter Gehorsam, wobei spätere Deutung Präfigurationen zum Neuen Testament herstellt).

Es ergibt sich die fruchtbare methodische Grundfrage: Kann „Mimesis", an einer Einzelszene demonstriert, den symbolischen Kosmos der Dichtung aufschließen? Die Bibelszene ist ganz durchwirkt mit der Betroffenheit vom Numinosen. Insofern ist sie „vertikal". Das Zwiegespräch zwischen Gott und Abraham, zwischen Befehl und Gehorsam, umschließt den ungeheuerlichsten Zusammenwurf: „Nimm Isaak, deinen einzigen Sohn, den du lieb hast . . . und opfere ihn zum Brandopfer auf dem Berge, den ich dir sagen werde." Gott, der Herr, erzwingt im Kindesopfer blinden Gehorsam und belohnt den, der „Gott fürchtet", rettet ihm den Sohn und segnet ihn. Der Rahmen aber, in dem sich dies gewaltige Symbolgeschehen vollzieht, übersteigt die Dichtung. Die Bibel als Heiliges Buch wird von der Mitbewegung aller Gläubigen getragen. Es herrscht „Eigenlicht". Alles ist wie auf Goldgrund gemalt. Was hier in eins schmilzt als Bildmitte und Sinnmitte, ist Lehre und Verheißung des numinosen Gottes, in die Abraham-Geschichte eingeschmolzen. Darum halten wir das biblische Ur-Paradigma aus unsrer Darstellung heraus. Aber von seinem Hintergrund her bestätigen sich die grundmenschlichen „Zusammenwürfe", aus der Ursprungskraft des Symbols.

Unbefriedigender bleibt bei Auerbach die homerische Einzelszene. Er wählt die Idylle zwischen Odysseus und der alten Dienerin, die beim Fußwaschen an der alten Narbe den Herrn erkennt (19. Gesang). Was Auerbach besonders heraushebt, ist das Hereindringen der Erinnerungen an die einstige Narbe. Hier wird nicht die alte Dienerin sich erinnern oder Odysseus selbst. Solcher psychologischen Verknüpfung bedarf Homer nicht. Er bringt die Erinnerungen als objektives Geschehen, das sich nahtlos dem Gegenwartsgeschehen einpaßt. Auerbach nennt das „vordergründig": „gleichmäßig beleuchtete, gleichmäßig objektive Gegenwart". Verstehen wir es aus dem symbolischen Kosmos dieser Dichtung, dann gehört dazu der Rahmen des Rhapsoden, der Heldenlieddichtung vor aufgeschlossenen Hörern vorträgt. Diese Hörer sind zu jeder Mitbewegung bereit. Ihnen macht es nichts aus, mit in die Erinnerung zurückbewegt zu werden, wo Odysseus als junger Mann auf der Eberjagd allzu ungestüm sich dem Angriff des Ebers aussetzt und seine Wunde empfing, die zur Narbe wird. Es ist derselbe Odysseus, der soeben zur Heimat zurückgekehrt entschlossen ist, sämtliche

Freier zu töten. Die Spannung, die über der Idylle liegt, ist alles andre als vordergründig. Der 19. Gesang beginnt: „Er erdachte der Freier Mord mit Pallas Athene". Vater Zeus, angerufen, läßt ein Donnern über die Himmel gehen, ohne jedes Gewölk. Als die alte Dienerin ihren Odysseus erkannt hat, droht er ihr den Tod an, wenn sie ein Wort verrät. Und dann werden die Freier geschlachtet, einer nach dem andern.

„Erste Aufgabe jeder Heldendichtung ist es, von Taten zu berichten" (Bowra). Hier liegt der entscheidende Unterschied der Szenen. Noch die alte Narbe verrät jugendliche Tat. Die Hörer erfahren das Voraussignal der künftigen Groß-Tat. So greift eins ins andre auf die heroische Grundspannung zu, die sich in den letzten Gesängen löst. Homerisch-Horizontal bedeutet einen symbolischen Kosmos der Dichtung, in dem Götter und Helden einander zugeordnet sind im großen Schöpfungsgleichgewicht. Nur eine Mimesis, die alle mimischen Kräfte aufruft bis zum Gleichmaß des allumfassenden Hexameters, kann dieser Vollwelt gerecht werden, deren „Einfalt" von unseren Klassikern so gerühmt wird. Homer, der Ur-Rhapsode, erscheint Goethe und Schiller als „die Natur selbst"; dem modernen Poetik-Forscher als „Urmuster" alles Epischen. Was Schiller die „Selbständigkeit der Teile" nannte, erfährt seine Gesamtsicht erst von der allumfassenden Mitbewegung der Hörer, denen es um die Großtaten ihrer Helden geht. So entsteht aus aller Selbständigkeit der Teile der symbolische Kosmos des Homerischen Gedichts.

Wollten wir unsere Symbolformeln erproben, dann findet sich die Welt des großen Abenteurers Odysseus durchaus eingefangen in der Goetheschen Symbolformel: was Odysseus auf seinen Irrfahrten erlebt, ist „wahre Symbolik", wo das Besondre das Allgemeinere repräsentiert, nicht als Traum und Schatten, sondern als „lebendig augenblickliche Offenbarung des Unerforschlichen". Der Zusammenwurf gilt hier dem Urverhältnis: Vater und Sohn im Schöpfungsplan, nicht als ein Gegeneinander, sondern als Triumph des Komparativischen, als unendliche Richtung. Die Götterhelligkeit vertreibt jede Art „Traum und Schatten". Dennoch bleiben Schockerlebnisse genug, alle Hörer mit in die „lebendig augenblickliche Offenbarung des Unerforschlichen" zu werfen.

Dagegen die Bibelwelt mit ihrem ungreifbaren Vatergott, der wie ein Welttyrann eingreift in die Seelenstruktur der Gläubigen, schafft einen Abstand zwischen Schöpfer und Geschöpf, daß sich jede Ähnlichkeit eine je immer größere Unähnlichkeit heranruft.

Das ergibt das „Hintergründige“ in Auerbachs Auslegung. Der Gott der Bibel „reicht immer in die Tiefe“. Was den Gläubigen an Prüfungen zugemutet werden, bis zum Brechen des Willens, bereitet bereits im Abrahams-Opfer auf das Christusopfer vor.

Wir finden uns damit in der Lage, mit der Spannweite unsrer beiden Symbolformeln alle Möglichkeiten der Auerbachschen Mimesis in sich aufzunehmen. Man hat darauf hingewiesen, daß je weiter Auerbach in die Gegenwart vordringt, bis zu einem sozialistisch gefärbten Naturalismus, der in Zola seinen Gipfel sieht, um so weniger ihm gelingen kann, das Ganze eines symbolischen Kosmos der Dichtung zu umfassen.

Wenn es im riesigen Spannungsfeld des Symbolischen in der homerischen Dichtung mehr die „Schönheit“ des Kosmos ist, die uns vor Augen gerufen wird, dann tritt hinter dem finsteren und tyrannischen Gott des Alten Testamentes der ungeheure „Wahrheits“-anspruch eines so unmittelbar vom Numinosen getroffenen Volkes hervor. Beides bereitet auf jenes Urphänomen vor, das zuerst Nikolaus von Kues als die „Coincidentia oppositorum“ benannt hat, der Zusammenfall alles Widersprüchlichen, der erst begreiflich machen kann, daß eben da, wo sich alles logische Denken vor dem Absurden entmachtet fühlt, die schöpferische Aufgabe des symbolischen Welterfassens beginnt.

Wie hinter jeder Art Kosmos, griechischem oder christlichem, derselbe Schöpfergott des ursprünglichen Lebens unsere Erde vorwärtsbewegt, so findet der zur Sprache und zur geistigen Eroberung der Welt berufene Mensch im dialogischen Sprachgrund die Ursprungskräfte alles symbolischen Welterfassens angelegt. Abermals ist es die Lichtsymbolsprache, die in der unnachahmlich einfachen Sinnvielfalt des Goetheschen Gedichts die alles übergreifende Prägung schafft. An der unscheinbarsten Stelle, im Vorspiel zur Eröffnung des Weimarer Theaters September 1807, nachdem die Kriegsgefahr überstanden ist, läßt Goethe die „Majestät“ auftreten, Botin des Friedens, des neuen Aufbaus. Sagen wir: der Evolution, die ungewaltsam wirkt. Da heißt es:

> „So im kleinen ewig wie im großen
> wirkt Natur, wirkt Menschengeist, und beide
> sind ein Abglanz jenes Urlichts droben,
> das unsichtbar alle Welt erleuchtet.“

Der moderne Biologe erhebt Goethe zum Homo religiosus, der mit diesem „Urlicht" auch die Licht-Botschaft der Bibel umfaßt, sowohl den Licht-Logos, der Gott selber ist, von dem Johannes sagt: „In ihm war das Leben, und das Leben war das Licht der Menschen. Und das Licht scheint in der Finsternis, und die Finsternis hats nicht begriffen." Als auch den Licht-Christus, der selber nach Johannes 8, 12 zu den Jüngern spricht: „Ich bin das Licht der Welt." Der Biologe aber nimmt das Johanneswort vom Licht-Logos auf und deutet es so: „daß das Licht in die Finsternis des anorganischen Seins hineinleuchtet und im Prozeß der Assimilation des Kohlendioxyds die tote Stoffwelt der Erhaltung nicht nur der Pflanzen, sondern auch aller übrigen Organismen dienstbar macht."

Die Spannweite des Symbols, die Mikrokosmos wie Makrokosmos umfaßt, zurückbezogen auf das alles durchdringende „Urlicht", erweckt über die Jahrhunderte der Heldendichtung hinweg den faustischen Helden zum neuen Forschungsabenteuer bis zu den Modellkonstruktionen der Naturwissenschaftler, die sich gezwungen sehen, mit komplementären Modellbildern zu arbeiten, die sich ausschließen: mit Welle oder Korpuskel, je nachdem man den Ort oder den Impuls eines Elektrons untersucht. Überall begegnet der Geist dem „Unerforschlichen". Bereits Goethes Faust aber, als er zu den „Müttern" hinab mußte, erfuhr dort die Abwandlung des „Urlichts" als ein unterirdisches Leuchten der Muttermächte:

Der wieder ans Tageslicht steigende Faust spricht nach der Begegnung mit den „Müttern" als ein offenbar Verwandelter:

> In eurem Namen, Mütter, die ihr thront
> Im Grenzenlosen, ewig einsam wohnt
> Und doch gesellig! Euer Haupt umschweben
> Des Lebens Bilder, regsam, ohne Leben.
> Was einmal war in allem Glanz und Schein,
> Es regt sich dort; denn es will ewig sein . . .

Wir führen die Verse nicht an, um das Faustgedicht auszudeuten. Wir wollen nur unsrer Methode zuführen, daß für die Symbolik sich unerhörte neue Zusammenwürfe auftun. Was sind das für „Mütter", die nur in Gegensätzen zu beschreiben sind: einsam und doch gesellig, des Lebens Bilder ohne Leben. Ziehen wir Carl Gustav Jung, den modernen Psychologen und Entdecker des kollektiven Unbewußten heran, dann erschließt sich eine Art coincidentia oppositorum, die sich gegen den Einbruch psychologischer Deutungen wird zu behaupten haben. Für Jung sind die Mütter „Archetypen", und er versteht darunter etwas Ähnliches wie es die Physiker als „Atommodell" konstruiert haben, als „Struktur eines Zentrums", das dynamisch ist und auf das Jung die Mephisto-Verse anwendet: „Gestaltung, Umgestaltung, des ewigen Sinnes ewige Unterhaltung". Jung ergänzt das hier verborgene Licht durch den Archetypus des „Lichtmenschen, der in die Finsternis hinuntersteigt, um das im Dunkeln Gebundene zu befreien und dem ewigen Lichte zuzuführen". Für die Gefahren der Psychologisierung des Symbols mag es genügen anzudeuten, daß Jung dahinter „die Entzweiung Gottes in Gottheit und Menschheit und seine Rückkehr zu sich selber im Opferakt" heranzieht. Also das Ursymbol Christus.

Als Bestätigung der Fruchtbarkeit des Mimesis-Begriffs im Dienst dessen, was wir hier als symbolischen Kosmos der Dichtung verfolgen, sei noch ein jüngster Versuch angeführt: Rudolf Eppelsheimer „Mimesis und Imitatio Christi" 1968. Goethes „Urlicht" erscheint hier, wo es sich einzig um große Lyrik handelt, als Verschmelzung des Sonnenlichts und des Christuslichts, bei Hölderlin ebenso wie bei drei Dichtern des 20. Jahrhunderts: Loerke, Däubler, Morgenstern. In der mythischen Welt der großen Lyrik zeichnen sich die dialogischen Konturen deutlicher ab als in den von Auerbach bevorzugten Großwerken der Epik. In der Lyrik tritt die Mitbewegung mit energischeren Formeln entgegen: als ein „reines, elementares Mittönen", Einschwingen in die „kosmische Aufwärtsbewegung". Ein das Anthropozentrische sprengendes „kosmisches Bewußtsein" als „echter Mitwisser der Affekte alles Seienden". Hölderlins „Friedensfeier" erwählt zum Fürsten des Festes den kosmischen Christus, die „Sonne Christi", den „Helios-Christus". Immer bleibt es das Licht, das ebensosehr die Sonne wie das Pfingstlicht Christi im symbolischen Kosmos der Dichtung als identisch begreift.

Unsere Aufgabe aber wird nun nicht die Lyrik sein, sondern Ballade, Epik und Drama. Wir wenden uns einem zweiten Grenzbegriff zu, der wie die Mimesis zur Poetik gehört. Wir wählen die „Grundbegriffe der Poetik", mit denen sich der Schweizer Emil Staiger nach der Kriegskatastrophe 1946 in eine bewegte Neuorientierungszeit eingeschaltet hat. Staiger geht über das Starre der überlieferten Gattungsformen hinweg und bemüht sich um „fundamentale Möglichkeiten des menschlichen Daseins überhaupt": das Lyrische, das Epische, das Dramatische. Damit allerdings ist von vorn herein unseren Symboluntersuchungen gegenüber eine Grenze gezogen. Dem neuen Forscherblick kann es ebensowenig um das zu tun sein, was sich uns als die „Bildmitte" verfestigt hatte wie darum, daß die „Sinnmitte" und die Verschmelzung beider zu ihrem Recht kommen. Aber vielleicht ist es gerade die Mitbewegung mit dem Kosmos, die in Staigers „fundamentalen Möglichkeiten des menschlichen Daseins überhaupt" zusätzliche Beleuchtungen erfährt.

Am Lyrischen lassen sich Einwände am überzeugendsten dartun. Staiger spricht eine zentrale Wahrheit aus: „Sofern alle echte Dichtung in die Tiefe des Lyrischen hinabreicht, und die Feuchte dieses Ursprungs an ihr glänzt, gründet alle Dichtung im Unergründlichen." Staiger geht dann aber vom Begriff der „Erinnerung" aus, die er als ungeschiedenes Ineinander von Subjekt und Objekt versteht, insofern als „Innen", in dem alles „verflüssigt" wird. So ganz ist das Lyrische an die momentane Stimmung hingegeben, daß es für Staiger nur zu fassen ist als das „Flüchtigste". Wohl wird der Lyriker „vom Strom des Daseins getragen", doch so, daß er „in jedem Moment den früheren Moment vergißt". In solcher Hingegebenheit an die augenblickliche Stimmung erscheint Clemens Brentano für Staiger als der ideale Lyriker, aus dessen Werk er viele Beispiele nimmt. Zugleich verrät gerade Brentano, „der als Dichter und Mensch vor unseren Augen zerrieselt", wie sehr der Lyriker von „Auflösung" bedroht ist, bis zum „Pathologischen".

Hier ergibt sich ein erster Einwand. Die Einseitigkeit, mit der sich Staiger auf den Typus Brentano festlegt, bis zu Formeln wie: „lyrische Dichtung ist zwar seelenvoll, aber geistlos", oder „Der lyrische Dichter hat kein Schicksal", ruft notwendig die Polarität des männlichen, geistesstarken Dichters auf. Brentano ist eindeutig durch seine geniale Erfühlung bestimmt. Man braucht nur an Goethes „Götterselbstgefühl" zu denken, um das Komplexe eines Weltlyrikers dagegen aufzurufen, der mit den vollkommensten Erfühlkräften jede Art männlichen Weltzugriff verbindet, nie von „Auflösung" bedroht. Hier eben wird hinter der Spannweite des Männlichen und des Weiblichen ein viel tieferes Urphänomen des Lyrischen spürbar, das aus dem dichtet, was einst Vico die „Weltbetroffenheit" nannte, was sich uns als Lichtbetroffenheit bereits bezeugt hat: daß das Lyrische einzusenken ist in die staunende Begegnung von Dichter und Welt, derart, daß der männliche Geist anders antwortet als die weibliche Seele. Beide aber entfalten die wundersamste Lied-Lyrik, mit aller Spannweite der Pole bis zu Hölderlins „scharfer Helle des Geistes".

Eben in dem Schauer aber, der vom Ewigen berührt wird, als Schöpfungswunder, als Betroffenheit vom Licht, wie z. B. in „Ezzos

Gesang", liegt ein lyrischer Augenblick, der auf Dauer dringt, der im „Bild" Augenblick und Ewigkeit vereint zum Gedicht. Das ist dann die „Bildmitte", zu der sich das symbolische Vermögen zusammenzieht, um den Kosmos des Gedichts aufzubauen.

Aber nun stellt sich noch ein zweiter Einwand gegen Staigers Abgrenzungen des Lyrischen ein. Staiger hat sich gleich eingangs gegen Goethes Formulierungen gewandt, die 1825 durch Eckermann festgehalten wurden und in denen Goethe seine Freude an serbischen Volksliedern kundtut:

> „Sie sehen daraus die große Wichtigkeit der Motive, die niemand begreifen will... Daß die wahre Kraft und Wirkung eines Gedichts in der Situation, in den Motiven besteht, daran denkt niemand. Und aus diesem Grunde werden denn auch Tausende von Gedichten gemacht, wo das Motiv durchaus gleich Null ist, und die bloß durch Empfindungen und klingende Verse eine Art von Existenz vorspiegeln."

Staiger glaubt diesen Ausspruch Goethes entwerten zu können, weil er „aus der späteren Zeit stamme". Es ist dieselbe Zeit, der wir Goethes Symbollehre verdanken. Und so entzieht sich Staigers Umgrenzung des Lyrischen auch den Möglichkeiten „wahrer Symbolik". Diese sind die Gegenhalte zu allem Nur-Momentanen. Was aber ist es, was so vielen von Staiger angeführten lyrischen Wunderwerken ewige Dauer verleiht? Wir dürfen hier ein spätes Wort Ernst Jüngers heranziehen, in dem Goethes wahre Symbolik fortwirkt: „Zum Symbol wird uns das Vergängliche, wenn das Sein durchleuchtet". Das aber gelingt auch dem einfachsten Lied, wenn in ihm Bildmitte und Sinnmitte unmittelbar im lyrischen Nu verschmelzen.

Damit schließlich wird noch der gewichtigste und wirksamste Einwand gegen Staiger zu führen sein. Staiger hat hier selber den Weg gewiesen.

Abermals zieht Staiger als Beispiel Brentano heran, diesmal Brentanos berühmte Ballade „Zu Bacharach am Rheine".

> „Alle Momente des Lyrischen: Musik, Verflüssigung, Ineinander hat Brentano im Mythos von der Loreley zusammengefaßt und der späteren Romantik anvertraut. Ihr Name schon... ist Musik und als solche eingegeben durch den Namen des Felsens bei Bacharach. Ihr Name ist schmelzend wie ihre Augen, und wie ihre Augen schmelzt ihr Gesang. Ein Dämon des flüssigen Elements wohnt sie im Strom, im Rauschen des Walds, in allem, was gleitet, wogt und schwimmt. Jeder verfällt ihr, der sie hört oder

schimmern sieht auf dem Grunde des Rheins. Vor ihr ist keine Freiheit mehr, kein Eigenwille — wie denn der lyrische Dichter gewiß der unfreieste ist, hingegeben, außer sich, getragen von Wogen des Gefühls."

Staiger ist hier der „Feuchte des Ursprungs" gefolgt, sie hat ihn zur Ballade von der schönen Lore Lay geführt. Nur hat er daraus keine Folgerung gezogen. Er sieht nur „Verflüssigung, Ineinander". Er macht die schöne Lore Lay zum „Dämon des flüssigen Elements". Wir werden noch genauer darstellen, daß diese wunderbare Ballade von der Tragik des Schönen genau Goethes Wort zu den serbischen Volksliedern bestätigt: „daß die wahre Kraft und Wirkung in der Situation, in den Motiven besteht". Aller Verflüssigung wirkt entgegen die Verfestigung um die „Schönheit" der Lore Lay. Viermal zieht sich dies Grundmotiv hindurch. Alle balladische Handlung bewegt sich um die zerstörerischen Wirkungen der zauberischen Schönen. Die balladische Haupt-Bewegung wird Zwiesprache zwischen dem Bischof, der selber von Liebe ergriffen wird, und der schönen Sünderin, die mit dem Tode büßen will. Der aufgerufene Schauer steigert sich ins Religiöse: Anruf Christi und Rettung ins Kloster. Aber die Tragik des Schönen triumphiert mit eigner Dynamik über jeden Gegenhalt. Bis die schöne Lore Lay sich vom Felsen in den Rhein stürzt und alle Ritter nach sich zieht.

Hinter dem, was Staiger die „Feuchte des Ursprungs" nennt, spüren wir bei Brentano ein Ergriffensein von der Tragik des Schönen, daß er in seiner balladischen Vision Stimme der Volkseinfalt selber wird, die sich in Volksgestalten umsetzt. Brentano ist mitbewegt mit der schönen Lore Lay, um die sich die Rheinlandschaft zusammenzieht, mit dem berückten Bischof, dem Mann der Kirche, mit dem Zusammenwurf der Widersprüche in der bußsüchtigen Schönen; so unmittelbar mitbewegt bis in die Einfalt der Verzweiflung, daß hier jedes Wort ins Herz der Hörer trifft. Was sich hier als christlich-symbolischer Kosmos aufschließt, durchbricht zugleich die Konventionen: der Bischof, der die Schöne fragt, warum sein eignes Herz brennt; die Schöne, die den Liebsten und Christus im Herzen spürt; die Dämonin, die im Untergang triumphiert. Das ist die „Weltbetroffenheit", aus der in Brentano der Volksballadenstil dichtet.

Wer aus diesem balladischen „Ur-Ei", in dem Lyrisches, Episches, Dramatisches in eins gewirkt sind, ein reines Lyrisches destilliert, als verflüssigendes Ineinander, dem hat sich ein Entscheidendes entzogen: die Mitbewegungskraft des Ursprungs.

Eben darum kann Staiger Forderungen aufstellen, die der Wirklichkeit nicht entsprechen können.

> „Dem echten lyrischen Vers geht alles Gemeinschaftsbildende, wohlbegründete Wahrheit, überredende Kraft oder Evidenz ab. Er ist das Privateste, Allerbesonderste, was sich auf Erden finden läßt. Dennoch vereint er die Hörenden inniger als jedwedes andere Wort."

Hier ist mit der Faszination vom Lyrisch-Flüchtigsten, Momentanen dem Lyrischen der Grundstrom der Mitbewegung abgeschnitten, aus dem sich die Lyrik des vom Westen abgetrennten Ostens speist. Bert Brecht als die begabteste Stimme des deutschen Ostens fordert von der Lyrik nicht nur theoretisch „gesellschaftliche Praxis mit aller Widersprüchlichkeit, Veränderlichkeit, geschichtsbedingt und geschichtemachend", seine eigne ganze Lyrik will „volkstümlich" sein, schreibt Balladen und Massenlieder, dichtet ein berühmtes Lied „An die Nachgeborenen" voll mitmenschlicher Verantwortung, ein einziger lyrischer Appell und in jeder Zeile einmalig Bert Brecht. Diese Lyrik vereint nicht nur die Hörenden im innigsten Wort, sie formt zugleich an der künftigen Generation.

Staigers „Grundbegriffe" richten so Grenzen auf, die dem symbolischen Kosmos der Dichtung nicht dienen. Wenn wir auch noch kurz auf Staigers Untersuchungen zum Epischen eingehen, so weil er auch hier auf eine zentrale Wahrheit geführt wird, die nur nicht ausgewertet wird. Er entdeckt „die Einfalt epischer Dichtung", sieht das Epos als die „ursprünglichste Stiftung", wobei er überzeugt ist, daß jede Überlieferung „in dunkler Urzeit" auf Stiftung eines Dichters zurückgeht. Staigers Ideal des Epischen ist bei Homer erreicht. Seinen symbolischen Kosmos stellt er in vielen überzeugenden Einzelheiten dar. Dabei legt Staiger sich auf den Begriff „Vorstellung" fest, als die Haltung, die den Abstand zum Gegenstand schafft. Freude am Gegenständlichen ist der Schlüssel zu Homer, zur homerischen „Selbständigkeit der Teile".

Rigoros aber grenzt Staiger das reine Epische auf Homer ein. Später sei „die Naivität des epischen Daseins zerstört". „So wenig wie der Mann wieder Kind werden kann, so wenig kann die Menschheit . . wieder auf die Stufe des Epischen zurück." Was in solcher statischen Sicht zurücktritt, ist die innere Dynamik der „Einfalt", aus der unmittelbaren Mitbewegung mit dem Kosmos. Solche

Einfalt wird zerstört, wo die „Unmittelbarkeit zwischen dem Wesen Mensch und dem Urgrund des Seins verletzt worden ist", wie Martin Buber für unsere Gegenwart feststellt. Aber die Einfalt stellt sich sofort wieder her, wo die Stiftungen des Dichters aus der Mitbewegung mit dem Kosmos wie neugeboren heraufsteigen. Wenn Staiger das Epische als „gesundes Dasein" in die „Mitte" zwischen Lyrik und Drama stellt, zwischen das Extrem-Verfließende und das extreme Tragische, dann spürt er selber, daß in der Gleichgewichtigkeit des Epischen ein lebendiger Untergrund angesteuert ist, der sich nicht mit der „Freude am Gegenständlichen" begnügt, sondern der wie der Kosmos selber auf Dauer, Gesetz, Ordnung angelegt ist. Eben daraus erneuert sich jede „Einfalt des Epischen" bis in unsre Gegenwart, wo längst das Epos dem Roman gewichen ist. Wir brauchen nur an Gotthelf oder an Herman Melvilles „Moby Dick" zu erinnern.

Es soll uns Anlaß sein, die hier berufene „Einfalt" als Grundwert für jeden symbolischen Kosmos der Dichtung in Großbeleuchtung zu rücken, als Ausdruck spannungsvoller Ganzheit, die ihre unerschöpflichen Grundkräfte aus der Mitbewegung mit dem Kosmos erfährt.

Wenn Horaz in seiner „Ars poetica" das Widersinnige des Hellenismus geißelt, gibt ihm das den Anstoß, zum Hauptthema seiner „Ars poetica" zu kommen:

> „Denique sit quodvis, simplex dumtaxat et unum."
> Voß übersetzt: „Sei, was immer du schaffst, nur gleich sich selber, ein Ganzes"
> Rudolf A. Schröder: „Sei's, wie es sei; nur solls einhellig sein und einfältig."

Hier ist das Generalthema eingeleitet. Als die Engländer um 1700 den Schwulst des Barock zu bekämpfen begannen, brachten sie den Begriff der „simplicity" zu Ehren. (John Richardson „Essay on the Theory of Painting" 1715). Zur berühmtesten Formel stieg die simplicity auf bei Winckelmann „Edle Einfalt und stille Größe". (1755). Als der junge Goethe in Leipzig durch Oesers Zeichenunterricht Winckelmanns „Einfalt und Stille" als Ideal des Schönen vermittelt bekam, zeigen seine Briefe aus dieser Zeit, daß er das nicht ästhetisch, sondern total erlebte: „Es ist doch nichts wahr als was einfältig ist" (1769) „Wer den einfältigen Weg geht, der geh ihn und schweige still". Goethe spürt, daß damit der Existenzgrund angerührt ist, er spürt die Mitbewegungskraft des Ursprungs. Durch sein ganzes Leben ist das fortzuspüren. Was ihn am Granit anzieht, diese „Grundfeste unserer Erde", faßt sich in die dynamische Formel „Höchst mannigfaltig in der größten Einfalt wechselt seine Mischung ins Unzählige ab". („Über den Granit" 1784.) Dem Granit entsprechen die „Urphänomene" als geistige Kraftzentren. „Das Urphänomen, das reinste, widerspricht sich nie in seiner ewigen Einfalt." Die Urphänomene, „die wir in ihrer göttlichen Einfalt durch unnütze Versuche nicht stören sollten" (1813). Bis zu dem Briefausspruch von 1827: „Man muß an die Einfalt, an das Einfache, an das Urständig-Produktive glauben, wenn man den rechten Weg gewinnen will."

Wenn wir gerade Goethes Weltbetroffenheit vom Wesen der Einfalt durchverfolgten, so im Hinblick auf seine Symbollehre, die derselben Mitbewegungskraft des Ursprungs entstammt. Bis in unsre Gegenwart erhält sich der Begriff lebendig, wenn wir bei Thomas Mann im IV. Band von „Joseph und seine Brüder" 1943 lesen:

> „Es gibt, so viel ich sehe, zwei Arten der Poesie: eine aus Volkseinfalt und eine aus dem Geist des Schreibtums. Diese ist unzweideutig die höhere, aber es ist meine Meinung, daß sie nicht ohne freundlichen Zusammenhalt mit jener bestehen kann und sie als Fruchtboden braucht."

Hier ist, seit Schillers polarer Spannung in Naiv und Sentimentalisch, die Folgerung für unsre vom Urgrund losgerissene Gegenwart gezogen: auch die vom „Geist des Schreibtums" zum Hochmut vorgedrungne Gegenwart verspürt noch, was ihr verloren gegangen ist: im Bild vom „Fruchtboden" wird es ihr bewußt. Thomas Mann, der Meister der Ironie, des parodistischen Stils, wagt es, die „Volkseinfalt" wieder von den Müttern heraufzurufen, wie sie Herder einst unsrer Sprache zurückgewonnen hatte: „In Volkseinfalt war das Christentum entstanden."

Wenn wir in der modernen Sammlung „Ars poetica" 1966 in allen Zeugnissen der Dichter von Valéry bis zu den jüngsten Romanschriftstellern und Dramatikern des Absurden dem Begriff der „Volkseinfalt" nicht mehr begegnen, auch der „Einfalt" nicht mehr, nur der „Reinheit" im Begriff der „poésie pure", dann kann dieser Triumph im „Geist des Schreibtums" die Urphänomene in ihrer ewigen Einfalt nicht aus der Welt schaffen. Da vielmehr gilt Stifters Wort: „Das Einfältige ist am leichtesten zerstört und bleibt aber am festesten zerstört" (Narrenburg 1843).

Es ist eine der Großaufgaben des Symbols, in der Kühnheit seiner Zusammenwürfe durch alle Widersprüche die granitenen Grundfesten der Einfalt in den Urphänomenen wieder sichtbar zu machen, im symbolischen Kosmos der Dichtung. Was wohl hat den Parzifal-Dichter bewogen, seinem Helden die „tumbheit" mit auf den Weg zu geben? Was hat Grimmelshausen bewogen, seinen Helden „Simplicissimus" zu nennen? Warum gibt Melville seinem Ismael, dem Erzähler im „Moby Dick", das große Schöpfungsstaunen des Einfältigen? Was treibt Reinhold Schneider im Drama „Innozenz und Franziskus" 1952 zu der Formel: „Einfalt, die die Erde sprengt"?

Als letzte Frage stellt sich für unsere einleitende Betrachtung: wenn es das Ziel des symbolischen Kosmos der Dichtung ist, durch die Zusammenwürfe des Widersprüchlichen die Urphänomene in ihrer Einfalt auf uns zuzubewegen, sollte es da exemplarische Möglichkeiten geben, an denen die innere Zuordnung der auseinandergetriebenen Lebensfragen einleuchtet?

Auch Paul Valéry spricht in seinen Äußerungen zur Poetik vom „dichterischen Kosmos", der Klang und Sinn, das Wirkliche und das Imaginäre, die „Doppelerfindung von Gestalt und Gehalt" koordiniere. Auf eines hat Valéry nicht hingewiesen, was unmittelbar seinen „dichterischen Kosmos" in den „symbolischen" zu verwandeln vermag: auf die innere Zuordnung von Metapher und Symbol, die es in besonders glücklichen dichterischen Konzeptionen gibt. Am sinnfälligsten tritt das in der Epik da entgegen, wo sich das Geschehen zum Formgesetz der Novelle zusammenzieht. Wilhelm Raabe als Meister symbolischer Erzählkunst hat zwei seiner Novellen schon im Titel die Verschmelzung des faktischen symbolischen Zeichens mit einer Tiefen-aufschließenden Metapher des Gefühls geboten. „Holunderblüte" (1863) zieht im faktischen Blütenkranz einer Jung-Verstorbenen und in den Holunderblüten über den Gräbern des Judenfriedhofs in Prag Rahmen und Erzählung zusammen. Zugleich schließt der Ruf des Mädchens: „Gedenke der Holunderblüte" ihr eignes Jungmädchenschicksal als holunderblütenhaft mit ein. Eben damit aber dringt aus der Erinnerung des alten Arztes sein Jugenderlebnis in Prag mit herauf und sein Schuldgefühl eines verfehlten Lebens, im Bilde Jemimas, des so früh verstorbenen Judenmädchens, das mit ihm zusammen seine Holunderblütenzeit verlebte und das er verlassen hatte. Wir brauchen hier nicht alles aufzurufen, was das Bild der Holunderblüte im miterlebenden Jüngling entfacht und dem der Alternde nachtrauert. Die dichterische Leistung liegt hier im Verschmelzen von Metapher und Symbol, bis zum Schmerzenswort des Arztes: „Und deshalb ist mir die Holunderblüte die Blume des Todes und des Gerichtes."

Wir erinnern Goethes Wort im Aufsatz: „Philostrats Gemälde": „Es ist die Sache, ohne die Sache zu sein, und doch die Sache; ein im geistigen Spiegel zusammengezognes Bild und doch mit dem Gegenstand identisch." Bei Raabe wirkt sich das so aus, daß das faktische Zeichen eine klare zusammenziehende Leistung vollbringt, schon indem es Rahmen und Erinnerung verbindet und den Ort des Geschehens verfestigt. Aber die Metapher vom jungen Mädchen als Holunderblüte schließt das ganze innere Leben der Geschichte erst voll auf und wirft ihr Licht ins „Unerforschliche". Etwas von der Analogía entis deckt sich auf, im Weltordnungsgefüge. Dem Gewissen des Arztes wird die „lebendig augenblickliche Offenbarung" zuteil.

Denselben Kunstverstand entwickelt Raabe 1871 mit der Erzählung „Des Reiches Krone". Der strenge Chronikstil zieht sich um die Rückerinnerung des Chronisten von 1453, der vom Schicksal der Reichskrone berichtet, die 1350 aus Nürnberg auf Schloß Karlstein in Böhmen überführt wurde und 1424 aus dem von Hussiten belagerten Karlstein befreit und nach Nürnberg zurückgeführt wurde. Zugleich aber umfaßt „des Reiches Krone" eine Metapher, die aufschließende Wirkung hat für alle Tiefenschichten der Geschichte. Die Braut, die den von Lepra angefallnen jungen Helden, der vom Karlstein zurückkehrt, zu Tode pflegt, erringt die Krone eines anderen Reichs. Der Legendenstil erinnert an den Goldglanz der Malerei, an das „Eigenlicht", das vom Sanctum ausgeht.

Es sind einfachste Beispiele für den Zusammenwurf des Widersprüchlichen, der hier im Verschmelzen des faktisch-Gegenständlichen mit im Bild sich aufschließenden Gefühlswelten geleistet wird. Um die Spannweite anzudeuten, die in solcher Verschmelzung von Sache und Bild der Möglichkeit nach angelegt ist, sei noch eine Novelle von höchstem Weltrang angefügt, Kleists „Marquise von O", die im II. Band ausführlich behandelt wurde.

Was der Marquise vom Schicksal zugemutet worden ist, was sich zum Ende dahin aufklärt, daß der russische Offizier, der sie vor einer brutalen Soldateska gerettet hat, selber sich an der Ohnmächtigen vergangen, so daß sie sich gezwungen sieht, den unbekannten Vater durch die Zeitung zu suchen, alles das erfährt seine in den Abgrund der menschlichen Seele hineinleuchtende Sinndeutung durch ein Traumbild, Regungen des Unbewußten in dem russischen Offizier, die er selber so impulsiv erzählt, als wolle er damit seine Werbung um die Hand der Marquise bekräftigen.

Vorausgegangen ist, daß er sich nach der Untat blindlings in mörderische Gefechte gestürzt, als suche er den Tod. Schwer verwundet, doch gerettet, erscheint er im Elternhaus der Marquise, bringt seine Werbung vor. Dabei erzählt er, was ihm im Wundfieber geschehen ist: als Schwan auf feurigen Fluten ist ihm die Marquise erschienen, höchster Inbegriff alles Reinen. Zugleich durchkreuzt von der Kindheitserinnerung, daß er einst einen Schwan mit Kot beworfen, der Schwan aber rein aus den Fluten wieder aufgetaucht sei. Beides verwirrt sich ihm wie im Traum so in der Erzählung: wie er vergebens sie an sich zu locken versucht habe, wie sie sich selbst genug gewesen „im Rudern und In-die-Brust-sich-werfen".

Abermals haben wir hier den Schwan als realen Kindheitsschwan, mit Kot beworfen, und den Schwan als Metapher, Inbild der Marquise, im Fieber mit der Marquise verschmolzen. Was solcher Ausbruch des Unbewußten zu bedeuten hat, wird erst vom Ende her offenbar. Als zur festgesetzten Stunde der unbekannte Vater des Kindes sich meldet, und als die Marquise erkennt, daß es der Russe ist, der sie ehedem gerettet hat, überfällt sie tödliche Blässe. Dann wird sie einer „Furie" ähnlich, verweigert strikte die Ehe. „Auf einen Lasterhaften war ich gefaßt, aber auf keinen Teufel!" Weihwasser sprengt sie auf die Eltern, als müßten sie vor dem Leibhaftigen geschützt werden.

Dennoch gibt es hier Grundbewegungen der Seele, auf die uns das Traumbild vorbereitet. Im Zusammenwurf des Widersprüchlichsten bricht durch die Kinderlust zu schänden, die absolute Reinheit des Heiligen. Nachdem um des Kindes willen die Zeremonie der Hochzeit begangen ist, erfährt der Sünder Gnade „um der gebrechlichen Einrichtung der Welt willen". Einzig der Traum als Bild- und Sinnmitte gewährleistet hier die Offenbarung des Unerforschlichen. Wieder aber ist es die metaphorische Grundbewegung der Seele, die das Faktisch-Vordergründige eintieft in Ahnungen, Erinnerungen einer Weltordnung, die im Sanctum gipfelt. Inbegriff eines dichterischen Kosmos, der symbolischer Kosmos ist.

Die Metapher, so kurzschwingend sie scheint als Ausdruck des Gefühls, erfährt in der Verschmelzung mit dem Bewegt-Gegenständlichen eine Kraftstärkung, die das ganze Geschehen der Novelle verwandelt. Die Leidenschaft des Russen, unberechenbar und doppelgesichtig, wird an der Begegnung mit der Inkarnation des Heiligen in eine Bewegung mit Urgesetzen des Kosmos geworfen, die ihn bis in seine chaotische Struktur verwandeln. Eben das wird ans Licht gehoben im Schlußwort der Marquise mit der Hellsicht einer unbeirrbaren Einfalt: „Er würde ihr damals nicht wie ein Teufel erschienen sein, wenn er ihr nicht bei seiner ersten Erscheinung wie ein Engel vorgekommen wäre." So ist hier ein Zusammenwurf des Widersprüchlichen zur Klarheit der Novelle zusammengezogen, wobei in der vertracktesten Begegnung der Liebenden die lebendig augenblickliche Offenbarung des Unerforschlichen zur Darstellung kommt. Kleists Novelle aber zeigt, daß es keinerlei Rezepte gibt für Verschmelzungen von Metapher und Symbol. Solche Wunder-Leistung einer Traummetapher im Dienst des Symbols ist das Zeugnis des Genies, das die tiefsten Kosmos-Erinnerungen hat.

Häufiger findet sich das Ineinanderwirken von Bild und Gegenstand in der Lyrik. In Goethes weltberühmtem Divangedicht „Selige Sehnsucht" meint das unmittelbare „Du, Schmetterling" die reale Kreatur, die sich ins Licht der Kerze stürzt, zugleich das Schmetterling-Bild, das seit Urzeiten mit des Menschen Seele verbunden ist. Was aber den Menschen von der Kreatur trennt, deren Leid und Glück ihn mitbewegt, ist die religiöse Betroffenheit, die sich unter Gnade oder Gericht weiß. Die Bibelanklänge bezeugen, wie tief die Mitbewegung mit dem ganzen christlichen Kosmos geht. So daß der Theologe sagen kann: „Hier beschweigt der Christ Goethe seinen Christus." Aus solcher Tiefenbewegung kommt die Schlußstrophe, die mit ihrem „Du" den immer erlösungsbedürftigen Menschen meint.

Die Variationen in der Lyrik sind so groß, daß hier auf weitere Beispiele verzichtet wird, wie sie zahlreich im II. Band an Rilkes Dichtung aufgewiesen sind. Nur eins sei abschließend noch der Lyrik entnommen, was als ein Urphänomen die Keimzelle zu jeder Art symbolischem Kosmos der Dichtung bildet. Es ist die Ekstasis des Herzens, aus der Rilke vorbehaltlos dichtet. Bei Rilke ist sie genau betrachtet worden. Wir heben hier heraus, was generell dazu zu sagen ist.

Ekstasis und Existenz entspringen derselben Sprachwurzel. Der Existenz werden wir erst bewußt, wenn wir aus ihr herausstehen (exsistere). Der Dichter wieder wird sich der Existenz als symbolische Existenz erst bewußt, wenn er sich in den Schwebezustand seiner schöpferischen Ekstasis erhebt. Bei Rilke findet sich das so ausgedrückt: „Die Vorhandenheit eines solchen Gedichts steht eigentümlich hinaus über die Flachheit und Nebensächlichkeit des täglichen Lebens, und doch ist aus ihm dieses Größere, Gültigere abgewonnen und abgeleitet worden, man weiß selbst nicht wie."

Schon beim Zusammenwurf des Widersprüchlichen in der einzelnen Metapher setzt die spontane Bildschaffung einen Zustand der Ekstasis voraus. Eine Enthobenheit, in der sich der kühne Zugriff der Metapher vollzieht, die man nachträglich in Bild- und Sachsphäre zerlegen kann. Aber was ihr darüber hinaus schöpferisch eignet, ist nicht durch die Zerlegung in Bild- und Sachsphäre bestimmbar. So ist es die besondre Existenzform des Dichters, einen Schwebezustand der Ekstasis des Herzens zu erreichen, der es ihm ermöglicht, ganz in der Existenz und ganz über ihr zu stehn. So daß ihm Tiefen bewußt werden, die nur aus der unmittelbaren unbewußten Mitbewegung mit dem Kosmos erfahrbar sind. Hier ist die Keimzelle jeder symbolischen Existenz. Hier entspringen die kühnen „Zusammenwürfe", über denen sich der symbolische Kosmos der Dichtung aufbaut.

Wir dürfen uns hier Martin Bubers Entdeckung einer „Realphantasie" erinnern, die Gabe, mit dem andern zu fühlen, zu denken, vorzustellen, mit dem andern mitzuleben. Es ist das Grundorgan der Mitbewegung, das sich unbeirrbar bewährt gerade in dem Abstand, den der Blick des Ganzen gibt.

Was Lou Salome aus der genauen Kenntnis Rilkes mit dem Scharfblick der Tiefenpsychologie zu entdecken glaubte: „alles Schöpferische ist nur etwas wie ein Name für die Reibung des Doppelgeschlechtlichen in uns", läßt sich generell dahin verdeutlichen, daß der ekstatische Zustand nicht der Zustand einer blinden Raserei ist, sondern ein Sichdurchdringen aller komplexen Anlagen, derart daß hier das Sein das Bewußtsein, und das Bewußtsein das Sein ergänzt. Wenn Rilke als Dichter in dürftiger Zeit die einzige letzte Lösung des Lyrikers im „reinen Widerspruch" zu finden suchte, besteht der Anspruch der großen symbolischen Dichtung durch die Jahrhunderte, in immer neuen kühnen Zusammenwürfen der Widersprüche dichterische Lösungen herauszugestalten. die symbolisch sind, die wie Kleist aus dem Chaos selber Sinn mit alles überstürzender Wahrheitskraft gewinnen.

Es gibt einen Glauben, der sich aus dem Gebrauch des Wortes „symbolon" nährt: daß ursprünglich es sich um das Zusammenfügen zweier Elemente handelt, die erst zusammen ein Ganzes ausmachen. So zerbricht man einen Ring in genau zwei Teile. Das eine Ringstück bewahrt der eine Partner. Das andre Ringstück geht in die Welt. Wenn die Begegnung dazu führt, daß beide Bruchstellen genau aufeinanderpassen, dann hat das „symbolon" seinen Zweck erfüllt. Es gibt ein Grimmsches Märchen „Der Bärenhäuter", das mit Märcheneinfalt den Tiefsinn des „symbolons" zur Darstellung bringt. Es ist ein Teufelspaktmärchen. Der Teufel kauft dem Soldaten, der im Frieden zu verhungern droht, nicht wie Peter Schlemihl den Schatten ab, er drängt ihm einen Rock auf, der immer Geld in den Taschen hat. Sieben Jahre soll er ihn tragen, ohne sich zu waschen, ohne Haare und Nägel zu beschneiden. Und mit einer Bärenhaut als Mantel. Der Teufel hofft wohl dies Schreckgespenst zu vereinsamen und in einen Verzweiflungstod zu treiben. Aber der Bärenhäuter übersteht kraft des Geldes im Rock und seines guten Herzens. So hilft er einem Vater von drei Töchtern aus der Not und soll dafür eine der Töchter zur Frau erhalten. Vor dem schaurigen Bärenhäuter-Gespenst laufen zwei der Töchter davon. Die jüngste aber, aus Liebe zum Vater, erklärt sich bereit. Da bricht er einen Ring entzwei und gibt ihr die eine Hälfte. Er verspricht, in drei Jahren zurückzukehren, falls er inzwischen nicht verstorben ist. Der Teufel muß ihn freilassen, abwaschen und beschneiden. Als er dann mit vier Schimmeln vorfährt, ein schöner reicher Mann, da bewähren die Bruchstellen des Rings, die zueinanderpassen, wie sich das Vertrauen in ein gutes Herz belohnt. Das Märchen hält nicht nur den alten Grundsinn fest, daß ehedem „symbolon" Zeichen für zwei Bruchstellen war, die zueinander passen. Es beschwört auch die schrecklichste Widersprüchlichkeit, die Menschen zugemutet werden kann, um einer Zeichensprache Raum zu geben, durch die sich der in Zufälle, Irrtümer, Widersinne des Lebens geworfene Mensch der Ganzheit und Einheit des Weltgrundes versichert halten darf.

Hier liegen die zukunftsvollen Möglichkeiten für jeden symbolischen Kosmos der Dichtung.

Die philosophische Bewegung, die den Rang des Kunstwerks konstituiert, halten wir vorerst in der unendlichen Richtung offen. Kant hatte ihr in der „Kritik der Urteilskraft" Raum gegeben, wo er die Mittellandschaft des Zweckmäßig-Schönen überragen läßt vom Dolomitenmaß des Erhabenen, und wo er das Genie einführt, als „die angeborene Gemütsanlage (ingenium), durch welche die Natur der Kunst die Regel gibt"; mit dem Anspruch, daß sie als das „belebende Prinzip im Gemüt das Vermögen der Darstellung ästhetischer Ideen" erweist, die „keine Sprache völlig erreicht und verständlich machen kann".

Goethe knüpft hier an, mit seiner „anschauenden Urteilskraft". Kants eigne Worte greift er auf: „Wir können uns einen Verstand denken, der, weil er nicht wie der unsrige diskursiv, sondern intuitiv ist, vom synthetisch-Allgemeinen, der Anschauung eines Ganzen als eines solchen, zum Besonderen geht, das ist: von dem Ganzen zu den Teilen." Goethe erweitert solchen Durchbruch, indem er ihn bis ins Herz der Weltbewegung selber weiterführt: „daß wir uns, durch das Anschauen einer immer schaffenden Natur zur geistigen Teilnahme an ihren Produkten würdig machen." Nichts kann energischer auf jenen Begriff der „Mitbewegung" zusteuern, die in die Mitte aller schöpferischen Symbolik führt. An den großen Kunstwerken selber werden wir es aufzuweisen haben, wenn sich in ihnen die „Einfalt der Urphänomene" auftut.

Die Neuentdeckung Giovanni Battista Vicos in unsrer Gegenwart kann uns bewußt machen, daß Goethes anschauende Urteilskraft einen großen Vorläufer hat, eben Vico, dessen „Scienza Nova" 1725 zwar erst 1822 verdeutscht wurde, dessen Grundgedanken aber gleichzeitig bei Hamann und Herder hervorbrechen und auf den jungen Goethe befruchtend eingewirkt haben. Vicos Grundwort, gegen Descartes gerichtet, lautete: „homo non intelligendo fit omnia". Schon im I. Band vom „Bild in der Dichtung" 1927 haben wir das aufgenommen: „Aller Absicht voraus, im Zusammenerleben wirkt und wird der Mensch alles." Damals konnte das Ausmaß der damit gewonnenen Entdeckung noch nicht voll verstanden werden. Heute vermittelt Karl Otto Apel „Die Idee der Sprache in der Tradition des Humanismus von Dante bis Vico" 1963 die einzigartige Bedeutung Vicos für die Sprachlehre Humboldts und unsre Gegenwart. „Vico hat gezeigt, daß die monadisch-mikrokosmische Darstellung des Alls in einer menschlichen Bewußtseinswelt zunächst nicht als Repräsentation einer logisch-mathematischen Tatsachen-Ordnung durch den distanzierten Verstand, sondern als ein sympathetisches Darleben der Umwelt durch den ganzen Menschen zu verstehen ist." Für Vico steht am Anfang die „elementare Welt-Betroffenheit", von der sich der Mensch befreit durch die Sprache als „spontane Ausdrucksantwort auf den Andrang und Anspruch der numinosen Natur", die „rhythmisch-gesungen" sich als „Form des gesellschaftlichen Verhaltens" darstellt. Die „strenge Ritualisierung des archaischen Lebens" bei zusammengenommenen totalen Kräften muß folgerecht zu einer Ursprungsdichtung führen, in der alle Anlagen, lyrische, epische, dramatische noch ungetrennt, noch universal sind, Vicos „phantasiegeschaffnen Universalien" gemäß. Hier können wir unmittelbar mit der „Grundstufe des Gesamtkunstwerks", mit der Ballade anknüpfen.

Auch der Heideggerschüler Hans-Georg Gadamer „Wahrheit und Methode", (1960) greift mit der Frage nach dem hermeneutischen „Verstehen" auf Vico zurück. Im Vorwort zur 2. Auflage 1965 ziehn sich die Durchbrüche in die Zeit vor der Aufklärung und der „historischen Aufklärung" zusammen: „Nicht was wir tun, nicht was wir tun wollen, sondern was über unser Wollen und Tun hinaus mit uns geschieht, steht in Frage." Es geht um das Heideggersche Verstehen als „eine Seinsweise des Daseins selber", es geht um die „Grundbewegtheit des Daseins, die seine Endlichkeit und Geschichtlichkeit ausmacht". Die radikale Abkehr vom „Subjektiven", (insbesondre gegen Diltheys Erlebnis-Begriff gerichtet), führt zu Vicos „Sensus communis", dem es um „konkrete Gemeinsamkeiten" geht: Gruppe, Volk, Nation. Derselbe Radikalismus trifft mit Diltheys Erlebnisbegriff auch das Jahrhundert des Erlebnisses, das 19., und zugleich damit das vom „Geniebegriff" bestimmte Symbol. An seiner Stelle soll der mittelalterlichen „Allegorie" ihr Seinsgewicht zurückgegeben werden. Damit zeichnet sich eine Problematik ab, der wir in unsrer Darstellung zu begegnen haben. Vereinfachend wird das Erlebnis-Jahrhundert „das Jahrhundert Goethes" genannt. Goethe selbst und seine „wahre Symbolik" geraten damit in Gefahr, vom Erlebnisbegriff her eingeebnet zu werden. Das hermeneutische „Verstehen" verschiebt die Akzente auf eine „Grundbewegtheit", die außeracht läßt, daß im Menschen solche Grundbewegtheit die Welt zu verändern vermag. Hier gerät das Weltbild in einen Schwebezustand, dem sich nur mit der Jahrhundertkurve der großen Kunstwerke begegnen läßt. Gadamer rühmt die „gnostische Funktion des Symbols" und spürt auch Goethes All-Leben ebensowohl auf Symbol wie Allegorie gerichtet. („Alles, was geschieht, ist Symbol".) Dennoch wird ihm jede „bewußtlos geniale Produktion" verdächtig. Rilkes Gedicht: „Solang du Selbstgeworfenes fängst", wird als Leitwort an die Spitze gestellt. Doch fehlen die Verse: „Und wenn du gar zurückzuwerfen Kraft und Mut besäßest." So wird es in unserer Darstellung eben darum gehen, die in der wahren Symbolik dem Menschen verliehene „Kraft, zurückzuwerfen", in die Mitte der Betrachtung zu rücken. Das führt in Geheimnisse der „Sprachlichkeit" als „Vollzugsform des Verstehens". Zugleich als „Entwurf", der im Symbol „Zusammenwurf" wird. („Wir denken von der Mitte der Sprache aus." „Erst in der Bewegung des Gesprächs werden Wort und Begriff, was sie sind.")

Wer als Fachwissenschaftler sich der Symbolforschung verschrieben hat, könnte gegen unsre Einleitung den Vorwurf erheben, sie hätte das Wichtigste außer acht gelassen: eine Auseinandersetzung mit dem dreibändigen Werk von Ernst Cassirer „Die Philosophie der symbolischen Formen" (1923—1929). Als Hermann Broch sich von Wien aus mit der Dämonie des Dritten Reiches auseinanderzusetzen begann, schrieb er am 18. 11. 1933 an die Frau seines Verlegers: „Ich hätte große Lust, einiges Erkenntnistheoretisches und Ähnliches über das Symbol zu sagen, schon weil Cassirers drei dicke Bücher so unzulänglich sind." Was Broch als unzulänglich empfand, konnte nur dem Rationalismus Cassirers gelten, dessen Darstellung von der Anschauung zum reinen Begriff, vom Mythos zur Wissenschaft führt. Broch, unter den elementaren Erschütterungen des Dritten Reichs suchte im Symbol gerade die Gegenkräfte auf, die ihn in die Schöpfung zurückverfestigen sollten, um die Kraft zu finden, einen „religiösen Roman" zu schreiben. Ihm ging es um ein „Geschehen", „das als solches zwar nicht rational, wohl aber rational ausdrückbar ist" (19. 10. 1934). Eben das ist die Leistung des Symbols. Nachdem Broch in der Trilogie „Die Schlafwandler" den „Zerfall der Werte" in Deutschland zwischen 1888 bis 1919 dargestellt hatte (1929—1932), hatte ihn mit dem Willen zum Symbol der Ruf nach „Einfalt" ergriffen. Am 20. 10. 1934 schrieb er: „Wahrscheinlich ist es das schlichteste, einfältigste, kleinste Leben, dem wir zustreben müssen: eine Zernichtung im Ekkehartschen Herzensgrund, eine Reduktion auf das Nichts — ein Nichts, das nur mehr dem Individuellen gehört, und doch den Keim zu neuer Soziabilität in sich trägt, weil jene Einfalt und Einfachheit auch die Liebe ist."

Hier wird das Symbol vom andern Ende her aufgezäumt, nicht von der Ratio, sondern vom Schöpfungsursprung her, der sich als „Einfalt" aller komplexen Untergründe des Schöpferischen bemächtigt und sich auf elementare Weise mitbewegen läßt vom Liebesdrang des Ganzen. Nur in den Dichtungen selbst sind hier die

Symbolformen greifbar. So bauen wir unsere Einsichten zum Symbol auf aus dem Jahrhundert-Ablauf von Dichtungen, wir beginnen mit der „Grundstufe des Gesamtkunstwerks", mit der Ballade. Wir lassen später dem Roman (als Ausdruck epischer Einfalt) das Drama folgen als gesteigertes Gesamtkunstwerk, das in der Totalerschütterung des Tragischen gipfelt.

Wenn aber Symbol seinem Wesen nach rational und überrational zugleich ist, nach der Erkenntnis Hermann Brochs, dann findet es sich als Zusammenwurf des Widersprüchlichen über der Einfalt der Urphänomene in ein ungeheures Spannungsfeld gestellt, dem es sich entheben muß nach unten wie nach oben. Damit öffnet sich der Blick der Forschung ins Weite, wobei sowohl „oben" wie „unten" Modellcharakter haben, und austauschbar bleiben.

Nach unten führt am nachdrücklichsten C. G. Jungs „kollektives Unbewußtes", mit seinen „Archetypen". Es ist der Grundgedanke eines unterschwelligen Universalwissens, einer ererbten Hellsicht des archaischen Menschen, mit riesigen polaren Spannungskräften. Jungs Grundmodell ist die Struktur eines Zentrums, von ihm selbst dem Atommodell der Physiker verglichen, aber als dynamische, immer mitbewegte Mitte, die in totaler Bilderfülle ins Sprachbewußtsein tritt. Was sich dabei im Symbol auffängt, ist die Eindrucksüberfülle. Darum braucht es des rationalen Elements. Nur wie ein Blitzstrahl fährt hindurch Goethes „lebendig augenblickliche Offenbarung des Unerforschlichen", Wahrzeichen der Vicoschen „Weltbetroffenheit".

Nach oben aber öffnet sich jenes Unerforschliche dem Ausblick in eine sonst verborgene Ordnung der Dinge, die anders ist als die kausale der Naturwissenschaften. Was hier die Parapsychologie an Grundmodellen entwickelt, wird in der Bildentwurfskraft des Dichters in die konkreten Begegnungen von Seele zu Seele verfestigt, die Raum und Zeit wesenlos zu machen vermögen, die mit Lichtblicken ins Herz dringen, als kämen sie aus den verborgnen Gefügen einer andern Welt, mit der Kraft des „Urlichts", dem Goethe so ehrfurchtsvoll gehuldigt hat. Als gäbe es ein Urerinnern, in dem sich Mikrokosmos und Makrokosmos begegnen. Entscheidend bleibt auch hier, was sich im Symbol auffängt als unserem Bewußtsein zugemessene, von ihm rational zu bewältigende Ordnung. Das mag dann auch für unsre absurd verzerrte Gegenwart gelten. Wo sich über dem Chaos der Verstand verrückt, hört der symbolische Kosmos der Dichtung auf. Inmitten aller Dynamik aber, die sich in Symbol umsetzt, bleibt unbeirrbar fortwirkend, was theologische Mythologie uns als das „Ebenbild Gottes“ in den Lichtstrahl der Geburt einsenkt; was ein Psycholog von der Divination C. G. Jungs als den „spiritus rector“ bezeichnet, den „Geist“, der in der Spannung zum „Sinn des Triebs“ den Gesamtentwurf unserer Zukunftsmöglichkeiten in sich trägt.

Es gibt noch ein Briefwort Teilhard de Chardins, des naturforschenden Homo Religiosus, der seit seinem „Mensch im Kosmos“ (dt. 1959) weltverändernd wirkt, dies bildet den nüchternsten Ansatzpunkt für eine philosophische Gesamtsicht in unserm Sinn:

> „Wenn ich es recht begreife, gebrauchen die Phänomenologen zu Unrecht diese Bezeichnung: und zwar in dem Maß, als sie eine der wesentlichsten Dimensionen des Phänomens übersehen, nämlich nicht nur von einem individuellen Bewußtsein aufgenommen zu werden, sondern diesem anzuzeigen, (vor allem und zu gleicher Zeit), daß es in den universalen Prozeß einer „Noogenese“ aufgenommen ist. Ich verstehe nicht, wie man sich Phänomenologe nennen kann, ohne die Kosmogenese und die Evolution zu nennen.“ (11. April 1953)

„Noo-genese“ (griechisch = Geist-Entstehung) setzt im Weltbild Teilhards voraus, daß die Schöpfung sich auf den „Nous“, auf das Bewußtsein im Menschen zubewegt, dem in den Phänomenen das Werden Gottes in die Schöpfung hinein entspricht. Darum genügt es nicht, Phänomene zu beschreiben, wie sie dem individuellen Bewußtsein erscheinen. Die Phänomene lehren uns zugleich „ein in Bewegung befindliches Universum“, in das wir einbezogen sind. Teilhard umspannt damit die größtmögliche Spannung von „Geist“ und „Herz“, von Kosmos und Christus als dem, der gesagt hat: „Ich bin das Alpha und das Omega.“ Teilhard postuliert eine „Evolution“, die alle genauen Naturgesetze einschließt, und zugleich die Kraft, die in ihnen unbeirrbar vorwärtsdringt, und die er als das Werden Gottes im Kosmos verehrt.

Auf eines ist Teilhard in den bisher veröffentlichten Schriften nicht eingegangen, auf Sprache und Dichtung. Aber er hat den Rahmen ausgespannt, in den hinein sich das symbolische Vermögen entfalten kann als Instrument der coincidentia oppositorum. Auf einen „Teilhard der Dichtung“ zu, bis zu dem Galilei Bert Brechts, der die Entdeckung macht: „daß nichts sich bewegt, was nicht bewegt wird.“

Grundstufe des Gesamtkunstwerks: Die Ballade

1. Hildebrandslied

Das Zeitalter der Heldendichtung, die mit ihren Heroengestalten Menschenmaß zu übersteigen scheint, hat im germanischen Raum unter den Schicksalsschlägen der Völkerwanderungszeit eigenwüchsige Dichtungen hervorgebracht, die in ihrer gedrungenen Kraft, Manneshärte und tragischen Wucht einzigartig in der Weltliteratur geblieben sind.

Die Forschung hat dafür die Bezeichnung „Heldenlied" geprägt. Aber nicht der Liedcharakter ist für sie bestimmend, sondern das Zusammenwirken lyrischer, epischer, dramatischer Formen. Das verweist auf einen Ursprungsgrund, in dem die Gattungsformen der Dichtung sich noch nicht herauskristallisiert haben. Das bildende Vermögen erscheint noch universal-ungegliedert und bereit, die Schöpfungsbewegungen, in die das Völkerwanderungsschicksal die Germanenstämme hineingeworfen hat, mit dem ganzen Einsatz der schöpferischen Kräfte aufzufangen und darzustellen.

In sehr viel späterer Zeit hat man das gleiche universal-ungegliederte Gestaltvermögen an einer Kunstform aufgewiesen, auf die sich die Bezeichnung „Ballade" zusammengezogen hat. Der Name, italjenisch ballata, meint ursprünglich „Tanzlied", und trifft vorerst strophische Tanzlieder mit Refrain. Auch im Zusammenklang von Lied, Musik und Tanz liegt eine Ursprungseinheit. Als Goethe im Alter, 1820, eine Art Musterballade dichtete, die er „Ballade" nannte, fügte er einen Begleittext hinzu, der das Wesen der Ballade weit über den Umkreis eines Tanzliedes zurückvertieft in eine schöpferische Ursprünglichkeit, die er mit der Figur des vortragenden Sängers zusammensieht:

„Das Geheimnisvolle der Ballade entspringt aus der Vortragsweise. Der Sänger nämlich hat seinen prägnanten Gegenstand, seine Figuren, deren Taten und Bewegung so tief im Sinne, daß er nicht weiß, wie er ihn ans Tageslicht fördern will. Er bedient sich daher aller drei Grundarten der Poesie, um zunächst auszudrücken, was die Einbildungskraft erregen, den Geist beschäftigen soll; er kann lyrisch, episch, dramatisch beginnen und nach Belieben die Formen wechselnd, fortfahren, zum Ende hineilen oder es weit hinausschieben."

Goethe spricht hier aus der Erfahrung eines ganzen Lebens, das auf jeder Entwicklungsstufe durch balladische Visionen hindurchgegangen ist, dem die Ballade auf solche Weise zur „Grundstufe des Gesamtkunstwerks" geworden ist. So hat Zastrau im Goethe-Handbuch (2. Aufl. 1955) Goethes Balladen-Schaffen gesehen.

Wohl mochte Goethe bei der Musterballade (Die „Ballade vom vertriebenen und zurückkehrenden Grafen") an den Zusammenklang von Lied, Musik, Tanz gedacht haben, mit dem Kehrreim „Die Kinder, sie hören es gerne"; aber in seiner Gesamtvision von der Ballade greift er weiter. So spricht er davon, daß „die Balladen aller Völker verständlich sind, weil die Geister in gewissen Zeitaltern, entweder kontemporan oder sukzessiv, bei gleichem Geschäft immer gleichartig verfahren". So weit greift er damit in Ursprünge zurück, daß sich ihm eine ganze Poetik aus dem Balladischen herleitet:

> „Übrigens ließe sich an einer Auswahl solcher Gedichte die ganze Poetik gar wohl vortragen, weil hier die Elemente noch nicht getrennt, sondern wie in einem lebendigen Ur-Ei zusammen sind, das nur bebrütet werden darf, um als herrlichstes Phänomen auf Goldflügeln in die Lüfte zu steigen."

Solche Ursprungspoetik schließt alles Balladische ein, was aus den ungetrennten Elementen stammt. Die Brücke zum Heldenlied zurück schlägt auf Goethes Spuren ein Dichter-Denker unseres Jahrhunderts, der zeitlebens über den „Weg zur Form" in allen Gattungen nachgedacht hat: Paul Ernst. Als er sich mit dem Nibelungenlied beschäftigte, für die dritte Auflage seines Buches „Der Weg zur Form" 1928, da fügt er, unter der Nacherschütterung des Ersten Weltkriegs, in dem sich „das Schicksal des deutschen Volkes erfüllte", einen Überblick über die alte Heldenballade ein:

„Unsere ästhetischen Schablonen passen nicht auf die alte Ballade: sie ist dramatisch, aber nicht Drama; lyrisch, aber nicht Lyrik; episch, aber nicht Epos: sie ist eine Kunstform für sich, und zwar eine große, gewaltige Kunstform, für die uns heute freilich der Sinn verloren gegangen ist mit der alten Gesinnung. Als die Griechen die Tragödie schufen, mögen sie in ähnlicher seelischer Verfassung gewesen sein wie unsere germanischen alten Balladensänger; die Wirkung der beiden Formen ist die gleiche."

Das ist unmittelbar aus dem Goetheschen Gesamtblick gesprochen, nimmt seine Einsichten auf und vertieft sie unter den Schreckvisionen der eben erst durchgelebten Geschichte. Alles Tänzerische, das noch dem alten Wortklang „ballata" anhaften konnte, ist abgestreift.

Noch einen Schritt weiter in unsre jüngste Vergangenheit, unter dem lastenden Druck unsres totalen Zusammenbruchs 1945, hat ein Nibelungenforscher von Heute getan, Otto Höfler, (Jahrgang 1901) mit der Betrachtung über „Die Anonymität des Nibelungenliedes" 1955. Warum ist die ganze Heldenlied-Dichtung bis hin zum Nibelungenlied anonym? Warum tritt niemals der Name eines Dichters, eines Sängers als Schöpfer solcher Dichtungen hervor? Dies Schweigen hat einen erhabenen Grund: Was mit der Wucht der Völkerwanderungsschicksale über die Germanen hereinbrach, wurde als Schöpfungsbewegung selbst, als lebendige „Geschichte", als Geist der „alten maeren" in einer alle ergreifenden Betroffenheit aufgenommen und aus dem Strom der dies Leben durchflutenden Sagen zu Großballaden verdichtet. Wem es vergönnt war, dafür den markanten Ausdruck der alliterierenden Langzeilen zu finden, die Form zu prägen, in der die Heldenlieder in den Hallen der Könige und Fürsten von Sängern vorgetragen, vorgesungen wurden, der hob sich so wenig aus dem Gesamtgefüge heraus, daß er in sein Werk einging, ohne Eigenruhm, Stimme einer Ursprungsmacht, für die der alte Goethe viel später jene Formel von den „Urphänomenen in ihrer ewigen Einfalt" prägte.

Otto Höfler betont ausdrücklich, nachdem sich moderner Verfremdungs-Sinn mit Überheblichkeit gegen Jacob Grimms „Volksgeist" gewendet hatte, daß die Miteinbeziehung des Volks dem Gegenstand besser gerecht würde als eine individuelle Deutung, die nur Einzelne ins Auge faßt.

So selbstverständlich es ist, daß nichts Schöpferisches ohne die einmalige Zutat des Genialen in die Sprache eintritt, so bestimmend ist hier die alle ergreifende Mitbewegung, die sich in den Taten der zum Heldentum Aufgestiegenen zu Weltgipfelaugenblicken gesteigert. Hier stehen wir am Geheimnis des Ursprungs alles symbolischen Vermögens.

Für das Zeitalter der „Heldendichtung" besitzen wir eine Gesamtdarstellung, die alle Variationen des Heldischen bei den Völkern unseres Erdballs zu umfassen unternommen hat, von Cecile Maurice Bowra 1952, aus dem Englischen verdeutscht 1964. Er war von Homer ausgegangen und greift über alle Unterschiede der Gestaltung hinweg, überall auf die „Phänomenologie" des Heldentums gerichtet. Es ergibt eine großartige Motivstudie, auf epischem Untergrund und mit weiten sozialen Ausblicken. Nur eines fällt ganz heraus: wie im Jetzt und Hier des erfahrnen Schicksals, in „lebendig augenblicklicher Offenbarung" das „Unerforschliche" ins Symbol eingeht, unvergleichlich anders im germanischen Heldenlied als bei Homer.

Was uns dagegen berechtigt, das germanische Heldenlied herauszuheben als „Grundstufe des Gesamtkunstwerks", das ist die aus den Schrecken der Völkerwanderungsschicksale zusammengedrängte Gestaltungsform der alliterierenden Großkunst, die sich auf 100—200 Langzeilen festgelegt findet, gemäß der Auffassungskraft der Zuhörer in der Fürstenhalle, unter dem Sangesvortrag des Sängers, genannt „skop". Was hier gefordert wurde, waren Heldenschicksale, zusammengezogen auf dramatische Höhepunkte, herausgehoben aus dem Gewalthintergrund heroischer Völkerkämpfe. Es ist der Blutdunst der Völkerwanderungszeit, der zu einem düsteren Himmel aufsteigt, hinter dessen Gewitterwolken sich unerforschlich eine Art namenlose Gottheit, die „Wurt", verhüllt. Hier ist wahrhaft Lyrisches, Episches, Dramatisches zugleich. Wir stellen es an dem einzigen Denkmal althochdeutscher Literatur dar, das durch einen Glücksfall im 8. Jahrhundert in der Klosterschule zu Fulda durch zwei Mönche auf die leer gebliebenen Umschlagblätter eines Kodex eingetragen wurde. Alle anderen Heldenlieder finden sich erst viele Jahrhunderte später hoch im Norden in Island aufgezeichnet, obgleich sie ihrer germanisch-heidnischen Struktur nach älter sind als das aus dem langobardisch-bairischen Süden nach Fulda verschlagene „Hildebrandslied".

Es ist derselbe Hildebrand, der im „Nibelungenlied" gewürdigt wird, als der getreue Gefolgsmann des großen Dietrich von Bern, des Siegers über alle Burgundenhelden, der zur Rachefurie gewordenen Hunnenherrscherin Kriemhild den Kopf abzuschlagen, nachdem sie den Siegfriedmörder Hagen selber enthauptet hatte.

Für die Pazifisten unsres Zivilisationszeitalters müssen die so entstandenen Dichtungen als eine Art Totschlägerballaden erscheinen. Dem gegenüber soll versucht werden, aus der reinen Gestaltungskraft heraus Größe und Würde der hier gesteigerten Tat-Schicksale im symbolischen Kosmos der Dichtung darzutun.

Was allen Balladen gemeinsam ist vom Hunnenschlachtlied zum Hamdirlied um König Jörmunrek, bis zu den Liedern vom Burgundenuntergang und bis zum Hildebrandslied, kommt aus der gleichen Totalität der Ursprungskräfte: lyrisch wirkt die rhythmische Schöpfung der Stabreimverse, episch wirkt die Zusammenziehung auf Sippenkonflikte im engsten Kreis, dramatisch wirken die Zwiespräche, zu Trutz- und Streitgesprächen gesteigert, durch die sich die Hauptszenen gliedern. Alle Handlungskurven stürzen der letzten dramatischen Entscheidung zu, die im Triumph des heldischen Untergangs den Inbegriff aller Mitbewegung darstellt als die Totalerschütterung des Tragischen, der griechischen „Katharsis" verwandt. Inmitten aber finden wir, was die Kühnheit unseres Ausdrucks vom „symbolischen Kosmos" rechtfertigt, die Zusammenwürfe des Widersprüchlichen bis in die äußersten Schockwirkungen der Schöpfung selbst getrieben. Im Hunnenschlachtlied steht der echte Gotenerbe Angantyr dem Bastardbruder Hlöd, Enkel des Hunnenkönigs Humli, im Kampf gegenüber, Goten und Hunnen, bis Hlöd und Humli erschlagen sind, Angantyr aber spricht die Schlußverse:

„Ein Fluch traf uns, Bruder,
Dein Blut hab ich vergossen!
Nie wird das ausgelöscht —
Unheil schuf die Norne."

Im Hamdirlied treibt Gudrun ihre beiden Söhne Hamdir und Sörli dazu an, Rache zu nehmen am Ostgoten-König Jörmunrek, weil er ihre Schwester Schwanhild hat mit Rossen zerreißen lassen Ehebruchs wegen. Gudrun schickt den Brüdern den Bastardbruder Erp nach, ihnen zu helfen. Die Brüder aber zerstreiten sich mit ihm, „Hel zur Freude", sie erschlagen ihn. Als sie aber in Jörmunreks Burg einreiten, fehlt ihnen der Bruder. Sie schlagen Jörmunrek Hände und Füße ab, ihn zu peinigen. Hamdir rühmt sich dessen, statt schweigend Jörmunrek den Mund zu stopfen. Jörmunrek aber brüllt, „als brüllte ein Bär“: „Greift zu Steinen!“ Unter den Steinwürfen verenden sie, deren Rüstungen geweiht waren. Auch ihre letzten Heldenaugenblicke hält eine Strophe fest:

„Heldenruhm bleibt uns,
ob heut oder morgen wir sterben.
Niemand sieht den Abend,
wenn die Norne sprach.“

Wer von beiden Brüdern das spricht, bleibt offen. Beide sind hier Stimme des heroischen Triumphes im Untergang, in dem sich das Schicksal vollzieht, das alle mitbewegt. Die Brüder haben ihre Rache vollzogen. Zugleich haben sie den Frevel am Bastardbruder Erp begangen. Das gehört mit zu den Schicksalsfäden, die die Norne spinnt. Das Fragmentarische der Textüberlieferung, gerade bei Erps Gestalt, läßt nicht alles erraten. Wohl aber schließt sich für die germanische Zuhörerschar im heroischen Tod aller Zwiespalt. Dafür steht die Gestalt der Norne. Auch für Angantyr, den Helden der Hunnenschlacht, zieht sich in der Norne der Schicksalssinn zusammen: als Schatten des Brudermords, den er als Fluch zu tragen hat.

Was das Alte Atlilied, die Großballade vom Burgunden-Untergang, heraushebt aus den Fragmenten der „Hunnenschlacht“ und des „Hamdirlieds“, ist die allumfassende symbolische Durchformung. Obgleich wir auch hier noch nicht ins Einzelne zu gehen haben, bleibt eindeutig der große Zug des Ganzen. Was Gunnar sterbend ausruft: „Nun hüte der Rhein der Recken Zwisthort“, beleuchtet die symbolische Mitte: der Nibelungenschatz, das reine Gold, als die Zwietrachtmitte, als das tödliche Spaltelement, das alle zugrunderichten wird. Zwei machtvolle Hallenszenen: Eingangs die Burgundenhalle goldglänzend, und die Boten Atlis, die zur Atli-Halle einladen, und dann die gewaltige Hunnenhalle, die aller Untergang miterlebt und zuletzt in die Mordbrenna mitaufgeht. Goldgeschenke bringt Atlis Bote, Gunnars Antwortrede strotzt vom Goldbewußtsein der Besitzer des Nibelungenschatzes. Die Warnung der Schwester, Atlis Gattin, stumme Symbolsprache als ein Ring, mit Wolfshaar umwunden, wird von Högni, dem Bruder, wohl verstanden. Aber Gunnar, der Nibelungenschatz-Trunkene gleitet darüber hinweg und damit in den Untergang am Hunnenhof. Gunnar wie Högni bleibt es vergönnt, als Gefangene der Hunnen auf große heldische Weise zu sterben. Die Handlung zieht sich dabei um den Nibelungenschatz zusammen, dessen Geheimnis nicht verraten wird. Gipfelszenen setzen sich in Gespräche um. Gunnar läßt sich sein Leben nicht mit Gold erkaufen. Er fordert Högnis Herz. Das untergeschobene Herz Hjallis des Feigen, lehnt er ab. Noch aus dem Leib geschnitten zittert es. Es führt zum höchsten Heldentriumph Högnis: „Da lachte Högni, als zum Herzen sie schnitten dem kühnen Kampfbaum. Zu klagen vergaß er.“ Nach Högnis Tod aber kann Gunnar sein letztes Triumphlied singen. „Nun hüte der Rhein der Recken Zwisthort.“

Über Gunnars Tod hinweg greift der Zwisthort und ruht nicht bis Gudrun die Rache am Mörder Atli vollzogen. Sie setzt Atli seine eignen Kinder zur Mahlzeit vor, dann ersticht sie ihn im Prunkbett und steckt die Halle in Brand, verbrennt sich selber mit. Im Selbstgespräch ruft Gudrun gegen den Eidbrecher Atli Odin an (Sigtyr). Als Gudrun Atli die Kinder zur Speise vorgesetzt hat, die ihre eignen Kinder sind, und als sie danach Gold verteilt, um das Entsetzen der Hunnen aufzukaufen, da heißt es im Text „skop let hon vaxa“ „Schicksal ließ sie wachsen“. Sie bekommt als Helferin der Nornen walkürenhafte Schreckzüge. „Keine Maid tut je in der Brünne ihr gleich, die Brüder zu rächen.“

Damit haben wir den Rahmen im Umriß festgelegt, in den auch das „Hildebrandslied“ hineingehört. Hier wird es möglich, ganz ins Einzelne zu gehen. Die Überlieferung führt auf die niederdeutsche Umschrift einer hochdeutschen Vorlage, wir sind in den Ursprüngen des Althochdeutschen. Vermutlich stammt das Lied, nach dem Untergang der Ostgoten 553, von einem langobardischen oder bayrischen Dichter, in deren Geschichtsbild sich die Gestalt des großen Theoderich bereits verschoben hat. Theoderich, der den Rubierkönig Odowakar besiegte und ermorden ließ, erscheint in der Rahmengeschichte des Hildebrandliedes als Flüchtling, der vor Odowakar fliehen muß mit allen seinen Degen und nach dreißig Jahren Exil mit einem Hunnenheer zurückkehrt, um sein Reich zurückzuerobern. Zwei Heerführer treten sich einander gegenüber, Hildebrand als treuster Degen Dietrichs vor dem Hunnenheer, Hadubrand als Heerführer vor dem Gegenheer. Die Steigerung über die alten Totschlägerballaden hinaus ist die, daß hier ein Kampf auf Tod und Leben auszufechten ist nicht zwischen Bruder und Bastard, sondern zwischen Vater und Sohn.

Wir geben den Text nicht in der durch Georg Bäsecke erschlossenen hochdeutschen Vorlage, sondern im Original der im Fuldaer Kodex entstandenen Mischsprache; die nun einmal ihre eigene ehrwürdige Wirklichkeit besitzt.

Ik gihôrta đat seggen,   (*s*anges wîse liuti),
dat sih *ú*rhêttun   *á*enon muotîn
*H*íltibrànt enti *H*ádubrànt   unter *h*ériun tuêm
*s*únufatarungo: iro *s*áro rihtun,
*g*árutun se iro *g*ûđhamun   *g*úrtun sih iro suert ana,
*h*élidos ubar *hr*ínga   do sie to dero *hí*ltiu ritun.

Das hörte ich sagen   (*S*angeskundige),
daß sich *A*usfordrer   *e*inzeln trafen
*H*ildebrand und *H*adubrand   zwischen *H*eeren zwein
*S*ohn und Vater   *s*ahn nach ihrem Panzer
*b*ereiteten ihre Brünnen   *b*anden sich ihre Schwerter um,
die *H*elden, über die Ringe   da sie zu ihrer *H*ilt ritten.

Überzeugend ist die epische Eingangslage dargeboten: als Kriegsbegegnung der Herausforderer vor den Heeren. Bereits ist das Schreckensthema vorweggenommen: Vater und Sohn werden es sein, die als Hildebrand und Hadubrand sich begegnen, ohne es zu wissen. Darnach gestaltet der Dichter anschaulich, was solchem Kampf vorausgeht: sie richten die Rüstungen (saro), bereiten die Kampfgewänder, gürten die Schwerter über die Panzerringe, reiten zum Einzel-Kampf an.

Auf vollkommne Weise zugleich spiegelt sich in den zweigipfligen Stabreim-Langzeilen die rhythmische Dynamik, die dem balladischen Geschehen zugrundeliegt. Immer sind es die Wurzelsilben, die Alliteration und Hochton tragen und mit dem alliterierenden Parallelstab der andern Kurzzeile dynamisch verbunden sind. So einfach dies alliterierende Gesetz, so vielfältig sind die Abwandlungen. Die freiste rhythmische Bewegung liegt darin, daß die Zahl der unbetonten Zwischensilben offen ist :„so sie to dero híltiu rítun." Was hier aus Ursprüngen balladischer Lyrik heraufsteigt, ist von vornherein aus männlichem Kampfgeist auf eine dramatische Entscheidung gerichtet. Die einleitende Formel des Sängers, der hier die zweite Kurzzeile fehlt, (Ik gihôrta dat seggen), zwingt zum epischen Verweilen, aus der Überschau einer weithin sich öffnenden Kriegerwelt, der es um Taten der „Helden" geht. Wie im Vater-Sohn-Streit der Zusammenwurf des Widersprüchlichsten angekündigt ist, zieht sich der Eingang zur exemplarischen Ausgangslage zusammen, die sich mit Sinn dynamisch füllt.

Hildebrands Anfrage.

*H*iltibrant gimahalta   her was *h*êrôro man
férahes frótoro,   her frágên gistuont,
*f*ôhêm wórtun   hwer sîn *f*áter wâri

*f*ireo in fólche „eddo hwelihhes (*f*áđer)-cnuosles du sîs"
ibu du mi *é*nan sages ik mi de *ó*dre wêt
*ch*índ in *ch*únincriche *ch*ûd ist mir al irmindeot

*H*ildebrand sprach, er war der *h*ehrere Mann
des Lebens er*f*ahrener zu *f*ragen begann er
mit *w*enig *W*orten wer ge*w*esen sein Vater
im Volk der Menschen „oder welches Vatergeschlechtes du seist"
wenn du *e*inen mir sagst die *a*ndern weiß ich
*K*ind im *K*önigreiche *k*und ist mir alles Großvolk

Daß Hildebrand als der Vornehmere, Lebenserfahrenere, Ältere das Wort ergreift, als erster, liegt in der Natur der Sache. Daß er dem Jüngeren die Ehre antut, ihn nach seinem Vatersgeschlecht zu fragen, entspricht dem Herkommen. Überraschend ist dann der Übergang in die Unmittelbarkeit des Gesprächs, aus dem episch-berichtenden Sängerstil in die Dramatik des Dialogs. So stellt der Sänger in den Hörern die einfachste Mitbewegung her, die alles balladische Geschehen unterflutet.

Hadubrands Antwort

*H*ádubrant gimahalta, *H*íltibrantes sunu:
„dat *s*agêtun mî ûsere liuti (unvollständig)
*á*lte anti frôte dea êrhina wârun
dat *H*íltibrant haetti mîn fater ih heittu *H*ádubrant.
forn her ôstar gihueit flôh er Otachres nîd
hina miti *T*héotrîhhe enti sînero *d*égano filu.
her fur*l*áet in *l*ánte *l*úttila sitten
*p*rût in bure *b*árn unwahsan
*á*rbeo laosa her raet ôstar hina
sîd *D*êtrihhe *d*árba gistuontun
*f*áteres mines dat was sô *f*ríuntlaos man
her was Otachre *ú*mmet tirri
*d*égano *d*échisto miti *D*éotrihhe.
her was eo *f*ólches at ente imo was eo *f*éheta ti leop
*c*hûd was her *c*hônnem mannum (unvollständig)
ni wâniu ih iu lîb habbe."

Hadubrand sprach, Hildebrands Sohn:
Das sagten mir unsere Leute (unvollständig)
alte und kluge, die ehmals waren,
daß Hildebrand geheissen mein Vater ich heisse Hadubrand.
Einst reiste er nach Osten floh Otakers Haß
dahin mit *D*ietrich und vielen seiner Degen
Zurück *l*ieß er im *L*and *l*ützel sitzen
die Gattin im *B*au, den *B*uben, unerwachsen.
des *E*rbes beraubt er ritt nach Osten.
Später mußte *D*ietrich *d*arben lernen

meines Vaters, der *f*reundlose Mann.
Er (Hildebrand) war immer in Volkes Spitze — immer war ihm *F*echten das Liebste
*K*und war er immer *k*ühnen Männern.
Nicht glaube ich, er lebe noch.

Hadubrands Antwort zeichnet sich durch höfliche Bereitschaft aus. Zugleich muß die Ausführlichkeit überraschen, mit der er Auskünfte gibt. Man spürt, was ihn bei dem Namen seines Vaters im Tiefsten bewegt: daß der Held, als tapferster Degen Dietrichs, vor dem Haß Otakers hat fliehen müssen mit seinem Herrn, daß er Frau und Kind, Erbes beraubt, hat zurücklassen müssen und daß er doch ein so großer Held war, immer an der Spitze, ein Meister der Fechtkunst, berühmt unter kühnen Helden. Man spürt die Lebenswunde, die dies Vaterschicksal dem Sohn geschlagen, eben daran, daß dies alles aus ihm hervorbricht. Überschattet von dem Gedanken, daß Dietrich seinen tapfersten Degen verloren hat, daß Hildebrand wohl nicht mehr lebt.

Die Meisterleistung des Sängers dieser Vater-Sohn-Ballade ist es, daß er im Zwiegespräch zwischen Vater und Sohn beider Lebensbild entfaltet. Hildebrand als der Welterfahrene, der alle Geschlechter kennt im „Königreiche". Hadubrand als der, der vaterlos hat aufwachsen müssen, nachdem Hildebrand im Gefolge des vom Schicksal geschlagenen Dietrich hat Frau und Kind im Stich lassen müssen. Der Umriß großer Ereignisse zeichnet sich in den geschichtlichen Horizont: Odoakar und Dietrich, Weltfiguren der Völkerwanderungszeit.

Schon aber ist damit die Exposition zu Ende. Und unmittelbar reißt jetzt das balladische Geschehen uns in die Herzensbewegung zwischen Vater und Sohn. So unvermittelt, daß die breitere epische Formel „Hiltibrant gimahalta Heribrantes sunu" sich verkürzt. Um so mitreißender drückt sich die Erschüttertheit des Vaters aus, der sich hier so plötzlich dem eignen Sohn gegenübersieht, als seinem Gegner.

Hildebrands Antwort:

„wêttu írmingot quad Hiltibrant *ó*bana ab hevane
dat *d*û neo *d*ana halt *d*inc ni gileitôs
mit sus sippan man
*w*ant er dô ar arme *w*untane baugâ
*c*heisuringu gitân sô imo se der *c*huning gap,
*h*ûneo truhtîn dat ih dir it nû bi *h*uldî gibu."
Zeuge sei der *A*llgott, sprach Hildebrand, oben vom Himmel herab

da *du* noch nie ein *d*ing geführt hast
mit so Nahverwandtem
da wand er vom Arme gew*u*ndene Spangen
aus *K*aisergold gemacht die ihm der *K*önig gegeben
der *H*unnen Herr: daß ich das nun aus *H*uld dir gebe.

Die Antwort des erschütterten Vaters ist nach Anrufen Gottes das angesprochene „Du" des Sohns und die beschwörend gestammelte Zeile, die verhindern will, daß zwischen Vater und Sohn ein „dinc" durchgeführt wird, ein Rechtsgang, Zweikampf vor den Heeren. Nur andeutend streift Hildebrand das Wichtigste: „mit sus sippan man." Wichtiger als Worte ist ihm die Gebärde, das dargebotene Geschenk, das durch seine Kostbarkeit für sich selber spricht: aus Kaisermünzen, Kaisergold, aus dem Schatz des oströmischen Kaisers, geschenkt vom Hunnenherrscher selbst, goldgearbeitete Spangen. Alle Steigerung legt Hildebrand in die Unmittelbarkeit der Ansprache: „dat ih dir it nu bi huldi gibu!"

Ganz gerecht wird man Hildebrands Antwort erst, wenn man den gewaltigen Eingangs-Anruf in seinem vollen Gewicht erfaßt: „Zeuge sei der Allgott oben vom Himmel herab!" Damit bereits tritt diese Vater-Sohn-Ballade aus dem Bannkreis der schicksalwebenden Nornen heraus, die die nordländischen Balladen und ihren mörderischen Rachegeist durchfinstern, gewiß zur Steigerung des heldischen Triumphs. Hildebrand kennt den Allgott oben vom Himmel herab. Der Langobarden-Sänger um 600 war vom Geist des Christentums berührt ebenso wie seine Zuhörer. Hildebrands Anruf gilt einem Heilsgott, der die Dinge zum Guten lenken soll. Aus seinem Geist beugt sich der Alte dem Jungen entgegen: „dat ih dir it nu bi huldi gibu!" Und die Goldesgabe voll Symbolkraft haben, die „Huld" zu verstärken.

Hadubrands Antwort

*H*ádubrant gimahalta, *H*íltibrantes sunu:
mit *g*êru scal man *g*éba infâhan
órt widar órte.
du bist dir *á*ltêr Hûn *ú*mmet spâhêr
*s*pénis mih mit dînêm wortun wili mih dinu *s*péru werpan,
pist alsô gi*â*ltêt man sô dû êwin *i*nwit fuortôs.
dat *s*agêtun mi *s*eolîdante
*w*éstar ubar *w*éntilsêo dat inan *w*îc furnam:
tot ist *H*íltibrant *H*éribrantes sunu."

Hadubrand sprach, Hildebrands Sohn:
„Mit dem Ger soll man Gabe empfangen

Spitze gegen Spitze.
Du bist ein *a*lter *H*unne *u*nmäßig schlau
*sp*annst mich mit deinen Worten willst mich mit deinem *Sp*eer werfen.
So *a*lt du geworden bist, *i*mmer triebst du *U*ntreu.
Das *s*agten mir *s*eefahrende Männer,
*w*estlich über das *W*endelmeer daß ihn *w*egnahm der Krieg.
Tot ist *H*ildebrand *H*eribrands Sohn."

Hadubrands Antwort ist die erschreckendste Abfuhr, die ein Gegner dem andern erteilen kann. Alles ist ins Gegenteil gewendet. „Mit dem Ger soll man Gabe empfangen!" Nirgends wirkt die Kraft alliterierender Stäbe erbarmungsloser als hier, wo der „Huld" entgegengesprochen wird. Als alter Hunne, schlau und tückisch wird der Gegner abgewiesen. Seine Gebärde des Schenkens wird als List gedeutet, hinterrücks mit dem Speer zu treffen. Zum kalten Hohn steigert sich der Jüngere, wenn er jetzt frühere eigne Worte aufgreift, sie ins Gegenteil zu kehren. „Das sagten mir Seefahrer: tot ist Hildebrand." Hadubrands Antwort hat sich von 15 Langzeilen seiner ersten Rede auf die Hälfte verkürzt. Hart und steinern ist seine Haltung geworden.

Zum Verständnis der nächsten Langzeilen ist vorauszuschicken, daß in der hochdeutschen Vorlage offenbar eine Textverschiebung stattgefunden hatte. Zwei gleichlautende Verseingänge haben hier verwirrend gewirkt: „wela gisihu ih" und „welaga nu, waltant got". Unmittelbar auf Hadubrands Antwort folgt Hildebrands Ausruf: „welaga nu, waltant got." Erst als Antwort auf Hildebrands Rede folgt Hadubrand mit dem „welaga nu". Wir werden sehen, daß diese Umstellung eine lückenlose Steigerung des Dramas erwirkt.

Hildebrands Antwort:

*H*íltibrant gimahalta, *H*éribrantes sunu:
„*w*élaga nû. *w*áltant got *w*êwurt skihit.
ih wállôta *s*úmaro enti wintro *s*éhstic ur lante,
dâr man mih eo *sc*érita in folc *sc*éontantero
sô man mir at *b*úrg ênigeru *b*ánun ni gifasta
nû scal mih *s*uâsat chind *s*értu hauwan
*b*rétôn mit sînu *b*illiu eddo ih imo ti *b*ánin werdan
doh maht du nu *áod*lîho, ibu dir dîn *é*llen taoc,
in sus *h*êremo man *h*rústi giwinnan
*r*aúba bir*á*hanen ibu dû dar ênic *r*éht habês."

Hildebrand sprach, Heribrands Sohn:
„*W*ehe nun, *w*altender Gott! *W*ehgeschick erfüllt sich!

Ich wallte *S*ommer und Winter *s*echzig außer Landes,
da man mich ein*sch*arte immer ins Volk der *Sch*ützen,
wo man mir vor keiner *B*urg den *B*ann des Todes brachte.
Nun soll mich das *e*igne Kind mit dem *E*isen schlagen,
niederstrecken mit dem *Sch*wert oder ich ihm zum *Sch*recken werden.
Doch mag es für dich *ei*nfach sein, wenn des Kampfs *Ei*fer ausreicht
von so *Ho*chbejahrtem den *Ha*rnisch gewinnen,
die *R*üstung *r*auben, wenn du ein *R*echt darauf hast."

Mit Hildebrands Weh-Ruf ist der Gipfel erreicht. Er ruft beide an, den waltenden Gott der Christen und die alte „Wurt" des heidnischen Heldentums. Im Ausmaß der tragischen Verstrickung gehen beide für ihn ineinander über. Hildebrand ist sich bewußt geworden, daß es nach Hadubrands Haltung keinen Ausweg mehr gibt. So wirft er einen Rückblick über sein Leben: Dreißig Jahre im Exil, immer im Kampf auf Tod und Leben, alle Gefahren überlebend. Und nun soll er dem eignen Sohn zum tödlichen Gegner werden oder er selber seine Rüstung verlieren.

So groß ist Hildebrands Schmerz gegenüber solchem Verhängnis, daß er nach Steigerungen im Alliterationsstil sucht. Neben „swert" tritt „billi", neben „hrusti" „rouba". So groß ist die Selbstwürde des alten Helden, daß er im Kampf zwischen Alter und Jugend auch den eignen Untergang unerschrocken ins Auge faßt. Und er schließt mit der Formel: „ibu du dar ênic réht habês." Er überantwortet den Ausgang den Mächten, die das „recht" zuerteilen. Den oberen Mächten, die er angerufen.

Hadubrands Antwort

„wela gisihu ih in dînêm (wîc-) hrustim
dat dû *h*ábês *h*ême *h*êrron gôten
dat dû noh bî desemo *r*îche *r*éccheo ni wurti."
Wohl erkenne ich an deiner *K*ampfrüstung
daß du *h*ast zu *H*ause einen gebenden *H*errn,
daß du noch in deinem *R*eiche kein „*r*eccheo" wurdest.

Gehässiger hätte Hadubrands Antwort nicht sein können, als es in diesen drei Zeilen geschieht. Er nimmt Hildebrands letztes Wort von der „Rüstung" auf, um die es im Kampf auf Tod und Leben immer geht: der Sieger raubt dem andern die Rüstung. Hadubrand aber nimmt es nur auf, um es gegen Hildebrand zu wenden: an seiner glänzenden Rüstung sei zu sehen, daß er kein „reccheo" sein könne, kein Vertriebener oder Verbannter, keiner, der dreißig

Jahre im Exil zugebracht. Hadubrand stellt damit den alten Hildebrand als einen Lügner dar.

Hildebrands Antwort:

„Der sî doh nu *á*rgôsto *ô*starliuto
der dir nû *w*îges *w*arne, nû dih es sô *w*él lustit,
gûdea gi*m*éinûn. niuse dê *m*ôtti
werdar sih *h*íutu dero *h*régilo rûmen muotti
erdo desero *b*rúnnôno *b*êdero waltan."

Der wäre der *F*eigste der *F*ahrer aus dem Osten,
der sich jetzt *w*eigerte zu kämpfen, wo dich so *w*ohl danach lüstet.
nach dem *K*ampf zu zweien. wer *k*ann, versuch es,
ob er die *R*üstung heute *r*äumen müsse
oder ob er der *B*rünnen *b*eider wird walten.

Hildebrands Entscheidung ist getroffen. Mit dem schimpflichsten Wort „argôsto" ist jedes Band zerschnitten. Noch einmal nimmt Hildebrand das Wort „Rüstung" auf, um ihm seine Würde im Kampf auf Tod und Leben zurückzugeben; in schneidender Kürze.

Nun ist kein Wort mehr zu sagen. Die Waffen haben zu sprechen. Die ganze steigernde Handlung ist von der Wechselrede getragen, zwischen der Überschau des Alters, der Redseligkeit und dem Argwohn der Jugend. Hildebrands mißdeutete Gabe wird zum Angelpunkt der Handlung. Als ginge vom Gold auch hier Zwiespalt aus, treibt Hildebrands elegische Betrachtung der „Rüstung" Hadubrands tödlichen Hohn hervor. Ehe wir uns dem Schluß zuwenden, überschauen wir nochmals im Ganzen den balladischen Aufbau, der sich, wie das der Struktur des alten Balladenstils entspricht, in Redeauftritten vollzieht. Nichts dient der alles durchflutenden Mitbewegung so unmittelbar als das Gespräch, das sich in Rede und Antwort entfaltet. Stets sind wir hineingezogen in die Lebensmitte dessen, der spricht. Was dem Hildebrandslied seinen besonderen Vorrang gibt, macht zugleich seine Begrenzung aus. Es gibt keine großen Hallenräume mehr, in denen die Stimmen sich mit heldischen Pathos nach außen wenden. Zwei einzelne Helden stehen sich gegenüber vor den Heeren. Alle Handlung zieht sich um die Gespräche, die beide führen. Mit der unnachahmlichen Wortkraft der Ursprungssprache ist das geistige Thema zusammengezogen in die Bildung „sunufatarungo". Wörtlich: „zwischen den Heeren der Sohn- und Vater-Leute." Da die Bildung einmalig ist, hat man auch auf ein Adverb geschlossen: „sohnväterlich." Wäre die Urschrift „sunufatarungos" gewesen, so könnte man übersetzen:

Sohn und Vater, oder die „die Sohn-Vaterung". Kurzum was dem Dichter im Sinn lag, als er sein Thema vorausgriff mit dichterischer Wortkraft, war der ins engste Herzensbündnis getriebene Zwiespalt: daß Vater und Sohn sich als Gegner vor den Heeren begegnen.

Es ist allen Ausdeutern der Vater-Sohn-Ballade früh bekannt geworden, daß das Vater-Sohn-Thema ein Weltthema ist, das in drei Fassungen durch die Literatur geht: als Kampf zwischen dem irischen Helden Cuchulinn und seinem Sohn Conla, dann als Einschub ins persische Königsbuch Firdausis als Kampf zwischen Rustem und Suhrab, zuletzt in der Spätform russischer Bylinen als Kampf zwischen Ilja Muromec und seinem Sohn Sokolnitschek. In allen Fassungen muß der Vater den Sohn töten. In allen andern Fassungen geht es um die Begegnung von Vater und Bastardsohn, mit besonderen dadurch hervorgerufenen Verwicklungen.

Es wird immer ein Rätsel bleiben, was den Dichter des Hildebrands-Liedes zu der tragischen Vater-Sohn-Fabel geführt hat, die er im langobardischen Raum mit der Dietrichgestalt verknüpfte. Jedenfalls nahm er die Bastardfabel nicht auf und vertiefte die balladischen Möglichkeiten um die Urtragik zwischen Vater und Sohn.

In keinem vergleichbaren nordischen Heldenlied sind die Wechselgespräche so verinnerlicht und zugleich mit solcher inneren Spannung dramatisch zusammengeschlossen wie im Hildebrandslied. Es ist die Folge jener Hinwendung zu ganz eindeutigen Sippenkonflikten, zu denen die politischen Ereignisse gefiltert werden. Man sollte darin keine „Privatisierung" sehen, vielmehr den Willen, das Ganz-Konkrete menschlicher Lebenskonflikte für die allbereite Mitbewegung der Hörer einzufangen und daran balladische Gestaltkräfte zu entfalten. In diesem Sinn stellt das Hildebrandslied den Höhepunkt der ganzen balladischen Bewegung der Frühzeit dar, wenn auch in einem Spätstil.

Schritt für Schritt erleben wir mit, was in den beiden vom Verhängnis des Vater-Sohn-Kampfes betroffenen Helden vorgeht. Wie sie sich aufeinanderzubewegen und eben damit voneinander entfernen. Dem Vater wird bewußt gemacht, wer ihm gegenübersteht, sein eigner Sohn. Das Mittel, zu dem er greift, die goldnen Spangen, Ausdruck allerväterlichster „huldi", erweckt im Sohn dem Hunnen gegenüber nur Mißtrauen und Ablehnung. Des Vaters Weltklage in ihrer ergreifenden Alterswürde und Einsicht, nimmt der Sohn nicht mehr auf. Er sucht ihn als Lügner zu brandmarken und zerschneidet das letzte Band. Goldringe und Rüstung bekommen Eigenleben und wirken sich aus als spaltende Kräfte. Unentrinnbar wird im Zeitalter der Heldenehre vor den Heeren der Entscheidungskampf. Dem Vater fällt das vernichtende Schlußwort zu. So ist mit Hildebrands letzten Worten die Tragik offenbar.

Der Schluß

do lêttun se *áe*rist *á*sckim scrîtan,
*sc*árpên *sc*ûrim dat in dêm *sc*iltim stônt,
dô *st*ôpun tô samane *st*áim bort chludun
*h*éuwun hármlîcco *h*uîtte scilti,
unti im iro *l*intûn *l*úttilo wurtun
gi*wí*gan miti *w*âbnum ...

Da ließen sie *e*rstlich *E*schenspeere gleiten,
in *sch*arfen *Sch*auern daß sie in den *Sch*ilden feststanden,
dann *st*apften sie zusammen zer*st*ießen die Buntborte
sie *h*ieben *h*armvoll die *h*ellen Schilde,
bis ihnen die *L*indenbohlen *l*ützel wurden,
zer*schl*agen von den *Sch*wertern ...

Mit dem Beginn der Kampfschilderung hat der Epiker das Wort. Er gibt mit gedrängter Wortkraft den Fortgang vom Wurf der Eschenspeere, die in den Schildern stecken bleiben, bis zum Schwerterkampf, bei dem die Schilde zerhauen werden. Hierfür finden wir Formeln aus dem epischen Formelschatz, die unter dem Stilbegriff der „Variation" zusammengefaßt werden. So variieren die „scilti" als „staimbort", als „lintun", als „wâppan" (wabnum). Auch hier sehr sparsam verwendet gegenüber dem späteren Skaldenstil des Nordens, verstärken die Variationen die Illusion der unermüdlich wiederholten Schwertschläge gegen die Schilde. Solcher Augenblick verweilender Epik läßt die alles umspannende Wucht der Stabreime noch einmal hervortreten, für die der Poetik-Theoretiker des Skaldenstils Olaf um 1250 das Gleichnis fand: „Der Stabreim hält die nordische Dichtung zusammen, wie die Nägel das Schiff zusammenhalten."

An dieser Stelle nun bricht die Niederschrift der Fuldischen Mönche ab.

Wir haben aus einem nordischen, sehr viel späteren Lied eine Strophe erhalten, in der Hildebrand bekennt, daß er dem eignen Sohn hat zum Mörder werden müssen:

Dort *l*iegt mir zu Häupten der *l*iebe Sohn
der einzige *E*rbe der mein *E*igen war
*U*nwollend sein *E*nde schuf ich.

Wie aber der Endkampf zur Darstellung gekommen ist, entzieht sich der Kenntnis, und alle Versuche, aus dem Vergleich mit den anderen Vater-Sohn-Kämpfen erhellende Motive zu gewinnen, bleiben in Konstruktionen stecken. Mit Hildebrands Wehklage: „Welaga nu, waltant got, wêwurt skihit" hat sich der symbolische Kosmos der Dichtung um diese tragische Ballade geschlossen. Geist des alten Heldentums, an die Ehre gebunden, zwingt der Vaterliebe den Kampf vor den Heeren ab. Es bleibt ihm die Überschau über sein Leben als ein Dauerkampf zwischen Leben und Tod, es bleibt ihm der Anruf an die ewigen Mächte, die Allwaltenden, die den Einzelnen in sein Schicksal verstricken. Es bleibt die schreckliche „Wurt", die den Sohn verblendet, daß er im Völkerstreit zwischen Hunnen und Goten dem Vaterwort und der Vatergabe nicht traut und das Zankwort herausfordert, das seinen Tod besiegeln wird. Die Vater-Sohn-Ballade hat ihr symbolisches Denkmal gefunden.

Eine so glückliche Fügung wie die der beiden Fuldaer Mönche, denen wir die Niederschrift des Hildebrandslieds verdanken, hat es nicht wieder gegeben. So ist für uns mit dem Hildebrandslied die Verbindung zur alten Ballade abgerissen. Wohl hat sie im mündlichen Vortrag fortgewirkt durch Jahrhunderte. Gegen fünfzig Heldenfabeln hat die Forschung ausgemacht, die letzten historischen Gestalten, an die sich die Sage heftete, sind der Langobardenkönig Alboin † 572, die Frankenkönigin Brunichildis † 614. Mit welcher Kraft und Ausstrahlung die Lieder nachwirkten, wird erst erkennbar, als im Nibelungenlied alle Großgestalten unvermindert großartig wiederkehren: Brunhild und Kriemhild, die Burgunderkönige, Siegfried, Hagen, König Etzel, Dietrich von Bern mit seinem Waffenmeister Hildebrand.

Inzwischen ist mit der alten Heldengesinnung auch der Stabreimvers verschwunden, ist dem Endreim gewichen. Am sogenannten „Jüngeren Hildebrandslied" in Drucken des 16. Jahrhunderts wird offenbar, wie grundanders die Lebensstimmung im bürgerlichen Zeitalter geworden ist: idyllisch-gemüthaft, burleskhumoristisch. Vater und Sohn treffen sich zum Kampf, der Alte verdrischt den Jungen; als sie sich namentlich erkannt haben, ist der Jubel groß; am Tisch der Mutter Ute spielt der Junge den Sieger, der Alte den Gefangenen, bis alles sich in den Armen liegt. Für das Schöpferisch-Balladische im Ursprungssinn ist hier kein Raum mehr. Wer hier jetzt die „Volksballade" ansetzen will, läuft Gefahr, derselben Maßstab-Schwäche zu verfallen, die sich im Dichterischen ausbreitet.

Abermals ist es ein Glücksfall zu nennen, daß sich in Schottland und England bis ins 17. Jahrhundert eine Herrenschicht erhalten hat, in der heroisch-männliche Ideale eine neue balladische Gestaltung suchen, grundanders als im alten Heldenlied, doch im Urlement tragischer Größe vergleichbar. Unter den Balladen, die Bischof Percy 1765 veröffentlichte, findet sich die berühmte „Edward-Ballade", die in ihrer Eindeutschung durch Herder die gesamte künftige Kunstballadendichtung begründet hat. Zugleich hat die neu entfachte balladische Begeisterung den Blick zurückverschärft für echte deutsche Volksballaden, die im balladischen Spannungsfeld eine Art Gegenpol zur Edwardballade darstellen und an eigenwüchsiger Kraft in nichts vor ihr zurückstehen.

2. Die Edwardballade

Der große Mittelsmann, der die Edwardballade für die junge deutsche Generation des Sturm und Drangs erschloß, war Johann Gottfried Herder. Es beginnt mit seinem Aufsatz: „Auszug aus einem Briefwechsel über Ossian und die Lieder alter Völker", der in der Sammelschrift „Von deutscher Art und Kunst" 1773 erschien. Darin ist bereits die Edwardballade zum ersten Mal übersetzt, eingeführt als „altes, recht schauderhaftes schottisches Lied". Aufgenommen bereits in den von Herder zuerst geprägten Begriff des „Volkslieds". Die wahrhafte „Weltbetroffenheit", die für Herder von der Sammlung englisch-schottischer Balladen des Bischofs Percy ausging (1765), und die in ihm den Drang nach der schöpferischen Prägung des „Volkslieds" hervorrief, löste eine Flut enthusiastischer Vorstellungen aus, die ein Ursprünglich-Einfältiges umkreisen und immer wieder ein polares Spannungsfeld erschließen: einmal „immer die Sache ... sinnlich, klar, lebendig anschaulich, treffend den ganzen Gedanken mit dem ganzen Wort"; zum andern „so viele Würfe, so viele Sprünge". „Bei allem Simplen und Populären kein Vers ohne Sprung und Wurf des Dialogs." „Je älter, je volksmäßiger, je lebendiger, desto kühner, desto werfender." Eben damit nähert sich Herder den Ursprüngen einer Einbildungskraft, die in den Zusammenwürfen des Widersprüchlichen gipfelt und eben damit immer die Sache trifft, den im Symbol sich aufschließenden Kern der Existenz.

Als Dank an England ließ Herder 1777 den Aufsatz „Von Ähnlichkeit der mittleren englischen und deutschen Dichtkunst" folgen. Er beruft die „Grundadern der Dichtung" in beiden Völkern, um in den Deutschen den Ruf nach ihren eignen „Reliques" zu erwecken. „Zeigt unsrer Nation, was sie ist". Das versucht dann Herder selbst in seiner großen Sammlung: „Volkslieder" I und II. 1778 und 1779. Er dehnte die Sammlung auf alle Völker aus, so daß die 2. Auflage 1807 den Titel trägt: „Stimmen der Völker in Liedern". Abermals kehrt unter diesen Volksliedern die „Edwardballade" wieder, im letzten Teil, in verbesserter Übersetzung, der wir hier folgen.

Wenn sich im „Hildebrandslied" der Urkonflikt des Vater-Sohn-Kampfes heldisch-tragisch löst und der Vater sich um der Ehre willen gezwungen findet, um sein Leben zu kämpfen und den eignen Sohn zu töten, dann wirft uns die „Edwardballade" in einen noch grauenvolleren Konflikt: der Sohn hat den Vater ermordet, und die Mutter ist es, die den Sohn angestiftet hat. Die Grenzkonflikte, in die sich der Mensch geworfen findet, sind hier nach innen geschlagen. Es sind dieselben Sippenkonflikte, aber sie haben Abgründe aufgerissen in den inneren Bindungen des allernächsten Miteinander. Mit Schauder erkennen wir hier Wahrheiten angerührt, die uns von der Psychoanalyse unsrer eignen Gegenwart nur allzu vertraut geworden sind: daß sexuelle Spannungen bestehen, unkontrollierbar zwischen bipolaren Regungen der Seele. Derart daß der Freudsche Ödipuskomplex in Haß und Liebe den Sohn zwischen Mutter und Vater verstrickt, und ebenso Mutter und Sohn.

Wie bewältigt der Dichter der Edwardballade solche unerhörten Spannungen? Welche Symbolkräfte stehen ihm in der Tradition der tragischen Großballade zur Verfügung? Wie kann sich heldische Größe in solchen Akten selbstzerstörerischer Urtabus behaupten?

Die geradezu ungeheure Wirkung, die die „Edwardballade" auf die Zeitgenossen ausgeübt hat bis zu Goethes Wort bei Besprechung des „Wunderhorns" 1807: „das Höchste, das wir in dieser Art kennen" (wo lyrische, dramatische und epische Behandlung . . . ineinandergeflochten sind), muß unsre Erwartungen ins ganz

Ungewöhnliche spannen. Tatsächlich ist das, was den Gesamtaufbau der Ballade bestimmt, mit solcher rhythmischen Vorausschau durchstrukturiert und bis in alle Einzelheiten in die schauervollste Grundstimmung hineingestaltet, daß wir hier vor etwas ganz Einmaligem stehen, das wie ohne Vorläufer sich aus den Brudermord-Vorstufen der Schottenballade erhebt und im Grunde in seiner Einzigkeit auch ohne Nachfolge geblieben ist, so riesig auch die Ausstrahlungen auf die ganze deutsche Kunstballade zu verzeichnen sind.

Wir stehen hier abermals am Ursprung des symbolischen Vermögens, wie es alle Grundanlagen der Einbildungskraft, die lyrischen, epischen, dramatischen ergreift und rhythmisch zum unlöslichen Ganzen verschmilzt.

Das Ursprungselement, das uns vom Hildebrandslied zur Edwardballade begleitet, vom Stabreimvers mit seinen dynamischen Alliterationen, die auf die entscheidenden Sinnworte fallen, zum geregelten Strophenvers, der die Reimbindungen sucht, ist die gemeinsame rhythmische Ergriffenheit, die auf Weltereignisse antwortet.

Was uns bei der Edwardballade in den Bann zieht, mit einer alles Epische aufsaugenden Dialogik, die den Gesamtbau trägt, greift auf Wurzeln des Rhythmus zurück, die ebenbürtig neben der Wucht der Alliterationszeile sich zu behaupten vermögen aus der Kraft magisch wirkender Wiederholungen. Solche Magie ist uralter Bestand der Zauberdichtung. Sie erwirkt einen Zusammenhang von rhythmischer und lautlicher Gewalt, die beschwörenden Charakter hat dank ihrer starren Wiederholungsformeln. Die Merseburger Zaubersprüche sind das urtümliche althochdeutsche Denkmal. Wir sind solchem archaischen Rhythmus bereits im I. Band begegnet, wir haben damals die Parallele zum geometrischen Ornament gezogen. Und wir haben damals bereits auch auf die einzigartige Edwardballade hingewiesen, die mit der starren Stilisierung der das ganze balladische Geschehen tragenden Wiederholungen einen Bann des Grauens auszuüben vermag.

Im Rahmen unsres III. Bandes vermögen wir jetzt das balladische Leben, das in die Stilisierungen gebannt ist, aus der Kraft ihrer wahren symbolischen Ursprünge zu deuten. Ein Geschehen, das ganz aus Spruch und Gegenspruch zwischen Mutter und Sohn aufgebaut ist, erfährt die starren Wiederholungsformeln nicht nur als „Ausdruck des Typischen und Statischen", sondern aus dem Symbolverhältnis zwischen Vater, Mutter und Sohn. Die balladische

Vision, die einen Urschrecken zu verkraften und zu gestalten hat; daß der Sohn den eignen Vater ermordet und daß der Mord sich auf den Rat der Mutter vollzogen hat, bedarf der rhythmischen Klammern, die sich im Spiegel der Wiederholungen verfestigen, aus einer gestalterischen Vision, die allem was hier geschehen muß, vorausliegt. Was der moderne Mensch nur analytischer Tiefenforschung zu verdanken hat, das hat der Dichter der Edwardballade als durchlebtes magisches Grauen bis in den Rhythmus zurück vorausgestaltet. Und so vermag er seine Ballade zu beginnen mit dem Mutterwort, das vom verräterischen Gewissen in die ängstliche Frage vorgetrieben ist:

„Dein Schwert, wie ist's von Blut so rot?
Edward, Edward;
Dein Schwert, wie ist's von Blut so rot?
und gehst so traurig her? — „O";
O ich hab' geschlagen meinen Geier tot,
Mutter, Mutter!
O ich hab' geschlagen meinen Geier tot
und keinen hab' ich wie er — „O"!

So beginnt die Zwiesprache zwischen Mutter und Sohn. Die Mutter fragt, der Sohn weicht antwortend aus. Denn eine so bannend wiederholte Frage nach dem Blut am Schwert und nach der Trauer im Gemüt des Sohns verweist auf schrecklichere Ursprünge als daß ein Lieblingsvogel getötet ist. Noch düsterer wirkt das hinter jeder Frage und hinter jeder Antwort aufklingende „O". Dieses „O" wird durch alle Strophen hindurchgehen als rätselhafte symbolische Lautgebärde. Nur aus dem Untergrund eines balladischen Geschehens, das auf dem Mitanteil aller Hörer beruht, läßt sich hier die klare Deutung finden: dieses „O" entstammt einer anderen Dimension als der der Zwiesprache von Mutter und Sohn. Wenn wir uns im Volksballadenstil jener Zeit ein feierliches Schreiten aufeinanderzu vorstellen können, wobei die einen fragen, die andern antworten, dann bekommt das nachklingende „O" der abgründigen Weltklage das Gewicht der Chorstimme, in der sich wie einst im alten Chor der griechischen Tragödie die Nähe des Numinosen verrät, Stimme einer alle gemeinsam durchdringenden Schreckenswahrheit.

Das aber besagt, daß sich in solche Lautgebärde die rhythmisch symbolische Kraft des Ganzen zusammenzieht. Das Zwiegespräch vollzieht sich als symbolhaltiges Ereignis einer Menschheits-Repräsentanz, in der Mutter und Sohn archetyptische Umrisse gewinnen. Die Kraft der Wiederholungsformeln bekommt ihr verhängnisvolles Sinngewicht, das mit jeder neuen Frage, jeder neuen Antwort wächst und sich schließlich erst in der Schlußzeile blitzartig löst, zu einem schauerlichen Gericht.

Das Fortschreiten von Strophe zu Strophe wird zum Vordringen in unbekannte Seelenabgründe, die die Seelenkämpfe zwischen Hildebrand und Hadubrand in ihrer archaischen Einfachheit weit hinter sich lassen und bereits sich Kernspaltungen zu nähern scheinen, wie sie zum Verhängnis des modernen Menschen gehören. Wir folgen dem Seelengang der Ballade.

„Dein's Geiers Blut ist nicht so rot,
Edward, Edward!
Dein's Geiers Blut ist nicht so rot,
mein Sohn, bekenn' mir frei — „O"!
O ich hab' geschlagen mein Rotroß tot,
Mutter, Mutter!
O ich hab' geschlagen mein Rotroß tot,
und 's war so stolz und treu — „O"!

Dein Roß war alt, und hast's nicht not,
Edward, Edward!
Dein Roß war alt, und hast's nicht not,
Dich drückt ein andrer Schmerz — „O"!
O ich hab' geschlagen meinen Vater tot,
Mutter, Mutter!
O ich hab' geschlagen meinen Vater tot,
und weh, weh ist mein Herz — „O".

Hier, nach der dritten Strophe, ist ein erster Höhepunkt erreicht. Die Mutter, mit ihrem unablässigen Fragen, hat ein erstes Geheimnis ans Licht gebracht. Der Sohn ist geständig der furchtbarsten Tat: Vatermord. Wohin kann dieser Riß, der durch die Welt geht, noch führen?

Was die Mutter treibt, weiterzufragen, scheint aus einer tiefen Lebensangst heraufzudringen, vor den künftigen Tatentschlüssen des Vatermörder-Sohns.

„Und was für Buße willt du nun tun?
Edward, Edward!
Und was für Buße willt du nun tun?
Mein Sohn, bekenn' mir mehr — "O!"
„Auf Erden soll mein Fuß nicht ruhn,
Mutter, Mutter!

Auf Erden soll mein Fuß nicht ruhn,
will gehn fern übers Meer — „O"!

Die „Buße" (penance) signalisiert uns den christlichen Kosmos, bereits tiefer ins Seeleninnere getrieben, als bei Hildebrands „Irmingot", „waltant got". Die Antwort des Sohns ist: Selbstgericht. Fahrt übers Meer als Schicksal des Landflüchtigen, Verbannten, Ausgestoßenen, den Tod vor Augen. Als wäre solche Selbstzerstörung des Sohns zu viel an heldischer Härte für das Mutterherz, ruft sie mit neuen Fragen ihm seinen Hof, sein Weib und Kind vor die Augen, ihn dem Leben zurückzugewinnen:

„Und was soll werden dein Hof und Hall'?
Edward, Edward!
Und was soll werden dein Hof und Hall'?
so herrlich sonst und schön — „O"!
„Ich laß' es stehn, bis es sink' und fall',
Mutter, Mutter!
Ich laß' es stehn, bis es sink' und fall',
mag nie es wiedersehn — „O"!
„Und was soll werden dein Weib und Kind?
Edward, Edward!
Und was soll werden dein Weib und Kind?
wann du gehst übers Meer? — „O"!
„Die Welt ist groß, laß sie betteln drin,
Mutter, Mutter!
Die Welt ist groß, laß sie betteln drin,
ich seh' sie nimmermehr — „O"!

Abermals drängt das Gespräch einem neuen Höhepunkt zu. Jetzt erst werden wir uns ganz des verzweiflungsvollen Werbens der Mutter um den Sohn bewußt. Ihr Anruf, bei jeder Frage: „Edward, Edward!", der Schmerzensruf: „Mutter, Mutter!" in den Antworten des Sohns, sie verklammern dies Zwiegespräch von der Seele her, wie die starren Formeln es rhythmisch verklammern. Die widersprüchliche Spannung wächst mit den radikalen Absagen des Sohns. Alles drängt auf ein Äußerstes zu. Es erfolgt in der letzten Strophe:

„Und was willt du lassen deiner Mutter teu'r?
Edward, Edward!
Und was willt du lassen deiner Mutter teu'r?
Mein Sohn, das sage mir — „O"!
„Fluch will ich Euch lassen und höllisch Feu'r!
Mutter, Mutter!

Fluch will ich Euch lassen und höllisch Feu'r.
Denn Ihr, Ihr rietet's mir — „O"!

Erschreckend, überraschend, zugleich tief einleuchtend enthüllt sich, was als Zwang zur Wahrheit dies Gespräch hervorgetrieben. Die Widersprüchlichkeit der Existenz dringt aus den Ursprüngen selbst herauf, wird als Verbrechen bewußt: die Mutter hat dem Sohn den Vatermord angeraten, der Sohn sprengt mit seinem Fluch das letzte Band, das sie beide durch das Gemeinsame der Untat zusammenhielt. Was der Sohn für die Mutter heranruft, das „höllische Feuer", es bricht als Gottesgericht über die zerspaltene Welt herein.

Der unheimlichste Schrecken, der von solchem Ende ausgeht, liegt in der Undurchsichtigkeit des Mordes. Warum rät die Mutter es dem Sohn, warum folgt der Sohn dem Rat der Mutter? Es bleibt als dunkles Verhängnis eines die Einzelnen übergreifenden Geschehens. Was sich dem modernen Psychologen als Ödypus-Komplex darbietet, aus verdrängten erotischen Spannungen, erfährt hier seine archaische Rechtfertigung aus einem viel universaleren Zusammenhang, in dessen Mitte Zwist in der Sippe steht. Die Kraft der Stilisierung, einst um den Vater-Sohn-Kampf bemüht, als Begegnung der Helden vor den Heeren, steigert sich zu Bannformeln, die das Grauen vor dem Untergang festhalten, wo sich die Schöpfung selbst aufspaltet im Lebenskern. Da in der Edwardballade selbst im Ausspruch der Mutter zum Sohn das Wort „Buße" heraufdringt, können wir gewahr werden, wie sich hier zwischen heldischer und christlicher Welt etwas ankündigt, was im hochchristlichen Lebensraum vom Bauerndichter Jeremias Gotthelf, dem „Shakespeare der Bauernwelt", dem Pfarrer und Streiter Gottes, zur Darstellung gekommen ist als „Buße aus Gottes selbsteigner Hand". Das balladische Grundgefüge hat sich nur zur Bauernerzählung episch verfestigt, in die dramatisch gespannte Novellenform hinein („Die schwarze Spinne"). Der Zusammenhang der Edwardballade zum Hildebrandslied zurück liegt in der verzweifelten Härte, die allein die Sohneshaltung begreiflich macht.

Bei einer so gewaltigen Symbolschöpfung des Widersprüchlichsten als ein Walten der Wurt, aufgefangen in die Formeln der Wiederholung wie im Zauberspruch, aufgenommen in die Weltklage eines von allen mitbewegten „O", fragt man ebensowenig wie beim Hildebrandslied nach dem Genie dessen, dem das entsprungen ist. Es ist der Geist des Ganzen, aus dem die schottischen

Volksballaden leben. „Das Großartige des Balladenmenschen besteht in der Unbedingtheit, in der er unter Nichtachtung des eignen Lebens zu seinen Leidenschaften und Überzeugungen steht" (Wolfgang Schmidt-Hidding zur Edwardballade 1962).

3. Die deutsche Volksballade

Herder, der Schöpfer des Begriffs „Volkslied" wurde auch der Entdecker der Volksballade. Auf seine Anregung hin sammelte der junge Goethe 1770 im Elsaß Lieder, die er „aus den Kehlen der ältesten Müttergens aufhaschte". Da Herder damals unter „Volkslied" allemal Volksballaden verstand, so besteht Goethes Liederheft nur aus Balladen; 12 Balladen, unter denen „Das Lied vom eifersüchtigen Knaben" durch seine symbolische Kraft und Geschlossenheit hervorragt. Louis Pinck verdanken wir 1932 mit dem Faksimiledruck der Straßburger Goethehandschrift, die aus dem Besitz der Frau von Stein stammt, alle Varianten des Liedes, das in Lothringen noch zu Pincks Lebzeiten gesungen wurde. Es zeigt sich dabei, daß Goethes Niederschrift die weitaus beste Variante des vielgesungenen Liedes enthält. Unter dem Goetheschen Titel ist das Lied nicht verbreitet, sondern unter der Eingangszeile: „Es stehen drei Sterne am Himmel." Außerdem hat sich vom Grundmotiv, das in der Schlußzeile herausgehoben ist, die Bezeichnung der Volksballade von der falschen Liebe durchgesetzt. Die Grundmerkmale der Volksballade und ihre Herkunftsfragen lassen sich aus der Betrachtung des Gedichtes gewinnen. Bereits die Eingangsstrophe schließt den symbolischen Kosmos dieser Volksballade auf:

Es stehen drei Sterne am Himmel
Die geben der Lieb einen Schein.
Gott grüs euch schönes Jungfräulein,
Wo bind ich mein Rösselein hin.

Es ist die Grundform aller Volksballadenstrophen, vierzeilig, meist dreitaktig, zu einer Melodie gesungen. Ganz und gar aus der Mitbewegung aller Singenden gewachsen. So einfach die vier Zeilen nebeneinanderstehen, so zwingend ist die Gesamtvision, aus der heraus die Zeilen aufeinander zugehen. Wer die drei Sterne am Himmel anruft, der weiß bereits das gesamte Balladenschicksal, das hier abrollt, voraus: die Liebe, die ihren Schein von Dreien hat, deren Unheil steht schon in den Sternen. Aber daß die Sterne Anteil nehmen, macht von vornherein den symbolischen Kosmos der Dichtung sichtbar. Zugleich wird bereits in der ersten Strophe die Zwiegespräch-Situation gegenwärtig gemacht, zwischen Reitersmann und Mädchen, und die Anrede an das schöne Jungfräulein läßt den Abglanz einer höfischen Welt erkennen, der sich in jener einfacheren Welt widerspiegelt, in der das Volkslied lebt. So kann diese erste Strophe bereits dartun, was Herder mit seinem Volkslied-Enthusiasmus meinte. „Je älter, je volksmäßiger, je lebendiger, desto kühner, desto werfender." Es ist wahrhaft ein „Sprung" von der zweiten zur dritten Zeile. Dennoch trifft es genau die Sache. Es bereitet vor, was im Schicksal der drei Sterne vorausgesichtet ist. Solche Spannweite wird bei Herder umfaßt mit dem Wort „Einfalt". Es ist die Kraft, aus einem eingefalteten Ganzen darzustellen, so dicht, so anschaulich, so werfend wie möglich. Wie es die jüngste Herderforschung zusammenfaßt: „Einfalt in dieser Bedeutung meint den Charakter der Poesie selbst" (1963). Wir folgen dem weiteren Gang der Ballade.

„Nimm du es dein Rösslein beim Zügel, beim Zaum,
Bind's an es den Feigenbaum.
Setz dich es ein Kleineweil nieder,
Und mach mir ein kleine Kurzweil."

Es ist die Antwort des Mädchens. Sie ist das Entgegenkommen selbst. Mit dem „Feigenbaum" dringt unbewußt ein Erotikum ein, denn die Feige ähnelt dem weiblichen cunnus. So bekommt die Aufforderung, eine kleine Weil eine kleine Kurzweil zu machen, etwas von leichtfertiger Sinnlichkeit. Was im Nibelungenlied höfische Umschreibung für Kampfspiele war, wird im späteren Kunstverstand Konrad von Würzburgs („Engelhart und Engeltrut") zum Liebesspiel: „sie miteinander pflagen/liebe und kurzewile vil." Während die höfische Welt später französische Wendungen liebt (amusement), hält sich im Volkslied die Kurzweil. Das Eindringen des unbestimmten „es" in die ersten drei Zeilen, wohl vom Singen her veranlaßt, scheint zugleich den leichten Charakter des Mädchens zu betonen, als drängte sich in ihre Gedanken überall ein geheim wartendes Unbewußtes ein.

Was in diesen Versen Aufreizendes mitschwingt an erotischen Untertönen, wird uns sofort aus der Antwort des Reitersmanns bewußt:

„Ich kann es und mag es nicht sitzen,
Mag auch nicht lustig sein
Mein Herzel ist mir betrübet
Ach Schätzel vonwegen dein."

Tiefe Traurigkeit breitet sich aus, noch verstärkt durch die Gemütsworte: „Herzel, Schätzel". Gröber klingt es in einer Variante: „Schatz, wegen der Liebelei." Offenbar haben die verspielten Worte des Mädchens nur bestätigt, was den Liebenden hergetrieben hat, auf seinem Pferd: Sorge um ihre Untreue, um ihren leichtfertigen Charakter.

Der „Sprung", den uns die Volksballade zumutet mit dem nächsten Vers, ist unerhört, nur begreiflich aus einer Gesamtvision, die ihre Weltbetroffenheit allein aus der Tiefe eines tragischen Liebeswiderstreits zu beantworten vermag:

Was zog er aus der Taschen?
Ein Messer, war scharf und spitz.
Er stachs seiner liebe durchs Herze.
Das rote Blut gegen ihn spritzt.

Wir erinnern Herders Wort: „immer die Sache . . . sinnlich, klar, lebendig anschaulich, treffend den ganzen Gedanken mit dem ganzen Wort." Das Gespräch ist zu Ende. Einzig noch die Mordtat dringt hervor. Alle vier Zeilen sind aufeinander zubewegt. In Frage und Antwort sind die Hörer miteinbezogen. Was soll nun noch kommen?

Und da er's wieder herauser zog,
Von Blut war es so rot.
Ach reicher Gott vom Himmel!
Wie bitter wird mir es der Tod!

Der Augenblick nach der Tat. Das Blut, das dem Mörder entgegenspritzte, jetzt wird es ihm bewußt, als er das Messer betrachtet. Das Ungeheure faßt ihn an. Es entlädt sich in einen Anruf Gottes, wahrhaft vergleichbar Hildebrands: „Welaga nu, waltant got, wêwurt skihit." Nur fehlt die Alterswürde des Helden, der sein Schicksal annimmt. Diesen Einfältig-Liebenden überwältigt die Widersprüchlichkeit des Daseins. Nichts Erschütternderes ist zu denken, als dies unverknüpfte Nebeneinander: „Ach, reicher Gott vom Himmel!" — „Wie bitter wird mir es der Tod." In dies einzige Nu zusammengedrängt: Reichtum des Lebens, Schrecknis des Todes. Und alles überwölbend: Gott vom Himmel!

Auch das ist Volksballaden-Einfalt. Ihr Sinnerlebnis ist ungeordnet, aber total. An zwei Varianten läßt sich zeigen, wie Goethes Auswahl die stärkste dichterische Wirkung hat. Wenn der Mörder klagt: „Wie bitter wird mir es der Tod!", dann bleibt offen: meint er den Tod, den er der Liebsten zugefügt, oder den Tod, der auf ihn, den Mörder zukommt.

Hier zeigt die Volksballade eine Unbestimmtheit, die sich in anderen Dörfern anders zusammengesungen hat. Da heißt es bei Pinck in Lothringen:

> O weh, mein Herzallerliebschter,
> Wie, wie weh tut mir der Tod!

Da ist es die Liebste, die sterbend selber noch zur Stimme wird: wie weh tut mir der Tod von deiner Hand! Und in einem andern Dorf:

> „O weh, mein Herzallerliebste,
> Wie bitter ist dir es der Tod."

Hier spricht der Mörder noch einmal die Liebste an, als fühlte er ganz aus ihrem Herzen.

So erschütternd ist die Schrecklichkeit des Augenblicks, daß jede Variante poetisch wirkt, etwas vom Abgründigen des Liebesschicksals festhält. Dennoch ist Goethes Fassung die wirksamste, mit ihrem Gottesanruf, mit ihrer Betroffenheit von der unbegreiflichen Widersprüchlichkeit des Daseins. Wir bekommen einen Begriff vom Zusammensingen des Volks, von der Weltoffenheit aller in die Mitbewegung hineingenommenen Hörer. So wächst sich in der Volksballade der symbolische Kosmos zusammen.

Allen Fassungen gemeinsam ist dann noch, ebenso wie der Symbolgriff des Eingangs auf die Sterne, die Ring-Symbolik, die zum Bund zweier Liebenden gehört.

> Was zog er ihr abe vom Finger?
> Ein rotes Goldringelein.
> Er warf's in fliessig Wasser,
> Es gab seinen klaren Schein.
>
> Schwimm hin schwimm her Goldringelein,
> Bis an den tiefen See.
> Mein Feinslieb ist mir gestorben,
> Jetzt hab ich kein Feinslieb mehr.

Die Lebensnähe, mit der in Frage und Antwort alle in die Mitbewegung der Seele hineingezogen sind, steht im Kontrast zur Undurchsichtigkeit der symbolischen Gebärde. Wenn der Mörder den Goldring der Ungetreuen, sein Geschenk der Liebe, ins Wasser wirft, spüren wir eine unbewußte Macht, die reinwaschen will. Einfalt beseelt den Ring, gibt ihm Eigenleben, in die Tiefe zu dringen, wo die Urwaschung sich vollzieht. Solche Abwandlung erfährt das „symbolon", das sonst Getrennte vereinigt, nachdem der Riß vollkommen geworden ist. Der kühnste „Sprung" aber, den die Volksballade vollzieht, versetzt uns jetzt ins Herz des Mörders, dem jedes Bewußtsein seiner Mordtat entschwunden ist. Als wäre der Mord nicht durch ihn getan, sondern über ihn hinweg geschehen, als ein Schreck-Ereignis, das nur eines in ihm zurückgelassen, die Klage um die, die er liebte.

Mein Feinslieb ist mir gestorben,
Jetzt hab ich kein Feinslieb mehr.

Auch hier erreicht Goethes Fassung die weiteste Spannung im symbolischen Kosmos der Dichtung. Andere Varianten bemühen sich, den Kausalzusammenhang zu vereinfachen.

Schwimm hin, schwimm her, Goldringelein,
Schwimm in das tiefste Meer,
Du bist meiner Liebsten gewesen,
Von heute nun nimmermehr.

Hier besagt die Strophe nur, daß mit dem versunkenen Ring, der von der Liebsten stammte, die Trennung endgültig geworden ist. Ähnlich eine andere Variante:

Schwimm hin, schwimm her, Goldringelein rot,
Schwimm in den tiefen See,
Jetzt hab ich mein Schätzche verloren,
Jetzt, jetzt hab ich keiner mehr.

Die Schlußstrophe zieht den Sinn für alle zusammen:

So geht's wenn ein Maidel zwei Knaben lieb hat,
Tut wunderselten gut.
Das haben wir beide erfahren,
Was falsche Liebe tut.

Unvorstellbar zu denken, das Hildebrandslied oder die Edwardballade hätten solche Schlußstrophe angefügt. Daran wird wohl am klarsten offenbar, welche Welten beide Arten von Balladen voneinander trennen. So gewiß der Untergrund der balladischen Mitbewegung derselbe ist, die heldische Ballade der Herrenschicht und die Volksballade der bürgerlich gewordenen Welt, in der das Liebesschicksal alles ist, bilden Gegenpole im balladischen Geschehen.

Wir brauchen nur zurückzublicken auf die männliche Kraft des Stabreimverses mit seinen Sinngesetzen, und auf die starren Gerüststrophen der Edwardballade, die Urgeschehen klammernd umschließen, auf diese ganze von Ehre und Rache heldisch durchwirkte Herrenwelt, dann wird ohne weiteres klar, daß die uns aus dem 13.—16. Jahrhundert erhaltenen Volksballaden (in Deutschland rund 250), anderen Ursprungs sein müssen. Ihre Namenlosigkeit geht nicht zurück auf die Ehrfurcht vor dem großen heldischen Stoff, dem sich die Sänger-Dichter unterordnen, sie gründet sich in Lebensschichten, die das gemeinsame Lied suchen, und die, auch wenn sie immer nur besonders Begabten, musikalisch wie sprachlich Begabten, entsprungen sind, doch in den Ursprüngen der Mitbewegung aller, im „Gemüt des Ganzen" vorgeprägt sind (Jacob Grimm).

Auch der symbolische Kosmos der Dichtung ist aus anderen Tiefengesetzen genährt. Der Vater-Sohn-Kampf vor den Heeren mit seiner straffen Dialogspannung, die auf dramatische Entscheidung hinzielt, ebenso wie das Streitgespräch Mutter und Sohn in der Edwardballade mit seinem Vordringen ins Unbewußte, das auch auf letzte Wahrheit zielt, sie empfangen ihr Gesetz vom Übergewicht des Dramatischen her, in einem männlich heroischen Gesamt-Weltbild. Dagegen schließt uns die Volksballade von der „Falschen Liebe" eine fast weiblich anmutende weltoffene Haltung auf, die sogleich das Sternengefüge einbezieht, die mit „Sprüngen und Würfen" in Herders Sinn arbeitet und uns im Widerstreit der Liebenden Umrisse eines Mädchens darbietet, das reiner Typus der Leichtfertigen ist, und einen Eifersüchtigen, der von seiner Mordtat übermocht wird wie ein Einfältiger, dem man kaum Zurechnungsfähigkeit zumessen kann. Falsche Liebe wird hier zum Ereignis, zum Volksballadengeschehen über den Einzelnen hinweg. So dramatisch schließlich die Mordtat das Geschehen abschließt, so überwältigend wirkt doch bis ins Sternensymbol und ins Ringsymbol die lyrische Grundgestimmtheit, die sich in der Melodie des Gemeingesangs verfestigt. Weltoffenheit ist die prägende Grundformel für die Volksballade, nach der Naturmagie: „Die Wassermannsballade", „Erlkönigs Tochter", nach der Liebesmagie: „Von dem edlen Tannhäuser", nach der Totenmagie: „Der Vorwirt", „Wilhelms Geist". Die Urlebendigkeit der Volksballade verfolgt durch alle Völker William J. Entwistle „European Balladry" 1939. Die lebendigste Sammlung gibt Reclam „Europäische Balladen" 1967.

Abschließend geben wir noch die Würdigung, die Herder dem „Lied vom eifersüchtigen Knaben" beigefügt hat, als er es in seine Sammlung der „Volkslieder" übernahm:

„Die Melodie hat das Helle und Feierliche eines Abendgesanges wie unterm Licht der Sterne, und der Elsässer Dialekt schließt sich den Schwingungen trefflich an, wie überhaupt in allen Volksliedern mit dem lebendigen Gesange viel verloren geht. Der Inhalt des Liedes ist kühn und schrecklich fortgehende Handlung: ein kleines lyrisches Gemälde, wie etwa Othello ein gewaltiges großes Fresko ist."

Mit dem Hinweis auf Shakespeares „Othello" ist nur angedeutet, welchen Rang Herder solcher Volksballadendichtung zuspricht. Als Goethe 1806 seine Besprechung von des „Knaben Wunderhorn" schrieb, in dem auch „Der eifersüchtige Knabe" Aufnahme fand, faßte er den Rang solcher Volkskunst dahin zusammen: „Dergleichen Gedichte sind so wahre Poesie, als sie irgend nur sein kann; sie haben einen unglaublichen Reiz selbst für uns, die wir auf einer höheren Stufe der Bildung stehen, wie der Anblick und die Erinnerung der Jugend fürs Alter hat . . Das wahre dichterische Genie, wo es auftritt, ist in sich vollendet; mag ihm Unvollkommenheit der Sprache, der äußeren Technik oder was sonst will entgegenstehen, es besitzt die höhere innere Form, der doch am Ende alles zu Gebote steht, und wirkt selbst im dunklen und trüben Elemente oft herrlicher, als es später im klaren vermag. Das lebhafte poetische Anschaun eines beschränkten Zustandes erhebt ein Einzelnes zum zwar begrenzten, doch unumschränkten All, so daß wir im kleinen Raume die ganze Welt zu sehen glauben."

Goethe nahm sich der Volkspoesie so nachdrücklich an, um damals dafür eine Bahn zu brechen. Heute, nachdem die Zivilisation längst selbstzerstörerische Formen angenommen hat, sollten wir uns der Formeln Goethes erinnern, in denen der Blick für den symbolischen Kosmos der Dichtung wunderbar gestärkt wird, auch im einfachsten Gebilde. Wir werden es uns in Erinnerung rufen, wenn wir verfolgen, wie das Volksballadenmotiv des Mordes aus Eifersucht sich fortentwickelt hat unter dem Druck der Zivilisation zur Prosa-Ballade in Dramenform, unter dem Anhauch einer alles unterflutenden Weltverzweiflung, in der sich bereits der künftige Kulturzerfall ankündigt. Georg Büchners Dramenfragment „Woyzeck", 1879 zuerst gedruckt, 1968 kritisch herausgegeben, bezeugt uns heute noch auf der Bühne, wie unmittelbar es uns angeht.

Die deutsche Kunstballade

Bürgers „Lenore"

Die Geburtsstunde der ersten deutschen Kunstballade ist bekannt, so genau, wie analysierende Forschung ein Genieprodukt aus seinen Ursprüngen ergründen kann. Gottfried August Bürger schrieb seine berühmte „Lenore" vom April bis September 1773 im Kreise seiner Göttinger Hainbund-Freunde, denen er vorlas und die ihn dauernd berieten. So wahrhaft mitbewegt von einem leidenschaftlich mitgerissenen Hörerkreis, entstand die Ballade, in dem Augenblick, wo die ganze Zeitbewegung, später Sturm und Drang genannt, mit ihren schöpferischen Groß-Leistungen auf Bürger mit hereinwirkte und auch ihn miterregte: Herders Aufsatz über Ossian und Goethes „Götz von Berlichingen". Bereits vorher hatte Ludwig Hölthy, ein Jahr jünger als Bürger, die Balladensammlung englischer und schottischer Balladen des Bischof Percy dem Hainbundkreis nahgebracht und selbst den Versuch gemacht, der komischen Romanze Gleims eine ernste Geisterromanze entgegenzudichten „Die Nonne", die im März 1773 im Hainbundkreis vorgelesen wurde.

Bürger wollte Hölthy überbieten durch eine neuartige „rührende Romanze". Unmittelbar wirkte herein nach Bürgers brieflicher Mitteilung eine echte „uralte Ballade", die er aber nur noch von einem Bauernmädchen im Umriß einer „romantischen Geschichte" erfuhr, nicht mehr im Original. Ein Mädchen weiß nicht, ob der Geliebte, ein Soldat, noch am Leben ist, ihre Klagen rufen ihn herbei, nachts kommt er angeritten. Sie schwingt sich hinter ihm aufs Roß. So ungefähr hat Erich Schmidt es erschlossen. Fast gleichzeitig bekam Bürger bei Herder die Übersetzung der „Wilhelms Geist"-Ballade aus Percys Sammlung zu lesen. Wir geben die erste Strophe:

Zu Hannchens Tür, da kam ein Geist,
mit manchem Weh und Ach
und drückt am Schloß und kehrt am Schloß
und ächzte traurig nach.

„Ist's Vater Philipp? der ist da?
Bist's Bruder du, Johann?
Oder ist's Wilhelm, mein Bräutigam,
aus Schottland kommen an?"

Im Zwiegespräch der Liebenden geht es um die Treue, die sie sich geschworen. Der Tote will, daß sie ihm sein Treuwort zurück gibt, damit er Ruh im Grabe hat. Sie gibt es ihm zurück. Aber sie folgt ihm nach, um neben ihm zu sterben. Als der Hahn den Morgen ankündigt, schwindet der Geist dahin und Hannchen bricht tot zusammen.

Was Bürger hier vor allem anrührte, war die Unmittelbarkeit der Zwiesprache zwischen dem Toten, der Lebenden. Damit enthob er sich dem Kunstexperiment, wie es Hölthy mit der „Nonne" versuchte. Bei Hölthy gibt es kaum einen Dialog, es wird nur effektvoll beschrieben, wie die Nonne daherkommt, „ein blutend Herz in Händen", und wie sie es „mit wilder Rachgebärde auf die Erde wirft".

Bürgers Ursprünge greifen tiefer. Was er mitbringt, wovon er schon als Kind im tiefsten ergriffen wird, ist das lutherische Kirchenlied, die Lutherbibel, die Freude an dem, was er später die „Volkspoesie" nennt. Der neue Ton in Herders Schriften wühlt ihn auf, er fühlt: „was schon lange in meiner Seele auftönte." Eine neue Lebensbewegung, die alle seine Sinne durchdrang. Solche Ursprungskräfte wirft er in die neue Volksballade. Und so knüpft er an das größte kriegerische Ereignis an, das er selbst noch in der Jugend miterlebte: an den Siebenjährigen Krieg, die Prager Schlacht 1757 und den Frieden 1763. Mit sicherem Instinkt begreift er, daß Balladengeschehen sich einst gegen den Hintergrund von Völkerschlachten angesiedelt hat. Es ist nicht unwahrscheinlich, daß er die Lenorenlieder des ihm wahlverwandten Johann Christian Günther vor Augen hatte, als er seine Balladenheldin Lenore nannte. Bürgers Liedrhythmus folgt genau Günthers Lied „An Lenoren".

Lenore fuhr ums Morgenrot
Empor aus schweren Träumen:
„Bist untreu, Wilhelm, oder tot?
Wie lange willst du säumen?"
Er war, mit König Friedrichs Macht,
Gezogen in die Prager Schlacht,
Und hatte nicht geschrieben,
Ob er gesund geblieben.

Der König und die Kaiserin,
Des langen Haders müde
Erweichten ihren harten Sinn
Und machten endlich Friede;
Und jedes Heer, mit Sing und Sang,
Mit Paukenschlag und Kling und Klang,
Geschmückt mit grünen Reisern
Zog heim zu seinen Häusern.

Was uns hier mit dem neuen Anspruch der künftigen deutschen Kunstballade entgegenkommt, hat vorerst allen früheren Balladen eines voraus: den Namen des Dichters, der sich der Kunst bewußt ist, mit den namenlosen Volksballaden der Engländer, Schotten und Deutschen in Wettbewerb zu treten. Und was bereits die Eingangsstrophen auszeichnet, ist das Gerüst der großen Strophe, die jeweils ein mächtiges Geschehen in sich faßt. Der Dichter schließt es sich aus der Seele Lenorens auf. Er ist selber mitbewegt, bis zur Zwiesprache mit dem fernen Geliebten. Alles ist unmittelbar, lebensnah, anschaulich, ganz im Geist des Herderschen Volksballadenbegriffs.

Überschaun wir zunächst den Gesamtbau der Ballade, so folgt den vier epischen Eingangsstrophen das Zwiegespräch Mutter und Tochter durch 7 Strophen, dann nach zwei epischen Zwischenstrophen das Zwiegespräch Lenorens mit dem gespenstigen Geliebten durch 5 Strophen, darnach als Steigerung der Ritt, immer vom Gespräch begleitet, durch 14 Strophen bis zum apokalyptischen Inferno.

So sind auch die alten Heldenballaden gebaut, Gesprächsszenen steigern sich zum dramatischen Finale. Eine mächtige bauende Kraft treibt die Ballade vor, dem Herrenbewußtsein der alten Kriegerkaste gemäß. Auch der an den alten Vorbildern genährte Kunstverstand Bürgers wirkt sich mit zielbewußter Kontrastwirkung zweier großer Gesprächspartien aus, um dann im einmalig furiosen Ritt, dem Gespensterritt Lenorens, es der Größe etwa des Burgunden-Untergangs gleichzutun.

Dennoch ist die Durchgestaltung der Lenorenballade von anderen Mitteln bestimmt, als in der Heldenballade, von einer elementaren Sinnlichkeit im Zueinander des Gesprächs, vom Mithereinnehmen der Landschaft, vom Offensein für die Totenwelt, und vor allem von einer wahrhaft genialen Lautmagie. Alles das sind Spuren der Volksballade, wie sie sich in Herders Ursprungsbegeisterung malt. So also dürfen wir wohl wagen zu sagen: die von Bürger begründete Kunstballade stellt eine glückliche Verschmelzung des alten heldischen Balladengerüsts mit allen Elementen der stimmungsgesättigten Volksballade dar. Als neuer Inbegriff zusammengefaßter lyrischer, epischer, dramatischer Ursprungskräfte.

Damit dürfen wir anknüpfen an Vorausdeutungen, die wir im I. Band gemacht haben, bei Betrachtung der Lautsymbolik: „In Bürgers ‚Lenore' ist Schallnachahmung ein Grundelement der künstlerischen Form. Aber es ist sehr viel mehr als was man ästhetisch ‚Lautmalerei' nennt, die akustische Bewegungen der Wirklichkeit spiegelt; es ist das Bannen in die Illusion einer Geisterwirklichkeit durch den Laut, im vollerfühlten sinnlichen Gehalt der Laute im aufgeschlossenen seelisch-magischen Hintergründen. In dieser Bannkraft der Laute kommt Bürgers Sprache hier dem Geist der Ursprungsbildungen nah, als ein Erleben der sinnlichen Ähnlichkeiten aus dem ‚subjektiv erregten Gefühl', das hinüberlangt in den übersinnlichen Bezug. In jeder Zeile dieser klassischen Geisterballade lebt die lautlich-leibliche Kraft, die aus den Tiefen des Sprachlebens die sinnbildlichen Schätze der einfachsten Worte hebt."

Wir brauchen die Entdeckungen von vor rund 40 Jahren nur jetzt in den symbolischen Kosmos der Dichtung einzutiefen, der uns damals noch verschlossen war. Was die weiteren Eingangsstrophen mit solchem Leben erfüllt, ist die Mitbewegung mit dem ganzen Volksfühlen, das die Heimkehr der Soldaten begleitet.

Und überall, all überall
Auf Wegen und auf Stegen,
Zog Alt und Jung dem Jubelschall
Der Kommenden entgegen.
„Gottlob!" rief Kind und Gattin laut,
Willkommen! manche frohe Braut;
Ach, aber für Lenoren
War Gruß und Kuß verloren.

Sie frug den Zug wohl auf und ab
Und frug nach allen Namen;
Doch keiner war, der Kundschaft gab,
Von allen, die da kamen.
Als nun das Heer vorüber war,
Zerraufte sie ihr Rabenhaar
Und warf sich hin zur Erde
Mit wütiger Gebärde.

Die schon hier wirksame Lautmagie tieft sich zurück bis zum Alliterationsvers:

„zog Alt und *J*ung dem *J*ubelschall
zer*r*aufte sie ihr *R*abenhaar
doch *k*einer war, der *K*undschaft gab
von allen, die da *k*amen."

Auch die Wiederholungskraft des Volkslieds feiert bereits Triumphe: „Und überall, all überall." „Sie *frug* den Zug wohl auf und ab *und frug* nach allen Namen." Alles dient der Eingestimmtheit in eine große Mitbewegung, aus der sich dann Lenorens Schmerz einsam heraushebt. Bis zur symbolischen Gebärde, die ihren ungebärdigen Charakter ebenso wie ihre ungewöhnliche Liebeskraft kennzeichnet.

Damit treten wir in den ersten Großteil, das Zwiegespräch Lenorens mit der Mutter ein.

Im Gesamtgefüge der Ballade erhält das Zwiegespräch Mutter — Tochter seinen lebendigen Symbolwert dadurch, daß hier die Gotteswelt im fromm gläubigen Gemüt der Mutter aufleuchtet, von vielen Kirchenliedstellen untertönt, bis zu der lautlich vollkommenen Spiegelung der Glaubenseinfalt: „Das hochgelobte Sakrament wird deinen Jammer lindern" (wobei abermals „ge*l*obt" und „*l*indern" alliteriert). Dagegen die vom gespenstigen Geliebten eingeflüsterten Worte beschwören die Unbehaustheit der Unterwelt, voll doppeldeutigem Hintersinn. Das zieht sich in die letzte Strophe der Zwiesprache zusammen:

„Sag an! wo ist dein Kämmerlein?
Wo? wie dein Hochzeitsbettchen?" —
„Weit, weit von hier! . . Still, kühl und klein ! . .
Sechs Bretter und zwei Brettchen!"
„Hat's Raum für mich?" „Für dich und mich!
Komm, schürze, spring und schwinge dich!
Die Hochzeitsgäste hoffen;
Die Kammer steht uns offen."

Beide Gesprächspartien sind verbunden durch Lenorens lebendige Partnerschaft. In Lenore rebelliert das erlittene Schicksal gegen den Quietismus des Glaubens.

„O Mutter, Mutter, was mich brennt,
Das lindert mir kein Sakrament!
Kein Sakrament mag Leben
Den Toten wiedergeben!"

Lenores Qual verschärft sich gegen die Trostsprüche der Mutter. Dem Kirchenliedvers der Mutter: „Was Gott tut, das ist wohlgetan" wirft Lenore ihre Erfahrung entgegen: „Gott hat an mir nicht wohlgetan!" Und als die Mutter Gott anruft, abermals im Kirchenliedton: „Hilf Gott, Hilf!" und als sie Gott bittet, nicht ins Gericht mit der Verzweifelten zu gehn, entlädt sich Lenorens Rebellion in die Strophe, die die Zwiesprache beendet; Lenore ruft die Hölle heran:

„O Mutter, was ist Seligkeit?
O Mutter, was ist Hölle?
Bei ihm, bei ihm ist Seligkeit,
Und ohne Wilhelm Hölle! —
Lisch aus, mein Licht, auf ewig aus!
Stirb hin, stirb hin in Nacht und Graus!
Ohn ihn mag ich auf Erden,
Mag dort nicht selig werden!"

Dann weht sie der Gespensterhauch des Geliebten an, mit wundersamer Lautmagie vergegenwärtigt:

Und außen horch! ging's trapp trapp trapp,
als wie von Rosseshufen,
und klirrend stieg ein Reiter ab
An des Geländers Stufen.

Und horch! und horch! den Pfortenring
Ganz lose, leise, klinglingling!
Dann kamen durch die Pforte
Vernehmlich diese Worte:

Lenore, die an Gott verzweifelt, bringt dem Gespenst des Geliebten die volle Vergegenwärtigung ihrer Liebe entgegen. Alles Unbehauste an ihm wandelt sich ihr in lebendige Gegenwart, der sie blindlings vertraut. Und so schwingt sie sich hinter ihm aufs Pferd. Der Geisterritt beginnt. Abermals triumphiert die Lautmagie:

Und hurre hurre, hopp hopp hopp!
Ging's fort in sausendem Galopp,
Daß Roß und Reiter schnoben
Und Kies und Funken stoben.

Damit beginnt, was sich als die eigentliche Gegenwelt zur frommen Einfalt der Mutter auftun wird, von Strophe zu Strophe gigantischer, gespenstischer, apokalyptischer. Ein Lautgemälde, wie es weder vorher noch nachher sich in deutscher Dichtung aufgetan hat.

Wir verfolgen die Steigerung vorerst an den Wiederholungen, die zugleich den Ritt gliedern: die 20. Strophe:

Zur rechten und zur linken Hand,
Vorbei vor ihren Blicken,
Wie flogen Anger, Heid und Land!
Wie donnerten die Brücken!
„Graut Liebchen auch? .. Der Mond scheint hell!
Hurra! Die Toten reiten schnell!
Graut Liebchen auch vor Toten?"
„Ach nein! . . . Doch laß die Toten!"

die 24. Strophe:

Wie flogen rechts, wie flogen links
Gebirge, Bäum' und Hecken!
Wie flogen links und rechts und links
Die Dörfer, Städt' und Flecken! —
„Graut Liebchen auch? .. Der Mond scheint hell!
Hurra! Die Toten reiten schnell! —
Graut Liebchen auch vor Toten?" —
„Ach, laß sie ruhn, die Toten."

die 27. Strophe:

Wie flog, was rund der Mond beschien,
Wie flog es in die Ferne!
Wie flogen oben überhin
Der Himmel und die Sterne! —
„Graut Liebchen auch .. Der Mond scheint hell!
Hurra: Die Toten reiten schnell! —
Graut Liebchen auch vor Toten?" —
„O weh! Laß ruhn die Toten!" —

Abermals ist der planende Kunstverstand zu bewundern, mit dem Bürger die jetzt hereinbrechende Welt des Gespenster-Schrecks durch fast gleichlautende Strophen verfestigt und gliedert. Und diese Strophen sind selber bei allem Gleichmaß von der flutenden Dynamik des Gespensterritts durchwirkt und steigern sich, bis in die Offenheit des Himmels. Gleich bleibt sich nur das Zwiegespräch auf dem galoppierenden Pferderücken, Lenorens Gleichmut unter dem Gespensterhauch. Was dann Bürgers Phantasie ausgreifend zwischen die Gerüststrophen in die Galoppbewegung mithineinreißt, durchbricht jede normale Raum- und Zeitvorstellung, wirkt apokalyptisch in der Magie des Gespensterdämons, dessen Willen sich alles unterordnet:

„Komm, Küster, hier! komm mit dem Chor
Und gurgle mir das Brautlied vor!
Komm, Pfaff, und sprich den Segen,
Eh wir zu Bett uns legen!"

Wie Küster und Chor mit in die Gespensterritt-Bewegung hineingezwungen werden, so das ums Hochgericht tanzende Gesindel.

> Und das Gesindel husch husch husch!
> Kam hinten nachgeprasselt,
> Wie Wirbelwind am Haselbusch
> Durch dürre Blätter rasselt.
> Und weiter, weiter, hopp hopp hopp!
> Ging's fort im sausenden Galopp,
> Daß Roß und Reiter schnoben
> Und Kies und Funken stoben.

Welche Steigerungen sind noch möglich? Wohin zielt der Gespensterritt? Drei mächtige Strophen bewältigen einen Untergang, der seinen grauenhaften Umriß aus der Mitbewegung der Hölle gewinnt.

Die erste Strophe gibt dem Galopp des Gespensterritts sein letztes Ziel: den Friedhof. Noch bestimmt das Reitertempo alle Sätze:

> Rasch auf ein eisern Gittertor
> Ging's mit verhängtem Zügel;
> Mit schwanker Gert ein Schlag davor
> Zersprengte Schloß und Riegel.
> Die Flügel flogen klirrend auf,
> Und über Gräber ging der Lauf;
> Es blinkten Leichensteine
> Rundum im Mondenscheine.

Lautmalerei als Lautmagie: „Mit *sch*wanker Gert ein *Sch*lag davor zersprengte *Sch*loß und Riegel." Dann die l-Laute F*l*ügel f*l*ogen *kl*irrend — der *La*uf — es b*l*inkten *Le*ichensteine. So helfen die Laute die Satzgefüge schmeidigen zum schnelleren Verstehen.

Die nächste Strophe treibt den Halt, den der Ritt genommen, in verwandelnde Schrecken. Der Reitersmann wird zum Totengespenst. Bürger wagt hier den Schock des Gräßlichen:

> Ha sieh! Ha sieh! Im Augenblick,
> Huhu, ein gräßlich Wunder!
> Des Reiters Koller, Stück für Stück,
> Fiel ab wie mürber Zunder.
> Zum Schädel, ohne Zopf und Schopf,
> Zum nackten Schädel ward sein Kopf,
> Sein Körper zum Gerippe
> Mit Stundenglas und Hippe.

Was sich für Lenore in solcher Schreckverwandlung herandrängt, sind die Vorboten der Hölle. Erbarmungslos treibt die Sprache ihre Lautmalerei bis ins Extrem eines naturalistisch gesehenen Totenkopfs. Im Verzweiflungsschrecken kündigt sich für Lenore das eigne Lebensende an.

Und dann ereignet sich der letzte Schreckensaugenblick: der Rappe verschwindet im Feuer. Geheul von oben, Gewinsel aus der Gruft deuten die Mächte an, denen Lenorens bebendes Herz anheimfallen wird.

Hoch bäumte sich, wild schnob der Rapp
Und sprühte Feuerfunken;
Und hui! wars unter ihr hinab
Verschwunden und versunken.
Geheul! Geheul! aus hoher Luft,
Gewinsel kam aus tiefer Gruft.
Lenorens Herz mit Beben
Rang zwischen Tod und Leben.

Mit der gleichen unverwüstlichen Lautkraft, mit der Lenore in diese Welt hineingestellt worden ist, wird sie hier aus ihr herausgenommen. Bürger aber als Volksballadendichter, der dem Volk genüge tun will, fügt wie es im Lied von der „Falschen Liebe" geschieht, noch eine Moralstrophe nach:

Nun tanzten wohl bei Mondenglanz
Rundum herum im Kreise
Die Geister einen Kettentanz
Und heulten diese Weise:
„Geduld! Geduld! Wenns Herz auch bricht!
Mit Gott im Himmel hadre nicht!
Des Leibes bist du ledig;
Gott sei der Seele gnädig!"

So werden Worte aufgenommen, die Lenorens verzweifelte Mutter zum Himmel gerichtet hatte, um Lenorens Abfall von Gott der Gnade des Höchsten anheimzustellen.

Zwischen Himmel und Hölle ist die Lenorenballade ausgespannt. Überschaun wir noch einmal die erste deutsche Kunstballade, die alsbald in ganz Deutschland berühmt und in alle europäische Sprachen übersetzt wurde, in England allein viermal, (eine von Walter Scott), dann dürfen wir wohl auch hier die Frage nach jenem Einfaltkern stellen, auf den sich Herders Volksballadenbegeisterung immer wieder bezieht. Da stoßen wir auf ein Frühgedicht Bürgers von 1772, ein „Danklied" an den Schöpfergott, der ihm selbst so wundersame Phantasie-Kräfte eingegeben. Da heißt es als 13. Strophe:

> Daß meine Phantasei, voll Kraft,
> Vernichtet Welten, Welten schafft,
> Und höllenab und himmelan
> Sich senken und erheben kann.

So eindringlich war eben diese Strophe unter den Bürgerfreunden, daß Friedrich Leopold Graf zu Stolberg am 2. Februar 1787 nochmals im Brief an Bürger diese Strophe zitiert, um ihm Mut zuzusprechen.

Es ist die Visionskraft, aus der mit der Volksballadengestalt Lenorens Himmel und Hölle in Bewegung gesetzt werden, um die Weite des Raums zu gewinnen, der zur großen Ballade gehört. Wie dann in solch faustisches Urgefühl der Keim des Lenorenmotivs fiel, läßt sich im Rückblick erst richtig vom Ganzen her verfestigen: was dreimal wiederkehrt in den Gespensterritt-Strophen, geradezu mit der Kraft des Kehrreims:

> „Graut Liebchen auch? Der Mond scheint hell
> Hurra! Die Toten reiten schnell! —
> Graut Liebchen auch vor Toten?"

hat seinen Ursprung in den einzigen Versen, die jenes Bauernmädchen noch von der Urballade erinnerte:

> „Der Mond der scheint so helle,
> Die Toten reiten so schnelle:
> Feins Liebchen, graut dir nicht?"

Bürger fühlte die Verpflichtung, solchen realen Balladenkeim unverändert festzuhalten, ehrfürchtig vor dem Walten der Volksphantasie, die sich hier seiner Stimme bediente. Mehrfach im Briefwechsel mit Boje kommt er auf diese Verszeilen zurück, wie sie sich ins Ganze des neuen Lenoren-Rhythmus einfügen ließen. Bis er ihnen durch drei Strophen im Kehrreim Genüge getan. Es gibt die einprägsamsten Grundzüge der Lenorengestalt, wie sie hinter dem Geliebten im Mondschein durch die Nacht auf dem Gespensterrappen daherrast und sich ihm blindlings anvertraut, leicht erschauernd unter dem Totenhauch:

> „Ach nein! Doch laß die Toten" . .
> „Ach, laß sie ruhn, die Toten."
> „O weh! Laß ruhn die Toten!"

Was will nun Lenorens Gespensterritt bedeuten im symbolischen Kosmos dieser Dichtung? Auch Bürgers Ballade ist ein Griff tief hinab ins Unbewußte, darin der Edwardballade vergleichbar. Aber der rhythmischen Strenge der Edwardstrophen steht der anschwellende Fluß jener genialen Lautmagie gegenüber, die das Gespenstige heranruft. Das verändert auch die Bezüge des Bewußten und Unbewußten. Sie treten im Mutter-Tochter-Gespräch auseinander. Die Himmelswelt erscheint im Einfaltlicht eines frommen Kirchenglaubens, der alles, was Gott schickt, in Demut auf sich nimmt als Gottesprüfung. „Das hochgelobte Sakrament wird deinen Jammer lindern." Lenore aber, die vergebens den Geliebten erwartet hat und die über seinem Verlust schier den Verstand verliert, gewinnt aus der Treuverbundenheit mit dem Geliebten, aus der unausschöpflichen Leidenschaft ihrer Liebe einen Trotz gegen die Gottesordnung, die das zuläßt, daß hier ein Aufstand der Einzelseele gegen die Ordnung schlechthin hereinbricht. Mit solcher Zertrümmerung aller geheiligten Tabus der Mutterwelt zieht Lenores Ungestüm selber die Unterwelt heran. Es bleibt so ganz im Kontinuum der sinnlichen Welt, daß sich für Lenore die Gestalt des Reitersmanns als des lebendigen Geliebten darbietet, dessen Gespensterhauch nur ihre Sehnsucht steigert, bis sich unmerklich im Gespensterritt die Welt ins Schauerlich-Unwirkliche verwandelt. Lenorens eigne letzte Worte an die Mutter drücken dem, was sie auf sich zieht, den Stempel dessen auf, was das christliche Weltbild dafür bereithält:

„O Mutter! was ist Seligkeit?
O Mutter! was ist Hölle?
Bei ihm, bei ihm ist Seligkeit,
Und ohne Wilhelm Hölle!"

Es ist die Hölle, die sich auftun wird. Als Tor zur Unterwelt. Als Tor zum Chaos in ihrer eignen Brust.

Hier wird Lenore mehr als Stimme jenes sogenannten Sturms und Drangs, sie wird moderne Stimme aller, die sich an den Formeln des Christenglaubens wund stoßen, die aus Verzweiflung alle Tabus niederreißen und ins Ungeordnete geraten. Es ist einzig die Symbolkraft der Gestaltung als lautmagische Verwandlungsgewalt, die diesen Vorstoß ins Unbegreifliche ermöglicht. Als Triumph der Liebestreue und Leidenschaft zugleich. Welche Widersprüchlichkeit bis zurück in den Gott-Schöpfer selbst, der solche Lenoren-

Charaktere schafft und solche Lenoren-Schicksale in die „Hölle" fahren läßt.

Es liegt im Sinn der ganz auf die Lautmagie ausgerichteten Gestaltungskraft Bürgers, daß sich im Gegensatz zur tragischen Enthüllung der letzten Edwardstrophe das Bedürfnis einstellt, über Lenorens „Ringen zwischen Tod und Leben" hinweg noch eine Schlußstrophe einzufügen, die sich an alle vom Lenoren-Schicksal Mitergriffenen richtet. Als Stimme eines unheimlichen Geisterchors:

„Geduld! Geduld! Wenns Herz auch bricht!
Mit Gott im Himmel hadre nicht!
Des Leibes bist du ledig;
Gott sei der Seele gnädig!"

In der Bewertung dieser Strophe geht die Forschung auseinander. Erich Schmidt faßte sie als „theologisches Moralzöpfchen des 18. Jahrhunderts". Hans Fromm im Nachwort zu seiner Sammlung „Deutsche Balladen" 1961 als „Moral nach Bänkelsängerart". Wenn wir uns die aus Frankreich (Moncrif) durch Gleim herübergebrachte Bänkelsänger-Romanze anschauen („Geschichte Herrn Isaac Veltens, der sich am 11. April 1756 zu Berlin eigenhändig umgebracht, nachdem er seine getreue Ehegattin Marianne und derselben unschuldigen Liebhaber unschuldig ermordet" 1756), dann würde das einen Abstieg schlechthin ins Aufklärerische bedeuten.

Dagegen die Monographie zur „Lenore" von Elsbeth Leonhardt (Diss. 1936 „Die mysteriose Ballade in ihren Anfängen") stellt fest: „Das Wesentliche liegt nicht in der Moral, sondern darin, daß Bürger wieder Dimensionen sieht."

Zur selben Folgerung muß die Gesamtbetrachtung des symbolischen Kosmos der Dichtung führen. Bürgers von Lenoren-Leidenschaft durchwirkte Sinnlichkeit kann hinter dem Lenoren-Schicksal das Mutterschicksal nicht aus dem Blick verlieren, und damit die im Gespensterritt zersprengte Ordnung. Auf sie zwingt er uns in der Schlußstrophe zurück. Nicht als Moral, sondern als Bürge einer Weltordnung, ohne die keine Mitbewegung sein kann, aus der sich solche Darstellung allein erheben mag.

Eine Nachfolge der Lenorenballade in solcher genialen Meisterung aller sinnlichen Lautmittel der Sprache hat es nicht gegeben. Sie hat in ihrer Art, ebenso wie die Edwardballade, ein Äußerstes erreicht. Aber über Bürger hinaus führt nun das große Genie der Epoche, das auf jeder Lebensstufe aufs balladische Zusammenwirken aller Gattungsformen zurückgreift. Sowohl die einfachste Volksballade adelt sich ihm zum Kunstlied, wie er die Großballade zu neuer Wirkung bringt.

Goethes Ballade

Es gehört zum Ruhm der Balladendarstellung im Goethe-Handbuch durch Alfred Zastrau, daß er das Balladische als „Grundstufe des Goetheschen Gesamtkunstwerks" begreifen lehrt. Er ruft an: die „Witterung für das Ur-Sprüngliche", für das morphologisch „Archaische". Erste Entwicklungsstufe der universalen, das Lyrische, Epische, Dramatische zusammennehmenden Begabung des jungen Goethe zeigt den Sammler von Volksballaden 1774, während der Arbeit am „Urfaust", beschäftigt mit zwei balladischen Grundmotiven. Das eine wird die Volksballade „Der König in Thule", die von Gretchen gesungen wird nach ihrer ersten Begegnung mit Faust. Das andre wird die Umdichtung einer Oktober 1774 an Goethe herangetragenen morlackischen Ballade: „Klagegesang von der edlen Frauen des Asan Aga", eine Art exemplarische Urballade, die noch strengste Sippenbindungen voraussetzt. Goethe hat sie wunderbar ins Deutsche übertragen. Doch soll sie nicht hier einbezogen werden. Sie macht nur offenbar, welche balladischen Grundkräfte im jungen Goethe lebendig waren.

Vielleicht hilft es uns das Rätsel klären, wie wenige Monate vorher jene berühmte Volksballade entstand: „Es war ein König in Thule". Goethe sang sie Ende Juli 1774 bei einer Rheinfahrt seinen Freunden vor. Wenig später erscheint sie in die Urfaustszenen eingefügt, die uns in der Abschrift der Fräulein von Göschhausen erhalten sind. 1790 tritt sie dann im „Faust. Ein Fragment" an die Öffentlichkeit, in ihrer jetzt erst vollkommenen Form.

Die Einfügung der Ballade in den „Faust" als Lied Gretchens, als Volkslied, das ihr wie unbewußt über die Lippen dringt, hat eine berühmte Parallele: in Desdemonas Volkslied, das sie singt, ehe sie durch Othello in seiner Eifersuchtsraserei erwürgt wird. Dort ist es Klage der treulos Verlassenen, Klage einer Einfalt, die ihren strömenden Schmerz der Weide zusingt, der Trauerweide, als wäre ihr Mitfühlen ein Trost in dem Kehrreim: „Singt Weide, Weide, Weide! Singt Weide, grüne Weide!"

Klage über Untreue am Ende eines Lebenswegs. Goethe im „Faust" wählt den Augenblick, wo Gretchens Lebensweg erst beginnt. Ein unbewußter Vorausblick, ganz vom Wunschbild eines herrscherlichen Geliebten und unbedingter Liebestreue getragen. Der soziale Unterschied ist der, daß Desdemona, die Patrizierstochter, ihr Lied von einem einfachen Mädchen, einer Barbara, als Stimme des unteren Volks, aufgenommen und gelernt hat. Gretchen singt ihr Volkslied, wie es in ihren eigenen bürgerlichen Schichten gesungen wird. Wir betrachten die vollkommene Fassung, vermutlich 1787—88, zuerst „Romanze", später, seit 1800, „Ballade" genannt.

„Es war ein König in Thule
Gar treu bis an das Grab,
Dem sterbend seine Buhle
Einen goldnen Becher gab.

Es ging ihm nichts darüber,
Er leert' ihn jeden Schmaus;
Die Augen gingen ihm über,
So oft er trank daraus.

Und als er kam zu sterben,
Zählt' er seine Städt' im Reich,
Gönnt' alles seinem Erben,
Den Becher nicht zugleich.

Er saß beim Königsmahle,
Die Ritter um ihn her,
Auf hohem Vätersaale
Dort auf dem Schloß am Meer.

Dort stand der alte Zecher,
Trank letzte Lebensglut
Und warf den heiligen Becher
Hinunter in die Flut.

Er sah ihn stürzen, trinken
Und sinken tief ins Meer.
Die Augen täten ihm sinken —
Trank nie einen Tropfen mehr."

Das durchaus Überraschende an dieser Volksballade, gemessen etwa an dem durch Goethe aufgezeichneten „Lied vom eifersüchtigen Knaben", ist das Urbild des königlichen, herrscherlichen Mannes, der sein Grundwesen in eine einzige fürstliche Gebärde zusammennimmt. Aufgefangen aber wird dies hohe Urbild von einer grundschlichten Seele, die sich der Einfaltformen der Volksballade bedient. Wir spüren dahinter die Mitbewegung einer Lebensschicht, die sich in Liedern auszusingen pflegt. So entsteht eine ähnliche Verschmelzung von heldischen Idealen und Volksballaden-Idealen, wie wir sie an Bürgers „Lenore" zum Kennzeichen der Kunstballade erhoben. Hier nur viel mehr ins Innerliche der Grundvorstellungen hineingesogen.

Der Eingang hat die Verwandlungskraft, wie sie Sage und Märchen haben, in denen nach Jacob Grimm „das Gemüt des Ganzen" wirkt. „Es war ein König in Thule", abgerückt in eine Ursprungszeit. Sogleich folgt mit dem hohen Kunstverstand des Dichters Goethe, der für dies Balladenwerk verantwortlich zeichnet, das Grundthema der jetzt heraufdringenden balladischen Vision: „Gar treu bis an das Grab." Die Treue wird nun aber nicht zur geistigen Bewegung einer Großballade gesteigert, sondern zusammengezogen in ein einziges Symbol, wie es dem Wesen der Volksballade entspricht: es ist der goldene Becher, letztes Geschenk der sterbenden Geliebten, und damit unersetzlich, unschätzbar für den Liebenden. Durch alle fünf folgenden Strophen beherrscht der Becher das Geschehen. An ihm drückt sich aus, was die in ihm versinnbildete Liebe dem „alten Zecher" bedeutet. Der einfache dreitaktige Jambenvers weitet sich zur daktylischen Bewegung: „Die Augen gingen ihm über." So betont sich die Tiefe des Gefühls. Ernst Beutler erinnert an die Lutherübersetzung des Johannesevangeliums 11, 35—36: „Und Jesu gingen die Augen über." Unwillkürlich heiligt sich die Sprache, das Alltagsgeschehen vom Geist der Liebe her zu heiligen. Dann bereits dringt das Balladengeschehen zum Höhepunkt vor: „Und als er kam zu sterben." Abermals wird jetzt alles in eine einzige fürstliche Gebärde zusammengezogen. Der Becher, als das Einzige, was der Herrscher nicht mitvererbt, wird zum „heiligen Becher". Ihm weiht er den letzten höchsten Augenblick: feierlich vor versammelter Ritterschaft erhebt er ihn, trinkt ihn aus und wirft ihn in die Flut. Die Schlußstrophe durchdringt sich mit seltsam aktiv-passivem Geschehen: der Becher stürzt, trinkt sich voll, versinkt und wird vom Meer aufgetrunken. Dasselbe geheimnisvolle aktiv-passive Geschehen greift über auf den König in Thule: „Die Augen täten ihm sinken, trank nie einen Tropfen mehr." Auch hier geht der einfache Jambus in feierliche Daktylen über. Die Treue aber hat sich bewährt über das Grab hinaus. Was das Symbol hergegeben hat als zusammenziehende Bild-

Mitte, öffnet sich im Geheimnis dieses Endes einem das Ganze erst aufschließenden Sinn. Bild- und Sinnmitte sind eins geworden.

Zwei Worte wirken dabei nach, mit ihrem eignen Sinngewicht: die Geliebte wird „Buhle" genannt, und der Liebende „der alte Zecher". Das Becher-Symbol schließt daran seltsame Widersprüche auf. Hier ist die Treue einer Liebe besungen, die einer „Buhle" galt, und die von der Robustheit eines „alten Zechers" über jede Sittenstarre hinausgehoben ist. Da ist der Einfachheit des Volkslieds mit dem Kunstverstand des großen Dichters eine Weltproblematik eingeformt, die der Liebe eine unwahrscheinlich großgeartete Verwandlungskraft zueignet.

Wir verfolgen die Spuren nicht, die Ernst Beutler mit viel Feingefühl und philologischer Sorgfalt im Vorstoß in Goethes „Erlebnis"-Welt hinterlassen. Wir wenden uns vielmehr dem Urgefüge zu, wie es fast gleichzeitig Goethe an der morlackischen Ballade entdeckte: wo herrscherliche Lebensformen, ganz an die Sippe gebunden, die zum Gehorsam verpflichtete Frau in den tragischen Konflikt zwischen Mutterliebe und Sippengebot werfen. Goethe konnte hier lernen, archaische Urformen achten und ihnen ihre Größe abzugewinnen, fern aller verlockenden Erlebnisdichtung seines eigensten Sturm und Drang.

Das hat sich im „König in Thule" ausgewirkt, so großartig, daß dies Lied seine volle aufschließende Symbolkraft erst gewinnt, wenn man es hineingestellt sieht in den Rahmen der Faustszene, in die Goethe es gebracht hat, als Lied, das Gretchen singt. Eben ist ihr Faust begegnet und sie spiegelt dies Erlebnis im Selbstgespräch am Abend:

> Ich gäb' was drum, wenn ich nur wüßt',
> Wer heut der Herr gewesen ist!
> Er sah gewiß recht wacker aus
> Und ist aus einem edlen Haus;
> Das konnt ich ihm an der Stirne lesen —
> Er wär auch sonst nicht so keck gewesen!

Dazu kommt ein merkwürdiges Angstgefühl, als sie wieder ihre Stube betritt, die soeben Faust mit Mephisto durchstreift hatte. Gretchen singt sich den Schauer, der sie überkommen hat, durch das Volkslied weg. Alles, was stumm in ihr lebt, worüber sie sich selbst nie klar werden würde, drückt sie im Volkslied aus: das Wunschbild des herrscherlichen Geliebten aus der großen Welt, die wunderbare Liebestreue, die sie und ihn adelt, und das Zeichen, das symbolon, das sie übers Grab hinaus verbindet. Was sich daran aufschließt, ist Gretchens zukünftiges Schicksal. Sterbend wird sie sich ihm ins Herz dringen zu seinem Ruf: „O wär ich nie geboren!" Ihr „holdes" Himmelsangesicht wird ihm entscheidend wieder begegnen: „Wie Seelenschönheit steigert sich die holde Form." Den Erblindeten tröstet „im Innern helles Licht". In den Doktor Marianus verwandelt, erfährt er den Aufstieg in die Himmelssphäre, wo Gretchen ihm zubestimmt ist: „Der früh Geliebte, Nicht mehr Getrübte, Er kommt zurück!"

Alles, was im Bechersymbol des Liedes zusammengezogen ist, schließt eine Verwandlungskraft auf, die sich im Faustgedicht zu den Versen verklärt:

„Und hat an ihm die Liebe gar
Von oben teilgenommen,
Begegnet ihm die selige Schar
Mit herzlichem Willkommen!"

In die Einfachheit der Volksballade schließt sich das zusammen zu dem Vorgang, daß der heilige Becher, wie er ins Meer versinkt, beide Liebenden einander zuverwandelt hat. Das Symbolon, das Getrennte, ist zusammengeworfen ins Zeitlos-Ewige. Und die Schlußworte des Liedes geben dem alten Zecher die Würde des Liebenden, der seinen Bechertrunk als sein Sakrament erfahren hat. „Wenn es uns ungewohnt ist, diese Szene an die des letzten Abendmahls zu rücken, so darf man nicht vergessen, daß der junge Goethe voll war von solchem Beziehungsspiel." (So Werner Roß im Sammelwerk: Wege zum Gedicht II).

Es läßt sich im Zusammenhang dessen, was wir als den symbolischen Kosmos der Dichtung verfolgen, dahin ergänzen, daß die zusammenziehende und die aufschließende Kraft des Symbols in der Einfalt dieser Volksballade eine so einmalige Wirkung ausübt, daß die Steigerung des Heiligen ins Sakramentale keine Blasphemie bedeuten kann.

Wir verdanken es Ernst Beutler, daß sich die Wirkung des „Königs in Thule" auf Brentano und Arnim, also auf die romantische Generation, erst zum vollen sakramentalen Ereignis steigert. Brentano singt am Rhein mit „Andacht": „Ich bin ein König in Thule." Und Goethes „Buhle" kehrt wieder in der Ballade von der Lorelay: „Ich will noch einmal sehen nach meines Buhlen Schloß!" Was Gretchens Einfalt nicht hineinläßt in ihr Lied, entfacht der geniale Romantiker in seinem „Lied von der Dämonie der Liebe", in der Ballade von der schönen Lore Lay. Dort werden wir dann den Spuren von Goethes „König in Thule" noch wieder begegnen.

Die Braut von Korinth

Während der frühen Weimarer Jahre, die unter der Ausstrahlung der Frau von Stein stehen und in denen Goethe durch seine Amtstätigkeit bedrängt ist, entstehen eine Reihe Balladen, die alle vom Zauber der Goetheschen lyrischen Sprache getragen sind, ohne daß sich hier die Grenzbezirke des Balladischen ganz klar abheben: „Der Fischer" (Nachspiegelung der alten Wassermann-Ballade) „Erlkönig" (angeregt durch die dänische Volksballade „Erlkönigs Tochter" in Herders Übertragung), Mignons Italienlied, (von Goethe an die Spitze der „Balladen" gestellt), „Der Sänger" (als Lied des Harfners in „Wilhelm Meisters theatralischer Sendung").

Erst an der Freundschaft mit Schiller und seinem Vorangang mit den Balladen „Der Handschuh", „Der Taucher" wird Goethe abermals zur Ballade geführt. Diesmal wirft ihn „das Balladenstudium" zugleich zum „Dunst- und Nebelweg" der Faustdichtung zurück. Viel stärker als beim Spiel mit Balladenmotiven der frühen Weimarer Zeit wird Goethe an seinen Ursprüngen angerührt. Er nennt es auch den „Rückzug in diese Symbol-Ideen- und Nebelwelt". Am 5. Juli 1797 spricht er von den „nordischen Phantomen".

Das ist die Zeit, in der Goethe im Tagebuch anmerkt: „Anfang des vampyrischen Gedichts" (4. Juni, in Jena, bei täglichem Austausch mit Schiller). In wenigen Tagen (4.—6. Juni) ist damals „Die Braut von Korinth" entstanden.

Wie tief hier das Nordische als Ursprünglich-Archaisches in Goethe in Bewegung geraten ist, mag ein Faktum andeuten, das Goethe damals unbekannt geblieben ist. Die späte Balladendichtung des Nordens bringt im Helgilied die kühne Ausweitung ins Grenzgebiet zwischen Lebenden und Toten. Der ermordete Helgi kehrt zum Grabhügel zurück und die Gattin gesellt sich ihm dort:

Nun will ich nichts
Unmöglich nennen,
Nicht jetzt noch je,
Du junge Fürstin:
Dem leblosen

Liegst du im Arm,
Du hehre, im Hügel,
Högnis Tochter,
Und lebst dennoch,
Du lichte Maid!

Goethe selbst hat zur „Braut von Korinth" 1823 ein Bekenntnis gemacht, das den urtümlichen Untergrund seiner balladischen Phantasie bekräftigt: „Mir drückten sich gewisse große Motive, Legenden, uraltgeschichtlich Überliefertes so tief in den Sinn, daß ich sie vierzig bis fünfzig Jahre lebendig und wirksam im Innern erhielt; mir schien der schönste Besitz, solche werte Bilder oft in der Einbildungskraft erneut zu sehen, da sie sich denn zwar immer umgestalteten, doch ohne sich zu verändern einer reineren Form, einer entschiedeneren Darstellung entgegenreiften. Ich will hiervon nur die Braut von Korinth, den Gott und die Bajadere, den Grafen und die Zwerge, den Sänger und die Kinder, und zuletzt noch den baldigst mitzuteilenden ‚Paria' nennen." (Bedeutende Fördernis durch ein einziges geistreiches Wort).

Wann Goethe die unmittelbare Quelle zur „Braut von Korinth" zugänglich geworden ist, ist nicht bekannt. Es ist eine genau dargestellte Gespenstergeschichte, der Goethe viele Einzelheiten entnehmen konnte, um sie doch vollkommen in den symbolischen Kosmos seiner Balladendichtung zu verwandeln, die sich über dem Zusammenprall geistiger Weltmächte, Antike und Christentum, erhebt als eine neuartige Kulturballade.

Mit 28 Strophen wird dies Werk zur Großballade. Schon in der Ausprägung der Strophenform wird sich der planende Formkünstler der hier darzustellenden Widersprüchlichkeit bewußt. Es geht nicht nur um das Beilager der Toten mit dem Lebenden, es geht um die ins Vampyrhafte hinabgedrückte Lebensmacht der antiken Götter und um den übergreifenden Weltanspruch des Christentums. Die Strophenform drückt es in ihren zwei Hälften aus, die sich widerstreiten und doch im Reim aneinander binden. Wir geben die beiden Eingangsstrophen:

Nach Korinthus von Athen gezogen
Kam ein Jüngling, dort noch unbekannt.
Einen Bürger hofft' er sich gewogen;
Beide Väter waren gastverwandt,
Hatten frühe schon
Töchterchen und Sohn
Braut und Bräutigam voraus genannt.

Aber wird er auch willkommen scheinen,
Wenn er teuer nicht die Gunst erkauft?
Er ist noch ein Heide mit den Seinen,
Und sie sind schon Christen und getauft.
Keimt ein Glaube neu,
Wird oft Lieb' und Treu'
Wie ein böses Unkraut ausgerauft.

Die erste Hälfte gibt einen ruhevollen fünffüßigen trochäischen Vers, in sich gereimte Vierzeiler, mit weiblichem und männlichem Reim. Dann aber verkürzt sich der Vers.

Die Verkürzung auf drei Versfüße ruft in jedem Fall einen rhythmischen Schock hervor: in der ersten Strophe kaum merklich, in der zweiten ganz offenbar. Aufgefangen wird das dann in jedem Fall mit der fünffüßigen Schlußzeile, die mit der ersten Strophenhälfte zusammenreimt.

Das geistige Thema ist sogleich angeschlagen. Als Heide kehrt der ehedem zum Bräutigam Bestimmte ins inzwischen christlich gewordene Haus. Wie wird es ihm ergehen? Beruft die erste Strophe eine einst kindliche Welt: „Töchterchen und Sohn", reißt die zweite Strophe die deutlichste Kluft auf: „wird oft Lieb und Treu / wie ein böses Unkraut ausgerauft."

Dann setzt alsbald die Handlung ein. Der von der Mutter gastfreundlich Aufgenommene erfährt im Schlafgemach den seltsamsten Besuch. Das große Zwiegespräch der Liebenden beginnt und wird wie im alten Heldenlied zum wichtigsten Handlungsträger. Im Gewand der Himmelsbraut erscheint sie ihm, und schon ruft er die alten Götter zu Hilfe; in einer Art verspieltem Liebeseifer, noch kaum vom Ernst des Augenblicks berührt:

„Bleibe, schönes Mädchen!" ruft der Knabe,
Rafft von seinem Lager sich geschwind:
„Hier ist Ceres', hier ist Bacchus' Gabe;
Und du bringst den Amor, liebes Kind!
Bist vor Schrecken blaß!
Liebe, komm und laß,
Laß uns sehn, wie froh die Götter sind."

Jetzt erst erfährt er von ihr, daß sie Nonne geworden ist. Aber wie sie ihre Gegenstrophe bildet, bricht ein unterirdischer Dämonenton herauf:

„Und der alten Götter bunt Gewimmel
Hat sogleich das stille Haus geleert.
Unsichtbar wird Einer nur im Himmel,

Und ein Heiland wird am Kreuz verehrt;
Opfer fallen hier,
Weder Lamm noch Stier,
Aber Menschenopfer unerhört."

Der Jüngling begreift, daß das Schicksal auf ihn zukommt. Er nimmt es mit allen Geisteskräften an und entfacht im Bräutigamsanspruch die Leidenschaft der Jugend. Schon erhöht sich der Augenblick zur Feierlichkeit symbolischer Gebärden, zum Austausch von Geschenken:

Und schon wechseln sie der Treue Zeichen:
Golden reicht sie ihm die Kette dar,
Und er will ihr seine Schale reichen,
Silbern, künstlich, wie nicht eine war.
„Die ist nicht für mich:
Doch, ich bitte dich,
Eine Locke gib von deinem Haar."

Hier aber ruft das doppeldeutige Symbol einen ersten Schrecken wach. Warum nimmt sie, die ihn mit ihrer Goldkette an sich kettet, die schöngearbeitete Schale nicht von ihm an? Warum will sie eine Locke von seinem Haar? Haar bindet, heißt ein alter Spruch unter Liebenden.

Von hier an wächst der Schrecken um die Mädchengestalt, sie nimmt unmerklich vampyrhafte Züge an.

Eben schlug die dumpfe Geisterstunde,
Und nun schien es ihr erst wohl zu sein.
Gierig schlürfte sie mit blassem Munde
Nun den dunkel blutgefärbten Wein.
Doch vom Weizenbrot,
Das er freundlich bot,
Nahm sie nicht den kleinsten Bissen ein.

Seltsam, daß sie kein Brot nimmt. Aber nun häufen sich die Widersprüche. Sie reicht ihm die Schale, aber der Liebe, die er fordert, widersteht sie. Sie wirft sich ihm zu und sucht sich ihm zu entziehen. Was sich im alten Helgilied als Triumphgesang des toten Liebenden darstellt, erfährt im Zugriff des Goetheschen Geistes die ungewöhnlichste Vergegenwärtigung des Widersprüchlichen, voll Schauer und Würde eines einmalig großen Augenblicks:

Und sie kommt und wirft sich zu ihm nieder:
„Ach, wie ungern seh ich dich gequält!
Aber, ach! berührst du meine Glieder,
Fühlst du schaudernd, was ich dir verhehlt.

Wie der Schnee so weiß,
Aber kalt wie Eis
Ist das Liebchen, das du dir erwählt."

Heftig faßt er sie mit starken Armen,
Von der Liebe Jugendkraft durchmannt:
„Hoffe doch bei mir noch zu erwarmen,
Wärst du selbst mir aus dem Grab gesandt!
Wechselhauch und Kuß!
Liebesüberfluß!
Brennst du nicht und fühlest mich entbrannt?"

Liebe schließet fester sie zusammen,
Tränen mischen sich in ihre Lust;
Gierig saugt sie seines Mundes Flammen,
Eins ist nur im andern sich bewußt.
Seine Liebeswut
Wärmt ihr starres Blut,
Doch es schlägt kein Herz in ihrer Brust.

Hier erinnern wir uns, daß es derselbe Goethe ist, der die geniale Formel von der wahren Symbolik geschaffen: „Das ist die wahre Symbolik, wo das Besondere das Allgemeinere repräsentiert, nicht als Traum und Schatten, sondern als lebendig augenblickliche Offenbarung des Unerforschlichen."

Was sich hier als ein Unerforschliches offenbart, ist die ins Ereignis der Liebesnacht zusammengezogene Symbolik einer wahrhaften Begegnung von Tod und Leben, bei der das Einmalig Elementare nahezu gesprengt wird von den Schreckens-Mächten, die sich darin auswirken. Solche Symbolik fordert die aufschließende Ergänzung. Das ist der balladische Vorgang. Er wird hervorgerufen dadurch, daß die Mutter die Liebenden belauscht und überrascht.

Der Dichter wagt es, die Aufschließung durch das ins Leben wieder eingetretene Gespenst der Toten selbst vorzunehmen. An keiner Stelle dringt die Gestaltung so unmittelbar aus der Spaltung der Strophe selbst hervor:

Und der Jüngling will im ersten Schrecken
Mit des Mädchens eignem Schleierflor,
Mit dem Teppich die Geliebte decken.
Doch sie windet gleich sich selbst hervor.
Wie mit Geists Gewalt.
Hebet die Gestalt
Lang und langsam sich im Bett empor.

Ein Gespenst hat sich aufgerichtet. Lautmagie zwingt es uns auf, in den verkürzten Zeilen. Die Stimme des Gespensts nimmt alles zusammen, was noch als balladische Handlung folgt. Sechs Strophen sind es noch, die erste an die Mutter gerichtet:

„Mutter! Mutter! spricht sie hohle Worte.
„So mißgönnt Ihr mir die schöne Nacht!
Ihr vertreibt mich von dem warmen Orte.
Bin ich zur Verzweiflung nur erwacht?
Ist's Euch nicht genug,
Daß ins Leichentuch,
Daß Ihr früh mich in das Grab gebracht?

Hier wird vorerst ein Geheimnis klargestellt, was uns seit Beginn der balladischen Handlung beunruhigen mußte: warum ist des Bräutigams Braut, ihm seit der Jugend zugesprochen, vor sechs Monaten gestorben? Kann sich eine Ballade, die uns alle mitbewegen soll, auf einen Zufallstod stützen? Jetzt wird es uns offenbar gemacht. Die als Dank für die eigne Genesung geopferte Tochter hat die Mutter glaubensfanatisch ins Nonnendasein gezwungen und eben damit zugrundegerichtet. Jetzt aber regen sich gewaltige unterirdische Kräfte, die sich der Stimme des Gespensts bedienen. Die ruhelos nachts durch Elternhaus Streifende findet sich von dem eingekehrten Jüngling angezogen.

Aber aus der schwerbedeckten Enge
Treibet mich ein eigenes Gericht.
Eurer Priester summende Gesänge
Und ihr Segen haben kein Gewicht;
Salz und Wasser kühlt
Nicht, wo Jugend fühlt;
Ach, die Erde kühlt die Liebe nicht!

Salz und Wasser ist das geweihte Wasser, mit dem die Nonne Gewordene und als Nonne Verstorbene besprengt worden ist. Jetzt aber regt sich die „Erde" in ihr, eine unterirdische Gewalt, die die ins Leben Zurückgerufene mit Stimme und Geistermacht eines höheren Gerichts begabt.

An die Mutter ist die nächste Strophe gerichtet, an den zwischen Mutter und Tochter auszutragenden Widerstreit.

Dieser Jüngling war mir erst versprochen,
Als noch Venus' heitrer Tempel stand.
Mutter, habt Ihr doch das Wort gebrochen,
Weil ein fremd, ein falsch Gelübd' Euch band!
Doch kein Gott erhört,
Wenn die Mutter schwört,
Zu versagen ihrer Tochter Hand!

Das hier umrissene Geschick ließe sich vergleichen mit dem Verhältnis Lenorens zu ihrer Mutter in Bürgers Ballade. Der Schritt, den Goethe darüber hinaus tut, ist der der großen geistigen Kulturballade.

Aus dem Grabe werd' ich ausgetrieben,
Noch zu suchen das vermißte Gut,
Noch den schon verlornen Mann zu lieben
Und zu saugen seines Herzens Blut.
Ist's um den geschehn,
Muß nach andern gehn,
Und das junge Volk erliegt der Wut!

Hier ist das Zeitenschicksal begriffen und ausgesprochen, das aus dem Übergriff des asketischen Christentums in die Lebensfülle der Antike entstand: Götter sind zu Vampyren geworden, die sich der Frauen bemächtigen, um die Männer, bereits in ihrer Jugendkraft, zu verderben. Was hier in die zweite Strophenhälfte zusammengedrängt ist, ist allen Hörern zugedacht, so unmittelbar elementar und schreckensmächtig, daß es jedem das Blut zum Stocken bringt.

Zwei Strophen folgen noch. Die erste ist dem Jüngling zugewendet, voll mitspürendem, mitleidendem Vorauswissen um das Unabänderliche.

Schöner Jüngling! kannst nicht länger leben;
Du versiechest nun an diesem Ort.
Meine Kette hab ich dir gegeben,
Deine Locke nehm' ich mit mir fort.
Sieh sie an genau;
Morgen bist du grau,
Und nur braun erscheinst du wieder dort.

Ketten- und Locken-Symbol sind eindeutig geworden im Gespenstersinn. Für die letzte Strophe dann ist die volle aufschließende Kraft wahrer Symbolik aufgespart, die der Kulturballade ihren balladischen Sinn erst gibt. Sie ist in eine Bitte der Tochter an die Mutter gehüllt:

Höre, Mutter, nun die letzte Bitte:
Einen Scheiterhaufen schichte du;
Öffne meine bange, kleine Hütte,
Bring' in Flammen Liebende zur Ruh'!
Wenn der Funke sprüht,
Wenn die Asche glüht,
Eilen wir den alten Göttern zu."

Mit der bangen kleinen Hütte kann nur die Grabstätte der Nonne gemeint sein, die gemeinsam mit dem Geliebten auf dem Scheiterhaufen die Heiligung des Flammentods erleiden und erlieben will. Es ist der Triumph der unterdrückten Lebensfreude antiker Gottkräfte über den unbegriffnen Kreuzestod Christi und seinen Heilruf, der von der Erbsünde erlösen will. Es ist die Überwindung des Vampyrischen ins Voll-Menschliche zurück.

Das unwahrscheinlich Großartige der Goetheschen Ballade liegt in der Kühnheit einer Gestaltungskraft, die ins Einzelschicksal das Gesamtschicksal einer Kulturentwicklung hineinnimmt, die das ganze Abendland durchwirkt hat. Als Revolution des Lebens selbst, das sich gegen die Lehre von der Erbsünde richtet. Wie Goethe die ungeheure Spaltung im geringsten rhythmischen Ereignis, in der Versverkürzung der zweiten Strophenhälfte ankündigt, so bewahrt er durch die gesamte Darstellung des Einzelfalls die behutsamste stillste Auswahl aller Formmittel. Denken wir nur an die noch dem Bänkelsang verpflichtete Gewalt der Bürgerschen Lautmagie mit ihrem furiosen Gespensterritt. Goethes Mittel, ein Gespenst ins unmittelbare Leben zu rufen, sind fast unmerkliche. Aber sie durchdringen die gesamte Ballade mit einer langsam wachsenden Eindringlichkeit, die uns zuletzt als mitbewegte Mitmenschen eines heute noch vom Widerstreit der antiken und christlichen Weltmächte umgetriebenen Abendlands im Tiefsten erschrecken und zur Selbstbesinnung aufrufen muß.

Hier haben wir ein überzeugendes Beispiel der Goetheschen „wahren Symbolik" miterlebt, die die Gespenster-Sinnlichkeit Bürgers ins Geistige erhebt, ohne ihr den elementaren Schauder zu nehmen.

Der Gott und die Bajadere

Unmittelbar auf die Schöpfung der „Braut von Korinth" folgt in Goethes Jenaer Tagen vom 6.—9. Juni 1797 die „Indische Legende", die ihre weitgespannte polare Aufgeschlossenheit bereits in der Überschrift ankündigt: „Der Gott und die Bajadere". Diesmal ist die Quelle greifbar nah. Sonnerats „Reise nach Ostindien und China" war 1783 erschienen. Wenn Goethe auch das Grundmotiv zu dieser Ballade jenen Stoffen zurechnet, die er durch vierzig Jahre in sich bewegte, dann ist das wohl so zu verstehen, daß das

Erlösungsmotiv, wie es hier zwischen Gott und Tänzerin sich ankündigt, ihm seit langem als Verwandlungskraft der Seelen vor Augen stand. Sonnerats Bericht über indische Bajaderen und das Balladenmotiv des Gottes, der ein Freudenmädchen erprobt und in den Himmel erhebt, nachdem sie sich dem Toten in der Flamme mitvermählen wollte, gab damit einen Hintergrund, der sich von der gespenstigen Kluft in der „Braut von Korinth" wunderbar abhob durch die Ineinanderverschmelzung des Sinnlichen mit dem Geistigen.

Bereits die veränderte Strophenwahl bereitet auf die veränderte Sphäre vor. Auch hier haben wir die Strophe in zwei Hälften aufgeteilt. Aber dem Ernst einer trochäisch beruhigt-dahinfließenden Vollstrophe von 8 Zeilen, dreitaktig mit gleichmäßigem Wechsel weiblicher und männlicher Reime, folgt eine Nachstrophe, dreizeilig, mit je vier Daktylen, die etwas Heiter-Tänzerisches mit sich bringen. Wie in der Strophe der „Braut von Korinth" ist die Nachstrophe im letzten Reim an die Gesamtstrophe angeschlossen. Wir lassen die beiden ersten Strophen folgen.

Mahadöh, der Herr der Erde,
Kommt herab zum sechsten Mal,
Daß er unsersgleichen werde,
Mit zu fühlen Freud' und Qual.
Er bequemt sich, hier zu wohnen,
Läßt sich alles selbst geschehn.
Soll er strafen oder schonen,
Muß er Menschen menschlich sehn.
Und hat er die Stadt sich als Wandrer betrachtet,
Die Großen belauert, auf Kleine geachtet,
Verläßt er sie abends, um weiter zu gehn.

Als er nun hinausgegangen
Wo die letzten Häuser sind,
Sieht er mit gemalten Wangen
Ein verlornes schönes Kind.
„Grüß dich, Jungfrau!" — „Dank der Ehre!
Wart', ich komme gleich hinaus."
„Und wer bist du?" — „Bajadere,
Und dies ist der Liebe Haus."
Sie rührt sich, die Cymbeln zum Tanze zu schlagen:
Sie weiß sich so lieblich im Kreise zu tragen,
Sie neigt sich und biegt sich und reicht ihm den Strauß.

Die heitere Entspannung, die die Daktylen dem zur Erde herabgekehrten Gott am Abend bereiten, erfährt die sinnvollste Ergänzung in dem Tanzrhythmus, mit dem ihm die Bajadere ihre Bereitschaft anzeigt. Schon das Zwiegespräch, das die zweite Strophe auflockert, verrät den ganz zum Menschen gewordenen Gott. Volksballadische Töne rühren uns an. („Gott grüß euch schönes Jungfräulein").

Solche veränderte Strophenwahl verändert auch den Aufbau der gesamten Ballade. So viel im Augenblick vergegenwärtigte Lebensbreite bedarf keiner 28 Strophen, um die Handlung durchzuführen. Goethes Indien-Legende begnügt sich mit neun Strophen. Der Gott besucht die Tänzerin für eine Nacht; was er erproben will, ist alsbald erfahren:

> Schmeichelnd zieht sie ihn zur Schwelle,
> Lebhaft ihn ins Haus hinein.
> „Schöner Fremdling, lampenhelle
> Soll sogleich die Hütte sein.
> Bist du müd', ich will dich laben,
> Lindern deiner Füße Schmerz.
> Was du willst, das sollst du haben,
> Ruhe, Freuden oder Scherz."
> Sie lindert geschäftig geheuchelte Leiden.
> Der Göttliche lächelt; er siehet mit Freuden
> Durch tiefes Verderben ein menschliches Herz.

Wir beginnen zu begreifen, was Goethe hier im balladischen Ursprung seiner Einbildungskraft bewegt hat: die Mitmenschlichkeit. Die Faszination des „sym", die nun fortschreitend alle weiteren Strophen durchwirkt. Es ist der lebendige Ursprung, aus dem sich die Welt des Mensch gewordenen Gottes und die zur Liebe aufblühende Seele der Tänzerin aufeinander zubewegen.

> Und er fordert Sklavendienste,
> Immer heitrer wird sie nur,
> Und des Mädchens frühe Künste
> Werden nach und nach Natur.
> Und so stellet auf die Blüte
> Bald und bald die Frucht sich ein;
> Ist Gehorsam im Gemüte,
> Wird nicht fern die Liebe sein.
> Aber sie schärfer und schärfer zu prüfen,
> Wählet der Kenner der Höhen und Tiefen
> Lust und Entsetzen und grimmige Pein.

Während der Abstand des Gottes zur ihn bedienenden Tänzerin in dieser Strophe sich bis in die Sprachbilder auswirkt, wenn er ganz verallgemeinernd von „Blüte" und „Frucht" spricht und vom

„Gehorsam im Gemüte", der „nicht fern der Liebe" sei, überrascht uns in der Nachstrophe, wie sehr der Gott selbst in seine Gedanken den tänzerischen Rhythmus seiner nächtlichen Freundin in sich aufgenommen hat. Eben aus diesem einfühlsamen Rhythmus heraus bereitet er sie auf schärfere Proben vor.

Was der Gott als die schärfere Probe in der nächsten Strophe zu erkennen gibt, bezeugt zugleich die Tiefe seiner ganz mitmenschlich gewordenen Liebesnähe. Denn was er jetzt in der käuflichen Dirne erweckt, ist das längst ihr verloren gegangene Schamgefühl, das Urphänomen der Scham.

Und er küßt die bunten Wangen,
Und sie fühlt der Liebe Qual,
Und das Mädchen steht gefangen,
Und sie weint zum ersten Mal,
Sinkt zu seinen Füßen nieder,
Nicht um Wollust noch Gewinst,
Ach, und die gelenken Glieder
Sie versagen allen Dienst.
Und so zu des Lagers vergnüglicher Feier
Bereiten den dunklen, behaglichen Schleier
Die nächtlichen Stunden, das schöne Gespinst.

Hier erfüllt jetzt die Nachstrophe den tänzerischen Vollgenuß einer aus Scham und Lust erwirkten höheren Liebesgemeinschaft.

Damit ist der Boden bereitet für die schärfste aller Proben. Die Handlung erreicht ihren Gipfel.

Spät entschlummert unter Scherzen,
Früh erwacht nach kurzer Rast,
Findet sie an ihrem Herzen
Tot den vielgeliebten Gast.
Schreiend stürzt sie auf ihn nieder;
Aber nicht erweckt sie ihn,
Und man trägt die starren Glieder
Bald zur Flammengrube hin.
Sie höret die Priester, die Totengesänge,
Sie raset und rennet und teilet die Menge.
„Wer bist du? was drängt zu der Grube dich hin?"

Der daktylischen Nachstrophe ist hier eine neue Aufgabe zugefallen. Während die Würde des Toten, die Totenstarre sich in das ernste Gleichmaß der Trochäen bindet, fällt der Nachstrophe die ganze leidenschaftliche Unruhe der Tänzerin zu, die auch ihre Umgebung ansteckt.

Dann aber dringt die Verwandlung, die die Tänzerin erfahren, in den Strophenrhythmus ein. Wie sie sich als Gattin des Toten fühlt, spricht sie sich im Ernst der Trochäen aus. Während sie in der dritten Strophe das trochäische Maß zum Ausdruck ihrer geschmeidig einfühlsamen Bajaderen-Natur gemacht hatte, erfährt jetzt der Trochäus die ganze Wucht ihres Schmerzes:

Bei der Bahre stürzt sie nieder,
Ihr Geschrei durchdringt die Luft:
„Meinen Gatten will ich wieder!
Und ich such' ihn in der Gruft.
Soll zur Asche mir zerfallen
Dieser Glieder Götterpracht?
Mein! er war es, mein vor allen!
Ach, nur Eine süße Nacht!"
Es singen die Priester: „Wir tragen die Alten,
Nach langem Ermatten und spätem Erkalten,
Wir tragen die Jugend, noch eh' sie's gedacht."

Wie durchdringt sich hier Form und Inhalt, Rhythmus und Gehalt: „Meínen Gatten will ich wieder! Meín! er war es, meín vor allen!" Es ist eine Verwandelte, die hier spricht. Der Chor der Priester aber nimmt in seinen gottesdienstlichen Gesang den Rhythmus der Daktylen auf, der daran erinnern mag, daß die Bajaderen ursprünglich Gottes-Tänzerinnen waren.

Einen Gegenhalt bedeutet noch die nächste Strophe, in der die Priester der Bajadere den rationalen Gedanken entgegenbringen, daß ihr als Bajadere gar nicht zusteht, was nur der Gattin ziemt: sich im Flammenopfer dem Toten zu vereinen.

Aus dem Gegenimpuls entspringt dann die Schlußstrophe, die die letzte dramatische Steigerung in den epischen Bericht verkürzend zusammennimmt. Dadurch erleichtert sich für die mitbewegten Hörer der erfaßbare Sinn, dessen jubelnder Erlösungsgedanke sich in den Daktylen der Nachstrophe löst. Das Tänzerische ist hier zuletzt mit dem Sakralen eins geworden.

So das Chor, das ohn' Erbarmen
Mehret ihres Herzens Not;
Und mit ausgestreckten Armen
Springt sie in den heißen Tod.
Doch der Götterjüngling hebet
Aus der Flamme sich empor,
Und in seinen Armen schwebet
Die Geliebte mit hervor.

Es freut sich die Gottheit der reuigen Sünder;
Unsterbliche heben verlorene Kinder
Mit feurigen Armen zum Himmel empor.

Auch hier haben wir eine Ballade, die den Blick auf große geistige Ordnungen richtet, eine Kulturballade, die im Einzelfall ein Ungeheures Allgemeines zur balladischen Darstellung bringt. Im spannungsvollen Wechsel trochäischer und daktylischer Rhythmen ist hier in eins verschmolzen, was die „Braut von Korinth" als rhythmischen Schock auffing und zur tragischen Kluft auseinandertrieb.

Nur der indische Hintergrund gab solche Möglichkeit. Der zur Erde herabgestiegene Gott, der sich mit der Niedrigsten eint. Wie er in der zur käuflichen Liebe Verdorbenen wieder das ursprüngliche natürliche Schamgefühl erweckt und zur Liebe steigert, die den ganzen Menschen erfaßt und erneuert, vermag er ihr auch die äußerste Prüfung aufzuerlegen, die sie über das Kreatürliche erhebt und einer Erlösung zuführt, für die abermals nur Indien die Symbol-Zeichen bietet. Der Flammentod, der die sterblichen Reste zur himmlischen Reinheit läutert, das Opfer, das die Gattin dem Gatten zu bringen hat, wenn ihn der Tod von ihrer Seite nimmt, beides verschlingt sich im balladischen Geschehen zu dem einmaligen Augenblick, wo sich die Bajadere, in der Verwandlungskraft der Liebe zur Gattin des Gottes erhoben, blindlings in den Flammentod stürzt, dem Geliebten für immer vermählt zu sein. Was sich hier als das Unerforschliche offenbart, durch alle Wechsel trochäischer und daktylischer Rhythmen vorbereitet, ist die Unerschöpflichkeit der Liebe, die Erlösungskräfte in sich trägt, über den Tod hinaus. Wie Goethe das hier eingefangene allwebende Leben zwischen Gott und Mensch durch alle Strophen rhythmisch entfaltet, im steten Wechselspiel, so bildet hier die Ballade als Ganzes, zusammengenommen in die Liebeseinung des Göttlichen mit dem Menschlichen, eine einzige weltweite Aufschließungskraft des Symbols, die durch den Filter der indischen Welthintergründe zu jedem spricht.

Wie sich hinter dem „König in Thule" die fernen Schicksale Gretchens und Fausts abzeichnen, wie in der „Braut von Korinth" bereits die Helena-Tragödie gesichtet werden kann (Zastrau), so kann wohl die Erlösung, die der Bajadere zuteil wird, auf die Grundfrage vorausdeuten, die eben damals mit der Rückkehr zum Faust-Fragment Goethe beschäftigen mußte, als er Schillers Ideenkraft zuhilfe rief: wie war Fausts Erlösung im Geist jener erst so viel später erkannten „Liebe von oben" zu bewirken?

Schillers Ballade
Die Kraniche des Ibykus

Was den Dramatiker Schiller zur Ballade führt, geht auf die Wechselwirkung mit Goethe zurück. Im Brief vom 21. Juli 1797, dem Balladenjahr, tritt es am deutlichsten hervor. „Ich kann nie von Ihnen gehen, ohne daß etwas in mir gepflanzt worden wäre." Schiller begreift, daß er mit seiner „Darstellung von Ideen" bei Goethe immer jenen „Blick für den besondersten Fall" findet, in den das Allgemeine verwandelt werden muß. Was Schiller in jenem Brief auf den „Wallenstein" anwendet, hat er bereits an mehreren Balladen erprobt. Und Goethe unterstützt ihn darin, daß die „Ideenballade" eine „neue, die Poesie erweiternde Gattung" bildet.

„Die Kraniche des Ibykus" heben sich dadurch hervor, daß sie sozusagen aus einer Symbiose Schillers mit Goethe entstanden sind. Goethe fand das Grundmotiv. Hinter der griechischen Redensart von den „Kranichen des Ibykus" fand er die Balladenfabel: daß der von Straßenräubern Überfallne sterbend vorüberziehende Kranichzüge erblickt und sie zu Zeugen anruft. Kraniche entlocken im Theater dann den Mördern den verräterischen Ruf: „Da sind die Rächer des Ibykus." Goethe holte sich Auskünfte bei dem Gelehrten Böttiger in Weimar, teilte sie Schiller mit und forderte ihn auf, auch sein Glück zu versuchen. Während dann Goethe nach Frankfurt gereist ist, ab 9. August, übersendet Schiller am 17. August seinen eignen Ibykus-Versuch. Er bittet um Goethes Eindruck und hofft, „zu hören, daß ich in wesentlichen Punkten Ihnen begegne".

Schillers Erstversuch besteht aus 17 Strophen, achtzeilig, jede Zeile aus vier Jamben. Der Dramatiker verrät sich darin, daß das Schwergewicht in die Darstellung des Chors der Erinnyen verlegt ist, die einen Hymnus anstimmen: „Doch wehe, wehe, wer verstohlen des Mordes schwere Tat vollbracht! Wir heften uns an seine Sohlen, das furchtbare Geschlecht der Nacht!" So erreicht Schiller, daß alle im Theater Versammelten in eine gewaltige Mitbewegung und Miterregung um die Mordtat hineingezogen werden und daß eine Stimmung sich ausbreitet „als ob die Gottheit nahe wär". Schon hat Schiller in den Eingangsversen die wunderbare Zeile: „Und in Poseidons Fichtenhain / trat er mit frommem Schauder ein." Die Mordtat im Heiligtum verstärkt den unerhörten Frevel. Und so erwirkt sich das Walten der Nemesis mit dem verräterischen Mörderruf beim Vorüberzug der Kraniche als Selbst-Gericht und die Schlußstrophe kann mit Vehemenz die Schuldigen vor das Tribunal ziehen. Schiller gibt so bereits eine geschlossene Ballade von drängender Wucht, Schuld und Sühne folgen sich auf dem Fuß.

Goethes Antwort am 22. August ist die des beratenden Freundes, der vorerst ganz auf Schillers Intentionen eingeht, die Erfindung des Chors der Eumeniden sehr schön und am rechten Platz findet, derart daß er selbst dies Chor-Motiv aufnehmen würde, falls er noch an eine eigne Bearbeitung denken würde. Was er dann ergänzend anrät, betrifft die Kraniche, als „Naturphänomen". „Der Kraniche sollten als Zugvögel ein ganzer Schwarm sein, die sowohl über den Ibykus als über das Theater wegfliegen, sie kommen als Naturphänomen und stellen sich so neben die Sonne und andere regelmäßige Erscheinungen. Auch wird das Wunderbare dadurch weggenommen, indem es nicht eben dieselben zu sein brauchen, es ist vielleicht nur eine Abteilung des großen wandernden Heers, und das Zufällige macht eigentlich, wie mich dünkt, das Ahndungsvolle und Sonderbare in der Geschichte."

Goethe fügt andern Tags noch hinzu, auch in der Exposition sollte den Kranichen noch eine Strophe gewidmet sein. Ibykus sollte sie als mitreisende Begleiter anrufen, gute Vorzeichen, und im Sterben dann ebenfalls in besondrer Strophe. „Sie sehen, daß es mir darum zu tun ist, aus diesen Kranichen ein langes und breites Phänomen zu machen, welches sich wieder gut mit dem langen, verstrickenden Faden der Eumeniden verbinden würde."

Schiller ist Goethe hier gefolgt, und so wächst die Ballade zusammen elliptisch um zwei Pole: das Naturphänomen der Kraniche und der tragische Bühnenchor mit den Rachegeistern in antiker Würde und Erhabenheit. Schillers dramatischer Impuls ist aufgefangen und erweitert in der Mitbewegung des Naturphänomens, das sich dem hier waltenden Allgeist einfügt. Was jetzt die Hörer miterleben, eingebunden in die Gemeinschaft der antiken Theatergemeinde und ihren strengen erhabnen Chor, ist wahrhaft die lebendig-augenblickliche Offenbarung des Unerforschlichen, im Vorüberbrausen der Kranichzüge und dem verräterischen Ruf der Mörder. Das „Zufällige" macht „das Ahndungsvolle und Sonderbare". Alles fängt sich im Symbolgriff des Dichters. Den epischen Eingang setzt Schiller in schnelle jambische Bewegung um:

„Zum Kampf der Wagen und Gesänge,
Der auf Korinthus' Landesenge
Der Griechen Stämme froh vereint,
Zog Ibykus, der Götterfreund.
Ihm schenkte des Gesanges Gabe,
Der Lieder süßen Mund, Apoll;
So wandert' er, an leichtem Stabe,
Aus Rhegium, des Gottes voll.

Schon winkt, auf hohem Bergesrücken
Akrokorinth des Wandrers Blicken,
Und in Poseidons Fichtenhain
Tritt er mit frommem Schauder ein.
Nichts regt sich um ihn her, nur Schwärme
Von Kranichen begleiten ihn,
Die fernhin nach des Südens Wärme
In graulichtem Geschwader ziehn."

Mit der dritten Strophe setzt des Freundes Beratung ein. Im Anruf der Kranichschwärme erweitert sich die Epik in die lyrische Unmittelbarkeit der Zwiesprache mit den Mächten.

„Seid mir gegrüßt, befreundte Scharen,
Die mir zur See Begleiter waren!
Zum guten Zeichen nehm' ich euch;
Mein Los, es ist dem euren gleich:
Von fern her kommen wir gezogen
Und flehen um ein wirtlich Dach.
Sei uns der Gastliche gewogen,
Der von dem Fremdling wehrt die Schmach!"

Wie spannungsvoll ruft die Gleichnisklammer uns in die geistige Dimension, in der die Analogia entis waltet: Kraniche, die unbekümmert ihrem Zug zum Süden folgen, und der Dichter, der ebenso unbekümmert, weltvertrauend, als Liederdichter sich dem isthmischen Wettkampf stellt.

Wieder wendet sich die nächste Strophe, die vierte, Schillers epischem Eingang zu, der hier mit ebenso schnellem Jambenschritt die Mordtat bewältigt:

Und munter fördert er die Schritte
Und sieht sich in des Waldes Mitte —
Da sperren, auf gedrangem Steg
Zwei Mörder plötzlich seinen Weg.
Zum Kampfe muß er sich bereiten.

Doch bald ermattet sinkt die Hand,
Sie hat der Leier zarte Saiten,
Doch nie des Bogens Kraft gespannt.

Auch hier wird Goethes Rat befolgt. Die nächste Strophe ist wieder Zutat, sie verharrt im Augenblick des Sterbenden, verstärkt vorerst die schreckliche Verlassenheit.

Er ruft die Menschen an, die Götter.
Sein Flehen dringt zu keinem Retter.
Wie weit er auch die Stimme schickt,
Nichts Lebendes wird hier erblickt.
„So muß ich hier verlassen sterben,
Auf fremdem Boden, unbeweint,
Durch böser Buben Hand verderben,
Wo auch kein Rächer mir erscheint!"

Schiller erreicht hier in Goethes Sinn die unmittelbarere balladische Mitbewegung der Hörer mit dem Herzen des Sterbenden. In der nächsten 6. Strophe hatte Schiller bereits das Kranichmotiv einbezogen, hat es darum nicht mehr vertieft, wie Goethe wünschte:

„Und schwer getroffen sinkt er nieder
Da rauscht der Kraniche Gefieder,
Er hört, schon kann er nicht mehr sehn,
Die nahen Stimmen furchtbar krähn.
„Von euch, ihr Kraniche dort oben,
Wenn keine andre Stimme spricht,
Sei meines Mordes Klag' erhoben!"
Er ruft es, und sein Auge bricht.

Aber als glückliches Motiv hat Schiller den Gastfreund eingeführt, der den Ermordeten wiedererkennt und die Freveltat verbreitet. Alle in Korinth Versammelten, „ganz Griechenland ergreift der Schmerz". Hier fügt Schiller im Geist des Freundes als 9. Strophe die Stimmung der aufgeregten Menge ein:

Doch wo die Spur, die aus der Menge,
Der Völker flutendem Gedränge,
Gelocket von der Spiele Pracht,
Den schwarzen Täter kenntlich macht?
Sind's Räuber, die ihn feig erschlagen?
Tat's neidisch ein verborgner Feind?
Nur Helios vermag's zu sagen,
Der alles Irdische bescheint.

Die große Ratlosigkeit der Menschen, der Anruf des Gottes Helios, des Lichtgotts, beleuchten die Spannungen, in die hinein sich die balladische Handlung bewegen muß.

Hier hat Schillers eigenster Entwurf eingesetzt, der sich aufs Theater zu und auf die von den aufgeregten Massen umwogte strenge Würde des antiken Chors zubewegt. Hier war nichts zu verändern. Schillers Sprache füllt sich mit der Größe der inneren Anschauung an, die dramatisches Eigenleben gewinnt. Kern alles Mitlebens wird Theater und Chor. Eben erst, 4. April 1797 hatte er an Goethe geschrieben: „Es ist mir aufgefallen, daß die Charaktere des griechischen Trauerspiels mehr oder weniger idealische Masken und keine eigentlichen Individuen sind." Auf solche idealische Masken steuert Schillers Ballade zu, sie sollen zu Mit-Trägern der balladischen Handlung werden. Sie sollen das Gesamtgefüge ins Symbolische erhöhen.

Wer zählt die Völker, nennt die Namen,
Die gastlich hier zusammenkamen?
Von Cekrops' Stadt, von Aulis' Strand,
Von Phocis, vom Spartanerland,
Von Asiens entlegner Küste,
Von allen Inseln kamen sie
Und horchen von dem Schaugerüste
Des Chores grauser Melodie,

Der streng und ernst, nach alter Sitte,
Mit langsam abgemessnem Schritte
Hervortritt aus dem Hintergrund,
Umwandelnd des Theaters Rund.
So schreiten keine ird'schen Weiber,
Die zeugete kein sterblich Haus!
Es steigt das Riesenmaß der Leiber
Hoch über menschliches hinaus.

An dieser Stelle fügt Schiller neu die 14. Strophe ein, diesmal nicht auf Goethes Rat, doch im Geiste des goetheschen Ingeniums. Schiller gibt die grandiose Verkörperung der idealischen Masken, steigert sie ins Dämonische als Boten einer düstren Überwelt.

Ein schwarzer Mantel schlägt die Lenden,
Sie schwingen in entfleischten Händen
Der Fackel düsterrote Glut,
In ihren Wangen fließt kein Blut;
Und wo die Haare lieblich flattern,
Um Menschenstirnen freundlich wehn,
Da sieht man Schlangen hier und Nattern
Die giftgeschwollnen Bäuche blähn.

So unmittelbar gegenwärtig gemacht, überlebensgroß sozusagen, füllt sich die balladische Bewegung des Chors im Erstentwurf mit einer Bedeutung an, die durch vier machtvolle Strophen die eigentliche Schillersche Vision vorwärtsträgt. Hier war nichts weiter zu steigern oder zu verändern:

Und schauerlich gedreht im Kreise
Beginnen sie des Hymnus Weise,
Der durch das Herz zerreißend dringt,
Die Bande um den Frevler schlingt.
Besinnungraubend, herzbetörend
Schallt der Erinnyen Gesang,
Er schallt, des Hörers Mark verzehrend,
Und duldet nicht der Leier Klang:

„Wohl dem, der frei von Schuld und Fehle
Bewahrt die kindlich reine Seele!
Ihm dürfen wir nicht rächend nahn,
Er wandelt frei des Lebens Bahn.
Doch wehe, wehe, wer verstohlen
Des Mordes schwere Tat vollbracht!
Wir heften uns an seine Sohlen,
Das furchtbare Geschlecht der Nacht.

Und glaubt er fliehend zu entspringen,
Gefügelt sind wir da, die Schlingen
Ihm werfend um den flücht'gen Fuß,
Daß er zu Boden fallen muß.
So jagen wir ihn, ohn' Ermatten,
Versöhnen kann uns keine Reu,
Ihn fort und fort bis zu den Schatten,
Und geben ihn auch dort nicht frei."

So singend tanzen sie den Reigen,
Und Stille wie des Todes Schweigen
Liegt überm ganzen Hause schwer,
Als ob die Gottheit nahe wär'.
Und feierlich, nach alter Sitte,
Umwandelnd des Theaters Rund,
Mit langsam abgemeßnem Schritte
Verschwinden sie im Hintergrund.

In diesen Strophen ist Schiller in seinem Element. Die idealischen Masken der Erinnyen-Chors vereinen sich zum elementaren Ausdruck der Idee: daß jeder Mord die Rache der Erinnyen auf sich zieht. Der Hymnus, zu dem sie sich im Chor vereinen, steigt über der Menge im Theater auf wie eine Erleuchtung. Das Dumpf-Gefühlte ist zum klaren Bewußtsein gebracht. Zugleich erhebt es sich weit über jeden Rationalismus. Es erschüttert im Schreckbild der Erinnyen mit der Gegenwart des hereinwirkenden Numinosen: „als ob die Gottheit nahe wär".

Eben an dieser Stelle hatte Goethe noch einen genauen Wunsch geäußert. „Dann würde ich, nach der Strophe, wo die Erinnyen sich zurückgezogen haben, noch einen Vers einrücken, um die Gemütsstimmung des Volks, in welche der Inhalt des Chors sie versetzt, darzustellen, und von den ernsten Betrachtungen des Guten zu der gleichgültigen Zerstreuung der Ruchlosen übergehen, und dann den Mörder zwar dumm, roh und laut, aber doch nur dem Kreise der Nachbarn vernehmlich, seine gaffende Bemerkung ausrufen lassen, daraus entständen zwischen ihm und den nächsten Zuschauern Händel, dadurch würde das Volk aufmerksam usw."

Die 19. Strophe, die Schiller hier einschob, folgte durchaus Goethes Rat, dennoch schloß er sich nicht in allem Goethe an.

Und zwischen Trug und Wahrheit schwebet
Noch zweifelnd jede Brust und bebet,
Und huldiget der furchtbarn Macht,
Die richtend im Verborgnen wacht,
Die unerforschlich, unergründet
Des Schicksals dunklen Knäuel flicht,
Dem tiefen Herzen sich verkündet,
Doch fliehet vor dem Sonnenlicht.

Goethes Balladeninstinkt verhalf hier Schiller dazu, in der Betroffenheit der Zuschauer vom Anblick und dem Chorgesang der Erinnyen die Klarheit der Idee ins „Unerforschliche" zu vertiefen und sich der unmittelbaren Ergriffenheit aller Hörer zu versichern, die sich hier angesprochen finden.

Mit der folgenden 20. Strophe aber, die Schiller unverändert beibehielt, stellt sich der Dramatiker Schiller seinem Freund und Berater Goethe entgegen. Goethe empfand die Strophe als „zu laut und bedeutend anfangend". Er wollte den Mörderruf „nur dem Kreis der Nachbarn vernehmlich" und erst allmählich durch ausbrechende „Händel" aufs Volk übergreifend. Schillers Antwort findet sich im Brief vom 7. September: „Lasse ich den Ausruf des Mörders nur von den nächsten Zuschauern gehört werden, und unter diesen eine Bewegung entstehen, die sich dem Ganzen, nebst ihrer Veranlassung erst mitteilt, so bürde ich mir ein Detail auf, das mich hier, bei so ungeduldig fortschreitender Erwartung, gar zu sehr embarrassiert, die Masse schwächt, die Aufmerksamkeit verteilt usw."

Hier also siegt der Dramatiker über den Epiker. Zugleich der Blick des die Handlung zusammenziehenden Künstlers, der jetzt mit starken einfachen Hauptakzenten dem Ende zueilt.

Da hört man auf den höchsten Stufen
Auf einmal eine Stimme rufen:
„Sieh da! Sieh da, Timotheus,
Die Kraniche des Ibykus!" —
Und finster plötzlich wird der Himmel,
Und über dem Theater hin
Sieht man, in schwärzlichtem Gewimmel,
Ein Kranichheer vorüberziehn.

Was Goethe als zu „laut" empfand, bewährt sich als kühner Zusammenblick der beiden Handlungsstränge: die Mörder, auf dem billigsten höchsten Rang stehend, erblicken die Kranichzüge eher als die Masse der Zuschauer. Daher der alles übertönende Ruf von oben, der sogleich von allen aufgefangen wird.

„Des Ibykus!" — Der teure Name
Rührt jede Brust mit neuem Grame
Und wie im Meere Well' auf Well',
So läuft's von Mund zu Munde schnell:
„Des Ibykus, den wir beweinen,
Den eine Mörderhand erschlug?
Was ist's mit dem? Was kann er meinen?
Was ist's mit diesem Kranichzug?"

Abermals findet sich Schiller veranlaßt, diesmal wieder nicht auf den besonderen Rat Goethes, nur als Ausstrahlung seines Ingeniums, noch eine Strophe, die 22., hinzuzufügen. Das Gemurmel der Menge wird jetzt vertieft unter dem Nachwirken des Erinnyen-Chors. Die Menge selber stellt den geistigen Zusammenhang her:

Und lauter immer wird die Frage,
Und ahnend fliegt's mit Blitzesschlage
Durch alle Herzen: „Gebet Acht,
Das ist der Eumeniden Macht!
Der fromme Dichter wird gerochen,
Der Mörder bietet selbst sich dar!
Ergreift ihn, der das Wort gesprochen,
Und ihn, an den's gerichtet war!"

Aus dem Schreckbild der Erinnyen sind im Miterleben des wunderhaften Vorgangs, in dem sich Mörder selbst verraten, die heilkräftigen Eumeniden geworden, für das Grundverhältnis der alles in sich verarbeitenden Massen. Damit, wie Schiller es selbst ausdrückt: „ist die Ballade aus." Und so folgt nur noch die wahrhaft epigrammatisch verkürzte Schlußstrophe:

Doch dem war kaum das Wort entfahren,
Möcht er's im Busen gern bewahren;
Umsonst! der schreckensbleiche Mund
Macht schnell die Schuldbewußten kund.
Man reißt und schleppt ihn vor den Richter,
Die Szene wird zum Tribunal,
Und es gestehn die Bösewichter,
Getroffen von der Rache Strahl.

Was hier in der Symbiose Schillers mit Goethe gelungen ist, sind Vorstöße der Einbildungskraft, die sich geradezu zerlegen lassen in zwei Bildstränge, die sich nebeneinanderher und aufeinanderzu bewegen und zuletzt zur Symbolwirkung des Ganzen sich zusammengeworfen finden.

Was Schiller in seinem Erstentwurf von 17 Strophen aus dem Motiv der antiken Quelle gemacht hat, entspringt seinem dramatischen Impuls und sucht im antiken Chor das alles zusammenziehende Symbol. Es sind die idealischen Masken der Chorfiguren, die als Erinnyen die Rache an den Mördern ankündigen.

Was durch Goethes Rat aus dem ebenfalls schon in der Quelle vorhandenen Kranich-Motiv hinzugewonnen und herausgearbeitet wird, ist die sich im Naturphänomen ankündigende aufschließende Symbolik, die das in der Idee Ausgesprochene erst aus den unerforschlichen Weltgesetzen heraus wahrhaft versinnbildet. Beides zusammen erst erreicht die Forderung, die Goethe an die wahre Symbolik stellt, daß sich in lebendig augenblicklicher Offenbarung das Unerforschliche kundtut. Es ergreift in den Kranichzügen die unbewußten Schichten der Mörder und treibt ihren verräterischen Ruf hervor. Es erfährt seine Macht der Idee im zusammenziehenden Symbol des antiken Chors. Wie sich beides trifft im erschreckten und plötzlich vom Geist mitergriffnen Gemüt der Massen, das bestimmt dann die balladische Handlung, und ihren Offenbarungssinn. Wir tun dem Genie Schillers, dessen Weltschöpfung das Drama ist, keinen Abbruch, wenn wir darauf hinweisen, daß seine Balladen groß sind im zusammenziehenden Symbol dramatischer Handlungsführung, daß es ihm aber schwerer fällt, jene geheimnisvolle Macht miteinzuformen, deren Umrisse erst sich den kühnen Vorstößen der aufschließenden Symbolik voll auftun.

Überschaun wir Goethes und Schillers Balladen als Ganzes, unter dem Begriff von „Kulturballaden", die sich mit ihrem geistigen Eigenleben den Schöpfungen balladischer Ursprungskräfte einfügen, dann fällt doch eines auf, gemessen an den Heldenlied-Balladen und ihrer Nachfolge bis zur Edwardballade: die Stoffe zu den Kulturballaden sind nicht aus der unmittelbaren Mitbewegung mit den Mächten der Völkerwanderungszeit heraufgestiegen, auch nicht aus den Urzwiespälten der Sippe wie in der Edwardballade und aus den Liebeswirren der Volksballaden, sondern die Stoffe sind von den beiden Klassikern der Kulturballade herausgesucht aus novellenartigen Schicksalsberichten und in die geistigen Machtkonflikte des Abendlands hineinvertieft.

Goethe selbst hat bei seiner Auseinandersetzung mit dem Wesen der Ballade auf den Tiefgang hingewiesen, der zwischen balladischen Ursprüngen im Dichter und balladischen Ursprüngen in den Zeitbewegungen besteht. „So sind die Balladen aller Völker verständlich, weil die Geister in gewissen Zeitaltern entweder kontemporan oder sukzessiv bei gleichem Geschäft immer gleichartig verfahren." Kontemporan — das betrifft das gemeinsam Miterlebte in der Völkerwanderungszeit. Sukzessiv — das läßt sich auslegen aus dem geistigen Rückblick in geistige Weltkonflikte, wie sie die Berührung von Antike und Christentum darstellen. Auch „Die Kraniche des Ibykus" berühren noch mit dem antiken Chor übergreifende Mächte, die in den Alltag sich unerforschlich gesetzhaft auswirken.

Als besondere Glücksfügung konnten wir die Entdeckung machen, daß in der modernen Kunstballade, für die ein Einzeldichter verantwortlich zeichnet, sich balladische Kräfte aus dem alten Heldenlied mit der untergründigen Weltoffenheit der Volksballaden verschmelzen. Auch Goethes und Schillers Kulturballaden halten sich solchen unterirdischen Mächten offen, wie sie die Volksballade anzieht, nach dem Naturmagischen wie nach dem Totenreich. Es ist das Besondre der nach den Klassikern heraufdrängenden romantischen Generation in Deutschland, daß sie gerade der Volksballade aufgeschlossen ist. Hier liegen erweiternde Möglichkeiten, die sich im größten balladische Genie der Romantik, in Clemens Brentano mit einigen unvergeßlichen Balladen als Typus der romantischen Ballade in die Weltentwicklung einreihen.

Die romantische Ballade

Clemens Brentano „Lore Lay“

„Ich bin ein König in Thule“ so sang Clemens Brentano 1801 dreiundzwanzigjährig, im Anblick des geliebten Rheinstroms. Er sang es „mit Andacht“, wie er dem Freund Arnim schrieb. Goethes Volksballade hatte es ihm angetan, die Phantasieschöpfung eines herrscherlichen Königs und seiner Liebestreue, in die einzige Gebärde zusammengenommen, mit der er sterbend das Geschenk der toten Geliebten den Wassern anvertraut, nach dem letzten Trunk. Als vermählte er sich wie der Doge von Venedig dem Meer. Brentano versetzte sich als König in Thule an den Rheinstrom und er dichtete im selben Jahr seine Ballade von der Lore Lay. Er verwandelte den Lurleberg, wo einstmals der Sage nach der Nibelungenschatz versenkt wurde, und wo es ein dreifaches Echo gab über den Rhein, in eine Frauengestalt, der er solche Schönheit gab, daß sie alle Männer verführen und zerstören mußte. Ernst Beutler, der den Verbindungen vom „König in Thule“ zu „Lore Lay“ nachgegangen ist, faßt Brentanos Ballade als das „negative Spiegelbild“ des „Königs in Thule“, als Brentanos „persönlichste Antwort auf Goethes Dichtung“ „Widerklang der schweifenden Romantik auf Goethes feste Lebensführung“.

Betrachten wir vorerst die Ballade, die den Volksballaden-Rhythmus des „Königs in Thule“ übernimmt und in ihm den Grundrhythmus der Volksballade überhaupt.

Zu Bacharach am Rheine
Wohnt eine Zauberin;
Sie war so schön und feine
Und riß viel Herzen hin.

Und brachte viel zu Schanden
Der Männer ringsumher;
Aus ihren Liebesbanden
War keine Rettung mehr.

Der Bischof ließ sie laden
Vor geistliche Gewalt —
Und mußte sie begnaden,
So schön war ihre Gestalt.

Zweimal wird die Zauberin als die Schöne eingeführt, als Inbegriff des Verführerisch-Schönen. Mit höchstem Wohllaut des lyrischen Sprachgenies gibt Brentano ihr eine ganz klare Kontur.

Als sollte hier das „Schöne" schlechthin in seiner unberechenbaren Wirkung zur Balladenmitte werden.

Darnach setzt ein Zwiegespräch ein zwischen Bischof und Zauberin, durch 13 Strophen, die das volle Mittelstück der balladischen Handlung bilden. Alles ist hier erfühlte, mitbewegte Handlung, die sich auf die seltsamste und unkonventionellste Weise ausweitet in die elementare Widersprüchlichkeit zwischen dem Geist antiker Schönheitsfreude und Liebeslust und zwischen dem Geist eines bußwilligen Christentums, in dessen Mitte die Christusgestalt selber steht. Nichts daran aber ist ins Abstrakte gehoben, unmittelbar begegnen sich, wie von der Einfalt der Volksballade zusammengefühlt, der vom Zauber der Schönen verführte Bischof, und die von der Sehnsucht nach Buße, nach Seelentrost durchschütterte Schöne, die sich vor ihrer eignen Verführungsgewalt und Zerstörungsmacht entsetzt. In solcher Dauerverschränkung wird die Zwiesprache spannungsvoll wie die aufregendste balladische Handlung. Wir erleben Sprünge und Würfe wie in Herders alten echten Volksballaden, doch in einen schicksalsgeladenen Zusammenhang hinein, der nirgends ganz geschlossen ist.

Er sprach zu ihr gerühret:
„Du arme Lore Lay!
Wer hat dich denn verführet
Zu böser Zauberei?" —

„Herr Bischof, laßt mich sterben,
Ich bin des Lebens müd,
Weil jeder muß verderben,
Der meine Augen sieht.

Die Augen sind zwei Flammen.
Mein Arm ein Zauberstab —
Oh, legt mich in die Flammen!
Oh, brechet mir den Stab!"

„Ich kann dich nicht verdammen
Bis du mir erst bekennt,
Warum in diesen Flammen
Mein eigen Herz schon brennt!

Den Stab kann ich nicht brechen,
Du schöne Lore Lay!
Ich müßte dann zerbrechen
Mein eigen Herz entzwei!" —

Ganz im Stil der Volkseinfalt ist die Unmittelbarkeit der Zwiesprache, das „Du" des Bischofs, das Ansprechen mit dem Namen „Lore Lay", ebenso unmittelbar ihre Antwort auf sein Mitleid. Ihr rigoroses Selbstgericht. Man kann es Einfalt der Verzweiflung nennen, wie sie Reime gleich setzt: Flammen-Flammen, Zauberstab-Stab und den Flammentod fordert.

Die Steigerung liegt im Bekenntnis des Bischofs, selber verführt zu sein. Das Rührendste in dieser Zwiesprache ist seine Bitte an sie, ihm zu sagen, warum sein eignes Herz schon brennt. So führt er selber uns vor Augen, welche Zauberwirkung von ihr ausgeht. Und zum Höhepunkt der ganzen Aussprache wird sein Wort: „Du schöne Lore Lay!" Abermals rückt als Grundthema nach vorn: die Tragik des Schönen.

Darnach sind sechs Strophen der Schönen selbst gegeben. Es ist, als könnte sie nicht enden, die Worte strömen wie Blut aus der Wunde. Dabei hat jede Strophe ihren ganz eignen Schwerpunkt, die Verzweifelte springt von Strophe zu Strophe. Erst allmählich wird man der Abgründe gewahr, die hinter solcher Einfalt der Verzweiflung stehen.

„Herr Bischof, mit mir Armen
Treibt nicht so bösen Spott,
Und bittet um Erbarmen
Für mich den lieben Gott!

Ich darf nicht länger leben,
Ich liebe keinen mehr —
Den Tod sollt Ihr mir geben,
Drum kam ich zu Euch her!

Mein Schatz hat mich betrogen,
Hat sich von mir gewandt,
Ist fort von hier gezogen,
Fort in ein fremdes Land.

Die Augen sanft und milde,
Die Wangen rot und weiß,
Die Worte still und milde,
Das ist mein Zauberkreis.

Ich selbst muß drin verderben,
Das Herz tut mir so weh,
Vor Schmerzen möcht ich sterben,
Wenn ich mein Bildnis seh.

Drum laßt mein Recht mich finden,
Mich sterben, wie ein Christ!
Denn alles muß verschwinden,
Wenn er nicht bei mir ist."

Daß der Bischof sie gebeten hat, ihm zu sagen, warum sein Herz so brennt, nimmt Lore Lay als Spott, und sie wendet den Spott in Ernst um, wenn sie ihn anruft, bei Gott für sie um Erbarmen zu bitten. Sie will den Tod, weil sie keinen mehr liebt. Jetzt erst erfahren wir, daß sie um den ungetreuen Geliebten trauert, der sie verlassen hat. Offenbar weil er es neben einer Zauberin nicht aushält. So springt die nächste Strophe wieder in ihre Verdammnis zurück, als schöne Zauberin solch Unheil anzurichten, daß sie ihr eignes Bildnis nicht mehr sehen kann. Die letzte Strophe dann steigert sich in eine rätselhafte Doppeldeutigkeit. Warum will sie „sterben wie ein Christ"? Sie selbst gibt die Begründung: „Denn alles muß verschwinden, weil er nicht bei mir ist."

Der Bischof versteht sie offenbar so, als wenn sie gesagt hätte: weil Christus nicht bei mir ist. Er schickt sie ins Kloster. Sie kann natürlich auch an den Geliebten denken, der sie verlassen hat. Vielleicht aber denkt sie an beide. Wenn der Geliebte sie von sich gestoßen, weil sie eine Hexe, eine Zauberin sei, dann öffnet sich ihr der Blick in den tieferen Abgrund, daß sie auch in Christus keinen Halt mehr hat. Alles das ist in ihrer elementaren Natur in eins zusammengeworfen.

Der Bischof antwortet ihr zugleich als Bischof und als Weltmann, den ihre Schönheit verwirrt hat.

Drei Ritter läßt er holen:
„Bringt sie ins Kloster hin!
Geh, Lore! — Gott befohlen
Sei dein berückter Sinn!

Du sollst ein Nönnchen werden,
Ein Nönnchen schwarz und weiß,
Bereite dich auf Erden
Zu deines Todes Reis'!"

So beendet sich das Zwiegespräch. Der Bischof nimmt dem Entschluß das Absolute. „Ein Nönnchen sollst du werden!" Alles ist nicht so schlimm. Auch der geistige Tod, der ihrer wartet, verkleinert sich im Weltgetriebe zu einem Nönnchen-Schicksal.

Damit beginnt der dritte Teil der Ballade. Der Ritt zum Kloster zwischen den drei Begleitern. Abermals leuchtet zum letzten Mal ihre große Schönheit auf:

Zum Kloster sie nun ritten,
Die Ritter alle drei,
Und traurig in der Mitten
Die schöne Lore Lay.

Und nun erleben wir das, worauf uns nichts vorbereitet und was uns dann doch in lebendig augenblicklicher Offenbarung als das Einzig-Mögliche und zugleich als das schlechthin Unerforschliche sich auftut: den Sprung in den Tod.

Es ist die Anziehungskraft des Lore-Lay-Felsens, an dem sie vorüberreiten. Und es ist der Durchbruch der verzweifelten Seele ins Absolute. Ihr selbst sind zwei Strophen gegeben, vor den Rittern auszudrücken, was sie bewegt:

„O Ritter, laßt mich gehen
Auf diesen Felsen groß!
Ich will noch einmal sehen
Nach meines Lieben Schloß.

Ich will noch einmal sehen
Wohl in den tiefen Rhein
Und dann ins Kloster gehen
Und Gottes Jungfrau sein."

Ernst Beutler kennt eine ältere Fassung: „Nach meines Buhlen Schloß." Das wäre als Erinnerung an den „König in Thule" gemeint. Später ist das aufgegeben. Das Schloß des Geliebten aber bleibt als Mahnmal bestehen: Umgekehrte Beziehung des herrscherlichen Schloßherrn zur Buhle. Hier ist sie mehr als Buhle, sie ist Inbegriff des Schönen, vom Fluch des Schönen verfolgt, mit ihrem Eigenschicksal, das Männer-zerstörend ist und das den eignen Geliebten von ihrer Seite vertrieben hat.

Damit allein schon kündet sich eine tiefere Weltbeziehung an als wir sie in der Volksballade verwirrter Liebesbeziehungen finden. Dazu gehört es dann, daß die Lore Lay noch einmal ihre mögliche Zukunft heraufbeschwört: „und Gottes Jungfrau sein." Im Herzen hat sie es anders beschlossen. Was der Bischof weltmännisch ausgedrückt als „Nönnchen-Schicksal", gerade das kann und will die schöne Lore Lay nicht erdulden. Darum auch kann sie es nicht auf sich nehmen: Gottes Jungfrau zu sein. Weil sie weiß, daß „Er nicht bei ihr ist". So bleibt ihr nur der Tod.

Sie erschaut einen Schiffer auf dem Rhein, und indem sie sich ihm zustürzt, wird ihr der einstige Geliebte und der Tod zur abgründigen Ein-Gestalt. Der Dichter gibt der Lore Lay selber ihr letztes Wort:

> Die Jungfrau sprach: „Da gehet
> Ein Schifflein auf dem Rhein;
> Der in dem Schifflein stehet,
> Der soll mein Liebster sein!
>
> Mein Herz wird mir so munter,
> Er muß mein Liebster sein!" —
> Da lehnt sie sich hinunter
> Und stürzet in den Rhein.

Es ist als wenn sich damit eine Weltkatastrophe ankündigt. Am Schicksal der Ritter wird es offenbar:

> Die Ritter mußten sterben,
> sie konnten nicht hinab;
> Sie mußten all verderben
> Ohn Priester und ohn Grab.

Der Dichter aber besinnt sich darauf, daß wir mit solcher Tragödie des Schönen immer noch innerhalb des Stils der Volksballade sind und so fängt er die apokalyptische Stimmung auf in der Schlußstrophe:

> Wer hat dies Lied gesungen?
> Ein Schiffer auf dem Rhein,
> Und immer hat's geklungen
> Von dem Dreiritterstein:
> Lore Lay!
> Lore Lay!
> Lore Lay!
> Als wären es meiner drei.

Über den Tod der Lore Lay hinaus, der mit seinem Selbsttod das Christentum herausgefordert hat, wirkt die in ihr inkarnierte Magie des Schönen in den Gespenster-Rufen der zugrundgegangenen Ritter nach, denen jeder christliche Trost abhanden gekommen ist. Der dreifache Ruf, als das dreifache Felsen-Echo vom Lurleberg, wirkt als eine Art schrecklicher Chorgesang des Unheils fort.

Die Einfalt der Volksballade hat sich hier einem Abgrund geöffnet, der schwer auszumessen ist. Das Rätsel des Schönen als ein Wagnis der Schöpfung, das den menschlichen Träger solcher Schönheit zugrunde richtet. Daß die Schöne als zerstörerische Zauberin ihren eignen Geliebten verlieren muß, weil er in solcher Dauer-Magie nicht leben kann, und daß sie damit ins Bodenlose sinkt, männer-verderbend und sich selbst zum Abscheu geworden, das erfaßt die Gestaltungskraft des Dichters im Zwiegespräch mit dem Vertreter der Kirche, der selber am Sinn des christlichen Absoluten irre geworden ist. Ganz fern leuchtet in der Bußbedürftigkeit der Lore Lay die Christusgestalt herauf. Abwandlung von Christus und der Sünderin, in einer Zeitenferne, die nur noch das tragische Ende zuläßt. Die vom Absoluten Angerührte antwortet mit der Selbstvernichtung, um das Verhängnis des zerstörerischen Schönen aus der Welt zu schaffen.

Damit allerdings hat Brentano sein Idol, den „König in Thule" als Inbegriff herrscherlicher Liebestreue, ins Gegenteil verkehrt, nicht einfach am Beispiel einer Liebesuntreue, sondern mit dem Einblick in die Abgründe des Zwiegesichtig-Schönen, in dem Brentano sein eignes unerschöpflich-zwiespältiges Liebesleben ins balladische Symbolgeschehen bannt. Damit ist ein Universell-Romantisches dem Universell-Klassischen an die Seite getreten.

Brentanos Ballade „Die Gottesmauer"

Schon seit der „Chronika eines fahrenden Schülers" gab der liebeszerrissene Clemens einer tiefen Sehnsucht nach Einfalt und Frömmigkeit Raum. Um dieselbe Zeit, als ihm die Gestalt der frommen Alten in der „Geschichte vom braven Kasperl und dem schönen Annerl" (1815) vor der Seele stand, überraschte er die Freunde mit der Ballade „Die Gottesmauer", die das schlichteste und überzeugendste Wahrzeichen eines unüberwindlichen Glaubens in die unruhigste Kriegszeit hineinstellte.

„Achtzehnhundertvierzehn war es,
Als der Herr die Mauer baut',
In der fünften Nacht des Jahres.
Selig, wer dem Herrn vertraut."

Es ist ein Augenblick am Rand des damaligen Kriegsgeschehens, als die Dänen aus Holstein abziehen und Russen und Schweden einbrechen. In winziger Bauernhütte sitzt die Großmutter neben dem Enkel und betet:

„Herr, in deinen Schoß ich schütte
Alle meine Angst und Pein."

Man kann es die Ballade der Volkseinfalt nennen. Im Grimmschen Wörterbuch finden wir das Wort zuerst bei Herder: „In Volkseinfalt war das Christentum entstanden." Hier ist es auf seine balladische Ursprungsbewegung zurückgeführt: solche Glaubenseinfalt, wie die der frommen Großmutter, läßt jederzeit christliche Urzeit entstehen, wie sie in jedem Kirchenliedvers lebendig fortlebt. Glaube, der Berge versetzt. Aus ihm heraus kristallisiert sich die balladische Bewegung. Erste Spannung kommt hinein in der Zwiesprache Großmutter und Enkel. Großstrophen von zehn Zeilen künden ein Großereignis an:

Drauß bei Schleswig vor der Pforte
Wohnen armer Leute viel.
Ach, des Feindes wilder Horde
Werden sie das erste Ziel.
Waffenstillstand ist gekündet,
Dänen ziehen ab zur Nacht.
Russen, Schweden sind verbündet,
Brechen her mit wilder Macht.
Drauß bei Schleswig, weit vor allen,
Steht ein Häuslein ausgesetzt.

Drauß bei Schleswig in der Hütte
Singt ein frommes Mütterlein:
„Herr, in deinen Schoß ich schütte
Alle meine Angst und Pein."
Doch ihr Enkel, ohn' Vertrauen,
Zwanzigjährig, neuster Zeit,
Will nicht auf den Herren bauen,
Meint, der liebe Gott wohnt weit.
Drauß bei Schleswig in der Hütte
Singt ein frommes Mütterlein.

„Eine Mauer um uns baue",
Singt das fromme Mütterlein,
„Daß dem Feinde vor uns graue,
Hüll in deine Burg uns ein." —
„Mutter", spricht der Weltgesinnte,
„Eine Mauer uns ums Haus
Kriegt unmöglich so geschwinde
Euer lieber Gott heraus." —
„Eine Mauer um uns baue",
Singt das fromme Mütterlein.

Der Spannungskontrast verschärft sich zwischen dem frommen Kirchenlied-Ton der Großmutter und der Nüchternheit, mit der der Enkel eingeführt ist und sich selber einführt. Sein Jargon ist der einer unbekümmerten Jugend, die mit höhnischem Unterton Gott in den Alltag stellt! „der liebe Gott wohnt weit", er kriegt so geschwinde keine Mauer ums Haus. Dem Balladendichter selber ist es darum zu tun, ein wenig gegen den Strich zu arbeiten: die beiden Schlußzeilen in der Strophe reimen nicht, weder untereinander noch mit der Gesamtstrophe. Manche Reime sind ungenau: Pforte-Horde, der Weltgesinnte-geschwinde. Aber die Volksliedeinfalt ist trotzdem gewahrt: „Drauß bei Schleswig" wiederholt sich beim Strophen-eingang und beim Strophenende. In der dritten Strophe rahmen beide Eingangs- und Schlußzeilen gleichlautend ein. Und daraus entspringt dann der Kehrreim für alle weiteren Strophen:

„Eine Mauer um uns baue",
Singt das fromme Mütterlein.

Als hätte Brentano Goethes Wort zur Ballade von 1821 vorausgeahnt: „Der Refrain, das Wiederkehren ebendesselben Schlußklangs, gibt den entschieden lyrischen Charakter." Goethe selbst hat das nur sehr selten ausgenutzt. Für den Aufbau der Volksballade ist es in unserem Fall grundlegend: denn jetzt tritt an die Stelle der Spannung: Großmutter und Enkel das gesamte Balladengeschehen der hereinbrechenden Soldateska in Kontrast zum sich gleichbleibenden Grundton des Glaubens: „Eine Mauer um uns baue", singt das fromme Mütterlein. Vier Strophen malen mit viel sprachlicher Vehemenz das Toben eines soldatischen Chaos.

Trommeln romdidom rings prasseln,
Die Trompeten schmettern drein,
Rosse wiehern, Wagen rasseln,
Ach, nun bricht der Feind herein.

Die höchste Steigerung bringt die siebte Strophe:

Bange Nacht voll Kriegsgetöse;
Wie es wiehert, brüllet, schwirrt,
Kantschu-Hiebe, Kolbenstöße,
Weh! des Nachbarn Fenster klirrt.
Hurra, Stupai, Boschka, Kurwa,
Schnaps und Branntwein, Rum und Rack,
Schreit und flucht und plackt die Turba,
Erst am Morgen zieht der Pack.
„Eine Mauer um uns baue",
Singt das fromme Mütterlein.

Und nun erfolgt der Umschlag im balladischen Geschehen. Alle Spannung zieht sich in die achte Strophe zusammen:

„Eine Mauer um uns baue",
Singt sie fort die ganze Nacht;
Morgens wird es still: „O schaue,
Enkel, was der Nachbar macht."
Auf nach innen geht die Türe,
Nimmer käm er sonst hinaus;
Daß er Gottes Allmacht spüre,
Lag der Schnee wohl mannshoch drauß.
„Eine Mauer um uns baue",
Sang das fromme Mütterlein.

Das Balladen-Wunder klärt sich auf, und es ist das Alltäglichste von der Welt: das Haus ist zugeschneit, so daß kein Soldat es hat entdecken können. Aber als Wunder hat es den skeptischen Enkel verwandelt:

„Ja, der Herr kann Mauern bauen,
Liebe, fromme Mutter, komm,
Gottes Mauer anzuschauen!"
Rief der Enkel und ward fromm.
Achtzehnhundertvierzehn war es,
Als der Herr die Mauer baut',
In der fünften Nacht des Jahres.
Selig, wer dem Herrn vertraut!
„Eine Mauer um uns baue",
Sang das fromme Mütterlein.

Von der starr gewordenen Kehrreim-Formel des Endes her begreifen wir erst die ungeheure Kühnheit, mit der Brentano es wagt, einzig mit der Gewalt der Volkseinfalt einem skeptisch werdenden Zeitalter Gottes Allmacht spürbar zu machen. Die Gottes-Mauer als zusammenziehendes Symbol schließt zugleich im Alltäglichsten das Wunder auf, und der stille lyrische Kehrreim ist es, der sich aus der Kraft des Glaubens zum Monument verfestigt:

„Eine Mauer um uns baue",
Sang das fromme Mütterlein.

Hier haben wir die Welt-Gegenstimme des Glaubens zum dreifachen Welt-Klageton über den Rhein hinweg: Lore Lay — Lore Lay — Lore Lay, als wären es meiner drei.

An dieser Stelle verhalten wir einen Augenblick, da wir, wie sich zeigen wird, vor einer Wende stehen. Seit dem Hildebrandslied haben wir Zusammenwürfe des Widersprüchlichen verfolgt, die das Umfassungsvermögen des Bewußtseins auszuweiten imstande sind, ohne dem Menschen in seiner erschütterten Weltbetroffenheit den

Verstand zu verrücken. Das verdankt sich allein dem symbolischen Vermögen, seiner die Grenzen der Vernunft erweiternden Einbildungskraft und seiner in die Widersprüche des allumfassenden Lebens eingelassenen Verschmelzungsgabe. In die polare Spannung des zusammenziehenden und aufschließenden Symbols geht alles ein, was zwischen Himmel und Hölle Menschliches bewegt. Vom Anruf Hildebrands an die Mächte: „welaga nu, waltant got wêwurt skihit" angesichts der unausweichlichen Tragik des Vater-Sohn-Kampfes, vom „O" des Schreckens in der Edwardballade in der tödlichen Spannung zwischen Vater-Mutter-Sohn, bis zum Einfalt-Ruf des Mörders: „Ach reicher Gott vom Himmel, wie bitter wird mir der Tod", in der naiven Welthingegebenheit der Volksballade, und bis zur Balladenbewegung der ersten Kunstballaden, die das Großstrophige der alten Heldenballade mit der Offenheit der Volksballade zu neuer, polar gespannter Ursprünglichkeit bringen: Lenores Hybris zwischen Himmel und Hölle im Schauer des Gespensterritts rüttelt an Tabus, die geistige Revolutionen einläuten. Das Ursprünglich-Balladische erobert sich neue Bereiche. Dann steigen die Genien der Klassik auf, Goethe und Schiller. Goethe durchgeistigt die alte Volksballade zu neuem Leben, beide Dioskuren eröffnen im Balladenjahr 1797 die Möglichkeiten einer neuen Kulturballade, die die Weltspannungen zwischen Antike und Christentum in die balladische Mitbewegung werfen. Dann erscheint die romantische Generation mit gleichem Weltanspruch. Clemens Brentano umspannt die Dämonie der Liebe als allgefährdende Macht ebenso wie sich ihm die Glaubenseinfalt über die Kluft von Großmutter und Enkel hinweg allen Zerstörungssymptomen im Kriegsgeschehen entgegenwirkt. Je mehr wir aber in die Mitte des 19. Jahrhunderts vordringen, um so mehr verdünnt und verflüchtigt sich der balladische Untergrund. Eine Balladenvirtuosität entwickelt sich, für die Symbolik zum Kunstmittel herabsinkt, während vielmehr die Novelle jetzt zum bestimmenden Zeitausdruck wird.

Heinrich Heine

„Die Grenadiere"

Mit Heinrich Heine tritt eine neue, realistischere Generation auf den Plan, die sich kritisch zur Romantik entwickelt. Heine, 1797 geboren, war seiner dichterischen Begabung nach ein Art Wunderkind, er wuchs in die Volksballaden der Herderzeit und in „Des Knaben Wunderhorn" (1805—1808) hinein und wußte sich erstaunlich den Volksliedton anzueignen. Als er 1820 die Ballade „Die Grenadiere" dichtete, hatte er aus der Edwardballade unmittelbar die Verse im Ohr: „Und was soll werden dein Weib und Kind? —" „Die Welt ist groß, laß sie betteln drin!" Aber was bei Edward Ausdruck der Verzweiflung war, wird ihm höchste Steigerung einer beispiellosen Kaisertreue im Grenadiergemüt.

Den Anstoß mochten ihm französische Heimkehrer gegeben haben, die aus russischer Gefangenschaft in Sibirien durch Düsseldorf zogen, Herbst 1820. Er fühlte sich ganz in sie ein und begriff, mit echtem balladischem Instinkt, welche großartigen Möglichkeiten ihm die Gestalt des Kaisers Napoleon im Spiegel solcher zermürbten, blind ihrem Kaiser ergebenen Soldaten bot. Die Ballade lebt von der Größe des Kaisers, der das ganze Europa erschüttert hatte. Sie beginnt nicht symbolisch wie die Ballade von der „Falschen Liebe", sondern ganz realistisch mit dem Abbild der rückkehrenden Grenadiere:

Nach Frankreich zogen zwei Grenadier',
Die waren in Rußland gefangen.
Und als sie kamen ins deutsche Quartier,
Sie ließen die Köpfe hangen.

Mit der zweiten Strophe bereits sind wir inmitten der Weltspannung, in die sich die Grenadiere geworfen finden:

Da hörten sie beide die traurige Mär:
Daß Frankreich verloren gegangen,
Besiegt und zerschlagen das große Heer —
Und der Kaiser, der Kaiser gefangen.

Mit der „traurigen Mär" klingt etwas Größeres an: „Uns ist in alten maeren wunders vil geseit." Vor der Mär, die sie hören, wird den Grenadieren der Blick weit: Frankreich, ihr Vaterland, ist zugrundgerichtet, das Heer, in dem sie mitgefochten, das Heer, das Europa eroberte, ist zerschlagen, und dann folgt der größte Schmerz: er drückt sich in der steigernden Wiederholung aus: „der Kaiser, der Kaiser gefangen." (Gefangen, entweder auf Elba, von wo er noch einmal aufbrechen wird, oder auf Sankt Helena, wo ihn nur noch der Tod erlösen kann. Heine läßt es offen.)

Wie überall in den Volksballaden nimmt ein Zwiegespräch die Handlung auf. Zwei Charaktere zeichnen sich ab.

Da weinten zusammen die Grenadier'
Wohl ob der kläglichen Kunde.
Der eine sprach: „Wie weh wird mir.
Wie brennt meine alte Wunde!"

Der andre sprach: „Das Lied ist aus,
Auch ich möcht' mit dir sterben,
Doch hab' ich Weib und Kind zu Haus,
Die ohne mich verderben." —

„Was schert mich Weib, was schert mich Kind!
Ich trage weit beßres Verlangen;
Laß sie betteln gehn, wenn sie hungrig sind —
Mein Kaiser, mein Kaiser gefangen!"

Realistisch ist auch die Charakterzeichnung. Der eine Grenadier resigniert. Er denkt an die Verantwortung für Frau und Kind. Den anderen Grenadier erfaßt der Dichter mit seinem Edward-Impuls. Er trägt aus dem Krieg eine Wunde mit heim, und wenn er sagt „Wie brennt meine alte Wunde", dann deutet sich an, daß ihn tiefere seelische Wunden brennen. So bricht aus ihm eine Art Weltrevolte herauf. Mit der vollen Wucht der Edwardballade. „Was schert mich Weib, was schert mich Kind!" Für diesen Grenadier gibt es nichts mehr außer dem Kaiser. Wirkungsvoll wiederholt sich der Klageruf der zweiten Strophe, mit kühner Verlegung des Hochtons auf die erste Silbe: „Mein Kaiser, mein Kaiser gefangen!" Gerade solche Akzentverlegung betont den plötzlich heroischen Charakter, der in die Volksballade fährt. Aus ihm lebt das ganze weitere Gedicht, als Vermächtnis des vom Tod Gezeichneten an den Kameraden, durch vier Strophen:

„Gewähr' mir, Bruder, eine Bitt':
Wenn ich jetzt sterben werde,
So nimm meine Leiche nach Frankreich mit,
Begrab mich in Frankreichs Erde.

Das Ehrenkreuz am roten Band
Sollst du aufs Herz mir legen;
Die Flinte gib mir in die Hand,
Und gürt mir um den Degen.

So will ich liegen und horchen still
wie eine Schildwach' im Grabe.
Bis einst ich höre Kanonengebrüll
Und wiehernder Rosse Getrabe.

Dann reitet mein Kaiser wohl über mein Grab,
Viel Schwerter klirren und blitzen;
Dann steig' ich gewaffnet hervor aus dem Grab —
Den Kaiser, den Kaiser zu schützen."

Die Steigerung ist offenbar. Aus dem zweiten Grenadier wird eine symbolische Figur, die den Todgeweihten einverwandelt in ein letztes Mitleben und Mitsterben für Frankreich und seinen Kaiser. In die Vision einer Kaiser-Rückkehr hinein, als ein apokalyptisches Geschehen, das mit seiner weltbewegenden Gewalt die Toten mitheraufruft aus dem Grabe. Wie im alten Heldenlied werden die ins Grab hineingelegten Waffen wieder mitlebendig werden, „den Kaiser, den Kaiser zu schützen".

Schumanns Vertonung, die in der Marsaillaise ausklingt, gibt musikalisch den gewaltigen nationalen Impuls wieder, den Heine in die letzte Wiederholung legt: „den Kaiser, den Kaiser zu schützen".

Der Weltruhm der Heineschen „Grenadiere" gründet sich in der Verschmelzung des schlichten Volksballadenstils, seinen Wiederholungen, seinem einfachen, doch unschematischen Rhythmus (mit wechselnden Senkungssilben) und dem heroischen Gehalt, der ans alte Heldenlied erinnern darf. Abermals begegnen wir in der Kunstballade dem Zusammenwirken beider großer Traditionen des Heldenlieds und der Volksballade.

Eindeutig scheint dabei die Kraft des zusammenziehenden Symbols, in der Grenadiersgestalt, dessen schlichtes Geschichtserleben wir in uns miterfahren als ein Betroffensein bis in den Seelengrund von seinem Kaiser, als der alles durchleuchtenden mythischen Gestalt.

Dennoch können wir in der Ausdeutung eines Schweizers, des als Kritiker weitbekannten Werner Weber lesen: „Wäre die Verserzählung nur ein Sprache gewordener Kaisermythos, dann hätte sie als ein geringes chauvinistisches Stück ihre Tage kaum überdauert. Sie ist mehr, ist ein Gleichnis für den Menschen in der fatalen Krisis. Die zwei Grenadiere bilden zwei Verhaltensweisen des Menschen ab, die je im Anspruch der Geschichte an den Einzelnen zur Frage stehen: Wie weit geht das Recht auf ein Dasein als Privater; wie groß ist die Pflicht zur Teilhabe am allgemeinen Geschick?"

Hier wird ein Fragezeichen hinter das gemacht, was wir im Herderschen Volksballadensinn als die Sache selbst zu nehmen haben, „immer die Sache, . . . sinnlich klar, lebendig anschaulich, treffend den ganzen Gedanken mit dem ganzen Wort". Diese Sache ist hier der Kaiser, und seine Spiegelung in den Seelen seiner Grenadiere. So gewiß der soziologische Blick auf die beiden Grenadierstypen sein Gewicht behält, so wenig kann er die Sache selbst ersetzen, die durchaus in der mythischen Überhöhung der alles beherrschenden Kaisergestalt uns vom Anfang bis zum Ende mitbegeistert.

Vielleicht aber kann Werner Webers Bedenken auf eines zurück verweisen: daß die zusammenziehende Kraft des Symbols in der Grenadiersgestalt nicht ganz gleichgewichtig aufgenommen wird von der aufschließenden Kraft des Symbols. Denn was wird hier zuletzt aufgeschlossen? Verlegen wir die Vision des wiederkehrenden Kaisers ins Jahr 1814 zurück, als Heinesche Vorausschau des aus Elba ausgebrochenen Usurpators, der noch einmal Europa erzittern läßt, dann stellt sich die Ballade in den Dienst eines Geschichtsrealismus, der ihr fast den Charakter eines Landsknechtsliedes gäbe, wie es als Preislied großer Feldherrn oder auch des Kaisers Maximilian im 16. Jahrhundert umging. Natürlich eines höchst veredelten, vom romantischen Geist erfüllten Landsknechtsliedes.

Stellen wir uns aber Heines Vision im Geiste seines Grenadiers im Jahr 1820 vor, dann wäre es die utopische Vision eines Ekstatikers, der Zeit und Raum durchbricht um der mythischen Verherrlichung willen. Wir werden fortgerissen von dem Zauber einer Volksballadensprache, die uns ins Herz dieses Winkelried aus dem Grabe hineinversetzt. Es ist die Wirkung einer heroischen Kaisertreue, die den, der sich mitergreifen läßt, bis zu Tränen rühren muß.

Wo aber im demokratischen Zeitalter solch Kaisergefühl als „chauvinistisch" empfunden wird, geht seine Wirkung ins Leere, und die aufschließende Kraft des Symbols ist aufgehoben.

Gemessen an den Großballaden der früheren Zeit und auch an den Volksballaden und ihrem Widererstehen in den betrachteten Kunstballaden erreicht der realistischere Blick Heines nicht mehr ganz, was Goethes „wahre Symbolik" das „Unerforschliche" nannte, was doch nur in „lebendig-augenblicklicher Offenbarung" sich vergegenwärtigen kann. Die heroische Größe bleibt. Der Zusammenwurf des Widersprüchlichen findet sich, soweit das Emotionale überwiegt, zeitbestimmten Kritiken ausgesetzt.

Eduard Mörike
„Die schlimme Gret und der Königssohn"

Im biedermeierlichen Realismus tritt ein Unterschied entgegen, der bisher keine bestimmende Rolle gespielt: der Unterschied von „Romanze" und „Ballade". Am lyrischen Genie Mörikes läßt er sich am einfachsten aufzeigen. Wo sich seine unverwechselbare lyrische Fülle auf Stimmungen ausdehnt, die balladischen Handlungsanklang suchen, entstehen die wundervollsten Romanzen deutscher Sprache. So ist „Schön Rohtraut" solche lyrische Romanze. Wer die „Traurige Krönung" als Ballade behandelt, obgleich „unser Inneres nicht zur Teilnahme gezwungen wird" (Kurt Jacob), kann nur das Wunder einer lyrischen Stimmungskunst bestaunen, die „schaudern macht". Aber eben das ist Wirkung der Romanze. Balladische Urbewegung ist es nicht. Auch „Die Geister im Mummelsee" sind nichts als „Bilderfolge voll von geheimen Bedeutungen", gedichtet auf die „Unergründlichkeit des Mummelsees". Ein sprachliches Meisterwerk der Romanzenkunst.

Mörikes unerschöpfliche Spielfreude aber läßt sich noch einmal ergreifen von einem balladischen Urelement: die Wetterhexe, die „Windsbraut", und ihr Gegenspiel, der Unbehauste, den nichts so anzieht wie das, was ihn zerstören wird. Mörike bewältigt es auf seine Weise, mit groteskem Humor. Aber es geht ihm zugleich doch um „die Sache", um einen elementaren Wahrheitskern, der uns hinter allen humorigen Übertreibungen schaudern macht. Damit ist dann ein Unerforschliches angerührt, und wir sind unversehens inmitten einer balladischen Urbewegung. „Die schlimme Gret und der Königssohn" 1828.

Mörikes Ballade ist auf dem Zwiegespräch aufgebaut. Voller „Sprünge und Würfe". Die Dämonin tritt auf als reiche Müllers-Erbin, von „stolzen Sitten", frei schwingendem Geist. Er als „armer Königssohn, landflüchtig", unbeständig, schnell verliebt. Nennen wir ihn den „Unbehausten", dann kann er uns zeitlos-modern erscheinen.

„Gott grüß dich, junge Müllerin!
Heute wehen die Lüfte wohl schön?" —
„Laßt sie wehen von Morgen und Abend,
Meine leere Mühle zu drehn!"

„Die stangenlangen Flügel,
Sie haspeln dir eitel Wind?" —
„Der Herr ist tot, die Frau ist tot,
Da feiert das Gesind."

Das fängt nicht an wie irgend ein Liebesgespräch, es fährt ein gespenstiger Wind hindurch. Beide Partner schließen sich auf. Jeder mit mehreren Strophen.

„So tröste sich Leid mit Leide!
Wir wären wohl gesellt:
Ich irr', ein armer Königssohn
Landflüchtig durch die Welt.

Und drunten an dem Berge
Die Hütte dort ist mein;
Da liegt auch meine Krone,
Geschmuck und Edelstein.

Willt meine Liebste heißen,
So sage, wie und wann
An Tagen und in Nächten
Ich zu dir kommen kann?"

Die Antwort der Müllerin bringt das großzügigste Angebot:

Ich bind' eine güldne Pfeife
Wohl an den Flügel hin,
Daß sie sich helle hören läßt,
Wann ich daheime bin.

Doch wollt Ihr bei mir wohnen,
Sollt mir willkommen sein:
Mein Haus ist groß und weit mein Hof,
Da wohn ich ganz allein." —

Epische Handlung beginnt. Schwungvoll durchsetzt sich der Volksballadenrhythmus mit beliebigen Senkungssilben, schwebenden Betonungen.

Der Königssohn mit Freuden
Ihr folget in ihr Haus;
Sie tischt ihm auf, kein Edelhof
Vermöchte so stattlichen Schmaus:

Schwarzwild und Rebhuhn, Fisch und Met;
Er fragt nicht lang' woher.
Sie zeigt so stolze Sitten,
Des wundert er sich sehr.

Die erste Nacht, da er kost mit ihr,
In das Ohr ihm sagte sie: „Wißt,
Eine Jungfrau muß ich bleiben,
So lieb Euer Leben Euch ist!" —

Da haben wir die erste Überraschung, nicht nur für den Liebenden. Etwas Ungewöhnliches braut sich um die Müllerin zusammen. Etwas Todbedrohendes.

Schnell rückt jetzt die Handlung in die Balladenmitte vor. Abermals sind es Zwiegespräche, die genau auf den Kern hinführen.

Einstmals da kam der Königssohn
Zu Mittag von der Jagd,
Unfrohgemut, doch barg er sich,
Sprach lachend zu seiner Magd:

„Die Leute sagten mir neue Mär
Von dir, und böse dazu;
Sankt Jörgens Drach' war minder schlimm,
Wenn man sie hört, denn du." —

„Sie sagen, daß ich ein falsches Ding,
Daß ich eine Hexe sei?"
„Nun ja, mein Schatz, so sprechen sie!
Eine Hexe, meiner Treu!

Ich dachte: wohl, ihr Narren,
Ihr lüget nicht daran;
Mit den schwarzen Augen, aufs erstemal,
Hat sie mir's angetan.

Und länger ruh ich keinen Tag,
Bis daß ich König bin,
Und morgen zieh ich auf die Fahrt:
Aufs Jahr bist du Königin!" —

Sie blitzt ihn an wie Wetterstrahl,
Sie blickt ihn an so schlau:
„Du lügst in deinen Hals hinein,
Du willst kein' Hex' zur Frau.

Du willst dich von mir scheiden;
Das mag ja wohl geschehn:
Sollt aber von der schlimmen Gret
Noch erst ein Probstück sehn." —

Das sind Balladengespräche, Schlag auf Schlag. Andre Leute müssen ihm verraten, daß sie ein Drache, eine Hexe sei. Schon hat er sich die findigste Ausrede ausgedacht, wieder auf Fahrt zu gehn, als „König" zurückzukehren. Sie aber stellt ihn sogleich: „Du lügst in deinen Hals hinein!" Und schon sind wir zur letzten Wahrheit durchgebrochen: sie nennt sich als das, was sie ist: „die schlimme Gret". Jetzt kommt sie über ihn.

Die zweite Balladenhälfte, weitere 24 Strophen, entfaltet alle Zauberkünste der schlimmen Gret. Der Dichter kann sich nicht genug tun, sie auszuspinnen. Immer neue burleske und groteske Einfälle ziehen sich um die „Windsbraut" zusammen, bis sie ihren „dummen Jungen", in Zauberwinde eingewickelt durch die Lüfte fortgetragen hat zur letzten Henkersmahlzeit oben über dem Meer. Wir begnügen uns mit den drei letzten Strophen:

„Ach, Liebchen, ach, wie wallet hoch
Dein schwarzes Ringelhaar!
Warum mich so erschrecken jetzt?
Nun ist meine Freude gar." —

„Rückher, rückher, sei nicht so bang!
Nun sollst du erst noch sehn,
Wie lieblich meine Arme tun;
Komm! es ist gleich geschehn!"

Sie drückt ihn an die Brüste,
Der Atem wird ihm schwer;
Sie heult ein grausiges Totenlied
Und wirft ihn in das Meer.

Zum ersten Mal begegnet uns die Grotesk-Ballade, als Ausdruck des Dämonischen im Biedermeier. Nur ein Meister wie Mörike, der über alle Sprachregister verfügt, konnte noch einmal echte balladische Bewegung in ein Zeitalter hineinzwingen, dessen Bürgerlichkeit, unter der Restauration der Metternich-Zeit, ins Biedermeier erstarrt ist, und in dessen Untergründen die Wetterhexen und Windbräute nur noch unterschwellig ihr Spiel treiben.

Nur am Rande hat Wolfgang Kayser in seiner Monographie zur Groteske 1957 Mörikes „launischen Sprachunsinn" berührt, und auf groteske Züge im „Maler Nolten" hingewiesen, die für Kayser hinter dem Grotesken in Kellers „Leuten von Seldwyla" zurückstehen. Keiner aber hat wie Mörike es gewagt, das Groteske so kühn in die Ballade einzuführen und uns die Ballade vom Dämonischen im Biedermeier zu schreiben. Das Übergewicht der Frauennatur gegenüber dem zum Typus des Untertan sich fortentwickelnden Mann rückt Mörikes Grotesk-Ballade in einen größeren Zusammenhang. Die Romantik gestaltet das Unerschöpflich-Dämonische in der Lore-Lay-Gestalt. Die Mitte des Jahrhunderts wird die Entdeckungen Bachofens von „Muttertum und Chthonismus" bringen. („Die Gräbersymbolik der Alten" erschien 1859; „Das Mutterrecht" 1861).

Solche Zeitsymbolik schiebt sich vor die Wahrheiten, die hier aus dem gestörten Gleichgewicht der Geschlechter herausgestaltet sind. Die exzentrische „Schlimme Gret" übernimmt Grundzüge der weiblichen Natur, die grotesk, in der abgründigen Tiefe immer noch symbolisch wirken. Im „Königssohn" mag man den Unbehausten erkennen, damit einen Urtypus, der immer wiederkehrt, unbeständig, ruhmredig, immer angezogen vom Exzentrischen, sich selbst seinen Untergang bereitend.

Annette von Droste
„Der Knabe im Moor"

Obgleich das Gedicht von der Dichterin selbst nicht unter die Balladen eingereiht ist, sondern an den Schluß der „Heidebilder" gestellt wurde (1841), hat Hermann Kunisch es ausdrücklich in „Wege zum Gedicht II", durch fast 40 Seiten als Ballade behandelt. Wir können dazu auf den I. Band vom „Bild in der Dichtung" zurückverweisen, wo das Gedicht als „Heide-Ballade" erscheint:

„Aus den schaurig fremden Tönen des abendlichen Moors hört das angstvolle Kind die Gespenster Verstorbener, unselige Tote der Gegend, denen das Volk die Ruhe im Grabe nicht gibt: den ‚gespenstigen Gräberknecht', die ‚gebannte Spinnlenor', den ‚Fiedler Knauf' die ‚verdammte Margret'. Die Seelengeister verschmelzen hier mit dem geisterhaften Leben der Natur, die Toten als Gespenster scheinen zurückverfallen mit dem Tod an die Elemente, ihre verfluchte Seele lauert als Tücke im Moor; so vertieft sich die Seelenmagie in der Totenmagie ... Die Welt der Toten tut sich auf hinter den Elementargeistern jetzt als ein eignes gestaltloses Reich von Seelen, die dem Menschen seelisch verbunden zurückreichen in das War und vorausreichen in das Werde. Diese Magie der Toten in ihrem zeitlosen Gegenwärtigsein ist der geheime Grund, aus dem Annette von Droste die starken Fühlkräfte ihres Welt- und Naturlebens zukommen."

Die damals aus den Kräften des Sprach-Erbildens gezogenen Schlüsse lassen sich jetzt im Rahmen balladischer Ursprungsbewegung als symbolkräftig und symbolbildend ergänzen. Von vornherein begreift sich das Gedicht „Der Knabe im Moor" damit nicht als Heidebild oder Genrebild, sondern als Heideballade. Das heißt: der Realismus der Droste erobert sich im Gang des angstvollen Knaben von der Schule nach Haus durchs Moor ein Stück ursprüngliche, immer bedrohliche Schöpfungsgegenwart, in der sich Unterweltmächte und Schutzgeistermächte fortwirkend begegnen und im Kampfe liegen. Als ein wahres Genie der inneren Mitbewegung nimmt die Droste mit jedem Sprachlaut an allen Vorgängen der Tiefe teil. So wird ihr Realismus transparent im Sprachlaut selbst für Eingriffe der Unter- und Überwelt. Großstrophen von 8 Zeilen deuten die unscheinbaren Großereignisse an, die sich als Leben im Moor vollziehen.

O schaurig ists übers Moor zu gehn,
Wenn es wimmelt vom Heiderauche,
O schaurig ists übers Moor zu gehn,
Und die Ranke häkelt am Strauche,
Unter jedem Tritte ein Quellchen springt,
Wenn aus der Spalte es zischt und singt,
O schaurig ists übers Moor zu gehn,
Wenn das Röhricht knistert im Hauche!

Bestimmend ist hier das dreimalige „O!", das uns an die düstren Chorstimmen der Edwardballade erinnern mag. Vorausdeutung auf Schrecken, die aus jeder „Spalte" heraufzudringen vermögen. Anonyme Schrecken vorerst, die in vielen genau ausgreifenden Verben einen Urgrund von Schaurigkeit im Moor aus einer Polyphonie von Geräuschen bewirken.

Die zweite Strophe erst führt den „Knaben" ein, die Schulfibel festgeklammert jagt er wie gehetzt durchs Moor, und aus dem Moor greift es mit Tücke nach ihm. Nichts Romantisches, ein Kerl mit seinem schlechten Ruf in der ganzen Moorgegend wird hier zum Gespenst, verängstigt die Phantasie des Kindes.

Fest hält die Fibel das zitternde Kind
Und rennt, als ob man es jage;
Hohl über die Fläche sauset der Wind —
Was raschelt drüben am Hage?
Das ist der gespenstische Gräberknecht,
Der dem Meister die besten Torfe verzecht;
Hu, hu, es bricht wie ein irres Rind!
Hinducket das Knäblein zage.

Die Steigerungen scheinen unmerklich. Doch schon ist alles in Bewegung. Schreckbilder überstürzen den Knaben.

Vom Ufer starret Gestumpf hervor,
Unheimlich nicket die Föhre,
Der Knabe rennt, gespannt das Ohr,
Durch Riesenhalme wie Speere;
Und wie es rieselt und knittert darin!
Das ist die unselige Spinnerin,
Das ist die gebannte Spinnlenor',
Die den Haspel dreht im Geröhre!

Es geistert durch die Sprache: „*st*arret Ge*stu*mpf hervor". Reime auf ö, o, e treiben auf die „Spinnlenor" zu, Eigenname der gebannten Spinnerin, verdammt, als Tote weiterzuspinnen.

Abermals hält die vierte Strophe Steigerungen bereit: „Voran, Voran" beginnen die ersten Zeilen. Und das Moor wird zum „Es", das ausgreift hinter dem jagenden Schulknaben her. Alles unter ihm ist in schreckliche Bewegung geraten:

Voran, voran! nur immer im Lauf,
Voran, als woll es ihn holen!
Vor seinem Fuße brodelt es auf,
Es pfeift ihm unter den Sohlen
Wie eine gespenstige Melodei;
Das ist der Geigemann ungetreu,
Das ist der diebische Fiedler Knauf,
Der den Hochzeitsheller gestohlen.

Diesmal sind es drei Zeilen, die das Totengespenst des Ungetreuen beschwören. Seinen Eigennamen könnte man im Totenregister der Gegend nachlesen.

Und nun ergreift die Schreckbewegung das ganze Moor. Und wir hören die Stimme der verlornen Seele, die verdammt ist, als Moorgeist umzugehen:

Da birst das Moor, ein Seufzer geht
Hervor aus der klaffenden Höhle;
Weh,weh, da ruft die verdammte Margret:
„Ho, ho, meine arme Seele!"
Der Knabe springt wie ein wundes Reh;
Wär nicht Schutzengel in seiner Näh,
Seine bleichenden Knöchelchen fände spät
Ein Gräber im Moorgeschwele.

Mit den drei letzten Zeilen hat sich eine neue Dimension aufgetan. So real wie die Totengeister im Moor, so real ist der Schutzengel, der sich in der Nähe des jagenden Knaben aufhält. Solche mitbewegte Sprache begleitet ihn schutzengelhaft, wie sie die Gefahren, die ihm drohen, wahrhaft gegenwärtig macht im Wort und eben dadurch furchtbar: „seine bleichenden Knöchelchen fände spät ein Gräber im Moorgeschwele." Wer bewahrt ihn, wenn nicht der Schutzengel?

Die letzte Strophe dann, werfen wir den Blick zurück auf die Lenorenballade oder die Lorelay-Ballade, macht uns bewußt, daß wir wahrhaft im Biedermeier sind, nicht mehr in der Romantik, oder gar im Sturm und Drang. Wir treten aus der dämonischen Bedrohung heraus in den Ludwig-Richter-Frieden des Biedermeier.

> Da mählich gründet der Boden sich,
> Und drüben, neben der Weide,
> Die Lampe flimmert so heimatlich,
> Der Knabe steht an der Scheide.
> Tief atmet er auf, zum Moor zurück
> Noch immer wirft er den scheuen Blick:
> Ja, im Geröhre wars fürchterlich,
> O schaurig wars in der Heide!

Nichts kann die Wende schlichter ins Sprachliche hinein verwandeln als das Wort: „gründet der Boden sich." Und nichts kann die Ballade vollkommener schließen als der Rückblick: „O schaurig wars in der Heide."

Zugleich ist damit eine Begrenzung gegeben. So abgründig die Mitbewegung der Droste in die Tiefe reicht, so vereinfacht stellt sich die Welt des Kindes unter seinen Schutzgeistern dar. Wohl ist es hier das von Angst gehetzte Kind, hinter dem sich alle Angst der Kreatur verbirgt. Doch wir verbleiben im Realismus einer Art Sinnes-physiologie, und im Totenseelenbereich, der dem entspricht. Damit eben sind Grenzen gesetzt. Zur Entfaltung in Gespräche, diese Träger aller Großballadenhandlung, kommt es nicht. Was uns anrührt, ist die Unmittelbarkeit balladischer Urbewegung, ganz unten an der Schreckensskala.

Wo sich dann später die Droste zu Großballaden steigert, entsteht eine Droste-Sonderform, die sich generell dahin zusammenfassen läßt, daß Novellenmotive in mächtige Balladenstrophenbewegung umgesetzt werden. Mit dem einen Nachteil: daß die Balladenbewegung mit ihren stilisierenden Strophenbauten mehr verschleiernd als zielstrebig wirkt. Es bedarf der hilfreichen Kommentare, sogar bei einer so von Mondmagie zusammengezogenen

Traumhandlung wie in „Vorgeschichte". Am Leichenzug entdeckt der Träumer, in der letzten Strophe, daß es die Rosen im Wappen sind, sein eignes Wappen, nicht das seines schwächlichen Sohnes, mit dem mütterlichen Pfeil im Wappen. Wer „Die Vergeltung" als Ballade zu behandeln hat, dem stellt sich sofort der Vergleich mit der „Judenbuche" ein. Der Balken, der zum Galgen wird, entspricht der Judenbuche, die zum Galgen wird. Nur ist es in der zweiteiligen Balladenhandlung der Eingriff von oben unmittelbar, wobei dem Aufgehängten sterbend die Balkeninschrift offenbar macht, daß hier der scheinbare Zufall als Gottesgericht auf ihn zukommt, als den Mörder. Die Frage, welche Gestaltung die stärkere ist, die Novelle der „Judenbuche" oder die Ballade „Die Vergeltung" braucht hier nicht gestellt zu werden. Alle Werke der Droste tragen den Stempel ihres Wesens. Auch die Droste-Balladen behalten ihr Eigengewicht. Aber die Kluft zwischen balladischem Strophenbau und Novellenmotiven, die dem Zeitgeist besser im Stil der Novelle genügen, diese Kluft bleibt.

Übergangsballaden

1. Fontane

Zwei Meister der Prosa, Theodor Fontane und Conrad Ferdinand Meyer, haben sich auch der Ballade zugewandt, und da sie große Künstler sind, haben sie, wie vorher die Droste, Balladen von Rang geschaffen, die in die Balladensammlungen der Schulen übergegangen sind. Da aber die balladische Urbewegung sich im Lauf des technischen Jahrhunderts und des Massen-Fortschritts zurückgebildet und verflüchtigt hat, führt die Frage nach dem symbolischen Kosmos solcher Spätballaden zu schwierigen Übergangsformen, an denen sich dennoch die Urelemente in ihrer Notverwandlung noch aufspüren lassen.

Nachdem Fontane eine erste archaische Periode hinter sich gebracht, in der er die englisch-schottische Ballade bis zur Imitation des Rhythmus nachgebildet, ja sogar im „Archibald Douglas" ein hohes Lied der Lehnstreue und Heimatliebe angestimmt hatte, mit dem Bekenntnis, das zum geflügelten Wort geworden ist:

„Der ist in tiefster Seele treu,
Wer die Heimat liebt wie du."

erfaßt ihn ein Zeitereignis, der Einsturz einer Eisenbahnbrücke am 28. Dezember 1879, mit jener totalen Weltbetroffenheit, die allemal balladische Ursprünglichkeit herausfordert. Er ruft sich den Hexenauftritt aus Shakespeares „Macbeth“ zu Hilfe, um sich des Weltdämonischen zu vergewissern, das plötzlich hier im Zeitalter der Technik über die Menschen hinweg Ereignis geworden ist. Das ist ein großartiger Gedanke, und Fontane findet im Hexengespräch ein Urelement des Balladischen wieder, vermag es in die aufgeklärte Gegenwart seines Jahrhunderts hineinzustellen, wie er selbst es ausdrückt: „balladesk“. Womit schon angedeutet ist, daß eine Umformung des Ursprünglich-Balladischen vorgegangen ist.

Die Brück' am Tay

„Wann treffen wir drei wieder zusamm?“
„Um die siebente Stund', am Brückendamm.“
„Am Mittelpfeiler“
„Ich lösche die Flamm.“
„Ich mit.“
„Ich komme vom Norden her.“
„Und ich vom Süden“
„Und ich vom Meer.“
„Hei, das gibt einen Ringelreihn,
Und die Brücke muß in den Grund hinein.“
„Und der Zug, der in die Brücke tritt
Um die siebente Stund'?“
„Ei, der muß mit.“
„Muß mit.“
„Tand, Tand
Ist das Gebilde von Menschenhand.“

Fontane hat sich hier in den einfachen viertaktigen Volksballadenvers eine Elementarspannung hineinverdichtet, die dem Ursprünglich-Balladischen ebenbürtig wirkt. Träger der Stimmen sind Wesen, die wie Shakespeares Hexen weit über die Menschen hinausgreifen, ihr Schicksal mitbestimmen. So allerdings läßt sich die Hybris des Menschen im Zeitalter der Technik in einen gewaltigen Rahmen stellen. Welcher Schrecken geht allein vom Schlußwort für alle, die das mithören, aus: „Tand, Tand ist das Gebilde von Menschenhand!“ Wer ist es, der das spricht? Sind es alle drei Hexen? Ist es die Stimme dessen, der den Hexen zu gebieten hat? Fontane hat erreicht, daß wir in eine ungeheure Mitbewegung hineingezogen sind. Alles Menschenschicksal wird hier verhandelt.

Aber was inzwischen im menschlichen Alltag vorgeht, das fängt Fontane, der nüchterne Realist, ohne jeden Aufwand ein. Er braucht denselben viertaktigen Volksballadenvers, paarweise gereimt. Er baut ihn nur zu achtzeiligen Strophen auf, vereinfacht auf zwei Perspektiven, einmal das Brückenhaus, in dem die Eltern auf den Sohn warten, dann der Sohn als Lokomotivführer im Edinburger Zug. Einfacher geht es nicht. Es ist die Spiegelung eines Kleinbürgerdaseins der Massenzeit, das im Kontrast zum Riesenaufschwung der Technik steht.

Auf der Norderseite, das Brückenhaus —
Alle Fenster sehen nach Süden aus,
Und die Brücknersleut' ohne Rast und Ruh
Und in Bangen sehen nach Süden zu,
Sehen und warten, ob nicht ein Licht
Übers Wasser hin „Ich komme" spricht,
„Ich komme, trotz Nacht und Sturmesflug,
Ich, der Edinburger Zug."

Die Zug-Beseelung ist hier simpelste Spiegelung im Gemüt naiver Menschen. Dann folgt die Vaterstimme und entwickelt ein verspätetes Christbaumidyll für den Sohn:

Und der Brückner jetzt: „Ich seh' einen Schein
Am andern Ufer. Das muß er sein.
Nun, Mutter, weg mit dem bangen Traum,
Unser Johnie kommt und will seinen Baum,
Und was noch am Baume von Lichtern ist,
Zünd alles an wie zum heiligen Christ,
Der will heuer zweimal mit uns sein —
Und in elf Minuten ist er herein."

Ebenso einfach ist die Ausdrucksweise des Sohnes, dem ebenfalls zwei Strophen gegeben sind. Er spricht nicht als gelernter Monteur, nur in Klischees, wie der Vater.

Und es war der Zug. Am Süderturm
Keucht er vorbei jetzt gegen den Sturm,
Und Johnie spricht: „Die Brücke noch!
Aber was tut es, wir zwingen es doch.
Ein fester Kessel, ein doppelter Dampf,
Die bleiben Sieger in solchem Kampf,
Und wie 's auch rast und ringt und rennt,
Wir kriegen es unter, das Element.

Und unser Stolz ist unsere Brück';
Ich lache, denk' ich an früher zurück,
An all den Jammer und all die Not

> Mit dem elend alten Schifferboot;
> Wie manche liebe Christfestnacht
> Hab ich im Fährhaus zugebracht
> Und sah unsrer Fenster lichten Schein
> Und zählte und konnte nicht drüben sein."

Dann folgt noch die abschließende Strophe, die das Katastrophen-Unglück zu bewältigen hat. Hier bewährt Fontane, welchen künstlerischen Takt er besitzt. Er meistert das Ungeheure aus seiner nüchternen Sachlichkeit heraus mit einem einzigen Bild, das genau in den Kern der Sache trifft.

> Auf der Norderseite, das Brückenhaus —
> Alle Fenster sehen nach Süden aus,
> Und die Brücknersleut' ohne Rast und Ruh
> Und in Bangen sehen nach Süden zu;
> Denn wütender wurde der Winde Spiel
> Und jetzt, als ob Feuer vom Himmel fiel',
> Erglüht es in niederschießender Pracht
> Überm Wasser unten . . . Und wieder ist Nacht.

Fontanes Bild faßt beides zusammen: den optischen Eindruck und das apokalyptische Gericht vom Himmel herab. Hier erreicht der nüchterne Realist symbolische Kraft, zusammenziehend und aufschließend zugleich.

Wenn zwischen der Hexenwelt, die das Übermächtige der Katastrophe umgreift und dem winzigen Menschenschicksal im Alltagsumriß, in der Alltagsklischee-Sprache eine unbewältigte Lücke klafft, dann wird man das nicht Fontane zurechnen, sondern der Zeit, in der zu leben ihm aufgezwungen war.

Für den Balladenschluß stand abermals der Rahmen der Hexengespräche bereit. Er erneuert die totale Weltbetroffenheit.

> „Wann treffen wir drei wieder zusamm?"
> „Um Mitternacht, am Bergeskamm"
> „Auf dem hohen Moor, am Erlenstamm."
> Ich komme.
> „Ich mit"
> „Ich nenn' euch die Zahl."
> „Und ich die Namen."
> „Und ich die Qual."
> „Hei! Wie Splitter brach das Gebälk entzwei!"
> „Tand, Tand
> Ist das Gebilde von Menschenhand!"

Keine Balladensammlung wird an Fontanes Ballade vorübergehn. Niemand aber wird denken können, daß der hier aufgerissene Widersinn zwischen Hybris der Technik und menschlicher Massen-Ohnmacht aus einer daran neugewachsenen balladischen Urbewegung bewältigt sei. Wie Fontanes Stil hier auseinanderklafft zwischen Shakespeare-Herübernahme und Alltags-Klischee-Sprache, so ist das ganze bürgerliche Massenzeitalter unter neue bedrohliche Weltaspekte gestellt, die jedenfalls eines wieder heraufrufen müssen: mit dem Schwund jener biedermeierlichen Sicherheit und Genügsamkeit, wie sie nach 1870 in die Gründerzeit einmünden sollte, ein Erschrecken vor den Schöpfungsmächten, denen der technische Mensch glaubte entronnen zu sein.

Was aber eben damit mitzerbrochen war, am Übermaß des Schöpfungswidersinns, das war das symbolische Vermögen, das sich nicht vom Artistischen her zubereiten läßt, das nur aus Groß-Erschütterungen zum Ursprung zurückzuführen ist, zu den Ursprüngen der Einbildungskraft, deren urtümlichster Ausdruck das Balladische ist.

Wo Fontane vor der Aufgabe stand, den Augenblick der Katastrophe zu gestalten, da gelingt es ihm, im Augenblicks-Bild, im Umkreis einer Metapher, dem symbolischen Zusammenschauen der Widersprüche zu genügen: wo mit dem Aufblitzen der faktischen Feuer-Explosionen, die ins Wasser stürzen, sich ihm die Vision verbinden sollte, „als ob Feuer vom Himmel fiel", als ob sich über die Hybris der Technik hinweg die Feuer des göttlichen Gerichtes aufgetan. Wo können wieder Bildkräfte im Menschen wachsen, die imstande sind, über die einzelne Metapher hinaus Zusammenwürfe des Widersprüchlichen in der Größe des Symbols zur überragenden Gestalt zu bringen?

Conrad Ferdinand Meyer

Fontanes Antipode, der idealistisch-artistische Conrad Ferdinand Meyer, steht unverrückbar in der klassischen Tradition. Seine ausgesprochen eidetische Anlage, die ihm die Phantasiebilder körperlich genau vor Augen stellte, trieb ihn immer wieder dazu, Balladen zu beginnen, die er dann mit größtem artistischen Feingefühl zu Kunstwerken ausgestaltete. Dennoch blieb ihm eins versagt, gerade wegen der artistischen Distanz: das Mitbewegt-Werden vom ursprünglich balladischen Impuls, der auf die elementare Welt-Betroffenheit des naiven Menschen zurückgeht.

Das läßt sich am deutlichsten aufzeigen an der Ballade „Das Geisterroß" von 1881, die ein Heldenschicksal, das des Gallierfürsten Vercingetorix, im großen heldischen Umriß sehr bildhaft uns vor Augen führt. Vercingetorix opferte sich als Führer seines Volks nach der Niederlage, um sein Volk als Ganzes zu retten. Er stellte sich freiwillig dem römischen Feldherrn Cäsar. Nach fünf Jahren wurde er in Rom öffentlich gehängt. Mommsen hat in seiner „Römischen Geschichte" sein Schicksal dargestellt.

Meyer verlegt den Balladenbeginn nach Rom, unmittelbar vor dem Ende des Vercingetorix. Die Eingangsstrophe zeigt uns Cäsars Größe in einer imponierenden Gebärde bildhaft auf:

Durch den dreigeteilten Bogen
Des Triumphes prangend Tor,
Durch die lauten Menschenwogen
Dort zum Capitol empor
Lenkt den Tanz der weißen Pferde
Cäsars lässige Gebärde.

Wie war nun dagegen das Heldentum des Vercingetorix zur Darstellung zu bringen? Der Dichter versenkt sich in die Seele des Helden:

Unberührt vom Hohn der Stunde,
Starren, traumgefüllten Blicks,
Geht, ein Singen auf dem Munde,
Ruhig Vercingetorix —
Fremde Weise, fremde Worte,
Mit dem Geist an fremdem Orte.

Die ganze Ballade wird jetzt getragen vom inneren Bild, das Vercingetorix in sich lebendig macht. Er erlebt nochmals, wie er von seinem Wunderpferd Ellid vor Cäsar abspringt, einem Rappen, und wie er sich die einzige, ihm noch bleibende Tat eines freien Fürsten im Angesicht Cäsars herausnimmt: er stößt seinem Rappen das Schwert durchs Genick und macht es sich damit zum Geisterroß, zum Boten ins Totenreich.

Diese Tat ist ganz Meyers Erfindung. In ihr zieht er die Ballade zusammen. Es gelingt ihm auch, in der eidetischen Phantasie des Helden die Erinnerung großartig und imponierend darzustellen:

Cäsar, blendend weiße Rosse
Hat Hispanien dir gebracht!
Ellid, edler Ahnen Sprosse,
Dunkel ist er wie die Nacht —
Deine Schimmel, deine viere,
Tauscht ich nicht mit meinem Tiere.

Ellid heißt der wackre Jager,
Stark von Wuchs und fest im Bug,
Welcher mich ins Römerlager
Mit gewaltigen Sprüngen trug —
Der zum Opfer ich gegeben
Mich für meines Volkes Leben!

Dreimal flog ich um im Kreise,
In der Faust des Schwertes Blitz.
Noch im Lauf, nach Gallier Weise,
Sprang ich ab vor Cäsars Sitz . . .
Ellid schickt ich zu den Toten
Mir voran als meinen Boten.

Wie er mir ins Antlitz schnaubte,
Stieß ich, Blick versenkt in Blick,
Hinter seinem mächtigen Haupte
Stracks das Schwert ihm ins Genick . .
Daß mir eines Rosses Ehre
Mangle nicht im Geisterheere.

So künstlerisch vollkommen das herausgestaltet ist, so eindeutig wird daran, daß es balladisch sich nicht vertieft. Alles ist in den Glauben des Helden eingesenkt, daß ihn sein Roß in die Heimat seiner Galliertoten tragen wird. Davon aber wird keine balladische Handlung bewegt. Zum Wichtigsten, zur Zwiesprache mit Cäsar, kommt es nicht. Statt dessen kann der Held nur für die völlige Gleichgültigkeit Cäsars ihm gegenüber den sprachlichen Ausdruck suchen. Es geschieht abermals artistisch meisterhaft, aber eben darum vom Balladischen her durchaus unwirksam.

Heute endlich! Endlich heute!
Wenn der Kahle schwelgt beim Mahl,
Würgt er seine Siegesbeute.
Mit dem letzten müden Strahl,
Wann die Sonne niedergleitet,
Wird mir Block und Beil bereitet.

Cäsar wird hier rein lautmalerisch abgestellt: „der Kahle beim Mahl." Darin zeigt sich die Fragwürdigkeit solcher Artistik. Vercingetorix bleibt in seine eidetische Selbstbezogenheit eingeschnürt.

Zur Begegnung des Helden mit seinem großen und ebenbürtigen Gegenspieler Cäsar kommt es nicht.

Gewiß erreicht Meyer in den Schlußstrophen den Triumph seines Helden kraft der eidetischen Phantasie und er gibt damit der von ihm bewegten Phantasiehandlung ihren Abschluß.

> Sterbend pack ich Ellids Haare,
> Ein Befreiter spring ich auf,
> Fahre, schwarzer Ellid, fahre!
> Nach der Heimat nimm den Lauf!
> Wogen tosen, Rhodans Stimme!
> In den Strom, mein Tier, und schwimme!"
> Cäsars Schimmel blähn die Nüstern.
> „Ave Triumphator!" schallt.
> Des Gebundnen Lippen flüstern:
> „In der Heimat bin ich bald!
> Ellid mit gestrecktem Jagen
> Wird mich nach der Heimat tragen!"

Daß in der Schlußstrophe nochmals Cäsar erscheint und der Kontrast der Schimmel zum schwarzen Ellid das eidetische Endbild bekräftigt, verrät den überlegten Künstler. Doch kann dadurch die Ballade als Ganzes nicht gesteigert werden. Der Titel: „Das Geisterroß" nimmt etwas vorweg, was in den Kern der balladischen Handlung nicht eingegangen ist: die Geisterwelt als balladische Macht.

Dem Dichter Meyer gelingt eindrucksvoll das Zusammenziehen der Handlung im heldischen Akt, mit dem Vercingetorix seinen Rappen tötet. Aber damit ist die Handlung zu Ende. Und nichts wird dadurch bewirkt als daß der Held seine eidetischen Bilder spinnt, im Glauben an die Geisterheere der Gefallenen und ihre Geisterpferde.

Man kann das symptomatisch nennen für eine Spätzeit, die bei artistisch höchster Sprachmeisterschaft und klarem Traditionsgefühl die Möglichkeit zur ursprünglich balladischen Erschütterung verloren hat. So gibt es nur den Monolog des Eidetikers und das artistisch zusammenziehende Symbol, dem keine aufzuschließende Welttiefe entspricht, weder im Verhältnis des Besiegten zum Sieger noch in der wirklichen Konfrontation von Mensch und Geisterwelt. Meyers vielleicht berühmteste Ballade „Die Füße im Feuer" zeigt schon im sechsfüßigen Jambus eine epische Breite an, die zur Novelle drängt. Der Versuch, die eidetischen Bilder von den „Füßen im Feuer" aus der Erinnerung in die balladische Handlung hineinzuarbeiten, schafft Unklarheiten, die des Kommentars bedürfen.

Die neuromantische Ballade

Der Ruf: Zurück zur Poesie, der um die Jahrhundertwende gegen den rohen Einbruch des Naturalismus erhoben wurde, führte zu einer Neubelebung der Ballade, die sich um drei Namen zusammenzog: Börries Freiherr von Münchhausen, Agnes Miegel, Lulu von Strauss und Torney. Es schien ein Glücksfall, als sich im Göttinger Musenalmanach 1898—1905 alle drei Stimmen vereinten. Die Wirkung besonders von Münchhausen, der zugleich ein guter Vortragskünstler war, übertraf alle Erwartungen. Ein balladisches Zeitalter schien sich anzukündigen. Heute ist davon so gut wie nichts übrig geblieben.

Der Grund ist darin zu suchen, daß der Wille zurück zu den Ursprüngen, zum Balladischen im Sinn der Goetheschen Poetik aus dem „Ur-Ei", wie ihn Münchhausen bewußt ergriff, auf eine Generation traf, die im Deutschland der Gründerzeit gegen alle Urbewegungen abgesichert schien. So konnte der echte poetische Impuls eines neu-idealistischen Stils sich nur im Ästhetischen auswirken. So günstig für den altadligen, ritterlichen Münchhausen die Voraussetzungen waren, die bereits 1891 im siebzehnjährigen Gymnasiasten zur Ballade „Der Hunnenzug" führten, einem kühnen Stimmungsbild, das die asiatische Gefahr in einer mehr epischen als balladischen Vision zu 7 Strophen zusammenzog, so geriet er doch, ohne es zu merken, in eine virtuos kunstgewerbliche Balladenfabrikation, die selbst der inzwischen ausgebrochene Erste Weltkrieg nicht zur elementaren Erschütterung zurückvertiefen konnte. Zu sehr war Münchhausen von den Schablonen des Historismus vorgeprägt. Als einen Höhepunkt seiner Balladenkunst hat er selbst „Jekaterinas Bestechung" von 1912 angesehen. Es sind 13 Großstrophen von je 8 Zeilen. Der Hintergrund ist echtballadisch: das Russenheer unter Zar Peter bewegt sich gegen das Türkenheer ins Feld. Da hat die Geliebte des Zaren einen tollkühnen Einfall. Wegen der ungeheuren Überlegenheit der Türken, rein zahlenmäßig, begibt sie sich, mit allen ihren Reichtümern angetan, ins Zelt des Sultan, legt einen Schmuck nach dem andern ab, bis sie in reiner Eva-Glorie vor ihm steht. „Gibst du für das, was ich dir gab, uns los?" Des Sultans Antwort vollzieht sich in einer symbolischen Handlung. Er reißt vom Fahnenschaft die grüne Seide und fordert sie auf, sich darin einzuhüllen, wenn sie zurückkehrt. Zugleich ist damit zweierlei gesagt: er behält ihren reichen Schmuck, und er wird nicht gegen die Russen zu Felde ziehen. Denn die Moslems greifen nie an ohne ihre grüne Fahne.

Man kann nur sagen, die Pointe ist virtuos erfunden. Doch bleibt eine geradezu symptomatische Verlegenheit zurück: die Schlacht zwischen den Heeren als balladische Urbewegung ist aufgefangen in ein ästhetisches Schauspiel, an dem wir bis in alle Einzelheiten teilnehmen, mit sprachvirtuoser Eindringlichkeit. Zugleich spüren wir die unechte Überschätzung des Ästhetischen. Welcher Feldherr wird schon, auch wenn er „Schmuck liebt", um der kühnen Geste einer schönen Frau willen, die Riesenoperation eines zur Schlacht angetretenen Heers zurückhalten, wenn er kraft seiner zahlenmäßigen Überlegenheit den Sieg vor Augen hat? Münchhausen hat, fasziniert vom Vorgang, der darzustellen war, alles in die rein äußerliche Begegnung der schönen Frau mit dem Sultan zusammengezogen. Das Symbol ist zur Pointe geschrumpft, nichts ist daran aufzuschließen.

Wir beschränken uns auf zwei Strophen. Die erste zeigt die große Sprachkunst, die sich an seltenen Namen und überraschenden Reimen delektiert:

Da poltern der Tungusen Hufe,
Grauüberstaubt vom Marsche längst,
Da treibt mit quäkend grellem Rufe
Der Kamtschadale seinen Hengst,
Da strafft der Finne die Gamasche,
Fischhautgenäht, am Schenkel auf,
Da schaukelt die Melonenflasche
An des Kirgisen Sattelknauf.

Die andre Strophe verrät Mißgriffe des Neuromantikers, die hart am Kitsch vorbeigehen:

Das Weib trug punkend her der Brüste
Ganz wundervollen Überfluß,
Die weiße Rose, die sie küßte,
Ward rot vor Scham bei ihrem Kuß,
Sie griff nach ihres Schimmels Schweife
Und riß ihn toll und lachte viel,
Vom Riemen taumelte die Pfeife
Auf ihrer Schenkel Sehnenspiel.

Die Hyperbel von der weißen Rose, die rot wird bei ihrem Kuß, ist nur aus der ästhetischen Selbstverliebtheit des Dichters in seine Sprach- und Bild-Kunst zu verstehen. Nur ein Neuromantiker konnte darin eine Steigerung sehen.

Auch Münchhausens theoretischer Führer durch die „Meisterballaden" des 19. Jahrhunderts 1923 zeigt seine Grenzen. Am höchsten stehen ihm die Douglas-Balladen von Strachwitz und Fontane. Ihre archaisch-bewußte Sprachkunst geht ihm am tiefsten ein. An der „Lenore" schreckt ihn der Gespensterritt, er ist ihm zu lang, die Verwandlung des Reiters zum Gerippe schlägt ihm vom Grusligen ins Komische um, die Schlußstrophe ist Bänkelsang. An Goethes „Bajadere" scheint ihm die letzte Strophe „zu trocken". An Schillers „Kranichen des Ibykus" rügt er den „allzu breiten Theatervorgang". Überall wo das Balladische universell wird, zieht sein Blick sich zum Tadel zusammen. Von da her ist auch sein Beitrag zur Balladen-Theorie zu sehen. Er unterscheidet einen „unteren" und „oberen Vorgang", beide durch ein „sinnlich wahrnehmbares Teilchen verknüpft". Es ist dasselbe Phänomen, das sich im symbolischen Kosmos der Dichtung als zusammenziehende und aufschließende Symbolik darbietet, als Bildmitte und Sinnmitte. Nur ist es analysierend von außen her gesehen. So rühmt er den oberen Vorgang da am meisten, wo er am handgreiflichsten ist, an dem Balken mit der Aufschrift „Batavia. Fünfhundertzehn", in der Ballade „Die Vergeltung" der Droste. Er entzieht sich ihm, wo er in Goethes Sinn das „Unerforschliche" berührt, im Gesamtgeflecht zusammenziehender und aufschließender Symbolik, in der „Lenore" wie in den „Kranichen des Ibykus" wie in Goethes „Gott und die Bajadere".

Als „größte lebende Balladendichterin" hebt Münchhausen Agnes Miegel heraus, stellt sie hoch über ihn selbst. Er rühmt „das Triebhaft-Dunkle", im Weibe stärker als im Mann. Was uns heute den Zugang zu ihr erschwert, ist der neuromantisch-historisierende Zug. „Die Nibelungen", als Höhepunkt nicht nur von Münchhausen gepriesen, sind Stimmungsbilder, aus dem alten Epos abgezogen. Volkers Lied auf das „Es" der Zwietracht, die im „Hort" heraufsteigt wie Flut, läßt alles unbestimmt. Kriemhilds „Lachen" bleibt ein Rätsel. So beschränkt sich das „Unerforschliche" auf den Flackerschein, den ihre Glut-schürenden Hände an die Wände werfen. Das Urballadische des alten Eddalieds ist abgeflacht in eine neuromantische Geste. Auch „Schöne Agnete", mit der alten Wassermannsballade verglichen, ist aus der realen Schreckensspannung herausgenommen in eine lyrische Klage, in die die Dichterin ihre ganze erfühlende Seelenkraft hineingelegt hat.

Die alte Wassermannsballade wirft die schöne Hannele in ihren tiefsten Zwiespalt. Der Wassermann erscheint zuletzt, als sie nicht wiederkommt. Er beginnt die Kinder zu zerteilen. Doch als er das siebente halbieren will, bricht in ihr die Mutterliebe auf:

„Nehm ich ein Bein, nimmst du ein Bein
Von dem Berg und tiefen Tal wol über die See,
Daß wir einander gleiche sein
Du schöne Hannele.

„Und eh ich mir laß mein Kind zerteiln
Von dem Berg und tiefen Tal wol über die See,
Viel lieber will ich im Wasser bleib'n,
Ich arme Hannele.

Bei Agnes Miegel nimmt die lyrische Klage alles in sich auf und führt es mit der Sprache einer Dichterin der Schönformung der Neuromantik zu, in einmaliger Leistung.

Als Herrn Ulrichs Wittib in der Kirche gekniet,
Da klang vom Kirchhof herüber ein Lied.
Die Orgel droben, die hörte auf zu gehn,
Die Priester und die Knaben, alle blieben stehn,
Es horchte die Gemeinde, Greis, Kind und Braut,
Die Stimme draußen sang wie die Nachtigall so laut:

„Liebste Mutter in der Kirche, wo des Meßners Glöcklein klingt,
Liebe Mutter, hör wie draußen deine Tochter singt,
Denn ich kann ja nicht zu dir in die Kirche hinein,
Denn ich kann ja nicht mehr knieen vor Mariens Schrein,
Denn ich hab ja verloren die ewige Seligkeit,
Denn ich hab ja den schlammschwarzen Wassermann gefreit.

Meine Kinder spielen mit den Fischen im See,
Meine Kinder haben Flossen zwischen Finger und Zeh,
Keine Sonne trocknet ihrer Perlenkleidchen Saum,
Meiner Kinder Augen schließt nicht Tod und Traum . .

Liebste Mutter, ach, ich bitte dich,
Liebste Mutter, ach, ich bitte dich flehentlich,
Wolle beten mit deinem Ingesind
Für meine grünhaarigen Nixenkind,
Wolle beten zu den Heiligen und zu Unsrer Lieben Frau
Vor jeder Kirche und vor jedem Kreuz in Feld und Au!
Liebste Mutter, ach ich bitte dich sehr,
Alle sieben Jahre einmal darf ich Arme nur hierher.
Sage du dem Priester nun
Er soll weit auf die Kirchentüre tun,
Daß ich sehen kann der Kerzen Glanz,

Daß ich sehen kann die güldne Monstranz
Daß ich sagen kann meinen Kinderlein,
Wie so sonnengolden strahlt des Kelches Schein!"
Die Stimme schwieg. Da hub die Orgel an,
Da ward die Türe weit aufgetan, —
Und das ganze heilige Hochamt lang
Ein weißes, weißes Wasser vor der Kirchentüre sprang.

Alles ist hier poetisch geworden. Alles ist hineingenommen in die Seelenqualen der Tochter, die von fern her, wie Nachtigallengesang, zur Mutter und zur Kirche hinübersingt, aus einem Zwiespalt, der unlösbar ist. Mit der eindringlichen Einfalt des Volksballadentons und seiner Wiederholungen, aber in weiträumige Rhythmen verwandelt, die der Durchseelung dienen, gestaltet die Dichterin ihr Gedicht von der „Schönen Agnete". Es beansprucht seinen eignen Rang als höchsten Inbegriff einer neuromantischen Ballade. Das Urelement des Wassers, dem die schöne Agnete sich anheim gegeben hat, als sie den Wassermann freite, nimmt ihren sehnsüchtig religiösen Seelenimpuls in sich auf, der als weißer Wasserstrahl an der Kirchentür hochspringt. So drückt sich im Symbol die Sehnsucht nach dem Übersinnlichen aus. Die ganze Ballade erfährt ihre Innigkeit aus solcher Sehnsucht, für die hier die Kirche mit allen liturgischen Bräuchen und dem Glanz ihrer goldnen Geräte steht.

Der Umschmelzung ins Poetische fällt nur eines zum Opfer, die Furchtbarkeit des Lebens selbst, das den Menschen in schlechthin unlösbare Zwiespälte wirft. Die Dichterin hat es poetisch wunderbar zusammengezogen in die Bildvorstellung vom „schlammschwarzen Wassermann". So hat sie das Unerträgliche poetisch erträglich gemacht.

Eben damit hat die Dichterin etwas ausgedrückt, was der ganzen Neuromantik den Lebensimpuls gegeben hat: daß man sich von der Kraft zur Schönformung her ein eignes Weltbild aufbauen kann, aller naturalistischen Wirklichkeitsverzerrung entgegen. Im Jugendstil derselben Zeit hat man das vom Ornament her versucht. Nur über eines hat man sich dabei hinweggetäuscht: über die Untergründe dessen, was sich allein in der Eingeordnetheit des Menschen in den ihn mitbewegenden Kosmos als Schicksal erfahren läßt und was immer wieder in die Weltbetroffenheit führt. Erst die Katastrophen zweier Weltkriege haben das offenbar gemacht.

Inzwischen hatte die Dichterin 1907 noch in ihrer berühmtesten und „sprödesten" Ballade einen Ausdruck gesucht für das unentschiedene Schwebegefühl der Zeit zwischen dem, was wirklich war, und dem, was nur „Schein". Mit großer Kühnheit stellte sie die „Mär vom Ritter Manuel" zwischen Zeit und Raum. Sie bediente sich mit fünffüßigen Jamben eines starken epischen Übergewichts, das durch die ganze Dichtung vorherrscht, trotz dem Reim und einiger Ansätze zum Gespräch. Ritter Manuel wird Opfer eines Experiments. Ein Magier, offenbar auf Geheiß des Königs, erprobt seine Künste an ihm, beugt sein Haupt in eine Zauberschale. Als kurz darnach Manuel sich zur Gesellschaft zurückwendet, ist er verwandelt. Aber was mit ihm geschehen ist, weiß er nicht auszusagen, weil er sich keines Eigennamens mehr erinnert. Inzwischen ist der Magier spurlos verschwunden. Manuel altert schnell, stirbt bei einem Jagdunfall. Da erscheint überraschend, abermals unter Führung eines Magiers, eine Gesandtschaft aus dem Osten und fragt nach König Manuel, Gatten der Königin Tamara. Der König antwortet ihnen mit einer stummen Geste: er greift eine Handvoll Erde auf. Trauernd zieht die Gesandtschaft ab. Der König steht vor der Frage: „Erbarmer aller Welt, sprich: was ist Schein?" Als Jugendstil-Ornament führt die Dichterin am Schluß einen Pagen ein, der den König beobachtet. Was er sagt, wird dadurch infragegestellt, daß es von ihm heißt: „er ist noch klein, furchtsam und hat den Kopf voll Märchenflausen."

Das Geheimnis, das sich hier verhüllt, beruht darauf, daß es zu keiner balladischen Bewegung kommt. Was Manuel erlebt hat, weiß er nicht zu erinnern. Nur sterbend fällt ihm der Name „Tamara" ein. Die Aufklärung, die die Gesandtschaft bringen könnte, ist aufgehoben dadurch, daß Manuel inzwischen verstorben ist. Die ganze Ballade ist starres Monument um eine nicht erkennbare balladische Urbewegung. Eben darin wird diese Dichtung der Miegel symptomatisch. Der Schwebezustand zwischen Zeit und Raum, der hier angedeutet ist, erscheint als Krankheitszustand einer Zeit, die glaubte, mit neuromantischer Schönformung die Ursprünge überformen zu können. Die „Weltdeutung", um die sich moderne Interpreten bemühen, vereinfacht sich zu der Einsicht: „Die Welt wird bodenlos." Aber nicht wegen der balladischen Tiefe der Manuel-Dichtung, sondern weil der ganzen Zeit die balladische Urbewegung verloren gegangen ist.

Der Dichterin zu Ehren sei gesagt, daß sie aus den Erschütterungen des Ersten Weltkriegs gelernt hat. Ihre angeborne Gabe, Gespensterwelt darzustellen, hat sich vertieft. War „Lady Gwen" eine großartige Nachdichtung im Stil der englisch-schottischen Gespensterballaden, so wirkt „Die Fähre" als ein Stück Gespenster-Gegenwart: Flüchtlingsheere, Geister der Toten, mit ihren Pferden, als ein Massen-Gespensterritt, von Urzeiten her, sie wollen mit der Fähre davon, weil das Land ihrer Heimat ihnen genommen ist.

„Und was ist allerschwerste Last?
Was ist ewige Pein?
Was ist den Kindern der Ebne verhaßt
Und wird es immer sein?"
„Von der Heimat gehn ist die schwerste Last,
Die Götter und Menschen beugt,
Und unstät zu schweifen ist allen verhaßt,
Die die grüne Ebne gezeugt!"

Als Beispiel-Strophe für die eingefangene Strom-Atmosphäre sei noch folgende Strophe herausgehoben:

Es sprang und lief über Stein und Sand,
Es rauschte durchs nasse Kraut,
Der Hofhund heulte winselnd,
Des Försters Hund gab Laut.
Der weiße Nebel qualmte,
Der Haushahn rief im Stall,
Und leis und leiser ging das Krähn
Flußaufwärts wie Widerhall.

Die Spuren solcher Vision spüren wir in der nächsten Generation, bei Peter Huchel wie bei Bertolt Brecht.

Lulu von Strauß und Torney tritt neben Agnes Miegel weit zurück. Ihre unermüdliche Sprachkunst, Balladen im archaischen Stil zu erneuern, erreicht nur ganz selten die zusammenziehende Kraft des Symbols. Selbst ein neues Motiv, Grubenkatastrophe („Der Gottesgnadenschacht"), bleibt schwerfällig und fordert die Prosadarstellung. Wo dann wirklich ein Symbol sich darbietet, in der Ballade „Die Tulipan", wo die neue holländische Blume die Mordtat verrät, drängt sich allein durch die Länge und die strophenlosen Langzeilen die Erzählkunst der Prosa auf. Man braucht nur dasselbe Motiv in den „Kranichen des Ibykus" heranzurufen, um den Jahrhundertabstand bis tief in die zertrümmerte Symbolkunst zu verspüren. Hier gibt es keinen „oberen Vorgang" mehr.

Der Mörder verrät sich im Traum, die Frau, die den Unbehausten ins Scheinglück ihrer Ehe geführt, muß zur Anzeigerin werden. Die Blume in des Toten Hand macht allen die Mordtat sichtbar.

Erneuerung der Ballade

1. Spannung: Kapital und Arbeit.

Gerrit Engelke

Wir erkennen im 20. Jahrhundert zwei Ursprungsbewegungen, die zur Erneuerung der Ballade führen. Als mit Zolas „Germinal" 1885, dieser „Bibel des Naturalismus", zum ersten Mal die tragische Spannung zwischen Kapital und Arbeit in die Weltliteratur aufstieg, im Kohlenbergbau, der ebensosehr Kapital zur Aufschließung der Zechen braucht wie Arbeitskräfte, die die Kohlen aus der Erde herausschlagen, da wurde eine neue Weltspannung sichtbar, die zur Urbewegung der Massen führen mußte. Was an sozialer Ballade vorher entwickelt wurde im traditionellen Balladenstil, der sich in die Nöte der Unterdrückten einfühlte, von Chamisso, dem deutschen Béranger, bis zu Freiligrath, der den Titel „Von unten auf" prägte und Thomas Hood übersetzte („Das Lied vom Hemde"), erreicht noch keinen neuen Massenstil.

Wir finden ihn zuerst bei dem Dichter, der den „Rhythmus des neuen Europa" fordert. (1919), bei Gerrit Engelke, 1890 geboren, der noch 1918 kurz vor dem Waffenstillstand fiel. Unter den Gedichten, die sich in die expressiven Jahre 1912—1914 zusammendrängten, findet sich die Ballade vom Massentod im Schacht:

Der Tod im Schacht

Zweihundert Männer sind in den Schacht gefahren,
Mütter drängen sich oben in Scharen.
Rauch steigt aus dem Schacht.

Die Kohlenwälder nachtunten glühen,
Urwilde Sonnenfeuer sprühen.
Rauch steigt aus dem Schacht.

Retter sind hinab gestiegen;
Kamen nicht wieder, sie blieben liegen.
Rauch steigt aus dem Schacht.

Der Brandschlund frißt seine Opfer — und lauert.
Die brennenden Stollen werden zugemauert.
Rauch steigt aus dem Schacht.

Zweihundert waren in den Schacht gefahren.
Mütter weinen an leeren Bahren.
Rauch steigt aus dem Schacht.

Die Einfachheit der zweizeiligen Volksballade, die in sich reimt, und die Einfachheit des Kehrreims sind hier zusammengenommen zur monumentalen Wucht eines Massentods, der mit schrecklicher Katastrophen-Einfachheit Schicksale von zweihundert Menschen im Kohlenschacht erledigt. Alles lebt aus dem grandiosen Zusammenwurf des Widersprüchlichen im Sinnbild des „Schachts". Der Schacht ist der Zugang zu den Erdschätzen der Tiefe. Die Sprache stürzt hier geradezu zu Kernworten der germanischen Variation zurück: „Die Kohlenwälder nachtunten glühen / Urwilde Sonnenfeuer sprühen." Der Schacht ist zugleich der Zugang zur menschlichen Arbeit, durch den sie zu Hunderten einfahren. Und der Schacht ist Inbegriff der Unternehmer-Intelligenz, die Retter hinunterschickt, wenn etwas nicht in Ordnung ist, und die brennende Stollen zumauert, wenn es die Not befiehlt.

Eben dieser Schacht aber erhält mythisch-balladisches Eigenleben: „Der Brandschlund frißt seine Opfer und lauert." Und dann hämmert er sich uns ein mit dem, was man in der Poetik der Ballade „Kehrreim" nennt, was aber hier ebenfalls mit Schicksalswucht eigenlebendig wird zu dem alles niederwuchtenden Schreck-Ereignis: „Rauch steigt aus dem Schacht." Fünfmal uns eingehämmert.

Hier haben wir die erste deutsche Ballade von der tragischen Spannung zwischen Kapital und Arbeit. Nirgends aber ist die Rede von den Problemen des Marxismus, der Unternehmer und Arbeiter gegeneinandertreibt. Vielmehr waltet eine Weltgesinnung der Mitmenschlichkeit: „Mütter drängen sich oben in Scharen". „Mütter weinen an leeren Bahren."

Wir sind inmitten einer Gesamtvision, die sich mit der Kühnheit der Einfalt das simpelste Faktum, den Zugangsschacht zur Tiefe des Bergwerks, zur „Sache selbst" macht und eben damit zum allumfassenden Symbol. Wir erfahren in lebendig augenblicklicher Offenbarung das „Unerforschliche": daß ein „Brandschlund" sich auftut und zweihundert Menschen den Tod bereitet. Wir begreifen nicht, wie und wo. Und vermutlich wird keine Kommission die Ursachen klären. Der Dichter hat uns mitten in die Zukunftsschrecken des 20. Jahrhunderts geworfen, in den äußersten Zusammenwurf des Widersprüchlichen, aus dem sich die Weltspannungen zwischen West und Ost erheben werden. Das ist, hervorgebracht vom Genie der damaligen sogenannten „Arbeiterdichter", die Wiedergeburt der Ballade unsrer Massenzeit.

Der Dichter selbst, kaum zum Selbstbewußtsein erwacht als Dichter, wird schon vom Ersten Weltkrieg verschlungen und noch wenige Tage vor dem Waffenstillstand zu Tode gebracht. Er hat uns aber noch ein zweites Denkmal hinterlassen, das in der Form eines Arbeitslieds der Kohlenhäuer eine Art Zustandsballade aus der Mitbewegung aller herausgestaltet, die ins Massendasein von den Nornen des 20. Jahrhunderts hineingezwungen sind. Keime künftiger Balladenmöglichkeiten sind hier auf jeder Strophenstufe angedeutet. Als geniale balladische Verfestigung ist eine Arbeitslied-Strophe kehrreimartig eingefügt, die uns siebenmal an das schlagende Herz des Bergarbeiters erinnert.

„Wir wracken, wir hacken,
Mit hangendem Nacken,
Im wachsenden Schacht
Bei Tage, bei Nacht —"

Nunmehr lassen wir die sechs Hauptstrophen folgen, die zu fünf Zeilen erweitert sind und sich durch Reimverschlingungen ineinanderbinden. Jede Strophe zwingt mit eindringlicher Sachlichkeit in die Urbewegung der Kohlenhäuer-Arbeit vor und adelt sie zur Weltbewegung, die das 20. Jahrhundert in Gang hält.

„Wir fallen und fallen auf schwankender Schale
Ins lampendurchwanderte Erde-Gedärm —
Die Andern, sie schweben auf schwankender Schale
Steilauf in das Licht! in das Licht! in den Lärm.
Wir fallen und fallen auf schwankender Schale.

Wir wühlen und wühlen auf wässernder Sohle,
Wir lösen vom Flötze mit rinnendem Schweiß
Und fördern zu Tage die dampfende Kohle.
Uns Häuern im Flötze ist heißer als heiß —
Wir wühlen und wühlen auf wässernder Sohle.

Wir pochen und pochen, wir bohrenden Würmer,
Im häuser- und gleisüberwachsenen Rohr,
Tief unter dem Meere, tief unter dem Türmer, —
Tief unter dem Sommer. Wir pochen im Rohr,
Wir pochen, wir pochen, wir bohrenden Würmer.

Wir speisen sie Alle mit nährender Wärme:
den pflügenden Lloyd im atlantischen Meer:
Die erdenumkreisenden Eisenzug-Schwärme:
Der Straßenlaternen weitflimmerndes Heer:
Der ragenden Hochöfen glühende Därme:
Wir nähren sie Alle mit Lebensblutwärme!

Wir können mit unseren schwieligen Händen
Die Lichter ersticken, die Brände der Welt!
Doch — hocken wir fort in den drückenden Wänden:
Wir klopfen und bohren und klopfen für Geld —
Doch hocken wir fort in den drückenden Wänden:

Wir pochen und pochen durch Wochen und Jahre,
Wir fahren lichtauf, — mit „Glück-Auf!" dann hinab —
Wir pochen und pochen von Wochen — zur Bahre —
Und Mancher schürft unten sein eigenes Grab —
Wir pochen, wir pochen durch Wochen und Jahre."

Zur Ballade fehlt das zusammenziehende Symbol, in dem sich die balladische Handlung verspannt. Wenn wir trotzdem dies Kohlenhäuerlied in die Wiederkehr der Ballade aufnehmen, so im Zusammenblick mit dem „Tod im Schacht". Was dort ins Schicksal der zweihundert massiert ist, schließt sich im Kohlenhäuerlied vielfältig auf. Die lebendige Bewegung zwischen Kehrreimstrophe und Vollstrophen richtet unseren Blick auf das unablässig flutende Leben in seiner stumpfen Dauer und seinem von Spannungen durchwirkten Weltgetriebe. Wenn die vierte Strophe als eine Art Gipfelstrophe sich um einen sechsten Vers vermehrt, dann als Hochgesang auf die Großleistung des Arbeiters: „Wir nähren sie Alle mit Lebensblutwärme." Zugleich durchdringt sich alles Alltagsgeschehen in seinen wechselvollen Verrichtungen mit einem Grundgedanken: „Wir können mit unseren schwieligen Händen die Lichter ersticken, die Brände der Welt."

So breitet der Dichter im Kohlenhäuerlied aus, was sich im „Tod im Schacht" sein Schreckenssymbol sucht, auf das die letzte Strophe im Lied hinweist. Beide Gedichte sind von der Kraft einer elementaren Anteilnahme am Rhythmus des Massenschicksals im 20. Jahrhundert vorwärtsgetragen, als dem „Rhythmus des neuen Europa". Beide leiten die neue Welle des Lebensgefühls, das sich dann als Expressionismus in radikaler Traditionszerstörung anzeigen wird, zurück in die echte balladische Urbewegung, aus den neuen Spannungen zwischen Kapital und Arbeit heraus. Das konnte wohl nur ein Arbeiter mit solcher Unmittelbarkeit vollziehen. Und man wird die eigentliche Großtat darin sehen, daß allein aus dem Ethos der Arbeit, ohne Verzerrungen des Unternehmertums, ohne soziale Kritik an den Lehren des Marxismus hier eine deutsche Stimme die neue Weltbetroffenheit erlebt und durchgestaltet hat, die zwingend zu balladischen Urformen zurückführt.

Gerrit Engelke hat selber das Schicksal erfahren, daß er, allzu früh verstorben, zwischen die Mahlzähne des Hasses in West und Ost geriet. Der Marxismus schweigt ihn tot, weil er einen menschlichen Sozialismus wollte. Expressionismus und Spätintellektualismus des Bürgertums gehn hochmütig über ihn hinweg, weil er zu undifferenziert sei, gar nicht auf Verfremdungen aus. So blieb diese balladische Urbewegung unbeachtet und tritt erst in unserm Zusammenhang ans Licht.

Bert Brecht

Als ergänzende Gegenkraft zur Balladenkunst Engelkes läßt sich Bert Brechts ursprünglich balladische Begabung ansehen, die nicht aus dem Arbeiterstand erwächst, sondern aus der antibürgerlichen Haltung des begüterten Augsburger Kaufmannssohns. Brecht, neun Jahre jünger als Engelke, erlebt den Weltkrieg als Abiturient 1917, später als Sanitätssoldat, in die große Enttäuschung hinein. Die Darstellung der Anfänge Brechts durch den Ostdeutschen Klaus Schuhmann läßt die unmittelbare Balladenbegabung klar hervortreten. Der Fünfzehn- und Sechzehnjährige steht noch unter der Kaisertradition. Einflüsse der Biwak-Balladen Kiplings sind wahrscheinlich. („Moderne Legende" 1914, „Der Fähnrich" 1915, „Der Tsingtausoldat" 1915.) Als Brecht 1916 zum ersten Mal unter eignem Namen „Das Lied von der Eisenbahntruppe vom Fort Donald" veröffentlichte, spüren wir bereits den Drang zur balladischen Urbewegung: Großstrophen, die in Amerika spielen, Pioniere im Kampf mit den Naturgewalten. Die Eisenleger müssen ertrinken im von Regenströmen geschwellten See. Das Lied, das sie singen, sich zum Trost, nimmt später der Wind auf, als sie ertrunken sind.

Der Abiturient 1917, der in München Medizin studiert, erfährt eine Fülle neuer Eindrücke: Wedekinds Vitalität, mit seinen Liedern im Bänkelsangston, zur Guitarre gesungen. Brecht macht ihm das nach. Karl Valentins Wortwitzkunst. Die von Karl Ammer übersetzten Balladen Villons, des großen Asozialen, und das ebenfalls von Ammer übersetzte „Trunkne Schiff" Rimbauds. Dazu kommen die Erschütterungen des Kriegsendes. Wieder hält Brecht den Augenblick balladisch fest, mit dem Groteskgesang „Legende vom toten Soldaten" 1918. An den makabren Volksspott knüpft er an: „Man gräbt schon die Toten aus für den Kriegsdienst." In 19 Volksballadenstrophen, im Brechtton einer zynischen Einfalt, wird verfolgt, wie die Ärztekommission den Toten ausgraben läßt und kv. schreibt, so daß er einen zweiten Heldentod sterben darf. Es ist Brechts Absage an die ganze bürgerliche Welt. Als dann die Revolution versackt, wendet Brecht sich einem radikalen asozialen Zynismus zu, im Sinne seines ersten Dramas „Baal", in dem der Dramenheld selber seine Baal-Ballade singt (Letzte Fassung 1926):

„Als im weißen Mutterschoße aufwuchs Baal
War der Himmel schon so groß und still und fahl
Jung und nackt und ungeheuer wundersam
Wie ihn Baal dann liebte, als Baal kam."

Die Eingangsstrophe eröffnet eine Art Zustandsballade um die Baal-Gestalt mit 18 Strophen. Wie hier „Baal" mit eigner Lautmagie dreimal auftaucht, so zieht „Baal" durch alle Strophen, bis in die Schlußstrophe:

„Als im weißen Mutterschoße aufwuchs Baal
War der Himmel noch so groß und still und fahl
Jung und nackt und ungeheuer wunderbar,
Wie ihn Baal einst liebte, als Baal war.

Baal und der Himmel sind die Pole, um die sich dieser „Choralgesang" spannt. Brecht gerät mit seinem Baal-Drama damals in die expressionistische Bewegung. Aber es zeigt sich bald, daß er mit ihr so wenig gemein hat wie Engelke, nur aus andern Gründen. Brecht will bewußt in die Wirklichkeit hinein, nicht in irgend eine utopische Exstase. Er bleibt im Gesetz des Balladischen, das ihn immer wieder in den Sang zur Guitarre bindet. Was dann sich auskristallisiert in der „Hauspostille" von 1927, lebt ganz und gar aus dem antibürgerlichen Affekt. Schon der Titel „Die Hauspostille", greift Luthers christliche Postille, als Sammlung von Erklärungen biblischer Texte im Gottesdienst (post illa), auf zum anti-christlichen Gebrauch. Es ist ebensosehr die Parodie auf Rilkes „Stundenbuch" von 1905 wie auf jede Art biedermeierliche Postillen-Gemütlichkeit. Insofern Brecht Alltagsereignisse in die balladische Mitte rückt, kann man, hinter dem bürgerlichen Rahmen, Spuren dessen finden, was man schon länger als das „Dämonische im Biedermeier" hat aufweisen können.

So deutlich nun Brechts Wille zu spüren ist, volksnah zu bleiben („Ein Volksbuch für die oberen Zehntausend"), so sehr wirkt doch seine zynische Einfalt der echten balladischen Urbewegung entgegen. Wir verfolgen die Brechungen in den zynischen Bänkelsang nicht im Einzelnen. Brechts Schockwirkungen sind offenbar. Überraschend aber sind die Durchbrüche des Balladendichters Brecht ins Universelle echter balladischer Vision. Dazu rechnen wir die „Ballade von den Cortez Leuten", die im epischen Bericht, im jambischen Blankvers, den Untergang der spanischen Eroberer verzeichnet, die vom Urwald überwachsen werden und zugrundegehen. Ein Mahnmal von der Hybris des Menschen und vom Übergreifenden der Schöpfung selbst.

Wenn Brecht seinen Bericht „Ballade" nennt, dann verweist er damit auf die Urbewegung, die hindurchgeht und die sich als solche zum Symbol verdichtet: zur Widerspruchsspannung zwischen Mensch und Universum, in der die Schöpfung kraft ihrer Unausmeßbarkeit immer triumphiert. Auch das ist eine jähe Offenbarung des Unerforschlichen. Brechts balladische Genialität bekundet sich hier in der Kunst, ganz Sache zu sein, nichts als Sache, eben damit aber ganz Urbewegung, die sich nie erschöpft. Wir geben als Beispiel die zehn Schlußverse, die ein Fünftel des Ganzen ausmachen:

Erst gegen Morgen war das Zeug so dick
Daß sie sich nimmer sahen, bis sie starben.
Den nächsten Tag stieg Singen aus dem Wald.
Dumpf und verhallt. Sie sangen sich wohl zu.
Nachts ward es stiller. Auch die Ochsen schwiegen.
Gen Morgen war es, als ob Tiere brüllten,
Doch ziemlich weit weg. Später kamen Stunden
Wo es ganz still war. Langsam fraß der Wald
In leichtem Wind, bei guter Sonne, still
Die Wiesen in den nächsten Wochen auf.

Auch die „Ballade von den Seeräubern", 11 Großstrophen mit eindrucksvoller Kehrreimstrophe, erreicht unter dem großen Vorbild von Rimbauds „Trunknem Schiff" universelle Weite. Brechts eigenwüchsige Vision ist die Zusammensicht der in ihr Schiff verliebten Seeräubergruppe, die jenseits jeder menschlichen Hemmung daherlebt, bis der Sturm sie und ihr Schiff auf ein Riff treibt und verschlingt. Auch hier beschränken wir uns auf die letzte Strophe:

Noch einmal schmeißt die letzte Welle
Zum Himmel das verfluchte Schiff
Und da, in ihrer letzten Helle
Erkennen sie das große Riff.
Und ganz zuletzt in höchsten Masten
War es, weil Sturm so gar laut schrie,
Als ob sie, die zur Hölle rasten,
Noch einmal sangen, laut wie nie:

„O Himmel, strahlender Azur!
Enormer Wind, die Segel bläh!
Laßt Wind und Himmel fahren! Nur
Laßt uns um Sankt Marie die See!"

Auch hier ist Mensch und Universum das gewaltige Thema. Auch hier ist es die Kunst, ganz Sache zu sein, ganz Mitbewegung mit den Seeräubern auf ihrem geliebten Schiff, für das sie sogar Sankt Marie anrufen. Brechts Sturm- und Drangzeit im Anfang der zwanziger Jahre gipfelt in solchen Visionen. Sie verraten einen Dichter, der zu Höherem als zur Zynik der Hauspostille berufen ist. Sein künftiges Großerlebnis wird der Sozialismus sein, im marxistischen Gewand. Brechts Wendung zum Marxismus, die um 1926 beginnt, die wir hier nicht in ihren Etappen verfolgen, führt zunächst vom Balladischen fort ins Lehrhafte, Chronikhafte, begleitet von „Lehrstücken", von den Dramen „Die heilige Johanna der Schlachthöfe" und der Dramatisierung von Gorkis „Mutter". Die Krise des westlichen Systems, die 1929 begann und bis 1932 währte, brachte täglich Schockerlebnisse, auf die Brecht schließlich doch wieder balladisch anwortete.

Am 17. Januar 1933 erschien in der „Weltbühne" ein Gedicht Brechts, das im Umschlag als „Pferdkopfballade" angekündigt wurde. Brecht gab selber im Text die Überschrift mit einem berühmten Wort aus Grimms Märchen an: „Oh Falladah, die Du hangest!" Brecht erhob damit die Alltagsgeschichte, um die es geht, von vornherein in die höhere Sphäre, in der Märchenlogik waltet, oder auch Märchen-Überlogik. Brecht stellt die balladische Spannung als Zwiegespräch zwischen Reporter und Pferd dar. Er bedient sich einer Langzeile, die in ihren Silbenfüllungen beliebig scheint, aber doch durch weite Reimbogen in sich verbunden. Mitten hinein nun stellt Brecht in die Sprache des Reporters den Märchenspruch, auf drei Zeilen erweitert:

„Oh Falladah, die Du hangest!
Wenn das Deine Mutter wüßte,
das Herz zerbräch ihr im Leibe!"

So ist es ein poetischer Reporter, den das Ereignis in Berlin auf der Frankfurter Allee in solche Weltbetroffenheit geworfen hat, daß er sich nicht anders zu helfen weiß, als indem ihn der gestürzte Karrengaul an das Pferd im Märchen von der „Gänsemagd" erinnert, eine entwürdigte Königstochter, der der ans Tor genagelte Pferdekopf zuruft:

O du Jungfer Königin, da du gangest.
Wenn das deine Mutter wüßte,
ihr Herz tät ihr zerspringen.

Dies sprechende Pferd ist Falladah, und so wird von Brecht der gestürzte Karrengaul im Großstadtmittelpunkt Berlins als sprechend eingeführt, wie wenn es das Märchenpferd selber wäre. Das Balladische daran ist die Lebenswahrheit, die im Märchen ebenso wie in der Ballade dem sprechenden Pferd zukommt. Der betroffene Reporter spricht das Pferd daraufhin an, über jede Alltagslogik hinweg, und das Pferd antwortet mit der selbstverständlichen Wahrheitskraft des Märchens. So hat Brecht auf eine ganz neuartige Weise balladische Handlung in den Berliner Alltag von 1933 hineingebracht.

Der Reporter:
Schauermärchen aus der Frankfurter Allee:
Gestürztes Pferd von Menschen angefallen!
In weniger als zehn Minuten nur mehr Knochen!
Ist Berlin die Arktis? Hat die Barbarei begonnen?
Oh Falladah, die Du hangest!
Wenn das Deine Mutter wüßte,
Das Herz zerbräch ihr im Leibe!
Wollen Sie uns den furchtbaren Vorgang näher erläutern?

Das Pferd:
Ich zog meine Fuhre trotz meiner Schwäche.
Ich kam bis zur Frankfurter Allee.
Dort denke ich noch: oh je!
Diese Schwäche! Wenn ich mich gehen lasse,
kann mir passieren, daß ich zusammenbreche . . .
Zehn Minuten später lagen nur noch meine Knochen auf der Straße.

Reporter:
Also zu schwere Fuhre? Also zu wenig Futter?
Nicht ohne Mitgefühl sieht man in solcher Notzeit

Mensch und Tier kämpfen mit unerträglichem Elend!
Oh Falladah, die Du hangest!
Ausgeplündert — bis — auf — die — Knochen!
Mitten in unsrer Riesenstadt, vormittags 11 Uhr!

Pferd:

Kaum war ich da nämlich zusammengebrochen
(der Kutscher lief zum Telefon)
da stürzten sich aus den Häusern schon
hungrige Menschen, um ein Pfund Fleisch zu erben,
rissen mit Messern mir das Fleisch von den Knochen
und ich lebte überhaupt noch und war gar nicht fertig mit dem Sterben.

Beobachter:

Oh Falladah, die Du hangest!
Aber das sind ja nicht Menschen! Aber das sind ja Bestien.
Kommen aus den Häusern mit Messern und Töpfen und holen sich Fleisch ein.

Dies bei lebendigem Leibe: Kalte Verbrecher!
Wollen Sie uns sofort diese Leute beschreiben?

Hier halten wir einen Augenblick an. Der Reporter beruft die Falladah-Stimme, beruft die Mutter, der das Herz bricht ob solchen himmelschreienden Unrechts. Damit ist der Rahmen geschaffen, in dem das Leid der Kreatur stellvertretend wird für die Leiden aller unterdrückten und zur Strecke gebrachten Kreaturen in der Zeit der Krise des Kapitalismus. Welch furchtbares Gericht am Großstadtmenschen, an der Massenzeit: daß der Massenmensch zur Bestie wird, weil er selber hungert, daß er dem Pferd Fleischstücke aus dem Leibe schneidet, während es noch lebt.

Ist solche Unmenschlichkeit noch darstellbar? Brecht bewährt hier einen Zusammenwurf des Widersprüchlichen, bis zum Unmenschlichen, er findet das Symbol dafür im sprechenden Pferd, wie es aus dem Rahmen des Märchens heraustritt mit allen Schauern und Wundern der Märchenwelt.

In die Antwort des Pferdes auf die Frage des Reporters nach den Leuten hat Brecht alles hineingelegt, was auf eine letzte Falladah-Wahrheit zielt. Das größte Rätsel ist hier der Spießbürger, der plötzlich zum Unmenschen wird.

„Aber die kannte ich doch von früher, die Leute!
Die brachten mir Säcke gegen die Fliegen doch,
schenkten mir altes Brot und ermahnten noch
meinen Kutscher, sanft mit mir umzugehen.

Einst mir freundlich und mir so feindlich heute!
Plötzlich waren sie wie ausgewechselt! Ach was war mit ihnen geschehen?

Da frage ich mich: was sind das für Menschen?
Haben Sie kein Gemüt mehr? Schlägt da im Busen
Keinem ein Herz? Mit eiserner Stirne
tritt das hervor und vergißt die menschliche Sitte!
Zucht und Beherrschung vergißt es kalt und ergibt sich
den niedersten Trieben! Wie soll man da helfen?
Zehn Millionen helfen? Das ist nicht möglich!
Da fragte ich mich: was für eine Kälte
muß über die Leute gekommen sein!
Wer schlägt da so auf sie ein,
daß sie jetzt so durch und durch erkaltet?
So helfet ihnen doch! und tut es in Bälde!
Sonst passiert Euch etwas, was Ihr nicht für möglich haltet!

So einfältig hier aus dem Herzen der leidenden Kreatur gesprochen wird, so falladah-mächtig wirkt es aus der Prophetie des Märchenpferdes. Sein Adel bezeugt sich darin, daß es beschwörend das Menschliche im Menschen anruft, um dem Einbruch der Herzenskälte zu begegnen, der Zeitenkälte, die alles erstarren läßt. So groß ist die Liebe des Pferdes zum Menschen, daß es die Schuld nicht in Menschen selber sieht, sondern von einem alles verfrostenden Schicksal her, dem entgegengewirkt werden muß, mit den vereinten Kräften aller Kreatur. Und wie prophetisch wirken die letzten Worte einen Monat bevor das Hitlerregime die Macht ergriff. „Sonst passiert Euch etwas, was Ihr nicht für möglich haltet!"

Mit dem Doppelgriff der Zwiesprache zwischen Reporter und Pferd, und mit der Märchenkraft des sprechenden Pferdes erreicht Brecht das unmittelbarste Mitdarinsein in allen, die den furchtbaren Augenblick miterleben, wo sich der Mensch als Bestie entlarvt. Im sprechenden Pferd aber wird offenbar, was im Schöpfungsgrund Mensch und Kreatur verbindet. Das Pferd am Leiden gereift, durchleuchtet tiefer als der Mensch selbst die „kalte Finsternis" dieser Zeit. Tiersymbolsprache erhebt uns über den Alltag der Massenzeit im Zentrum Berlin.

Brecht hat die Pferdeballade nicht in seine späteren Gedichte aufgenommen. Er hat sie zusammengestrichen auf den verkürzten Monolog des Pferdes. Er hat den Reporter weggelassen, damit auch seine Falladah-Anrufe. Nur als Titel hat er „O Falladah, die du hangest" belassen. So verstümmelt, ist die Ursprungsvision verfremdet und das Gedicht so glanzlos geworden, daß es nicht mehr erschien. Ein Zeichen für Brechts innere Gespaltenheit, zwischen balladischer Vision und Verfremdung —. Etwas davon spüren wir auch noch in dem nächsten Beispiel, das wir anführen.

Bereits in der Emigration, in Dänemark, begann Brecht 1939 mit Stücken, die seinen Weltruhm als Dramatiker begründen. Sie zeichnen sich durch balladische Einlagen aus. „Mutter Courage und ihre Kinder" spielt im 30jährigen Krieg. Die Uraufführung 1943 in Zürich fand ein so begeistertes bürgerliches Publikum, daß Brecht Änderungen vornahm, um zu verhindern, daß Courage als „Niobetragödie" betrachtet würde, mit der „Lebenskraft des Muttertiers". Auch die Ballade, die wir herausheben, wurde davon betroffen. Mutter Courage selber singt die ersten zwei Strophen eingangs, nach kurzem Zwiegespräch des Feldwebels mit dem Werber, das die Kriegslage einleitet.

„Ihr Hauptleut, laßt die Trommel ruhen
Und laßt eur Fußvolk halten an:
Mutter Courage, die kommt mit Schuhen
in denens besser laufen kann,
Mit seinen Läusen und Getieren
Bagage, Kanone und Gespann —
Soll es euch in die Schlacht marschieren
So will es gute Schuhe han.

Das Frühjahr kommt. Wach auf, du Christ!
Der Schnee schmilzt weg. Die Toten ruhn.
Und was noch nicht gestorben ist
Das macht sich auf die Socken nun.

Ihr Hauptleut, eure Leut marschieren
Euch ohne Wurst nicht in den Tod.
Laßt die Courage sie erst kurieren
Mit Wein von Leibs- und Geistesnot.
Kanonen auf die leeren Mägen
Ihr Hauptleut, das ist nicht gesund.
Doch sind sie satt, habt meinen Segen
Und führt sie in den Höllenschlund.

Das Frühjahr kommt. Wach auf, du Christ!
Der Schnee schmilzt weg. Die Toten ruhn.
Und was noch nicht gestorben ist,
Das macht sich auf die Socken nun."

Der Sang der Marketenderin, die ihre Waren anpreist, besteht aus deutlich gegeneinander gespannten Strophenhälften. Die Hauptstrophe von 8 Zeilen dient dem „rein merkantilen Wesen des

Kriegs". Im ersten Song geht es um Schuhe, im zweiten um Wurst und Wein. Die Kehrreimstrophe aber, vierzeilig, hat einen ganz anderen Atem. „Der Frühling kommt!" Die Marketenderin, die sich als „Mutter Courage" einführt, ist nicht nur merkantil, sie hat auch Augen für die Welt ringsum. „Wach auf, du Christ!" Sie lebt in der Zeit, in der Angelus Silesius dichtet: „Blüh auf, gefrorner Christ, der Mai ist vor der Tür: Du bleibest ewig tot, blühst du nicht jetzt und hier!"

Oder auch: „Wach auf, du toter Christ!" Das gehört zum Barockkosmos, in dem sie atmet. Und wir werden uns bewußt, daß sie nicht nur die Marketenderin Courage ist, sondern die „Mutter Courage", die zwei Söhne und eine Tochter hat, und die weiß, warum sie sich „Courage" nennt: „Die armen Leut brauchen Courage. Warum, sie sind verloren ... Schon daß sie Kinder in die Welt setzen, zeigt, daß sie Courage haben, denn sie haben keine Aussicht. Sie müssen einander den Henker machen und sich gegenseitig abschlachten, wenn sie einander da ins Gesicht schauen wollen, das braucht wohl Courage. Daß sie einen Kaiser und einen Papst dulden, das beweist eine unheimliche Courage, denn die kosten ihnen das Leben."

So spricht nicht nur eine Marketenderin, sondern ein Mensch, der ernst genommen sein will mit allen seinen Gedanken. Eine Art Vollmensch, der der Zeit auf den Grund sieht. Das alles faßt sich zusammen als „Mutter Courage". Wenn Brecht seine Großstrophen hier aufbaut aus zwei gegeneinander gespannten Teilen, dann erhebt er Anspruch auf ein Balladengeschehen, das ins Geistige übergreift.

Eben darum kehrt der Eingangssong noch zweimal wieder, er begleitet Mutter Courage durch ihr ganzes Kriegsleben. Auf der „Höhe ihrer geschäftlichen Laufbahn" singt sie eine dritte Strophe. Die Kehrreimstrophe „bläst sie auf der Mundharmonika". Jetzt hat sie es nicht nötig, für ihre Ware zu werben. Sie hat anderes erlebt und drückt es aus:

So mancher wollt so manches haben
Was es für manchen gar nicht gab.
Sich einen Unterstand zu graben
Grub er sich nur ein hastig Grab.
Schon manchen sah ich sich abjagen
In Eil nach einer Ruhestatt
Liegt er dann drin, mag er sich fragen
Warums ihm so geeilet hat.

Wenn wir jetzt die Spannung zwischen den Strophenhälften betrachten, dann ist das Merkantile ganz zurückgetreten. Mutter Courages Denken bewegt sich um das Entsetzliche des Kriegs, der seine Kinder frißt. Sie denkt an ihre Söhne: „Den Schweizerkas seh ich nicht mehr, und wo der Eilif ist, das weiß Gott. Der Krieg soll verflucht sein!" Jetzt bekommt auch die Kehrreimstrophe ein anderes Gesicht. Es gehört Courage dazu, trotz allem ja zu sagen zu der Urbewegung, die uns vorwärtsträgt, in den neuen Frühling, in den neuen Christ, über die ruhenden Toten hinweg.

Und dann begegnen wir am Ende noch einmal einer vierten Balladenstrophe. Eben erst hat Mutter Courage über ihrem letzten Kind, der stummen Katrin, die der Feind erschossen hat, ein altes Wiegenlied zum Einschlafen gesungen:

Eia popeia
Was raschelt im Stroh?
Nachbars Bälg greinen
und meine sind froh.
Nachbars gehn in Lumpen
Und du gehst in Seid
Ausn Rock von einem Engel
Umgearbeit'.

Das Wiegenlied hat über die tote Katrin einen Schein geworfen, als wär sie es, die jetzt in Seide geht, aus einem Engelsrock umgearbeitet. Wir nehmen überrascht zur Kenntnis, wie tief in Mutter Courage das Mütterliche lebendig geblieben ist, unterhalb aller merkantilen Kaltschnäuzigkeit. Während sie selbst sich jetzt vor ihren vereinsamten Wagen spannt, singen Soldaten, die vorüberziehn, die vierte Strophe. Sie nehmen in ihren Marschierschritt, in die Urbewegung des Kriegs, die Gedanken der Mutter Courage mit.

Mit seinem Glück, seiner Gefahre
Der Krieg, er zieht sich etwas hin.
Der Krieg, er dauert hundert Jahre
Der g'meine Mann hat kein'n Gewinn.
Ein Dreck sein Fraß, sein Rock ein Plunder!
Sein halben Sold stiehlts Regiment.
Jedoch vielleicht geschehn noch Wunder:
Der Feldzug ist noch nicht zu End!

Das Frühjahr kommt! Wach auf, du Christ!
Der Schnee schmilzt weg! Die Toten ruhn!
Und was noch nicht gestorben ist
Das macht sich auf die Socken nun.

Es geht jetzt um das Bewußtsein vom Krieg überhaupt. Die Mutter, die ihre Kinder im Krieg verlor, begreift, wer vom Krieg am schlimmsten immer betroffen wird: der einfache Mann. An ihm läßt sich die Gier der Kriegführenden aus, bis ins eigne Regiment.

Aber nun verwandelt sich noch in der Hauptstrophe der balladische Impuls: „vielleicht geschehn noch Wunder!" Das ist vieldeutig. Mutter Courage könnte an ihren Eilif denken, von dem sie ja nicht weiß, daß er kriegsgerichtlich erschossen ist. Aber das hieße in diesen Abschlußvers einen Zynismus des Autors hineinlegen, der nicht der steigernden Bewegung dient. Wunder geschehn im Sinn der Schöpfung immer wieder über den Menschen hinweg. Jetzt erst bekommt die Kehrreimstrophe ihren Voll-Sinn: „Das Frühjahr kommt, Wach auf, du Christ!" Seit Zolas „Germinal" bringt der März-Monat den Ruf zur Erneuerung, zur verjüngenden Veränderung der Welt, zur Revolution, wenn es sein muß. Mutter Courage, in die Sielen ihres Wagens gespannt, von ihren Toten umgeistert, schreitet in diese Zukunft hinein.

So umklammert die Ballade mit ihren vier Strophen das Gesamtgeschehen der Kriegschronik durch den Dreißigjährigen Krieg, Mutter Courage inmitten, die ihre Courage in jedem Augenblick bewährt, die ihren nüchternen Erwerbssinn nie verliert, die aber uns viel mehr bedeutet als eine gewerbstüchtige Marketenderin, die wir begleiten durch alle Schreckensaugenblicke, in denen sie ein Kind nach dem andern durch den Krieg verliert, mit und ohne ihre Schuld. Bis zu der Erkenntnis, die uns ganz am Schluß überfällt und die der Amerikaner George Steiner in seinem Buch „Der Tod der Tragödie" so ausdrückt: „Auch wir sind vor den Wagen gespannt, und unsere Füße sind es, unter denen sich die Bühne dreht."

Mutter Courage selbst ist hier der Zusammenwurf der Widersprüche, die sich in den widersprüchlichen Strophenhälften spiegeln. Sie wächst im Gang der balladischen Bewegung zur symbolischen Figur heraus, als Merkantile des Kriegs, als Mutter, als unverwüstliche Courage. Der Sang, den sie singt, der ihr Schicksal bis zum Ende begleitet, der das Ganze umklammernd zusammenfaßt, schließt zugleich sich an der dramatischen Bewegung, die wir miterleben, auf.

Brechts Schrecken vor den Bürger-Gefühlen einer „Niobe-Tragödie" hat ihn auch veranlaßt, die dritte Strophe aus dem Zusammenhang herauszunehmen, ohne Kehrreimstrophe. Dennoch kann er die Mitbewegung nicht aufhalten, die er selber mit seiner Vision von Mutter Courage und ihren Kindern heraufgerufen hat. Und keineswegs hat er Zusätze gemacht, die am Schluß den Geist des Marxismus formelhaft verfestigen würden.

Brechts Balladen-Einlagen in seine Dramen einzeln zu betrachten, brächte zum Grundthema nichts weiter bei. Wie bei „Mutter Courage" bleiben alle in den Zusammenhang eingeordnet, der ihre tiefere Sinnbewegung erst aufschließt. Für das Galilei-Drama ist die Bänkelsangszene entscheidend, die ihn als den „Bibelzertrümmerer" rühmt, sein Bild durch die Straßen schleift und aufrührerische Reden singt. Dagegen muß die Inquisition einschreiten. Im „Guten Menschen von Sezuan" gehört es zur Erhöhung ins Mysterienspiel, durch das die Götter hindurchgehen, daß immer wieder Shen Te selbst sich ans Publikum wendet und zur symbolischen Figur wird, Figur der Mitmenschlichkeit. Was an Balladen-Einlagen hereinwirkt, dient den Kontrastgestalten. „Das Lied vom Sankt-Nimmerleinstag" charakterisiert die windige Romantik des Fliegers, an die Shen Te ihr Herz verloren hatte. Die Gegenballade dazu bildet das „Lied vom achten Elefanten", um eine klare balladische Handlung gebaut: der achte Elefant versinnbildet denselben Flieger, der als Aufpasser im Tabakgeschäft zum gefürchteten Ausbeuter der Arbeitskräfte wird und sich als das erweist, was Shen Te gezwungen hat, sich von ihm innerlich abzuwenden, obgleich es der Vater ihres Kindes ist! Seine „Untaten" sind Verbrechen am Mitmenschen. Das zeigt die Tiersymbolsprache im Elefantenlied auf. Der achte Elefant ist der Ausbeuter der sieben Arbeitselefanten, vom Herrn Dschin höher bezahlt, besser ernährt, und mit seinem „Zahn" allen zahnlosen überlegen. Brechts balladische Vision wird sich erst nochmals zur vollen Wirkung bringen unter den Schocks des Zweiten Weltkriegs, wo wir ihm mit der Volksballade vom „Kinderkreuzzug 1939" erneut begegnen.

Aber vorher hat Brecht noch ein Denkmal seines überlegenen Balladengeistes gegeben, das er den „Chroniken" einreiht und als „Legende von der Entstehung des Buches Taoteking auf dem Weg des Laotse in die Emigration" weltberühmt gemacht hat, durch seinen alles Mitmenschliche steigernden Humor. Brecht spiegelt darin die eigne Emigration, die sich zur Weisheit des Humors durchgerungen hat. Was er aber episch in 13 fünfzeiligen Strophen zur Darstellung bringt, ist balladische Handlung. Der Siebzigjährige Laotse, von einem Knaben begleitet, der seinen Ochsen lenkt, trifft auf einen Zöllner, der sich mit beiden in ein Zwiegespräch verwickelt.

Doch am vierten Tag im Felsgesteine
Hat ein Zöllner ihm den Weg verwehrt:
„Kostbarkeiten zu verzollen?" — „Keine."
Und der Knabe, der den Ochsen führte, sprach: „Er hat gelehrt."
Und so war auch das erklärt.

Doch der Mann in einer heitren Regung
Fragte noch: „Hat er was rausgekriegt?"
Sprach der Knabe: „Daß das weiche Wasser in Bewegung
Mit der Zeit den mächtigen Stein besiegt.
Du verstehst, das Harte unterliegt."

Daß er nicht das letzte Tageslicht verlöre
Trieb der Knabe nun den Ochsen an
Und die drei verschwanden schon um eine schwarze Föhre
Da kam plötzlich Fahrt in unsern Mann
Und er schrie: „He du! Halt an!"

„Was ist das mit diesem Wasser, Alter?"
Hielt der Alte: „Interessiert es dich?"
Sprach der Mann: „Ich bin nur Zollverwalter
Doch wer wen besiegt, das intressiert auch mich.
Wenn du's weißt, dann sprich!

Schreib mir's auf! Diktier es diesem Kinde!
So was nimmt man doch nicht mit sich fort.
Da gibts doch Papier bei uns und Tinte
Und ein Nachtmahl gibt es auch: ich wohne dort.
Nun, ist das ein Wort?"

Über seine Schulter sah der Alte
Auf den Mann: Flickjoppe. Keine Schuh.
Und die Stirne eine einzige Falte.
Ach, kein Sieger trat da auf ihn zu.
Und er murmelt: „Auch du?"

Eine höfliche Bitte abzuschlagen
War der Alte, wie es schien, zu alt.
Denn er sagte laut: „Die etwas fragen
Die verdienen Antwort." Sprach der Knabe:
„Es wird auch schon kalt."
„Gut, ein kleiner Aufenthalt!"

Brecht, der Emigrant, erobert sich hier zurück, was tief in seiner balladischen Natur gelegen ist, und was unter dem antibürgerlichen Affekt in eine Art zynische Einfalt, ins Bänkelsängerische, abgebogen worden war. Es ist die wahre Einfalt des Weisen, die hier die höchste geistige Stufe des Humors erklommen hat. Solche Einfalt lebt aus der Überwindung der tödlichen Widersprüche des Daseins. Es ist das Wunder an dieser Legende, daß sie mit der verkündeten Lehre im Mund des einfältigen Knaben genau die Sache selbst trifft, die als Überwindung des Widersprüchlichen sich darstellt: „Daß das weiche Wasser in Bewegung mit der Zeit den mächtigen Stein besiegt." Daraus entwickelt sich dann im Zwiegespräch jene balladische Handlung, die mit jedem Schritt tiefer in die geistig sich erschließende Kontrastwelt des Humors vordringt.

Das Zwiegespräch selbst übernimmt hier die Aufgaben der symbolischen Erhellung. Es schließt einen für den andern auf, und eben darin wird als balladische Handlung die Aufschließung des Sinns im Ganzen möglich. Der Zöllner ist von derselben Einfalt der Wißbegierde getrieben wie der Weise und der ihn begleitende Knabe. Die überraschende Weisheit, die der Knabe so verständnisvoll vermittelt aus dem Schatz der Weisheitenlehren des Alten, trifft ins Herz des Zöllners und aller, die von der Widersprüchlichkeit der Welt betroffen sind. So wird die Handlung vorwärtsgetrieben: „Wer wen besiegt, das intressiert auch mich." Und der Zöllner erbittet die Verfestigung der Niederschrift. Der Alte aber gewährt die Bitte, weil er im Zöllner einen echten Einfältigen erkennt. In solchem Triumph der Einfalt über die Widersprüchlichkeit der Welt liegt der Humor. Immer wieder bewährt sich Jean Pauls Formel vom Humor als dem „umgekehrten Erhabenen", das „das Endliche vernichtet durch den Kontrast mit der Idee" (§ 32). Das umgekehrte Erhabene ist hier die Einfalt. Sie hat die Kraft, das „Endliche zu vernichten". Es gelingt ihr, ins Zeitlose vorzustoßen, „durch den Kontrast mit der Idee": angesichts der undurchdringlichen Widersprüchlichkeit der Welt. Es gelingt aber nur, nach Jean Paul, wenn „die Vernunft den Verstand mit Licht betäubt", so daß sie als Humor „vor der Idee fromm niederfällt". In Brechts Legende hat der Verstand nichts zu suchen. Nur die Vernunft waltet hier, indem sie vor der Idee fromm niederfällt.

Das Licht aber, das den Verstand betäubt, so daß er sein kritisches Vermögen nicht mehr auswirken kann, ist identisch mit dem, was Max Picard in seiner Deutung der Legende das „Mehr" nennt: „Das Mehr ist der Grund der Welt." Dies Mehr ist hier die balladische Urbewegung, die im Zwiegespräch der Einfältigen einen Sinn ans Licht bringt, aus dem sich die verworrenste Wirklichkeit löst. Daß es chinesische Weisheit ist, die hier dem Abendland ihr

Licht aufsteckt, durch den Mund der Einfältigen, darin liegt Brechts eigner listiger Triumph. Er beendet seine Legende, indem er das Verdienst des Zöllners ausdrücklich heraushebt, dem Weisen seine Weisheit entrissen zu haben. „Er hat sie ihm abverlangt." So rundet sich das Zwiegespräch des Wißbegierigen mit dem Weisen.

Erneuerung der Ballade: Die beiden Weltkriege

Während die Balladenbewegung, die vom Massenschicksal her aus der tragischen Spannung von Kapital und Arbeit immer wieder ihre Impulse erfährt, im Marxismus aufgefangen wird und in anderen Ländern fortwirkt (Pablo Neruda „Canto general" dt. 1953), haben die Erschütterungen der beiden Weltkriege in der deutschen Dichtung Spuren hinterlassen, die zu einer Erneuerung der Ballade geführt haben. Wenn der Lyriksammlung „Transit" als Inbegriff eines modernen Manierismus 1956 die Gegen-Anthologie „Neue deutsche Erzählkunst" 1964 gefolgt ist, so mit der Begründung, daß die „totgesagte Ballade" keineswegs tot ist und lebendig fortlebt. „Seit der Neuromantik schien die Form zu verholzen" sagt der Herausgeber Heinz Piontek, selber als Lyriker bekannt. Allerdings enthalten die gesammelten Erzähldichtungen viel Spreu, wenig echte Balladen. Aber der Grundimpuls einer neuen balladischen Urbewegung ist herausgespürt. Entscheidend dafür aber ist nicht mehr das Balladisch-Heldische, sondern die ins Massenzeitalter eingesenkte Mitbewegung mit den anonymen Grundmächten unsrer Zeit.

Neben Bert Brecht tritt besonders Peter Huchel hervor, Dichter der Havellandschaft, heute in Ostberlin, er erneuert die Weltoffenheit der Volksballade von der Landschaft her und nimmt Anregungen von der Ostpreußin Agnes Miegel auf („Die Fähre"), die er weiterführt.

Huchels „Letzte Fahrt" 1932 scheint die dramatische Zuspitzung der alten Balladenform zu entbehren. Es ist die Vision der Vatererscheinung im Sohn, durch neun Strophen im Volksballadenvierzeiler geheimnisvoll mit der Havellandschaft verbunden. Der Sohn erlebt die letzte Fahrt des Vaters mit, in seinem einfachen Fischer-Alltag, wie eine stumme Zwiesprache, bis in der Schlußstrophe sich die ehrfurchtsvolle Fühlung zum klaren Eindruck verfestigt und bewußt macht: „Der Tote sitzt am Steg." Das scheint das letzte Ziel der Balladenhandlung, in dem sich die Spannung löst: daß der Abstand zwischen Geisterwelt und Lebenswirklichkeit ins Bewußtsein aufgenommen ist und fortwirkt.

Das Überraschend-Neue ist einmal, gegenüber der alten Ballade, daß Vater und Sohn nicht gegeneinanderstehen, in dramatischer Zuspitzung, sondern ganz und gar zusammengehören. Und dann ist die herausgerufene Geisterwelt nirgends im Sinn der Lenorenballade etwa romantisiert oder überbetont. Sie ist unscheinbar-gegenwärtig, aber durchdringend da, Bestand einer Mitbewegung des Daseins, an der Vater und Sohn, Toter und Lebender, mit selbstverständlicher Eingestimmtheit teilnehmen. Als wenn unter den Erschütterungen des Ersten Weltkriegs die Generationen enger zusammenrückten, sich des gemeinsamen Daseins zu vergewissern, über die Grenzen von Tod und Leben hinweg. Alles ist in den Sprachstil eingegangen.

Mein Vater kam im Weidengrau
und schritt hinab zum See,
das Haar gebleicht vom kalten Tau,
die Hände rauh vom Schnee.

Der Rhythmus der Volksballade erfährt den eignen Ton dadurch, daß auf den jambischen Viertakter ein Dreitakter folgt, mit der Pause hinter dem dritten Takt, wie ein Griff ins Dunkle. Es verstärkt den Geisterhauch um das gebleichte Haar.

Er schritt vorbei am Grabgebüsch,
er nahm den Binsenweg.
Hell hinterm Röhricht sprang der Fisch,
das Netz hing naß am Steg.

Das Grabgebüsch kann nur der Friedhof sein, auf dem die Toten ruhn, während der Binsenweg den Wiederkehrer in der Vision des Sohns zum See führt, in den Fischer-Alltag, wo die Netze warten.

Sein altes Netz, es hing beschwert,
er stieß die Stange ein.
Der schwarze Kahn, von Nacht geteert,
glitt in den See hinein.

Das Wasser seufzte unterm Kiel,
er stakte langsam vor.
Ein bleicher Streif vom Himmel fiel
weithin durch Schilf und Rohr.

Wie in der Vision des Sohns das Wasser des Sees seufzend teilnimmt an der letzten Fahrt, und wie ein bleicher Schein vom Himmel fällt, wölbt sich unmerklich der symbolische Kosmos der Dichtung um die Sohnes-Vision. Die Mitbewegung, an der der Lebende teilnimmt im Toten, findet sich eingestimmt in die Gesamtbewegung der Welt.

Die Reuse glänzte unterm Pfahl,
der Hecht schlug hart und laut.
Der letzte Fang war schwarz und kahl,
das Netz zerriß im Kraut.

Die nasse Stange auf den Knien,
die Hand vom Staken wund,
er sah die toten Träume ziehn
als Fische auf dem Grund.

Er sah hinab an Korb und Schnur
was grau als Wasser schwand,
sein Traum und auch sein Leben fuhr
durch Binsen hin und Sand.

Im Gemüt des Wiederkehrers weitet sich die Mitbewegung bis in die Unterwelt der Träume zurück, als wären es Fischschwärme tief unterm Wasserspiegel, so die Träume unter der Schwelle des Bewußtseins. Alles verschwimmt in der Vater-Vision des Sohns: das ganze Leben ein Traum. Alles strömt hier in eins: Havelsee, stygische Traumflut, Lebensstrom, eins wird durchsichtig im andern für das Doppelreich, das Tote wie Lebende umspannt.

Die Algen kamen kühl gerauscht,
er sprach dem Wind ein Wort.
Der tote Hall, dem niemand lauscht,
sagt es noch immerfort.

Ich lausch dem Hall am Grabgebüsch,
der Tote sitzt am Steg.
In meiner Kanne springt der Fisch.
Ich geh den Binsenweg.

Die Steigerung liegt im Geheimnis des Wortes, das der Wiederkehrer spricht, und dessen Echo als „toter Hall" in der Vision des Sohnes nachklingt. „Ich lausch dem Hall am Grabgebüsch." Ist es die Verlockung, dem Toten nachzufolgen? Aber das „Ich", das jetzt sich zur Klarheit durchringt: „der Tote sitzt am Steg", wird den Binsenweg gehen am Grabgebüsch vorbei, zum See.

Das Einmalige an dieser Wiederkehrer-Ballade in der Vision des Sohns ist die greifbare Nähe der Vatergestalt, ganz gegenwärtig und ungreifbar fern, ein Anruf an das Doppelgesicht des Lebens, hinter dem sich Vater und Sohn unverlierbar verbunden fühlen. Die Mitbewegung wird zur stummen Zwiesprache zwischen Vater und Sohn, die nicht abreißt, auch nicht wo sich die Vision zum Schreckbewußtsein des Toten verfestigt. Der Sohn wird in den Fischer-Alltag des Vaters zurückkehren, er wird ihn wiederholen bis zur letzten Fahrt, wenn die Reihe an ihm ist.

Was den Dichter Huchel zu solcher Abwandlung der Volksballade getrieben hat, kann nur die Überzeugung sein, daß die Erschütterungen des Ersten Weltkriegs uns in die Ursprünge zurückgeworfen haben, wo wieder Ich und Du aufeinander angewiesen sind, Vater und Sohn, in der Generationsfolge, getragen von der gleichen Mitbewegung jenseits der Grenzen von Tod und Leben. Das eben ist balladische Handlung genug. Die Vision des Wiederkehrers nicht als Schrecken, sondern als Verstärkung des Vaters im Sohn.

Der Zweite Weltkrieg mit seinem Entsetzen hat dann Huchel die balladische Mitbewegung zerschlagen. Der Gedichtband „Chausseen, Chausseen" 1963 ist eine einzige Revolte mythischer Metaphern, als Ausdruck eines apokalyptischen Weltgerichts:

Erwürgte Abendröte
Stürzender Zeit!
Chausseen, Chausseen,
Kreuzwege der Flucht.
Wagenspuren über den Acker,
Der mit den Augen
Erschlagener Pferde
Den brennenden Himmel sah.

Alle balladische Bewegung ist hier im dithyrambischen Schrecken erstarrt. Keine Falladah, kein sprechendes Pferd mehr, gibt der balladischen Phantasie Raum.

Ein Glücksfall hat mitten aus dem Zweiten Weltkrieg heraus Augenblicke des Landser-Lebens zum balladischen Abenteuer verfestigt und in einen symbolischen Kosmos von Dichtung verwandelt, dank der einmaligen Vision von Günter Eich, der aus Lebus an der Oder stammt, Jahrgang 1907. In Eichs ersten Gedichten „Abgelegene Gehöfte" 1948 findet sich das Gedicht: „Erwachendes Lager". Trochäische Dreitakter in sechs vierzeiligen Strophen erwecken den volksballadischen Augenblick, in dem sich die Stimme des Landsers schlechthin im Krieg erlebt, unter dem Donner der feindlichen Artillerie, zu einem apokalyptischen Sonnenaufgang erwacht. Die Kraft der Landser-Vision verrät den Geist des christlichen Abendlands, der diese Jugend geprägt hat.

Bei der ersten Begehung
morgens im Dämmerlicht
ist es wie Auferstehung
im Lager beim Jüngsten Gericht.

Geweckt vom Lärm in den Lüften
der donnernden Engel aus Erz,
heben sich in den Grüften
die Augen himmelwärts.

Der Nachbar von Wurm und Käfer
hat mächtig den Morgen gefühlt.
Ein Erdloch entläßt seine Schläfer,
die Gebeine vom Nachttau verkühlt.

In den verwirrten Köpfen
weckt Hunger den alten Brauch:
das Feuer unter den Töpfen
qualmt als ein Opferrauch.

Wenn erst wärmend die Sonne
auf den Hönninger Höhen sich hebt,
ist es Auferstehungswonne,
die schauernd die Schläfer belebt.

Die ungeschorenen Locken
schütteln sie übers Ohr,
wenn mit den ersten Glocken
lobpreiset der Lerchenchor.

Der trochäische Einsatz verrät hier den Landser-Ernst. Wir dürfen zurückdenken, daß Goethes große Kulturballaden trochäisch einsetzen: „Die Braut von Korinth." „Der Gott und die Bajadere." Was die Landser erleben, durch die Donner der Artillerie aufgeschreckt, ist im ersten Morgendämmern eine plötzliche Weltbetroffenheit, als widerführe ihnen „die Auferstehung beim Jüngsten Gericht". Ganz ernst ist das zu nehmen. Es sind „donnernde Engel aus Erz", die ihrem mythisch verwandelnden Sinn begegnen. Und sie, die „Nachbarn von Wurm und Käfer", die in Erdlöchern vegetieren, werfen die Augen „himmelwärts", von Urschauern bewegt. Eingelassen ins Schöpfungsunterste, mit erkältetem Gebein, vom

Nachtfrost oder Tau bis ins Herz verkühlt, finden sie sich vom Auferstehungshauch berührt. Eben darum wird ihnen der Landserbrauch beim qualmenden Feuer des Kaffeekochens archaisch verwandelt, ein „Opferrauch", den Göttern dargebracht. Zu Gottesanbetern verwandeln sie sich, Archetypen einer ins Archaische zurückfallenden Zeit. Längst sind sie aus der Gleichnislage heraus, es ist das Ursprünglichste ihrer balladischen Bewegung, daß sie jetzt im wärmenden Sonnenlicht wahrhafte „Auferstehungswonne" erfahren. So begrüßen sie, gottgeschöpfliche Kreaturen wie alle Wesen, die Gott geschaffen, den Lobpreis des Lerchenchors als Lobpreis Gottes.

Die Landser im Lager auf den Hönninger Höhen, in ihrem Jetzt und Hier, werden keiner Schreckverwandlung in Wurm oder Käfer teilhaftig, sondern sie werden sich ihrer unsterblichen Seele bewußt und stimmen eine Sprache an, die das Erbgut der christlich-mythischen Bildvorstellungen in voller Frische sich zu eigen nimmt: „donnernde Engel aus Erz", „Opferrauch", „Auferstehungswonne". So vollziehen sie die Zwiesprache mit den oberen Mächten. Es ist unmittelbare Mitbewegung mit dem Geist der Schöpfung selbst, was hier als balladische Bewegung vom Gleichnis zum Bild fortschreitend erfahren wird. So ist aus dem Landser-Alltag im Krieg eine geistige Bewegung geworden, Verwandlungsbewegung, die aus Landsern symbolische Figuren macht, in denen sich Götterdonner, Sonnenaufgang, Opferrauch im dichterischen Kosmos als Schöpfungserfahrung zusammenfaßt. Es wäre wohl ein Irrtum, das heldisch zu nennen. Es bleibt beim Landser-Dasein, benachbart Wurm und Käfer, aber eine männlich geistige Grundgesinnung bricht sich Bahn, die dem genüge tut, was man vom Soldaten im Krieg erwartet. Jahrhunderte haben hier mitgeformt, die ganze abendländische Kultur, die sich christlich gibt und Auferstehungsglocken hört wie der vorm Giftbecher zurückgeschreckte Faust.

Es ist nur ein Augenblick, der sich hier verewigt, im Alltag des Kriegs. Der Zusammenbruch 1945 findet dieselbe Landsergeneration nahezu wehrlos preisgegeben der allgemeinen Zerrüttung des deutschen Daseins. Günter Eich sehen wir bei Spruchgedichten in Brechts Nachfolge, in denen die Kühnheit des symbolischen Zusammenblicks an die Sinnlosigkeit selbst verloren ist. Folgendes Gedicht Eichs vom 6. Februar 1957 in der Frankfurter Allgemeinen mag die innere Katastrophe beleuchten:

„Steh auf, steh auf!
Wir werden nicht angenommen,
Die Botschaft kam mit den Schatten der Sterne.

Es ist Zeit, zu gehen, wie die andern.
Sie stellten ihre Straßen und leeren Häuser
unter den Schutz des Mondes. Er hat wenig Macht.

Unsere Worte werden von der Stille aufgezeichnet.
Die Kanaldeckel heben sich um einen Spalt.
Die Wegweiser haben sich gedreht.

Wenn wir uns erinnerten an die Wegmarken der Liebe
ablesbar an den Wasserspiegeln und im Weben des Schnees!
Komm, ehe wir blind sind!"

Alle Mitbewegungsrhythmen sind zerbrochen. Freie Rhythmen suchen spruchhafte Spröde. Der Reim ist verdammt. Noch ahnen wir Eichs inneren Bezug zu Sternen, zur großen Schöpfung. Nur um so sinnloser ist das Großstadtgetriebe mit Kanaldeckeln, die sich heben vom Unrat, mit Wegweisern, die sich gespenstisch von selber drehen. Flucht ist der einzige Weg: „Komm, eh wir blind sind", erblindet für die symbolischen Zeichen.

Paul Celan „Todesfuge"

Dennoch hat der Zweite Weltkrieg mit seinem Übermaß an Schrecken und komprimiertem Widersinn des Daseins Dichter gefunden, die auf die Ursprünge ihrer Einbildungskraft zurückgeworfen, mit allen zusammengefaßten Kräften in einer balladischen Vision Antwort gegeben haben.

Sogleich weltberühmt geworden ist „Die Todesfuge", die zuerst im Gedichtband „Mohn und Gedächtnis" 1952 erschien. Der 1920 in Czernowitz geborene Paul Celan, der in Paris lebt und deutsch dichtet, hat hier eines der schlimmsten Verbrechen der Zeit, den Untergang von Juden unter deutschem Terror, in balladische Gestalt gebracht.

Der Dichter nimmt die Stimmen aller in ihrem Leben bedrohten Juden in eine einzige gewaltige Mitbewegung des Leidens auf. Was an aufgestautem Schrecken über Widersinn und Sinnlosigkeit solchen Schicksals ins Bild geschwellt werden kann, ist in den Einsatz der Ballade vorausgeworfen. Dabei werden wir uns erst nachträglich klar, daß schon der Balladenaufbau die alte Balladenform auf den Kopf stellt. In Goethes großen Kulturballaden finden wir die Großstrophen zweihälftig gebaut. In „Der Gott und die Bajadere" folgt auf die trochäisch ernste Vollstrophe kehrreimartig ein Dreizeiler in Daktylen.

Celans Ballade wirft die kehrreimartigen, daktylisch bewegten Dreizeiler voraus. Sie verwandeln sich ihm in die schrecklichste Anklage.

> „Schwarze Milch der Frühe wir trinken sie abends
> wir trinken sie mittags und morgens wir trinken sie nachts
> wir trinken und trinken

Nichts kann den Widersinn so grell ins Bild bringen als „Schwarze Milch der Frühe". Milch und Frühe als Inbegriff des Reinen, Nahrhaften, Weißen, Quellend-Ursprünglichen, und nun durchschwärzt von Anbeginn mit Verderben, Gift und Tod. Was man in der antiken Stillehre ein „Oxymoron" nennt, als Verbindung zweier Vorstellungen, die sich ausschließen, ist hier als mythische Metapher der Verzweiflung wirklich geworden: „wir trinken und trinken." Es ist ein ungeheuer kühner Einsatz, der mit der Gemütsfarbe des unentrinnbaren Grauens alles, was noch kommen mag, durchdringt.

In der ersten Strophe folgt noch eine Zeile, die zum Eingang hinzugehört und durch ihre wahrhaft schockhafte Paradoxie erschrecken und verblüffen soll:

> „wir schaufeln ein Grab in den Lüften da liegt man nicht eng."

Dann erst folgt die Hauptstrophe, die sich mit der Gegenfigur beschäftigt, mit dem „Mann", von dem alle Schreckbewegung ausgeht: dem Mann aus Deutschland.

> Ein Mann wohnt im Haus der spielt mit den Schlangen der schreibt
> der schreibt wenn es dunkelt nach Deutschland dein goldenes
> Haar Margarete
> er schreibt es und tritt vor das Haus und es blitzen die Sterne
> er pfeift seine Rüden herbei
> er pfeift seine Juden hervor läßt schaufeln ein Grab in der Erde
> er befiehlt uns spielt auf nun zum Tanz

Ein unerhörter Zynismus zieht sich durch die sprunghaft verspielten Handlungen des Mannes, die hier in Langzeilen gespiegelt sind. Sie deuten auf einen gefährlichen Geist, der auf Böses sinnt, auch wo er Briefe schreibt und Sterne betrachtet. Er spielt mit

Schlangen, er pfeift seinen Rüden, er zwingt die Juden zugleich ein Grab zu schaufeln und zum Tanz aufzuspielen. Das Schlimmste ist, was hier unausgesprochen zwischen den Zeilen lauert.

Die Steigerung der zweiten Strophe beginnt damit, daß die Leidens-Mitbewegung sich in die unmittelbare Zwiesprache verwandelt, mit der die schwarze Milch der Frühe als mythische Wirklichkeit angesprochen ist:

> „Schwarze Milch der Frühe wir trinken dich nachts
> wir trinken dich morgens und mittags wir trinken dich abends
> wir trinken und trinken

Auch die Hauptstrophe erfährt Steigerungen. Die Schreckkonturen des Mannes werden deutlicher gezogen.

> Ein Mann wohnt im Haus der spielt mit den Schlangen der schreibt
> der schreibt wenn es dunkelt nach Deutschland dein goldenes Haar Margarete
> Dein aschenes Haar Sulamith wir schaufeln ein Grab in den Lüften da liegt man nicht eng
> Er ruft stecht tiefer ins Erdreich ihr einen ihr andern singet und spielt
> er greift nach dem Eisen im Gurt er schwingts seine Augen sind blau
> stecht tiefer die Spaten ihr einen ihr andern spielt weiter zum Tanz auf

Es hat etwas Erschreckendes, wie hinter dem Namen Margarete der Name Sulamith aufgerufen ist, mit ihrem aschenen Haar, wir wissen nicht von welcher tieferen Verbindung her. Auch die Wiederkehr der Zeile: „wir schaufeln ein Grab in den Lüften da liegt man nicht eng" macht uns klar, daß hier unbekannte schreckliche Pläne ausgebrütet werden, kaum auszudeuten. Daß dann der Mann aus Deutschland nach dem Eisen im Gurt greift und es schwingt, wenn er die einen zwingt, Gräber zu graben, die anderen zum Tanz aufzuspielen, läßt das Ausmaß des zu erwartenden Brutalen wachsen.

Die dritte Strophe wiederholt ihren doppelten Strophen-Rhythmus.

> „Schwarze Milch der Frühe wir trinken dich nachts
> wir trinken dich mittags und morgens wir trinken dich abends
> wir trinken und trinken

Die Hauptstrophe bringt eine weitere Steigerung:

> ein Mann wohnt im Haus dein goldenes Haar Margarete

> dein aschenes Haar Sulamith er spielt mit den Schlangen
> Er ruft spielt süßer den Tod der Tod ist ein Meister aus Deutschland
> er ruft streicht dunkler die Geigen dann steigt ihr als Rauch in die Luft
> dann habt ihr ein Grab in den Wolken da liegt man nicht eng.

Die Figur des Mannes erfährt ihre erste Sinndeutung: der Tod ist ein Meister aus Deutschland. Er selber ist der Tod, der Meister aus Deutschland, und was er sich ausgedacht, lüftet sein Geheimnis: das Grab in den Wolken und der Rauch, der in die Luft steigt, deutet die Gaskammern voraus.

Dann folgt die Schlußstrophe. Alles ist gesteigert:

> „Schwarze Milch der Frühe wir trinken dich nachts
> wir trinken dich mittags der Tod ist ein Meister aus Deutschland
> wir trinken dich abends und morgens wir trinken und trinken

Der Mörder ist benannt, der alle zwingt, die schwarze Milch des Todes zu trinken, nachts, mittags, abends, morgens.

Die Hauptstrophe setzt mit einem Verspaar ein, das durch Reime verbunden ist, die einzigen Reime. Sie drücken das „Symbolon" aus:

> der Tod ist ein Meister aus Deutschland, sein Auge ist blau
> er trifft dich mit bleierner Kugel er trifft dich genau
> ein Mann wohnt im Haus dein goldenes Haar Margarete
> er hetzt seine Rüden auf uns er schenkt uns ein Grab in der Luft
> er spielt mit den Schlangen und träumet der Tod ist ein Meister aus Deutschland
> dein goldenes Haar Margarete
> dein aschenes Haar Sulamith."

Wie die mythische Metapher „Schwarze Milch der Frühe" alles Leid der Eingekerkerten in sich zusammenfaßt als Inbegriff von Einfalt und Teufel, Inbegriff alles ausdenkbaren Tödlich-Widersprüchlichen: „wir trinken und trinken", so schließt der Meister aus Deutschland in seinem alles überwachenden Auge die grausamste Widersprüchlichkeit ein: strahlend blau wie der Himmel und tödlich genau gezielt auf alle, die zu vernichten ihm im Sinne steht. Hier greifen über alle verschränkten Wiederholungen der Todbedrohung hinweg Metapher und Symbol ineinander. Und wie die zum Untergang Bestimmten ihre schwarze Milch der Frühe trinken und trinken, so umschwirren den Mörder, den Meister aus Deutschland, hundert Verben, die alle mit spielerischer Eleganz um dieselbe sadistische Befriedigung seines Mördertriebs kreisen. Was dann neben der hohnvollen Vergegenwärtigung einer deutschen Margarete das aschene Haar der Sulamith zu bedeuten hat, das fast automatisch aus den Erinnerungen des Teufels heraufdringt, das mag wie vieles hier dunkel bleiben. Als das Grausigste aber verfestigt sich der Spruch, der durch die Eingangsdaktylen ebenso wie durch die Hauptstrophen geistert: „wir schaufeln ein Grab in den Lüften da liegt man nicht eng." Am Ende wissen wir, was diese Paradoxie zu sagen hat. „Er hetzt seine Rüden auf uns und er schenkt uns ein Grab in der Luft." Die so lange verborgen gebliebenen Gaskammern zeichnen sich ab.

Der Dichter selber zwingt dazu, seine Ballade als ein unteilbares Ganzes zu lesen: es gibt in diesem Psalm des Todes keine Satzzeichen, nicht ein einziges. Es entspricht dem durch kein Satzzeichen gegliederten Zustand des chaotischen Entsetzens, dem sich nur ein einziger dithyrambischer Strom von Klagen und Anklagen entgegenwerfen kann, um ihn rhythmisch und mit der Allmacht nie endender Wiederholungen durchzustrukturieren. So gehen dann Vorstrophen und Hauptstrophen ungeschieden ineinander über, wie die Mitbewegung des Leidens und die Gegenbewegung eines unstillbaren Hasses ungeschieden ineinander übergehen. Zwei balladische Bewegungen, die sich durchfluten, ohne dramatische Zuspitzung, in der Erstarrung einer Zustandsballade, die nur darauf zielt, die Not zu verewigen. So nimmt die „Todesfuge" die einmalige Größe einer schreckerstarrten Dithyrambe des Entsetzens an.

Brechts „Kinderkreuzzug 1939"

Zwei Jahre nach dem deutschen Polenfeldzug 1939 schrieb Bert Brecht in der Emigration die Ballade vom Kinderkreuzzug, die in Polen während des Krieges spielt. Wenn der höchst kunstvolle Aufbau der „Todesfuge" Celans Dichtung in die Reihe der großen Kunstballaden einreiht, greift Brecht bewußt zur einfachsten Form der Volksballade zurück. Er folgt im Rhythmus der von ihm besonders benannten Ballade von den zwei Königskindern: Strophen zu vier Zeilen, die Zeile dreitaktig, im Wechsel klingender Endungen und stumpfer Reime. Brechts Ballade bringt es auf 45 Strophen. Sein Freund Rudolf Frank rühmt sie: „Brechts erschütternder Kinderkreuzzug steht an Schönheit keinem Volkslied aus des ‚Knaben Wunderhorn' nach." Es ist aber keineswegs Romantik, was Brecht zur archaischen Form zurückführt. In seinem Aufsatz „Volkstümlichkeit und Realismus" 1938 schreibt er: „Volkstümlich heißt: den breiten Massen verständlich, ihre Ausdrucksform aufnehmend und bereichernd, ihren Standpunkt einnehmend und befestigend . . . Wir haben ein kämpferisches Volk vor Augen und also einen kämpferischen Begriff volkstümlich."

Brecht hat vielmehr begriffen, daß die alte Form der Volksballade eine ursprüngliche Frische des Lebens festgehalten hat, die nur erneuert zu werden braucht, um auch die modernen Massen in kämpferisches Volk zu verwandeln. Brecht ist eben darin ganz unkonventionell und er traut es sich zu, aus demselben totalen Ursprung zu dichten, aus dem die Volksballade ihre alle ergreifende Mitbewegung nahm. Was die Einfalt der Volksballade mit sich bringt an gemeinschaftsformenden Sprachkräften, das macht sich Brecht souverän zu eigen.

In Polen, im Jahr Neununddreißig
War eine blutige Schlacht
Die hatte viel Städte und Dörfer
zu einer Wildnis gemacht.

Die Schwester verlor den Bruder
Die Frau den Mann im Heer;
zwischen Feuer und Trümmerstätte
Fand das Kind die Eltern nicht mehr.

Aus Polen ist nichts mehr gekommen
Nicht Brief noch Zeitungsbericht.
Doch in den östlichen Ländern
Läuft eine seltsame Geschicht.

Schnee fiel, als man sich's erzählte
In einer östlichen Stadt
Von einem Kinderkreuzzug
Der in Polen begonnen hat.

Der Ursprung, aus dem hier gedichtet wird, ist die Erschüttertheit vom Schicksal elternloser Kinder im Krieg. Die Volkseinfalt, die von Brecht im Ton aufgenommen wird, durchdringt sich mit der Stufe von Kindereinfalt, aus der heraus alles gesichtet und gedichtet wird. So sind die Sätze ganz einfach, auf die nächste greifbare Anschauung gestellt, mit zwei Kurzzeilen ausgefüllt. Selten greift ein Satzgefüge über alle vier Zeilen aus, wie in der vierten Strophe.

Hier galt es den Begriff: Kinderkreuzzug aufzubauen, als Generalthema. Kinderschicksale werden die Mitte jeder einzelnen Strophe bilden.

> Da trippelten Kinder hungernd
> In Trüpplein hinab die Chausseen
> Und nahmen mit sich andere, die
> In zerschossenen Dörfern stehn.
>
> Sie wollten entrinnen den Schlachten
> Dem ganzen Nachtmahr
> Und eines Tages kommen
> In ein Land, wo Frieden war.

Daß Brecht die einfachen Formen weiterbildet, zeigen die letzten beiden Strophen an. Wir finden im alten Volkslied weder eine Unbekümmertheit, die den Vers mit einem Relativsatz im Schlußtakt beginnt: „andere, die" noch ein zusammenziehendes Bild wie „Nachtmahr". Hier durchstößt Brecht sowohl rhythmisch wie in der Bildvision das überlieferte Volksliedgefüge. „Nachtmahr", auch rhythmisch hart mit dem doppelten Hochton, fängt auf Brechtsche Weise den Schrecken ein, der den ganzen Kinderzug entlangfährt. Wie ein Schreckgespenst, in dem sich die Kriegsfurie zusammenzieht. Wie schlicht und kunstvoll zugleich der Kontrast, mit dem die letzte Strophenzeile ein Kinderwunschbild ausmalt, brennend ersehnt und utopisch fern: „in ein Land, wo Frieden war."

Jetzt läßt Brecht ein Dutzend Strophen folgen, die jede ein kleines Kinderschicksal umreißt. Er öffnet sich der Vielfalt der Schicksale, eins ans andre gesetzt, aber jedes in sich genau. Vielfarbig bunt wie das Leben selbst. Wir beschränken uns auf eine Auswahl.

> Da war ein kleiner Führer
> Das hat sie aufgericht.
> Er hatte eine große Sorge:
> Den Weg, den wußte er nicht . .
>
> Ein kleiner Jude marschierte im Trupp
> Mit einem samtenen Kragen
> Der war das weißeste Brot gewohnt
> Und hat sich gut geschlagen . . .
>
> Und ging ein dünner Grauer mit
> Hielt sich abseits in der Landschaft.
> Er trug an einer schrecklichen Schuld:
> Er kam aus einer Nazigesandtschaft . . .

Und da war ein Hund
Gefangen zum Schlachten
Mitgenommen als Esser
Weil sie's nicht übers Herz brachten.

Unmerklich weitet sich das Kinder-Weltbild auf alle Spannungen aus, die aus der größeren Kriegswelt einströmen. Auch die mitmenschliche Regung ist aufgenommen, die dem Hund sein Leben läßt, so daß er teilnimmt am weiteren Kinderkreuzzug-Schicksal.

Die Wiederholungsformel dringt jetzt ein: „Da war . . . Und da war . . . Da war auch." Es ist altes Volksballadengut, das in der Wiederholungsformel die Grundform des Miteinander bekräftigt. Ausdruck des gemeinsam Gedachten, noch durch keine Reflexion aus der gemeinsamen Bahn gelenkt.

Da war auch eine Liebe.
Sie war zwölf, er war fünfzehn Jahr.
In einem zerschossenen Hofe
Kämmte sie ihm sein Haar.
Die Liebe konnte nicht bestehen
Es kam zu große Kält:
Wie sollen die Blümchen blühen,
Wenn so viel Schnee drauf fällt?

Hier hat sich die volksballadische Mitbewegung ihrer unmittelbaren Kunst der Zwiesprache erinnert, die an alle gerichtet ist. Brecht fühlt sich so sehr einig mit dem, was Thomas Mann den „Fruchtboden der Volkseinfalt" nennt, daß er keine Bedenken hat, die alte Volksbildersprache zu wiederholen: vom „Blümchen", auf das der Schnee fällt. Dann beginnt sich die Chronik vom Wanderzug der Kinder auf epische Ereignisse auszuweiten, die Steigerungen bringen:

Da war auch ein Begräbnis
Eines Jungen mit samtenem Kragen
Der wurde von zwei Deutschen
Und zwei Polen zu Grab getragen.

Protestant, Katholik und Nazi war da
Ihn der Erde einzuhändigen.
Und zum Schluß sprach ein kleiner Kommunist
Von der Zukunft der Lebendigen.

Auf Kinder-Ebene ist hier um das Grab des kleinen Juden die Eintracht der Völker eingeleitet für einen Augenblick. Sogar der Kommunist hat teil daran.

Nun beginnen Strophen, die das Endlos-Vergebliche zur Anschauung bringen mit Episoden, die zu nichts führen. Wir beschränken uns auf die Episode vom Soldaten, der ihnen den Weg weisen sollte:

Sie fanden zwar einen Soldaten
Verwundet im Tannengries.
Sie pflegten ihn sieben Tage
Damit er den Weg ihnen wies.

Er sagte ihnen: nach Bilgoray!
Muß stark gefiebert haben
Und starb ihnen weg am achten Tag.
Sie haben auch ihn begraben.

Und da gab es ja Wegweiser
Wenn auch vom Schnee verweht
Nur zeigten sie nicht mehr die Richtung an
Sondern waren umgedreht.

Das war nicht etwa ein schlechter Spaß
Sondern aus militärischen Gründen.
Und als sie suchten nach Bilgoray
Konnten sie es nicht finden.

Sie standen um ihren Führer
Der sah in die Schneeluft hinein
Und deutete mit der kleinen Hand
Und sagte: Es muß dort sein.

Der Volksballadenstil als Stil einer immer wieder lebendig werdenden Einverstandenheit ist zur Kinder-Einfalt und -Hilflosigkeit bis zur Erschütterung aller, die das mit anhören, gesteigert.

So nähern wir uns der Katastrophe:

„Wo einst das südöstliche Polen war
Bei starken Schneewehn
Hat man die fünfundfünfzig
Zuletzt gesehn.

Wie einfach ist hier das drohende Ende rhythmisch vorausgestaltet, mit der Schlußzeile von nur noch zwei Takten. Beispielhaft dafür, mit wie sparsamen Mitteln Herzkräfte des erschütterten Mitgefühls aufgerufen werden.

Dann erfährt das Geschehen die Öffnung in eine Vision. Auch das ist altes Volksballadenerbe: daß die Geisterwelt sich auftut wie in Wilhelms Geist, im Lenorenlied, in Mörikes „Schlimme Gret". Brecht führt seine Vision so sachlich wie möglich ein:

Wenn ich die Augen schließe
Seh ich sie wandern
Von einem zerschossenen Bauerngehöft
Zu einem zerschossenen andern.

Über ihnen, in den Wolken oben
Seh ich andre Züge, neue, große!
Mühsam wandern gegen kalte Winde
Heimatlose, Richtungslose

Suchend nach dem Land mit Frieden
Ohne Donner, ohne Feuer
Nicht wie das, aus dem sie kamen
Und der Zug wird ungeheuer.

Und er scheint mir durch den Dämmer
Bald schon gar nicht mehr derselbe:
Andere Gesichtlein seh ich
Spanische, französische, gelbe!

Wie sich in die balladische Bewegung immer der Sänger mit einschließt als Mitte aller Mitbewegung, vom uralten „Ik gihorta dat seggen" bis zum „Ich verkünd euch neue Märe" (Graf zu Rom), so führt sich der Dichter mit entwaffnender Selbstverständlichkeit ein als der, der noch einmal mit geschlossnen Augen das Erinnerungsbild zusammenfaßt, als Wanderzug der elternlosen Kinder durch die kriegszertrümmerte Welt. Und dann wird die Erinnerung offen für die Vision aller Flüchtlingszüge, für ein Zeitalter der Flüchtlingszüge. Kinder aller Nationen auf der Flucht. Die Mitbewegung hat sich ausgeweitet in den symbolischen Kosmos der Dichtung. Das historische Ereignis vom Kinderkreuzzug 1939 ist zum Fanal geworden, für Geisterzüge jenseits Raum und Zeit.

Dann aber fängt sich die Phantasie ins Volksballadische zurück und verfestigt sich ins Tier-Symbol. Der einst aus purem Mitleid geschonte und mitgeführte Hund tritt in seine kreatürliche Verbundenheit mit allen Flüchtlingskindern ein und erhält seinen symbolischen Auftrag. Er nimmt das grenzenlose Kindervertrauen in sich auf und trägt es fort:

In Polen, in jenem Januar
Wurde ein Hund gefangen
Der hatte um seinen mageren Hals
Eine Tafel aus Pappe hangen.

Darauf stand: Bitte um Hilfe!
Wir wissen den Weg nicht mehr.
Wir sind fünfundfünfzig
Der Hund führt euch her.

Wenn ihr nicht kommen könnt
Jagt ihn weg.
Schießt nicht auf ihn
Nur er weiß den Fleck.

Die Schrift war eine Kinderhand.
Bauern haben sie gelesen.
Seitdem sind eineinhalb Jahre um.
Der Hund ist verhungert gewesen.

Wir erleben den Hund mit der Tafel, und das was auf der Tafel steht. Das Kindervertrauen, das sich als letzte Hilfe in die Treue des Hundes geflüchtet hat, findet seinen Ausdruck in dem, was auf der Tafel steht. Als letztes Zwiegespräch der Kinder mit der Welt. Als Hilferuf aus Kinderhand, und mit Kinderlogik, deren Hilflosigkeit uns mehr als alles ergreift. Das ins Hundeschicksal ausgeweitete und zurückverstummte Leid überstürzt uns nicht nur mit Rührung und Mitgefühl, es wird zum stummen Gericht, ratlos gegen die ganze Welt gewandt, die solche Kriege zuläßt, solche elternlose Kinderzüge. Brechts Volksgesang wird im Sinnbild des Kinderkreuzzugs zum Kreuzzug gegen den Krieg. Brecht scheut sich nicht, auf eine Totalerschütterung hinzuzielen, die mit ihrem grenzenlosen Leid dem nahekommt, was der Grieche einst „Katharsis" nannte. Die Einfalt der Volksballade im Spiegel der Kindereinfalt verwandelt uns alle, die Krisengeschöpfe einer technisch überforderten Massenzeit, mit der Wucht seiner Symbole in einen Zustand zurück, in dem wir wieder total erleben, im Zusammenspiel aller Grundkräfte, Seele und Geist, Gemüt und Verstand, hineingenommen in die Mitbewegung mit allen vom Weltkrieg 1939 in unermeßliche Leiden gestürzten, elternlos gewordenen Kindern und Kreaturen, Sinnbildern unserer eigenen wehrlosen und ohnmächtigen Existenz.

So erreicht die Volksballade ihr Ziel mit den einfachsten Mitteln: die Kinder werden zum zusammenziehenden Symbol, der wandernde Kinderzug nimmt aller Schicksal in eins, und die Vision der Geisterzüge schließt einen jenseitigen Kosmos auf, der uns mit seinem unermeßlich angehäuften Kinderleid zum Gericht ruft. Der epische Abstand, dem diese balladische Chronik ihren Berichtstil verdankt, wird zuletzt aufgehoben im letzten Hilfeschrei der Kinder, übermittelt durch die Treue der stummen Kreatur. Damit sind wir in die unmittelbarste Anteilnahme hineingezwungen.

Folgen wir jetzt noch einmal dem Gang der Entwicklung vom frühen Heldenlied bis zur Brechtschen Volksballade, dann bewährt sich die Ballade als „Grundstufe des Gesamtkunstwerks" darin, daß die „Weltbetroffenheit", auf die der schöpferische Mensch mit allen lyrischen, epischen, dramatischen Anlagen antwortet, einen symbolischen Kosmos der Dichtung hervorbringt, allein aus der Kraft der Mitbewegung, mit dem erhabnen Stoff der Heldensage wie mit allen Lebenskonflikten des volksballadischen Gesangs. Was dann die Dichter der Kunstballade hinzutun, verdanken sie der Verschmelzung der heldischen mit der volksballadischen Tradition und der eignen in die Ursprünge zurückgreifenden balladischen Erregung, die das Geschenk der Zeit ist, deren Weltimpulse die Dichter mitergreifen.

Es ist die Bestätigung der Vicoschen Lehre, daß „die monadisch-mikrokosmische Darstellung des Alls in einer menschlichen Bewußtseinswelt . . . als ein sympathisches Darleben der Umwelt durch den ganzen Menschen zu verstehen ist". Eben darum stellen sich mit den Grundkonflikten des Daseins Symbole als Zusammenwürfe des Widersprüchlichen in die Mitte der lyrisch-episch-dramatischen Ergriffenheit; und die Bildmitte, auf die jede Ballade dringt, indem sie die Anschauungsbedürfnisse der Hörer befriedigt, vertieft sich zur Sinnmitte überall wo der Kern der Existenz sich offenbart.

Die Maßstäbe, die hier zu gewinnen sind, lassen sich nicht in eine systematische Tabelle zwingen. Überall fordern sie den totalen Blick und die universelle Weite. Sie zwingen uns unweigerlich in die Mitbewegung hinein; aus den Faszinationen des „sym", von der Bild-Sinn-Mitte her erspüren wir, wo die Symbole aufgesetzt wirken, artistisch überspitzt oder stofflich unbewältigt. Sehr viel schwieriger wird sich die Aufgabe stellen, wo wir herausgetreten sind aus der balladischen Totalität in die Haltung des epischen Erzählers, des zur Bühnenvision gezwungenen Dramatikers. Hier differenzieren sich die Variationen des Symbols, und die Reflexionen des Dichters über seine Kunst wirken mitbestimmend herein. Nachdem unser ganzer I. Band der Lyrik gewidmet war, der zweite die bewußte Symbolkunst der Novelle ins Licht gerückt hat, wenden wir uns jetzt der unübersichtlichsten Gattungsform der Epik, dem Roman zu, um an ihm im geschichtlichen Überblick neue Möglichkeiten des symbolischen Kosmos zu erproben.

Der Roman

Goethes Entdeckung der drei „Naturformen der Dichtung" in den „Noten zum Divan" (1819) hat die Zeit überdauert: „Es gibt nur drei echte Naturformen der Poesie: die klar erzählende, die enthusiastisch aufgeregte und die persönlich handelnde: Epos, Lyrik und Drama. Diese drei Dichtweisen können zusammen oder abgesondert wirken. In dem kleinsten Gedicht findet man sie oft beisammen, und sie bringen eben durch diese Vereinigung im engsten Raume das herrlichste Gebild hervor, wie wir an den schätzenswertesten Balladen aller Völker deutlich gewahr werden. Im älteren griechischen Trauerspiel sehen wir sie gleichfalls alle drei verbunden, und erst in einer gewissen Zeitfolge sondern sie sich." ... „Das Homerische Heldengedicht ist rein episch; der Rhapsode waltet immer vor; was sich ereignet, erzählt er; niemand darf den Mund auftun, dem er nicht vorher das Wort verliehen, dessen Rede und Antwort er nicht angekündigt." Was aber das homerische Epos auszeichnet, ist die Stetigkeit des Hexameters, mit seinem wunderbaren Gleichmaß, als Spiegel für den „Gleichmut des Dichters". Wir folgen hier Emil Staigers Verherrlichung Homers in seinen „Grundbegriffen der Poetik":

„Homer steigt aus dem Strom des Daseins empor und steht befestigt, unbewegt, den Dingen gegenüber. Er sieht sie von einem Standpunkt aus, in einer bestimmten Perspektive. Die Perspektive ist in der Rhythmik seines Verses festgelegt und sichert ihm seine Identität, ein Stetiges in der Erscheinungen Flucht." ... „Weil der Epiker selber beharrt, vermag er einzusehen, daß etwas wiederkehrt und dasselbe ist." „Wie sehr ihn diese Entdeckung beglückt, verraten die stereotypen Formeln ..."

Staiger schließt sich an Schillers „Gesetz des Epischen" an: „Der Zweck des epischen Dichters liegt schon in jedem Punkte seiner Bewegung; darum eilen wir nicht ungeduldig zu einem Ziele, sondern verweilen uns mit Liebe bei jedem Schritte ... Die Selbständigkeit seiner Teile macht einen Hauptcharakter des epischen Gedichtes aus." Diese Selbständigkeit stellt sich rhythmisch als „Parataxe" dar. Gleichnisse werden zu Episoden. Das wahrhaft epische Kompositionsprinzip ist die einfache Addition ... Der epische Mensch lebt in den Tag hinein.

Was Staiger als die „Einfalt des Epischen" zusammenfaßt, schließt vor allem eines ein: die Gemeinsamkeit, die Homer mit seinem Hörerkreis verbindet. „Die Hörer anerkennen Homer, weil er die Dinge so darstellt, wie sie sie selber zu sehen gewohnt sind. Sie wiederum sehen sie so, weil ihren Vätern ein Dichter sie so gezeigt hat. Ihr Verhältnis gründet also in einer Überlieferung, die sich zwar in dunkler Urzeit verliert, grundsätzlich aber als Stiftung eines Dichters verstanden werden darf, der den schlummernden Rhythmus und das Wort seines Volkes vernimmt und trifft und in der Dichtung dem Volk den Grund anweist, auf dem es zu stehen vermag."

Hier ist von Staiger der Ursprung jener Mitbewegung angerührt auch für die Epik, die sich uns als Inbegriff der balladischen Grundstufe erschlossen hat. Für Staiger ist „das Epos die ursprünglichste Stiftung". Darum aber auch ist ihm „Homer der einzige Dichter, in dem das Wesen des Epischen noch einigermaßen rein erscheint" . . . „So wenig der Mann wieder das Kind werden kann, so wenig kann die Menschheit in unabgerissener Tradition wieder auf die Stufe des Epischen zurück."

Hier werden wir Staiger nicht mehr folgen. So vollkommen sich der symbolische Kosmos der homerischen Welt über „Ilias" und „Odyssee" herüberwölbt und immer wieder seine bewundernde Darstellung gefunden hat, um so dringender treten alle Aufgaben zu Tage, die sich an die Symbolik stellen, sobald das Gleichmaß des Hexameters verlassen ist und wir in die Entwicklung geraten, die zum Prosaroman geführt hat. Einen ersten Einblick in die Probleme, die hier aufzurühren sind, hat Georg Lukacs 1921 mit seiner berühmt gewordenen „Theorie des Romans" gegeben. Das „Weltzeitalter des Epos" sieht er ähnlich schon wie später Staiger. „Die Frage, als deren gestaltende Antwort das Epos entsteht, ist: wie kann das Leben wesenhaft werden? Und das Unnahbare und Unerreichbare Homers stammt daher, daß er die Antwort gefunden hat, bevor der Gang des Geistes in der Geschichte die Frage laut werden ließ." Das will besagen, daß diese Antwort bereits in der Mitbewegung vorgegeben war, von der der Homer-Dichter wie seine Hörer in die Fülle des Daseins zwischen Göttern und Menschen hineingetragen wurden. Bei Lukacs drückt sich das so aus:

„Totalität des Seins ist nur möglich, wo alles schon homogen ist, bevor es von den Formen umfaßt wird; wo die Formen kein Zwang sind, sondern nur das Bewußtwerden, nur das Auf-die-Oberfläche-Treten von allem, was im Innern des zu Formenden als unklare Sehnsucht geschlummert hat."

Nachdem das Weltzeitalter des Epos entschwunden ist, bleibt für Lukacs nur die Form des Romans zurück als „Ausdruck der transzendentalen Obdachlosigkeit". Damit sind ganz neue Aufgaben der Symbolik gegeben. Lukacs faßt sie so: „Das Subjekt der Epik ist immer der empirische Mensch des Lebens, aber seine schaffende, das Leben meisternde Anmaßung verwandelt sich in der großen Epik in Demut, in Schauen, in stummes Erstaunen vor dem hell heranleuchtenden Sinn, der ihm, dem einfachen Menschen des gewöhnlichen Daseins, so unerwartet selbstverständlich im Leben selbst sichtbar geworden ist." Und nun auf den Roman bezogen: „Der Roman ist die Epopöe eines Zeitalters, für das die extensive Totalität des Lebens nicht mehr sinnfällig gegeben ist, für das die Lebensimmanenz des Sinnes zum Problem geworden ist, und das dennoch die Gesinnung zur Totalität hat." Das besagt, daß mit dem Wachsen der Dissonanzen die enorme Anstrengung des symbolischen Vermögens im Zusammenwurf der Widersprüche ebenso wachsen muß. Lukacs erkennt zwei Gefahren: „daß entweder die Brüchigkeit der Welt kraß zutage tritt und die Resignation in quälende Trostlosigkeit umschlägt oder daß die allzu starke Sehnsucht, die Dissonanz aufgelöst zu wissen, zu einem voreiligen Schließen verführt."

Hier führt Lukacs die „Ironie" ein: Spaltung in eine „Subjektivität als Innerlichkeit, die fremden Machtkomplexen gegenübersteht und der fremden Welt die Inhalte ihrer Sehnsucht aufzuprägen sucht, und in eine Subjektivität, die die Abstraktheit und mithin die Beschränktheit der einander fremden Subjekts- und Objektswelten durchschaut und durch dies Durchschauen die Zweiheit der Welt zwar bestehen läßt, aber zugleich in der wechselseitigen Bedingtheit der einander wesensfremden Elemente eine einheitliche Welt erblickt und gestaltet".

So erlaubt die Ironie als „Selbstkorrektur der Brüchigkeit" einen neuen Standpunkt mit dem Blick wieder auf das „Ganze". Der anzuwendende Kunstgriff ist „der biographische Roman", der „das Leben des problematischen Individuums" in die Mitte rückt, als Weg zu sich selbst.

Wir sind Lukacs' Ausführungen gefolgt, weil sie den Übergang zum Roman auf die scharfsinnigste Weise vorbereiten. Ob die These von der „transzendentalen Obdachlosigkeit" zutrifft, lassen wir offen. Wir lassen uns den Weg zu den großen deutschen Romanen seit dem „Simplicissimus" nicht vorweg verbauen. Weil nach Lukacs das transzendentale Zugeordnetsein im Roman fehlt, glaubt er zwei Arten der Unangemessenheit von Seele und Werk, von Innerlichkeit und Abenteuer folgern zu müssen: die Seele ist entweder schmäler oder breiter als die Außenwelt.

Im ersten Fall spricht er von der „Dämonie der Verengung der Seele". In dämonischer Verblendung schwindet der Abstand zwischen Ideal und Idee. Mit unerschütterlichem Glauben wird aus dem Sollen der Idee auf ihre notwendige Existenz geschlossen, und wenn die Wirklichkeit nicht entspricht, muß sie von bösen Dämonen verzaubert sein. Die Seele wird zugleich in die Region der echtesten Erhabenheit erhoben, zugleich grotesk mit der Wirklichkeit konfrontiert. Das Maximum an erlebt erreichtem Sinn wird zum Maximum an Sinnlosigkeit. Die Erhabenheit wird zum Wahnsinn. Das ist die Abenteuerwelt des Don Quichote in der genialen Darstellung von Cervantes. Er parodiert die Ritterromane, an denen sich Don Quichote verrückt gelesen hat. Diese Romane haben die transzendente Beziehung verloren. Don Quichote, der sich fanatisch in ihre Nachfolge hineinsteigert, wirkt nur noch grotesk, weil seiner Heldenidee keine Wirklichkeit mehr entspricht.

Lukacs nennt es den „genialen Takt des Cervantes", daß er im Verweben von Göttlichkeit und Wahnsinn in der Seele des Don Quichote alle Gefahren überwindet, die diesem Romantypus drohen. „Es ist der erste große Kampf der Innerlichkeit gegen die prosaische Niedertracht des äußeren Lebens und der einzige Kampf, in dem es der Innerlichkeit gelungen ist, nicht nur unbefleckt aus dem Kampf herauszugehen, sondern selbst ihren siegreichen Gegner mit dem Glanz ihrer siegreichen, wenn auch freilich selbstironischen Poesie zu umgeben."

Bei solcher Ehrfurcht vor dem Genie von Cervantes erhebt sich nun nur die Frage, ob es „Ironie" ist, die hier alles durchwaltet, als „negative Mystik der gottlosen Zeiten", oder ob es nicht vielmehr „Humor" ist, als schöpferische Einbildungskraft, die dem übergreifenden Weltvertrauen des Cervantes entspricht.

Bereits der Finne R. Koskimies in seiner „Theorie des Romans" 1935 hatte gegen Lukacs eingewandt, Cervantes habe etwas viel

Positiveres zum Ausdruck gebracht als Lukacs in ihm erblickt: „Das Verneinen und die Kritik, jene ‚freigelassene Dämonie' bedeute bei Cervantes im Grunde nicht das Überwiegen des Geistes des Verneinens, sondern der Sieg einer neuzeitlichen Weltanschauung, nämlich der belebenden Kraft des Humors." „Und der Sieg des Humors bedeutete im tiefen Sinn eine Apotheose der Persönlichkeit."

Rückblickend läßt sich wohl annehmen, daß die Theorie von Lukacs unmittelbar nach dem Ersten Weltkrieg bereits den schockhaften Einfluß seiner Vorbestimmung zum Kommunismus widerspiegelt, die ihn 1919 neben Bela Khun in die Führung der ungarischen Revolution hineinberief (wenn auch nur solange bis Bela Khun fliehen mußte). Die Reflexionen, auf die Lukacs mit seiner Dialektik die Ironie als „Selbstkorrektur der Brüchigkeit" gründet, zerstören die Naivität des Dichters. Das gibt ihnen exemplarische Bedeutung:

> „Dieses Reflektieren-Müssen ist die tiefste Melancholie jedes echten und großen Romans. Die Naivität des Dichters, — ein positiver Ausdruck bloß für das innerlichst Unkünstlerische des reinen Nachdenkens — wird hier vergewaltigt, ins Entgegengesetzte umgebogen; und der verzweifelt errungene Ausgleich, das freischwebende Gleichgewicht voneinander aufhebenden Reflexionen, die zweite Naivität, die Objektivität des Romandichters ist dafür nur ein formeller Ersatz: sie ermöglicht die Gestaltung und schließt die Form, aber die Art des Schließens selbst weist mit beredter Gebärde auf das Opfer hin, das gebracht werden mußte, auf das ewig verlorene Paradies, das gesucht und nicht gefunden wurde, dessen vergebliches Suchen und resigniertes Aufgeben den Kreis der Form abgerundet hat. Der Roman ist die Form der gereiften Männlichkeit: sein Dichter hat den strahlenden Jugendglauben aller Poesie, ‚daß Schicksal und Gemüt Namen eines Begriffes seien', verloren; und je schmerzlicher und tiefer die Notwendigkeit in ihm wurzelt, dieses wesentlichste Glaubensbekenntnis jeder Dichtung dem Leben entgegenzuhalten, desto schmerzlicher und tiefer muß er begreifen lernen, daß es nur eine Forderung, keine wirkende Wirklichkeit ist. Und diese Einsicht, seine Ironie, wendet sich sowohl gegen seine Helden, die in poetisch notwendiger Jugendlichkeit an der Verwirklichung dieses Glaubens zugrunde gehen wie gegen die eigene Weisheit, die die Vergeblichkeit dieses Kampfes und den endgültigen Sieg der Wirklichkeit einzusehen gezwungen wurde. Ja, die Ironie verdoppelt sich in beide Richtungen. Sie erfaßt nicht nur die tiefe Hoffnungslosigkeit seines Aufgebens; das niedere Scheitern einer gewollten Anpassung an die idealfremde

> Welt, eines Aufgebens der irrealen Idealität der Seele um einer Bezwingung der Realität willen. Und indem die Ironie die Wirklichkeit als Siegerin gestaltet, enthüllt sie nicht bloß ihre Nichtigkeit vor dem Besiegten ... sondern auch, daß die Welt ihr Übergewicht weniger der eigenen Kraft verdankt, deren rohe Richtungslosigkeit selbst dazu nicht ausreicht, als einer inneren, wenn auch notwendigen Problematik der idealbelasteten Seele."

Das Zitat: „daß Schicksal und Gemüt Namen eines Begriffes sind", stammt von Novalis, dem vielbewunderten mathematischen Genie der Romantik, und wenn Lukacs die Totalität und Universalität der Romantik zum „ewig verlornen Paradies" rechnet, zeigt er sich ebensosehr als Nachfahr der Neuromantik wie als Dialektiker, der sich in die Gefahren selbstgefährdender Reflexionen begibt.

Es soll uns Anlaß sein, der Lukacsschen Theorie des Romans als „Ausdruck der transzendentalen Obdachlosigkeit" das Wort Goethes über den Roman in seinen „Maximen und Reflexionen" an die Seite zu stellen: „Der Roman ist eine subjektive Epopöe, in welcher der Verfasser sich die Erlaubnis ausbittet, die Welt nach seiner Weise zu behandeln. Es fragt sich also nur, ob er eine Weise habe; das andere wird sich schon finden."

Lukacs selbst spricht an einer Stelle vom „Welthumor" des „Don Quichote". So erhebt er sich in der „Weise" des Cervantes jedenfalls über seine eigne „Ironie". Am Bestand der Erzählkunst des deutschen poetischen Realismus im 19. Jahrhundert ist eine Untersuchung entstanden über den „Humor als dichterische Einbildungskraft" von Wolfgang Preisendanz (1963). Es eröffnet die Aussicht, Lukacs nach den schöpferischen „Weisen" im Sinn Goethes zu ergänzen und insbesondre auf den „Humor" als dichterische Einbildungskraft bedacht zu sein. Welche Aufgaben fallen hier dem symbolischen Vermögen zu?

Der abenteuerliche teutsche Simplicissimus

Was das „Hildebrandslied" als Urereignis für die Ballade bedeutet, in der ältesten deutschen Fassung des Heldenlieds, das dürfen wir für den deutschen Roman im „Simplicissimus" Grimmelshausens erwarten: eine Volksgestalt mitten aus dem Chaos des

Dreißigjährigen Kriegs, als „Symbolon", das in einem abenteuerlichen Leben die Widersprüche seines Barockzeitalters zusammenfaßt, in der Spanne von der frühsten Kindheit bis zum Altersweisen auf der Insel.

Über alle Fragen hinweg, die sich jüngster Forschung stellen, wer war Grimmelshausen, was für eine Art Schriftsteller, was birgt sich hinter seinem Simplicius-Helden für eine „Figur"? was für ein „Narr"? was für eine „Maske"? was für ein Tragelaph nach dem Emblem auf dem Titelblatt? — über alle diese Fragen setzen wir uns hinweg. Wir gehen davon aus, daß hinter dem antiken wie hinter dem christlichen Kosmos dasselbe allesübergreifende Symbol steht, das Symbol des Lichts, und daß auch der Simplicissimus-Roman sich mit überraschender Entschlossenheit am Ende zum Licht bekennt, mit solcher paradoxen Kraft, daß darin mehr als Barock-Schablone sich verhüllt. Vielmehr wird vom Ende her ein Sinn offenbar, der uns das Ganze erhellen soll.

In seinem Aufsatz über „Das finstere Licht" 1950 hat der holländische Grimmelshausen-Forscher J. H. Scholte mit aller wünschenswerten Klarheit auf den gewichtigen Spruch hingewiesen, den Grimmelshausen ins Ende seines großen Romans hineingearbeitet hat. Im Abstand des Berichtes, den der holländische Kapitän vom Einsiedler auf der Insel gibt, im 24. Kapitel des VI. Buchs, erscheint ein durch sieben Versfüße gelängter und gereimter Doppelvers, den der Einsiedler sich zum Trost in einen Baum geschnitten hat.

> „Ach, allerhöchstes Gut, du wohnest so im Finstern Licht
> daß man vor Klarheit groß den großen Glanz kann sehen nicht!"

Der Abgesandte des Kapitäns, als „überaus gelehrter Mann" und „Siechentröster" eingeführt, zieht daraus den Schluß, daß der Einsiedler durchaus kein „Narr", sondern ein „sinnreicher Poet" und „ein Gottseliger Christ" sein müsse. „So weit kommt ein Mensch auf dieser Welt und nicht höher, es wolle ihm denn Gott das höchste Gut aus Gnaden mehr offenbaren."

Betrachten wir den Spruch genauer, dann ist er mindestens so grundparadox wie das ganze Leben des Simplicissimus, wie es sich zuletzt als Einsiedlerdasein robinsonartig darstellt. Allein schon die Prägung „finsteres Licht" ist die Paradoxie selbst. Und was will es besagen, daß die Gottheit als das höchste Gut so im finstern Licht wohnt, daß man „vor Klarheit groß den großen Glanz kann sehen nicht"? Wenn Simplicissimus hier den Extrakt seines Lebens zusammengezogen hat, dann in ein riesiges Fragezeichen hinein.

Bereits an dieser Stelle können wir zugleich in die Arbeitsmethoden des Schriftstellers Grimmelshausen hineinleuchten. Scholte hat bereits erkundet, woher die Anregung zu diesem Spruche stammt. Grimmelshausen fand im Bildungs-Sammelwerk des Italieners Garzoni „Piazza Universale" im 150. Discurs über „Poeten" einen Sonetteingang der „löblichen Poetin" Victoria Colonna, der dort italienisch und deutsch zitiert ist:

Signor ch' in quella in accessibil luce
Quasi in alta caligine ti' asconcondi
Herr, der du droben wohnst in unforschlichem Licht
Und finsternis so dick daß man dich kennet nicht.

Das Sonett ist das 53. Sonett der „Geistlichen Sonette" Victoria Colonnas. Als Ganzes verherrlicht das Sonett die Strahlkraft und Schöpferkraft des Herrn, vom winzigen Ich als große Sonne besungen. Die beiden Eingangszeilen stellen den Abstand her. Wörtlich übersetzt: „Herr, der in jenem unzugänglichen Licht wie in hohen Nebeldunst du dich verhüllst."

Wir erkennen sogleich, daß Grimmelshausen sehr frei übersetzt hat. Von vornherein verwandelt er den „Herrn" in den Ausdruck unbegrenzter Verehrung: „Ach, allerhöchstes Gut!" Welch emphatischer Abstand ist allein mit dem „Ach!" gesetzt. Nicht ohne Schwermut, möchte man denken. Grimmelshausen übernimmt dann vom Übersetzer des Sonetts die Umwandlung des Sonetteingangs in den selbständigen gereimten Zweizeiler, den er auf sieben Versfüße bringt. Grimmelshausen wird sprachschöpferisch, wenn er die unbeholfenen Ansätze der Vorlage in die mystische coincidentia oppositorum zusammenzieht: „du wohnest so im finstern Licht." Zugleich erhält die zweite Verszeile einen neuartigen und ganz positiven Gehalt: „daß man vor Klarheit groß den großen Glanz kann sehen nicht." Der langhinrollende Rhythmus belebt sich von innen her dadurch, daß zweimal „Größe" steigernd eingefangen ist, um die unbegrenzte Verehrung des göttlichen Lichtwesens zwingend zu machen, ebenso zwingend wie die Unzulänglichkeit des menschlichen Sehens. Alles aber ist hineingenommen in den Lebensrhythmus eines langen Lebens. Ein Leben, das so paradox verlaufen ist, daß der fromme Poet alle Widersprüchlichkeit zusammenfaßt im „finstern Licht". Was das objektiv bedeuten mag, müssen wir offen lassen. Es beleuchtet vorerst den Sprecher selbst, mit seinem Mut zum Paradoxen.

Überraschend begegnen wir auch zu Beginn des Romans, im Emblem des Titelkupfers, einem Spruch, in dem das Lichtsymbol abgewandelt ist. (Nach der „Prachtausgabe", die das Phönix-Bild verstärkt):

> Ich ward gleichwie Phönix durchs Feuer geboren
> Ich flog durch die Lüfte! ward doch nicht verloren
> Ich wandert im Wasser, ich streifte zu Land,
> in solchem Umschwermen macht ich mir bekannt
> was oft mich betrübet und selten ergetzet
> was war das? Ich habs in dies Buch hier gesetzet
> Damit sich der Leser gleich wie ich itzt thu,
> entferne der Torheit und Lebe in Ruh.

Phönix verbrennt sich in der antiken Sage selbst auf dem Scheiterhaufen und steigt verjüngt aus der Asche hervor. Ihm vergleicht sich die Titelfigur als groteske Chimärengestalt, monströs zusammengesetzt aus Mensch- und Tierelementen, die das bunte Buch der Welt in Händen hält. Sie tritt mit einem Bockfuß, einem Entenfuß über die Masken, die am Boden abgeworfen sind. Entscheidend ist es, daß sie durch alle Verwandlungen „doch nicht verloren" bleibt, daß sie wie Phönix immer wieder aus allen Feuern verjüngt heraufsteigt. Wenn diese groteske Gestalt des Titelkupfers als „Vorrede" des Autors gemeint ist, dann zeigt sich Grimmelshausen im Doppelgesicht des Satirikers, der sich als Phönix hinter Masken verbrennt, und des frommen Poeten, der als Simplicissimus die Weltabenteuer auf das „finstere Licht" zu durchschreitet. Er ist ein Proteus und er ist ein Simplicius.

Es gibt noch ein Gegenstück zum Titelkupfer im „Wunder-Geschichten-Kalender" von 1672. Da findet sich auf dem Titelblatt eine an den Gott Merkur erinnernde Gestalt im schnellen Lauf, sie hat in der rechten Hand ein Buch, zweigeteilt mit der Inschrift: „Justitia und Pietas", in der linken schwingt sie die Geißel der Satire, des Schwanks. Sie hat am rechten Fuß den Flügel des Merkur, am linken ist sie an eine Kugel gefesselt mit eiserner Fessel. Dieser Zwiegestalt, göttlich geflügelt, irdisch gefesselt, sind folgende Verse beigefügt:

> Einfalt hat mir stets beliebt und mir allzeit wohlgefallen.
> Einfalt wie ich hab gehört ist auch angenehm euch allen.
> Drumb kommt Einfalt jetzt zu Einfalt und sucht bei Euch einen Platz

Weil dann Einfalt ist und heisset unser allerliebster Schatz
So nehmt was Ich Euch hier gieb und aus Einfalt ist geschrieben
Auch als Einfalt auf und an, von der Einfalt angetrieben.
Wünschend daß ihr mögt in Einfalt mit mir leben wol vergnügt,
Bis ihr endlich werdet innen, daß die Einfalt hat gesiegt.

Was wohl hat Grimmelshausen zu diesem Hymnus auf die Einfalt veranlaßt? Vielleicht ruft er sie sich zu Hilfe gegen die Spaltprozesse des Satirikers, der mit der linken die Geißel des Spottes schwingt, mit der rechten als frommer Poet und Theolog das Buch „Justitia und Pietas" hochhält.

Das soll uns jedenfalls auf den Generaltitel des ganzen Buches zurückleiten „Der abenteuerliche teutsche Simplicissimus". Der Aller-Einfältigste, wie er durch das finstere Licht zur Klarheit geführt wird, mit Hilfe der phönixgleichen Masken und Verwandlungen, die der Satiriker veranstaltet. Und von dem es dann doch zum Ende heißt: „daß die Einfalt hat gesiegt."

Solche Überlegungen stehen und fallen mit der Frage, ob die sechs Bücher, die im nachgearbeiteten VI. Buch mit dem Trostgedicht des Simplicissimus auf das „finstere Licht" enden, einem Aufbauplan folgen, an dem Grimmelshausen als Satiriker wie als Poet teilhat. Derart daß „Simplicius", wie ihn der Einsiedler benannt hat, weil er von nichts und insbesondere von Gott nichts weiß, durch alle Grenzbezirke der Weltverfinsterung und Selbstverblendung bis ans „Teuflische" herangeführt wird, das sich als Ehrgeiz, Geldgier, Sinnlichkeit bis zum Verbrecherischen offenbart, und daß er doch mit allen Untugenden und Tugenden sich langsam dem nähert, was ihm der Einsiedler als das Beständige im Unbeständigen in die Seele gepflanzt hat. Wie sehr dabei Simplicius immer im Doppellicht steht, sowohl satirisch wie theologisch angeschaut, hat Grimmelshausen bis in den Abschluß des Holländerberichts im VI. Buch dargetan. Simplicius ist in eine Höhle geflüchtet vor den zudringlichen Holländern. In der Höhle selbst ist es taghell, weil Leuchtkäfer solches Licht um Simplicius verbreiten, daß er seinen Lebensbericht auf Palmblätter schreiben kann. Die Holländer aber vermögen nicht in die Höhle vorzudringen, sie verirren sich vielmehr, und Simplicius allein kann ihnen mit seinen Leuchtkäfern zurückleuchten. Die Natur selber hält die Lichtquellen bereit, mit deren Hilfe Simplicius seinen Lebensbericht zu Ende schreiben kann, während er selber sich zu der paradoxen Metapher vom „finsteren

Licht" durchgerungen hat, um die Rätsel seines Lebens als coincidentia oppositorum zu erfahren.

Grimmelshausen, der als Autor hinter beiden Abwandlungen des Lichtsymbols steht, macht uns dadurch bewußt, daß er als fast Fünfzigjähriger rückblickend im Helden Simplicius den eignen Lebensstoff verarbeitet, von den natürlichen Lichtquellen der Natur getragen, auf die übernatürlichen hingerichtet. Mit beiden Lichtsymbol-Griffen vertraut er in den schlimmsten Jahren des Dreißigjährigen Kriegs, die er mitdurchlebte und die er überstanden hatte, den untergründigen Bewegungen im deutschen Volk, als der gewaltigsten Erfahrung, an der er teilhat, vom eignen Leben her wie vom Blick des Satirikers her, der zugleich ein frommer Poet ist.

Was den Satiriker betrifft, so hat Grimmelshausen im Titelbild vom „Wunderbarlichen Vogelnest" einen Satyrus hingestellt, der folgende Verse spricht:

> Ich schau durch ein Vogel-Nest die krumme Wege an
> welche die Welt hingeht.
> Die gleichwohl durch ein Fernglaß das Kind nit sehen kann
> weils voller Schämbärt steht (= Masken)
> Zeig damit was die Ursach sey daß wir so blind hinwandern
> Schrei: Irrender, steh still!
> Und warn vor Schaden Jedermann den einen wie den andern
> Ob jemand folgen will.

Der Blick des Satirikers zielt dahin, den durch Irrtümer Verblendeten die Augen zu öffnen, er tut es mit dem Schrei: „Irrender, steh still"! Auch hier also spielt die Lichtsymbolik herein. Es geht darum, Blinde sehend zu machen durch Schreck und Einsicht. Wenn hier das Kind mit dem Fernglas nichts zu sehen vermag, weil es durch die aufgehäuften Masken nicht durchdringt, dann hat Grimmelshausen in seinem Hauptroman einen „Simplicius" eingeführt und ihm einen heiligen Einsiedler zum Erzieher gegeben, der ihm Leben und Schreiben mit der Bibel beibringt. Damit sind hier dem Kinde andere Lichtquellen mit auf den Weg gegeben. Auch Simplicius allerdings muß dann in die Welt und im Sinn des Titelkupfers gleich dem Phönix im Feuer verjüngt werden. Da heißt es dann im 8. Kapitel, in den Ratschlägen des Pfarrers: „bilde dir ein, als ob du gleich dem Phönix vom Unverstand zum Verstand durchs Feuer und also zu einem neuen menschlichen Leben auch neu geboren worden seiest."

Überschaun wir den Plan des Ganzen, dann dürfen wir von der Lehre ausgehen, die der fromme Einsiedler dem Simplicius auf den Lebensweg mitgibt: „Habe Gott stets vor Augen." Es hängt ganz von dem Lebensgewicht ab, das der Einsiedlergestalt im Roman gegeben wird. Daß er sich auf Namen von Heiligen bezieht und ganz offenbar von Grimmelshausen mit Einzelzügen aus Heiligen-Legenden ausgestattet ist, verstärkt seine Bedeutung. Er weckt in der Seele des Simplicius, in seiner Einfalt, ein Lichtorgan, eine Art inneres Licht, das die Augen dem Göttlichen aufschließt. Als Simplicius später im Narrenkleide es wagt, seinem Herrn die Wahrheit ins Gesicht zu sagen, weil er alles am Einsiedler mißt, da begründet er seinen Mut damit, daß er sagt: „so verblendet dich die allzugroße Begierd der Ehre." Sehr viel später dann, als der Jäger von Soest, in der Mitte des III. Buches, selber zur Einsicht über sich kommt, da muß er sich eingestehen: „Ich lebte eben dahin wie ein Blinder, in aller Sicherheit und wurde länger je hoffärtiger!" Hier hat es doch den Anschein, als würde der Held zwischen Licht und Finsternis dahergeführt. Und als wenn Grimmelshausen hier einen weiten Aufbauplan verfolge, an dessen Ende die Rätselmetapher vom „finsteren Licht" stände. Über dem Ganzen scheint der Satiriker zu walten, der die Ursachen aufzeigt: „daß wir so blind hinwandern". Und der die Menschen erschreckt mit seinem Schrei: „Irrender, steh still!"

Vielleicht deutet sich hinter Licht und Finsternis, Lichtorgan und Verblendung, eine innere Verbundenheit des Satirikers Grimmelshausen mit seinem Helden Simplicius derart an, daß beide von einer schrecklichen Zwielichtwelt mitbewegt sind, durch die sie beide sich durchzuschlagen haben. Der Satiriker hilft nach, Verblendungen aufzudecken, während sich im Simplicius immer wieder die Stimme des Einsiedlers regt, die einmal im jungen Simplici das Lichtorgan geweckt hatte mit dem Ruf: Hab Gott stets vor Augen!

Dem I. Buch kommt besondre Bedeutung zu, weil es die Grundelemente ausbreitet, die das Gesamtbild im Keim enthalten. Der Autor führt sich offen ein mit der Überschrift: „Vermeldet Simplicii bäurisch Herkommen und gleichförmige Auferziehung." Dann beginnen wir im Simplicius-Ich, dem aber der altgewordne Simplicissimus über die Schulter sieht. Denn er schreibt ja aus dem Rückblick des Alters. Der Eingangssatz macht uns den Satiriker bewußt:

„Es eröffnet sich zu dieser unserer Zeit (von welcher man glaubt, daß es die letzte sei) unter geringen Leuten eine Sucht, in der die Patienten, wenn sie daran krank liegen ... gleich rittermäßige Herren und adelige Personen von uraltem Geschlecht sein wollen ... Solchen närrischen Leuten nun mag ich mich nicht gleichstellen, obzwar, die Wahrheit zu bekennen, nicht ohn ist, daß ich mir oft eingebildet, ich müßte ohnfehlbar auch von einem großen Herrn ... meinen Ursprung haben, weil ich von Natur geneigt, das Junkern-Handwerk zu treiben ..."

Simplicius geht dann dazu über, einen humoristischen Kontrast herzustellen, zwischen den Vorstellungen vom fürstlichen Palast und der Hütte des armen Spessartbauern, dessen „Auferziehung" er als Bauernbub ausgeliefert ist. Daraus entspringt ein erster, etwas umständlicher Humor: „Aber die Theologiam anbelangend, laß ich mich nicht bereden, daß einer meines Alters damals in der ganzen Christenheit gewest sei, der mir darin hätte gleichen mögen, denn ich kennete weder Gott noch Menschen, weder Himmel noch Höll, weder Engel noch Teufel, und wußte weder Gutes noch Böses zu unterscheiden." Solchen Unschuld-Zustand nennt er selber ein „Eselsleben" und im selben Zungenschlag ein „Edles Leben", voller Hohn. Dann breitet er seine Hirtenwürde aus, beruft hundert berühmte Hirten und stellt dazu sich selbst, der nicht weiß, wie ein „Wolf" aussieht, vor dem er die Schafe schützen soll, und dem sein Bauer zuruft: „dau bleiwest dein Lewelang a Narr!"

Eben jetzt überrascht uns Simplicius durch das Preislied auf den Bauernstand, das er von seiner „Meuder" gehört und sogleich sich einverleibt hat, so daß er es singen kann, um die Wölfe zu vertreiben. Damit spricht durch Simplicius eine weitübergreifende Stimme, in der der Bauernstand sich im Lied verewigt hat. Wir beschränken uns auf die erste Strophe:

Du sehr-verachter Bauren-Stand,
Bist doch der beste in dem Land,
Kein Mann dich gnugsam preisen kann,
Wann er dich nur recht siehet an ...

Damit ist Simplicius als Bauernbub in eine mächtige Gesamtbewegung hineingestellt, die den Bauernstand als Wert erlebt und im Lied sich gegenwärtig hält. Der Satiriker verstummt vor solcher vom Bauernstand mitgetragenen Einfalt, als ein eigner autochthoner Wert. Und was jetzt Simplicius zu erleben beginnt, nachdem er selber die Soldateska herangesungen hat, macht ihm zum lebendigen Handlungsmittelpunkt. Wie er über das Bauernpferd herübergeworfen wird und auf der andern Seite in die eigne Sackpfeife fällt, die einen Klageton von sich gibt, wird er in Schrecknisse geworfen, deren Grausamkeiten er nur mit aufgerissnen Augen feststellen kann, seelisch unbewegt. Ja, als er seinen Knan vor Lachen zerbersten sieht, weil ihm die alte Geiß Salz von den nackten Füßen leckt, wird er selber vom Lachkrampf ergriffen. Er nennt sich selber jetzt „eine Bestia".

Über seine Schulter weg aber spricht wieder der Satiriker: „Aber der Allerhöchste sah meine Unschuld mit barmherzigen Augen an und wollte mich beides zu seiner und meiner Erkenntnis bringen: und wiewohl er tausenderlei Weg hiezu hatte, wollte er doch ohn Zweifel nur desjenigen sich bedienen, in welchem mein Knan und Meuder, andern zum Exempel, wegen ihrer liederlichen Auferziehung gestraft würden." Das ist ohne Mitgefühl gesprochen. Die Magd im Stall aber, selbst „wunderwerklich zerstrobelt" gibt Simplicius den Rat, zu fliehen. „O Bub, lauf weg!" So rettet sie ihm das Leben.

Den Flüchtling im Walde trifft das Gebet des Einsiedlers, und dessen rührende Fürsorge überwindet die Angst des Knaben. Das fromme Lied des Einsiedlers in der Nacht nimmt den Jungen zum ersten Mal in die Welt des Ganz-Andern auf. Auch eine Mitbewegung, aus dem Grundfundus der Christenheit. Abermals bewährt Grimmelshausen hier den Poeten neben dem verstummten Satiriker. Wir wählen die zweite Strophe, die zugleich Stimme einer neuen Lichtsymbolik ist:

Ob schon ist hin der Sonnenschein
Und wir im Finstern müssen sein,
So können wir doch singen
Von Gottes Güt und seiner Macht,
Weil uns kann hindern keine Nacht,
Sein Lob zu vollenbringen.
Drum dein Stimmlein
Laß erschallen, dann vor allen
Kannst du loben
Gott im Himmel hoch dort oben.

Auch im Finstern können wir Gottes Lob singen. Wie es die Nachtigall tut. Trostkräfte, die den Wirkungen der Finsternis entgegen sind, aus den Aufschwüngen einer von allen Gläubigen mitgetragenen Seelenbewegung. Wie das bäuerliche Volkslied so ist das Kirchenlied eine die Alltagsprosa mitdurchgeisternde Kraft.

Zugleich spielen noch komplexere Seelenkräfte mit herein. Wir wählen dazu noch die vierte Strophe:

Die Sterne, so am Himmel stehn,
Lassen sich zum Lob Gottes sehn,
Und tun ihm Ehr beweisen:
Auch die Eul die nicht singen kann,
Zeigt doch mit ihrem Heulen an,
Daß sie Gott auch tu preisen.
Drum dein Stimmlein
Laß erschallen, dann vor allen
Kannst du loben
Gott im Himmel hoch dort oben.

Trost der Sterne als der Himmelslichter, Lichttröste wie der Nachtigallengesang, der die Seelen durchhellt, mit Freuden erfüllt. Und dann ein so kraftvoll bisher noch nirgends ertönender Selbsthumor, in dem sich das asketische Gesicht des heiligen Einsiedlers grundmenschlich gibt: „auch die Eul, die nicht singen kann, zeigt doch mit ihrem Heulen an, daß sie Gott auch tu preisen."

Wenn die Forschung in den letzten Jahren den Kern des Simplicius aufzuspalten sucht, zwischen Figur und Charakter, oder als Narr, oder als Dreiheit von Tor, Abenteurer und Einsiedler, oder als „Maske" und „Identität", dann scheint uns bereits die Betrachtung der Eingangskapitel darauf hinzuführen, daß Grimmelshausen von Anbeginn zugleich die satirische Perspektive, die ihn über seinen Simplicius erhebt, mit einer simplizianischen Perspektive zu vereinen weiß, die unmittelbar aus der mitbewegten Einfalt spricht, derart, daß in der komplexen Seele seines unbedarften Helden sowohl die Stimme des Bauern-Preislieds als Volksgesang sich erhebt wie das reine Echo des Nachtigallenliedes, als die Trostdichtung des Einsiedlers mit ihrem robusten Selbsthumor. Alles wirkt sich zusammen zu einer Erzählhaltung, in der zunächst einmal erzählt wird, mit der „Einfalt des Epischen". Als ein Bewegtwerden vom Geschehen, das als komplexes Geschehen mehrere Perspektiven verlangt. Das Zwiegespräch des Einsiedlers mit dem Bub, dem er dann den Namen „Simplicius" gibt, macht uns die Urform alles Humors bewußt, die darin liegt, daß das Einfältige komisch wirkt durch groteskes Mißverstehen, und daß doch in dem Einfältigen dabei ein Wert erkennbar wird, um dessentwillen es sich lohnt: die echte Einfalt als Wert. Getragen wird das Gespräch aber von dem „großen Mitleiden", das der Einsiedler „mit meiner Einfalt und Unwissenheit hatte".

Einsiedel:	Wie heissestu?
Simplicius:	Ich heisse Bub.
Einsiedel:	Ich sihe wol daß du kein Mägdlein bist. Wie hat dir aber dein Vatter und Mutter geruffen?
Simplicius:	Ich habe keinen Vatter oder Mutter gehabt.
Einsiedel:	Wer hat dir dann das Hemd gegeben?
Simplicius:	Ey mein Meüder.
Einsiedel:	Wie heisset dich dann dein Meüder?
Simplicius:	Sie hat mich Bub geheissen, auch Schelm, ungeschickter Dölpel und Galgenvogel.
Einsiedel:	Wer ist dann deiner Mutter Mann gewest?
Simplicius:	Niemand.
Einsiedel:	Bey wem hat dann dein Meüder des Nachts geschlaffen?
Simplicius:	bey meinem Knan.
Einsiedel:	Wie hat dich dann dein Knan geheissen?
Simplicius:	Er hat mich auch Bub genennet.
Einsiedel:	Wie hiesse aber dein Knan?
Simplicius:	Er heist Knan.
Einsiedel:	Wie hat ihn aber dein Meüder geruffen?
Simplicius:	Knan und auch Meister.
Einsiedel:	Hat sie ihn niemals anders genennet?
Simplicius:	Ja, sie hat.
Einsiedel:	Wie dann?
Simplicius:	Rülp, großer Bengel, volle Sau, und noch wol anders, wann sie haderte.
Einsiedel:	Du bist wol ein unwissender Tropff, daß du weder deiner Eltern noch deinen eignen Namen nicht weist!
Simplicius:	Eya, weist dus doch auch nicht.
Einsiedel:	Kannstu auch beten?
Simplicius:	Nain, unser Ann und mein Meüder haben das Bett gemacht.
Einsiedel:	Ich frage nicht hiernach, sondern ob du das Vatter unser kanst?
Simplicius:	Ja, ich.
Einsiedel:	Nun so sprichs dann!
Simplicius:	Unser lieber Vatter, der du bist Himel heiliget werde nam, zukomms d Reich, dein Will schee Himmel ad Erden, gib uns Schuld, als wir unsern Schuldigern geba, führ uns nicht in kein böß Versucha, sondern erlös uns von dem Reich, und die Krafft und die Herrlichkeit in Ewigkeit. Ama.

Grimmelshausen hat sich mit diesem einen Zwiegespräch begnügt, das noch zwei Seiten weitergeht. Wir beschränken uns hier mit dem Anfang. Es will exemplarisch machen, wie sich die beiden Generationen begegnen, die zwei Welten darstellen. Der Einsiedler im Wald, der mit dem Leben abgeschlossen hat, und der ganz Unbedarfte, für den das Leben erst anfängt. Was Grimmelshausen zur lebendigen Anschauung bringt, ist die Unmittelbarkeit des Gesprächs, in dem sich ein Grundvertrauen erst einmal herstellen muß. Grimmelshausen, der seinem Simplicius über die Schulter schaut, verwandelt sich in den grundgütigen Einsiedel, der es sich nicht verdrießen läßt, zu fragen und immer wieder zu fragen, um dieser Tabula rasa auf den Grund zu kommen. Und dann der Bub, den der Einsiedel nach diesem Gespräch „Simplicius" nennen wird, weil er an ihm „die pure Einfalt" erkannt hat. So bringt uns Grimmelshausen zur Anschauung, was man unter „Einfalt" wohl im Leben zu verstehen hat. Ein Lebenskern, in den noch alles eingefaltet ist, ein sich bildendes Bewußtsein, das scharfe Augen und Ohren hat und keinerlei Tabus kennt, wenn es gilt, zu antworten, genau wie es ist. Mit allen Rüpelnamen, die Meüder und Knan sich und ihm selbst geben. Aber auch ein erstes sich regendes Selbst, das auf den „unwissenden Tropf" sogleich antwortet: „Eya, weist dus doch auch nicht!" da eben regt sich im Gespräch, was den gütigen Einsiedel veranlaßt immer weiter zu fragen: eine Aura ursprünglicher Unschuld, in der sich das Einfältige ankündigt als etwas, was auseinandergefaltet werden will als ein Ursprungswert der Schöpfung, wie er in jedem Menschen als Ebenbild Gottes das Licht der Welt erblickt. Das veranlaßt den Einsiedel zu fragen, ob Simplicius schon beten kann. Die Antwort ist das Schablonengebet, das wie eine Gebetsmühle fortläuft. Da lebt der Knan und die Meüder in dem Bauernbub das traditionelle Leben des christlichen Zeitalters fort, wie er ebenso das Lied vom Bauernstand und den „Trost der Nachtigall" sich einverleibt hat. Eine tiefe Grundschicht zeigt sich an, in der Simplicius und Einsiedel vom selben durchchristeten Lebensstrom mitbewegt sind, um sich aufeinanderzu zu bewegen.

Während dann Simplicius zusammenfaßt, wie ihn der Einsiedler aus einer Bestia zum Christenmenschen macht und wie das Weltbild der Bibel über zwei Jahre lang seine geistige Entwicklung bestimmt, führt uns der Dichter nach dem erschütternden Sterben des Einsiedlers und dem Schmerz seines Zöglings abermals in die schreckliche Mitte des Bürgerkriegsgeschehens. Simplicius muß mit eigenen Augen miterleben, wie der Pfarrer vom nächsten Dorf, des Einsiedlers einziger Umgang, fast erschlagen wird durch räuberische Soldateska, er erlebt die grausame Rache mit, die die Bauern an den Soldaten nehmen, und die noch grausamere Rache der Soldaten an den Bauern. Auch die Waldklause des Simplicius ist inzwischen bis aufs letzte ausgeraubt und verwüstet.

Da überfällt Simplicius, der hungernd eingeschlafen ist, ein Schreckenstraum vom Bürgerkrieg, in dem sich alles, was ihm an geistigem Zuwachs durch den Einsiedler zugekommen ist, in ein apokalyptisches Weltgericht umgesetzt hat. Auch das ist Mitbewegung mit den Zeitschrecken, universell ausgeweitet: „Als ich so zusah, bedeuchte mich, alle diejenigen Bäum, die ich sah, wären nur ein Baum, auf dessen Gipfel saß der Kriegsgott Mars und bedeckte mit des Baumes Ästen ganz Europam." — Simplicius erwacht über dem im Baum eingeschnittenen Spruch vom Bürgerkrieg:

Die Stein-Eich durch den Wind getrieben und verletzet
Ihr eigen Äst abbricht, sich ins Verderben setzet:
Durch innerliche Krieg und brüderlichen Streit
Wird alles umgekehrt und folget lauter Leid.

Durch vier Kapitel geht der Traum, und es ist ein dynamischer Traum, in dem alles bewegt durcheinander geht: in den Wurzeln des Baums die Bauern, auf denen alle Wucht des Stammes mit seinen Zweigen drückt, obgleich sie „dem Baum seine Kraft verliehen". Geld und Blut wird ihnen ausgepreßt. Oben aber sitzen die Landsknechte, und ganz oben der Adel. Narren alle, vom Ehrgeiz hochgetrieben. Stimmen der Empörung, weil unterm Druck des Adels „manch edel Ingenium im Bauernstand verdirbt". Und „ein unaufhörliches Gekrabbel und Aufklettern an diesem Baum". Hier allerdings ist im Schrecktraum sowohl dem Simplicius wie Grimmelshausen selbst der Humor ausgegangen. Manches drückt sich aus im Stil der Barockallegorie der Zeit. Der Erwachte betet zu Gott, und er betrachtet es als Fingerzeig Gottes, daß ihm jetzt ein letzter Brief des Einsiedlers zufällt, in dem es noch einmal heißt: „Habe Gott stets vor Augen!" Gott wird dir helfen.

Der Einschub des Schrecktraums mit seinen allegorischen Zügen verrät die besondre Absicht Grimmelshausens, vor dem Eintritt des Simplicius in die Welt einen deutlichen Akzent zu setzen. Moderne Ausdeuter sind schnell bei der Hand, Grimmelshausen Fehler anzukreiden: daß hier das Fassungsvermögen eines Kindes weit überstiegen würde. Vielleicht aber geht es gerade darum, das tiefste Unbewußte miteinzufassen, von dem Simplicius unter dem Schockerlebnis des gräßlich erlebten Bürgerkriegs mitbewegt wird. C. G. Jung würde hier vom Archetypus des kollektiven Unbewußten sprechen, das ja längst wirksam war, ehe Jung es benannte.

Es trifft insofern genau die Sache, als für Jung solche heraufsteigenden Archetypen „das eigentliche Element des Geistes" sind, „eines Geistes, welcher nicht mit dem Verstande des Menschen identisch ist, sondern eher dessen spiritus rector darstellt". Das wäre in unserem Fall unzweifelhaft der Geist des heiligen Erziehers, der selbst als hoher Offizier seine Stellung aufgab, um sich rein unter Gott zu stellen. Spiegel eines Geistes, der der Welt abgesagt hat, weil sie ein einziges Schlachtfeld war. Zugleich aber nun ist für Jung der Archetypus als dynamisches Modell der Gegenpol zum Geist: „der Sinn des Triebes". Da spannt sich im geistgelenkten Simplicius die Phantasie zu einer einzigen Revolte, mit dem Mut, sich die eben erlebten Greuel umzusetzen im Traum zum Riesenfeld von Bäumen, auf denen Menschen morden und gemordet werden, sich gegenseitig herunterstoßen. Das gerade soll die wahrhaftigste Wirklichkeit sein:

> „Hunger und Durst, auch Hitz und Kält,
> Arbeit und Armut, wie es fällt,
> Gewalttat, Ungerechtigkeit,
> Treiben wir Landsknecht allezeit!
> Diese Reime waren um soviel weniger erlogen, weil sie mit ihren Werken übereinstimmten, denn fressen und saufen ... totschlagen und wieder zu Tod geschlagen werden, tribulieren und wieder gedrillt werden ... war ihr ganzes Tun und Wesen."

Wer im 15. Kapitel nachlesen will, mit welchen sich überstürzenden Wortkaskaden Simplicius sich und uns seine Mordvision einhämmert, der wird vielleicht doch nachdenklich werden, ob das hier einfach eine „Allegorie" sein sollte oder nicht viel mehr das überzeugendste Beispiel für die Urspannungen von Geist und Trieb, vom Einsiedler-Geist und Simplicius-Trieb, in denen sich Archetypen immer gebildet haben und bilden werden, als Traumvisionen.

Wenden wir uns damit den weiteren Schicksalen des Simplicius zu, so enthält sein Abschied vom Einsiedler für den ganzen künftigen Aufbau der Bücher, die sein Leben spiegeln, noch einen entscheidenden Hinweis: die drei Lehren, die der Sterbende ihm mit auf den Weg gibt, bereits im 12. Kapitel. Simplex wiederholt sie sich hinterher als Selbstzuspruch, auf die Formel gebracht: „sich selbst erkennen, böse Gesellschaft meiden und beständig bleiben." Grimmelshausen aber kommt es darauf an, darzutun, daß das keineswegs Allerweltsweisheiten sind, sondern Worte, denen ein Sterbender sein ganzes letztes Lebensgewicht mitgegeben hat. So lautet das „Exempel“ für die zweite Lehre, daß Simplicius sich vor böser Gesellschaft hüten solle:

> „wann du einen Tropfen Malvasier in ein Geschirr voll Essig schüttest, so wird er alsobald zu Essig; wirstu aber so viel Essig in Malvasier gießen, so wird er auch unter dem Malvasier hingehen“. Damit ist zugleich auf die dritte Lehre hingezielt und so fährt der Einsiedel fort: „Liebster Sohn, vor allen Dingen bleibe standhaftig, dann wer verharret bis ans End, der wird selig. Geschihet aber wider mein Verhoffen, daß du aus menschlicher Schwachheit fällst, so stehe durch eine rechtschaffene Buß geschwind wieder auf!“

Das Gewicht dieser Lehren geht durch alle Bücher. Das III. Buch läßt die Entwicklungsphasen des Simplicius sich entfalten bis zu der Einsicht, mit der der Jäger von Soest sich selbst zu erkennen beginnt. Das IV. Buch führt Simplicius in böse Gesellschaft, in den Venusberg von Paris und zu Olivier dem Teufel in Menschengestalt. Das V. Buch bringt dem mit Herzbruder Wallfahrenden ein solches Schreckerlebnis, daß er anfängt auf sein Seelenheil bedacht zu sein und das Einzig-Beständige zu suchen. Die Suche nach dem einzigen, was wirklich Bestand hat, wird dann zur letzten stärksten Antriebskraft, die über das V. Buch hinaus ein VI. Buch als Continuatio hervorbringt.

Die frühen Entwicklungsstufen vom grotesken Eintritt in die Welt bis zum Aufstieg als Jäger von Soest fassen wir verkürzend zusammen. Dem letzten Brief des Einsiedlers und dem Zuspruch des geflüchteten Pfarrers verdankt es Simplicius, daß der Gouverneur von Hanau, der einstige Schwager des Einsiedlers, ihm seine Gunst zuwendet. So wird er Page am Hof, und alle burlesken und infantilen Auswüchse des Einfältigen werden ihm nachgesehen. Komische Kontrastsituationen bekommen den tieferen Sinn daraus, daß die höfische Welt vielmehr selber zum Narrenhaus wird, mit dem Einfaltblick an der Einsiedler-Gottesfurcht gemessen. „Ich wünschte, daß jedermann bei meinem Einsiedel auferzogen wäre.“ So burlesk Simplicius wirkt, so überzeugend ist doch sein Bekenntnis: „Damals war bei mir nichts Schätzbarliches als ein reines Gewissen und aufrichtig frommes Gemüt zu finden, welches mit der edlen Unschuld und Einfalt begleitet und umgeben war.“ Der Pfarrer bestätigt ihn: „Ich glaube, wenn unsere ersten frommen Christen, ja die Apostel selbst, anjetzo auferstehen und in die Welt kommen sollten, daß sie mit dir die gleiche Frage tun und endlich auch so wohl als du von jedermännlich für Narren gehalten würden." Je deftiger die Schwanksituationen, die den Helden lächerlich machen, um so mehr ist es dem Dichter darum zu tun, zugleich Simplicius zu verernsten auf jenen Kern hin, aus dem des Einsiedlers Geist in ihm wächst. So strömen ihm im heiligen Zorn alle Kräfte der Rhetorik zu:

> „Zum aller-erschröcklichsten kam mirs vor, wenn ich etliche Großsprecher sich ihrer Boßheit, Sünd, Schand und Laster rühmen hörte dann ich vernam zu unterschiedlichen Zeiten und zwar täglich daß sie sagten: Potz Blut, wie haben wir gester gesoffen! Ich hab mich in einem Tag wol dreimal voll gesoffen und eben so vielmal gekotzt. Potz Stern, wie haben wir die Bauern die Schelmen tribuliert! Potz Strahl wie haben wir Beuten gemacht . . ."

Und wie greift uns Simplicius ans Herz, wenn er im Anblick der Gelage an die „vielen vertriebenen Wetterauer" denkt, „denen der Hunger zu den Augen heraus guckte, vor unseren Türen verschmachtete, weil naut im Schank war".

Im II. Buch dann steigern sich die Kontraste: Simplicius wird in Narrenkleider gesteckt und begreift sogleich, was die Narrenfreiheit ihm zubringt: „alle Torheiten zu bereden, alle Eitelkeiten zu strafen". Jetzt kann ihn der Pfarrer dem Phönix vergleichen, der „von Unverstand zum Verstand durchs Feuer neu geboren sei". Und es zeigt sich jetzt, wieviel Simplicius durch den Einsiedler auch an Weltverstand zugelernt hat. Er hat den Mut, dem Gouverneur ins Gesicht zu sagen: „Herr, ich versichre dich, daß du der allerelendeste Mensch in ganz Hanau bist!", und er begründet es: „so verblendet dich die allzugroße Begierd der Ehr, deren du genießest." Darum möchte der Narr nicht mit ihm tauschen. Wenn er dann so eindringlich vor aller Augen betet, wie es ihn der Einsiedler gelehrt, daß sie alle von Rührung ergriffen sind, dann wird des Dichters Absicht klar, im Narren den absoluten Wert der echten Einfalt spürbar zu machen, eine komplexe Tiefe aufzurühren, die hinter allen komischen Kontrasten Kraftquellen des Don-Quichote-Humors mit heraufruft. Eben jetzt wird ihm der Name „Simplicissimus" zuteil.

Darnach macht uns Grimmelshausen bewußt, daß wir mitten in einer bewegten Kriegszeit leben. Unversehens wird Simplicius von Kroaten entführt, (wie 1635 wirklich Kroaten vor Hanau erschienen sind). Ein Abenteurer-Leben beginnt. Er entwischt in den Wald und erprobt sich als „diebischer Waldbruder". Als er merkt, daß er mit seinem Kalbsfell Schrecken verbreitet in der Nacht, gibt er sich als Teufel aus. Schon greift die Teufels-Phantasie im Simplicius in eine Art Traumszenerie über: die Bauernbank auf der er sitzt, schwebt mit ihm fort auf den Blocksberg, wo ihn Hexen umtanzen. Teufelsgreuel verdichten sich zu dem Kerl, der ihn anspricht: „Sieh hin, Simplici!" und der ihm zumutet, auf Krötendärmen Laute zu spielen. Vor Schreck erwacht er, als sein Name genannt wird. Und schon hat ihn inzwischen Grimmelshausen ins Magdeburgische versetzt, wo sein Aufstieg beginnen wird. („Wer's nicht glauben will, der mag einen andern Weg ersinnen, auf welchem ich in so kurzer Zeit ins Erz-Stift Magdeburg marschiert sei").

Das Weltbild weitet sich. Während der kaiserliche Oberst Simplicius als Hof-Junker aufnimmt, Narr, der der Obristin die Laute spielt, stellen sich Schutzgeister ein, Herzbruder Vater und Sohn, und ihr Gegenspieler, der „Judasbruder" Olivier, der als rechter Intrigenteufel den jungen Herzbruder um seine Stelle bringt. Simplicius aber bewährt sein reines Herz; aus seinen Eselsohren holt er die gesparten Dukaten hervor, mit denen Herzbruder sich loskaufen und zu den Schweden flüchten kann. Der alte Herzbruder, ehe er von einem Wüstling ermordet wird, bezeugt sich als Nachfolger des Einsiedlers, Erzieher des Simplicius, indem er ihm die Nativität stellt: er sagt ihm die Zukunft voraus.

Der alte Ulrich Herzbruder ist die nobelste Gestalt nach dem Einsiedler. Er durchschaut sogleich die Narrenmaske und spürt den Kern, den es zu erziehen gilt. Simplicius erzählt ihm sein Leben, vertraut ihm wie einem Vater, stärkt sich an ihm den Glauben an die Weltordnung im Großen. Herzbruder demonstriert ihm die Gefahren, die der Teufel überall da ansetzen läßt, wo der Mensch zu spielen beginnt. Am Spielteufel wird das aufgezeigt im Heer, wo das Würfelspiel zu solcher Sucht entartet ist, daß es allen Verboten trotzt. Im freien Spiel sieht Herzbruder die eigentliche Teufelsanlage im Menschen. Zwar kann er den Teufelsintrigen Oliviers nicht entgegentreten, weil ihm die Macht dazu fehlt. Aber er sagt ihm voraus, daß er eines gewalttätigen Todes sterben würde. Und zur Überraschung des Simplicius fügt er hinzu: daß er, Simplicius, Oliviers Tod rächen und dessen Mörder wieder umbringen würde. So verdankt ihm Simplicius einen Grundgedanken, der sich auf weltliche Weise neben die geistlichen Tröstungen des Einsiedlers stellt: „Daß der Mensch sein aufgesetztes Ziel schwerlich überschreiten mag." Alles ist vorausangelegt in dem, was uns in die Welt hinein mitgegeben ist. So viel sagt Herzbruder Simplicius voraus, daß es ihm später, als es ihm widerfährt, wie Erinnerungen sein wird, und so wird es der Einfalt bestimmt sein, dem Teufel in Olivier wieder zu begegnen und sich mit in sein Schicksal zu verstricken.

Nachdem dann Simplicius beide verloren hat, Herzbruder Vater und Sohn, gerät er alsbald in besondre Nöte. Der Versuch, die Narrenkleidung loszuwerden, will nicht gelingen. In Weibskleidern zieht er Mannslüste an. Als er entdeckt wird, soll er als Spion erschossen werden. Da befreit ihn im letzten Augenblick Herzbruder mit seiner schwedischen Schwadron, Simplicius wird ein Reiterjunge, der mehrmals seinen Herren wechseln muß, nachdem Herzbruder in Gefangenschaft geraten ist. Es beginnt sein Aufstieg als der Jäger von Soest. Etwas Neues ist in ihm aufgebrochen: „Ich spekulierte Tag und Nacht, wie ich etwas anstellen möchte, mich noch größer zu machen, ja ich konnte vor solchen närrischen Nachsinnen oft nicht schlafen." Es ist der Spiel-Übermut der Jugend. Das II. Buch schließt mit solchem Spiel-Abenteuer. Einem Pfaffen wird Speck und Schinken entwendet. Doch im Brief entschuldigt sich der stolze Jäger und gibt zum Entgelt einen kostbaren Ring. Solche Noblesse scheint ihm angeboren.

Der große Aufbau-Plan ist dahin sichtbar geworden, daß die Teufelsverführungen begonnen haben. Im III. Buch wird ein erster Gipfel erreicht. Simplicius stößt vorerst als Jäger von Soest auf einen Doppelgänger, der unter der täuschenden Maske des Jägers Gemeinheiten übelster Art begeht. Simplicius faßt es als Ehrenpunkt, ihn zu entlarven, und er beweist seinen ganzen Einfallsreichtum, ihn zu überlisten, zum Duell zu fordern und den Feigling, der ausweicht, so unmöglich zu machen, daß er aus der Gegend verschwindet. Dieser Doppelgänger aber ist, wie es Simplex im IV. Buch von Olivier selber hört, Olivier, der Teufel. Simplicius hat ihn besiegt. Aber die wachsende Hoffart im eignen Herzen vermag er nicht zu besiegen.

Vorher wird ihm nochmals eine Begegnung zuteil, vom Schicksal wohl als Warnung gedacht: die Begegnung mit dem Phantasie-Narren, der sich selbst für den Gott Jupiter ausgibt. Simplicius steigert sich zu einer Art Homo ludens, der den Narren ernst nimmt, selber mit jungenhaftem Übermut die ihm zugesprochene Rolle des Ganymed aufnimmt und weiterspielt, im Unterschied zum stumpferen Kameraden Spring-ins-Feld. So erreicht es Simplicius, daß der Narr ganz aus sich herausgeht und seine Phantasien vom „teutschen

Helden" breithin darlegt. Was aber der Gott-Narr als sein Weltbild auseinanderfaltet, wird zur überraschenden Gegenvision zu den Schreckträumen, die bisher Simplicius heimgesucht haben. Den Grausamkeiten des Bürgerkriegs tritt ein Moralist entgegen, der alle Bösen ausrotten will, zugleich alle Völker unter deutschem Friedensregiment vereinen, alle Konfessionsspaltungen einem Friedens-Conzilium übergeben. Es ist ein schlagfertiger Narr, der seine Gespräche mit Ganymed nicht ohne Tiefsinn führt, zugleich als armseliger Flöhe-Gott ohne weitere Scham die Hosen herunterzieht, von Flöhen „schrecklich tribulliert". Aus solchen Kontrasten kann nur ein großer Humor heraufsteigen, in dem sich die Sehnsucht der Deutschen als Notschrei einer verstörten und um ihren Lebenssinn gebrachten Nation auf Don Quichote-hafte Weise zum Narren macht.

Nur Simplicius selbst kommt über sein Augenblickslachen nicht hinaus, wird zu keiner Selbsterkenntnis geführt. Während er den Phantasie-Narren vom Kommandanten zum Geschenk bekommt, sich so seinen „eigenen Narren" halten darf, geht ihm nicht auf, daß er selbst sich in einen Hoffart-Narren verwandelt hat, von dem er rückblickend sagen muß: „Ich lebte dahin wie ein Blinder." Und doch ist es gerade der Jupiter-Narr, der ihm den besten Rat gibt; als Fortuna ihm einen reichen Schatz in die Hände spielt, lautet Jupiters Rat: „Liebster Sohn! Schenket euer Schindgeld weg." Simplicius aber ist von der Krankheitssucht der Zeit befallen: er möchte wie einer vom Adel sein! Es kommt so weit mit ihm, daß er sich „im Herzen verdrießt", nur Simplicius zu heißen (Im 13. Kapitel). Er schämt sich seiner selbst. Ein Tiefpunkt im gloriosen Jägerdasein, auf dem Weg zum: Erkenne dich selbst!

Abermals gibt ihm Fortuna nochmals eine Chance. Er wird von Schweden gefangen, ehe ihm Neid und Haß im eignen Regiment den Tod gebracht haben. Sein Ruhm als Jäger von Soest bringt ihm so viel Ehre ein, daß er frei leben darf, auf das Versprechen hin, sechs Monate keine Waffen zu führen. Jetzt wächst sich der Hoffarts-Narr mächtig in ihm aus. Er lebt, „als wenn er ein Freiherr wär". Er gastiert mit den Bürgern wie den schwedischen Offizieren. Er liest sich in die großen Liebesromane ein (Arcadia) und beginnt im 18. Kapitel zum ersten Mal „zu buhlen", als Lautenspieler und Sänger nur allzu beliebt. Eben jetzt gerät auch Grimmelshausen selbst in den Übermut: er führt Simplicius als Verfasser seines eignen Josephromans ein („Der keusche Joseph" 1666). Als Lehrer im Lautenspiel fällt Simplicius unversehens in die Fänge einer schwedischen Obristentochter und ist Ehemann, ehe ers sich recht bewußt machen kann. Mit der Hochzeit, im großen Stil, scheint ihm der höchste Streich zum Glück gelungen: er soll ein Fähnlein erhalten, im schwedischen Dienst.

Jetzt aber kommt „der Unstern staffelweis". Als er in Köln seinen Schatz heben will, den er einem Kaufmann anvertraut hatte, ist der inzwischen bankrott und flüchtig. Simplicius beginnt zu reflektieren über die Narrenkrankheiten der Welt. „Die Hoffart hielt ich für eine Art der Phantasterei, welche ihren Ursprung in der Unwissenheit habe. Dann wenn sich einer selbst kennet, und weiß, wo er her ist, und endlich hinkommt, so ist unmöglich, daß er mehr so ein hoffärtiger Narr sein kann." Immer noch merkt er nicht, daß er Narr geblieben ist und weit davon ab, sich selbst zu erkennen.

Mit dem IV. Buch, der Fahrt nach Paris, beginnt sein Niedergang unter dem Einfluß böser Gesellschaft. Obgleich ihm der Boden unter den Füßen fortgezogen ist, erfährt er als Sänger und Lautenspieler überrraschenden Auftrieb. In einer Aufführung der Oper: „Orpheus und Eurydike" bringt ihm die Orpheus-Rolle solchen Beifall, daß er glaubt: „Ich habe die Tag meines Lebens keinen so angenehmen Tag gehabt." Aber der Schein, der ihn erhöht, erniedrigt ihn: als „Beau Allman" in den „Venusberg" verlockt, erfährt er „Narrenpossen", denen er sich nur durch eilige Flucht entziehen kann.

Die turbulenten Schicksalsschläge, die jetzt über Simplicius daherfahren und ihm zunächst mit der Blattern-Epidemie Stimme und Schönheit nehmen, füllen das ganze IV. Buch. Grimmelshausen treibt seinen Simplicius „wie den verlornen Sohn" immer tiefer hinab. Erst gerät er unter die Musketiere, dann unter die Marodebrüder, schließlich an Olivier, den veritablen Teufel. Jetzt erkennt er, alles Glück, das ihn hochgetrieben, war nur Ursach und Vorbereitung des Unglücks. Er ist jetzt entschlossen: „ich will meine Untugenden so wenig verhehlen als meine Tugenden" (10. Kapitel). Er wühlt geradezu in seinen Sünden: „daß ich unter meiner Muskete ein rechter wilder Mensch war, der sich um Gott und sein Wort nichts bekümmerte, keine Bosheit war mir zuviel, da waren alle Gnaden, und Wohltaten, die ich von Gott jemals empfangen, allerdings vergessen" (11. Kapitel). Erst das Raubmörderleben des Olivier, in das Simplicius mitverstrickt wird, Oliviers teuflische Dialektik, die sich auf Macchiavelli beruft, erweckt in Simplicius wieder die Gegenkräfte.

Vorerst ist es Simplicius, der Olivier im Kampf besiegt. Als beide sich wiedererkannt haben, bittet Olivier ihn um Verzeihung, wegen der früheren Gemeinheiten. Als Simplicius ihn warnt vor seinem Räuberleben, entgegnet Olivier: „Ich höre wohl, daß du noch der alte Simplicius bist." Olivier empfiehlt ihm, den Macchiavelli zu studieren. Simplicius aber erklärt das Rauben sei „wider das Gesetz der Natur", es sei „wider Gott". Simplicius stellt sich nur als wenn er mit Olivier zusammenbleiben wolle. Und zum ersten Mal betet er wieder zu Gott: „O himmlischer Vater, wie hab ich mich verändert! O getreuer Gott, was wird endlich aus mir werden, wenn ich nicht wieder umkehre!" (17. Kapitel).

Oliviers Lebensbericht ist ein Gegenspiel zum Leben des Simplicius, in allem: im Reichtum aufgewachsen, ein böser Vater, ein böser Präzeptor verderben ihn, als Soldat steigt er hoch durch Niedertracht. Simplicius dankt Gott, daß er ihn „vor diesem Unmenschen väterlich bewahrt hatte". Dann wird Simplicius ungewollt mit in einen Raubüberfall hineingezogen. Es ist die letzte und gefährlichste Prüfung. Simplicius stellt sich rettend vor die überfallne Frau und ihre Kinder. „Du närrischer Simplici!" nennt ihn Olivier, doch schießt er den nicht nieder, der seinen Tod rächen soll. Simplicius ist entschlossen, sich von Olivier zu trennen. Nur den richtigen Augenblick kann er noch nicht finden. Olivier verteilt seinen Goldraub noch zwischen ihnen beiden. Dann werden sie umstellt. Es geht um Tod und Leben. Und es spielt sich ab, wie es der alte Herzbruder vorausgesehen hatte: Olivier wird im Kampf erschossen, Simplicius muß den Mörder töten. Alles vollzieht sich „in eines Vater-Unsers Länge". Simplicius hat noch Zeit, dem toten Olivier sein Räubergold abzunehmen („Es dünkte mich ungereimt, einem toten Körper so viel Gold zu lassen"). Das ist Simplicius, der seine „Untugenden ebenso zeigt wie seine Tugenden". Dann gelingt ihm die Flucht.

Eben jetzt wird Simplicius eine Begegnung zuteil, die sein Leben wenden wird: im Gasthof zu Villingen trifft er auf einen Bettler, mit verbundnem Kopf, Arm in der Schlinge, der ihn bittet: „Ach, Freund, um Herzbruders willen gebt mir auch zu essen!" Es ist Herzbruder selbst. Simplicius „pflegt ihn wie sein anderes Ich". Oliviers Räubergold bekommt einen Sinn. Es gibt die Möglichkeit, alles für die Gesundung Herzbruders zu tun. Dessen Chef hatte eine

Schlacht verloren, wurde nach Wien zitiert. Herzbruder wurde beim Angriff auf Breisach zusammengeschossen. „Demnach ich deine Gutherzigkeit und Treu sehe, gibt mir den Trost, daß Gott mich noch nicht verlassen hat."

Das V. Buch tritt unter die dritte Lehre des Einsiedlers: Sei beständig! Bisher hatte Simplicius nur erfahren, daß das einzig Beständige die Unbeständigkeit sei. Jetzt weist ihm Herzbruder einen andern Weg. Es beginnt sozusagen mit einem Paukenschlag. Gemeinsam treten beide Freunde die Wallfahrt nach Einsiedeln an, in der Schweiz, wo es Frieden gibt. Simplex nimmt es sogar auf sich, die Maske des Bußfertigen vorzubinden. Denn Herzbruder will ihn nicht mitnehmen, wegen des Räubergolds. Simplex stellt sich, als wäre er bereits zu tief in des Freundes Schuld. Es entsteht ein „freundlich Gezänk". Simplex empfindet es: „so lieblich, daß ich dergleichen noch niemals hab hören hadern, denn wir brachten nichts anderes vor, als daß jeder sagte, er hätte gegen den andern noch nicht getan, was ein Freund dem andern tun sollte." So also begibt sich Simplex mit auf die Reise, weil ihn so sehr „nach der Seligkeit" verlange. Er entschließt sich sogar, wie Herzbruder mit Erbsen in den Schuhen zu pilgern, um der größeren Mühsal willen. Aber in Schaffhausen angelangt, ist Simplex am Ende seiner Kräfte und läßt die Erbsen kochen. Als Herzbruder ihn bewundert: „du hast große Gnad vor Gott", gesteht ihm Simplex offen ein, was er getan hat. Herzbruder ist so erschüttert, daß Simplex in sich geht. Er beklagt „die verlorne Unschuld".

Eben jetzt ereignet sich der wahrhaft shakespearesche Augenblick, um dessetwillen wir diese Szenerie in Großbeleuchtung bringen. Als sie in die Kirche zu Einsiedeln kommen, kniet Herzbruder nieder zum Gebet. Simplex aber folgt seiner Neugier und beobachtet, wie ein vom Teufel Besessener vom Priester exorcisiert wird. Aber als er sich dem Besessenen nähert, schreit ihm der Besessene alle seine Sünden entgegen, mit der Hellsicht, die nur ein Höllengewissen vom Höllischen im andern haben kann:

> „Oho du Kerl, schlägt dich der Hagel auch her? Ich hab vermeint, dich zu meiner Heimkunft bei dem Olivier in unsrer höllischen Wohnung anzutreffen, so sehe ich wol, du läßt dich hier finden, du ehebrecherischer mörderischer Huren-Jäger, darfst dir wol einbilden, uns zu entrinnen? O ihr Pfaffen, nehmt ihn nur nicht an, er ist ein Gleißner und ärgerer Lügner als ich, er foppt sich nur und spottet beides: Gott und der Religion!"

Simplex ist wie vom Blitz getroffen. Er findet sich mit seinem innersten Unbewußten als einem teufelsbesessenen konfrontiert. Und zwar vor aller Augen in der Kirche, unter wallfahrenden Pilgern. Der Besessene läßt sich nicht einmal vom Exorcisten-Priester beruhigen. Er schreit weiter: „Fragt dieses ausgesprungenen Mönchs Raisgesellen, der wird euch wol erzählen können, daß dieser Atheist sich nit gescheut die Erbsen zu kochen, auf welchen er hieher zu gehen versprochen." „Ja, ja. Er wird fein beichten, er weiß nit einmal, was beichten ist."

Wir nennen das einen shakespeareschen Augenblick, weil hier Grimmelshausen das Weltbild nicht ausweitet ins Barock-Allegorische, sondern ins Elementarische, in die realste Wirklichkeit hinein, die dem „Gleißner" sein Gesicht im Spiegel einer Macht zeigt, die tief unten hineinzuleuchten vermag, wo nichts mehr versteckt werden kann, wo alles offenbar wird. Grimmelshausen vergegenwärtigt uns hier, was sein Held zuletzt zusammenfassen wird als „Finsteres Licht". Es ist die Paradoxie selbst; ein Höllenbewußtsein durchleuchtet ein ins Unbewußte zurückgedrängtes Unterstes im sündigen Simplicius, und es erweckt im Einfaltkern des Blindgewordenen eine „Klarheit groß". Simplicius stürzt sich geradezu der Beichte zu und entschließt sich, katholisch zu werden.

Allerdings ist Simplicius damit noch nicht am Ziel. Nur eine seiner Masken ist im Phönix-Feuer verbrannt. Aber im Brand härtet sich der Kern, der unverloren bleibt. Der Aufschwung, den beide Freunde in Wien nehmen, wird vom Krieg wieder zerschlagen. Feinde haben Herzbruders Aufstieg beneidet und ihm ein Gift eingegeben, an dem er zugrunde gehen wird. Inzwischen hat Simplicius, endlich Hauptmann geworden, doch verwundet, mit Herzbruder eine Erholung aufgesucht und begibt sich jetzt endlich auf die Suche nach seiner Frau. In Köln begegnet er noch einmal seinem Jupiter-Narren und findet ihn erzürnt über den voreiligen Frieden zu Münster: so verderbt sind ihm die Menschen geblieben, daß er sie „im Krieg hocken lassen will". Den „güldenen Frieden" haben sie nicht verdient. Satire überglänzt so noch einmal das Gesamtfeld des Kriegs, der 30 Jahre gedauert hat. Simplicius muß dann erfahren, daß seine Frau bereits verstorben ist. Ihren und seinen Sohn hat die Schwägerin adoptiert. Simplicius, mit seinem Blatterngesicht entstellt, gibt sich nur als Boten aus und scheidet unerkannt.

Mit dem Tod Herzbruders ist dann der Schutzgeist von ihm gewichen. Es gehört zu Grimmelshausens Humor, daß es Nachtigallengesang ist, der Simplex zur nächsten größten Narrheit verführt: er heiratet ein Bauernmädchen, das nichts von Bauernwirtschaft versteht. Aber der Ausbau des Bauernhofs führt ihm seinen einstigen Spessartbauer wieder zu, samt der „Meuder". Beide bringen das Bauerngut wieder hoch. Und Simplex erfährt jetzt, wer seine Mutter und sein Vater gewesen sind. Die Mutter, die kurz nach seiner Geburt verstarb, gab ihm den Namen: „Melchior Sternfeld von Fuchsheim." Namen eines echten Edelmanns. Und der Einsiedler war sein Vater.

Welche Ironie des Schicksals, daß ihm der so lang ersehnte Adel zufliegt im Augenblick, wo er sich auf ein Bauerngut zurückgezogen hat, wo er nichts mehr damit anfangen kann. Nur seiner zweiten Frau steigt der „Junker" zu Kopf; sie „verliederlicht" und trinkt sich zu Tod. Auch der Sohn, dem sie ihm jetzt geboren, stirbt. Simplicius ist über diesem „Possenspiel" von einem fast burlesken Humor: gleichzeitig mit dem Kind seiner Frau, das „dem Knecht gleicht", bekommt die Magd ein Kind, das Simplici Züge trägt, und ein drittes Kind wird ihm vors Haus gelegt. „Mir war nit anders zu Sinn, als würde aus jedem Winkel noch eins hervorkriechen."

Solche burleske Stimmung wirft auch auf das jetzt beginnende Mummelsee-Abenteuer seine Schatten voraus. Die Ruhe, die jetzt Simplicius zuteil wird, nachdem sein Knan und seine Meuder das Bauerngut übernommen haben, bringt ihn auf seltsame Gedanken. Er überschaut sein Leben, denkt an Herzbruder, an den Einsiedler, an das ganze Wechselspiel des Lebens, mit solchem „melancholischen Humor", daß die Leute glauben, er habe sich, wie einst Empedokles in den Ätna, in die Tiefen des Mummelsees gestürzt.

Sollte das ganze Mummelsee-Abenteuer auf solchen melancholischen Humor zurückgehen? Derart daß Simplicius sich jetzt seinem Jupiter-Narren zu nähern beginnt? Die Gespräche, die er unten im See mit dem Fürsten führt, sind Wunschbilder einer Lichtphantasie, jenseits von Sünde, Strafe, Gottes Zorn, auch jenseits alles Menschenleides und Menschenglücks im Anschaun Gottes. Was ihm hier „simpliciter" erzählt wird, ist das Leben von Geistern, die durch Feuer, Wasser, Luft und Erde mühelos hindurchgehen und, wenn ihre Zeit gekommen, auslöschen als ein Licht. Mit Argwohn aber betrachten sie die Menschen, denen durch Gottes Sohn die ewige Seligkeit zugemessen ist und die sich in ihrer „Blindheit" ganz der leiblichen Wollust anheimgeben. Als Simplicius sich aufspielt, der Tod bedeute ihm nichts, muß er hören: „O elende Blindheit!" Die Sorgen des Mummelsee-Königs gehen dahin, daß die Menschen durch ihre Unzucht ein Strafgericht Gottes auf sich ziehen könnten. Dann aber würden auch die Ursprungsgewässer im Mummelsee, im Zentrum der Erde, versiegen und die Erde im Sonnenfeuer verderben. Daraufhin rühmt Simplicius alle Stände im Menschenreich, als lebten sie im Paradies. Ein seltsames Lob in seinem Mund. Er wird zurück zur Erde entlassen und wünscht sich einen Sauerbrunnen-quell, der auf seinem Bauerngut entspringen soll. Das burleske Ende erleben wir mit ihm. Er verirrt sich im Wald, entschläft unter Waldbauern, und der Stein, der den Quell aus dem Boden zieht, wirkt an der falschen Stelle, näßt ihm die Hosen und fließt fort. Die Bauern aber wehren sich gegen solch Geschenk, das ihnen nur Frondienste einbringen würde. „Da wären wir wol Narren, daß wir uns eine Rut auf unsern eignen Hintern machten."

Hier ist Grimmelshausens eigner Humor durchgebrochen, während Simplicius als Narr dasteht, dem sein Sauerbrunnen davon geflossen ist. Das einzige, was er sich aus dem Mummelsee mitgebracht hat, war die Idee, wie er aus dem Sauerbrunnen hätte Geld machen können für einen Bad-Betrieb im Großen. Noch ist Simplicius von seinen Narrheiten nicht geheilt. Und welcher Schalk hat ihn veranlaßt, dem Mummelsee-König ein solches Lob des Mitmenschlichen anzustimmen, das allem entgegensteht, was er selbst im Simplicius-Leben erfahren hat?

Auch seine nächste utopische Station hilft ihm nicht fort: ein Ideal der Wiedertäufer zu errichten: „da war kein Zorn, kein Eifer, kein Rachgier, kein Neid, kein Feindschaft, kein Sorg um Zeitlichs, kein Hoffart, kein Reu!" Sein alter Knan muß ihm sagen, daß er nimmermehr solche Bursch zusammenbringen würde. Auch dieser Plan bleibt in der Narrheit stecken.

Ein schwedischer Oberst, der sich bei ihm einquartiert, faßt ihn noch einmal an der Ehrgeiz-Unruhe, nimmt ihn mit bis nach Rußland, als Pulvermacher. Auf turbulente Weise gerät er über die Tartaren, Türken, Venetianer über Rom wieder nach Haus. Nun ist es ihm genug. Er nimmt Abschied von der Welt, und er tut es mit Worten des Spaniers Guevara, die er im Schlußkapitel getreu übersetzt. „Adieu Welt!" Er zieht sich in den Schwarzwald zurück und lebt als Einsiedler wie einst sein Vater. „Ob ich aber wie mein Vater selig bis an mein End darin verharren werde, stehet dahin!"

Der Mummelsee-Fürst hatte ihm noch einen Rat gegeben: eine Kur beim König der Salamander. Da gäbe es ein Feuer, das ihn nicht verbrennen würde, nur „alle bösen Humore und schädlichen Feuchtigkeiten" würden davon verzehrt. Simplicius war diese Kur „zu hitzig" und er lehnte ab. Aber vielleicht wartete diese Kur noch auf ihn.

Eines ist gewiß: befriedigen konnte der Schluß des Romans den Dichter Grimmelshausen nicht. Sollte Simplicius selber zum abgewandelten Jupiter-Narren werden? Blieb ihm nicht das echte Vater-Vorbild des frommen Einsiedlers aufgegeben? Die Frage stellt sich mit besondrer Dringlichkeit, im Hinblick auf die Fortsetzung des VI. Buches.

Was wohl hat Grimmelshausen veranlaßt, seinem „Simplicissimus", der zur Ostermesse 1668 mit fünf Büchern erschienen war, noch ein sechstes Buch als „Continuatio" anzuschließen? Man hat darauf hingewiesen, daß der Großerfolg des Buches den Verleger Felßecker sicherlich dahin beeinflußt hat, daß er Grimmelshausen zu einer Fortsetzung ermunterte. Es gibt aber auch einen Grund aus der Sache selbst. Die dritte Lehre des Einsiedlers: „Sei beständig!" war noch nicht zu Ende gelebt, zu Ende gedacht. Die Resignation des „Adieu Welt!", aus den Schriften des Spaniers Guevara abgeschrieben, war eine Notlösung. So sehr, daß Grimmelshausen seinen Simplicius hinzufügen ließ: „ob ich aber wie mein Vater selig bis an mein End darin verharren werde, stehet dahin."

Das hier berufne Vater-Vorbild — wurde es nicht zur Aufgabe? War es möglich, das Zwiegespräch zwischen Vater und Sohn auf höherer geistiger Ebene weiterzuführen? Was den Dichter anziehen mußte, war die Größe solcher Aufgabe. Ganz neue Darstellungsmittel werden erprobt. Wie stellen sie sich im Lichte eines symbolischen Kosmos der Dichtung dar?

Der vorausgeschickte Spruch im Alexandriner der Zeit macht das Thema der „Unbeständigkeit" zur Kardinalfrage, der nachgegangen werden muß:

O wunderbares Tun! O unbeständigs Stehen,
Wenn einer wähnt, er steh, so muß er fürder gehen,
O schlüpferigster Stand! dem vor vermeinte Ruh
Schnell und zugleich der Fall sich nähert zu,
Gleich wie der Tod selbst tut; was solch hinflüchtig Wesen
Mir habe zugefügt, wird hierinnen gelesen;
Woraus zu sehen ist, daß Unbeständigkeit
Allein beständig sei, immer in Freud und Leid.

Das ganze künftige Buch nun rebelliert gegen den Satz, daß allein Unbeständigkeit beständig sei. Schon der Eingang des ersten

Kapitels beruft „unserer Seelen Heil" als Ziel. Simplicius als Einsiedler oben im Schwarzwald, mit dem Blick vom Mooskopf bei Oppenau ins Kinzigtal und ins Oppenauer Tal, bezeugt ein solches Landschaftsgefühl, daß man bereits die Unruhe spürt, die ihn abermals in die Welt zieht. Da wird ihm erneut ein Traum zuteil. Dieser Traum greift tiefer als alle Schreckträume bisher. Er bezeugt, wie Simplicius bis ins Herz vom Schicksal Deutschlands mitbewegt ist. Er erlebt im inneren Gesicht die Zornausbrüche Lucifers über den ausgebrochenen Frieden zu Münster. Lucifer hetzt die Teufel zu neuer Arbeit an. Geiz und Verschwendung im wüsten Wettstreit müssen in ihrer Maske als „Engel des Lichts" dem reichen Jüngling Julus und seinem filzigen Diener Avarus so lange zusetzen, bis beide ruiniert sind, Julus als Rebell gegen den König durchs Beil hingerichtet, Avarus durch den Strang. Simplicius erwacht zu der Einsicht, daß Geiz und Verschwendung noch täglich im Streit liegen, im luciferischen Streit. Er begreift, daß der Westfälische Friede kein Gottesfriede geworden ist.

Darnach steht der Geist der Unbeständigkeit selber als Gestalt vor Simplicius wie in einem Wachtraum auf. Eine steinerne Statue beginnt plötzlich zu reden, als er sie berührt: „Lasse mich mit Frieden, ich bin Baldanders!" Simplicius verliert seinen Humor nicht: „Ich sehe wohl, daß du bald anders bist. Bist du der Teufel oder seine Mutter?" Im Gespräch erfährt er, daß Baldanders „alle Zeit und Täge" in ihm wirksam war und ihn bis zum Tod nicht verlassen wird. Er entlockt Baldanders das Geständnis, daß er ihn die Kunst lehren könne, die Dinge zum Sprechen zu bringen und so die Welt zu verändern, wie ehedem im Gedicht des Hans Sachs: „Baldanders bin ich genannt, der ganzen Welte wolbekannt" (1534). Das kann Simplicius gefallen. Aber Baldanders läßt ihm nur einen Spruch zurück, dessen absurde Wortfolge sich allein ordnet, wenn man Anfangs- und Endbuchstaben der Wörter aufeinanderfolgend neu zusammenstellt. Das Ergebnis ist ein hohnvoller Rätsel-Spruch: „Magst dir selbst einbilden, wie es einem jeden Ding ergangen, hernach einen Diskurs darauf formirn und davon glauben, was der Wahrheit ähnlich ist; so hastu was dein närrischer Vorwitz begehret." Während jetzt Baldanders wie Proteus sich in hundert Gestalten verwandelt und schwindet, besinnt sich Simplex auf sich selbst. Er nimmt Baldanders als Versuchung des Teufels, als „Satan", dessen „größter Feind die Beständigkeit" ist. Er selber vertieft sich in die Lektüre der Heiligenlegenden. Die Folge wird sein, daß

Simplex sich wieder als „Wallbruder" auf den Weg macht. Es hindert ihn nichts, „unter dem Schein frommer Einfalt" sich vom Pastor eine Urkunde ausstellen zu lassen, die heiligen Orte zu besuchen. So bettelt er sich durch bis Schaffhausen. Da erlebt er seinen „närrischen Vorwitz" im Gespräch mit dem Abreißpapier auf dem einsamsten Ort.

Was kann der Ausbruch in den grotesken Humor anders sein als seine Antwort auf den Geist dessen, der ihm soeben als Proteus-Teufel begegnet ist? Er führt ihn ad absurdum in der aufmerksamen Geduld, mit der er alle Stadien vom wildgewachsenen Hanf bis zum Abreißpapier im „Scheißhaus" gesprächsweis miterlebt. „Warumb werde ich nicht in eines Königs von Frankreich Secret gebraucht, dem der von Navara den Arsch wischt? warvon ich dann viel größer Ehr gehabt hätte als einem entlauffenen Monacho zu Dienst stehen?" So beginnt das Gespräch und zeigt, wie die Eitelkeit der Welt noch im letzten Abreißpapier wirksam wird. Simplex' Antwort: „Ich höre an deinen Reden, daß du ein nichtswertiger Gesell: und keiner andern Begräbnuß würdig seiest als eben derjenigen, darin ich dich jetzunder senden werde."

Simplex hat sich über den Baldanders-Schock erhoben. Die Kunst, die Dinge zum Sprechen zu bringen, hat er schnell gelernt, im Abreiß-Papier-Gespräch über zwei Kapitel hin. Bittere soziale Satire durchfärbt das Dauergelächter, das Simplex anstimmt, um Baldanders ad absurdum zu führen. Mag Grimmelshausen sich die Anregung von Hans Sachsens Schwank „Die ellent klagent Roßhaut" geholt haben, was er hier brauchte, war ein ähnlich lebensnahes Gegenstück zum Besessenen, der ihm sein Höllen-Unbewußtes herausschrie. Hier galt es, der Baldanders-Allegorie aus der elementaren Urbewegung des Lebens selbst zu begegnen. „So ist billig, sagt er zum Abreißpapier, daß du wider zu deinen Ursprung kehrst." Während aber Simplex das Urteil exequiert, hört er das Schlußwort: „Gleich wie du jetzunder mit mir procedierest, also wird auch der Tod mit dir verfahren, wann er dich nämlich wieder zur Erden machen wird, davon du genommen bist." Damit hat Simplex: „was sein närrischer Vorwitz begehrt." Grimmelshausen führt sein Geschöpf Simplicius Simplicissimus lachend vor den Spiegel des finsteren Lichts: sieh, wie du mit dem Tod fertig wirst! Echtes Anliegen aller Barockdichtung.

Über die nächsten Abenteuer gehen wir hinweg. Manch billige „Aufschneiderei" ist dabei. Aber das Schloßgespenst, der „Urahne", bringt Simplex ein Vertrauen entgegen, das den Eindruck des „heiligen Mannes" rechtfertigt. Tatsächlich wird er dann als Metall-Einschmelzer den Schatz heben, der den Erben zufällt. Ihm selbst kommt immer mehr der Sinn für Geld abhanden. Und so enden alle Abenteuer zuletzt in dem Schiffbruch, der in die erste Robinsonade der Weltliteratur ausläuft. Wann Grimmelshausen seine Quelle, die „Orientalischen Indien" benutzte, die eine Beschreibung der Insel Mauritius enthielt, ist nicht genau auszumachen. Mit der Idee des Einsiedlers auf der Insel ist zugleich der Unbeständigkeit ein Ziel gesetzt.

Wir nähern uns dem Spruch vom „finsteren Licht". Grimmelshausen gibt seinem alternden Simplicius einen jungen Zimmermann als Gefährten, um einen Mitmenschen zu haben, dem er zusprechen kann: „so gut, getreu und barmherzig ist Gott, dem sei Ehr in Ewigkeit, Amen!" Ein Trugbild Satans muß noch überstanden werden, die angeschwemmte Abessenierin, die alsbald zwischen die beiden Männer tödlichen Zwiespalt sät. Was Simplicius rettet, ist einzig seine Einfalt. Ahnungslos betet er das Benedicte vor der Mahlzeit, vor dem Kreuz, das er schlägt, entschwindet die Botin Satans mit Gestank. Die vollkommenste Robinsonade zu zweien beginnt, bis der Gefährte sich am selbstgemachten Palmwein zu Tod getrunken hat. Simplicius ist nun reif für eine Welt, in der ihm alles symbolisch wird für die geistige Welt: „Die kleine Insel mußte mir die ganze Welt sein, und in derselben ein jedes Ding, ja ein jeder Baum ein Antrieb zur Gottseligkeit . . ." „Mit solchen Gedanken hantierte ich täglich; ich aß nie, daß ich nicht an das letzte Abendmahl Christi gedachte; und kochte mir niemal keine Speis, daß mich das gegenwärtige Feur nicht an die ewige Pein der Höllen erinnert hätte." Eben jetzt entdeckt er einen Saft, mit dem er die großen Palmblätter beschreiben kann und beginnt sein Leben symbolisch darzustellen. Im Geist seines Vaters, des Einsiedlers, hält er nun seine eigne Zwiesprache, seine simplicianische, mit Gott, dem „Freunde", der ihm auf der Insel alles beschert, was er braucht.

Das ist der Augenblick, in dem Grimmelshausen dem holländischen Kapitän die drei Schlußkapitel übergibt. Simplicius will nicht mit nach Europa zurück. Er hat das Beständige gefunden, das ihm Lebenstrost genug ist. „Hier ist Fried, dort ist Krieg. Hier weiß ich nichts von Hoffart, vom Geiz, vom Zorn, vom Neid . . . hier ist ein Schutz wider die vielfältigen Strick der Welt und ein stille Ruhe, darin man dem Allerhöchsten allein dienen . . . kann. Müßte ich nit besorgen, wenn ich diese Insel, in welche mich der liebe Gott ganz wunderbarlicherweise versetzt, widerum quittierte, es würde mir auf dem Meer wie dem Jona ergehen? Nein, vor solchem Beginnen wolle mich Gott behüten." Das Gleichnis von Jonas sagt genug: Simplicius will nicht die mühsam errungne Beständigkeit des Einsiedlers eintauschen gegen neue, ihm auferlegte Schicksale wie die des Jonas, der vom Herrn in den Bauch des großen Fisches gerettet wurde, um Ninive Buße zu predigen. Simplicius will sich begnügen mit dem Spruch, den er sich in den Baum geschnitten hat.

Grimmelshausen hat so das Leben des Simplicius gerade nicht „in transzendentaler Obdachlosigkeit" in die Romanform gebracht, sondern im steten Ringen zwischen Licht und Finsternis, zwischen großer Einfalt-Geborgenheit und abenteuerlicher Verwegenheit, die bei Tugenden und Untugenden keinen Unterschied macht, und Abstürze nicht scheut. Was Grimmelshausen auf solche Weise bietet, ist das komplexe Leben selbst, dessen stärkste, gar nicht auszuschöpfende Kraftquellen aus dem Volke selber kommen, das heißt, aus den Unterströmungen des Unbewußten, vom Bauerntum her, vom christlichen Glaubensfundus her, der sich im Kirchenlied seine Gemeinschaftstimme sucht, von den Schreckerlebnissen des Großen Krieges her, die sich in Träume und Barock-Allegorien niederschlagen, und die von solcher Kraft der Mitbewegung getragen sind, daß sich die Frage nach dem Fiktionsbewußtsein eines Erzählers gar nicht stellt. Hier wird aus der Fülle erzählt, wie im Schelmenroman, nur nicht in wahlloser Abenteuer-Folge, sondern aus dem Plan eines Lebenskerns, der um sich greift, der sich Welt anverwandelt und Welt abstößt, und dem es aufgegeben ist, die Spannungen zwischen Leben und Tod, Himmel und Hölle, ganz und bis zur Neige auszumessen, bis zu der letzten Einsicht: „Ach allerhöchstes Gut! Du wohnest so im finstern Licht, daß man vor Klarheit groß den Großen Glanz kann sehen nicht."

Grimmelshausen schont sich selber im Simplicius nicht, wenn es gilt, der Seele auf den Grund zu kommen, sie aus ihren Verblendungen herauszuschrecken. Durchs ganze Leben verfolgt er die Spuren der Verblendung, der Blindheit, und wenn er bis auf den Grund des Mummelsees mit hinab muß, um den Mummelsee-König sagen zu lassen: „O elende Blindheit!", nur weil Simplicius sich brüstet, der Tod mache ihm nichts aus.

Was nun ist es für eine Schwankgeißel des Satirikers, die Grimmelshausen schwingt, in der andern Hand das Buch mit „Justitia" und „Pietas", und mit dem beschwörenden Ruf: „Einfalt hat mir stets beliebt und mir allzeit wolgefallen." Wenn er selber den „melancholischen Humor" einführt, den die Leute dem Simplicius zusprechen, als er im Mummelsee versank, und wenn der Mummelsee-Fürst ein Feuer erwähnt, das „alle bösen Humore" verzehrt, dann muß dem Satiriker Grimmelshausen doch auch etwas vom Wesen des Humors bereits aufgegangen sein.

Grimmelshausen arbeitet nicht nur der „transzendentalen Obdachlosigkeit" entgegen, auch jenem „Reflektieren-Müssen", in dem Lukacs „die tiefste Melancholie des echten Romans" sieht. Grimmelshausen hat die Vierzig überschritten, als er darangeht, seinen „Simplicius" als einfältige Seele einzuführen, die ihr Leben erzählt. Wohl besitzt Grimmelshausen Abstand zum Helden, aber zugleich läßt er sich mitbewegen von allen Erlebnissen, in die der Große Krieg den jungen Simplicius wirft. Und er öffnet sich allen Bereichen des Unbewußten, aus denen heraus Simplicius lebt, naiv und vorerst völlig unverdorben. Eine Tabula rasa, in die der Einsiedler seine geistige Welt einträgt, die aber sofort von Simplicius mit großer Lebensleidenschaft verarbeitet und umgesetzt wird. Wir verfolgen den Doppelblick Grimmelshausens, der immer wieder den satirischen Abstand an die Fülle einer unersättlichen Lebendigkeit aufgibt und sich von ihr durchdringen läßt. Es ergibt sich eine Kontrastphantasie, die zum zwanglosen Humor führt, zwischen dem, der die Außenwelt närrisch findet und selber als Narr wirkt, und zwischen dem als Narr Verkleideten und der Welt, der er seine Wahrheiten ins Gesicht sagt. Später wird dann Simplicius selber zum Homo ludens, der mit seinem Jupiter-Narren spielt. Gibt es eine Humor-Formel, die allen diesen Variationen genügt?

Wir besitzen vor dem Einbruch der romantischen Ironie Jean Pauls Humor-Deutung in der „Vorschule der Ästhetik" 1803. „Der Humor, als das umgekehrte Erhabene, vernichtet nicht das Einzelne, sondern das Endliche durch den Kontrast mit der Idee" (§ 32). Fassen wir Grimmelshausens Hymnus auf die „Einfalt": „Bis ihr endlich werdet innen, daß die Einfalt hat gesiegt", als die wichtigste zugrundliegende Idee, der der Titel „Simplicius Simplicissimus" im Sinn humoristischer Totalität entspricht, dann wird das umgekehrte Erhabene dadurch erreicht, daß Simplicius immer wieder vernichtet wird, ohne verloren zu gehen, daß wir sein Endliches im Kontrast mit der Idee in seiner ganzen Baldanders-Flüchtigkeit erfahren und doch zugleich als das umgekehrte Erhabene sich durchringen sehen, ein nicht unterzupflügender Wert in den Schrecken des Dreißigjährigen Kriegs, über dessen Tollheit er schließlich triumphiert. Was Jean Paul die „vernichtende oder unendliche Idee des Humors" nennt, erweist sich nach ihm darin, daß „die Vernunft den Verstand mit Licht betäubt", derart daß „der Humor den Verstand verläßt, um vor der Idee fromm niederzufallen". Das setzt voraus, daß es eine Lichtquelle gibt, die die Kraft besitzt, den Verstand zu betäuben, und daß eine Kontrastphantasie am Werke ist, die dahin zielt, uns fromm niederfallen zu lassen vor der Idee. Eine Werteordnung wird erkennbar, durch alle Kontraste zwischen Himmel und Hölle ausgespannt, die sich nicht besser ausdrücken läßt als eben durch den Vers, den der alternde Simplicissimus in die Bäume schneidet, vom „finstern Licht", dessen Klarheit groß alles überglänzt.

Solche humoristische Totalität läßt keinen Raum für ironisch-dialektische Reflexionen. Sie werden übergriffen von der Kraft, die uns durch die Leiden eines ganzen Volkes im Dreißigjährigen Krieg führt, durchgelitten im Simplicius, mit der in ihm wiedergeborenen Einfalt als die unzerstörbare Substanz des Volks. So wenig Don Quichote unsere Achtung verliert, obgleich er den Verstand verloren hat, immer Hauptheld und Hauptnarr zugleich, so wenig kann Simplicius unsere Achtung verlieren, durch alle Masken-Variationen der Narrheit hindurch, die ihm treu bleiben bis auf seine Insel. Was als Wert der Einfalt unverlierbar zur Romanmitte wird, vor der wir „fromm niederfallen", ist die Entdeckung der Unendlichkeit der Einzelseele, die wie ein neuer Stern heraufsteigt in dem Augenblick, wo das mittelalterliche Weltbild mit seinen versumschirmten Ritterepen versank.

Haben wir uns damit durchgearbeitet durch Grimmelshausens Weltroman, so bleibt die Grundfrage zurück nach den Aufgaben, die dem symbolischen Vermögen gestellt werden. Wir erkennen die alles übergreifende Symbolik des Lichts, die mit vielen Lichtsignalen durch Verblendungen und aufgeschreckte Blindheiten, durch alle Eingriffe satirischer Schreckschüsse den Lebensweg des Simplicius begleitet, und die sich immer wieder aufgenommen findet in dem Lichtorgan im Simplicius selbst, in seiner als Narrheit dargebotenen Einfalt, die über lange Strecken verschwunden scheint und dann unversehens wieder auflebt, auf seinem Weg zum „finsteren Licht", von Leuchtkäfern plötzlich umgeben, die jede Höhleneinsamkeit durchhellen. Hier finden wir uns durchaus bestätigt bei

Lukacs, dessen Worte die schönste Anerkennung einfältigen Staunens sind: „Das Subjekt der Epik ist immer der empirische Mensch des Lebens, aber seine schaffende, das Leben meisternde Anmaßung verwandelt sich in der großen Epik in Demut, in Schauen, in stummes Erstaunen vor dem hell heranleuchtenden Sinn, der ihm, dem einfachen Menschen des gewöhnlichen Daseins, so unerwartet selbstverständlich im Leben selbst sichtbar geworden ist." Nur eines muß hinzutreten, was aller Ironie als „Selbstkorrektur der Brüchigkeit" entgegenwirkt, was wir eingangs die „Faszination des sym" genannt haben: die Kraft des Simplicius, mitzuleben mit allem, was das Zeitalter vorwärtsträgt, mit seinen Schreckenskriegen, seinen Wollüsten und Abenteuern, seinen Gewissensbissen und christlichen Institutionen. Hier erreicht es Grimmelshausen, daß sein Simplicius weder im Zusammenbruch der Ordnungen zur quälenden Resignation gezwungen wird noch zu vorschnellen Harmonien verführt. Der Einsiedler auf der Insel kennt seinen Weg zum „finsteren Licht" und zur „Klarheit groß". Auf eben solchem Wege gelingt es Grimmelshausen, seinen Simplicius zum „Symbolon" zu machen, zum Zusammenwurf der Widersprüche, aus denen das Barockzeitalter lebt.

Grimmelshausen hat seinem berühmt gewordenen Simplicissimus schließlich doch nicht auf seiner Insel den Tod gegeben, er hat ihn gewaltsam durch Wilde rauben lassen und nach Europa zurück geführt, um ihn als Verfasser unerschöpflicher Kalendergeschichten neu einzuführen. So entstehen die „Simplicianischen Schriften", auf die wir nicht mehr einzugehen brauchen. Zum Weltruhm ist nur der Simplicissimus-Roman aufgestiegen. Dennoch gibt es für uns einen Gesichtspunkt, durch den sich eine kurze Beschäftigung mit den „Simplicianischen Schriften" lohnt.

Neuerdings hat man diese Schriften mehr in den Vordergrund gerückt. Es ist das besondere Verdienst der marxistischen Perspektive (Siegfried Streller 1957). Dem Marxismus erscheint das theologische Weltbild des Simplicissimus-Romans zu „idealistisch", also einigermaßen an der Wirklichkeit vorbei. Wohl wird anerkannt, daß der Roman sehr bewußt aufgebaut sei um den „guten Kern" im Simplicius, daß die künftige „Läuterung" als Möglichkeit von vornherein in ihm angelegt ist. Nur eben sei „das idealistische Gerüst" maßgeblich auf die religiöse Entwicklung hin angesetzt. Darum erscheint Simplicius nur als „Abenteurer durch die verschiedensten Lebensbereiche", ohne Repräsentant einer wesentlichen gesellschaftlichen Schicht zu sein. Dagegen die „Landstörzerin Courage" (als VII. Buch) vertrete einen eindeutigen ganz klaren realistischen Typus. Sie ergänze den Roman durch das weibliche Gegenstück. Ebenso sei „Springinsfeld" ergänzende Kontrastgestalt zum Roman, in dem er ja auch schon vorkommt. Tatsächlich wird in der Vorrede zum II. Teil des „Wunderbaren Vogelnests" (1675) „Der seltsame Springinsfeld" als VIII. Buch und die nachfolgenden beiden Bücher zum „Wunderbaren Vogelnest" als IX. und X. Buch der gesamten „Abenteuerlichen Simplicissimi Lebensbeschreibung" angesehen.

Zweifellos ergibt sich für Grimmelshausen durch die weiteren, überaus unterhaltsamen Simplicianischen Schriften eine Ausweitung seines Schriftstellerruhms. Nur fehlt etwas Entscheidendes in ihnen allen: die alles übergreifende Symbolik des „finsteren Lichts". Es fehlt die Zusammenziehung um den Simplicius-Kern, mit dem Mut zu seinen Untugenden und Tugenden, das Charakterbild des durch die Finsternisse und Verblendungen sich hindurchwirkenden Hungers nach dem Licht, als dem einzig „Beständigen" im Allzeit-Unbeständigen, der echte Einfaltkern des Helden, der „Simplicius Simplicissimus" genannt wurde.

Was das bedeutet, mag an den wichtigsten simplizianischen Schriften aufgezeigt werden. Die Landstörzerin Courage führt sich ein als „altes Rabenaas" und verfolgt ihren Abstieg von der Rittmeisterin zur Marketenderin in einer turbulenten Reihe von Abenteuern, die zwar einen zeitsatirisch-realistischen Einblick geben, doch sich in nichts von einem weiblichen Schelmenroman unterscheiden und ins Offene enden, mit dem Ausblick auf eine diebische Zigeunerin. Ebenso ist Springinsfeld, der stumpfere Kamerad des Simplicius, sinnfällig für die Unbeständigkeit des Baldanders, und sonst nichts. Das unsichtbare Vogelnest ist an sich ein fruchtbares Motiv. Der Held wird unsichtbar durch die Sünden der Menschen hindurchgeführt, kann sie zeitsatirisch geißeln. Im I. Teil zielt der Held dahin, Übles zu verhüten, einmal bewahrt er den Sohn des Simplicissimus vor falscher Anklage. Streller selbst gesteht, daß dabei die Einheit der Erzählung sich in eine Anekdotensammlung auflöse. Zuletzt verführt den Helden ein Nachtigallengesang, daß er sich schämt und das unsichtbar machende Nest fortwirft. Der II. Teil bringt dann die Steigerung, daß ein böser Mensch das Nest findet und nur Teufeleien anstellt. Gemeiner noch als die Rache, die er an seiner Frau nimmt, ist der teuflische Einfall, sich als Prophet Elias der schönen Judentochter zu bemächtigen und mit ihr den Messias der Juden zu zeugen. Auch die Art, wie er sich aus der Affaire zieht und dem reichen Judenvater das Geld aus seiner Schatzkammer stiehlt, mit dem er die Tochter zur Ehe mit einem Dritten ausstattet, kann nur abstoßen. Schließlich zieht er in den Krieg der Holländer gegen die Franzosen mit, um, unsichtbar, beliebig seine Feinde abschießen zu können. Bis auch den Unsichtbaren die Kugel trifft und auf ein schmerzliches Krankenlager wirft. Die Bußpredigt eines Paters veranlaßt ihn endlich, das unsichtbare Nest dem Pater auszuliefern, der es in den Rhein wirft. Was die schablonenhafte Bekehrung des reichen Teufels vom Total-Eindruck des Simplicius-Lebens trennt, ist der Schwund dessen, was als Arcanum der Einfalt im Simplicius unzerstörbar ist.

Eben darum ist der Simplicissimus-Roman zum verdienten Weltruhm aufgestiegen, die simplizianischen Schriften sind es nicht. Soweit die gründlichen Studien des Marxisten Streller die Unterschiede einebnen, die zwischen dem Roman und den simplicianischen Kalendergeschichten bestehen, werden wir ihnen nicht folgen.

Es gibt aber auch eine Art Gegenbewegung der westlichen Literaturwissenschaft, die im Grunde in dieselbe Richtung geht. Es ist die labyrinthische Sucht, im Angriff gegen jede Art von Idealismus, das Symbolische im Totaleindruck des Simplicissimus-Romans verschwinden zu machen, das Kernhafte in der Struktur des Simplicius aufzuspalten. Hier tritt die Kluft der Generationen hervor. Jeder Versuch wird abgelehnt, den „Simplicissimus" in die Reihe der großen Erziehungsromane einzureihen, vom Parcival zum Wilhelm Meister und zum „Grünen Heinrich".

Es gibt ein ganzes Bündel von Schriften, die einzig dem Ziel dienen, Simplex aufzuspalten, den Einfalt-Begriff als Lebenswert zu beseitigen; damit die Einheitsklammer des Romans, der an „Modellfälle von Leben im Spannungsfeld der Fortuna" auseinanderfällt.

Es handelt sich um folgende Schriften, die wir kurz zusammenfassen: Günter Rohrbach, „Figur und Charakter" 1959, Paul Gutzwiller (Schüler Walter Muschgs in der Schweiz): „Der Narr bei Grimmelshausen" 1959; Hans-Ulrich Merkel, „Maske und Identität in Grimmelshausens Simplicissimus" 1964. Werner Welzig „Beispielhafte Figuren: Tor, Abenteurer, Einsiedler bei Grimmelshausen" 1963.

Rohrbach spricht dem Helden den Charakter ab und läßt nur eine funktionale „Figurhaftigkeit" gelten. Es fehlt die „Glaubwürdigkeit der Gestalt". Simplicius steht „im dialektischen Schema von Glück und Unglück". Gutzwiller faßt den Helden als „Narren" schlechthin (Das Wort „Narr" kommt 164mal vor). „Das dichterische Unterfangen, den Menschen in jedem Lebensalter und in jeder Lage als Narren zu entlarven, . . . entstammt der nihilistischen Verzweiflung." Darum bedeutet für Gutzwiller der Spruch vom „finstern Licht" so gut wie nichts. „Schauer vor der Unerreichbarkeit Gottes ersetzt Simplicissimus die wahre Liebe zu Gott." Folgerecht wird „Baldanders" zum Inbegriff der Gaukelkunst Grimmelshausens. Und die „Simplicianischen Schriften" treten ebenbürtig neben den Roman.

Für Hans-Ulrich Merkel teilt sich die Mehrschichtigkeit des erzählenden Ich an eine Folge von „Masken" auf, von denen keine mit dem „wahren Gesicht" identisch ist. Die „Identität" liegt einzig im „Spiel der Masken", das als solches „nit verloren" ist. So drückt sich in der Chimäre des Titelblatts das Ganze am eindeutigsten aus. Simplicius Simplicissimus ist der Name dafür. Der situationsblind geführte Held unter der Maske und der die Maske überblickende Erzähler geben die Mehrdeutigkeit der hier offenbarten Wahrheit, die paradox ist wie das „finstere Licht". Grimmelshausen spielt im Simplicius seine eigne Person auf dem barocken Theatrum mundi und „findet in der Erkenntnis dieses Spiels seine Identität".

Was in diesen drei Interpretationen verloren gegangen ist, ist die eigentliche Leistung des Symbols, die „Faszination des Sym", die unterirdische Kraft der Held und Erzähler tragenden und formenden Mitbewegung. Näher kommt hier Werner Welzig mit seinen „beispielhaften Figuren". Er begreift die Leistung des Barockdichters darin, daß er aus dem Fluß des Geschehens das Beispielhafte herausgreift. Wenn er eine Stufenfolge von drei beispielhaften Figuren erkennt: Tor, Abenteurer, Einsiedler, so dringt er sowohl bei der „Einfalt" wie beim „Abenteuer" wie bei der Endstation des Heiligen und Beständigen in die beispielhafte Tiefe. Hier ergänzt sich Welzigs Untersuchung noch durch die Arbeit von Ilse-Dore Konopatzki „Grimmelshausens Legendenvorlagen" 1965. Sie bestätigt im Heiligen die unzerstörbare Kraft der Einfalt. „Das Vertrauen auf den guten Kern des einfachen Menschen", simpel ausgedrückt.

Alle diese Deutungen lassen erst klar hervortreten, welche ungewöhnlichen Leistungen im Barock dem symbolischen Vermögen zukommen. Die Paradoxie des „finsteren Lichts" erfährt ihre alles übergreifende Symbolkraft darin, daß hier um den Kern des Lichts in der Seele als ein Unzerstörbares sich die zusammenziehende Kraft des Symbols durch den ganzen Roman bewährt, während mit eben solcher symbolischen Kraft sich an der Auseinandersetzung mit den Variationen der Finsternis die Tiefen-aufschließende Lebenskraft ebenso bewährt.

Der Abstand des epischen Erzählers erreicht damit dieselben ursprünglichen Leistungen des symbolischen Vermögens, wie bei der Ballade. Grimmelshausen fällt es zu, den Dreißigjährigen Krieg und das deutsche Volk im Dreißigjährigen Krieg als bereits im Krieg Geborener (1622) ganz mitdurchlebt, mitdurchlitten, mitdurchformt zu haben. Als es ihm gelang, als Schaffner der Herrn von Schauenburg auf Schloß Gaisbach bei Oberkirch den Krieg zu überstehen und die Ruhe zum Schreiben zu finden, war er bereits ein gefestigter Mann, der die eignen Kriegserlebnisse seiner Jugend verschmelzen konnte mit dem ihm zufließenden Buch-Material der Barockzeit. Er selber wurde im Alter noch katholisch zur selben Zeit ungefähr wie Angelus Silesius. Aus dem Realismus seiner Kriegserlebnisse und dem Idealismus der vom christlichen Glauben durchwirkten Religionskämpfe schloß sich ihm um die Simplicius-Gestalt sein Weltbild zusammen. Simplicius wurde ihm zum „Symbolon“ im Widerstreit der Grundmächte: Licht und Finsternis. Der Name „Simplicius“ hat seine Vorläufer, die Welzig herausgeholt hat. Wir brauchen dazu nur noch Grimmelshausens Zeitgenossen und Mit-Konvertiten heranzuziehen mit seinem Spruch aus dem „Cherubinischen Wandersmann“:

„Die Einfalt ist so wert, daß wann sie Gott gebricht,
So ist er weder Gott noch Weisheit noch ein Licht.“

Hier haben wir einen barocken Einfaltbegriff verbürgt, der sich als Lichtorgan der Seele bewährt. Eben diesen Einfaltbegriff als barocke Mitgift aufzunehmen und zu würdigen, ist Pflicht des Wissenschaftlers genauso wie die Durchleuchtung barocker Widersprüche und Spaltungen. Von Angelus Silesius haben wir noch einen andern Spruch, im IV. Buch, der sich der Paradoxie des „finsteren Lichts“ zu nähern scheint:

„Das überlichte Licht schaut man in diesem Leben
Nicht besser als wann man ins Dunkle sich begeben.“

Hier haben wir den Mystiker Scheffler, der sich als Angelus Silesius um das „überlichte Licht“ bemüht, um es in der Hinwendung zum „Dunkel" des weltlichen Lebens zu finden. Grimmelshausen wird sich als Satiriker mit den Verblendungen der Menschen herumschlagen, um hinter dem „finsteren Licht" auf die Klarheit groß sich hinzubewegen. Die Grundparadoxie ist dieselbe.

Der gemeinsame Quell solcher Verherrlichung der Einfalt wie des Lichts ist in der Mystik Jakob Böhmes zu finden, zum ersten Mal breit entfaltet in seinem Erstlingswerk: „Die Morgenröte im Aufgang" 1612. Da gibt es ein besondres Kapitel von der „großen Einfältigkeit Gottes", die nicht nur die „Geburt der Dreiheit Gottes" in sich enthält, sondern auch in der Tiefe die Grundspannung zwischen Gottes Liebe und Gottes Zorn. Böhme dringt damit in einen Urgrund vor, der sowohl das „finstre Licht" Grimmelshausens zu erklären vermag wie das „überlichte Licht" bei Angelus Silesius. Böhme erreicht das mit seinem Mythos von Luzifer, dem herrlichsten gottgeschaffenen Engel, der von der Hoffart verblendet wurde, Gottes ganze Lichtfülle in sich vereinen zu wollen. Damit erweckte er in der verborgenen Tiefe der Gottesliebe Gottes Zorn, der ihn in die Hölle verstieß. Die nach Luzifers Sturz erst geschaffne Welt ist seitdem aus Licht und Feuer, Gut und Bös gemischt. Und so Adam, der erste Mensch, Mann und Weib in einem seit Urbeginn, selbstleuchtend, aber seit dem Sündenfall verdammt zur Trennung der Geschlechter und zur Blindheit der Sinne.

Grimmelshausen ist kein Mystiker wie Angelus Silesius oder Jakob Böhme. Er ist Wirklichkeitsmensch, doch aufgeschlossen dem Kampf, der zwischen Licht und Finsternis geführt wird. Auch er kennt den Luzifer-Mythos, hat ihn eingeführt in seiner Continuatio, als ausbrechenden Zorn Luzifers über den Frieden zu Münster, gegen den er seine Teufelsboten als „Engel des Lichts" aussendet, um die Menschen sowohl durch Verschwendung wie Geiz zu verderben. Und er kennt das Mummelsee-Reich, in dem es keinen Sündenfall gibt, eine ganz durchlichtete Welt, ohne Straf und Zorn Gottes. Aber auch ohne die Seligkeit, die dem Menschen zuteil geworden ist durch Christi Opfertod. Wenn er nur Gott im Auge hat und aus freiem Willen die Sünde abgetan. Eben dazu verhilft die Einfalt in der Seele, Begegnungen mit Menschen solcher Einfalt wie der Einsiedler, wie Herzbruder Vater und Sohn.

Wenn aus dem deutschen Barockjahrhundert als Dichter nur noch Grimmelshausen und Angelus Silesius wirklich fortleben, so weil beide vom Licht Gottes betroffen sind und ihr Leben unter den Kampf des Lichts mit der Finsternis stellen. Abschließend bleibt noch auf einen Unterschied hinzuweisen zwischen dem Simplicissimus-Roman und den simplizianischen Schriften. Es ist der Unterschied des Humors im Roman von der Satire in den simplizianischen Schriften. Streller, der Marxist, versteht den Humor Grimmelshausens als „verständnisvolles Gelächter über menschliche Unvollkommenheit, das darin gipfelt, daß der Humorist in diesen Unvollkommenheiten sein eignes Spiegelbild erblicke". Dabei breche der Humor durch im „Vertrauen auf den guten Kern im einfachen Menschen". Wir lachen dann „aus dem Wissen, daß Simplicius alle später überflügeln wird", die ihn jetzt belachen.

Das ist durchaus realistisch gesehen. Dennoch unterscheidet sich die Schwank-Satire der simplizianischen Schriften in der Vergröberung nach der Schadenfreude, nach dem Unflätigen durchaus vom Humor im Roman. Es fehlt die Dimension des Lichts, jene Dimension, von der es heißt bei Jean Paul, daß die Vernunft den Verstand „mit Licht betäubt", um „vor der Idee fromm niederzufallen".

Wenn die Landstörzerin Courage ihrem Liebhaber zuruft: „Spring ins Feld!", um in der Zwischenzeit mit einem andern zu buhlen, dann ist es höchst witzig, wenn daraus der Name „Springinsfeld" entsteht. Aber „vom Licht betäubt" werden wir darum nicht. Grimmelshausen liebt bei der Courage, der „Unholdin", den derben Schwank, bis zum Unflätigen, wie er überhaupt in den Verrohungen des Kriegs der Frau sehr viel weniger Herzensnoblesse zuwendet als Herzbruder, dem Freund.

Es darf uns veranlassen, rückblickend nochmals dem Humor im Simplicissimus-Roman auf die Spur zu kommen, im Sinn des „finsteren Lichts", dessen Klarheit groß großen Glanz verhüllt. Es ist eben der Humor, der diesen Glanz aufleuchten läßt. Wenn wir über den jungen Simplex lachen, wo er noch eine zehnjährige „Bestia" ist, so nicht nur wegen der menschlichen Unvollkommenheit, sondern zugleich wegen dem in ihm angelegten Stück Volksseele, das uns rührt, als ein Einmaliges, dem Ursprung Nahes. So bereits, wenn er zusieht, wie sein Knan vor Lachen fast zerbirst, unter dem Fuß-Lecken der Geiß. „Das kam so artlich, daß ich Gesellschafts halber oder weil ichs nicht besser verstand, von Herzen mitlachen mußte." Solch Mit-Lachen wirft uns in den heillosen Kontrast zur grausamsten Wirklichkeit, daß wir ein Stück Urnatur gewahren, das wir selber sind. Gerade weil darin nichts von Schadenfreude ist, rührt uns die unbeirrbare Idee der Wahrhaftigkeit des Dichters als ein dem Verstand Entzogenes im Kinde. Da eben trifft uns das „finstere Licht" als ein schwarzer Humor.

Wenn Simplicius dem Offizier begegnet, von dem er nicht weiß, ob es ein Mann oder eine Frau ist, und wenn er sich fragt „Ists aber ein Weib, warumb hat die alte Hur dann so viel Stupfeln ums Maul?", dann verstärkt das mundartliche Geradezu unser Lachen zum Humor, über so viel Unbeirrbarkeit einer langsam sich entfaltenden Urnatur. Unser Staunen wächst weiter, wenn Simplicius anfängt, die Menschen am innern Maß ihrer Ebenbildschaft Gottes zu messen und sie als Narren ansieht. Hier fangen wir an, sein „reines Gewissen, aufrichtig frommes Gemüt, edle Unschuld und Einfalt" als absoluten Wert zu schätzen.

Im Jäger von Soest verwandelt sich alles. Was uns jetzt zum Humor stimmt, ist das Übersprudelnde der Einfälle, die Spielfreude, die sich in kühne Situationen und Taten umsetzt. So im Brief an den Pfarrer, mit beigefügtem Ring, den zum Schreck gewordnen Spaß zu verzeihen. Dann das Spiel mit dem Obernarren, der sich als Jupiter fühlt und bei dem Simplicius sogleich die Rolle Ganymeds mitspielt, um ihn ans Reden zu bringen. So kann er die rührende Großartigkeit einer Teutschen Friedensbringer-Mission ohne weiteres mit dem Kontrast des „Floh-Gottes" zusammensehen und zum Humor stimmen. Der höhere Humor Grimmelshausens liegt hier darin, daß Simplicius, der nun über seinen „eigenen Narren" verfügt, gar nicht merkt, wie sehr er selber zum Hoffart-Narren geworden ist. Und wie dann der Ober-Narr ihm den Rat gibt: „Schenket euer Schindgeld weg" und Simplicius diesen Rat eines wahren Weisen nicht begreift, weil er zum Geldnarren geworden ist.

Aller Humor Grimmelshausens dient dazu, das Rätsel des finsteren Lichts zu verstärken: daß Simplicius immer beides in sich hat, das Finstere und das Lichte, das Kreatürlich-Sündige und das Simplizianisch-Spielende, „Figur und Charakter", Maske und Identität, Einfalt und Narrheit. Das Grundfeste einer solchen Doppelnatur ist es, was als Humor das Ganze durchzieht. Bis zum redenden Abtrittspapier, mit dem Baldanders herausgehöhnt wird aus seiner mythischen Maske, wobei doch als letzter Spieler der Tod triumphiert.

Keinesfalls hätte wohl Grimmelshausens Simplicissimus-Roman sich in der Weltliteratur durchgesetzt über alles, was sonst im maskenfreudigen und manieristisch verspielten Barock zusammengeschrieben worden ist, wenn hier nicht elementare Wahrheiten Gestalt geworden wären, in denen ein ganzes Zeitalter, das des Dreißigjährigen Kriegs, sein Symbol gefunden hätte. Und dieses Symbolon, um Simplicius zusammengeschlossen, erreicht seinen bestimmenden Rätselausdruck im Paradox vom „finsteren Licht", hinter dem der unbeirrbare Glaube steht an die „Klarheit groß", deren „großer Glanz" menschliche Sichten übersteigt. Hier eben hat sich die Bildmitte mit der Sinnmitte zusammengefunden, von einer gewaltigen Mitbewegung getragen, die alle ergreift, den Dichter wie seinen Helden, und uns alle, die sich auf dieselbe Suche nach dem Licht begeben. Was sich um die Einfaltgestalt zusammenzieht, schließt sich zugleich in einem kühnen Bilde auf, das der Dichter als „Zugab" 1670 hintennach geschrieben hat: „der wie Quecksilber verschwindende und dennoch getreue Vagant Simpl. Simplicissimus."

Tatsächlich reiht sich der Roman mit seiner Lichtsymbolik in eine große Reihe ein: sowohl das Parzival-Epos Wolframs mit seinem Licht-ausstrahlenden Gralsymbol, in dem sich der Geist des Mittelalters zusammenfaßt, zeigt uns den Helden „lieht-gevar", als er den Gral erringt, wie auch Goethes bürgerlicher Held, dem wir uns nunmehr zuwenden, beschließt seine Lehr- und Wanderjahre in einem Beisammen von Vater und Sohn, „auf dem Wechselwege vom Orkus zum Licht". Das will besagen: auch Grimmelshausen folgt einem Grundgesetz der Tiefe, wenn er seinen Simplicius von der Einfalt der Kinderzeit bis zu dem Augenblick begleitet, wo er sich und Gott zur Freude und Ehre den Spruch dichtet vom „finsteren Licht". Größe und Glanz des Schöpfergottes vor Augen, bei allem Schrecken vor der zu durchwandernden Finsternis. Ob man dies komplexe Weltbild dann in die Formel eines „Erziehungsromanes" bringen will, wo es ebenso gut ein Schelmenroman und ein Abenteurerroman ist, das ist ohne Belang. Entscheidend nur ist es, daß der Kern des hier durchgelebten Lebens nicht an Spaltprozesse vertan wird, die viel mehr unsre gespaltene Gegenwart spiegeln als die robuste Volkswelt des Dreißigjährigen Kriegs. Nur der Blick für den symbolischen Kosmos der Dichtung behält Gültigkeit. Aber eines schließt die Paradoxie des „Finsteren Lichtes" noch ein, was zum symbolischen Kosmos der Barockdichtung gehört: die Allegorie. Wohl ist Simplicius zuletzt zu einem Schauen gereift, von dem er selber sagt: „die ganze weite Welt sei ihm ein großes

Buch, darinnen er die Wunderwerke Gottes erkennen und zu dessen Lob angefrischt werden möchte."

Er betrachtet seine kleine Insel als „die ganze Welt", darin „ein jedes Ding ein Antrieb zur Gottseligkeit". Und er entdeckt einen Saft, der es ihm möglich macht, sein Leben auf Palmblätter zu schreiben. Als er sich gezwungen sieht, vor den neugierigen Holländern in seine Höhle sich zurückzuziehen, bieten sich ihm Leuchtkäfer an, die ihm die Höhle taghell erleuchten, so daß er sein Leben in Ruhe ganz zu Ende beschreiben kann.

Dennoch begreift er Gottes erhabne Größe, die sich ihm offenbart hat, als „finstres Licht", sein eignes Leben mit all seinen Verblendungen mit einbegriffen. Das Mittelalter wählte den Goldgrund der Gemälde, um bescheidentlich auszudrücken, wie sich in irdischen Zeichen der Glanz des Überirdischen einfangen ließe. Aus der Spannweite zwischen beiden erwächst, was das Mittelalter „Allegorie" nennt: „Die Allegorie sagt etwas anders mit Worten, etwas anderes dem Sinn nach" (Quintilian). An dieser Stelle setzt die Erforschung der Allegorie im Barock an. Denn was der Dreißigjährige Krieg den Menschen, die ihn miterlebten, einprägt bis zur Schreckerfahrung, ist die Vergänglichkeit alles Menschlichen gegenüber dem Ewigen. Walter Benjamin auf den Spuren des barocken Trauerspiels kommt zu der Einsicht: „Die Allegorie ist am bleibendsten dort angesiedelt, wo Vergänglichkeit und Ewigkeit am nächsten zusammenstoßen." Und er erkennt als Urmotiv der Allegorie: „die Einsicht ins Vergängliche der Dinge und jene Sorge, sie ins Ewige zu retten." Hier nun spielt herein die christliche Lehre vom Fall der Kreatur, und das christliche Schuldgefühl. Zugleich das Fortleben der antiken Götterwelt, die sich entpersönlicht und zu beweglich abstrakten Vorstellungsformen dichterischer Einbildungskraft wird. „Dem allegorisch Bedeutenden ist es durch Schuld versagt, seine Sinnerfüllung in sich selbst zu finden." Heraufsteigt Lucifer, die „urallegorische Figur". Als ein „unterirdisches Leuchten". Damit sind wir bei Grimmelshausens „finsterm Licht". Betrachten wir von da her nochmals Grimmelshausens „Simplicissimus", dann vertieft sich uns alles, was wir bisher erkannten, auf ein „Symbolon", in dem sich, wie bei Shakespeare, „das Elementarische" mit dem „Allegorischen" verschmilzt. Je leidenschaftlicher Grimmelshausen den Dreißigjährigen Krieg am eignen Leibe miterfuhr, um so weitgreifender mußte der Dichter Grimmelshausen ins Allegorische vordringen, um das Vergängliche ins Ewige zu retten. Damit erst begreift sich ganz die Notwendigkeit, mit der den fünf Büchern der Erstausgabe die Continuatio angefügt werden mußte. Grimmelshausen brauchte die Ausgriffe in die Teufelswelt ebenso wie die Konfrontation mit dem Herrn Baldanders, um dem ihn durchdringenden Lebenswillen durch die Einsiedlermaske hindurch das Lachen abzugewinnen, aus dem sein Humor die Schrecken überschwingt. Darum erfand er die Begegnung des Simplex mit dem Besessenen, dessen Höllenwahrheiten als wahrhaftes unterirdisches Leuchten alle bisherigen Simplex-Masken zur Phönixflamme verbrannten. Und darum fügte er das Gespräch mit dem Abreißpapier ein, um dem Dämon der Baldandersgestalt das Dämonische zu nehmen. Darum aber auch brauchte Grimmelshausen die Umformung der eignen Jugenderfahrungen in die Simplexgestalt, mit allen ihren Einfalt-Masken, hinter deren Vielfalt sich der echte Einfaltkern birgt, der durch alle Phönixverbrennungen „unverloren" bleibt. Die Spannweite, die in der modernen Forschung zu Spaltprodukten führt zwischen Figur und Charakter, Maske und Identität, zur Dauer-Narrheit oder zum Wechsel beispielhafter Figuren vom Tor zum Abenteurer zum Einsiedler, sie umschließt den lebendigen Menschen des Barock, der aber nicht dem „Elegantia-Ideal" der Zeit verfällt, wie Paul Böckmann in seiner Formgeschichte richtig erkennt, sondern dessen kernhaftes Vorwärtsdringen nach dem Licht, nach dem „Heil der Seele", „in allem Irren ein Wissen um die Herkunft aus der Einfalt" lebendig bis in unsre Gegenwart trägt. Auch Clemens Heselhaus im Sammelwerk „Der deutsche Roman" 1963 sieht das Endziel im „Elementarzustand des Welt- und Menschenwesens, als Wandelbarkeit und Veränderlichkeit, durchgekostet und erlitten in den verschiedensten Situationen, um über allen Irrwegen und Umwegen die eine Simplizität der Weisheit, der Selbsterkenntnis und der Gelassenheit um so heller aufgehen zu lassen". Auch hier hat Lichtsymbolik das letzte Wort.

Goethes „Wilhelm Meisters Lehrjahre" und „Wilhelm Meisters Wanderjahre"

1

Die Spannweite vom „Simplicissimus Teutsch" am Ende des Barockjahrhunderts zu Goethes Wilhelm-Meister-Romanen, die das

19. Jahrhundert einleiten, überbrückt sich am einleuchtendsten, wenn wir von dem Begriff ausgehen, den der erste deutsche Romantheoretiker 1774 geprägt hat, Friedrich von Blankenburg im „Versuch über den Roman": „Wir werden durch alles in Bewegung gesetzt, was selbst in Bewegung ist." Was den Simplicissimus in Bewegung setzt, ist der Dreißigjährige Krieg, in den er geworfen wurde, die Bewegung erzwingt die Verschmelzung des Elementarischen mit dem Allegorischen unter den Signalen des „finsteren Lichts", so wird Simplex zum Symbol des Barockjahrhunderts. Goethe greift nicht, wie Bürger in der „Lenore", auf den Siebenjährigen Krieg zurück. Er kann sich der Bewegung anvertraun, die in ihm selbst und seinem ironischen Widerspiel, dem Wilhelm Meister, als dem Repräsentanten eines bildungsbewegten, bildsamen Bürgertums sich durch die Zeitbewegungen hindurchwächst, in „fortschreitender Stetigkeit", wie Goethe selber sagt; durch die Verführungen des „Nationaltheaters" in den Siebziger Jahren, durch die in der Gesellschaft des Turms zusammengeschlossene Mischung von Aufklärung und ironischem Weltverstand, schließlich durch die dem Bürgertum übergelagerte Adelsschicht und, mit dem Zeitsprung der „Wanderjahre", durch die Erschütterungen hindurch, die die französische Revolution und das Maschinenzeitalter neu heraufgebracht haben.

Als Goethe einigermaßen pathetisch mit der „Theatralischen Sendung" 1777 begann, ahnte er so wenig wie beim „Urfaust" 1774, was für eine Weltbewegung sich seiner bemächtigt hatte. Er eroberte sich eine welthaltigere Prosa als im „Werther", naiv-realistisch wie ehedem Simplicius. Nachdem er bei den sechs Büchern des „Urmeister" stecken geblieben war, schrieb er an Schiller am 10. 12. 1794:

> „Nach den sonderbaren Schicksalen, welche diese Produktion von innen und außen gehabt hat, wäre es kein Wunder, wenn ich ganz und gar konfus darüber würde. Ich habe mich zuletzt bloß an meine Idee gehalten und will mich freuen, wenn sie mich aus diesem Labyrinthe hinausleitet."

Dezember 1794 hatte sich die Ursprungs-Idee bereits gewandelt. Die theatralische Sendung ist längst als Umweg erkannt. Eine größere Aufgabe ist Goethe zugewachsen: „Wilhelm Meisters Lehrjahre". Es ist derselbe „Wilhelm Meister" der Urfassung, ebenso naiv in der Namengebung aus der Taufe gehoben, als ewiger Schüler, der auf einen Meister hinzielt, wie Grimmelshausen, wenn er seinen Helden „Simplicius" nennt und ihn später zum „Simplicissimus" steigert. Aber es ist nicht mehr das Kind aus dem „Urmeister", sondern es ist Wilhelm, der Jüngling, der als Liebhaber in die Bohême-Wirtschaft der geliebten jungen Schauspielerin eindringt und ihr einen Sohn zeugt. Während Marianes rüde alte Bedienerin ihn einen „ungefiederten Kaufmannssohn" nennt, den man nicht rupfen kann, weil nichts dran ist, wirft Wilhelm mit seiner liebesbeschwingten Phantasie den Glanz einer „besseren Welt" in Marianes Seele, selbst überzeugt, „den hellen Wink des Schicksals" zu verstehn, das ihn an Marianes Seite aus der Kleinbürgerwelt des Kaufmannsstandes in die Weltfülle eines „künftigen Nationaltheaters" emporheben würde.

Goethes Haltung zum Frühmanuskript hat er selbst in die weiteste Distanz gerückt: „Die Schrift ist schon so lange geschrieben, daß ich im eigentlichen Sinn jetzt nur der Herausgeber bin." (27. 8. 1794.) So kann man Goethe hier wohl dem alten Grimmelshausen vergleichen, der seinem Simplicius mit satirischem Blick über die Schulter schaut. Goethe verkürzt die sechs Bücher zu vieren, er zieht vor allem die Puppenspielzeit im Rückblick zusammen: aus Wilhelms Erzählung, über der Mariane einschläft, entwicklen sich Kontrastwirkungen des Humors: das Ernsthaft-Kindliche, das Wilhelms Einfalt der Puppenspielzeit gibt, ist in Marianes Bohêmewelt fehl am Ort. Er selber wirkt komisch. Und der Dichter unterstreicht es mit dem Wunsch, „daß unser Held für seine Lieblingsgeschichten aufmerksamere Zuhörer künftig finden möge". Wichtiger für die künftige Entwicklung wird Wilhelms Frage sein, „ob er sich denn nicht Vater glauben dürfe".

Die Frage bekommt ernsteres Gewicht, als Goethe den ganzen bürgerlichen Rahmen jetzt geändert hat. Im Frühentwurf sollte Wilhelm aus einer unglücklichen Ehe stammen und um so mehr in die Fremde, in die Theaterwelt drängen. Jetzt sind Mutter und Vater guten Schutzgeistern gleich. Die Reise, auf die der vorsorgliche Vater Wilhelm schickt, bringt ihm einen ersten Einblick in die Schauspieler-Misere. Die Rückkehr entdeckt ihm, was vorerst alle Pläne und Träume vernichtet: Marianes Untreue.

Inzwischen hat ein Unbekannter, mit dem Wilhelm ins Gespräch kommt, ihm die Gestalt des Großvaters, des weltmännischen Kunstsammlers, in die Erinnerung gerufen. Des Vaters Gestalt wirkt vom Hintergrund her auf der ganzen Reise nach. Des Grafen Goldgeschenk nimmt Wilhelm nur an: „um meinem Vater mutig vor die

Augen zu treten"; und als die Nachricht von des Vaters Tod den Sohn unversehens überrascht, spürt er die Erschütterung so tief, daß die Stimme des Geistes im „Hamlet" ihm auf der Bühne „eine Ähnlichkeit mit der Stimme des Vaters" hervorruft.

Was wohl hat das zu bedeuten für die verwandelte „Idee" des Ganzen? Keiner hat so eindringlich der Gesamt-Idee nachgeforscht als Schiller, dem Goethe die Einzelbände während des Druckes und die Manuskripte des 3.—8. Buches zusandte. Schiller hat es als Freund geradezu sich zur „Religion" gemacht, seine Eindrücke so wahrhaft und eindringlich wie möglich in unmittelbaren Briefen darzutun. „Ich gestehe, daß ich bis jetzt zwar die Stätigkeit, aber noch nicht die Einheit recht gefaßt habe." So wunderbar er „das schöne Leben, die einfache Fülle" des Ganzen zu würdigen weiß, „ruhig und tief, klar und doch unbegreiflich wie die Natur", so außerordentlich ihm die „geheime Führung Wilhelms" durch die Gesellschaft des Turms einleuchtet, so möchte er doch die Gesamtidee klarer ausgedrückt finden. Schließlich versucht er selber sich, Wilhelms Ziel mit „dürren Worten" auszusprechen: „er tritt von einem leeren und unbestimmten Ideal in ein bestimmtes tätiges Leben, aber ohne die idealisierende Kraft dabei einzubüßen", .. unter der schönen und heiteren Führung der Natur (durch Felix) ... „als das Ende seiner Lehrjahre".

Goethes Antwort berührt den entscheidenden Gegensatz beider Naturen. „Der Fehler ... kommt aus meiner innersten Natur, aus einem gewissen realistischen Tick, durch den ich meine Existenz ... den Menschen aus den Augen zu rücken behaglich finde." „Es ist keine Frage, daß die scheinbaren, von mir ausgesprochenen Resultate viel beschränkter sind als der Inhalt des Werks, und ich komme mir vor wie einer, der, nachdem er viele und große Zahlen übereinandergestellt, endlich mutwillig selbst Additionsfehler machte, um die letzte Summe, aus Gott weiß was für einer Grille zu verringern." Im Brief vom 9. Juli 1796 ruft er geradezu Schillers Mithilfe heran: „mit einigen kecken Pinselstrichen das noch hinzuzufügen, was ich, durch die sonderbarste Natur-Notwendigkeit gebunden, nicht auszusprechen vermag." Dazu ist es nicht gekommen. Doch entnimmt Goethe Schillers Vorschlägen im Einzelnen, daß die Lehrjahre über sich hinausweisen und daß es darum gehen wird: „künftig die Figuren etwa noch einmal auftreten zu lassen". So geht es um „Verzahnungen, die man vorwärts deuten muß".

Nichts kann die komplexe Tiefe des Romans stärker bezeugen als dies Zwiegespräch der Freunde in Briefen. Es endet damit, daß Goethe schließlich den Freund beim achten Buch mit dem Druck überrascht. Er hat sich dem entzogen, was er im Altersrückblick zu Eckermann 1823 „die unselige Zeit der Spekulationen" nennt. Ein Jahr später 1797 ging es mit dem Faustfragment ganz ähnlich. Goethes Bitte an Schiller, ihm die Forderungen vorzulegen, die er ans Ganze des „Faust" machen würde, beantwortet Schiller im Brief vom 23. 6. 1797 mit dem Begriff der „symbolischen Bedeutsamkeit". „Die Einbildungskraft wird sich zum Dienst einer Vernunftsidee bequemen müssen." Schiller gesteht: „Ich finde keinen poetischen Reif, der eine so hoch aufquellende Masse zusammenhält." (26. 6. 1797.) Schiller hat nicht mehr erlebt, wie Goethe die so hoch aufquellende Masse im „Faust I" (1808) gebändigt hat: an die Stelle der Vernunftidee ist die Lichtsymbolik getreten, die den „Prolog im Himmel" durchformt und über die fünf Akte des II. Teils auf die Lichtglorie der Himmel-Auffahrt des Doktor Marianus übergreift.

Vielleicht dürfen wir uns auch im „Wilhelm Meister" den Signalen der Lichtsymbolik anvertrauen, die es dem großen Symboliker Goethe ermöglichen, die Einheit des Ganzen durchscheinen zu machen.

Als Goethe 1829 „Wilhelm Meisters Wanderjahre" mit der Szene beschließt, in der Wilhelm als Wundarzt den Sohn ins Leben und ins Bewußtsein zurückbringt, faßt er diesen Gipfelaugenblick in den Satz: „So standen sie fest umschlungen wie Kastor und Pollux, Brüder, die sich auf dem Wechselwege vom Orkus zum Licht begegnen." Wenn damit Wilhelms Entwicklung durch Lehr- und Wanderjahre ihr vorläufiges Ende nimmt, als symbolischer Abschluß des Riesenwerks, das 1777 begann, dann muß dies abschließende Bild mehr sein als eine kluge Bildungsmetapher, die die Kenntnis der Mythe von Kastor und Pollux voraussetzt, dann dringen reale Existenzmächte hier mit symbolischem Anspruch auf: Finsternis und Licht im Wechselgeflecht des Lebens. Wilhelm selbst gibt die Deutung, wenn er auf den Sohn hinabschaut, den er ins Leben gerettet hat: „Wirst du doch immer aufs neue hervorgebracht, herrlich Ebenbild Gottes, und wirst sogleich wieder beschädigt, verletzt von innen oder von außen."

Darnach wären Vater und Sohn die mächtigen Klammern, die das Ganze zusammenhalten. Als die Urbewegung des Lebens, die immer selber wieder Bewegung schafft. In dem Augenblick, wo Wilhelms eigner Vater gestorben ist und er sich, dank der ihm zufallenden Freiheit, zum Theater entscheidet, prägt er im Brief an den Kaufmannsfreund zum ersten Mal sein Lebensziel aus: „mich selbst, ganz wie ich da bin, auszubilden, das war dunkel von Jugend auf mein Wunsch und meine Absicht." Als Wilhelm das schreibt, weiß er noch nichts davon, daß seine frühste Leidenschaft zur Bühne, wo ihm Mariane „im günstigsten Lichte theatralischer Vorstellung erschien", ihm einen Sohn beschert hat, wiewohl er es erhoffte. Im Lauf der abenteuernden Jahre dringt zweimal im Traum sein Unbewußtes herauf: als er zum ersten Mal wieder von Mariane gehört hat, sieht er sie vor sich „bald in aller Schönheit, bald in kümmerlicher Gestalt, jetzt mit einem Kind auf dem Arm, bald desselben beraubt". Als er Aureliens Brief Lothario übergibt und die erste Nacht dort zubringt, überfällt ihn ein wahrhaft komplexer Traum: Kindheitsgärten, Mariane und dann sein Vater, im Hauskleid, mit vertraulicher Miene, läßt den Sohn zwei Stühle aus dem Gartenhaus holen, nimmt Mariane bei der Hand und führt sie nach einer Laube. Dann der Blick aus dem Gartensaal, auf die Theaterbekannten, Philine, die mit den Kindern spielt, bis der Knabe, den Wilhelm als Aureliens Kind kennt, Felix, vor dem alten Harfenspieler flüchtend in den Teich hineinläuft, Wilhelm schreckgelähmt, indes die Amazone von der andern Seite des Teichs Felix die rechte Hand entgegenstreckt und ihn magisch herüberzieht, aus dem Teich herauszieht, auflodernde Flammen mit ihrem Schleier löscht. Aus dem Schleier springen zwei Knaben, Wilhelm sieht sich Hand in Hand mit der Amazone, er sieht Mariane mit dem Vater, die vor ihm fliehen, während die Amazone ihn zurückhält. Nichts wirkt hier allegorisch wie bei Grimmelshausens Träumen. Es ist ein prophetischer Traum, in dem sich alles in eins fügt, was Wilhelm je begegnete, Mariane erscheint (als Verstorbene) aufgenommen im väterlichen Lebenskreis. Wilhelms Amazone aber findet sich zur Retterin des Kindes erhöht.

Inzwischen ist Wilhelm bei der Schwester des Theaterdirektors Serlo, Aurelie, der Knabe begegnet, Felix benannt, den Philine „an Schönheit der Sonne verglichen". Schon im „Urmeister" hat hier die Lichtsymbolsprache das Kind herausgehoben, das dann in den „Lehrjahren" bestimmend in die Handlung eintritt. Beim Theaterbrand wirft Aurelie Wilhelm den Felix zu: „Retten Sie das Kind!" Wilhelm übergibt es dem Harfner. Doch bald schon ruft ihn Mignon zu Hilfe: „Meister! Rette deinen Felix! Der Alte ist rasend!" Es gelingt, Felix zu retten. Wilhelm nimmt ihn mit Mignon bei sich auf. Als er dann nach Aureliens Tod ihren Brief zu Lothario bringt, erfährt er dort, daß Felix nicht Aureliens Sohn ist. Zurückgekehrt entdeckt ihm die alte Dienerin Marianes, daß Felix sein eigner Sohn sei und daß Mariane nach der Geburt gestorben war. Das Bekenntnis ihrer Treue, in Briefen aufbewahrt, kann letzte Zweifel nicht vertreiben, ob Felix wirklich sein Sohn. Dann weiht ihn Jarno ins Geheimnis der Gesellschaft des Turms ein. Die Einsichten, die an ihn herangetragen werden, während „die Morgensonne ihn blendet", heben den Leitsatz auf, mit dem er sich selber sein Ziel gegeben: „Mich selbst, ganz wie ich da bin, auszubilden, das war dunkel von Jugend auf mein Wunsch." Jetzt begreift Wilhelm: „Von welchem Irrtum kann der Abbé sprechen als von dem, der mich mein ganzes Leben verfolgt hat, daß ich da Bildung suchte, wo keine zu finden war, daß ich mir einbildete, ein Talent erwerben zu können, zu dem ich nicht die geringste Anlage hatte?" Eben jetzt wird ihm ein Lehrbrief zuteil, dessen abstrakte Sprache in dem Schlußsatz gipfelt: „Der echte Schüler lernt aus dem Bekannten das Unbekannte entwickeln und nähert sich dem Meister!" „Ich bin der Geist deines Vaters!" sagt zu ihm der Vertreter des Hamlet-Geists.

An dieser Stelle hat Goethe Wilhelm in den Augenblick erhoben, wo der, der sich selbst zu bewegen glaubte, von einer mächtigeren Mitbewegung erst zum Ziel emporgetragen wird. Auf Wilhelms Lippen bilden sich die Worte: „Darf ich eine Frage tun?" Wilhelms Frage lautet: „Könnt ihr mir sagen, ob Felix wirklich mein Sohn sei?" Die Antwort bestätigt ihm, was ihn erst vor sich selbst bestätigt: „Felix ist Ihr Sohn!" Der in Jugendliebe Gezeugte, vom Urimpuls der Schöpfung bewegt, wird Wilhelm, den Vater Gewordenen, in eine größere Bewegung werfen, die erst seine Zukunft bestimmen wird. Zugleich wird vor dem schalkhaften Kindergesicht, das durch die Teppiche guckt, vor der Einfalt des Ursprungs, den sich Wilhelms Frage erschlossen hat, das Überkünstelte der Gesellschaft des Turms ins Lebensgleichgewicht zurückgedrückt. Damit schließt Goethe das siebente Buch. „Heil dir, junger Mann, deine Lehrjahre sind vorüber; die Natur hat dich losgesprochen."

Zwei Lichtsignale dann schließen uns das letzte achte Buch auf. Bereits im „Urmeister" hatte das sechste Buch mit dem Räuber-Überfall auf die von Wilhelm geführte Theatertruppe allen Augenmerk der „schönen Amazone" zugewandt, die ihre Fürsorge dem verwundeten Wilhelm widmete und einen Wundarzt aus ihrer Begleitung heranrief. Wilhelm kommt es vor, „als sei ihr Haupt mit Strahlen umgeben, die sich nach und nach über ihr ganzes Bild ausbreiteten". In den „Lehrjahren" finden wir dieselbe Szenerie im sechsten Kapitel des Vierten Buches. Da verstärkt sich der Glanz um die Amazone: „als sei ihr Haupt mit Strahlen umgeben und über ihr ganzes Bild verbreite sich nach und nach ein glänzendes Licht." Wenn die Amazone dann später noch im Traum Wilhelm erscheint, wie sie über den Teich hinweg dem kleinen Felix zur Retterin wird, dürfen wir für das letzte achte Buch eine Wiederbegegnung mit der Amazone erwarten, die für Wilhelm eine höchste Steigerung seiner Lebenskurve mit sich bringt.

Daß zugleich Felix, der neuzugeeignete Sohn, in die Mitte der Handlung rücken muß, verrät abermals ein untrügliches Lichtsignal. Als Wilhelm zur erkrankten Mignon gerufen wird und den Sohn Felix mitnimmt, erlebt er mit dem Sohn in der Kutsche den Sonnenaufgang:

„Das Kind sah zum ersten Mal in seinem Leben die Sonne aufgehen. Sein Erstaunen über den ersten feurigen Blick, über die wachsende Gewalt des Lichts, seine Freude und seine wunderlichen Bemerkungen erfreuten den Vater und ließen ihn einen Blick in das Herz tun, vor welchem die Sonne wie über einem reinen stillen See emporsteigt und schwebt."

Das Verweben des äußeren und inneren Lichts in Goethes Gleichnis führt in die Mitte seiner Lichtsymbolsprache und eröffnet den Ausblick auf eine Durchtiefung des Vater-Sohn-Verhältnisses, wie es dann auf die seltsamste Weise auf Natalie, die Amazone, übergreift, die eine Nacht lang Wilhelms Sorge um das Schicksal des Knaben teilt: die Füße des Knaben auf seinem Schoß, Kopf und Brust auf ihrem Schoß. Wie Natalie sich selbst das Gelübde tat, wenn das Kind sterben sollte, Wilhelm ihre Hand anzubieten, so erfüllt sich für Wilhelm die Liebe seines Lebens: Natalie wird ihm, was sie selbst von ihrer Verwandten, der Verfasserin der „Bekenntnisse einer schönen Seele" sagt: „Sie war ein Licht, das nur wenigen Freunden und mir besonders leuchtete."

Als Schiller das achte Buch von Goethe erhielt, fiel sein Blick zuerst auf Mignons Lied. „Dies bewegte mich so tief, daß ich den Eindruck nachher nicht mehr auslöschen konnte." (28. Juni 1796.) Es ist in den „Lehrjahren" der vollkommenste dichterische Ausdruck eines Lichtsymbols, der bereits das Makarienlicht der „Wanderjahre" vorwegnimmt:

> „So laßt mich scheinen, bis ich werde,
> Zieht mir das weiße Kleid nicht aus!
> Ich eile von der schönen Erde
> Hinab in jenes feste Haus.
>
> Dort ruh' ich eine kleine Stille,
> Dann öffnet sich der frische Blick,
> Ich lasse dann die reine Hülle,
> Den Gürtel und den Kranz zurück.
>
> Und jene himmlischen Gestalten,
> Sie fragen nicht nach Mann und Weib,
> Und keine Kleider, keine Falten
> Umgeben den verklärten Leib.
>
> Zwar lebt' ich ohne Sorg und Mühe,
> Doch fühlt ich tiefen Schmerz genung;
> Vor Kummer altert ich zu frühe;
> Macht mich auf ewig wieder jung!"

Der Abdruck des ganzen Gedichts soll in die Anschauung rufen, wie sehr die Prosa dieses großen Romans von eingelegten Gedichten durchglänzt ist, die wie auf Schiller auf jeden Leser unauslöschlichen Eindruck machen und das Romanbild mitbestimmen. Mignon als der helle Schutzgeist Wilhelms entfaltet in diesen Versen die innerste Sehnsucht nach dem Licht. Als eine Lichtprophetie, die die polaren Spannungen zwischen den Geschlechtern aufgehoben hat, in der Vollkommenheit des androgynen Gottesbildes, wie es sich Jakob Böhmes Gottes-Mystik vorstellt. Mignon im weißen Kleide, zum ersten Mal als Mädchen in der Engelsrolle mit der Lilie in Händen, öffnet ihre vom Leid verdunkelte Seele für alle als reine Lichtgestalt, die ins Jenseitige entschreitet. Es geschieht in Nataliens Atmosphäre.

Dies Gedicht, erst für die „Lehrjahre" gedichtet, nimmt nur auf, was die Mignongestalt der „Theatralischen Sendung" bereits in sich trägt. Von Anbeginn enthebt sie Wilhelm den Verwirrungen der Theaterwelt, vor der sie ihn zu warnen sucht, in ein Rein-Poetisches, nach dem sich Wilhelms Seele sehnt. So ruft Mignon Wilhelms erste, ganz überraschend impulsive Tat hervor: daß er dem Peiniger an die Gurgel fährt und sich schlechthin reskiert. Er spürt es selber als „Inspiration", daß es ihm einfällt, dem Mann Rechenschaft abzufordern, wo er sie gestohlen hat. Dann kauft er Mignon für dreißig Taler los und hat nun dies Rätselwesen als Trabanten um sich, der ihn nicht nur umkreist, sondern auch, wie Schiller es ausgedrückt hat, „an ein Entferntes und Größeres" im Lebenssystem anknüpft.

Solche Lichtsignale im Gesamtwerk werden in einer labyrinthischen Zeit leicht beiseite gerückt, doch verlangen sie zugleich die genauste Rechtfertigung aus dem komplexen Ganzen. Wir können ausgehen von Schillers ersten Eindrücken, die er nach Empfang des achten Buches sogleich den Briefen an Goethe anvertraut. Da heißt es am 28. Juni 1796: „Das Merkwürdigste an dem Total-Eindruck scheint mir dieses zu sein, daß Ernst und Schmerz durchaus wie ein Schattenspiel versinken und der leichte Humor vollkommen darüber Meister wird."...„Wie es auch sei, so viel ist gewiß, daß der Ernst in dem Roman nur Spiel und das Spiel in demselben der wahre und eigentliche Ernst ist, daß der Schmerz der Schein und die Ruhe die einzige Realität ist." Daß am Schluß Friedrich, Nataliens Bruder, mit seinem Narren-Lachen Wilhelm aus dem „bänglichen Traum" aufweckt, führt Schiller zum kühnsten Gesamturteil: „Der Traum flieht zu den andern Schatten, aber sein Bild bleibt übrig, um in die Gegenwart einen höheren Geist, in die Ruhe und Heiterkeit einen poetischen Gehalt, eine unendliche Tiefe zu legen. Diese Tiefe bei einer ruhigen Fläche ist ein vorzüglicher Charakterzug des gegenwärtigen Romans."

Auch Friedrich Schlegel in seiner Besprechung des Romans im „Athenäum" 1798, als Stimme der romantischen Generation, umfaßt mit kongenialer Einfühlung das Ganze, kommt zu ähnlichen Formeln: „Man lasse sich dadurch, daß der Dichter ... den Helden fast nie ohne Ironie zu erwähnen und auf sein Meisterwerk selbst von der Höhe seines Geistes herabzulächeln scheint, nicht täuschen, als sei es ihm nicht der heiligste Ernst." ... „Hat irgend ein Buch einen Genius, so ist es dieses." Schlegel prägt den Begriff vom „Äther der Fröhlichkeit", führt ihn auf das Wesen der „Ironie" zurück, die „über dem ganzen Werke schwebe". So verfolgt dann Schlegel „den Stufengang der Lehrjahre der Lebenskunst" bis zum letzten Buch, wo schlechthin „Größe" waltet, „das große Schauspiel der Menschheit selbst", das „die Kunst aller Künste, die Kunst zu leben" umfaßt.

Es liegt ein Unterschied zwischen beiden, wenn Schiller vom „leichten Humor" spricht, der „vollkommen Meister wird" und wenn Schlegel alles auf seinen Begriff der romantischen Ironie bringt: „Wir müssen uns über unsre eigene Liebe erheben, und was wir anbeten, in Gedanken vernichten können: sonst fehlt uns ... der Sinn für das Weltall."

Hier wird es ratsam, auf Goethe selbst zurückzugehen, um einen objektiven Ansatzpunkt zu finden, zwischen dem, was Schiller zur „Idee" verfestigen will und was Goethe seinen „realistischen Tick" nennt. Vielleicht gelingt es, von da den Unterschied zwischen Schillers „Humor" und Schlegels „Ironie" anzugehen. Goethe schreibt am 10. Juli 1786 an Frau von Stein, während er sich Wilhelm-Meister-haft mit Linnés Botanik beschäftigt: „Das Pflanzenwesen freut mich, das mich verfolgt. Es zwingt sich mir alles auf, ich sinne nicht mehr darüber, es kommt mir alles entgegen, und das ungeheure Reich simplifiziert sich mir in der Seele, daß ich bald die schwerste Aufgabe gleich weglesen kann ... Es ist ein Gewahrwerden der wesentlichen Form, mit der die Natur gleichsam nur immer spielt und spielend das mannigfaltige Leben hervorbringt."

Goethes organischer Geist vergleicht sich hier der Natur, die ihre wesentlichen Formen wie spielend hervorbringt. Während er bewußt im Sinne Schlegels mit Ironie über dem Ganzen schwebt, in Gedanken vernichtend, was er anbetet, ist sein Geist vielmehr, während er zu bewegen scheint, selber mitbewegt, aus jener „Tiefe bei einer ruhigen Fläche", wie Schiller es ausdrückt. Die Kontraste, die entstehen, zwischen dem, der bewegt und dem, der bewegt wird, aus jener Zwangstiefe der Natur in ihrer ruhigen Fläche, erheben sich über die „Ironie" in eine eigene Größenhaltung, die Schiller „Humor", Schlegel gelegentlich „Äther der Fröhlichkeit" nennt.

Es wird notwendig, das am Beispiel deutlich zu machen, indem wir Friedrich Schlegel folgen und von Buch zu Buch Wilhelms Lehrjahre der Lebenskunst verfolgen.

„Bescheidnen Reiz" spricht Schlegel dem ersten Buch zu. Es lebt aus dem Kontrast der Puppenwelt, die Wilhelms Erinnerung heraufzaubert, und der Bohême-Welt, in der Mariane darüber einschläft, während ihre Reize ihn verzaubern. Und während Wilhelm den Brief des Herzensvertrauens schreibt, entschlossen, Mariane zu heiraten und mit ihr zum Theater zu gehen, schlägt ihm das Schicksal die Feder aus der Hand: das Wirrwarr in Marianes Bohêmewelt spielt Wilhelm den Zettel zu, der die Bettvertrautheit des Nebenbuhlers verrät. Zugleich aber spricht ein Unbekannter Wilhelm an, ihm den Begriff „Schicksal" zu verweisen und ihm Mut zum eignen Willen, zum eignen Verstand zu machen.

Gewiß ist der Reiz des ersten Buches bescheiden. Dennoch hat Hans-Egon Haß recht, in seiner ausführlichen Darstellung (Sammelwerk: Der deutsche Roman I 1963) die „ironische Struktur" in die Tiefenschicht der „ironischen Konstellation" zu verlegen. So ergibt sich der Hauptkontrast zwischen der Puppenwelt und der Bohêmewelt. Dabei leitet sich dann aus dem Kontrast von Wilhelms Einfalt, die ihre eigne kindliche Tiefe auch noch im erinnernden Rückblick hat, zum Bohême-Wirrwarr, in dem ein Sinnengewächs wie Mariane sofort über den Puppenerzählungen einschläft, ein echter Humor, den auch Goethes alles überschwebende Ironie gelten läßt: Wir spüren Wilhelms Kindlichkeit als Grundwert, der für uns miteinströmt in seine blind vertrauende Liebe. Wir spüren zugleich das eigentlich Bodenlose im Bohême-Milieu, für das vorerst Wilhelms Verliebtheit noch keine Augen hat. Aus solchem Milieu entspringt das grob kreatürliche Bild der alten Barbara, die Wilhelm einen „ungefiederten Kaufmannssohn" nennt. Hans-Egon Haß hat dies Bild gründlich durchleuchtet, ebenfalls sehr mit Recht. Es setzt einmal den Blick von unten voraus, gewöhnt, Vögel zu rupfen, und einen Liebhaber abzuschätzen nach dem, was man an ihm rupfen kann. Wilhelm als strenggehaltener Bürgersohn, ist dem reichen selbständigen Kaufmann mit seinen Geschenken für Barbara weit unterlegen. Haß greift zugleich in die Tiefe der ironischen Konstellation: das Bild vermittelt auch doch etwas Unbeschwertes, Jugendliches, noch von keinen Existenzsorgen eingegrenzt. Und das Bild birgt einen „dunklen Unterton": Wilhelm wird so unbefiedert sein, daß er sich „dem Schicksalsernst seiner Liebe nicht wirklich stellen" wird. Er wird der vermeintlichen Untreue Marianes im Barbara-Milieu nicht auf den Grund gehen und in eine Schein-Enttäuschung hineingeraten, die ihn doch vor der Theater-Illusion nicht bewahren kann. Wenn der Unbekannte Wilhelm davor warnt, allzuviel dem „Schicksal" anheimzugeben, sondern an die Vernunft appelliert, dann deutet auch das auf den ungefiederten Kaufmannssohn, dem sein Geist-Gefieder erst wachsen muß. Was Haß als „ironische Konstellation" faßt, geht im „Gewebe aus Notwendigkeit und Zufall", in das jeder geworfen ist (wie der Unbekannte es nennt), in den Kontrast über zwischen dem, der zu bewegen glaubt, und der von untergründigen Mitbewegungen vorwärtsgetragen wird. Dies Organ der Mitbewegung scheint bei Haß in der „ironischen Konstellation" nicht vollumfaßt.

Wir können das erste Buch nicht verlassen, ohne noch die Kontrastgestalt heranzuziehen, die als Jugendfreund Wilhelms neben ihm aufwächst, und die bereits alle Elemente in sich entwickelt, die das Gegenbild zu Wilhelm darstellen bis in die letzte Wiederbegegnung im achten Buch. Werner, der Sohn des väterlichen Geschäftsfreunds, ist von Kind an auf „Profit" bedacht. Sogar aus den Puppenspielen Wilhelms zog er, wie ein Kriegslieferant, seine Vorteile, indem er Wilhelms Liebhaberei ausnutzte, ihm immer neue Stücke Band zu „verhandeln". Er gehört zu den „kalten Leuten", dem es einen Genuß bereitet, Wilhelms „ausschweifendem Geist Zügel und Gebiß anzulegen". Alsbald entdeckt er Wilhelms Liebschaft mit der Schauspielerin, die sich von einem andern aushalten läßt. Er zerstört Wilhelms Illusionen, allerdings nur mit dem Erfolg, daß Wilhelm sogleich alles Mariane erzählt und sich von ihr beruhigen läßt. Doch ist ein unbestimmter Verdacht in Wilhelm geweckt. Darum gibt er seinen Brief nicht ab, und als nachts eine dunkle Gestalt Marianes Tür verläßt, trifft der Zettel in Marianes Halstuch mitten in Wilhelms erschüttertes Herz. Eben jetzt beginnt Werners Arbeit. Er zerstört die Reste von Wilhelms Leidenschaft mit „Feuer und Schwert", treibt ihn so in die Enge, daß nur noch eine schwere Krankheit Wilhelms Rettungsweg bleibt. Zugleich erfahren wir erst viel später, daß Werner mit unmenschlicher Kälte alle Briefe Marianes zurückgeschickt hat. Als Wilhelm jetzt seine früheren Dichtungen vernichten will, widerspricht ihm Werner, weil sie doch manche „leere Zeit" ausfüllen und Vergnügen bereiten könnten. Wilhelms absoluten Anspruch des Alles oder Nichts versteht er nicht. Werner wird ein tüchtiger Geschäftsmann werden. Als ihm Wilhelm nach Jahren wieder begegnet, hat er den Eindruck: Werner sei „ehr zurück als vorwärts gegangen", so spitz ist sein Gesicht geworden, er ist nichts als ein „arbeitsamer Hypochondrist". Alle diese Züge verstärken die „ironische Konstellation": daß uns hier als Gegenbild Wilhelms einer begegnet, der von nichts bewegt wird, der nur ein einziges Ziel kennt, Geld zu verdienen, Profit zu machen, bürgerlich zu sein. Nichts kann deutlicher machen, was Wilhelm auszeichnet, mit seinem Totaldrang, sich allem anzuvertrauen, was uns vorwärtsbewegt. Werner muß es feststellen: „Deine Augen sind tiefer, deine Stirn breiter, deine Nase feiner und dein Mund liebreicher geworden." Welche Schöpfungsmächte sind es, die Wilhelm veredeln?

„Glänzende Schönheit" spricht Schlegel Wilhelms Fahrt ins Abenteuer der Theaterwelt zu, die als Geschäftsreise beginnt. Was uns von Anbeginn zum Humor stimmt, ist die sogleich Wilhelm begegnende Philine, als Zuschauerin der Seiltänzergruppe wie das mit allem spielende Leben selbst, deren Liebespiele Wilhelm zur leicht komischen Lustspielfigur machen werden. Als Philinens Gegenspielerin mutet ebenso unmittelbar das Rätsel Mignons an, deren dunkle verschwiegne Schöne Wilhelms Herz gewinnt, in ihm die ursprünglichsten Vatergefühle weckt. Nichts illustriert die Philinenwelt lebhafter als das Unterhaltungsspiel auf dem Schiff, wo jeder der Schauspieler eine Rolle übernimmt und für jedes Fallen aus der Rolle ein Pfand geben muß. Schon tritt dem in Wilhelms Seele der Landgeistliche entgegen, der sich so selbstverständlich in die Spielbewegung einfügt und abermals für Wilhelm zum Warner vor dem Schablonenbegriff des Schicksals wird. Welche Bestürzung für Wilhelm zu hören: „Gesetzt, das Schicksal hätte einen zum guten Schauspieler bestimmt, unglücklicherweise führte der Zufall den jungen Mann in ein Puppenspiel, wo er sich früh nicht enthalten konnte, an etwas Abgeschmacktem teilzunehmen . . ." Wilhelm sieht plötzlich die ganze eigne Puppenspielwelt in anderm Licht.

Einen besondren Kontrasteffekt hat dann Goethe sich für das Auftreten des Harfners aufgespart. Vorausgeht die wüste Saufszene, zu der beim Punsch das Vorlesen eines Stücks aus der deutschen Ritterzeit entartet. Wieviel Satire schon durchleuchtet die burleske Abwandlung von Deutschheit im alten Ritterstil. Dann tritt der Harfner auf und singt sein Lied vom Sänger: „Was hör ich draußen vor dem Tor, was auf der Brücke schallen." Goethe, der Meister der Ballade, greift in einer Mischung von Romanze und Preislied auf den rhythmischen Gemeinschaftsgrund zurück, der ehedem als balladische Urbewegung in den Völkern umging. Hier wird eine idealische Ritterwelt heraufgerufen, wo König und Sänger sich begegnen im Rittersaal. In der Würde, die der Sänger ausstrahlt, der nichts als einen Trank erbittet, reinigt sich Wilhelms Seele von der durchlebten Schauspielermisere. Er fühlt sich von der Reinheit der Herzensbewegung getragen, die sich im Harfner als Sangeskunst darbietet. Bald wird er vor der Tür des armen Harfners stehen und Verse hören, die zum Schönsten deutscher Lyrik gehören.

> Wer nie sein Brot mit Tränen aß,
> Wer nie die kummervollen Nächte

Auf seinem Bette weinend saß,
Der kennt euch nicht, ihr himmlischen Mächte.

Ihr führt ins Leben uns hinein,
Ihr laßt den Armen schuldig werden,
Dann überlaßt ihr ihn der Pein,
Denn alle Schuld rächt sich auf Erden.

Eines der Gedichte, die man mit Goethe „Urworte orphisch" nennen könnte. Zum ersten Mal werden in diesem Roman der aufklärerischen Bildungswelt die „Himmlischen Mächte" angerufen, aus einer Daseinsqual, die für Wilhelm alles vom Tisch streicht, was mit der Filzigkeit Melinas die Schauspiel-Atmosphäre vergiftet. „Alles, was in meinem Herzen stockte, hast du gelöst!" Während Wilhelm glaubte, sich auf sein Bildungsziel zuzubewegen, wird er von unten her bewegt, aus der Glaubenstiefe von Liedern, die ihn an Gemeindegesang erinnern. Man kann hier unmittelbar an des Einsiedlers Lied „Komm, Trost der Nacht, O Nachtigall!" denken, des Simplex erste Berührung mit den Himmlischen Mächten.

Als dann Wilhelm selber den Harfner bittet, ihm ein Lied zu singen, „es scheint mir, als ob du heute nicht irren könntest", hört er, was wie unmittelbar auf Wilhelm zielt, den Philine beinah seiner Einsamkeit entrissen hätte. Wir sind dem Lied schon im I. Band vom „Bild in der Dichtung" begegnet, wo es allein um die Sinnbildkraft der Laute ging. Jetzt erst begreifen wir den ganzen sinnhaltigen Kosmos dieser Dichtung:

Wer sich der Einsamkeit ergibt,
Ach! der ist bald allein;
Ein jeder lebt, ein jeder liebt,
Und läßt ihn seiner Pein.
Ja! Laßt mich meiner Qual!
Und kann ich nur einmal
Recht einsam sein,
Dann bin ich nicht allein.

Es schleicht ein Liebender lauschend sacht,
Ob seine Freundin allein?
So überschleicht bei Tag und Nacht
Mich Einsamen die Pein,
Mich Einsamen die Qual.
Ach, werd' ich erst einmal
Einsam im Grabe sein,
Da läßt sie mich allein!

Es ist der Sinn des Gedichts, Wilhelm zu sich zurückzuführen. Im Gleichnis des zur Freundin schleichenden Liebenden ist die Gefährdung angedeutet, die Wilhelms Einsamkeit nach Marianes Verlust aus Pein und Qual den Theaterverführungen zutreiben und Philines unerschöpflicher Lebenslust. Alles das ist für Wilhelm mit darin, und zugleich ist es die Tiefe des Lebens selbst, die ihn mit Schöpfungsehrfurcht erfüllen muß.

So fühlt sich Wilhelm an die Zeit erinnert, „in der sein Geist durch ein unbedingtes hoffnungsreiches Streben emporgehoben wurde". Ihm wird deutlich: „wie er in ein unbestimmtes Schlendern" geraten ist. Er entschließt sich: „Ich muß fort!" Eben jetzt muß er erfahren, wie tief sich Mignon seinem Herzen eingenistet hat. Der krampfartige Schmerz ihres zuckenden Körpers in seinen Armen, als sie seine Unruhe fühlt, zieht ihn in eine bewegte Tiefe, in der er sich der Schöpfung selbst verbunden weiß. Als ein geistiges Vater-Kind-Verhältnis wird es ihm und ihr bewußt. „Mein Vater!" ruft Mignon, „ich bin dein Kind!" Und schon dringt ihr Sehnsuchtsang an sein Ohr: „Kennst du das Land, wo die Zitronen blühn?" Mit dem steigernden Kehrreim, in dem sich ihr Grundvertrauen wiederholt und tiefer seelisch verfestigt:

„Dahin, dahin
Möcht ich mit dir, o mein Gebieter, ziehn . . .
Möcht ich mit dir, o mein Beschützer ziehn . . .
Dahin, dahin
Geht unser Weg; o Vater, laß uns ziehn!"

In dem Augenblick, wo Wilhelms Entschluß, der Theatertruppe zu helfen, ihm von Melina abgelistet war, spürt er um sich die Schutzgeisterkräfte lebendig geworden, tragend bewegende Mächte. Und scheint der Entschluß nicht wie vom Himmel belohnt, durch die Einladung des Grafen, auf seinem Schloß vor vielen festlichen Gästen zu spielen? Ein Aufschwung, inmitten der Theaterwelt in die Adelswelt?

Auch das große Abenteuer des dritten Buches gehört noch zu dem, was Schlegel „glänzende Schönheit" nennt. Der Glanz liegt hier in der komödienhaften Satire, mit der sich Schauspielerdilettantismus und Adelsdilettantismus gegenseitig ergänzen. Nichts veranschaulicht die Diskrepanz beider Welten schärfer als die glänzenden Fensterfassaden des Schlosses und die dunkle Höhle des alten Schlosses, in dem nichts vorbereitet ist, Koffer und Mantelsäcke der Schauspieler ihre einzige Sitzgelegenheit für eine verregnete Nacht. Was an Standeshochmut, Eigensinn, Intrige und Eitelkeit sich zusammenhäufen läßt, hat Goethe in ein satirisches Gedicht zusammengezogen, dessen Autor unbekannt bleibt. Es ist der Blick von unten, auf den „Baron", den Mittelsmann zwischen Adelswelt und Schauspielerwelt, der selbst ein Drama verfaßt hat, das sie spielen sollen. Seine Willkür, Günstlinge unter den Schauspielern herauszuheben, hat das Gedicht herausgefordert, das zwischen Adel und Begabung Unterschiede setzt:

Ich armer Teufel, Herr Baron,
Beneide Sie um Ihren Stand,
Um Ihren Platz so nah am Thron,
Und um manch schön Stück Ackerland,
Um Ihres Vaters festes Schloß,
Um seine Wildbahn und Geschoß.

Mich armen Teufel, Herr Baron,
Beneiden Sie so wie es scheint,
Weil die Natur vom Knaben schon
Mit mir es mütterlich gemeint.
Ich ward mit leichtem Mut und Kopf
Zwar arm, doch nicht ein armer Tropf.

Nun dächt' ich, lieber Herr Baron,
Wir ließen's beide wie wir sind:
Sie blieben des Herrn Vaters Sohn,
Und ich blieb' meiner Mutter Kind.
Wir leben ohne Neid und Haß,
Begehren nicht des andern Titel,
Sie keinen Platz auf dem Parnaß,
Und keinen ich in dem Kapitel.

Der Humor, der davon ausgeht, greift weit um sich. Der Graf ist entzückt, den Baron verspotten zu können. Er selber als Kunstmäzen glaubt alles besser zu wissen als die Schauspieler. So trifft das Gedicht auch ihn, ohne daß er es merkt. Wilhelm dagegen macht sich zum Anwalt des Barons: „Stand und Vermögen stehen in keinem Widerspruch mit Genie und Geschmack." Es ist Wilhelms Adels-Tick, der ihn selber zur Lustspielfigur macht: er glaubt, aufzusteigen, gerät aus einer komischen Situation in die andre. Er wird in zwei Abenteuer verstrickt, die sich verhängnisvoll auswirken werden: die Grafen-Maske, die er sich aufnötigen läßt, wird der Graf als zweites Gesicht nehmen, Todeswarnung, die ihn in einen Bigotten verwandelt. Das durch Philine eingeleitete Gräfin-Erlebnis Wilhelms, führt zur Umarmung, zum Kuß, wobei der eigne, gegen die Brust gedrückte Schmuck der Gräfin ein Herzleiden bereiten wird. Alles, was hier Wilhelm, indem er zu bewegen glaubt, als große Adelsbewegung zu spüren meint, ist so leer wie der Baron. Das mütterliche Erbe Wilhelms aber, sein Ingenium, bewegen andere für ihn, Mignon, der Harfner umkreisen ihn, als stille Kometen. Ein Günstling des Prinzen, Jarno genannt, führt ihn zu Shakespeare hin, während er Wilhelm abstößt durch Urteile über Mignon, den Harfner. Shakespeare wirkt so elementar, daß Wilhelm anfängt, sich als Prinz Heinz zu kleiden. So erlebt er den Überfall auf die Theatertruppe, deren Führung er übernommen hat. Er wird verwundet und begegnet der Amazone, seinem Adelsideal.

Wilhelms Sehnsucht nach der Amazone, die ihm als glänzende Lichterscheinung in der Erinnerung verblieben ist, bekommt ihren wirkungsvollsten Ausdruck im Zwiegesang Mignons und des Harfners, die ihm ihr Lied zusingen „wie einstimmend mit seinen Empfindungen":

Nur wer die Sehnsucht kennt,
Weiß, was ich leide ...

Es ist der Vorausgesang über das ganze weitere vierte und fünfte Buch hinweg, Schlegels „tiefe Künstlichkeit und Absichtlichkeit", in deren Wahrzeichen Wilhelm unter dem Theaterdirektor Serlo seinen Aufstieg als Schauspieler nimmt, in die geistig durchgearbeitete Hamletrolle hinein. „Was kann wohl anders entstehen als ein Gedicht, wenn ein Dichter als solcher ein Werk der Dichtung anschaut und darstellt?" so Friedrich Schlegel. Es ist Shakespeares Geist, der Wilhelms ganzes Wesen ergreift und verwandelt. Bis ihm auf der Bühne der geheimnisvoll angekündigte „Geist des Vaters" erscheint und sich damit eine rätselvolle neue Welt ankündigt. Serlos Schwester Aurelie als exzentrische Schauspielerin ergänzt den Bruder nach dem Dämonischen, bis zu dem Dolchschnitt in Wilhelms Hand, mit dem sie ihn zeichnet auf sein Gelübde hin: „Jeder flüchtigen Neigung will ich widerstehen!"

Schon wird Philine den Männern ihren philosophierenden Hamlet-Geist lächerlich machen mit ihrem Lied von der schöneren Hälfte der Nacht. Und sie wird nicht ruhen, bis nach der großen Festaufführung des „Hamlet" mit Wilhelms Triumph, und nach dem Gastmahl, an dem auch die Kinder mit Tänzen präludieren, Wilhelm sich überraschend von ihr im Bett umfangen findet. Das erste, worauf sein Blick fällt am Morgen, ist der Schleier des Hamlet-Geistes mit der Aufschrift: „Zum ersten- und letztenmal! Flieh, Jüngling, flieh!" Dann wirft die Brandkatastrophe im Theater neue Zukunftsfragen auf. Der Harfner bedarf des Seelenarztes. Philine ist verschwunden, von Friedrich entführt. Aurelie stirbt und hinterläßt Wilhelm das Manuskript einer verstorbenen Freundin und den Auftrag eines Briefes an ihren ungetreuen Liebhaber. Auch Mignon ist verwandelt, seit der Philinen-Nacht. Nur im Gedicht kann sie sich ausdrücken, und das Gedicht beginnt:

„Heiß mich nicht reden, heiß mich schweigen,
Denn mein Geheimnis ist mir Pflicht;
Ich möchte dir mein ganzes Innre zeigen,
Allein das Schicksal will es nicht."

Um so beredter wird das Innere einer frommen Seele aufgeschlossen in dem Manuskript, das Wilhelm anvertraut wird als „Die Bekenntnisse einer schönen Seele". Die ganze Theater-Verworrenheit erfährt ihre Kontrastwelt. Auch in Wilhelms Seele wird sie einen Einschnitt bilden. Rückblickend wird er es der Amazone, der Nichte der schönen Seele, in den Satz zusammenfassen: „Was mir am meisten aus dieser Schrift entgegenleuchtete, war, ich möchte so sagen, die Reinlichkeit des Daseins, nicht allein ihrer selbst, sondern auch alles dessen, was sie umgab . . ."

So wird die scheinbare Beziehungslosigkeit der „Bekenntnisse" aufgefangen in einer tieferen Seelenschicht als ein Mithineingezogensein in ein weibliches Gegenbild, dem es auch um die Herzensbildung zu tun ist. Und auch auf eine gewisse theatralische Weise, derart, daß die bekennende schöne Seele „Schauspieler und Zuschauer zugleich ist" auf der Seelenbühne. So jedenfalls sieht Friedrich Schlegel das Widerspiel. Doch ist das wohl zu sehr mit der Schärfe der Schlegelschen Ironie gesehen. Zugleich bleibt die Stiftsdame Wilhelms weibliches Gegenbild, und es ist der Oheim, der sie rühmt: „Sie haben Ihr sittliches Wesen, Ihre tiefe, liebevolle Natur mit sich selbst und mit dem höchsten Wesen übereinstimmend zu machen gesucht." Auch das ist nur ein Versuch, der durch Irrtümer führt. Aber über sie hinaus weist uns Goethe mit der Gestalt des Oheims, der Wilhelm die Augen öffnen kann für die vollkommeneren Bildungsziele, als wie Wilhelm selbst sie bisher gesehen: „Alles außer uns ist nur Element, ja, ich darf wohl sagen, auch alles an uns; aber tief in uns liegt diese schöpferische Kraft, die das zu erschaffen vermag, was sein soll, und uns nicht ruhen und rasten läßt, bis wir es außer uns oder an uns auf eine oder die andre Weise dargestellt haben." Wohl hält der Oheim seine heilige Nichte ein wenig von den Kindern ihrer Schwester zurück. Die Stiftsdame erklärt es sich daher, daß der Oheim doch auch in seiner Toleranz begrenzt ist und darum „die ausschließt, die nicht so denken wie er"! Aber die „Bekenntnisse" deuten für Wilhelm voraus auf die künftige „Amazone", als die älteste Nichte der Stiftsdame, deren fürsorgende Liebeskraft, unermüdlich, selbstlos immer tätig, der Stiftsdame selbst als die vollkommnere erscheint. Hier beginnt das „Licht" zu leuchten, das Wilhelms Weg erhellen soll.

Welchen Einschnitt die Lektüre der „Bekenntnisse" für Wilhelm bedeutet, verrät bereits sein Gespräch mit dem Landgeistlichen, der als Fußgänger neben Wilhelms Pferd daherschreitet und der einstmals mit der ausgelassenen Philinengesellschaft auf dem Schiff mitgespielt hatte: „Wenn ich an jene Zeit zurückdenke, so glaube ich in ein unendliches Leere zu sehen." Der Landgeistliche belehrt ihn, daß nichts uns begegnet, das nicht Spuren hinterläßt. Auch die „Bekenntnisse" haben Spuren hinterlassen, und wenn es nur die innere Umstellung wäre, mit der Wilhelm jetzt der neuen Adelswelt Lotharios entgegentritt, deren geistige Großzügigkeit er sofort erkennt und der er sich bedingungslos einordnet. „Zum erstenmal kam mir der eigenste Sinn meiner Worte aus dem Munde eines andern reichhaltiger, voller und in einem größeren Umfang wieder entgegen."

Schlegel faßt die beiden letzten Bücher im Begriff der „Größe" zusammen. Auch die Umrisse der Gestalten sind für Wilhelms Blick zusammengefaßter, weniger voll sinnlichem Detail. Schon Wilhelms Eintritt ins Schloß zwingt ihm eine Wandlung auf. Er kommt, um Lothario zur Rede zu stellen, der Serlos Schwester verlassen hat. Aber die Rede kann er nur vor dem Spiegel halten. Lothario nimmt Aureliens Brief entgegen, zwischen einer Fülle von Geschäften; auch den Brief ordnet er seinem Arbeitstil ein. Wilhelm erlebt mit, wie das Leben um einen bedeutenden Mann seine Kreise zieht. Sein Innerstes antwortet mit jenem komplexen Traum, in dem Mariane und Wilhelms Vater zusammenrücken, zur Einheit der Verstorbenen, und in dem die schöne Amazone zur Retterin des Knaben Felix wird. Alles spielt sich jetzt im größeren Maßstab ab. Lothario ist aus Amerika zurück, hat die Güter der Baronie übernommen, unter dem Leitwort: „Hier oder nirgends ist Amerika!" Eben hat er ein Duell wegen einer Liebesgeschichte, wird verwundet. Umrisse mehrerer andrer Liebesgeschichten werden für Wilhelm erkennbar. Er selbst ordnet sich Lotharios Plänen unter. Dann tritt Felix als sein Sohn ihm ins Bewußtsein.

Hier wird eine neue „ironische Konstellation" erkennbar: das achte und neunte Kapitel des VII. Buches stehen gegeneinander, aber nicht in ironischer, sondern in polarer Spannung. Was Wilhelm bei der Rückkehr zur Theatertruppe erfahren muß, die ihn längst ausgeschieden hat, bei der er aber noch Mignon und Felix zurückgelassen, ist ein Zurücktauchen ins Elementare jener Zeit, in der Felix gezeugt und geboren wurde. Wilhelm muß sie nochmals erleben in der schonungslosen Härte der Wahrheit, wie sie ihm durch die alte Barbara beigebracht wird. Vorweg steht dabei Mignons Bekenntnis, wie ein Offenbarungsakt. Mignon hat es stets gewußt, daß Felix Wilhelms Sohn ist. „Der Geist hat mir's gesagt! Im Gewölbe, da der Alte das Messer zog, rief mir's zu: Rufe seinen Vater! und da fielst du mir ein." — „Wer rief denn?" — „Ich weiß nicht, im Herzen, im Kopfe, ich war so angst, ich zitterte, ich betete, da rief's, und ich verstand's!"

Hier ist eine Entscheidung wie aus dem Absoluten vorweggenommen, aus der Stimme des ewigen Herzens, wie es aus Mignon, dem Wilhelms-Kind, spricht, das selber in ihm den Vater verehrt. Etwas kommt hier zu Wort und findet Ausdruck, was der Gesellschaft des Turms, soweit wir sie bisher kennen, polar entgegengesetzt ist, wie das Herz, das im Absoluten schlägt, dem alles relativierenden Geist. Beide aber gehören zu der Mitbewegung der Tiefe, die Wilhelm vorwärtsträgt. Was dann die Alte jetzt verkündet, ist nicht ohne eine ironische Spannung: sie hat den kleinen Felix sowohl dem Nebenbuhler Wilhelms als seinen Sohn deklariert wie auch gegen Aurelie Felix als einen natürlichen Sohn Lotharios, ihres ungetreuen Liebhabers ausgegeben. Jetzt aber mit der Furienkraft der Wahrheit macht sie Wilhelm zum treulosen Vater, der Marianes Tod auf dem Gewissen haben soll. Nichts läßt sie aus bis zum Bekenntnis: „Ich hatte keine Macht über ihr Herz!" und dieses Herz war Wilhelm treu, gegen allen Augenschein. So bezeugen es Marianes Briefe, die alle zurückgeschickt wurden. Wilhelm fällt in Ohnmacht, so tief ist er durch Marianes Tod erschüttert. Und die Alte weiß ihn zu treffen, wie er erwacht ist: „Die dunkle Kammer hat sie aufgenommen, wohin kein Bräutigam folgt." Wenn dann Wilhelm vor der Gesellschaft des Turms seine erste Frage tut: „Könnt ihr mir sagen, ob Felix wirklich mein Sohn sei?", dann bewährt er allein durch die Frage, wie tief er Mariane geliebt hat. Und so folgt die Antwort, aus der Turm-Vernunft: „Heil Ihnen über die Frage. Felix ist Ihr Sohn."

So bestätigt die fortschreitende Handlung Wilhelms Entwicklung als Weg zum Sohn, zur praktischen Lebensmitte, die ihn ursprünglicher vorwärtsträgt als die Geistbewegungen der Turmgesellschaft. Schon wie die Kindereinfalt durch die Teppich-Draperien hindurchlugt, wird das Gekünstelte der Turm-Apparatur bei aller Kühnheit der Geistbewegung erkennbar.

Das ganze achte Buch, unter demselben Charakter der „Größe" in Schlegels ironischem Sinn, erhöht sich, wie Schiller es zusammensieht, zum „schönen Planetensystem". Felix, der unermüdlich fragt, eröffnet die Bewegung, die Wilhelm ergriffen hat. „Er fühlte die Notwendigkeit, sich zu belehren, indem er zu lehren aufgefordert ward." Er begreift, daß der Knabe „mehr ihn als er den Knaben erzieht". Und er stellt sich die Frage, die zur Grundfrage der „Lehrjahre" wird: „Sind wir Männer denn so selbstisch geboren, daß wir unmöglich für ein Wesen außer uns Sorge tragen können?"

Aus der Sorge entspringt die Schicksalsfrage: wen soll er als Mutter für den Knaben suchen? Noch einmal sehen wir Wilhelm den kapitalsten Irrtum seines bildsamen Geistes begehen. Wenn ihm die „Bekenntnisse" als Inbegriff der „Reinlichkeit des Daseins" erscheinen, so ist es gerade die mißverstandene „Reinlichkeit", die ihn bewegt, im Brief um Thereses Hand zu bitten. Obgleich sie nicht die „Amazone" war, hat ihn ihr kristallklares Auge verzaubert, bis auf den Grund der Seele klar, ebenso klar und reinlich wie ihr ganzes Leben, das sie sofort vor ihm ausgebreitet hat. Goethes Ironie ist hier nicht zu überhören: „Unter diesem deutschen Baume will ich Ihnen die Geschichte eines deutschen Mädchens erzählen."

Inzwischen wird Wilhelm zu Mignon gerufen, die er aus der Obhut der Frau Melina zu Therese geschickt hatte und die dort erkrankt ist, so daß sich Lotharios Schwester ihrer angenommen hat. Es ist, wie Wilhelm überraschend erfährt, die Amazone, die ihm „unterm Lichtschein" begegnet, und sie ist die älteste Nichte der Stiftsdame, jene vollkommene schöne Seele. Mignon tritt ihm hier in Mädchenkleidern entgegen, weißgewandet, als Engel, mit ihrem Lichtgesang. In dem Augenblick, wo Therese selbst erscheint, um Wilhelm als ihren künftigen Gatten zu umarmen, fällt Mignon tot zu Boden. Wilhelm aber wird in einen Zustand lähmender Verzweiflung geworfen, der ihm jede Entschlußkraft genommen zu haben scheint.

Wie sich jetzt alle Fäden verknüpfen, über Wilhelms Willen hinweg, wie er zuletzt wahrhaft in sein Glück hineinbewegt wird aus dem undurchdringlichen Wechselgeflecht des Lebens, nähert sich Goethes „realistischer Tick" jenem Spiel der Natur selbst, die „spielend das mannigfaltige Leben hervorruft". Erst nachdem Wilhelm den verhängnisvollen Brief an Therese geschrieben hat, begegnet er der Amazone, im Haus des Oheims, das ihm aus den „Bekenntnissen" vertraut ist. Schon dämmert ihm, über der Schuld an der Gräfin, über der Schuld an Mignon die neue Schuld, die er mit der falschen Mutterwahl auf sich geladen hat. „Mit Entsetzen fand er lebhafte Spuren einer Neigung gegen Natalien in seinem Herzen." Alles wird durch die resolute Therese fortgefegt. Aber in Wilhelms Geist „war es öde und leer". Nur die Bilder Mignons und Nataliens schweben ihm „wie Schatten vor der Einbildungskraft".

Eine neue Verwicklung kommt hinzu. Lothario hatte bereits Therese sich zur Gattin erkoren. Er mußte sie aufgeben, als sich herausstellte, daß ihre Mutter seine Geliebte gewesen war. Die Freunde aber bringen jetzt ans Licht, daß Therese ein angenommenes Kind war, daß also einer Ehe nichts im Wege steht. Jarno will Wilhelm auf dem Umweg über die Turm-Meditationen dazu bringen, zurückzustehen. Wilhelm revoltiert gegen die „Phrasen" des Turms. Eben jetzt tritt Lotharios Bruder Friedrich in seine Eulenspiegelrolle ein. Als Partner Philines, die ein Kind erwartet, hat er sich mit ihr zusammen durch eine Bibliothek hindurchgelesen und überschüttet die Freunde mit einem Sammelsurium allgemeiner Bildung, vor dem jeder Bildungsanspruch lächerlich wird. Sowohl der Turm wie Wilhelms einstiger Traum einer Universalbildung wird davon betroffen. Wilhelm entschließt sich, um Lotharios willen auf Therese zu verzichten. Während er der Trauerfeier um Mignon entgegenwartet, die der Arzt der Turmgesellschaft einbalsamiert hat in ihrer schmerzlichen Schöne, stürzt er in einen Zustand, in dem sich alles aufgehoben hat, was Therese als „das wunderbare gutmütige Suchen" seiner Seele so gerühmt hatte. „Er konnte nichts, was ihn umgab, weder ergreifen noch lassen, alles erinnerte ihn an alles; er übersah den ganzen Ring seines Lebens, nur lag er leider zerbrochen vor ihm und schien sich ewig nicht schließen zu wollen."

Es ist ein Tiefpunkt im Leben Wilhelms. Und er erlebt ihn angesichts der Kunstwerke, die einst sein eigner Großvater gesammelt und die der Oheim der Stiftsdame an sich gebracht hatte. „Die Kunstwerke, die sein Vater verkauft hatte, schienen ihm ein Symbol, daß auch er von einem ruhigen und gründlichen Besitz des Wünschenswerten in der Welt teils ausgeschlossen, teils derselben durch eigne oder fremde Schuld beraubt werden sollte." Er fühlte sich „wie ein Geist", zweifelnd, „ob er denn auch wirklich lebe und da sei".

Hier scheint Goethe wirklich im Sinn der Schlegelschen Ironie seinen Helden, den mit so „gutmütigem Suchen begabten" Bürgersohn, eben in dem Augenblick, wo er in die Adelswelt aufzusteigen scheint, zu vernichten. Die Kunstgespräche, die beim Besuch des Marchese geführt werden, — Wilhelm sucht sie sich „in theatralische Terminologie" zu übersetzen —, treffen vernichtend den „Liebhaber", in seinem „ewig unbefriedigten Streben". Die pathetische Trauerfeier um Mignons einbalsamierte Hülle erlebt Wilhelm fassungslos in seinem Sessel. „Jeder Gedanke schien seine Empfindung zerstören zu wollen." Auch die Entdeckung, die der Marchese macht an dem Kruzifix, das auf Mignons Arm eingeritzt ist, bringt Wilhelm keinen Trost. Schiller rühmt Goethes Einfall, daß die monströsen Schicksale Mignons und des Harfners „im Schoß des dummen Aberglaubens ausgeheckt worden sind". Als der Marchese Wilhelm seine Dankbarkeit bezeugt, weil er dereinst Mignon freigekauft hatte, und als er ihn mit Felix nach Italien einlädt, finden wir Wilhelm zu allem bereit. „Ich überlasse mich ganz meinen Freunden und ihrer Führung. Es ist vergebens, in dieser Welt nach eignem Willen zu streben. Was ich festzuhalten wünschte, muß ich fahren lassen, und eine unverdiente Wohltat drängt sich mir auf."

Wilhelms Krise hat Untergründe, die kaum an die Oberfläche dringen: der Schock um Mignons Tod, die ihm ihren letzten Liebesdienst erweist, alle ihre Liebe zusammennimmt, um ihn vor der größten Torheit seines Lebens zu warnen, vor der Ehe mit Therese, in deren kristallklaren Augen jede Poesie stirbt. Wilhelm begreift, daß er mit dieser falschen Wahl Natalie verspielt hat, die Amazone, und je tiefer er sie liebt, um so gelähmter muß er sein. Allen Theorien der Turmgesellschaft entgegen kann ihm hier nichts helfen als ein gütiges Schicksal. Es kündigt sich ganz vom andern Ende her an.

Es beginnt damit, daß der Graf zu Besuch kommt, der über Wilhelms Grafen-Maske hintersinnig geworden war. Er hat den Tick, alle Gäste umzugruppieren, und so legt er den geheilten Harfner mit dem Abbé zusammen, der das Manuskript von Mignons und des Harfners Herkunft aufbewahrt. So erfährt der Harfner, daß er mit der eignen Schwester Inzest begangen und daß Mignon sein Kind gewesen ist. Er greift zum Gift, seinem Leben ein Ende zu setzen. Er vermeint, daß Felix seine Milch aus dem Glas getrunken und sich vergiftet habe. Während er selbst seinem Leben ein gewaltsames Ende macht, liegt das Kind zwischen Natalie und Wilhelm eine ganze Nacht lang, beide „teilen die schmerzlichen Sorgen" um das Kind. Erst am Morgen gesteht Felix Natalie, daß er aus Unart nicht aus dem Glas, sondern aus der Flasche getrunken hat. So ist Felix gerettet. Wilhelm aber darf erleben, daß Natalie ihm die Rettung berichtet, und daß die Gräfin, Nataliens Schwester, vor ihrer Abreise beider Hände zusammenlegt. Gerade die Gräfin, der sich Wilhelm so tief verschuldet fühlt.

Eben jetzt führt Goethe abermals den Eulenspiegel ein, Nataliens Bruder Friedrich, mit seinem närrischen Lachen, das alles auf komische Kontraste zusammensieht. Dasselbe Bild aus der Kunstsammlung von Wilhelms Großvater, das Wilhelm stets mit sentimentaler Rührung bewundert hat um der dargestellten Geschichte willen: der kranke Königssohn, der sich über die Braut seines Vaters in Liebe verzehrt, dies Bild nimmt Friedrich zum Anlaß, doppeldeutig zu sein und Wilhelm und Natalie einander in die Arme zu zwingen.

„Wie heißt der Ziegenbart mit der Krone dort, der sich am Fuße des Bettes um seinen kranken Sohn abhärmt? Wie heißt die Schöne, die hereintritt und in ihren sittsamen Schelmenaugen Gift und Gegengift zugleich führt? Wie heißt der Pfuscher von Arzt, dem erst in diesem Augenblick ein Licht aufgeht? der das erste Mal in seinem Leben Gelegenheit findet, ein vernünftiges Rezept zu verordnen, eine Arznei zu reichen, die aus dem Grunde kuriert, und die ebenso wohlschmeckend als heilsam ist?"

Während Wilhelm ob der „Indiskretion" verzweifelt Abschied nehmen will, kommt ihm Lothario zu Hilfe. Er drückt dabei nicht nur Theresens Wunsch aus, eine Doppelhochzeit zu feiern und Wilhelm Natalie zuzuführen, er entwirft auch für Wilhelm ein neues Bildungsideal, das ihn aus der Sackgasse einer Selbst-Bildung befreit, die wir heute eine introvertierte nennen würden. Er nimmt Wilhelm in eine mächtige Mitbewegung auf, in der der modern gewordene Adel die sozialen Forderungen der Zeit sich zu eigen gemacht hat:

„Lassen Sie uns zusammen auf eine würdige Weise tätig sein! Unglaublich ist es, was ein gebildeter Mensch für sich und andere tun kann, wenn er, ohne herrschen zu wollen, das Gemüt hat, Vormund von vielen zu sein, sie leitet, dasjenige zur rechten Zeit zu tun, was sie doch alle gerne tun möchten ... Lassen Sie uns einen Bund schließen!"

Damit ist zugleich bereits eine der „Verzahnungen" geschaffen, die die Fortsetzung des Romans vorbereiten. Lothario steht nicht nur für einen genießerischen Adel, der sich in Liebesaffären verzettelt, er ist Mittelpunkt eines Kreises, dem es um mehr zu tun ist als um jene frühe Gesellschaft des Turms. Schon im Gespräch mit Wilhelms Jugendfreund und Geschäftsmann Werner entwickelt Lothario umstürzende Gedanken: der Adel soll nicht mehr Steuerfreiheit genießen, er soll wie alle besteuert werden. Und er soll seinen Besitz mehr aufteilen, daß alle Kinder gleiche Rechte erhalten. Auch bei Heiraten sollen die Standesgrenzen fallen. Werners Antwort ist symptomatisch, sie rechtfertigt manche von Wilhelms Irrtümern: „Ich kann versichern, daß ich in meinem Leben nie an den Staat gedacht habe."

Friedrich schließlich läßt sich durch den Bruder Lothario nicht um seine Eulenspiegelrolle bringen. Er hat gehorcht, was Natalie dem Abbé anvertraut hat: daß sie ein Gelübde getan, falls Felix gestorben wäre, Wilhelm ihre Liebe zu gestehen. So führt der Eulenspiegel die gehemmten Liebenden zusammen. Er tut es mit Augenblicksmetaphern, als wenn es Dauersymbole wären. „Als wir Bekanntschaft machten, als ich Euch den schönen Strauß abforderte (für Philine), wer konnte denken, daß Ihr jemals eine solche Blume aus meiner Hand empfangen würdet?" Friedrich fügt noch hinzu, mit allen Zeichen seines bewußten Eulenspiegelhumors: „Du kommst mir vor wie Saul, der Sohn Kis, der ausging, seines Vaters Eselinnen zu suchen, und ein Königreich fand!" Damit hat Goethe sein Ziel erreicht: „wie die Natur spielend das mannigfaltige Leben hervorbringt." Er hat Wilhelm, den Sohn Felix an der Hand, in sein Adelsglück hineingespielt. Damit in eine offene, von neuen Zeitimpulsen mitbewegte Zukunft hinein. Es gibt noch eine zweite „Verzahnung", die zur Fortsetzung zwingt. Als Wilhelm vom Räuber-Überfall verwundet auf der Erde lag, heftete sich sein Blick nicht nur an die Lichterscheinung der Amazone, die ihm ihren Mantel überließ, zugleich auch an den Wundarzt, mit seiner Instrumententasche. Als später der junge Wundarzt zu Lotharios Duell-Verwundung herangezogen wird, fällt Wilhelm abermals seine Instrumententasche auf. Er glaubt, am Band der Tasche das seltsame Muster wiederzuerkennen, „lebhafte, widersprechende Farben, Gold und Silber in wunderlichen Figuren". Abermals bei Mignons Tod begegnet der junge Chirurgus Wilhelm mit der merkwürdigen Instrumententasche. Wilhelm erkennt das Band wieder und erfährt von Natalie, daß die Tasche vom Vater auf den Sohn übergegangen ist. Wilhelm erbittet das Band für sich. „Es war gegenwärtig in einem der schönsten Augenblicke meines Lebens, da ich verwundet auf der Erde lag und Ihre hülfreiche Gestalt vor mir erschien, als das Kind mit blutigen Haaren, mit der zärtlichsten Sorgfalt für mein Leben besorgt war, dessen frühzeitigen Tod wir nun beweinen."

Solch eindringliche Erinnerung, die sich mit der Fürsorge beider Frauen für Wilhelm verbindet, sozusagen solch Band der fürsorglichen Herzen, die für Wilhelm schlagen, weist mit der Kraft seiner Ding-Symbolik über sich hinaus und fordert die Fortsetzung des Romans. Tatsächlich wird die Instrumententasche im Fortlauf der „Wanderjahre" eine entscheidende Bedeutung gewinnen.

Schließlich ist es die Gestalt Nataliens selbst, die als Lichterscheinung in Wilhelms Herzen ihre Rolle nicht ausgespielt haben kann, mit dem Augenblick der vom Eulenspiegel-Bruder unter einem Narren-Lachen vollzognen Verlobung. Goethe hat Natalie lange ausgespart im Roman. Als die schöne Amazone begegnet sie Wilhelm in Begleitung des Oheims wie eine höhere Erscheinung. In den „Bekenntnissen" wird ihr geistiger Umriß ergänzt, wiederum in Begleitung des Oheims, als ideale Adelsfigur. Dann endlich wird Wilhelm vom Bruder Lothario zu ihr geschickt, und er findet sie als Inbegriff fürsorglicher Nächstenliebe, die sie Mignon angedeihen läßt. In Nataliens Nähe ist Mignon bereits eine Verwandelte in ihren Mädchengewändern, jenen Gefilden zuverwandelt, da man nicht nach dem Unterschied von Mann und Weib mehr fragt. Die Gespräche, die Wilhelm mit Natalie führen darf unter dem Licht der „Bekenntnisse", erweitern ihn mehr als alle Gespräche mit der Gesellschaft des Turms. Als der lebendige Geist der Nächstenliebe bringt sie die Ergänzungen, die Wilhelm dort vermißte. „Ich möchte behaupten, es sei besser, nach Regeln zu irren, als zu irren, wenn uns die Willkür unserer Natur hin und her treibt." Mit welchem Takt steht sie ihm zur Seite, als er zwischen Therese und Lothario hin und her gerissen wird. Wie zart und entschieden zugleich vertritt sie ihren Bruder: „Mein Dasein ist mit dem Dasein meines Bruders so innig verbunden und verwurzelt, daß er keine Schmerzen fühlen kann, die ich nicht empfinde, keine Freude, die nicht auch mein Glück macht." Zu welchem wechselseitigen Vertrauen darf sich Wilhelm erhoben fühlen, als Natalie ihm bekennt: „daß alles, was die Welt uns als Liebe nennt, mir immer nur als ein Märchen erschienen sei." Und daß sie auf Wilhelms Frage: „Sie haben nicht geliebt?" antwortet: „Nie und immer." Hier ist wahrhaft die Welt der „schönen Seele" für Wilhelm aufgetan. Ein Großerlebnis wird es für Wilhelm, daß Natalie ihn in die Kunstwelt des Oheims einführt. „Welch ein Leben in diesem Saale der Vergangenheit! Man könnte ihn ebensogut den Saal der Gegenwart und der Zukunft nennen!" Es ist der Zauber einer in sich geschlossenen klassischen Welt. „Es spricht aus dem Ganzen, es spricht aus jedem Teile mich an!"

Wie aber wird es sein, wenn Wilhelm seine „Wanderjahre" antritt? Für Schiller ist Natalie das Ideal: „weil sie heilig und menschlich zugleich ist, so erscheint sie wie ein Engel." Nataliens Bruder Friedrich schaut sie mit Philinens Augen an. „Ich glaube, du heiratest nicht eher, als bis irgendwo eine Braut fehlt, und du gibst dich alsdann nach deiner gewohnten Gutmütigkeit auch als Supplement irgendeiner Existenz hin." Das ist gewiß parodistisch gesehen. Aber es deutet auf eine Zukunft vor, die ganz offen ist. Wohin wird Wilhelm getrieben werden, vom Sohn Felix geführt? Eines deutet Jarno voraus, wenn er sagt: „Sie sind verdrießlich und bitter. Das ist recht schön und gut. Wenn Sie nur erst einmal recht böse werden, wird es noch besser sein."

Noch ist die Adelswelt, in die Wilhelm eintritt, von keiner Revolution erschüttert, nicht politisch, nicht wirtschaftlich. Aber Wilhelm ist dazu angelegt, dem nicht auszuweichen, was er Schicksal nennt.

Wenden wir uns der abschließenden Frage zu, welche Aufgaben im dichterischen Kosmos des Romans dem symbolischen Vermögen zufallen, dann bietet sich vorweg für Goethe seine Generalformel der „wahren Symbolik" an: „Das ist die wahre Symbolik, wo das Besondere das Allgemeinere repräsentiert, nicht als Traum und Schatten, sondern als lebendig augenblickliche Offenbarung des Unerforschlichen."

Von der Lichtsymbolik her haben wir uns an die Zentren der Romanmitte herangetastet. Sie hat uns zum Grundverhältnis: Vater und Sohn geführt, und zur Idealgestalt Nataliens als Lebensquell einer Liebe, die mehr Fürsorge als Eros ist und eben das mitbringt, was Wilhelm aus sich selbst nicht vermag. Wilhelm erscheint als der, der seinen Schöpfungsantrieb in sich trägt, bildungsbesessen vom Trugbild einer universalen Bildung, die ihm allein im Edelmann verbürgt scheint, und die er ersatzhaft als Schauspieler auf der Bühne sucht. Der Aufstieg in die Adelswelt würde zum leeren

Schauspiel, wenn ihm nicht im eignen Sohn eine Aufgabe zuwüchse, die ihn aus viel größeren Tiefen beansprucht. Hier wächst etwas in ihm, was in den Sehnsuchtsversen Mignons und im Weltleid des Harfners von himmlischen Mächten herbewegt wird und ins wahrhaft Unerforschliche weist. Soweit Wilhelm davon angerührt ist, trägt ihn eine Aura von mitmenschlicher Weltoffenheit, die ihm die Herzen zuwendet und sein durchschnittliches Maß zum Spiegel der Zeitbewegungen macht, bis zu den Geist-Eingriffen der Gesellschaft des Turms, die ihn aus den Theaterverwirrungen zu lösen suchen. Was sich als Goethesche Ironie darzustellen scheint, gewinnt die kontrastreichsten Spannungen überall da, wo Wilhelms vorwärtsdrängender Wille vom Vater-Sohn-Verhältnis her die korrigierende Ausrichtung erfährt. Da wird er zum wahren Spiegel des ihn umflutenden Lebens, allem Menschlichen aufgetan, allem Amazonenhaft-Adligen auf der Spur. Aber die Figuren der Tiefe bleiben vom Tod gezeichnet zurück und lassen ihn zuletzt allein. Was ihn vor der Verflachung bewahrt, sind die Irrtümer und Verschuldungen, die sich in die Liebe zur Reinen, Schönen verfestigen. Sein Herz weitet sich zur Fürsorge um den Sohn, zur Bereitschaft für Lotharios neue Sozialprobleme, die die Fortsetzung seines Bildungsweges fordern. So repräsentiert Wilhelm das „Allgemeinere", zu Begegnungen bereit bis zur schicksalhaften lebendig-augenblicken Offenbarung. So schreitet er aus den Lehrjahren in die Wanderjahre hinüber.

Symbol dringt auf Bild, auf Anschauung. Wilhelms Bildungsweg, der durch viele Irrtümer hindurchmuß, erfährt seine symbolische Spannweite dadurch daß er sich von Zeitbewegungen mitbewegen läßt, die ihn vorwärtstragen und die sich in seiner Weltoffenheit spiegeln. So ist es vorerst die Zeitbewegung auf ein deutsches Theater zu, das dem französischen gleich kommt, ein „Nationaltheater". In der „theatralischen Sendung" war es um die besondre Gestalt der Madame de Retti angelegt; in den „Lehrjahren" ist es zuerst Aurelie, die Schwester des Theaterdirektors Serlo, die bewußt als Schauspielerin „zur Nation" sprechen will. Inzwischen aber hat Goethe den Plan aufgegeben, eine Nationaltheaterbewegung im Geist der Neuberin in den Roman aufzunehmen. Was ihn jetzt bewegt, ist das Theater schlechthin, Vorausdeutung auf das Welttheater, das auf Wilhelm wartet. Hier nun sind alle Stufen theatralischer Möglichkeiten im Roman entfaltet. Wilhelms Kindheitsstufe spiegelt das Puppenspiel, das sich in seinem Gemüt fortentwickelt zum Entwurf eigner Schauspiele. Dem Spiel mit der Schauspielerin Mariane verdankt er seinen Felix, die Fahrt ins Abenteuer führt geradewegs in die Theaterwelt. Es beginnt mit dem Liebhabertheater, das ein Unternehmer mit seinen Arbeitern im Winter durchführt, um sie zu beschäftigen. „Der rohe Mensch ist zufrieden, wenn er nur etwas vorgehen sieht." Es setzt sich fort mit einer Seiltänzertruppe, die Wilhelm zusammen mit versprengten Schauspielern genießt. Unversehens wird er hineingezogen in ein Theaterunternehmen, zu dem er das Geld gibt; schon muß die Truppe sich erproben auf dem Schloß des Grafen. Wilhelm selbst gerät als Stückeschreiber mit auf die Bühne. Alles das ist nur erst Dilettantismus. Die Steigerung bildet dann die Truppe des Direktors Serlo und seiner Schwester Aurelie. Inzwischen hat Wilhelm Shakespeare entdeckt und wagt sich an die Deutung und Aufführung des „Hamlet". Wilhelm selbst spielt sich in der Hamletrolle und genießt den Großerfolg auf der Bühne. Was Wilhelm hier durchlebt, ist Mitbewegung schlechthin, spiegelnd aufgefangen in seinem allbewegten Gemüt. So sind Frauenerlebnisse damit verknüpft, die eine ganze Reihe bilden. Aber welche kontrastierende Reihe. Am Ursprung steht Mariane. Alles ist hier erste Liebe, Leidenschaft, Täuschung über Untreue, Spiegel von Theaterwirrwarr und Bohême. Dann folgt Philine, die Alliebend-Spielende, Augenblicksgöttin, Verwirrung stiftend und benützend, jenseits von Gut und Böse; für Wilhelm, der sich Marianes Andenken gelobt hat, ein Magnet, immer anziehend, immer abstoßend zugleich. Inbegriff der Verführung, als das sich ständig verwandelnde Leben selbst. Ständig von Liebhabern umkreist, mit dem Dauer-Liebhaber Friedrich, der sich an ihr und neben ihr vom Halbstarken zum Mann entwickelt, der nichts ernst zu nehmen vermag.

Dann folgt Mignon, die einmalige, die Wilhelm der Seiltänzertruppe verdankt, aus der er sie sofort auslöst, um sie als Inbegriff des reinen Poetischen um sich zu fühlen. Mit ihrem dunklen Schicksal, ihrem Schweigen, ihrem Leiden, ihrer Sehnsucht nach dem Süden ist Mignon die erste, die Wilhelm aus der Theaterwelt herausführen will, als dem Wirrwarr schlechthin. Wohin, bleibt offen. Aber die „Himmlischen Mächte", die neben Mignon der Harfner anruft, weisen einen Weg. An seinem Ende steht Mignons Lichterscheinung, die sich dem Irdischen entlebt.

Zuletzt Aurelie, die Schauspielerin aus dem Geist, sich verzehrend im Ungenügsamen, die Darstellerin Ophelias, der Orsina.

Sie wird Wilhelms unmittelbare Geist-Vertraute, die sein Totalwesen anspricht und zu würdigen weiß. Sie wird ihm Felix zuführen ebenso wie die Bekenntnisse der schönen Seele. Sie weiß um das, was Wilhelm braucht.

Diese ganze Schauspielerwelt bildet die bunte Vorderseite des Lebens, das Wilhelm mit Abenteurersinn durchschreitet. Sein Drang zum Universellen hat ihm durch die Maskenwelt des Theaters Leben als Fülle aufgeschlossen.

Aber was er darüber hinaus entbehrt, dem wird er jetzt durch die Gesellschaft des Turms zugeleitet. Von Anbeginn sind ihre Sprecher bemüht, Wilhelm aus einem dunklen Schicksalsbegriff einem klaren Weltverstand zuzuführen. Die Brandkatastrophe nach dem Fest enthebt Wilhelm einer Entscheidung. Das Zwischenkapitel der Bekenntnisse schafft Abstand zum gesamten Theater-Wirrwarr. Bot die Symbolkraft der Darstellung bisher eine um das Bühnenleben sich zusammenziehende Weltfülle, dann beginnt mit den Bekenntnissen die aufschließende Gegenkraft des Symbols, die zugleich für Goethe zusammengeht mit seinen Ausgriffen über den Urstoff der Theatralischen Sendung hinaus.

Das siebte und achte Buch schließen eine neue Seite im Weltleben symbolisch auf. Wilhelm tritt jetzt ebenbürtig in den Kreis jenes Adels ein, dessen verzerrtes Abbild sich im Theaterleben auf dem Schloß dargeboten hatte. Die Adelswelt um Lothario, den Bruder der Amazone, geht zusammen mit der Gesellschaft des Turms, so wie der Turm als Anbau an Lotharios Schloß erscheint. Noch wird Wilhelm angetrieben von seinem Adels-Tick. So läßt er sich wie eine Nebenfigur in den Lebenskreis Lotharios einbeziehen; es geht soweit, daß er sich dazu hergibt, den Intriganten zu spielen, um Lotharios Geliebte zu entfernen. In Therese lernt er dabei ein Gegenbild der Stiftsdame kennen, die klare Grundverständige, in ihrer Wirtschaftspraxis fast ein weiblicher Geschäftsfreund Werner. Alle Figuren, die ihm begegnen, erscheinen im Umgang als Adlige in eine dünnere Lebensschicht enthoben. Mehr Typen als Individuen. Auch die Vertreter der Turmgesellschaft mit ihren lehrhaften Sprüchen.

Was Wilhelm einzig auf sich selbst zurückwirft, ist der Sohn Felix. Das beginnt mit dem komplexen Traum, erfährt sich elementar in den Berichten der alten Barbara, es setzt sich fort, als er ins Geheimnis der Turmgesellschaft eingeführt ist und seine erste Frage die ist, ob Felix sein Sohn. Wenn eben diese Frage es ist, durch die er freigesprochen wird, so hat das einen wahrhaft aufschließenden Sinn: Wilhelm hat sich dazu bekannt, daß er sich mit seinem Bildungswillen in den Schöpfungsrhythmus einfügen will, der im Vater-Sohn-Verhältnis die Welt bewegt. Hier trifft die Turmweisheit mit der Schöpfungsweisheit zusammen.

Aber Wilhelms Versuch, eine Mutter für Felix zu finden, zeigt ihn noch einmal schlimmsten Irrtümern ausgesetzt. Sein Selbstentschluß, der den Sprüchen des Turms mißtraut, haftet mit fast starrem Eigensinn am Begriff der „Reinlichkeit des Daseins". Das führt ihn zu Therese, abermals ein Irrtum des Adels-Ticks. Erst der entsetzliche Augenblick, wo Mignon tot neben den Verlobten niedersinkt, reißt Wilhelm die Binde von den Augen. Und nur die drohende Felix-Katastrophe führt Wilhelm und die Amazone endlich zusammen. Goethe hat mit dem Narrenstreich Friedrichs gewaltsam ins Lustspielhafte gehoben, was den eigentlichen Tiefgang des Geschehens überdeckt. Wir finden den Ausdruck dafür in dem Gedanken, der Wilhelm ergriffen hat in dem Augenblick, wo Mignons Engelsgestalt ihm das Grundwesen Nataliens miterhellt hat. Da wird Wilhelm klar, daß er sich das Traumbild der Amazone einst selbst geschaffen, daß aber Nataliens wirkliche Erscheinung jetzt ihn so bis in den Lebensgrund verwandelt hat, daß er spürt: sie „schien fast ihn umschaffen zu wollen".

Hier haben wir den eigentlichen aufschließenden Symbolsinn, der Wilhelms Aufstieg in die Adelswelt zum Generalthema des Buches macht. Wilhelm, auf den Lebensquell seines Felix vertrauend, von dem er sich verjüngt durchdrungen und getragen fühlt, überantwortet sich der Welt, in der Natalie als die gesteigerte schöne Seele der „Bekenntnisse" die neuen Werte allbeherrschend ausprägen wird, die imstande sind, Wilhelms universalen Bildungsdrang „umzuschaffen" in die ihn an Lotharios Seite erwartenden neuen sozialen Aufgaben des Adels: „Vormund von vielen zu sein, ohne herrschen zu wollen." Es ist der Übertritt aus einer Welt der hundertfältigen individuellen Lebensfülle in eine strenge, auf den Typus bedachte, asketisch arbeitsame Welt, in der Natalie als die weibliche Ergänzung den leiblichen Eros umverwandelt in eine abstraktere, überall tätig wirksame Nächstenliebe und Fürsorge.

Keiner der Männer aus der Gesellschaft des Turms reicht an solche umschaffende Kraft der weiblichen Seele heran. Wenn Jarno selbst gesteht, daß sie bei ihren Turm-Zeremonien „nur noch lächeln", wird Wilhelms Unmut verständlich, der von „Phrasen" spricht. Wohl haben die Warnrufe des Geistes Wilhelms Leben beeindruckt, sie haben ihm geholfen, vom Theater Abstand zu nehmen. Er ist an ihnen gewachsen. Er hat Irrtümer eingesehen. Aber was ihn von den „Lehrjahren" losspricht, ist seine eigne Frage nach Felix, dem Sohn. Da heißt es dann: „Die Natur hat dich losgesprochen!" Was Wilhelm hier vorwärts bewegt, ist die Schöpfung selbst. Der „Turm" der Gesellschaft ist nur eine Chiffre für den Aufklärungsgeist, den man nicht absolut nehmen darf. Die Klarheit, die er verbreitet, ist begrenzt in einem ironischen Weltverstand. Nirgend erreicht er die Schöpfungsbewegung des kosmischen Lichts. Eben dadurch wird auch der Turm zum Zeichen dafür, daß auf die Lehrjahre Wilhelms Wanderjahre zu folgen haben. Die Steigerung des Lichts um Felix und Natalie wird das Makarien-Licht sein.

Die letzte Frage, die sich stellt, zielt auf die Kraft der „wahren Symbolik" im Wilhelm-Meister-Roman. Schließt sich die um die Theaterwelt zusammengezogene Bildmitte als ein turbulentes Bild der Lebensfülle einer Scheinwelt wirklich zur Romaneinheit zusammen mit dem, was um die Adelswelt und ihre Turmgesellschaft sich als Sinn-Mitte aufschließt? Wo außerdem noch zwischen beiden Romanhälften die „Bekenntnisse einer schönen Seele" zu bewältigen sind? Wie wenig entspricht die Vorstellung des „Turms" als Wahrzeichen der Aufklärungsgesellschaft einem aufschließenden Kräftefeld! Karl Schlechtas scharfer Blick sieht nur eine „in die starre Verteidigung zurückgezogene" Sozietät. Hier eben nun erleben wir mit neuer Bedeutungskraft die über beide Romanhälften ausgespannte Lichtsymbolik: sie hebt aus der Bohêmewelt des Theaters als Wilhelms ursprünglichste Tat die Zeugung des kleinen Felix hervor, „schön wie die Sonne" und mit dem Blick des Vaters in das Kinderherz, „vor welchem die Sonne wie über einem reinen stillen See emporsteigt und schwebt". Wilhelms „fortwirkende Stetigkeit" wird ganz und gar vom Vater-Sohn-Verhältnis bestimmt werden. Zum andern hebt sich für uns ebenso wie für Wilhelm die Gestalt der Amazone aus der Adelswelt heraus „als sei ihr Haupt mit Strahlen umgeben, und als verbreite sich über ihr ganzes Bild nach und nach ein glänzendes Licht". Als Wilhelm dann Lotharios Schwester, der Baronesse Natalie, begegnet, darf er in ihr die älteste Nichte der Stiftsdame erkennen, die von der schönen Seele sagt: „Sie war ein Licht, das nur wenigen Freunden und mir besonders leuchtete." Natalie aber wird auf Wilhelm einen so tiefen Eindruck machen, daß ihm ist, als würde er durch ihre reale Gegenwart „umgeschaffen". Solche starke Lichtbetroffenheit wird dem innersten Kern in Wilhelms bildungs- und lichthungriger Seele zugemutet. Hier liegen die Möglichkeiten zur „lebendig-augenblicklichen Offenbarung des Unerforschlichen". Dazu aber bedarf es der Fortsetzung.

Das Erstaunlichste an den Deutungen des Romans seit 1945 ist der Blick aus der „Welt als Labyrinth": Goethes Lichtsymbolik tritt weithin zurück. Karl Schlechta (1953) sieht nur Wilhelms „Abstieg". Hans-Egon Haß (1963) sieht „ironische Konstellation". Hans Eichner (1966) betont in der Nachfolge Schlechtas den „heiteren Spielcharakter". Hans Reiss (1963) sieht das Ebenmaß der Hochklassik in Wilhelms Entwicklungsgang, ohne die Akzente der Lichtsymbolsprache. Emil Staigers Gesamt-Goethebild (1956) nimmt auch den „Wilhelm Meister" in das geistige Entwicklungsgeflecht auf, das aus dem gleichen „Genius der Frühe" Goethes eignes Leben und sein Widerspiel, den jungen Wilhelm, sich durch Irrtümer entwickeln läßt. Staiger weiß die Lichterscheinung der Amazone in Wilhelms Herzen voll zu würdigen, und er gibt Natalie ihre Stelle höchster Vollendung, bis zu Wilhelms Betroffenheit, daß sie ihn „fast umzuschaffen" schien. Doch führt Staiger für die Gesamtwirkung des Romans den Begriff der „Interferenzerscheinungen des Lichtes" ein: daß (durch Überlagerung gleicher Wellenlängen) ein Licht das andre aufhebt, derart daß sich „die Gestalt entrückt". Dazu rechnet er die Vermählungen am Schluß, als Rückfall in die „Romanschablonen einer vorklassischen Zeit".

Was Staiger hier vom Gesamt-Goetheblick her einzuebnen Gefahr läuft, sei am Beispiel erhärtet. Auch Staiger erwähnt Mignons letztes Lied: „So laß mich scheinen, bis ich werde." Was solche Lichtverklärung im symbolischen Kosmos uns sagen soll, während Mignon im selben Augenblick tot zusammensinkt, als Therese Wilhelm umarmt, das bleibt bei Staiger ungedeutet. Wilhelms völlige Verstörtheit hinterher, durchaus unklassisch, kann nur durch kathartische Katastrophen überwunden werden: des Harfners Ende, die Todgefahr für Felix, die Wilhelm und Natalie in zwielichtigen Sorgen vereint. Der Umschlag in die Rettung, der Eingriff des Narren-Bruders sind Steigerungsformen, die die Entwicklung verkürzen sollen, die sich von lang her ankündigt. Lotharios Vermittlung verernstet durchaus alles, was sein Bruder anstellt: „Unerreichbar wird immer die Handlungsweise bleiben welche die Natur dieser schönen Seele vorgeschrieben hat." Damit ist das Ziel, dem Wilhelm zugestrebt hat, und dem Lothario neue soziale Adelsaufgaben stellt, allen Interferenzerscheinungen entrückt.

Schließlich berücksichtigt Erich Trunz in den Anmerkungen der Hamburger Ausgabe VII (1950) die Symbolsprache der Lyrik Mignons, des Harfners, ebenso „symbolische Bilder" und „lebendige Bildsymbole", die Lichtsymbolik erschließt sich erst vom Makarienlicht der „Wanderjahre" her.

„Wilhelm Meisters Wanderjahre"

Als Goethe am 17. Mai 1807 damit begann, „Wilhelm Meisters Wanderjahre" zu diktieren, finden wir Wilhelm und seinen Sohn Felix auf der gemeinsamen Wanderschaft im Hochgebirg. Ihr erstes gemeinsames Erlebnis wird die Begegnung mit der seltsamen Heiligen Familie sein, mit „Sankt Joseph dem Zweiten" und seiner Frau Maria, auf dem Esel reitend, als wären sie wie ehedem auf der Flucht nach Ägypten begriffen. Im Glanz der Hochgebirgsonne, des „himmlischen Gestirns", prägt sich Vater und Sohn wahrhaft das archetypische Modell der Familie ein, wie es poetischer sich nicht vorstellen läßt. Den Hintergrund bildet die Wallfahrtskapelle, der Heiligen Familie gewidmet und mit Bildern aus ihrem Leben geschmückt. Sankt Joseph ist Schaffner eines weltlichen Fürsten, von Beruf Zimmermann wie der Joseph der Bibel. Die Maria hat ihm der Krieg zugetragen, in dem sie ihren Mann verloren. Joseph hat sich ihrer angenommen und sie auf seinem Maultier der Hebamme zugeführt, die sie von einem Knaben entbunden hat. Später hat er sie dann geheiratet, ist zum Pflegevater, zugleich zum Vater geworden. Wilhelm fühlt sich in der verehrenden Liebe, die Maria entgegengebracht wird, an die eigne Liebe zu Natalie erinnert, der er sein Erlebnis beschreibt. Auch ihm liegt die Begründung einer heiligen Familie am Herzen, die das Grundgesund-Natürliche wechselseitiger Heiligung der Liebe ausstrahlt.

Die Begegnung mit Montan als dem gesteigerten Jarno der „Lehrjahre" bedeutet die mächtige Ausweitung der Turmgesellschaft: Montan geht es jetzt (wie dem alten Goethe) um das Alphabet der Natur. Was sie lehrt, ist immer das Einfache. „Vielseitigkeit bereitet eigentlich nur das Element vor, worin das Einseitige wirken kann." „Mache ein Organ aus dir und erwarte, was für eine Stelle dir die Menschheit im allgemeinen Leben wohlmeinend zugestehen werde" ... „Sich auf ein Handwerk beschränken ist das Beste." Jarno wird zum Warner für Wilhelm: „Jetzt besonders seh ich dich an wie einen Wanderstab, der die wunderliche Eigenschaft hat, in jeder Ecke zu grünen, wo man ihn hinstellt, nirgends aber Wurzel zu fassen!"

Schon hält Wilhelm die Antwort bereit: er zieht ein „Allbekanntes" hervor, das Besteck des Chirurgen, das er als eine Art „Fetisch" bei sich trägt. Wilhelm will also jetzt schon auf einen Beruf hinaus. Eben darum will er, daß die merkwürdige Bestimmung des „Turms" aufgehoben wird, Wilhelm dürfe „nicht länger als drei Tage an einem Ort verweilen". Montan verspricht ihm, das zu bewirken.

Goethe hat damit von vornherein einen mächtigen Ruck nach vorn getan, die Romanhandlung vorzutreiben. Dem entspricht es, daß bei der Letztfassung des Romans 1828 Wilhelm eben jetzt, im 10. Kapitel, die Begegnung mit einer Frau zuteil wird, die als Lichterscheinung Natalie weit überragt. Und Wilhelm bewährt in der Begegnung mit ihr einen Zustand von Reife, Gesammeltheit und Lichtbetroffenheit, der ihn über alle anderen Figuren des sich breit verzweigenden Romans erhebt. Wilhelms erster Eindruck ist der, daß Makarie, die Herrin des Schlosses, bei der er als einer der „Unsern" angemeldet ist, über eine Geisteskraft verfügt, die „die innere Natur eines jeden durch die ihn umgebende individuelle Maske durchschaut". Derart daß Wilhelm jetzt den Kern der Menschen „wie verklärt" vor seinem inneren Auge erfährt. Was dann Makariens Gesellschafter, der Astronom, ihm aus dem astronomischen Weltbild entwickelt, faßt sich für Wilhelm in den Satz zusammen: „Große Gedanken und ein reines Herz, das ist's, was wir uns von Gott erbitten sollten!" So religiös gestimmt bereits ist Wilhelm, als ihm jetzt das Wunderbarste widerfährt, was ihm jemals je zuteil geworden ist und zuteil werden wird.

Vorerst begreift er noch, angesichts des durch Instrumente ihm aufgeschlossenen Sternenhimmels: „Wie kann sich der Mensch gegen das Unendliche stellen, als wenn er alle geistigen Kräfte in seinem Innersten versammelt?" Und es ist ihm, als hörte er die Stimme der Gestirne selbst: „Wir bezeichnen durch unseren gesetzmäßigen Gang Tag und Stunde; frage dich auch: wie verhältst du dich zu Tag und Stunde?" Wenn Wilhelm bei Natalie den Eindruck gewann, ihre reale Gegenwart allein habe genügt, ihn „umzuschaffen", dann ist das, was ihm jetzt widerfährt, eine sein ganzes Grundwesen umschaffende Kraft.

Nach erquicktem Schlaf unmittelbar vor den Anblick des Morgensterns, der Venus, herangeholt, gesteht Wilhelm dem Astrologen: „Welche Herrlichkeit! welch ein Wunder!" Und er berichtet, was er bereits im Traum vorauserlebt hat:

> „Ich lag sanft, aber tief eingeschlafen, da fand ich mich in den gestrigen Saal versetzt, aber allein. Der grüne Vorhang ging auf, Makariens Sessel bewegte sich hervor, von selbst wie ein belebtes Wesen; er glänzte golden, ihre Kleider schienen priesterlich, ihr Anblick leuchtete sanft; ich war im Begriff, mich niederzuwerfen. Wolken entwickelten sich um ihre Füße, steigend hoben sie flügelartig die heilige Gestalt empor, an der Stelle ihres herrlichen Angesichtes sah ich zuletzt, zwischen sich teilendem Gewölk, einen Stern blinken, der immer aufwärts getragen wurde und durch das eröffnete Deckengewölb sich mit dem ganzen Sternhimmel vereinigte, der sich immer zu verbreitern und alles zu umschließen schien. In dem Augenblick wecken Sie mich auf; schlaftrunken taumle ich nach dem Fenster, den Stern noch lebhaft in meinem Auge, und wie ich nun hinblicke — der Morgenstern, von gleicher Schönheit, obschon vielleicht nicht von gleicher strahlender Herrlichkeit, wirklich vor mir! Dieser wirkliche, da droben schwebende Stern setzt sich an die Stelle des geträumten, er zehrt auf, was an dem erscheinenden Herrliches war, aber ich schaue doch fort und fort, und Sie schauen ja mit mir, was eigentlich vor meinen Augen zugleich mit dem Nebel des Schlafes hätte verschwinden sollen!"

Dies Traum-Ereignis ganz hier abzudrucken, zwingt die Bedeutung, die ihm im Gesamtroman zukommt. Was wohl hat Goethe veranlaßt, Makariens Lichterscheinung im Traumspiegel Wilhelms kurz vor dem Abschluß und der Drucklegung des Romans 1828 noch einzufügen, ähnlich wie er die Mütter-Szene im II. Teil des „Faust" noch 1830 eingefügt hat? Es konnte nur den einen Sinn haben, Wilhelm, den Helden der Wanderjahre, vor allen andern Figuren des Romans herauszuheben und als Hauptfigur auszuzeichnen. Keiner, auch Makariens Neffe Lenardo nicht, hat Makariens Wirkung mit solcher schöpferischen Lichtbetroffenheit erfahren als der Held des Romans. Und indem sich für Wilhelm Makariens Wesen in die Weite eines kosmischen Sternbilds erhöht und sein Traumblick im Morgenstern die reale Bestätigung zu finden scheint, wird ihm durch Makariens Gefährtin und den Astronomen die Erhellung zuteil, daß Makarie „nicht sowohl das ganze Sonnensystem in sich trage, sondern daß sie sich vielmehr geistig als ein integrierender Teil darin bewege".

Eben damit kommt Wilhelms Weltwanderer-Bewußtsein vom Unbewußten her ein Wachstumszuschuß zu, der sich zur „wahren Symbolik" auskristallisiert, zur „lebendig-augenblicklichen Offenbarung des Unerforschlichen". Derart daß sein Blick sich über die Welt der Turmgesellschaft hinaus selber in Makariens Geist „umschaffen" läßt für Einsichten in die Licht-Mysterien des Daseins selbst, oder anders ausgedrückt, daß jetzt Nataliens Licht in seinem stillen Glanz einer überkommenen Adelsschicht überstrahlt wird vom Sternenlicht Makariens, das eine viel schärfer offenbarende Strahlkraft annimmt. Wir werden sehen, daß vor solchem Sternenblick nur noch das Urtümliche, Uranfängliche bestehen wird. Und so werden wir im weiteren Lauf des Romans Natalien überhaupt nicht mehr begegnen. Sie ist aufgesogen vom Makariengeist, der Wilhelms Grundwesen umgeschaffen hat.

Zwei Folgerungen lassen sich daraus ziehen für den Gesamtaufbau des Romans, der eben dadurch erst seine kühne Planung im Ganzen verrät. Einmal ist es Goethe klargeworden, ganz im Sinn von Makariens Lichtmysterien, daß sich die Wellenlängen des Lichts, die Makarie ausstrahlt, nur noch dort in Farbe verwandeln, wo sie auf die lebenstrotzende Materie von Novellenkonflikten stoßen. Darum hat Goethe die „Wanderjahre" bereits mit dem Gleichnisbild der Heiligen Familie begonnen, das einen idyllischen Novellenstoff umschließt. Und darum wird er durch den ganzen Roman Novelleneinlagen bringen, die alle sich um Liebesverwirrungen drehen, mit aufblitzenden Leidenschaftsfunken, denen Wilhelm selbst inzwischen glücklich entronnen war.

Zum andern wird das Grundthema: Vater und Sohn in eine weltweite, den Roman durchgliedernde Spannung gebracht. Wir verfolgen Wilhelms Weg auf den Spuren Makariens, die uns noch einmal gegen Ende des Romans begegnet in einer Niederschrift, die als „ätherische Dichtung" bezeichnet wird. Da erfahren wir: „Makarie erinnert sich von klein auf ihr inneres Selbst als von leuchtendem Wesen durchdrungen, von einem Licht erhellt, welchem sogar das hellste Sonnenlicht nichts anhaben konnte." So wandelt sie „wie ein Engel Gottes auf Erden", in einer Spiralbewegung um die Sonne.

Solche Klarheit der Lichtsymbolsprache läßt Goethe noch einmal aufleuchten, ehe er die Schlußszene des Romans zur Darstellung bringt: Wilhelm als Wundarzt, der dem mit dem Pferd in den Strom Gestürzten durch schnellen ärztlichen Eingriff das Leben rettet und in ihm Felix, den Sohn, erkennt. „So standen sie fest umschlungen, wie Kastor und Pollux, Brüder, die sich auf dem Wechselwege vom Orkus zum Licht begegnen."

Auch Wilhelms Weg, der zu Makarie führt, erfährt noch eine besondre Erhellung. Als Goethe Wilhelms Traum aufgezeichnet hatte, wollte er ursprünglich unmittelbar daran einen Brief Wilhelms an Natalie anschließen, der ihr dies Großereignis berichten sollte. Der Brief begann:

„Wäre mir durch Dich, allgeliebteste, allteuerste Freundin, jedes Rätsel der Welt nicht schon im voraus gelöst, so hätte mir heut ein neues Licht aufgehen müssen. Was an Dir sich als Gipfelflamme eines schönen vollkommenen Daseins erweist, hab ich hier abgesondert, einzeln, gefunden, wie es sich als Elmsfeuer, als eine flatternde Taube auf die irdischen Gipfel niederläßt." Goethe hat dann diesen Brief verschwinden lassen. Aus welchem Grund? Der Versuch, Natalie seinen Eindruck von Makariens Lichterscheinung zu vermitteln, schwächte sich zu Metaphern aus dem Bereich der Flamme und des Feuers ab; in das Bild der „Gipfelflamme" für Natalie selbst schlug sich zugleich eine Liebesmetapher nieder. Goethe begriff, daß damit dem Einzigartigen der in Makarie offenbarten Lichterscheinung nicht zu genügen war. Die Wirkung Makariens auf Wilhelm war es gerade, daß es ihm jetzt nicht mehr um Liebesmetaphern im Briefstil zu tun sein konnte. Es ging ihm, wie Wilhelms Traum ganz deutlich macht, um das Licht-Mysterium des Daseins selbst. Auch das Ungefähr, das sich in den heterogenen Bildern „Elmsfeuer, flatternde Taube" ausdrückt, entspricht nicht mehr der klaren Entschiedenheit, die Wilhelms Charakter jetzt bestimmt. Der Traum verrät einen von Grund aus Umgeschaffenen. So hat Goethe selbst sich dahin entschieden, Natalie zurücktreten zu lassen. Vielmehr erfährt jetzt Wilhelm im Gespräch mit Makariens Gehilfin Angela, was außer ihm und dem Astrologen niemand erfahren soll: „daß Makarie nicht sowohl das ganze Sonnensystem in sich trage, sondern daß sie sich vielmehr geistig als ein integrierender Teil darin bewege." Das ist das umstürzend Neue: tiefer als alle Metapherbewegung in der Seele ist jetzt für Wilhelm die Erfahrung, daß sein Innerstes, in seiner Lichtbetroffenheit, an der kosmischen Mitbewegung teil hat, die ihm in Makariens Grundwesen, in ihrer röntgenhaften Strahlkraft, als Sternbewegung begegnet. Der verwandelnde Impuls, der davon für Wilhelm ausgeht, ist die Entschlossenheit, nicht mehr als Wanderstab, überall wo er zufällig stehen bleibt, zu grünen, sondern Wurzeln zu schlagen, selber ein Baum zu werden.

Auch die Vater-Sohn-Spannung wird dadurch berührt. Der Entschluß, der in Wilhelm herangereift ist und der ihn nochmals veranlaßt hat, den Abbé um Aufhebung der Drei-Tage-Verpflichtung zu bitten, setzt sich endlich am Ende des II. Buches im Roman in den einzigen Brief an Natalie um, der noch an sie geschrieben wird, ehe sie zusammen mit ihrem Bruder Lothario nach Amerika übersiedelt, ohne noch einmal mit Wilhelm zusammengetroffen zu sein.

Der Brief ist ein Unikum, durch die seltsamen Umwege, die Wilhelm einschlägt, um Natalie auf seinen Entschluß vorzubereiten, Wundarzt zu werden. Offenbar hemmt ihn eine kaum zu überwindende Scham, einzugestehen, was aus seinem Drang zum „Hundertfältigen" einer allumfassenden Bildung geworden ist: nichts als ein Wundarzt. Man darf wohl sagen, erst mit diesem Brief hat Wilhelm seinen Adels-Tick überwunden. „Schon Tage geh ich umher und kann die Feder anzusetzen mich nicht entschließen." Erst wählt er ein umfängliches Gleichnis: vom Jüngling, der einen Ruderpflock fand und zuletzt zum Patron eines Seefahrerschiffes geworden ist. Dann holt er weit im Abstrakten aus: „Die Nachahmungsgabe des Menschen ist allgemein." Schon setzt ein erster Vorstoß ein: „Das Natürlichste wäre, daß der Sohn des Vaters Beschäftigung ergriffe." Das Vater-Sohn-Thema meldet sich an. Jetzt weiß Wilhelm nicht weiter. Er beklagt „das Traurige der Entfernung von Freunden". Endlich wählt er den Umweg, eine Jugenderinnerung heraufzurufen.

Damit öffnet sich für Wilhelm die schöpferische Möglichkeit, die Jugenderinnerung zur Novelle auszurunden. Er führt Natalie in seine Kindheit zurück, ins Uranfängliche erster Liebe: der Fischerssohn, der ihn mit zum Baden verlockt, erscheint ihm in seiner nackten Jungensschönheit, wie er sich in der Sonne trocknet, als das Schöne selbst. „Als er sich heraushob, sich aufrichtete, im höheren Sonnenschein sich abzutrocknen, glaubt ich meine Augen von einer dreifachen Sonne geblendet: so schön war die menschliche Gestalt, von der ich nie einen Begriff gehabt." Mit feurigsten Küssen schließen beide eine ewige Freundschaft. Wenig später muß Wilhelm erleben, daß der neue Freund, von ängstlichen Nicht-Schwimmern herabgezogen, mit allen zusammen ertrunken ist. Er sieht die weißen Leiber im Saale liegen, im wildesten Schmerz sucht er den Freund vergebens zu erwärmen. Verzweifelt ruft er Gottes Hilfe heran. Dann trifft ihn das Wort des eignen Vaters, den die menschlichste Gesinnung auszeichnet. Er spricht von der Wiederbelebung der für tot Gehaltenen, und hält dafür, daß „durch einen Aderlaß vielleicht ihnen allen wäre zu helfen gewesen". Das ist die Ursprungsstunde, in der sich mit Jugendeifer in Wilhelm der Entschluß verfestigt hat, einmal Wundarzt zu werden, um in solchen Augenblicken helfen zu können. Wir begreifen, was Wilhelm hier erzählend ausbreitet für Natalie: ein Urphänomen, „dreifache Sonne", und im Urlicht der Herzensverschmelzung, des Todesschreckens, des Vaterworts als Gottvaterworts ein im Ursprung Geheiligtes.

Damit an sich war Wilhelms Brief bereits am Ziel. Dennoch zieht er die Folgerung noch nicht. „Du mußt dich eben in Geduld fassen, lesen und weiter lesen, zuletzt wird dann doch auf einmal hervorspringen und dir ganz natürlich scheinen, was mit e i n e m Wort ausgesprochen dir höchst seltsam vorgekommen wäre."

Wilhelm holt sich noch eine weitere Hilfe heran. „Die Angelegenheiten unseres Lebens haben einen geheimnisvollen Gang, der sich nicht berechnen läßt." Wilhelm greift auf das berühmte Besteck zurück, das einstmals beim Überfall im Walde ihm geholfen hat, durch Nataliens Wundarzt. Wilhelm hat es später erworben, und führt es immer mit sich. Bis ihn Jarno darauf anspricht und sagt, es genüge nicht, einen „solchen Fetisch" mit sich zu führen. Wilhelm ruft sich Jarnos „harte Sprache" zu Hilfe. „Narrenpossen sind eure allgemeine Bildung! Daß ein Mensch etwas ganz entschieden verstehe, vorzüglich leiste, wie nicht leicht ein andrer in der nächsten Umgebung, darauf kommt es an." Noch einmal wird in Jarnos Worten Wilhelms eigentümlichste Schwäche aufgezeigt: „Du bist von der Menschenart, die sich leicht an einen Ort, nicht leicht an eine Bestimmung gewöhnen." „Allen solchen wird die unstäte Lebensart vorgeschrieben, damit sie vielleicht zu einer sicheren Lebensweise gelangen." So empfiehlt ihm Jarno „das göttlichste aller Geschäfte, ohne Wunder zu heilen und ohne Worte Wunder zu tun".

Damit ist der Brief am Ziel und zu Ende. Lichtsymbolik hat auch hier mitgewirkt: „Das Besteck leuchtete mir damals dergestalt in die Augen . . .". Es verknüpft sich mit dem Licht in der Seele, das dem Kinde über der Freund-Begegnung aufgegangen war. Artikuliert im Vaterwort als Wunsch, zu helfen, und vorausdeutend auf das künftige Ziel, Lebensretter des eignen Sohns zu werden.

Was den Brief, am Ende des zweiten Buches, in der Mitte des Romans, zur inneren Achse der „Wanderjahre" macht, ist die um das Vater-Sohn-Thema zusammengezogene Symbolik: Wilhelm macht im Geständnis an Natalie die innerste Lichtbetroffenheit offenbar, die ihn schon von Kind an ausgezeichnet hat, dieselbe, wie sie sich im Makarientraum so überragend bewährt hatte. Sie war ihm aufgegangen als „dreifache Sonne" im Urgeheimnis der ersten Freundesliebe, und sie hatte im Todesschrecken als göttlichste Schöpfungsregung den Wunsch, zu helfen hervorgerufen. Hier spürt er dann aufs Überraschendste sich getroffen durch das eigne Vaterwort an den Sohn: auf welche Weise hier der Wundarzt hätte helfen können. So ist in Wilhelms Seele damals der Wunsch, Wundarzt zu werden, geboren worden. Das Wundarzt-Besteck, das bei der ersten Begegnung mit der Lichterscheinung der Amazone Wilhelms Herz unwiderstehlich angerührt hatte, war eine Art Wiedererkennen aus dem unbewußten Jugenderlebnis. Wie eben jetzt Wilhelm geholfen wurde, so war der Wunsch, auf ebensolche Weise selber einmal Helfer zu sein, ihm eingeboren, als ein Urerinnern. Wie wunderlich hat Wilhelm eben das im Brief an Natalie schon vorweggenommen in dem Satz: „Das Natürlichste jedoch wäre, daß der Sohn des Vaters Beschäftigung ergriffe. Hier ist alles beisammen: eine vielleicht im Besondern schon angeborne, in ursprünglicher Richtung entschiedene Fähigkeit . . ." Eben das ist der Grund, warum das Besteck Wilhelm damals „dergestalt in die Augen leuchtete". „Es regte sich in mir eine innere Stimme, die mich meinen eigentlichen Beruf hieran erkennen ließ."

Zugleich verrät die Umständlichkeit der Umwege, die Wilhelms Brief an Natalie einschlägt, wie schwer es unter Menschen ist, die sich zur Adelsschicht emporgebildet haben, das Einfachste im Urverhältnis Vater und Sohn auch nur auszudrücken, wenn das Berufsziel, auf das alles hinausläuft, nur ein einfacher Wundarzt ist. Wie grundbescheiden fügt Wilhelm dem Schluß des Briefes an, so werde er denn bei dem Amerika-Unternehmen „als ein nützliches, als ein nötiges Glied der Gesellschaft erscheinen".

Wir bleiben im Bereich des Lichtsymbols, wenn wir festzustellen haben, daß auch für Wilhelms Sohn Felix Goethe sich eines zusammenziehenden Symbols bedient, das Felix auf seinen Wachstumsstationen vordergründig begleitet: das Kästchen, das Felix bereits im 4. Kapitel des I. Buches aus dem Labyrinth eines Riesenschlosses und seiner Höhlenwölbungen heraufholt. Mittelst eines Ariadne-Fadens folgt Wilhelm dem verschwundnen Sohn und findet ihn, aus der Kluft des schwarzen Gesteins hervorschauend, und um einen Knüttel bittend. Mittelst des Knüttels, den ihm der Vater gibt, holt Felix aus einem Kasten in der Höhle unten ein Kästchen herauf, das von Gold scheint, mit Schmelz verziert, aber verschlossen. Wenn alles hier auf eine Chiffre hindeutet für die Labyrinthe des Unbewußten in Felix Brust, dann hat Goethe das durch folgende Gedanken des Felix ausdrücklich gemacht: „Felix sehnte sich von dem Orte weg, wo der Schatz irdischer oder unterirdischer Wiederforderung ausgesetzt schien. Die Säulen kamen ihm schwärzer, die Höhlen tiefer vor. Ein Geheimnis war ihm aufgeladen, ein Besitz, rechtmäßig oder unrechtmäßig? sicher oder unsicher? . . ."

Eine Unterwelt deutet sich an, mit eignem Leben. Etwas Unheimlich-Orkushaftes. Man mag sich an den alten Volksglauben erinnern, daß alle Schätze drei Fuß unter der Erde dem Teufel gehören, wie Mephisto im „Faust" Kästchen mit Geschenken für Faust heraufzaubert, um Gretchen zu betören. Einen mephistophelischen Wink hat Goethe ausdrücklich gegeben, mit dem jungen Freund von Felix, dem Fitz, dem „Schelm", der mit Schmugglern unter der Decke steht. Allerdings ist Fitz nicht dabei, wie Felix das Kästchen findet. Er warnt nur davor, sich allzu tief in die Höhlen und Klüfte einzulassen. Was aber sollen wir dazu sagen, daß später in Fitzens Jacke der Schlüssel zum Kästchen gefunden werden wird?

Goethe legt es darauf an, die Geheimnisse zu steigern. Jedenfalls wird Felix in eine Unruhe geworfen; und als dann Fitz hinzukommt, erzählt Felix ihm „Märchen", deutet an, „daß er heimlich besitze, und daß er sich verstelle". Fitz wird dann Vater und Sohn in eine Falle führen, wo sie als Obstdiebe angesehen und von einem Gitter eingeschlossen werden. Später tritt das Kästchen wieder auf, als Wilhelm bei einem Antiquar zu tun hat und die Gelegenheit wahr nimmt, ihm das Kästchen in Verwahr zu geben. Was der Alte zum Kästchen sagt, vermehrt die Geheimnisse. Wilhelm fragt, ob man das Kästchen öffnen könne, der Alte antwortet:

„Ich glaube, daß man es ohne sonderliche Beschädigung tun könne. Allein da Sie es durch einen so wunderbaren Zufall erhalten haben, so sollten Sie daran Ihr Glück prüfen. Denn wenn Sie glücklich geboren sind, und wenn dieses Kästchen etwas bedeutet, so muß sich gelegentlich der Schlüssel dazu finden, und gerade da, wo Sie ihn am wenigsten erwarten."

Damit ist das Kästchen nachdrücklich mit dem Schicksal des Felix verknüpft, der ja „der Glückliche" heißt. Was also hat Goethe mit solchem Aufwand im Sinn, mit dem er das Kästchen als Chiffre für das Labyrinth des Unbewußten eingeführt hat? Wir begegnen dem Kästchen erst wieder, nachdem Goethe einige Jahre in der Entwicklung von Vater wie Sohn eingeschoben hat. Felix ist in der „Pädagogischen Provinz" untergebracht, wo er zum Jüngling heranwächst, Wilhelm hat sich dem Studium der Medizin gewidmet.

Erst im zweiten Kapitel des III. Buches taucht das Kästchen wieder auf. Es geschieht in einem Brief, den Wilhelm von einer jungen Adligen empfängt, die er vor Jahren auf seiner Drei-Tage-Wanderschaft im Haus eben des Gutsherrn kennen gelernt hat, der ihn und Felix als Obstdiebe eingefangen und dann überaus freundlich aufgenommen hat. Hersilie zeigt sich auf die überraschendste Weise mit dem Kästchen verbunden, von dem sie ja aus jener Zeit weiß. Durch den seltsamsten Zufall, dem sie fast unbewußt nachgeholfen hat, ist sie in Besitz des Schlüssels geraten, den sie im Wams des kleinen Fitz gefunden hat. Sie hat damit in die Gerichtsbarkeit eingegriffen, die den Kittel beschlagnahmt hatte. „Mich treibt ein guter oder böser Geist, in die Brusttasche zu greifen." Sie findet den Schlüssel und gibt ihn nicht mehr her. Sie will ihn zum Anlaß nehmen, Wilhelm heranzurufen, damit sie in seiner Gegenwart das Kästchen öffne. Sie zeichnet ihm die Form des Schlüssels auf. „Erinnert es nicht an Pfeile mit Widerhaken?" Zugleich erinnert sie daran, daß das Kästchen ja eigentlich Felix gehört, der es entdeckt hat. Also soll Wilhelm beides bringen, Kästchen und Sohn.

Damit ist das Kästchen nicht nur mit Vater und Sohn, sondern auch mit Hersilie verknüpft, und zwar im Dienst eines Zufalls, der schon wie Schicksal aussieht. Tatsächlich fühlt sich Hersilie schon lange „wie eine unschuldige Alkmene" zwischen Vater und Sohn. Wilhelm hat von Anbeginn auf sie starken Eindruck gemacht. Zugleich hat sich beim ersten Zusammentreffen Felix, der Knabe, blindlings in Hersilie verliebt. Hersilie ist es, die Wilhelm zwei Novellen zum Lesen gegeben hat: „Die pilgernde Törin" als „Nettigkeit einer vornehm reichen französischen Verirrung" und „Wer ist der Verräter?" als Spiegel „einfacher, treuer Redlichkeit deutscher Zustände". Auch hier scheint sie als „unschuldige Alkmene" zwischen den Werten der Verwirrung und der Redlichkeit zu stehen, um Wilhelm beidem auszusetzen. Wilhelms Haltung aber ist ganz eindeutig ablehnend. Wilhelm ist es keineswegs mehr um „Pfeile mit Widerhaken" zu tun. Er hat die Zeit der verwirrenden Leidenschaften hinter sich. Dagegen Felix ist uns früh schon als Knabe erschreckend leidenschaftlich begegnet. Als er sich mit dem Vater zusammen eingesperrt findet, bricht er „in eine unglaubliche Wut" aus. Er schlägt mit den Fäusten gegen die Tür, ist geradezu im Begriff, „mit dem Schädel dawiderzurennen". Als ihm hernach Hersilie einen Apfel über den Tisch reicht, schneidet er sich tief in den Daumen, so blind hatte er sich in sie versehen. Im 10. Kapitel des II. Buchs begegnet uns dann ein Brief Hersiliens an Wilhelm, in dem sie ihm von Felix berichtet. Felix hat durch einen Boten, einen jungen Tabulettkrämer, der mit seinen listigen schwarzen Augen von orientalischem Reiz etwas vom Liebesboten an sich hat, ein Täfelchen an Hersilie übersandt, mit der Inschrift: „Felix liebt Hersilien. Der Stallmeister kommt bald." Hersilie baut sich ihren Brief an Wilhelm höchst geschickt und verlockend so auf, daß sie Felix auf einem anderen Täfelchen geantwortet habe: „Hersiliens Gruß an Felix. Der Stallmeister halte sich gut!" Sie berichtet, wie sie eigentlich das Täfelchen wieder habe auswischen wollen, daß sie es dann aber doch in eine Brieftasche eingehüllt, die ursprünglich für Wilhelm bestimmt gewesen sei.

Die Ausführlichkeit unsrer Darstellung rechtfertigt sich aus den beiden letzten Briefen Hersiliens an Wilhelm, die ins Handlungsgefüge eingreifen, im 7. und 17. Kapitel des III. Buches. Auch das Kästchen ist in Hersiliens Hände gelangt. Der Tod des Antiquars hat es zum Oheim zurückgeführt, und Hersilie hat es sich angeeignet. „Ich wollte wetten, sagt der Oheim, der Freund, der dir nicht gleichgültig blieb, kommt gelegentlich wieder und holt es ab." Werbender läßt sich ein Brief wohl nicht anlegen: „Hier liegt das Kästchen vor mir in meiner Schatulle, der Schlüssel daneben, und wenn Sie eine Art von Herz und Gemüt haben, so denken Sie, wie mir zumute ist, wie viele Leidenschaften sich in mir herumkämpfen, wie ich Sie herwünsche, auch wohl Felix dazu, daß es ein Ende werde, wenigstens daß eine Deutung hervorgehe, was damit gemeint sei, mit diesem wunderbaren Finden, Wiederfinden, Trennen und Vereinen . . ."

Solcher Ruf nach der Symbolgewalt von Kästchen und Schlüssel zwingt eine Lösung herbei. Solch exemplarisches „Symbolon", das auf Einigung der Widersprüche zielt, wirft alle drei, Hersilie und

Vater und Sohn in ein Schicksalsgeflecht, das seine Stelle im symbolischen Kosmos des Romans fordert. Erst der letzte Brief aber, zwischen Makariens Lichtvermächtnis und der Lichtsymbolik von Vater und Sohn in der Schlußszene eingerückt, gibt im 17. Kapitel die Lösung. Hersilie schildert den Besuch, den Felix ihr abgestattet hat, zu Pferd, „im jugendlichen Glanz wie ein kleiner Abgott". Er bittet um Kästchen und Schlüssel. Er ist eine einzige Leidenschaftsungeduld. „Ich habe nichts vom Kästchen, noch vom Schlüssel, dein Herz wünscht' ich zu öffnen . . ." Felix steckt den Schlüssel ins Schloß, dreht ihn so gewaltsam, daß er abbricht. Felix nutzt Hersiliens Verwirrung, ihr einen Kuß auf die Lippen zu drücken, den sie wie willenlos erwidert. Dann stößt sie ihn zornig hinweg, verbietet ihm, je wieder zu erscheinen. Felix reitet davon. „Gut, so reit ich in die Welt, bis ich umkomme!" Hersilie fügt ihrem Brief hinzu: „War es an dem Vater nicht genug, der so viel Unheil anrichtete, bedurft' es noch des Sohns, um uns unauflöslich zu verwirren?"

Wie tief muß die letzte Frage Wilhelm treffen, der geglaubt hatte, allen verwirrenden Leidenschaften entronnen zu sein! Es folgt noch ein Umstand, der „aufklärt und verdüstert": der Bruch des Schlüssels ist nicht rauh, sondern glatt: magnetisch lassen sich die Teile wieder zum Ganzen fügen. Das Kästchen-Geheimnis liegt in Hersiliens Hand. Das Kästchen wollte sie gern uneröffnet lassen, wenn der Schlüssel ihr nur die nächste Zukunft aufschlösse.

Wer schließt hier die Zukunft auf? Wir befinden uns im Umkreis einer Gegensymbolik zur Licht-Gestalt Makariens. Das Kästchen, dies Unterwelts-Ding, dinglich-vordergründig, wie es ist, vertritt das Labyrinthische der Leidenschaften, die Felix wie Hersilie verwirrt haben. An Felix wird offenbar, wie wenig Erziehung zur Ehrfurcht in der Pädagogischen Provinz gegen den Dämon der Jugend vermag, wenn er sich im Anfall des ersten Eros ausrast. Er würde sich zu Tode rasen, wenn Wilhelm nicht begnadet wäre, ihm im letzten Augenblick zu begegnen und den Gestürzten mit dem schnellen Eingriff des kundigen Wundarztes zum Leben zurückzubringen. Anders ist es mit Hersilie. Die junge übermütige Adlige, zu alt für den Kind-Jüngling, doch jung genug, angesichts seiner Schönheit in der Leidenschaft, glaubt in ihrer spielfrohen Lebensfülle, daß sie den Schlüssel zu allem hat, zu allen hundertfältigen Rätseln zwischen Vater und Sohn, und nun muß sie erfahren, daß sich ihr nichts aufschließt, daß der Schlüssel im Schloß zerbricht, wie der Augenblick zwischen ihr und Felix. Felix übereilt sich, Hersilie aber zaudert, muß zaudern vor dem Abstand der Lebensalter. Und was das Kästchen als Geheimnis birgt, bleibt unentdeckt. Goethes Alters-Weltsinn macht uns klar, daß kein Kästchen-Schlüssel dem Menschen die Entscheidung abnimmt, daß es im unenträtselbaren Dunkel des Lebensganzen immer nur eines geben kann, die einmalige lebendig-augenblickliche Offenbarung des Unerforschlichen.

Einzig Wilhelm ist den Liebesverstrickungen enthoben, für die das labyrinthische Unbewußte in der Chiffre des Kästchens steht. Alles, was Felix und Hersilie in ihren Verwirrungen durcherleben, finden wir vorausschauend durch Wilhelm in jenem „Blatt" bereits ausgedrückt, das wir in Lenardos Tagebuch aufgenommen sehen:

„Jeder Mensch findet sich von den frühsten Momenten seines Lebens an, erst unbewußt, dann halb, endlich ganz bewußt, immerfort bedingt, begrenzt in seiner Stellung; weil aber niemand Zweck und Ziel seines Daseins kennt, vielmehr das Geheimnis desselben von höchster Hand verborgen wird, so tastet er nur, greift zu, läßt fahren, steht stille, bewegt sich, zaudert und übereilt sich, und auf wie mancherlei Weise denn alle Irrtümer entstehen, die uns verwirren."

Es ist, als wäre dies alles, was der Vater hier mahnend und abstrahierend ins Allgemeine hebt, im Sohn Felix zur lebendigen Szene geworden, der alles wieder selber an sich mit seinen Liebesverwirrungen durchmachen muß, was der Vater überwunden hat.

Dagegen lautet Wilhelms Gegenwort: „Fahrt fort in unmittelbarer Beachtung der Pflicht des Tages und prüft dabei die Reinheit eures Herzens und die Sicherheit eures Geistes."

Das Gegenwort von der „Reinheit des Herzens" gehört auch noch in die Sphäre der Lichtsymbolsprache hinein. Das Wort „rein" ist Wilhelm zugeordnet ebenso wie Gretchen im „Faust" das Wort: „hold", Was Wilhelm anweht mit dem Bericht, den er Natalie von der Heiligen Familie gibt, sind „die Tugenden jenes Musterbildes an Treue und Reinheit der Gesinnungen". Dies Musterbild wirkt in ihm fort. Als er gewürdigt wird, in Makariens Kreis einzutreten, faßt es sich ihm in den Satz: „Große Gedanken und ein reines Herz, das ist's, was wir uns von Gott erbitten sollten!" Und so steht am Ende der Laufbahn Wilhelms sein Mahnbrief, der als „Blatt" in Lenardos Tagebuch eingeht: „Prüft die Reinheit eures Herzens und die Sicherheit eures Geistes!" Rein bedeutet in allen diesen Fällen: gereinigt von den Verwirrungen der Leidenschaften, für die das Kästchen eine der Chiffren wird. Alle Novellen, die als Einlagen in den Roman Goethes Erfindungen sind, sind abgestimmt auf die Grundworte „Verwirrung", „Wirrwarr", „Verworrenheit", „Verirrte", „Verwirrte".

Soweit reichen die Lichtsignale, die durch den ganzen Roman ausgestreut sind, Wilhelms und Lenardos Weg zwischen den Wirrnissen der Novellen zu beleuchten. Wilhelm bleibt dabei durchaus die Hauptperson, mit dem Sohn Felix im Bund, und am tiefsten lichtbetroffen von Makariens „heiliger Gestalt". Wenn es trotz der Symbolverklammerungen Schwierigkeiten macht, in den „Wanderjahren" die Einheit des Ganzen als symbolischen Kosmos zu gewahren, dann liegt das nicht so sehr an den eingestreuten Novellen, die ihre Kontrastaufgaben erfüllen, als daran, daß Goethe nach zwei Richtungen hin die Widersprüche spannt. Einmal macht er sich Makariens Seelentiefblick zu eigen, „als wenn sie die innere Natur eines jeden durch die ihn umgebende individuelle Maske durchschaute". Goethe wagt kühne Verkürzungen nach dem Typischen hin, schaltet souverän mit seiner Kunst der Darstellung, wenn er z. B. Hersiliens Jungmädchenstil im Brief unvermittelt neben den Altersstil der eignen Epik setzt. Auf der andern Seite aber öffnet er sich den Zeitbewegungen, die längst die Adelswelt der „Lehrjahre" erschüttert haben. So wird Felix für Jahre untertauchen in der Pädagogischen Provinz als ein modernstes Erziehungssystem, das aufgrund des Schweizer Erziehungsinstituts des Herrn von Fellenberg bei Bern utopische Phantasievorstellungen Goethes von Gemeinschafts-Erziehungsversuchen im Geist der Ehrfurcht entfaltet, um der Verworrenheit der Zeit entgegenzuwirken. Zweimal wird Wilhelm Einblick nehmen, eingangs des II. Buches und als Besucher im 8. Kapitel, mit anschließendem Bergfest, auf dem er Jarno-Montan wiederfindet. So viel Erziehungsstoff in Gestalt umzusetzen, kann weder zur darstellenden Epik noch zur Klarheit der Systematik führen. Wie wenig Felix gelernt hat, Leidenschaften zu zügeln, dazu hat sich Goethe der zusammenziehenden Symbolik des Kästchens bedient.

Anders ist es mit dem größeren Weltprojekt, das zu einem kühnen Kolonisationsplan führen wird. Wilhelm, bereits als Wundarzt ausgebildet, wandert den Freunden zu und führt sich überaus sprachschöpferisch ein mit einem Wanderlied, das zeigt, wie sehr der einstige Weltbeweger jetzt bereits mitbewegt ist von den Strömungen einer neuen, auf Gemeinschaftsziele gerichteten

Zeit. „Innerlich scheint mir oft ein geheimer Genius etwas Rhythmisches vorzuflüstern, so daß ich mich beim Wandern jedesmal im Takt bewege und zugleich leise Töne zu vernehmen glaube, wodurch denn irgend ein Lied begleitet wird, das sich mir auf eine oder die andre Weise gefällig vergegenwärtigt." Wilhelms Lied wird sogleich im Zweigesang aufgenommen.

„Von dem Berge zu den Hügeln,
Niederab das Tal entlang,
Da erklingt es wie von Flügeln,
Da bewegt sich's wie Gesang;
Und dem unbedingten Triebe
Folget Freude, folget Rat;
Und dein Streben, sei's in Liebe,
Und dein Leben sei die Tat."

Ein wahrhaft umgeschaffener Wilhelm tritt uns hier entgegen, mit ganz neuen Lebensimpulsen. Er findet sich von einer Handwerkergesellschaft aufgenommen und meint: „nie etwas so Anmutiges, Herz und Sinn Erhebendes vernommen zu haben." Der Baß eines riesigen Mitsängers, der Sankt Christoph genannt wird, wandelt die letzten Zeilen fordernd um:

„Du im Leben nichts verschiebe;
Sei dein Leben Tat um Tat!"

Wilhelm findet sich eingeladen, an der Tafel der Gesellschaft „Das Band" teilzunehmen. Dort begegnet er Lenardo und Nataliens Bruder Friedrich. Lenardo, der Neffe Makariens, ist durch Wilhelm der Gesellschaft des Turms zugeführt worden. Lenardo kennzeichnet der Hang, „unwiderstehlich nach uranfänglichen Zuständen hingezogen zu sein". Das treibt ihn, in Amerika Familienbesitz anzutreten. Inzwischen ist auch die Gesellschaft des Turms durch Lothario auf ähnliche Pläne gekommen. Wilhelm vermittelt zwischen beiden. Außerdem hat er noch Lenardo einen Freundschaftsdienst erwiesen, sich nach dem Schicksal des sogenannten „nußbraunen Mädchens" erkundigt, das uns noch mit seinem eignen Lebensanspruch begegnen wird. Wilhelm hat die Gelegenheit benutzt, Lenardo zu warnen, sich nicht in eine Herzensverwirrung zu verstricken, sondern den Auswandrerplan allem voranzustellen. Das mag erinnern, daß auch hier Wilhelm die Hauptfigur im Roman bleibt.

Das Überraschende für Wilhelm ist es nun, daß er sich vollkommen in die Gesellschaft „Das Band" aufgenommen findet. Bereits ist Wilhelms Lied zum Lied des „Bandes" geworden, und es wird durch zwei wichtige Strophen erweitert, in denen sich die Zeitbewegung widerspiegelt:

„Denn die Bande sind zerrissen,
Das Vertrauen ist verletzt;
Kann ich sagen, kann ich wissen,
Welchem Zufall ausgesetzt
Ich nun scheiden, ich nun wandern,
Wie die Witwe trauervoll,
Statt dem einen mit dem andern
Fort und fort mich wenden soll!"

Hier ist Wilhelms Idyll des Wanderlieds in Trauer verwandelt als ein Vorwurf gegen die zerrissene Zeit, die zum Auswandern zwingt. Lenardo tritt jedem Pessimismus entgegen und ruft zu einer fröhlicheren dritten Strophe auf. Sogleich wird sie gesungen, aus dem Stegreif:

„Bleibe nicht am Boden heften,
Frisch gewagt und frisch hinaus!
Kopf und Arm mit heitern Kräften,
Überall sind sie zu Haus;
Wo wir uns der Sonne freuen,
Sind wir jeder Sorge los:
Daß wir uns in ihr zerstreuen,
Darum ist die Welt so groß!

Goethe hat hier in lebendige Szene umgesetzt, was die ganze künftige Auswandrerbewegung bereits im Kern enthält. Wilhelm gehört ganz und gar dazu. Auswanderung, nicht aus Resignation, sondern weil es Zeiten gibt, wo sich wieder der Pioniergeist regt, „unwiderstehlich nach uranfänglichen Zuständen hingezogen zu sein". Wie uranfänglich das in Wilhelm umgeht, verrät uns der geheime Genius in seinem Wanderlied. So uranfänglich, wie der Wunsch, zu helfen, Wundarzt zu werden. Wilhelms Prosa-Beitrag wird sein Bericht, wie er zu einer Art plastischer Anatomie gekommen ist, aus Wachs und Gips, jederzeit Anschauungsmaterial bereit zu haben; auch ein Uranfängliches, als Modell, wie es tatsächlich bereits von Lothario für Amerika bestellt ist. Als Friedrich das gar nicht für wichtig halten wollte, fährt ihm Wilhelm sehr energisch über den Mund: „Hier sprichst du wie gewöhnliche Menschen gewöhnlich." „Ein Vorhaben wie das ausgesprochene kann vielleicht nur in einer neuen Welt durchgeführt werden, wo der Geist Mut fassen muß, zu einem unerläßlichen Bedürfnis neue Mittel auszuforschen, weil es an den herkömmlichen durchaus ermangelt." ... „In der alten Welt ist alles Schlendrian, wo man das Neue immer auf die alte Weise behandeln will."

Jetzt ist Friedrich begeistert: „Zum ersten Mal hast du wieder gesprochen wie einer, dem etwas wahrhaft am Herzen liegt." So durchaus ebenbürtig steht hier Wilhelm jetzt neben Lenardo, beide „unwiderstehlich nach uranfänglichen Zuständen hingezogen".

Eine Zeitlang tritt jetzt Lenardo neben Wilhelm in den Vordergrund. Früh technisch begabt, handwerklich lernbegierig, hat ihm die Turmgesellschaft den Auftrag gegeben, Auswanderlustige im Gebirg aufzuspüren, unter den Heim-Spinnern und Webern, die vom Vordringen der Maschine in der Existenz bedroht sind. Lenardos sachlicher Bericht belebt sich novellenhaft dadurch, daß ihm hier das nußbraune Mädchen begegnet, an das er durch einen merkwürdigen Schuldkomplex gebunden ist. Er hatte versprochen, ihrem Vater und ihr zu helfen, als der Oheim die Pacht kündigte, und er hatte das versäumt. Jetzt trifft er sie als kühne Unternehmerin wieder, die bereit ist, mit auszuwandern. So tief geht seine „Leidenschaft aus Gewissen", daß er Makarie zu Rate zieht. Wir spüren hier die dynamischen Impulse, die ihn zum Führer der Auswandrer, ihrer Gesellschaft „Das Band", gemacht haben. Lenardos Rede im 9. Kapitel durchstößt das Statische des Adelsgrundbesitzes und übergibt sich der neuen „Weltbewegung", die durch alle Stände geht, zur Gründung eines „Weltbundes", der die gemeinsame Auswanderung vorausplant.

Lenardo prägt zwar den Satz, daß die Künstler „durchaus in die Weltbewegung mitverflochten sind". Seine eigne Wander-Rede in ihrer kühlen begrifflichen Abgezogenheit bleibt vom Uranfänglichen sehr viel weiter entfernt als Wilhelms Wanderlied. Goethe hat Lenardos Rede noch polarisiert durch die Gegenrede Odoards, des fragwürdigen Helden der Novelle „Nicht zu weit", der sich zur Stimme aller macht, die im Vaterland bleiben wollen und der eine Landschaft bereit gestellt hat, in der jeder im patriarchalischen System unterkommt. Sein nüchterner Bürgersinn beschließt sein Wanderlied mit den banalen Versen:

Siedeln wir uns an mit andern.
Eilet, eilet, einzuwandern
In das feste Vaterland.
Heil dir Führer! Heil dir Band!"

Bei beiden Reden könnte man eher von einer „Interferenzerscheinung des Lichts" sprechen, wo durch Überlagerung gleicher Wellenlängen ein Licht das andre aufhebt. Bei beiden handelt es sich um Aufklärungslicht, der eine läßt sich von der „Weltbewegung" tragen, der andre nicht. Glanz geht von keiner der beiden Reden aus. Und Goethe hat dafür gesorgt, daß die Impulse bei beiden nicht aus der elementaren Mitbewegung kommen wie bei Wilhelm, sondern aus einer höchst persönlichen Komplex-Bewegung, die etwas Zwangsneurotisches hat. Bei Lenardo ist es die „Leidenschaft aus Gewissen", die seine Unruhe hervortreibt. Bei Odoard die Hölle einer unausgeglichenen Ehe, die das „Bleibende" idealisiert.

Zwischen beiden Polen sehen wir Wilhelm seinen Gang gehen. Was ihn umschirmt und im Gleichgewicht erhält, ist das Vater-Sohn-Verhältnis, das ihn den Verwirrungen der Leidenschaften enthebt, weil er sich immer verantwortlich fühlt für den, der durch ihn ins Leben gesetzt worden ist. Wie ihm vom eignen Vater ins Herz gesenkt wurde, ein Helfer zu werden, und nachdem er erlebt hat, wie es ist, wenn einem geholfen wird, wächst er dem Augenblick zu, wo der durch ihn gerettete Sohn ihm um den Hals fällt mit dem Ruf: „Wenn ich leben soll, so sei es mit dir!"

Die Stufen, die Wilhelm zu durchlaufen hat, sind jetzt andere als in den „Lehrjahren". Damals glitt er von Mariane zu Philine, zu Mignon, zur Gräfin, zu Aurelie, zu Therese, zu Natalie. Jetzt durchwandert er Landschaften der Seele: das Musterbild der Heiligen Familie im Gebirg: „Treue und Reinheit der Gesinnungen"; dann das Hochgebirg mit Montan, die nüchterne Wirtschaftlichkeit des Oheims Lenardos, der aus Amerika rückgewandert ist, und der sich mit handfesten lakonischen Sprüchen seines dauernden Selbstverständnisses versichert über alle Widersprüche hinweg. Wilhelm zieht sich meisterlich aus der Verlegenheit: „Kurzgefaßte Sprüche jeder Art weiß ich zu ehren, besonders wenn sie mich anregen, das Entgegengesetzte zu überschauen und in Übereinstimmung zu bringen." Auch der Oheim läßt sich nicht aus der Ruhe werfen: „Ganz richtig! Hat doch der vernünftige Mann in seinem ganzen Leben noch keine andere Beschäftigung gehabt." Offenbar waltet hier Goethes Humor freischwebend über beiden im Gespräch.

Wilhelms dritte Stufe ist dann bereits des Oheims nächste Verwandte Makarie, die „wunderwürdige Dame", die eine solche Strahlkraft auf Wilhelm ausübt, daß sie sich ihm im Traum in einen Stern verwandelt, dessen Glanz den ganzen Himmel ausfüllt. Wilhelm erfährt die Gewißheit, daß ihre Lichtsphäre kosmische Bewegungen widerspiegelt, daß sein Geist sich weit über sich hinaus mitgetragen fühlt. Seine religiöse Ergriffenheit zieht sich zu dem Bekenntnis zusammen: „Große Gedanken und ein reines Herz, das ist's, was wir uns von Gott erbitten sollten." Und dies Herz öffnet sich ihm zum Zwiegespräch mit den Gestirnen selbst: „Wir bezeichnen durch unsern gesetzmäßigen Gang Tag und Stunde; frage dich auch, wie verhältst du dich zu Tag und Stunde?" Es ist die Grundfrage, die Wilhelm nicht mehr verlassen wird.

Wilhelms Antwort auf diese Frage liegt schon in ihm bereit. Was er Montan bereits angedeutet, verfestigt sich zum Gesuch an den Abbé: ihn von der Drei-Tage-Verpflichtung zu befreien, ihn für das Studium der Medizin freizugeben. Während er Felix in der Pädagogischen Provinz untergebracht weiß, die ihn mit ihren Lehren von den drei Ehrfurchten tief beeindruckt hat, trifft ihn auf dem Bergfest Montans zusammengefaßte Weisheit aus dem „Alphabet" der Schöpfung selbst: „Wenn man einmal weiß, worauf alles ankommt, hört man auf, gesprächig zu sein." — „Worauf kommt nun aber alles an?" „Das ist bald gesagt. Denken und Tun, Tun und Denken, das ist die Summe aller Weisheit, von jeher anerkannt, von jeher geübt, nicht eingesehen von einem jeden. Beides muß wie Aus- und Einatmen sich im Leben ewig fort hin und wider bewegen; wie Frage und Antwort sollte eins ohne das andere nicht stattfinden. Wer sich zum Gesetz macht, was einem jeden Neugebornen der Genius des Menschenverstandes heimlich ins Ohr flüstert, das Tun am Denken, das Denken am Tun zu prüfen, der kann nicht irren, und irrt er, so wird er sich bald auf den rechten Weg zurückfinden."

Wem solche Weisheit im Roman vom Vertreter der Turmgesellschaft zugesprochen wird, der sich längst aus den Turm-Spielereien der Frühzeit erhoben hat ins Studium der Schöpfung selbst, der kann nur Hauptträger der „Wanderjahre" sein, selbst als Wanderer bereit, sich mit seinem Wanderstock einzuwurzeln. Wilhelms nächster Entschluß ist der Brief an Natalie, mit dem Bekenntnis seines intimsten Kindheitserlebens, in dessen Mitte der Wille zu helfen steht. Was hier wahrhaft dem geistig Neugebornen ins Ohr geflüstert ist, vom eignen Vater, läßt nun Tun und Denken zusammenfallen im Wundarzt-Beruf.

Zwei Zwischenstufen sind noch kurz anzuschließen, um der Vollständigkeit willen. Beide sind dazu da, Wilhelm in der Bewährung zu zeigen. Einmal führt ihn der Weg nach Italien, auf Mignons

Spuren. Ein Rückfall in Gefühle der Rührung, bei Mignons Lied bis zu Tränen gesteigert, doch im schnellen Abschied zum Verzicht geführt. Goethe läßt hier alle Register bis zur Parodie der „Entsagung" spielen. Dann Wilhelms Freundesauftrag, für Lenardo das nußbraune Mädchen zu suchen. Er bewährt sich ebenso durch die Warnung an Lenardo, sein Gefühl nicht zu verwirren, wie durch seinen Lehrbrief, den er als „Blatt" bei der Guten-Schönen zurückläßt, ihr Trost zuzusprechen. Wenn sie darauf besteht, daß Wilhelm sie abholt, um zu vollenden, was er angefangen, und um ihr den Abschied zu erleichtern, dann kann nichts besser Wilhelms Lebensreife bestätigen.

Damit ist die Einheit des Romans aus dem Mittelpunkt gewährleistet, den der Wanderer Wilhelm durch seine Wanderjahre darstellt. Von dem Wanderstab, der überall zu grünen anfing, wo man ihn hinstellte, zu dem Wanderstab, der sich in die Erde verwurzelt und zum Baum auswachsen will. Dies Wunder begibt sich dadurch, daß einer, der alles bewegen wollte, sich umgeschaffen findet durch die unter-über-irdische Mitbewegung mit den Sternegesetzen Makariens, die ihn aus der „Halbzeit im Hundertfältigen" hineinzwingen ins Einfältige seiner Arztbestimmung, zu der ihn einst die Vaterstimme aufgerufen hatte und die ihn nunmehr verwandelt hat zum Vaterhelfer für den fast schon verlorenen Sohn. Halten wir das fest als Mitte der Romanbewegung, dann erweitern sich die Roman-Kreise dadurch, daß Wilhelm nicht allein auf der Welt ist mit dem Sohn, sondern zugleich angeschlossen an die Gesellschaft des Turms, die selber in eine mächtigere Mitbewegung geraten ist unter den Erschütterungen der Zeit. Die Festigkeit des Adelsgrundbesitzes ist erschüttert und so greifen die Mitglieder der Turmgesellschaft aus zu einem Plan, der an Amerika-Besitzungen ihrer Mitglieder anknüpft, bei Lothario wie später bei dem durch Wilhelm ihnen zugeführten Lenardo. Es zeigt sich, daß sie dazu Handwerkergemeinschaften brauchen, und sie finden sie überall, wo der drohende Maschinengeist die Handwerker und die Heim-Spinner und Weber entwurzelt und zur Auswanderung antreibt. Solche weitergespannte Bewegung braucht eine weitergespannte Mitte. Sie schließt sich durch Wilhelms Lichtbetroffenheit auf als die strahlende Lichtmitte Makariens, die sich als ewige Sternenbewegung verrät. Ihre Heilkraft greift aus überallhin, wo Widersprüche sich nicht zu vereinigen scheinen. So kann der Roman zuletzt alle, auf die es ankommt, bei Makarie zusammenführen, die als die Beichtmutter für alle unauffällig wirkt. Sie wird auch Lenardo und die Gute-Schöne zusammenführen. Ihr Zauberblick hat etwas von der Strahlkraft der Röntgenstrahlen, die durch das Individuelle ins Grundwesen dringen. Etwas davon ist auch in Wilhelms Lichtbetroffenheit eingegangen und erleichtert ihm die Überwindung aller der Verwirrungen, in die die Leidenschaften die Menschen werfen. Das betrifft in seinem eignen engsten Lebensumkreis den Sohn Felix wie Hersilie, beide auf das Unterweltskästchen bezogen. Das betrifft in der weiten Vielfalt der dem Roman beigegebenen Novellenhandlungen alle Verirrte-Verwirrte, die der Dichter als Gewächse seines eignen langen Lebens in das Roman-Wachstum hat eingehen lassen, durch den Zeitraum von 1807 bis 1829. So erreicht Goethe ungewollt, daß auch hier die Natur in die Kunst eingedrungen ist und sich durch sie hindurchgewachsen hat. Schließlich gehören dann auch noch die Weisheitssprüche dazu, die als „Betrachtungen im Sinne des Wanderers" wie als Archivbestände Makariens beigegeben worden sind. Sprüche, in denen sich die Vielstrahligkeit des Lichts in unerschöpflichen Sinn-Paradoxien niederschlägt.

Daraus ergibt sich, daß der symbolische Kosmos der Dichtung in unserm Fall das Spannungsfeld zwischen Roman und Novellen übergreift. Es geht hier nicht um die Reinheit der Gattungen, sondern um die Kontrastwirkungen zwischen der individuellen Farbigkeit der Novellenkonflikte mit ihrer Verwirrung der Leidenschaften und dem epischen Gang der Wanderjahre Wilhelms mitten durch diese Verwirrungen hindurch. Dabei sind beide dann immer wieder unmittelbar aufeinander bezogen. Die Novellen haben ihrer Struktur nach etwas vom zusammenziehenden Bild. Wilhelms Weg durch Lehrsprüche und Reflexionen hindurch hat sinnaufschließende Kraft. Wenn Wilhelm die Begegnung mit der Heiligen Familie so innerlich verarbeitet, daß er die Darstellung davon an Natalie sendet, dann begreifen wir wohl, daß es viel mehr für ihn um ein poetisches Bild geht, zu dem sich das Ereignis zusammenzieht, als um die Tiefenwirkung des Symbols. Schließlich ist die Heilige Familie mit der Geburt aus dem Geist für den Pflegevater Joseph etwas anderes als für Wilhelm sein natürlicher Sohn. Nur Analogien sehr unbestimmter Art helfen hier, die Heiligkeit der Gefühle, die der Zimmermann seiner Maria entgegenbringt, mit Wilhelms Gefühl für Natalie zu vergleichen. Was ihn im Grunde an die Flucht nach Ägypten erinnert, ist das Maultier, das die schöne Last trägt. Goethe hat in die ausgebreitete Idylle sicherlich auch Züge solchen Humors mit aufgenommen.

Die beiden Novellen „Die pilgernde Törin" und „Wer ist der Verräter" verdankt Wilhelm Hersilie, der „unschuldigen Alkmene" zwischen Vater und Sohn. Da ist es natürlich nicht zufällig, daß in beiden Novellenkonflikten Vater und Sohn eine entscheidende Rolle spielen. Die pilgernde Törin entzieht sich der Werbung von Vater und Sohn durch einen wahrhaft genialen Einfall: beiden bringt sie bei, daß sie ein Kind erwarte. Aber von wem? Jeder weiß, daß er selbst es jedenfalls nicht gewesen ist. Darnach verschwindet sie spurlos, und das Lied, das sie beiden vorgesungen, macht hinterher offenbar, daß es sich hier um eine „Wahnsinnige aus Treue" handelt, die dem ungetreuen Liebhaber eine unwahrscheinliche Treue gehalten hat. Die Verwirrung, die Hersilie damit in Wilhelm hat hervorrufen wollen, bleibt im Geheimnis. „Wer ist der Verräter" ist um eine Lustspielpointe gebaut. Lucidor liebt Monologe. Ihnen vertraut er an, daß er nicht die ihm vom Vater zubestimmte Julietta liebt, sondern ihre ältere Schwester Lucinde. Da die Monologe abgehört werden, bereitet sich eine Lustspielhandlung vor, aus der zuletzt nach mancherlei durchlittenen Qualen Lucidor als Bräutigam Lucindes hervorgeht. Zweifellos nun findet sich Hersilie vielmehr in der quecksilbrigen Julietta wieder. Von Julietta konnte Wilhelm lesen, was ihr Bruder von ihr sagt: „Überhaupt hat das Mädchen eine verkehrte Neigung zu alten Leuten; ich glaube, sie hätte den Vater so frisch weg geheiratet wie den Sohn." Im übrigen empfiehlt Hersilie die Novelle als Gegenstück zur ersten, Beispiel für „einfache treue Rechtlichkeit deutscher Zustände". Beispiel für „den deutschen Mittelstand in seiner reinen Häuslichkeit". Goethe hat damit Wilhelm durchaus noch einmal in die Verwirrung der Gefühle werfen wollen. Aber Wilhelm besteht die Probe.

Auch die dritte Novelle, die umfangreichste „Der Mann von fünfzig Jahren" stellt eine junge Adlige zwischen Vater und Sohn. Wir könnten uns gut vorstellen, daß Hersilie (wie in der Erstfassung 1821) auch diese Novelle für Wilhelm bereitgestellt hätte. Vielleicht hat sie es nur deshalb nicht getan, weil die Heldin Hilarie allzu verfänglich mit Hersilie, schon im Namen, zusammengeht. Der Major, der Schwarm der jungen Nichte Hilarie, in seiner Eitelkeit naturgemäß höchst geschmeichelt, bedient sich kosmetischer Mittel, sich zu verjüngen, wird zum Bräutigam. Der Sohn, inzwischen in eine schöne Gesellschaftsdame verliebt, wenn auch älter als er, ist glücklich, daß die einst vorgesehene Verbindung zwischen Hilarie und ihm selbst aufgehoben ist. Aber die schöne Witwe stößt den Sohn zurück. Verzweifelt sucht er Trost im Haus der Tante. Hilarie erlebt den Ausbruch seiner Liebesverzweiflung mit und begreift zum ersten Mal, was Liebe ist. Hilarie und der Sohn werden zueinander gezogen. Da kehrt der Vater zurück ins Haus. Goethe treibt die Spannung ins Humoristische: der Vater verliert einen Vorderzahn. Der Schock hat ihn zum Nachdenken gebracht. Nur Hilarie wird jetzt schwierig. Sie empfindet in dem Übergang vom Vater zum Sohn etwas „Unschickliches, ja Verbrecherisches". Goethe läßt jetzt die schöne Witwe eingreifen, mit Briefen, die des Majors Schwester an Makarie geschrieben, die All-Heilkräftige. Die Lösung zeichnet sich ab, die den Vater mit der schönen Witwe, Hilarie mit dem jungen Flavio verbinden wird. Welche Verwirrungen der Frauen zwischen Vater und Sohn. Welcher Hersilien-Humor um die Vatergestalt.

Alle drei Novellen bekräftigen, mit dem Vater-Sohn-Thema, den großen Gang der Roman-Handlung, die Wilhelm und Felix zusammenbringt. In einen ganz anderen Phantasieraum führt das Märchen „Die neue Melusine", das im III. Buch nach Lenardos Tagebuch eingeschoben ist, als Erzählung einer Nebenfigur, des Barbiers, der zugleich als „Wundarzt" eingeführt wird und damit andeuten kann, auf welch geringer Gesellschaftsstufe die Wundärzte stehen. Zugleich befreit das Märchen in die Spielwelt der Phantasie. Was hat es im Spannungsfeld der „Wanderjahre" zu sagen? Das Märchen reicht in Goethes Straßburger Zeit zurück, als eine Art Angsttraum vor der „Heirat", die das Genie ins Zwergenhafte eines Kleinbürgerlebens binden müßte. Der Erzähler stellt sich als ein durchaus unproblematischer Lebensgenießer dar, der das Abenteuer mit der schönen Reisenden blindlings als Geschenk des Eros aufzunehmen entschlossen ist. Bis der Zufallsblick ins erleuchtete Kästchen ihm die Geliebte als Zwergin vor Augen führt. Da befällt ihn eine „Entfremdung". Als leichtlebiger Fant kommt er zwar bald darüber hinweg, nachdem sie ihn darauf angesprochen hat. Doch als er ihr im Ärger mitten in der Gesellschaft vorgeworfen hat: „Was will der Zwerg", ist es zu Ende. Vor dem Abschied entwirft sie ihm nochmals ein Bild der Schöpfung, in dem auch sie als Zwergenprinzessin ihre Stelle hat. Da gibt es neben den Zwergen, die das „Innere der Erde" durchwirken, Drachen und Riesen und schließlich Ritter, die Riesen und Drachen bekämpfen und auf Ordnung halten.

Ihr Prinzessinauftrag ging dahin, für größeren Nachwuchs zu sorgen. Als unser Held nun zum Abschied kommt, kann er sich nicht von der Schönen trennen und verspricht, lieber neben ihr zum Zwerg zu werden. Die Hochzeit wird begangen im Zwergenpalast. Aber dann hält er es nicht aus, er feilt den Zauberring durch, der ihn kleingezwungen hat, und schon schießt er in seine Menschengröße zurück.

Dies wundersame Märchenspiel scheint mit Wilhelms Wanderjahren gar nichts gemeinsam zu haben. Denn Wilhelm will ja vielmehr zu Nataliens Adelswelt und zu Makariens Sternenwelt emporwachsen. Auch ist Wilhelms Grundwesen genau das Gegenteil zu dem leichtfertigen, genußsüchtigen Erzähler. Hier kann es nur ein Gemeinsames geben. Goethe hat den „Wanderjahren" einen Untertitel gegeben: „Oder die Entsagenden." Generell wird allen Mitgliedern der Turmgesellschaft, die eine neue Sozietät der Wanderer begründen, das Merkmal der „Entsagenden" zugelegt. Die Frage ist hier: wem man entsagen soll. Für die Turmgesellschaft ist das eindeutig: den Irrtümern der Leidenschaften entsagen. Von der Tochter des Oheims kann Wilhelm hören: „Sie sehen, daß wir alle Sorgfalt anwenden, um nicht in Ihren Orden, nicht in die Gemeinschaft der Entsagenden aufgenommen zu werden." Darum besucht der Oheim Makarie, um ihr zu beichten und nichts, was ihn quält, in die neue Woche hinüberzunehmen. Makarie steht hier sozusagen für „Gott als das allbedingende und allbefreiende Wesen selbst". Auch Wilhelm ist Makarie begegnet und durch sie „umgeschaffen". Als Wilhelm in Italien auf Mignons Spuren mit Hilarie und der schönen Witwe zusammentrifft, die ebenfalls bereits durch Makarie beraten sind, fällt es ihnen allen leicht, „sich zu den Entsagenden zu zählen". Und zwar sind es hier die lyrischen Mignon-Sentimentalitäten, denen sie entsagen. Was also hat der Begriff der „Entsagungen" noch zu bedeuten? Goethe fügt das Märchen von der „Neuen Melusine" ein, um dem Begriff jeden abstrakt moralischen Ernst zu nehmen. Der Leichtfuß, den die Neue Melusine verzaubert, erfüllt durchaus ihren Wunsch nach einem Kind, das mehr als Zwergenformat haben wird. Da es ihm nicht möglich ist, sich irgend etwas zu versagen, hält er es auch im Zwergenstaat nicht aus und wächst sich ins Menschliche zurück, nachdem er den Ring durchgefeilt hat. Hier ist jeder Begriff der „Entsagung" einem heiteren Spott ausgesetzt.

Was aber hat es nun im Roman selbst mit dem „Orden der Entsagenden" auf sich? Wilhelm, der durch Natalie „Umgeschaffene", erfährt durch Jarno, daß er noch nicht im Sinn des Turms voll ausgewachsen ist: „Du bist von der Menschenart, die sich leicht an einen Ort, nicht leicht an eine Bestimmung gewöhnen. Allen solchen wird die unstäte Lebensart vorgeschrieben, damit sie vielleicht zu einer sicheren Lebensweise gelangen." Was Wilhelm daran anerkennen muß, ist die Haltung einer übergreifenden Gesetzlichkeit, die polare Spannungen auswertet: durch die „Unstäte" soll er zur Stäte erzogen werden. Tatsächlich tritt er uns in den „Wanderjahren" bereits mit dem Entschluß entgegen, Medizin zu studieren, um sich einem Beruf, dem des Wundarztes, zuzuwenden. Was nur soll hier „Entsagung" sein? Es ist die Kampfansage an das Leben eines Tunichtsguts, an die Verwirrung durch Leidenschaften, wie er sie in seinen Theaterjahren reichlich kennen gelernt hatte. Aus Grimms Wörterbuch erfahren wir, daß die älteste Bedeutung von „Entsagen" etwas Aktives ist: „lossprechen" „absagen". In solchem Sinn ist der Orden der Entsagenden nichts als eine Kampfansage gegen den „Schlendrian" des alten Europa. Schon Wilhelms „Lehrjahre" öffneten ihm den Blick in Lotharios Worten: „Vormund von vielen zu sein, ohne herrschen zu wollen." Auch der Vorausblick auf Amerika wird schon durch Jarno für Wilhelm ausgesprochen. Weil kein Besitz mehr sicher ist, Staatsrevolutionen bevorstehen, gilt es, die Gesellschaft des Turms über alle Teile der Welt auszubreiten. Das ist die „Weltbewegung", von der in den „Wanderjahren" Lenardo in seiner Rede spricht. Der Abbé, der Wilhelm aus der Drei-Tage-Verpflichtung löst, ergänzt ihm die „auf die Sicherheit des Einzelnen gegründete Hausfrömmigkeit" durch eine „Weltfrömmigkeit", die sich „auf die ganze Menschheit" ausweitet. Hier wird der zum Führer, der wie Lenardo „unwiderstehlich nach uranfänglichen Zuständen hingezogen ist". Wilhelm selbst ist es, der einwendet, daß das amerikanische Unternehmen „nur einer Gesamtheit glücken kann". Er stellt die Verbindung zwischen Lothario und Lenardo her. Und er selbst als Arzt, der nur des eignen Vaters Wort gefolgt ist, Wundarzt zu werden, um zu helfen, dem „oft noch ein geheimer Genius etwas Rhythmisches vorflüstert" im Wandertakt, entdeckt Modelle einer plastischen Anatomie, die „nur in einer neuen Welt durchgeführt werden können", „wo der Geist Mut fassen muß zu neuen Mitteln". „In der alten Welt ist alles Schlendrian, wo man das Neue immer auf die alte, das Wachsende nach starrer Weise behandeln will."

Entsagung also heißt Kampfansage an die starren Verhältnisse des alten Europa, in einer Zeit, wo alle Kräfte sich zusammentun müssen, aus dem Wirrwarr persönlicher Leidenschaften aufzusteigen, um Gemeinschaftsziele anzugehen, die gewaltige neue Kräfte wecken, „Vormund von vielen zu sein". Was hier „Entsagung" bedeutet, weiß keiner so wie Makarie, die sich selber in den Gesetzen der Sternenbewegung über alle Starrheit der Konventionen vorwärtsbewegt. Wenn sie Licht ausstrahlt, Heilkraft, Reinheit, Liebe, so ist das wahrhaft heldenhaft der Überfülle des Urlichts abgerungen. Was der kurzsichtigen Blickstellung des Durchschnittsmenschen als „Krankheit" erscheint, ist für Makarie ein Abgeschirmtsein „durch eine Art von Wolken", um sich um so wirksamer ihren Freunden zuwenden zu können. Auch der Entsagungsbegriff ist also nicht aus dem Übergriff der Lichtsymbolik herauszunehmen. Alle Entsagende sind Sucher nach dem Uranfänglichen, Ursprünglichen, Einfältigen, abgekehrt vom „Hundertfältigen", Sucher nach dem Ebenbild Gottes im Menschen, dem sich im Zusammenfall von Denken und Tun ein Grundgeheimnis auftut, schwerer zu verwirklichen im überalterten Europa als im neuen Land, wo noch alles zu schaffen ist. Lichtsucher, wie Wilhelm auf dem Wechselweg vom Orkus zum Licht.

Was sich hier für den symbolischen Kosmos der Dichtung auftut, in einer die Kritik herausfordernden gelockerten, mit klassischen Maßen nicht mehr zu würdigenden Romanform, die von Novellenkonflikten in willkürlichen Einschüben durchgezogen ist, erfährt seine wirkliche Bedeutung erst aus der Mitbewegung mit den ersten Krisenerscheinungen unseres Kontinents, die sich im Einbruch der Maschinenzeit ankündigen. Da müssen die Novellenkonflikte das Leidenschaftlich-Individuelle festhalten, während sich in der Gesellschaft des Turms eine Mitverantwortung für die wachsenden Kollektivprobleme ankündigt, die das 19. Jahrhundert verwandeln werden. Wenn Jarno jetzt als Montan erscheint auf den Berggipfeln mit geologischen Forschungen, mit dem Blick für das „Alphabet" der Schöpfung selbst, dann ist es, wie wenn die Mittelgebirgslandschaft der „Lehrjahre" jetzt vom kahlen Dolomitengestein der Altersweisheit überragt würde. Wenn Montan Makarie begegnen darf, im 15. Kapitel des III. Buchs, kurz vor dem Romanende, entspricht das der Polarität des „Terrestrischen" zum Astralen. Hier entstehen Spannweiten, die sich nur noch im Paradoxen von Sinnsprüchen binden lassen, wie sie als „Betrachtungen im Sinne des Wanderers" am Ende des II. Buches und „Aus Makariens Archiv" am Ende des III. Buches erscheinen. Daß nur reine Dichtung das Incommensurable löst, sollen die großen Altersgedichte dartun, die Goethe ans Ende gestellt hat, ans Ende des II. Buches das Gedicht „Vermächtnis", in dem sich „das alte Wahre" zusammenfaßt: „Was fruchtbar ist, allein ist wahr." Und ans Ende des III. Buches das Terzinengedicht, das schließt:

> „Was kann der Mensch im Leben mehr gewinnen,
> Als daß sich Gott-Natur ihm offenbare?
> Wie sie das Feste läßt zu Geist verrinnen,
> Wie sie das Geisterzeugte fest bewahre.

Beide Gedichte, 1829 entstanden, sind wie das Siegel dem Altersroman aufgedrückt, ihn vor den Einbrüchen analytischen Forschungsgeists zu bewahren.

Ziehen wir noch die Sprüche aus Makariens Archiv und aus den Betrachtungen im Sinn des Wanderers heran, dann stoßen wir auf zahlreiche Variationen, die auffordern, aus dem Ursprung zu leben. So scheint auch hier das „Entsagen" vielmehr als Absage an alles Erstarrende. Der Untertitel „Oder die Entsagenden" erläutert sich am ersten aus dem „Blatt", das Wilhelm selbst der Guten-Schönen zum Trost zurückgelassen hat und dessen Schlußteil wir nochmals anführen, weil er alles Negative ins Aktiv-Positive wendet:

> „Glücklicherweise sind alle diese und noch hundert andere wundersame Fragen durch euren unaufhaltsam tätigen Lebensgang beantwortet. Fahrt fort in unmittelbarer Beachtung der Pflicht des Tages und prüft dabei die Einheit eures Herzens und die Sicherheit eures Geistes. Wenn ihr sodann in freier Stunde aufatmet und euch zu erheben Raum findet, so gewinnt ihr auch gewiß eine richtige Stellung gegen das Erhabene, dem wir uns auf jede Weise verehrend hinzugeben, jedes Ereignis mit Ehrfurcht zu betrachten und eine höhere Leitung darin zu erkennen haben."

Wilhelm wendet sich hier an die Gute-Schöne und ihren Verlobten, die aus dem überlieferten Glauben gefallen sind und ein neues „Wahres" suchen. Der Trost liegt im „unaufhaltsam tätigen Lebensgang", im Rückgriff auf die „Reinheit des Herzens", die „Sicherheit des Geistes", als Ursprung dessen, was sich im „freien Atmen" ankündigt und zur Ehrfurcht vor einem Oberen Leitenden führt.

Was hier noch unklar bleibt, finden wir in den Betrachtungen sogleich im Beginn:

„Wie kann man sich selbst kennen lernen? Durch Betrachten niemals, wohl aber durch Handeln. Versuche deine Pflicht zu tun und du weißt gleich, was an dir ist.
Was aber ist deine Pflicht? Die Forderung des Tages!"
„Was ist das Allgemeine? Der einzelne Fall."
„Das Höchste wäre zu begreifen, daß alles Faktische schon Theorie ist ... Man suche nur nichts hinter den Phänomenen; sie selbst sind die Lehre."
„Das Wahre muß gleich genutzt werden, sonst ist es nicht da."
„Das Wahre fördert; aus dem Irrtum entwickelt sich nichts, es verwickelt uns nur."
Aus Makariens Archiv:
„Um sich aus der grenzenlosen Vielfachheit, Zerstückelung und Verwickelung der modernen Naturlehre wieder ins Einfache zu retten, muß man sich immer die Frage vorlegen: Wie würde sich Plato gegen die Natur, wie sie uns jetzt in ihrer größeren Mannigfaltigkeit bei aller gründlichen Einheit erscheinen mag, benommen haben?
Die Menschen sind durch die unendlichen Bedingungen des Erscheinens dergestalt obruiert, daß sie das Eine Urbedingende nicht gewahren können.
Was nun die Menschen gesetzt haben, das will nicht passen, es mag recht oder unrecht sein; was aber die Götter setzen, das ist immer am Platz, recht oder unrecht."

Alles Letzte ist wie unmittelbar aus Makariens Erfahrung herausgesprochen. Ihre Lichtenergie ist Ursprungsenergie und davon sternenhaft durchdrungen, daß das Gesetzhafte der Ursprungsenergien die Masken des Nur-Individuellen durchschlagen. Eben dazu ist Wilhelm in der Begegnung mit ihr umgeschaffen. Darum können ihn Leidenschaften nicht mehr verwirren. Darum ist er gleich Lenardo „unwiderstehlich nach uranfänglichen Zuständen hingezogen".

Es gibt nun aber doch einen Bedeutungswandel des Begriffs „Entsagung", unter dem Einfluß des französischen „Resignation", das als „Entsagung" verdeutscht wird. Wer den Mut verloren hat, dem Erstarrten den Kampf anzusagen, weil ihm auch die Umwelt erstarrt scheint, von keiner Mitbewegung mehr vorwärts getragen, der „resigniert" schlechthin. So läßt sich ein Altersausspruch Goethes im 16. Buch von „Dichtung und Wahrheit" auffassen, vermutlich aus den zwanziger Jahren, zeitlich parallel zu den „Wanderjahren" (ein wenig ironisch übertreibend):

„Unser physisches sowohl als geselliges Leben, Sitten, Gewohnheiten, Weltklugkeit, Philosophie, Religion, ja so manches zufällige Ereignis, alles ruft uns zu, daß wir e n t s a g e n sollen ...

> Man beraubt uns des mühsam Erworbenen, des freundlich Gestatteten, und ehe wir hierüber recht ins klare sind, finden wir uns genötigt, unsere Persönlichkeit erst stückweise und dann völlig aufzugeben."

Auch Wilhelm erlebt in den „Lehrjahren" eine Krise, in der er sich aufgibt: „Es ist vergebens, in dieser Welt nach eigenem Willen zu streben. Was ich festzuhalten wünschte, muß ich fahren lassen, und eine unverdiente Wohltat drängt sich mir auf." Dann aber findet er sein „Königreich", „ein Glück, das ich nicht verdiene", und Wilhelms „Wanderjahre" nehmen ihn in eine große „Weltbewegung" auf. Vielleicht ist der Untertitel „Oder die Entsagenden" durchaus ironisch gemeint. Hans Joachim Schrimpf (Das Weltbild des späten Goethe 1956) kommt vom religiösen Standpunkt her zum Begriff von der „Ironie der Entsagung", als „indirekter Ausdruck der Ehrfurcht vor dem Sein". Als ein „freiwilliges Sich-Einstellen in die Ordnung des Ganzen", in der Absicht, der „Auflösung" der Ordnungen eine Neufügung der Gesellschaft entgegenzustellen.

Schwieriger stellt es sich bei der Monographie über die „Entsagung" in Goethes Altersroman dar, die Arthur Henkel 1954 mit Gründlichkeit durchgeführt hat. Wohl betrachtet er Makarie als die „höchste Entelechie des Romans". Bei ihr ist „die Entsagung als Prozeß aufgehoben in reine Begnadung". Und Wilhelms Makarientraum erscheint als „ein geniales und präzises Erraten" jener höchsten Entelechie. Aber weil Henkel der Lichtsymbolsprache keinen Einfluß auf die Struktur der Darstellung einräumt, kann er nicht zu einer „Ironie der Entsagung" vordringen. Sein reiner Phänomenblick stellt nur eine „Dialektik der Entsagung" fest (98, 135, 139, 141, 156). Und weil er Makarie kein eignes Kapitel widmet, dafür aber Goethes eignem Verhalten gegenüber Frau von Stein, eben als Dialektik von „Gewinn im Verzicht", durchwirkt sich seine eigne Darstellung einer Monographie der Entsagung mit Zweifeltönen einer aufspürenden und zersetzenden Ambivalenz. So erwittert er bei Wilhelm in jenem Makarientraum, der so genial Makariens höchste Entelechie errät, zugleich „einen Ton von Bänglichkeit und eine Stimmung von Ungeborgenheit und Heimatlosigkeit im Kosmos", eine „metaphysische Resignation". So wird Wilhelms kühnes Zwiegespräch mit den Sternen mißverstanden, deren Ruf sein künftiges Leben bestimmt: „Wie verhältst du dich zu Tag und Stunde?" Und Montans Formel „Denken und Tun ist eins" wird als „Stofflichkeit" und als „Besonnenheit" aufgespalten und ihm Makariens „geistiger Weg" gegenübergestellt. Montans Rat wird zur „bloßen Tätigkeit" herabgewertet, die „noch nicht vor der drohenden Entseelung der Arbeitswelt bewahrt". Nun ist es nur noch ein Schritt, um darin Goethes eignen Glauben an ein „entdämonisiertes Faustisches" als Irrglauben aufzudecken, hinter dem sich eine „tiefe Lebensangst fieberhaft verdecke". Hier wird nicht mehr aus dem Altersroman selbst herausgedeutet, der mit Kühnheit sich von den Krisen der beginnenden Maschinenzeit mitbewegen läßt, sondern es wird aus der späteren marxistischen Dialektik der Entfremdung des Arbeiters im Maschinenzeitalter eine Dialektik der Entsagung eingeblendet, die der Struktur der Gestaltung des Altersromans nicht mehr gerecht werden kann. Goethe gestaltet aber den symbolischen Kosmos einer Dichtung, und die Lichtsignale, deren er sich bedient, als Abglanz des kosmischen Lichts, lassen die Gesellschaft des Turms ebenso begrenzt menschlich erscheinen wie in den „Lehrjahren". Dem dient der ironische Unterton im Untertitel „Oder die Entsagenden".

Die damit aufgeworfenen Probleme bezeugen nur, wie weit Goethes Roman vorgestoßen ist. Eine wichtige Ergänzung bilden die hervorragend gründlichen Anmerkungen von Erich Trunz im 8. Band der Hamburger Ausgabe 1950. Soweit Anmerkungen den symbolischen Kosmos einer Dichtung herausarbeiten können, ist es hier geschehen. Licht und Finsternis sind ebenso berücksichtigt wie die sich wandelnde Zeit, die eingefangen ist. An die Stelle der Henkelschen Dialektik tritt die „Bewegung im polaren Kräftefeld", die auf Steigerung zielt. Unter „Tätigen" wird Entsagung zu „Einsicht und Geist". Gipfel der Weltfrömmigkeit wird Makarie. Wechselwirkung auch zwischen Romanhandlung und Novellen, zwischen Vergeistigung im Gefüge und privater Bilderfülle. Das Wandern ist Symbol der Bewegung, die lockere Ganzheit erreicht überall symbolischen Zusammenhang. Alles Lehrhafte gleicht sich aus durch „überlegene Ironie". Wenn Trunz vom „Roman ohne Einzelhelden" spricht, scheint uns die um Vater und Sohn geschlagene Klammer als Handlungsmitte nicht voll beleuchtet.

Schärfer auf den „Helden des Romans" abgestellt ist Wilhelm Flitners „Goethe im Spätwerk" 1957, aus weiter pädagogischer Sicht, immer auf den „homo religiosus" gerichtet, wenn auch ohne die Lichtsymbolsprache zu berücksichtigen. Entschlossene Berücksichtigung der Lichtsymbole dagegen finden wir wieder bei der jüngsten Generation: Hellmut Herman Ammerlahn (Jahrgang 1936)

(Amerikan. Diss. 1966). Die morphologische Betrachtung macht Natalie zur Mitte der „Lehrjahre" (Chlorinde im Puppenspiel zur Vorahnung der „Amazone"), nimmt Nataliens Lichterscheinung ernst, ebenso wie Felix als „Sonne". So erfährt auch Makarie ihre volle Bedeutung als „letzte Vision Goethes", in der sich der Begriff der „schönen Seele" bereits überlebt hat.

Das Grundmoderne des Goetheschen Altersromans spiegelt sich dann noch darin wider, daß auch die ostdeutsche Literaturwissenschaft heute sich mit den „Wanderjahren" ernstlich beschäftigt. In „Sinn und Form" 1956, (noch von Peter Huchel geleitet) betrachtet Claude David das Alterswerk Goethes „als symbolische Dichtung". Er findet darin die „Unerschöpflichkeit des Symbols", als „vielheitliche Einheit" im Sinn von Wölfflins „Grundbegriffen", als weltoffene Form. Was den soziologischen Blick befriedigt, ist die Abkehr vom Psychologischen, die Gleichzeitigkeit der polaren Kräfte. So stellt sich den Gefahren des Kapitalismus sowohl die Auswanderung wie die innere Kolonisation entgegen. Das „bejahende Gesamtbild der Welt" umfaßt das Notwendige wie das Zufällige. Was aber bestimmend sich im Symbol ausdrückt, sind die „Urformen des Seins", an denen sich alles übrige ablesen läßt. Das ist dadurch erkauft, daß Goethe den eigentlich „geschichtlichen Standpunkt" ganz herausläßt. Solche Gesamtsicht ist weit über den marxistischen Schatten gesprungen, wenn sie auch mit dem Begriff einer „reellen Dialektik" arbeitet, die aus der Wechselwirkung des Polaren auf Steigerungen zur „Trias" hinwirkt. Das kann nur auf die Gestalt der Makarie zielen, von der „alle Bewegung ausgeht". Der Begriff der „Entsagenden" wird nirgends mehr gestreift.

Eine Einzelstudie widmet Hans-Jürgen Bastian in den Weimarer Beiträgen 12 (1966) dem Romanbeginn mit „Sankt Joseph dem Zweiten". Als Muster menschlichen „Sozialbezugs". Ein vorbildliches Menschenbild, das „schlichte Gefühlspädagogik" übt. Goethe arbeitet damit jedem künftigen „Selbstentfremden" entgegen, wie der „Verschrobenheit feudaltheologischer Gesellschaftsmoral". Zugleich ist hier im Josephbezirk „nichts wunderbar als das Fehlen alles Wunderbaren". Ein „Dokument progressiver Säkularisation". Ein „Gegengesang" zur Bibel. Was Wilhelm ansprechen muß an diesem „Sozialmodell", ist insbesondre, wie Vater und Sohn sich im eigenschöpferischen Handwerk folgen. Angesiedelt fast insular im Hochgebirg, als „soziale Enklave" nimmt die Josephsfamilie Züge „der utopischen Zukunftsidylle Schillers" an. Wilhelms

Bericht an Natalie spiegelt die „Vorbildlichkeit des Urphänomenal-Typischen". So begreift ein junger Marxist Goethes Altersroman als zukunftsvollen „sozialen Lernprozeß".

In denselben Weimarer Beiträgen hatte A. B. Wachsmuth bereits 1960 Goethes Schritt von der Josephsfamilie zu Montans Hochgebirgsstudien verfolgt: in Karlsbad 1810. Im Geologischen fand er, „wie die Natur gleichsam spielend die wesenhafte Form hervorbringt". Montans Weisheiten, die er an Wilhelm weitergibt, sind Goethes eigne Karlsbader Studien. Von der Geologie her baut er am „inneren Modell" für den weiteren Roman. Als „Sieg des Kosmos über das Chaos". Solcher Weitblick kommt der soziologischen Perspektive Ostdeutschlands zugute und bestätigt sich das Zukunftsvolle von Goethes Altersroman. Bis zum Niederschlag geologischer Gesetze in den beigegebenen Maximen des Wanderers und Makariens. Goethe hat die nicht geschriebene Morphologie in die Dichtung der „Wanderjahre" eingeplant.

Wenden wir uns hier nochmals auf die „Theorie des Romans" von Georg Lukacs zurück (1920), dann finden wir Goethes „Wilhelm Meister" an den Schluß gestellt, zwischen die beiden von Lukacs postulierten Typen, von denen der eine einen Helden zeigt, „schmäler als die Außenwelt" (Don Quichote), der andre „breiter als die Außenwelt" (als romantische Maßlosigkeit). Goethe stellt die „Versöhnung des problematischen, von erlebtem Ideal geführten Individuums mit der konkreten, gesellschaftlichen Wirklichkeit" dar, und zwar in der Form des „Erziehungsromans", mit dem „Glauben an die Möglichkeit gemeinsamer Schicksale und Lebensgestaltungen". In der „Wechselwirkung" mit Gebilden des gesellschaftlichen Lebens, die einer „Durchdringung mit lebendigem Sinn zugänglich sind". Nur mit „ironischem Takt" entgeht Goethe dabei der „Romantisierung der Wirklichkeit". Lukacs verfolgt hier allein die „Lehrjahre": die „wunderbar einheitliche Theateratmosphäre" und die „transzendierende brüchige Adelswelt" mit dem Auftauchen neuer Probleme". Aber das scheint ihm nicht voll geglückt. Lukacs spricht von „Geheimnistuerei ohne verborgenen Tiefsinn". An dieser Stelle wird deutlich, daß sich der Romantheorie von Lukacs ein Grundfaktor entzieht, der sich uns als „Mitbewegung" aufgeschlossen hat. Wilhelm begegnet ihr in der Ausweitung der Turmgesellschaft zur Mitverantwortung für künftige Kollektivaufgaben, und in Wilhelms eignen „Wanderjahren", in denen der Vater von der Verantwortung für den Sohn mitbewegt wird. Für

Lukacs erreicht allein der russische Roman die „Transzendenz zur Epopoe", Tolstois Rückgriff auf den russischen Muschki, seine mit der Natur verschmolzene Einfalt, der doch wiederum die Kultur fehlt, die „vom animalisch Naturhaften aufgesogen wird, wie der Sand der Wüste die Pyramiden bedeckt". Für Lukacs endet doch alles dann im „Desillusionsroman".

Wenn wir die Tatsache heranziehn, daß Goethe für seinen „Urmeister" den Don Quichote las (1780—1782), daß ihm also die Gestalt des besessenen Idealisten vorschwebt, der mit der Wirklichkeit zusammenstößt, dann begreifen wir zugleich die viel komplexere Anlage Wilhelms, der seine Impulse nicht aus Ritterromanen zieht, bis zur vollendeten Narrheit, sondern aus der Absage an die Starrheiten des Bürgertums und aus Drang zu einer Totalität, die ihm im Schauspielerberuf verbürgt schien. In solcher Totalität ist Wilhelm sowohl „schmäler" wie „breiter" als die Außenwelt. Er kann im Zusammenstoß mit der Theaterwelt nur komisch wirken und in der Weltoffenheit für Wesen wie Mignon wahrhaft als progressiver Romantiker. Hinter allem aber steht Goethes Gestaltungswille, der Wilhelm über das Theater weg zum Menschen erziehen will, und ihn infolgedessen in einer veränderten Zeit auch noch durch seinen Adels-Tick hindurchführen muß. Auch da behält Wilhelm noch komische Don-Quichote-Züge. Bis in den Anfang der „Wanderjahre". Hier aber treten dann die fordernden Lebenszüge einer neuen Zeit an ihn heran. Nicht mehr Natalie, sondern Makarie wird die Lichtquelle werden, die ihm die Zukunft erhellt. Daß sich die Konturen zum Entwicklungsroman verfestigen, bis zum Augenblick, wo Wilhelm reif ist, den Sohn zu erziehen, bleibt der Turmgesellschaft angelastet in der weltweiten Form, die sie unter Lenardo angenommen hat. Der symbolische Kosmos der Dichtung öffnet sich einem Führertypus, der in der mitmenschlichen Verantwortung heute ebensowohl die Ostdeutschen wie die Westdeutschen angeht. Und zwar im Grunde deshalb, weil er ins Uranfängliche totaler Möglichkeiten zurückgreift.

Werfen wir von hier auch nochmals den Blick auf den „Simplicissimus" zurück, dann kann uns sein Held genau so gut sowohl „schmäler" wie „breiter" als die Außenwelt erscheinen. Auch er hat etwas vom Don Quichote, der durchaus komisch wirkt, ein „Narr" unter Narren. Auch ihn wollte sein Einsiedler „erziehen", und es hat ihn schließlich wieder zum Einsiedlerdasein hingezogen. Inzwischen aber hat ihn das Schicksal in alle Schlamassel des

Dreißigjährigen Kriegs geworfen, hat ihn von unten bis oben „mitbewegt" und seine Leserschaft mithineingeworfen in alle Wunderlichkeiten des Barockjahrhunderts. Eben darum lebt Simplicius unter uns fort, ebensogut wie Wilhelm Meister. Simplicius hat sogar etwas vor Wilhelm Meister voraus: den großen Atem einer Volksbewegung in ihrer Geschichtlichkeit. Goethe hat sich allem entzogen, was mit der Zeit der Freiheitskriege zusammenhing, die er auch miterlebt hat. Aber sie haben ihn im Roman nicht mitbewegt. Er hatte den weiteren Blick: auf die Zukunft des Handwerks im Maschinenzeitalter. Und auf die Zukunft der Adelskultur.

Eben das veranlaßt uns, beim Ausgriff auf den Roman des 19. Jahrhunderts nicht den Spuren des Erziehungsromans zu folgen, die Goethes Weltroman weithin gezogen hat, bis zur immer subjektiver werdenden Gefolgschaft. Dagegen folgt den Spuren des Simplicius der Bauernroman. Ehe wir aber von Goethes Weltroman Abschied nehmen, gilt es noch eine Würdigung einzubeziehen, die mit einem Schlag über alle Roman-Kontroversen hinausführt: Friedrich Schlegel steigert sein Wilhelm-Meister-Erlebnis über die Besprechung hinaus zu dem „Fragment" Nr. 216:

„Die Französische Revolution, Fichtes Wissenschaftslehre und Goethes Meister sind die größten Tendenzen des Zeitalters. Wer an dieser Zusammenstellung Anstoß nimmt, wem keine Revolution wichtig scheinen kann, die nicht laut und materiell ist, der hat sich noch nicht auf den hohen weiten Standpunkt der Geschichte der Menschheit erhoben." Schlegel meint genau die Stelle, wo die „Geschichte der Menschheit" weiter vorwärtsbewegt wird. Ebenso durch das Genie eines revolutionierenden Volks wie durch die Selbstbewegung eines genialen Geistes wie durch den Dichter, in dem sich der selbstbewegende Geist vom Geist der Geschichte mitbewegen läßt. Schlegels Einsicht dringt so tief in die Struktur des Romans, daß alles, was er sagt, tiefer noch für die Jahrzehnte später fortenwickelten „Wanderjahre" gelten darf. Der Ruf Lotharios: „Lassen Sie uns zusammen auf eine würdige Weise tätig sein" eröffnet einen Durchbruch durch die Adelsschablonen auf ein neues Sozialgefüge zu, einen „Bund", der die Zeit vorwärtsbewegt, nicht im Sinn einer Revolution, eher im Sinn jener künftigen Teilhardschen Evolution, die uns Modernen vertraut ist. Schon sind damit die Zukunftsziele vorausgeworfen, die zu den „Wanderjahren" führen. An die Stelle Lotharios ist Lenardo getreten, er verwandelt den „Orden der Entsagenden" in die „Absage" an den „Schlendrian des alten Europa", in einen Bund der künftigen Pioniere der neuen Welt, „unwiderstehlich hingezogen nach uranfänglichen Zuständen". Makariens durchdringende Lichtkraft eines kosmischen Geistes läßt nur noch Ursprungswerte gelten. Alles Erstarrte, alle Adelsschablonen, die das alte Europa überkrusten, verschwinden, ebenso wie die Traditionsformen des klassischen Romans. Es geht um das „Alphabet der Schöpfung" selbst. Damit reicht Goethe in die unmittelbare Gegenwart unsrer Zeit. So beschließt Hermann Broch sein „Weltbild des Romans" 1933 mit dem „vorausschauenden Genie Goethes"; vorbildlich nach „Struktur" und „Aufgabe". Insofern gilt auf besondre Weise der geheimnisvolle Zusatz in Goethes Ausgabe letzter Hand von 1829: „Ist fortzusetzen."

Jeremias Gotthelf „Wie Uli der Knecht glücklich wurde" 1840. „Uli der Pächter" 1847

Als Albert Bitzius, Pfarrer von Lützelflüh im Emmental, mit seinem ersten Buch an die Öffentlichkeit trat, neununddreißigjährig, „Der Bauernspiegel" 1836, als „Lebensgeschichte des Jeremias Gotthelf", von ihm selbst beschrieben, da lautete der Eingangssatz: „Ich bin geboren in der Gemeinde Unverstand, in einem Jahre, welches man nicht zählte nach Christus." In dem Satz ist bereits enthalten, was den großen Epiker ankündigt. Das Selbstbewußtsein, aus dem die erlebte Erzählfülle strömt, subjektiv und objektiv zugleich, der Weitblick, der alle Gemeinden als „Gemeinde Unverstand" zusammenfaßt, und das Zeit- und Geschichtsgefühl, dem die Weltgeschichte mit Christus beginnt und ins Zeitlose fortbewegt wird. Damit ist im Umriß der dichterische Kosmos entworfen, in den hinein der Mann, der sich künftig als Schriftsteller Jeremias Gotthelf nennt, seine Werke schreiben wird, die ihm Beinamen wie „Shakespeare des Dorfs", „Shakespeare der Bauernwelt" eingetragen haben.

Blicken wir in unsrer Romanreihe zurück, dann scheint sich Jeremias Gotthelf unmittelbar anzuschließen an den Verfasser des „Simplicissimus", der auch aus seinem Simplicius-Ich erzählt und sich gleich auf den ersten Seiten einführt mit dem Lied:

> „Du sehr verachter Bauern-Stand
> Bist doch der beste in dem Land"

Simplicius ist entwurzelter als Gotthelf. „Aber die Theologiam anbelangend, laß ich mich nicht bereden, daß einer meines Alters damals in der ganzen Christenheit gewesen sei, der mir darin hätte gleichen können, denn ich kannte weder Gott noch Menschen, weder Himmel noch Hölle, weder Engel noch Teufel, und wußte weder Gutes noch Böses zu unterscheiden." Der Einsiedler, der ihn zu Gott erzieht als dem Einzig-Beständigen, und der Dreißigjährige Krieg, der ihn durch sein wildes Leben wirft bis zur Robinson-Insel, das sind hier die Pole, zwischen denen sich die gewaltige Erzählbegabung Grimmelshausens auswirken kann. Gotthelf, Landpfarrerssohn, und selbst später Landpfarrer in der Schweiz, ergreift das Bauerntum, dem er zum Prediger wird und unter dem er sein Leben zuzubringen hat, als die Urzelle der Schöpfung selbst. Mit den beiden Bauernromanen: „Uli der Knecht" und „Uli der Pächter" tritt er in die Weltliteratur ein, und sein Gesamtwerk bezeugt, daß man die Bauernwelt mit derselben Erzähldichte lebendig machen kann wie Grimmelshausen als Simplicius-Ich die Abenteurerwelt des Dreißigjährigen Kriegs. Beide, Grimmelshausen und Gotthelf, reichen sich sozusagen die Hand im Unterstrom des Sprachgeschehens, über dem sich die Genie-Entwicklung Deutschlands in der Goethezeit erhebt.

Daß wir es beim Knecht Uli, Ulrich Merk nach dem Kirchenbuch, mit einem Erziehungsroman zu tun haben, der der Wilhelm-Meister-Erziehung nichts nachgibt, das bekundet Gotthelf sogleich im ersten Kapitel. Johannes, der Bodenbauer, Besitzer eines Großbauernhofs im Emmental, bezeugt das, was Gotthelf den „eigentlichen Bauernadel" nennt, eben dadurch, daß er sich mitverantwortlich fühlt für alle, die ihm dienen. Und so prägt Gotthelf zur Charakteristik des Bodenbauern einen Satz, der über aller Erziehung in der Welt stehen könnte: „Es war ihm an seiner eigenen Seele viel gelegen, darum an den Seelen anderer auch." Mit dem Zusatz im leichten Predigerton: „Den meisten Menschen ist an den eigenen Seelen nichts gelegen, darum auch an den Seelen der anderen nicht. Das ist ein Grundübel dieser Zeit." Wer daran Anstoß nehmen sollte, der mag bedenken: was Gotthelf 1840 ausspricht, trifft auf unsere Gegenwart ebenso und noch mehr zu. Wenn es in Thomas Manns „Doktor Faustus" 1947 heißt: „Naturen wie Adrian haben nicht viel Seele" und wenn gerade das bei Thomas Mann als die Einbruchsstelle Satans erkannt ist, der sich ins Moderne eingepaßt hat, dann kann an Gotthelfs epischer Weitsicht eines einleuchten: daß er sich genau auskennt im abendländischen Untergrund.

Wozu will nun der Bodenbauer seinen Knecht Uli erziehen? Werner Kohlschmidt faßt es in die einfachste Formel: „Aufbau des bäuerlichen Berufs vom Geiste her." Es beginnt damit, daß Uli in der Blüte seiner jungen Kraft von zwanzig Jahren angefangen hat, als Knecht zu „hudeln". Er sucht seine Freuden im Wirtshaus, bei leichtfertigen Mädchen. Er betrinkt sich oft und gerät in Schulden. So tief, daß er verzweifelt, jemals wieder Grund und Boden unter die Füße zu bekommen. Da setzt dann sein Herr, der Bodenbauer, ein. Es geschieht im nächtlichen Gespräch auf der Bank beim Kuhstall, wo beide auf die Geburt eines Kälbchens warten. „Ich denke mein Lebtag daran, wie unser Pfarrer uns das Dienen ausgelegt hat."

Der Bodenbauer führt seinen Uli sozusagen nochmals mit in die Kirche, zwingt seinem Verstehen die Sprache des Pfarrers auf, vereinfacht in den Bodenbauerton und auf Ulis Fall zusammengezogen. Der Sinn ist ungefähr der: richtig verstandenes Dienen ist eine Freude, ein Zuwachs an Geschicklichkeit, die einem selber zugute kommt. Mit dem Nebeneffekt: wer untreu ist gegen seinen Meister, der ist auch untreu an sich selbst. Unversehens wächst daran das Gefühl für den Meister „als eine Wohltat Gottes", und der Wunsch, etwas zu werden, sich einen guten Namen zu machen, der „eine wunderbare Sache sei".

Gotthelfs Sprache in diesem Gespräch schlägt sich nach dem Hochdeutschen hin, das kommt ungezwungen vom Pfarrerstil. Es ist Uli wohl ungewohnt, doch vom Kirchgang her vertraut, und so wirkt es in der Stille fort. Die erste Wirkung auf Ulis Seele, wie war sie darzustellen? Jedenfalls heraus aus allem Pastörlichen. Wiederum gestaltet Gotthelf sie in einem Gespräch, wie denn Gespräche die tragende Säule im dichterischen Kosmos Gotthelfs sind. Plötzlich steht Anna Lisi, das leichtfertige Mädchen, mit dem er sich abgegeben hat, neben Uli, sie lädt ihn ein für die Nacht. Als sie merkt, daß er ausweicht und Redensarten macht, entfesselt sie eine Flut von Schimpfworten, in denen sich die Laut- und Bildkraft der Mundart überschlägt. Da dringt sozusagen das Chaos selbst herauf, im Stil der bäuerlichen Unterwelt:

„Was, du willst nicht? Du wirst doch nit öppe welle wüst tue wie die andere Schyßhüng? (Scheißhunde) . . . Was, du dolderschissige Grännihung (donnerschissiger Grimassierhund). So du besinnst dich nicht mehr daran, du verfluchte Lumpenhung, was du bist! ... Ein solchen Zyberligränni (Sauertopf) finde ich hinter jedem Zaunstecken, und wenn ich einen haben muß, so will ich nicht einen solchen Fötzel ... (Lump). Nei, beim Dolder, eine so leidi More bin ich denn nadisch nicht, (solches Weibsstück, Mutterschwein fürwahr nicht) daß ich mich bei keinem Bräveren und Reicheren weiß z' kündte als bei einem solchen verrebleten Baurenknechlti..."

Hier ist Gotthelf in seinem Element. Seine geniale Sprachbegabung schüttet den Urgrund herauf. Aber die Absicht des Dichters ist zugleich gezielt: nichts stößt Uli mehr ab, entsetzt befällt es ihn, daß er ihr vielleicht ein Kind gemacht, daß er an ihr hängen bleiben müßte. Der Jodler, den er hinterher zum Himmel schickt, drückt die elementare Befreiung aus.

Die Antwort, die der Bodenbauer dann auf seine nächtliche Predigt erhält, sieht so aus: „Meister, ich habe der Sache nachgesinnt, und der Pfarrer, wo dich unterwiesen hat, ist nicht ganz ein Narr gewesen. Aber was ein Baurenknecht für Lohn hat und was er braucht, davon hat er nichts gewußt." Daran kann sich ein zweites Meistergespräch anschließen, und Uli wird jetzt der Geschmack zum Sparen beigebracht. Kaum aber hat Uli mit dem Sparen begonnen, meldet sich bereits eine neue Gefahr: der Geldteufel. Schon greift Gotthelf mit kühnem Griff hinab in die Welt des Unbewußten. Als Uli mit dem Meister zusammen im Wirtshaus war, wo ihm der Meister einen Schoppen ausgegeben, überfällt Uli in der Nacht ein Traum. Sein ganzes künftiges Leben zeichnet sich in Traumspuren voraus. So deuten sich die Mächte an, von denen die Bauernwelt unterirdisch bewegt wird:

„Er träumte die ganze Nacht durch von Höfen, die er kaufen wollte, und von Säcken Geld, die er mit sich herumtrug, um die Höfe gleich zu bezahlen. Aber er bystete, berzete, gruchsete unter dem Gewicht dieser Säcke, daß er manchmal fast zu ersticken fürchtete; und wenn er sie abstellte, so wurden sie ihm gestohlen, oder er konnte sie nicht mehr finden. Dann versprach ihm ein schönes Meitschi, es wolle sie ihm zeigen, und ging voran; ihm aber fielen die Schuhe von den Füßen, als er dem Meitschi nachwollte, und als er diese in beide Hände nahm, konnte er seine Beine nicht vorwärtsbringen, es war ihm als ob er gspannet wäre. Das Mädchen aber lief immer geschwinder, er konnte je länger je weniger Schritte machen, obschon er bachnaß sich schwitzte. Endlich verschwand das

Mädchen, und eine alte Frau kam mit dem Besen und wollte ihn fortjagen, und er wollte davonlaufen und konnte wieder nicht und mußte dem Besen darhalten und sich wüst sagen lassen, und endlich rief er aus: „Uy, Uy, so hör doch, du älts Rääff!" Darob erwachte er."

Uli wird sich nicht klar werden, was eigentlich der Traum bedeuten soll. Wie tief aber darin sein Grundwesen sich ausgedrückt hat, das erfahren wir erst am Schluß des zweiten Bandes. Da bittet Vreneli, Ulis Frau, den reichen Hagelhans, der Vrenelis natürlicher Vater ist, Uli nichts von der Verwandtschaft zu sagen: „Uli würde irren, das Geld käme ihm wieder in Kopf!"

Durch zehn Jahre entwickelt Uli sich zum Musterknecht beim Bodenbauer. Gotthelfs Darstellung treibt zuletzt einem grotesken Stil zu, um das Alltagsgeschehen zu beleben und um anzudeuten, daß für Uli die Zeit gekommen ist, etwas Neues zu beginnen. Uli gerät als der sparsame Musterknecht und künftige Musterehemann zwischen die Fangarme zweier Mägde auf dem Hof. Da ist die brummige Stini, die ihre Liebe nur durch Schimpfen ausdrücken kann, und die leichte Ursi, die um Uli herumflattiert, Uli immer zwischen beiden Nebenbuhlerinnen, bis es zur Katastrophe kommt. Stini, die Meisterjungfer, fällt nachts in ein listig offengelassenes Mistloch. Kaum hat man sie mit der Schoßgabel herausgefischt, stürzt sie sich auf Ursi, wälzt sich mit ihr im Mist. Uli wird die Lust zum Weiben ausgetrieben.

Mit dem Angebot des Vetters Joggeli vom reichen Glungge-Hof, der einen Meisterknecht sucht, baut Gotthelf vom 12. Kapitel ab die Kontrastwelt auf. Der Bodenbauer läßt Uli ziehen, um seinetwillen. Es wird eine große Bewährungsprobe. Uli muß Ordnung schaffen in einer ganz verwahrlosten Bauernwirtschaft. Der neue Herr, Joggeli, ist das Gegenteil vom Bodenbauer: mißtrauisch, hinterhältig, schadenfroh, launenhaft, alles aus Unfähigkeit und Schwäche. Nur die Frauen bilden den Gegenhalt: die Base, ein Muster an leidgeprüfter Mütterlichkeit, und als arme Verwandte die junge Vreneli, die Gotthelfs Idealgestalt werden wird.

Die Kontrastwelt mit den dauernden Reibungen, die Uli schlichten muß, ist ungleich spannungsvoller im Ganzen. Langsam wächst in Uli zur Reife, was der Bodenbauer in ihm angelegt. Erst als er Joggeli vor die Entscheidung stellt: entweder er selbst geht sofort, oder die beiden übelsten Knechte, Melker und Karrer, bekommt Uli das Ganze in die Hand. Aber da erwartet ihn noch eine schwerste Prüfung. Joggeli hat eine Tochter Elisi, im „Welschland" erzogen, verstädtert, grotesk-unbäuerlich, nur immer mit ihrem Staat beschäftigt, aber Erbin eines reichen Hofes. Als Elisi ihr Auge auf Uli wirft, gerät in ihm wieder der Geld- und Geltungskomplex in Bewegung. Beinah käme es zum Verspruch zwischen beiden. Aber eine Reise ins Bad, Mutter und Tochter, bringt einen Bewerber Elisis ins Haus, den „Baumwollenen", der den Eltern die Augen verblendet. Als Elisi gegen Uli auftrumpft, sich an nichts mehr erinnert, ihn nur als Knecht behandelt, ist Uli entschlossen, auf der Stelle zu kündigen. Da wieder stellt Gotthelf eine Hilfsinstanz neben Uli, die ihm an Lebensverstand überlegen ist und Worte findet, die ihm heraushelfen, ihn erziehen. Es ist nicht der Bodenbauer, der zu weit entfernt wohnt. Es ist Vreneli, die arme Verwandte auf dem Hof, die in ihrem leidvollen Leben viel gelernt hat, lebensklüger als Uli. Wieder ist es das Gespräch, das in die Handlung hineinfährt, mit der leidenschaftlichen Mischung von Mundart und Hochdeutsch, Jungmädchensprache, geradeheraus und blitzgescheit:

„Ich lasse dich nicht gehen, lueg mich nur an, wie du willst, aber gehn sollst mir nicht. Da daurest mich, Uli. Elisi macht dirs wüst, aber eben deswegen mußt du jetzt der Witzigere sein. Bleib da und tue dergleichen als gehe dich alles nichts an; das macht es am täubsten. Tust du wüst, so lachen sie dich aus, und das täte ich ihnen an deinem Platz nicht zu gefallen."

Vreneli will nicht, daß Uli sich vor Elisi lächerlich macht und sich vermindert. Von Liebe ist zwischen ihr und Uli nie die Rede gewesen. Ihr Anteil ist ähnlich wie der des Bodenbauers: weil es ihr an der eignen Seele viel gelegen ist, darum auch an Ulis Seele. Uli folgt dem klugen Rat, er lernt die große Gelassenheit, die sich immer bezahlt macht. Und während der Baumwollne die Hochzeit vortreibt, die aber von Gotthelf nicht dargestellt wird, während sein Baumwollhändlergeist Joggeli das Fell über die Ohren zieht, bereitet sich der letzte Akt im Romangeschehen vor.

Jetzt ist es Joggelis Frau, die mit der Klugheit der alten Bäuerin eingreift. Als Uli zu Weihnachten kündigt und als auch Vreneli überlegt, fortzugehen, entschließt sich die Base, ein wenig Schicksalslenkerin zu spielen. Sie läßt sich von Uli zum Bodenbauer fahren und nimmt Vreneli mit. Die Fahrt eröffnet sich mit einer Landschaftsschilderung, die die kosmische Dimension ankündigt, unter die das künftige Geschehen gestellt ist:

„In aller Farbenpracht hing das welke Laub an den Bäumen, im Schimmer seiner eigenen Abendröte; unter ihm streckte sich grün und munter die junge Saat aus, spielte lustig mit den blinkenden Tautropfen, die an ihrer Spitze hingen; geheimnisvoll und düftig dehnte sich über alles der Himmel aus, der geheimnisvolle Schoß der Wunder Gottes. Schwarze Krähen flogen über die Äcker, grüne Spechte hingen an den Bäumen, schnelle Eichhörnchen liefen über die Straße ..."

Gotthelf will eben jetzt Ulis Schicksal aus dem Alltag herausheben. Als wahrhaft hilfreicher Schutzgeist findet die alte Bäuerin die Lösung, deren jetzt Uli bedarf, und deren ebenso der Glungge-Hof bedarf. Sie spricht mit dem Bodenbauer und sucht seine Zustimmung: daß der Glungge-Hof Uli zur Pacht angeboten werden soll. So kann der Hof vor dem Zugriff des Baumwollhändlers gerettet werden, er kann in Ulis Meisterhand übergehen und Uli selbst kann als Pächter eine Stufe höher gehoben werden. Nur eines gehört dann notwendig dazu: eine tüchtige Pächtersfrau. Dazu hat die Alte Vreneli bestimmt. Aber Vreneli setzt sich zur Wehr: „Ich lasse mich nicht ausbieten wie eine Kuh." Uli bekommt eine Strafpredigt, die ihm alle seine Sünden in Bilder umsetzt: „Gell, wenn du nur den Hof kriegtest, so heiratest du jede Lüenz (jedes faule Weibsstück) ab der Gasse, jeden Zaunstecken aus einem Hag. Aber oha! Du bist an der Lätzen! (im Irrtum). Es ist nicht so, daß ich einen Mann haben muß. Ich will gar keinen; allweg keinen, der jeden Dachen (Docht) nimmt, wenn nur ein Tröpfli Öl daran hängt."

Schon hier bekommt Uli zu spüren, was er sich bei Vreneli verscherzt hat mit seinem Plan, Elisi zu heiraten um des reichen Hofes willen. Das Streitgespräch, das jetzt anhebt zwischen den dreien, bildet den Höhepunkt der Dialogkunst in diesem Roman. Vreneli, die ihre Pflegemutter wie eine wirkliche Mutter verehrt, fühlt sich tief verletzt durch die Zumutung, einen Mann zu heiraten, der nur den Hof will. Das stürzt aus Vreneli heraus mit einer Leidenschaft, die uns andeuten kann, wieviel ihr an Uli gelegen war. Abermals erleben wir Mundartsprache, doch in welch anderer Tonart als bei Anne Lisi.

„Wenn ich für Euch durchs Feuer sollte, ich besänne mich keinen Augenblick. Aber so einem Schnürfli, der mich nicht begehrt, lasse ich mich nicht anhängen. Wenn ich denn endlich einen haben muß, so will ich doch einen, der mich lieb hat, und mich meinetwegen nimmt, und nicht mitsamt den andern Kühen mich zum Lehen begehrt ... Es ist nicht recht von Euch gewesen, mir nichts von allem zu sagen und mich da so ungesinnet ihm darzuwerfen wie einer Sau einen Tannzapfen. Wenn Ihr mir zuerst ein Wort gegönnt hättet, so hätte ich es Euch sagen können, was Trumpf ist bei Uli. Er sagt auch: ‚Geld, du bist mir lieb', und dann soll eine verstehen: ‚Gäll, du bist mir lieb ...' Ich lasse mich nicht so hineinsprengen, wie man die Fische ins Garn sprengt."

Hier trifft jedes Bild. Hier spricht eine Vreneli, die Uli ganz und gar ebenbürtig, die ihm an bohrendem Wahrheitssinn und Charakter überlegen ist. Uli aber hat es begriffen. Er wird sich während dem Sprechen erst ganz klar, wie lange schon er Vreneli geliebt hat, und wie er nicht mehr ohne sie leben kann. „Wenn ich dich haben könnte, ich wollte mit dir in die Wildnis, wo ich nichts als schwenden und reuten müßte ... Wenn du mich nicht willst, so will ich vom Lehen nichts, will fort, fort, soweit mich die Füße tragen, und kein Mensch soll erfahren, wohin ich gekommen bin."

Wie Uli so vor ihr steht, das Wasser in den treuherzigen Augen, da greift Gotthelf als der große Epiker selber zum Wort, er beschreibt, was in Vreneli vorgeht, als wäre es ein kosmisches Geschehen, Durchbruch des Lichts:

„Da sah Vreneli zu ihm auf, die Augen wurden ihm feucht; aber um den Mund zuckte noch der Spott und der Trotz, die niedergehaltene Liebe brach auf und begann durch die Augen ihre leuchtenden Strahlen zu werfen, während das jungfräuliche Widerstreben die Lippen aufwarf als Schanze gegen das Ergeben an die männliche Zudringlichkeit."

Solch Augenblick, groß beleuchtet, bezeugt genau, was Gotthelf von der „Bauernidyllik" der „Restaurationsliteratur" trennt: das ganze Spannungsfeld, wie es sich im Streitgespräch hier ausbreitet, ist zusammengenommen ins Vielfältig-Lebensvolle einer Liebe, für die Gotthelf die Lichtsymbolsprache einzusetzen sich gezwungen sieht. Es wird der Generalton sein, der durch die ganze Folgedarstellung hindurchtönt.

Vrenelis Weinkrampf beendet die Szene. Die Base selbst spürt, man dürfe es nicht zwingen. Auf der Rückfahrt, Uli als Pferdelenker vorn, die Base eingeschlafen, bleibt Vreneli sich selbst überlassen, Für und Wider zu bedenken. Vor dem weiten Sternenhimmel erwägt sie die Fügung, die auf sie zugekommen ist.

Dann bringt Gotthelf beides: Herzensgeschehen und kosmisches Geschehen, in einen Szenenaugenblick zusammen, in der Morgenfrühe am Brunnen, der denselben Nachglanz Homers auf sich zieht, wie die Brunnenszene aus „Hermann und Dorothea". Abermals zeichnet sich die Einfachheit der Lichtsymbolsprache ab:

„Leise öffnete Vreneli die Türe, stille war es draußen, kein Knecht rührte sich noch, kein Pferd scharrte nach Futter. Da ging es leise durch den Schopf dem Brunnen zu, dort im kühlen Wasser sich zu waschen, nach üblichem Brauch. Am plätschernden Brunnen stund eine Gestalt, gebeugt über den Trog und mit Eifer auch ein solches Werk verrichtend. Mit pochendem Herzen erkannte Vreneli seinen Uli, da stund der Ersehnte. Da schwanden Nacht und Nebel, wie Morgenrot ging es ihm auf, und wie ein Herz ziehen könne, das fühlte es jetzt. Doch dem unwiderstehlichen Zug noch mädchenhaft zu umschleiern, war ihm seine Schalkheit zur Hand, und mit unhörbarem Tritte an Uli getreten, schlug es rasch beide Hände vor dessen Augen . . ."

Damit die homerische Szene, die im Sich-Finden der Liebenden zusammenklingt, nicht die herbe Wirklichkeit vergessen läßt, folgt ihr alsbald die Kontrastszene nach: da sucht der Baumwollhändler Vreneli nachzustellen, nachdem er sich mit den Schwiegereltern zäh herumgeschlagen hat, weil er den Hof nicht aus den Fängen lassen wollte. Er hat einen Lehen-Akkord für Ulis Pacht entworfen, der dem Joggeli zusagt. Und nun bietet er Vreneli an, er wolle im Akkord nachlassen, wenn sie ihm nachgäbe. Vreneli nimmt einen buchenen Scheit, fährt damit auf den Baumwollenen wie eine Furie und traktiert ihn zum Gelächter aller. „Wie eine glühende Siegesgöttin stand Vreneli da, mit dem Scheit in der Hand, oder wie ein Engel mit flammendem Schwerte vor dem Paradiese der Unschuld und rief dem fliehenden, blutenden Baumwollhändler nach: „Weißt du jetzt, wie ein Bernermeitschi akkordiert? und mit was es seinen Akkord unterschreibt, du keibeliges Unflat?" Und als er ruft: „Du lügst!", trifft ihr Scheit ihn genau in den Mund und schlägt ihm drei Zähne aus.

Beide Szenen, in deren Mitte Vreneli steht, erhalten ihre steigernde Würde aus der Lichtsymbolsprache: das Morgenrot, das in Vrenelis Herzen aufgeht, der Siegesgöttin-Glanz, in dem sie allen erscheint, beim „Akkordieren".

Schon beim ersten Auftreten Vrenelis hat Gotthelf darauf vorbereitet: „Über das Ganze war das bekannte, aber unbeschreibliche Etwas gegossen, das da, wo es sichtbar wird, von innerer und äußerer Reinlichkeit zeuget, von einer Seele, die das Unreine haßt, deren Leib daher auch nie unrein wird oder nie unrein scheint mitten in der wüstesten Arbeit."

Wir bewundern die Zurückhaltung, mit der Gotthelf dann das ganze Geschehen sich entfalten läßt, bis die Liebenden sich finden. Darnach dehnt sich dann die Lichtsymbolik aus; auf dem Rückweg vom Pfarrer, der die Trauung ankündigen soll in der Kirche, treffen sich die Augen: „Da umfaßte schweigend Vreneli seinen Uli, blickt hell und strahlend ihm ins Auge, strahlende Augen hoben sich auf zum strahlenden Himmel." Und als sie dann zum Bodenbauer fahren, „in einen hellen Morgen Gottes" hinein, als sie die Trauung in der Heimatkirche erlebt haben, ist es zuletzt das ins Wirtszimmer einbrechende Sonnenlicht, das die Feiernden verklärt: „Erschrocken fuhren sie zweg über das unerwartete Licht, das fast von ausgebrochenem Feuer zu kommen schien."

Es sind die einfachsten Stilelemente, mit denen Gotthelf die Grundwerte aufleuchten läßt, die Ulis Lebensweg begleiten. Eingangs beim Bodenbauer war es die Herrlichkeit des Sonntags, die sich für Uli verklärt im Glanz der Sonne: „Als Priesterin Gottes erhob sich hoch über alle die goldene Sonne und spendete in funkelnden Strahlen ihren Hochzeitssegen." Hier nimmt das Licht unbesehen irdisches Sonnenlicht und ewiges Christuslicht zusammen in dieselbe Strahlung. Dafür erst hat der Bodenbauer Ulis Herz geöffnet, ihm seinen Wirrkopf ausgeputzt. Am Ende steht dann Vrenelis reine Lichtgestalt. In ihr ist das Schöne mit dem Herrscherlichen gepaart, das Gotthelf das „Aristokratische" nennt. Ganz ungetrübt läßt Gotthelf den I. Band ausklingen. Wir sehen den Musterknecht, der sich zum Meisterknecht hat entwickeln dürfen, hinaustreten in eine neue Zukunft, wo es gilt, alles zu bewähren, was ihn der Bodenbauer gelehrt hat: aus dem Knecht ist der Pächter geworden, der nun frei regieren soll über den ihm anvertrauten reichen Glungge-Hof. Seine untrüglichste Bürgschaft für die Zukunft ist die erwählte Gattin, Vreneli, die ihm, wie es im Schlußsatz heißt, vier Knaben, zwei Mädchen schenken wird. Ihr Zukunftsblick ist noch von keiner Sorge um den künftigen Pächtersmann beschattet. Wird er die neuen Aufgaben meistern?

Nach sieben Jahren erst hat Gotthelf die Fortsetzung geschrieben. Es wird sich zeigen, daß dem Pächter das Knecht-Gewesensein noch lange anhaftet, daß es viele Irrwege für Uli gibt, daß sogar Vrenelis Gemüt sich verdunkelt, bis Uli zuletzt, nicht ohne mächtige Eingriffe des Schicksals, jene fromme Freiheit erringt, wie sie ihm der Bodenbauer vorgelebt hat. Und es wird Gotthelf gelingen, an die frühe Uli-Zeit anzuknüpfen, als gäbe es keine sieben Jahre Zwischenzeit. So vielfältiges Leben strahlten seine Geschöpfe aus, daß sie sogleich fortlebten, als sie wieder Boden unter den Füßen hatten.

Überschaun wir abschließend den Roman auf den symbolischen Kosmos hin, der unser Grundmerkmal aller Dichtung bildet, dann zeigt sich eines gewiß: der deftige Bauern-Realismus, der hier unvermutet hervordringt aus der Schweizer Bauernwelt als Gewächs ganz eigner Prägung, zeigt unterirdische Grundgefüge, die wie der „Simplicissimus" vom Ursprünglichen der Schöpfung mitbewegt sind, und er bewahrt zugleich so viel echten Idealismus im Bauerngemüt, daß er sich dem, was Goethe unter „wahrer Symbolik" versteht, unmittelbar einpaßt. Alle Situationen, die wir mit Uli erleben, und die sich mit den Überschriften der Kapitel in naivem Spielhumor herausheben, bekommen das typische Gepräge bäuerlichen Schweizer Lebens, wo alles Besondre ins Allgemeinere hinein Kraft und Tiefe bekommt. Es beginnt mit dem nächtlichen Gespräch der Eheleute, in gemeinsamer Sorge um den hudelnden Knecht, es folgt der Sonntagskirchgang, die Aussprache zwischen Herrn und Knecht, Gespräche werden zum lebendigen Träger der Handlung, am Streitgespräch mit der Leichtfertigen kommt Uli nicht vorbei. Schon muß er erfahren, wenn man ordentlich wird, wie „der Teufel sogleich Unkraut in den Samen sät". Am Schweizer „Hurnussen" als Gemeinschaftsballspiel kommt es zum Austrag. Ohne Bodenbauer-Hilfe wäre es Uli wohl schlecht gegangen. Und so geht es fort durch die typischen Ereignisse der Bauernwelt: Marktbesuch, Essen im Wirtshaus, dann auf dem Glungge-Hof viel Streiterei mit Knechten, dann das Erntefest (Sichelten genannt), die Badefahrt der Herrschaft, schließlich die Wagenfahrt zum Vettersbesuch, die Hochzeit. Zwei Schweizer Stimmen mögen die Zusammenfassung geben: Walter Muschg in seiner Einführung 1954, 1960: „Obschon Gotthelfs Geschichten nur von Bauern erzählen, enthalten sie alles, was das Leben auf dieser Erde an Freude und Schmerz umfaßt, und sind in ihrer Weisheit und Schönheit unerschöpflich." Und Werner Kohlschmidt zum Säkularjahr 1954: Was Gotthelfs Gestalten stärker nachwirken läßt als die künstlerisch bewußter durchgearbeiteten

Gestalten Meyers und Kellers, das ist ihre „Gegenwärtigkeit". Kohlschmidt erklärt sie aus den Tiefenkräften eines „religiösen Realismus". Sie führen uns auf Goethes Grundformel von der „wahren Symbolik" zurück, wo es immer um die „lebendig augenblickliche Offenbarung des Unerforschlichen" geht.

Alle typischen Groß- und Kleinszenen aus der Bauernwelt finden sich zusammengeschlossen durch das einmalige Uli-Schicksal, wie es sich durchzukämpfen hat gegen den eignen Wirrkopf, die eigne Geldsucht und Geltungssucht eines auf Besitz und guten Namen hinzielenden Knechts, und dann die Hilfen, die er findet zwischen allen Irrungen. Das Größte liegt hier im Gesamtentwurf: als das langsame Wachsen eines unsicheren Charakters ins Gefestigte, Gute, durch den simpelsten Bauernalltag hindurch, in seiner alltäglichen Lebensfülle. Die Entscheidungen fallen in den Gesprächen, das gibt ihnen die bewegende Kraft im Handlungsgefüge. Wie dann schließlich Uli um Vreneli ringen muß, nachdem er sie schon durch seine Gier nach dem eignen Hof, durch die Elisi-Verirrung fast verspielt hatte, das gibt die große und echte Steigerung zum Schluß. Und sie vollzieht sich im Gesprächsgeschehen der Mundartsprache, ihrer urwüchsigen Bildkraft, die gar nichts „Artistisches" hat und die doch so künstlerisch ist, weil sie immer genau in die Mitte der Sache trifft, die hier verbildlicht wird. Da ereignet sich das völlige Ineinander von Form und Inhalt im Gesprächsgeschehen. So wachsen zwei Charaktere aufeinander zu, bilden den Ursprung der neuen Bauernfamilie.

Nicht ganz ausgeschöpft haben wir die Kontrastwelt, die sich immer gegenwärtig hält, um des Lebens Spannungen nahezubringen. Joggeli als unermüdlich boshafter Klein-Teufel verrät Gotthelfs Erfindungskraft ebenso unerschöpflich wie die ausgleichende Bäuerin an Joggelis Seite, mit ihrer nie versiegenden Herz-Vernunft. Ganz ins Groteske geraten dabei die beiden Kinder dieser Ehe, Wahrzeichen der hereinbrechenden Verstädterung der Charaktere. Der Sohn Johannes bleibt ein unheildrohendes Gefahren-Element, auch für Uli, der sich nicht abwerben läßt. Die Ausschläge ins Groteske aber sind genau von Gotthelf dosiert, um das Ganze nie aus dem Gleichgewicht zu bringen. Untergründig bleiben wir beständig vom Gesamtstrom des bäuerlichen Lebens im Spiegel der Jahreszeiten und als Spiegelung eines alltäglich bäuerlich christlichen Kosmos mitbewegt.

Uli der Pächter

Schwieriger stellt sich im Sinn eines bäuerlichen Volksbuchs, das den Stempel der Gotthelfschen Symbolik trägt, die Fortsetzung des Romans dar. Gotthelf schickt eine Betrachtung voraus, die nur allegorisch verstanden werden kann. Sie beginnt: „Drei Kämpfe warten des Menschen auf seiner Pilgerfahrt." Eindeutig hat hier der Prediger den gestaltenden Dichter zurückgedrängt.

Welche steigernden Gestaltkräfte hat Gotthelf aufgerufen, Uli und Vreneli in ihrer Bauernehe und im Kampf mit den neuen Anforderungen des Pächter-Daseins so in die Mitte zu rücken, daß sich daran die Wertewelt des Bauerntums ins Symbolische hebt? Uli wird mit besonderem Gewicht eingeführt: „Uli hatte eine der bedächtigen Berner Naturen und war nicht demolarisiert durch den Zeitgeist, das heißt, durch den Schwindelgeist der Zeit." Die Besinnung darauf ist wichtig, denn jetzt kommen Anforderungen an Uli heran, die ihm völlig neu sind und an denen er sich erproben muß. Gotthelf führt uns unverzüglich in den Alltag auf dem Glungge-Hof, eine typische Szene folgt der andern, dabei zeigt sich sogleich, daß die Joggeli-Welt immer neben Ulis Welt parallel geht und daß von ihr für Uli die größten Gefährdungen ausgehen. Je unentschlossener Uli als früherer Knecht jetzt die Rolle des Pächters ausfüllt, die ein Zwischending ist zwischen Meisterknecht und freiem selbstsicheren Bauerntum, um so anfälliger wird er für die hinterhältigen Vorschläge Joggelis, dem nichts tiefer im Sinn liegt als Unordnung zu stiften und Schadenfreude auszukosten. So träufelt er Uli ein, daß er viel Geld sparen könne, wenn er billigere Knechte nähme. Alsbald kündigt Uli den erprobten Meisterknechten und stellt billigere ein. Die Folge ist wachsender Ärger, Unfrieden, Verwirrung, die sich in hundert Zügen kundtun. Vreneli aber vermag dem nicht zu steuern, weil Uli sich nichts mehr sagen läßt. Wir geraten in einen sich ständig verdüsternden Bauern-Alltag, der seinen Schatten auf die junge Ehe wirft. Ulis Wesen schrumpft unter dem Druck der jährlich zu leistenden Pachtzinsen von achthundert Talern ein, er wird filzig, engherzig, hart, schnell gereizt. Von Vreneli aber hören wir: „Vreneli hatte aristokratisches Blut in seinen Adern und einen noblen Sinn, wie einer wahren Bäuerin so wohl ansteht und ihr eine Bedeutung im Volksleben gibt, welche selten ein Mann erringt. Drei Dinge hat so eine Bäuerin: einen verständigen Sinn, einen goldenen Mund

und eine offene Hand." Uli verübelt ihr die offene Hand, er hört nicht mehr auf ihren verständigen Sinn, und seine verfinsterte Seele erstickt das Licht, das vom „goldenen Mund" ausgeht: Humor, Freude, Herzenswärme, Frömmigkeit.

Es wird schwer für Gotthelfs Darstellung, bei einem so verschrumpften Helden die Breite der bäuerlichen Welt zu entfalten. Da fällt den Frauen alles Gegengewicht zu. Neben Vreneli, der allgegenwärtigen, in ihrem sich zur Himmelsgeduld zügelnden Temperament, ist es die alte Base, Joggelis Frau, die Vreneli zur Seite steht mit unermüdlichem Zuspruch bis zu ihrem Tod. Überraschend fordert sie für Vrenelis erstes Kind, das kleine Vreneli, als Taufpaten einen alten Vetter, den unheimlichen Hagelhans im Blitzloch. Sie läßt nicht nach, bis Uli ihn aufsucht und ihm der Base Botschaft überbringt. Was Uli da erlebt, ist eine Gestalt, die seinen engstirnig gewordenen Pächtersinn weit überragt. Vielleicht hat die alte Base gerade das im Sinn. Hagelhans ist ein Großbauer, groß auch von Statur: „Knochen wie ein Ochs, ein Gesicht wie ein Löw, und Augen wie eine Katze, wenn weder Sonne, Mond noch Sterne am Himmel stehen." Uli wird einer scharfen Prüfung unterzogen: „Ein verwegen Stücklein, mit keinen Mitteln eine so große Pacht zu übernehmen!" Uli muß feststellen, daß der große Hof im Blitzloch ein Musterbetrieb ist, mit eiserner Disziplin geführt. Nur der Base ist es zu danken, daß er überhaupt aufgenommen wird und daß die Patenschaft eingeschrieben werden darf. Der Base läßt Hagelhans mitteilen, daß er immer noch der alte Unflat sei. Gotthelf hat uns in eine den Bauernalltag überhöhende Dimension versetzt.

Solche Großereignisse sind Uli sonst im kleinwinkligen Sorgenwinkel seines Pächterdaseins nicht beschieden. Was er z. B. am Wirt und am Müller erlebt, ganz gegen Vrenelis Willen, die ihn gewarnt hat, sind Tauschgeschäfte, her und hin, bei denen Uli immer den kürzeren zieht, weil er nicht auf klare Abrechnung dringt, sondern sich begnügt, sich als Pächter rühmen zu lassen, wegen seiner Großzügigkeit und Tüchtigkeit. Besser geht es ihm mit dem Akkord zum Pachtvertrag, den ihm noch der Bodenbauer aufgesetzt hat. Nach drei Jahren versucht Joggeli den Zins zu steigern, die Base weiß das abzuwehren. Dann kommen ausgesprochen schlechte Jahre. Joggeli läßt nicht einen Pfennig vom Pachtzins ab. Daß Joggelis Kinder, der brutale Johannes, und der gierige Tochtermann den Pachtzins, kaum eingezahlt, schon unter sich aufteilen, führt zu burlesken, für Uli unerquicklichen Szenen. Dann kommt noch ein Prozeß hinzu, den Uli wegen eines Kuhverkaufs führen will. Obgleich Uli im Unrecht ist, gewinnt er den Prozeß, weil sein Anwalt der gewitztere ist. Gotthelf macht eine lebensvolle Zeitsatire daraus. Der Bauer aber, der den Prozeß verliert, wirft Uli einen Fluch nach, den er nicht vergißt: „Ich meinte, du seiest ein ehrlicher Mann, den Halunken sah ich dir nicht an! Aber ist ein gerechter Gott im Himmel, so treibt er dir dein Schelmenstück zehnfach ein und bald oder läßt es dich bis zum Galgen bringen und jagt dich dann dem Teufel zu, besser verdienst du es nicht!"

Auf dem Heimweg wird Uli vom Unwetter überrascht. Jetzt setzt eine Darstellung ein, die alles überragt, was sich bisher um Uli bewegte. Es ist als wenn die zum Pächter-Alltag gebändigte Sprache sich auf die Gewalten besänne, die in Gotthelfs Visionen bereit liegen. Das Unwetter ballt sich zum Gottesgericht zusammen. Uli spürt sich mit hineingerissen, hineinvernichtet mit dem alles zermalmenden Hagelschlag, der ihn als Pächter ruiniert.

„Es war merkwürdig am Himmel, drei, vier große Wetter standen am Horizont, eines drohender als das andre. Feurig war ihr Schoß, schwarz und weiß gestreift ihr Angesicht, als ob mit der Nacht der Tod sich gatte; ... das gefährlichste der Wetter zog seinen gewohnten Weg, obenein; da kam von dorther ein ander Gewitter rasch ihm entgegen, stellte seinen Lauf, drängte es ab von seiner Bahn. Gewaltig war der Streit, schaurig wirbelten die Wolken, zornig schleuderten sie einander ihre Blitze zu. Wie zwei Ringer einander drängen auf dem Ringplatze ringsum, bald hierhin bald dorthin, rangen die Gewitter am Himmel, rangen höher und höher am Horizont herauf, und je wilder es am Himmel war, desto lautloser war es über der Erde. Kein Vogel strich mehr durch die Luft, kein Lämmlein schrie in der Ferne. Uli ward es bang."

Mit einem Mal ist über dem zusammengedrückten Uli-Leben der Kosmos in Bewegung. Eine riesige mythisch bewegte Kräftewelt. „Da ist ein großer Zorn am Himmel" spürt Uli. Und als er dann in die Hagelschlossen gerät, kann er nur noch den einen Gedanken fassen: „die Hand des Allmächtigen liege auf ihm." So fällt sein Blick auf den zerschlagenen Glungge-Hof: anzusehen „wie ein Leichnam, gehüllt in sein weißes Leichentuch".

In der Darstellung des Gewitters als ein Numinosum-Tremendum, Einbruch der Überwelt, erleben wir mit Uli den Gipfel im symbolischen Kosmos dieser Dichtung. Wie sich die Atmosphäre reinigt, wenden sich die Schicksale. Uli fällt in ein Nervenfieber, das ihn dicht an den Tod bringt. Unter Vrenelis starker, alles mitfühlender Liebe kann er genesen. Gott hat ihn sich zurückgeholt, in ein neues Leben. Noch einmal hilft der Bodenbauer aus. Joggeli zahlt nichts zum Hagelschaden zu. Müller und Wirt werden nun endlich gestellt und zeigen die Grimasse hinter dem verstellten Biedermannsgesicht. Darnach scheiden sich die Geister schnell, nach dem Guten, nach dem Bösen. Uli, beim Verkauf von Kühen auf ferngelegenem Markt, wird von Hagelhans erneut geprüft. Er bewährt sich dank der neuen Unbedingtheit, die nichts Unebenes mehr duldet. Joggeli dagegen, nach dem Tod der Frau von allen Schutzgeistern verlassen, unterschreibt einen Scheck über 15 000 Mark, für den Baumwollenen. Wie das möglich war, bleibt ungeklärt wie so vieles in Joggelis schwankendem schadenfrohen Charakter. Der Baumwollene läßt sich das Geld auszahlen und verschwindet ins Ausland. Joggelis Sohn will den Vater zum Meineid zwingen vor Gericht. Kurz vorher rührt Joggeli der Schlag. Für Vreneli steht fest: „Das hat Gott getan!"

Mit Joggelis Tod ist die Katastrophe des Glunggehofs besiegelt. Joggelis unsolider Sohn hat nicht mehr Geld genug, die Versteigerung aufzuhalten.

Der Versteigerungstag ist ein Sonntag. Vrenelis Sonntagsgedanken leiten ihn ein. „Heimelicher wird es mir wohl nirgends werden als hier, wo es grün und still ist, am Sonntage man wie in einer großen Kirche ist, alles versunken in heiliger Andacht, und am Himmel das große Licht so mild und freundlich über der Erde und im Herzen das ewige Licht, das da leuchtet in der Finsternis und jetzt noch Kinder und Tiere durcheinander glücklich und friedlich, fast wie im Paradiese." Wenn Gotthelf hier abermals die Lichtsymbolsprache heranruft, deutet er voraus, wie jetzt um Vreneli sich Ulis Hilfskräfte zusammenziehn, das drohende Unheil zu bannen. Der alte Bauer, der den Glunggehof überraschend ersteigert, ist Hagelhans, und die Szenen, die um sein Erscheinen bei Vreneli am Abend sich zu entscheidenden Dialogen entwickeln, führen die Handlung zu ihrem Höhepunkt.

Um den Alten zu beschreiben, greift Gotthelf in seine mächtigsten Bilderarsenale. „Ein alter Mann mit einem Kopf, der wirklich einem hundertjährigen Weidenstock glich." „Wenn in einem Walde er Vreneli begegnet wäre, hätte es ihn für einen übriggebliebenen Riesen gehalten." „Hagelhans streckte seine Glieder, daß er anzusehen war fast wie ein alter Turm aus der Römerzeit." „Der Alte, der einherschritt wie ein aus einem Hünengrabe erstandner Recke." „Sie hatten manchmal vom Hagelhans im Blitzloch reden hören als wie von einem greulichen Kobold." „Merkwürdig war, wenn Hagelhans gegen die Sünde kämpfte, sich den Leuten als das zu geben, für welchen sie ihn nahmen, bald das Gutmeinen hervorbrach und dann wieder desto greller die Bosheit, wie wenn am gewitterhaften Himmel bald die Sonne scheint, bald die Blitze zucken durchs schwarze Gewölke."

Wie dies letzte Bild an die Gewitterformationen erinnert, so erscheint Hagelhans als die alles sonstige Bauerntum überragende Urgestalt, die von denselben ungreifbaren Schöpfungsmächten bewegt wird wie die Welt im Gewitter.

Partner im Dialog für diesen Riesen ist vorerst einzig Vreneli, und sie bewährt ihre unerschrockene herrscherliche Natur in der Ruhe, mit der sie ihm begegnet. Sie verteidigt den verstorbenen Glunggebauer und vor allem seine Frau, die an ihr wie eine Mutter gehandelt habe. Sie bekennt freimütig, daß sie unehelich geboren sei und von der Base aufgezogen. Das überraschendste Ereignis aber im Dialog der beiden ist es, daß der riesige Hund des Hagelhans seine Tatzen auf Vrenelis Schulter legt und ihr das Gesicht leckt. Das ist Hagelhans bei seinem Hund noch nie vorgekommen. Hier wittert der Hund voraus, was erst später ins Bewußtsein der beiden dringen wird, daß Vreneli des Hagelhans natürliche Tochter ist und daß sie denselben Geruch für den Hund haben muß wie Hagelhans selbst. Auch andern Morgens legt der Hund seine kalte Schnauze in Vrenelis Hand.

Als Uli beim Frühstück Hagelhans zum ersten Mal gewahrt, zeigt uns Gotthelf noch einmal deutlich an, wie begriffsstutzig Uli immer noch ist. Er „glotzt", und als er sich beim Anblick des Gastes an Hagelhans erinnert findet, drückt er das in einer wahrhaft glotzenden Sprache aus: „Der ist ein wüster und struber Mann, und es ist besser, man rede nicht viel von Ihm." Vreneli muß sich ins Zeug legen, das Unbotmäßige zu entschuldigen. Aber Hagelhans hat längst sich für Vreneli entschieden. Zum ersten Mal drückt er sich in einer langen Rede aus.

Der Rückblick des alten Hagestolzes wirft Licht zurück in die Zeit, als die Base jung war und als Vreneli geboren wurde. Er dreht das Geschehen zurück auf die beiden Hauptgestalten neben

Uli im Uli-Roman. Hagelhans in seiner Jugend war, was man einen ungeschlachten Tapps nennt. Die Mädchen hielten ihn zum Besten, wo sie konnten. So erst einmal die Base, die so gut wie versprochen mit ihm war, und die dann doch absprang, zum Glunggebauer, dem Joggeli, den Hagelhans „die alte Blindschleiche" nennt. Vrenelis Mutter aber hatte es noch viel ärger mit ihm gemacht. Sie meinte, er sei „eigentlich nur ein Tanzbär, der tanzen müsse, wie sie geige". Sie ließ sich mit ihm ein, aber das „Schätzeln" mit andern konnte und wollte sie nicht lassen. Heiraten wollte sie ihn wegen seines Geldes, aber zugleich mit andern weiter schätzeln. Da schlug Hagelhans' Liebe in Haß um. Er brachte mit Willen Vrenelis Mutter in Schande. Dann ließ er sie sitzen. Irgend ein andrer, der sich dazu hergab, wurde gekauft als der vermeintliche Vater. Die Base aber, die Bescheid wußte, nahm sich Vrenelis an, als wäre es ihr eignes Kind, nachdem Vrenelis Mutter bei der Geburt gestorben war. Und so gedieh Vreneli, während die Joggeli-Kinder, Eiseli und Johannes, nach dem Vater gerieten und verstädterten, sich dem Bauerntum entfremdeten. Hagelhans aber hatte genug von den Weibern, er wurde der finstere Junggesell, dem es Freude machte, zum Kinderschreck zu werden.

Mit der übernommenen Patenschaft für Vrenelis Tochter drangen die Erinnerungen wieder in Hagelhans herauf. Ein Bedürfnis, sich wieder Mensch zu fühlen. Und so prüfte er Uli, der Tod der Base ging ihm zu Herzen, und als der Glunggehof versteigert werden mußte, reizte es ihn, selber der Glunggebauer zu werden. Jetzt bietet er Uli und seiner Frau die Pächterstelle weiter auf dem Hof an. Er zahlt dem Bodenbauer Ulis Schuld zurück und erweist sich hinter der rauhen Schale als der wirkliche Großbauer, der er ist. Nur eines fällt ihm schwer im Alter: er verträgt keinen Widerspruch. Der einzige, der dazu den Mut hat, ist Vreneli. Eben daran treten sich Vater und Tochter gegenüber, und wieder wird es der Dialog sein, der die Entscheidungen der Zukunft bringt. Als der Alte von Vreneli fordert, daß sie die verstädterte Joggeli-Tochter vom Hof jagen soll, tritt ihm Vreneli entgegen; der Base Kind jage es nicht vom Hof. Die Base würde sich noch im Grabe umdrehen, wenn sie wüßte, wie es ihren Kindern erginge.

„Und das tust du", sagte Hagelhans, und seine Augen glühten lichter und wurden rund wie Pflugräder. „Und das tue ich nicht!" sagte Vreneli, und seine Augen wurden rund und flammten. „Und das tue ich nicht, und risset Ihr mir den Kopf vom Halse. Recht ist recht, und schlecht ist schlecht, und da hat mir niemand was zu befehlen als mein Gewissen und Gott!" So hatte zu Hans noch niemand gesprochen. Erstaunt sah er die glühende Frau an, sagte endlich: „Sollte ich wohl vor dir mich fürchten müssen", ging, sagte von Stund an nichts mehr von Eiseli, aber wo Vreneli einen Wunsch anmerkte, ward er erfüllt.

Auf solche Weise wird dem Hagelhans bewußt, daß Vreneli niemand anders sein kann als sein eigen Fleisch und Blut. Was Hagelhans so weit heraushebt aus dem Uli-Alltag, ist darum nicht als eine Art Märchengestalt zu sehen, die alles löst, es geht Gotthelf vielmehr darum, dem mühseligen Erziehungsweg Ulis zum wirklichen Bauer die kühne Parallelgestalt zu geben, die die unterirdischen Kräfte des ewigen Bauerntums gegenwärtig hält. Das verknüpft sich dann im Vreneli-Schicksal mit beiden Welten. Und es geschieht so natürlich, wie es sich im Streitgespräch zwischen Vater und Tochter als Kraftkampf der Energien zwischen den Generationen nur darstellen kann.

Doch hat Gotthelf im Handlungsgeflecht auch Uli selbst nicht vergessen. Eines Tages ist Uli nicht da, und Haselhans fragt nach ihm. Vreneli nimmt es auf sich, den Grund darzutun. Uli ist unterwegs, um dem Mann, gegen den er zu Unrecht damals den Prozeß gewonnen, das ungerechte Geld zurückzuzahlen. Aber weil Uli Hagelhans noch Geld schuldig ist, jene Schuld, die Hagelhans vom Bodenbauer übernommen hat, darum hat Uli und auch Vreneli vorerst nichts davon gesagt. Denn die juristische Schuld müßte eigentlich vorgehen vor der menschlichen Schuld. Uli aber war die menschliche Schuld mehr auf der Seele gelegen, weil er dazu sagen konnte: „Ich habe gefehlt, verzeih mir!" Als Vreneli das vor den großen Augen des Hagelhans dargelegt hatte, ergreift Hagelhans selbst das Wort, um zu sagen, daß er selber einmal gefehlt habe, und zwar an Vrenelis Mutter und an Vreneli selbst. So kommt es heraus, daß er jetzt gewiß ist: Vreneli ist seine eigene Tochter, und nun soll sie in allen Tochterrechten eingesetzt werden.

Da aber bittet Vreneli ihren Vater, er möchte Uli noch nichts davon sagen. Der unverhoffte Reichtum würde ihm zu Kopf steigen. Wenn sie daran denkt, wie Uli plötzlich aus dem tüchtigen Pächter ein reicher Bauer werden soll, dann „bebt sie vor neuen Prüfungen". So endet der II. Teil, und es bleibt der Ausblick offen für einen dritten Teil.

Diesen dritten Teil hat Gotthelf nicht mehr geschrieben. Dafür haben wir sein Gesamtwerk, das so viele Abwandlungen des Bauern zeigt. Wenn die Spätidylle „Der Sonntag des Großvaters" das friedvolle Sterben eines alten Bauern namens „Uli" zwischen Kindern und Enkeln zeigt, mag man sich wohl so die Endstufe vorstellen.

Es gibt nun noch ein Stilelement, das „Uli den Pächter" von „Uli dem Knecht" abhebt. Wir haben bereits die Gegengewichte erkennen können, mit denen Gotthelf dem verstärkten Predigerton der Eingangs-Allegorie entgegenwirkt: Uli wird nicht nur Schritt für Schritt durch seinen Pächter-Alltag geführt, er wird auch hineingestürzt in jenen Gewitter-Schock, der ihm all seine Geldgieren über den Haufen wirft und ihn unter die Hand eines Mächtigeren stellt. Es ist im Gotthelfschen Kosmos die Überwelt, die mit allen Kräften mythischer Gegenwart hereinbricht. Wie sehr wir es hier aber mit künstlerischen Überlegungen Gotthelfs zu tun haben, denen es um das Auswiegen von Gleichgewichten im Gesamtgefüge zu tun ist, läßt sich noch an einer sanfteren Abwandlung der Überwelt spüren: es sind die Zauber und Wunder kindlicher Einfalt, für die Gotthelf wie kaum ein anderer Dichter jenes bürgerlich abgesicherten Säkulums aufgeschlossen war. Ulis erstes Kind, zu dem Haselhans als Tauf-Pate gebeten war, erfährt als Täufling folgende Gotthelf-Verherrlichung:

„Der Täufling ward an diesem Tage zum kleinen Herzkäfer, den ganzen Tag ließ er keinen einzigen Schrei aus, bloß hier und da machte er ein kleines Dureli, wie man zu sagen pflegt, sonst allezeit das lieblichste Mieneli von der Welt, daß alle die größte Freude daran hatten. Ein bsonderbar Kind sei das, meinte die Bodenbäuerin, sie hätte noch keins so gesehen; es sei akkurat, als ob das mit Freundlichkeit gutmachen solle, was Hagelhans mit Sauersehen sich versündige." Die Worte der Bodenbäuerin machen offenbar, welchen Symbolsinn Gotthelf dem Taufereignis und dem Kind-Wunder zuspricht, es wirkt durch sein Dasein schon jeder Art Weltverhärtung durch Hagelhans entgegen. Und ist es nicht wirklich so, daß vom Kinde Vrenelis der erste Anstoß ausgeht, der Hagelhans verwandeln wird? Zum Taufpaten gebeten, findet er sich der Macht alter Erinnerungen übergeben, die ihn zu den Menschen zurückrufen werden.

Noch auf andere Weise aber wirkt Kinder-Hellsicht ins Gesamtgefüge der Romanhandlung ein. Nach dem Hagelschlag kommt eines Tages der „muntre Junge“ des Bodenbauern, bringt einen Wagen voll Saatgut für den Glungge-Hof. Folgendes Gespräch entspinnt sich zwischen Joggeli und dem Jungen. Joggeli fragt ihn, was das Malter kosten solle. Soviel er wisse, nichts, sagte der Junge. Es sei Steuer an den Hagel, wie das so Brauch sei unter rechten Leuten von je. „Aber Junge, wenn dein Vater sein Korn so billig verkauft, was erbst du dann?“ fragt Joggeli hämisch. „Gottes Segen, sagt die Mutter“, antwortet der Junge. „Ja“, sagt Joggeli, „aber damit hat man nicht gegessen, und nur mit dem kriegst du keine reiche Frau. Wenn mein Vater so gewirtschaftet hätte, es hätte mir angst gemacht.“ „Glaubs“, sagt der Junge, „Ihr und der Vater werdet danach gewesen sein. Mir aber macht es nicht angst; habe noch nie gesehen, daß der Vater was Unrechtes getan, und wenn er auch alles weggibt, so ist es seine Sache und nicht die meine. Und wenn ich schon nichts erbe, so hat der Vater uns so erzogen, daß wir uns was erwerben können, und nicht zu Tagdieben, und um von seiner Sache zu schmarotzen und sie zu verbrauchen.“ Das kam Joggeli in die Nase, er kehrte sich, steckelte ins Stöcklein und machte die Türe zu.

Auch das ist ein Gericht, diesmal aus Kindermund. Für Joggeli hat es einen viel weiteren Ausschlag, als des Bodenbauers Junge sich das je vermuten konnte. Hier wird einmal die Bodenbauer-Welt und die Joggeli-Welt miteinander konfrontiert, aus der reinen Wertewelt des Jungen. Und wir begreifen Gotthelfs kühnen Ausgriff in die Kraftquellen jungenhafter Einfalt, die noch den Mut hat, radikal zu sein. Dies Gericht kommt aus der Mitte des bäuerlichen Lebens selbst. Joggeli hat seine beiden Kinder mit dem joggelischen Geldgeist großgezogen, sie kennen nichts als was sich mit Geld kaufen, mit Geld verschwenden läßt. Da hat auch Joggelis Frau nicht gegenwirken können. Schon hebt sich nach dem Tod von Joggelis Frau das jämmerliche Ende für Eiseli und den bankrottbedrohten Johannes ab. „Gottes Segen“ hat gefehlt, ist nie ein Begriff geworden. Beschämend aber muß es für Joggeli sein, daß hier im Mund des Jungen laut wird, was des Bodenbauers Freundschaft für Uli bedeutet: Saatgut zu schicken, nach dem Hagelschlag, während Joggeli keinen Pfennig vom Zins nachgelassen hat und sogar Uli abgeraten, die Hagelversicherung abzuschließen, nur weil dann Joggeli die Hälfte hätte mitzahlen müssen. Jetzt muß Uli allen Hagelschaden allein tragen.

Gotthelf aber hat dies vernichtende Gericht einem Kinde anvertraut, im so kurzen Gespräch von wenigen Minuten. Als Vreneli ihrem Mann vor dem Hagelgewitter abgeraten hatte, zu prozessieren, und als Uli sich solchen Übergriff seiner Frau verbat, weil „die Weiber gern regieren", da antwortete ihm Vreneli: „Mit dem Verstehen ist es so wie unser Heiland sagt: oft begreift ein Unmündiger, was den Weisen der Welt verborgen bleibt. So weiß sicher oft ein dumm Weib besser, was schlicht und recht ist, als so ein Kabinettskopf und Rechtsfresser in all seiner gestudierten Weisheit." Aus dem gleichen Grund kann des Bodenbauers Junge den böswilligen, an allem herummäkelnden Joggeli zurechtweisen. Gotthelf nimmt das Wort von den „Unmündigen" ernst und gibt ihnen den Raum, und das Gewicht, das ihnen im Gotthelf-Weltbild zukommt.

Wir erkennen Gotthelfs kühn ausgreifenden Kunstverstand, das schwierige Grundthema, wie ein einfacher Knecht zum guten Pächter erzogen wird, einzubauen in ein Kräftefeld, an dem über den dürftigen Alltag hinweg die verschiedensten Regionen teilhaben: da steht hinter Vreneli und ihrer herrscherlichen Natur die strenge Machtgestalt des Hagelhans als Inbegriff großbäuerlichen Wesens. Da ergänzt den klaren Weltverstand des Bodenbauern und seine natürliche Frömmigkeit, die Uli durchschüttelnde Überwelt. Da tritt neben die mißtrauische Härte des Hagelhans ebenso wie neben das Bös-Schalkhafte des mißratenen Joggeli die untrüglich reine Aura kindlicher Einfalt. Und sie wird mit wirksam im Kräftefeld. Überschauen wir beide Uli-Romane als ein Ganzes, dann ergänzen sie sich wie die beiden Hälften einer Kugel. Auf der Hälfte, die Uli den Knecht darstellt, herrscht mit der Bild- und Spielfülle der Mundart sozusagen das helle Licht der Jugend, mit aller unmittelbaren Kraft der Lautung, die aus Herz und Seele dringt. Alle durchgelebten Situationen werden symbolhaltig für bäuerliches Grundwesen; insbesondre Ulis Ringen zuletzt um Vreneli im Aufbrechen der jungen Liebe.

Mit dem Augenblick, wo Uli als Pächter in die schwere Aufgabe eintritt, den reichen Glungge-Hof selbständig zu steuern als der frühere Knecht, der er ist, ohne eignes Kapital, da verhärten sich die Zustände; an den wachsenden Sorgen dringen vermehrte Reflexionen herauf. Der Zufall will es, daß Gotthelf damals 1847 den zweiten Band einem hochdeutschen Verlag anvertraut hatte, dem es um Verbreitung im hochdeutschen Raum zu tun war. Wieviel

Mundart noch in Gotthelfs Urmanuskript enthalten war, bleibt ungewiß. Jedenfalls waltete der hochdeutsche Korrektor herein und so herrscht allenthalben das Hochdeutsch vor. Uli hat die erste Jugendspannkraft verloren. Das spiegelt sich vielfältig wider. Der Wirt kann von Uli sagen: „Das ist der dümmste Mensch auf Gottes Erdboden, jedes Kind kann ihn zum Narren halten." Selbst der Bodenbauer spricht zu seiner Frau im geheimen: „Da war der Uli ein vortrefflicher Knecht, besser war er nicht zu wünschen; jetzt als Pächter macht er dummes Zeug, und wenn man nicht zu ihm sieht, so stellt es ihn auf den Kopf." Hier wird es für Gotthelf schwer, aus Uli die symbolische Mitte zu machen. Also sehen wir, wie der Dichter Uli in ein Kraftfeld von Einflüssen stellt. Joggeli, der Wirt, der Müller verwirren ihm den Sinn. Selbst Vrenelis Gemüt wird verdunkelt. Dann aber erfolgt der Einbruch der Überwelt, der Uli bis ins Innerste erschüttert und herumwirft. Und plötzlich findet sich der verdüsterte Uli-Alltag überragt von der Riesengestalt des Hagelhans, Uli lernt Maßstäbe kennen, an denen er sich wird ausrichten können. Und Vreneli als die Hagelhans-Tochter tritt neben ihn, lehrt ihn das Herrscherliche, das ihm fehlt. Die Kontrastwelt, im I. Teil zur Groteske heraufgespielt, muß jetzt als bittere Satire wirken, bei der Gotthelf nicht überall ohne den Predigerton auskommt. Überall aber triumphiert Gotthelfs Bildersprache bis in die Tiefe der Dialoge. Auch die Kindereinfalt ruft er sich zuhilfe, um die Lichter richtig zu setzen. Nirgends kann der symbolische Kosmos dieser Bauernwelt in allen Spannungen zwischen Herr und Knecht aus dem Gleichgewicht geraten.

Man darf es wohl einen Glücksfall nennen, daß Jeremias Gotthelf mit seiner homerischen Erzählbegabung als der Landpfarrer Albert Bitzius lebenslang auf die Schweizer Bauernwelt angewiesen war und daß ihm daran die Urelemente menschlicher Kultur aufgegangen sind. So wurde die deutsche Sprache um den bäuerlichen Kosmos bereichert und mit in die große Zeitbewegung hineingezogen, die sich aus dem Erdhaft-Ursprünglichen der Mundart auf die Gefährdungen durch das Großstädtisch-Zivilisatorische hinbewegte. Gotthelf sollte sich dabei zum grimmigen Verteidiger der alten Bauernkultur berufen fühlen. Zugleich sollte er mit der Mythe von der „Schwarzen Spinne" der Verteufelung des Zeitalters entgegentreten und den Symbolkern des Christentums erneuern. Zur selben Zeit übrigens, als im neuen Pionierland Amerika Herman

Melville die Mythe vom Weißen Wal, genannt Moby Dick, zur Würde eines Prosa-Epos erhob.

Betrachten wir in diesen großen Rahmen hinein den Prosaroman des deutschen Bürgertums, wie er sich vom Biedermeier in die Gründerzeit entwickelt hat, dann scheint der sich verinnerlichende Erziehungsroman auf Goethes Spuren mit dem „Grünen Heinrich", mit „Maler Nolten", mit dem „Nachsommer" keinesfalls die Weltwirkung erreicht zu haben, wie Balzacs „Comédie humaine" sie beanspruchen darf, wie sie sich in den sozialen Riesenfresken Zolas fortsetzt, von der religiösen Gewalt der großen Russen gar nicht zu reden. Dennoch behauptet sich neben Gotthelfs Bauernkosmos inmitten des 19. Jahrhunderts ein „Epos in ungebundener Rede", das ebenso einmalig wie Gotthelf die bäuerliche Natur verherrlicht, sich das Geschehen der Weltgeschichte selbst zum Ziel gesetzt hat, in der Spiegelung eines ländlichen Adelsgeschlechts auf böhmisch deutschem Grund: Stifters „Witiko". Wenn Immermann in den „Epigonen" (1936) verzweiflungsvoll an den Schluß die Frage stellt „Warum schreiben Sie nicht lieber Geschichte selbst?" statt Epigonen zu spiegeln, dann hat Adalbert Stifter eben darauf die Antwort gegeben und der deutschen Sprache im österreichischen Brudervolk unmittelbar nach 1866 ein Romanwerk geschaffen, das noch einmal alle höchsten Anforderungen an einen symbolischen Kosmos der Dichtung erfüllt.

Adalbert Stifters Roman „Witiko"

Stifter hat seinem großen Geschichtsbild aus der Zeit um 1150, das er in drei Bänden 1865—1867 herausbrachte, nicht die Bezeichnung „Roman" gegeben. Er nennt es „eine Erzählung". Er greift auf die epische Urform des Erzählens zurück. Was ihm aber vor der Seele stand, hat er im Brief an Heckenast 1861 (8. Juni) zum Ausdruck gebracht: „Es erscheint mir in historischen Romanen die Geschichte die Hauptsache und die einzelnen Menschen die Nebensache; sie werden von dem großen Strome getragen und helfen den Strom bilden. Darum steht mir das Epos viel höher als das Drama, und der sogenannte historische Roman erscheint mir als das Epos in ungebundener Rede."

Ein Epos in ungebundener Rede, dem Idealbild angenähert, wie es Emil Staiger für seinen Grundbegriff des „Epischen" aus

Homers Hexameter-Epen abgezogen hat. Aber eben nicht mehr im Hexameter, sondern in Prosa. Ein gewaltiges Unterfangen, wenn wir uns erinnern, daß Lukacs den Roman als „Ausdruck der transzendentalen Obdachlosigkeit" bezeichnet. Alles in Stifters Epos-Vorstellung steht dem entgegen: „Die Weltgeschichte als ein Ganzes, auch die ungeschriebene eingerechnet, ist das künstlerischste Epos, und wenn Teile davon als Dichtung genommen werden, so sind sie am schönsten, wenn sie einfältiglich herausgehoben und aus dem Munde des mitlebenden Volkes erzählt werden. Der Gelehrte und der heutige Dichter verderben nur daran" (an Heckenast 7. 3. 1860).

Das Große an solchem Wurf eines Geschichtsromans liegt darin, daß der Einzelne, der die Welt zu bewegen glaubt, weit übergriffen wird vom Geschichtsgeschehen selbst, das die Geschicke der Völker und in ihnen jeden Einzelnen mitbewegt und mitvorwärtsträgt. Stifter hat zwanzig Jahre gebraucht, bis er seinen „Studien" 1844 bis 1850, seinen „Bunten Steinen" mit der berühmten Vorrede 1853 und dem zum Roman ausgeweiteten Novellenstoff des „Nachsommers" 1857 sein Epos in ungebundener Rede folgen ließ. Es soll „aus dem Munde des miterlebenden Volkes" erzählt sein, und zwar „einfältiglich". Wie kann ein Stil der Einfalt ein Stil der Mitbewegung sein?

Wenn wir von Goethes „Wanderjahren" an den „Witiko" herankommen, dann ist zwischen den beiden Alterswerken ein verbindendes Element. Hätte Goethe den Gedanken einer Fortsetzung ernstlich erwogen, so hätten Wilhelms Meisterjahre unter Amerika-Kolonisten weitergehen müssen, unter Führung Lenardos, der so „unwiderstehlich nach uranfänglichen Zuständen hingezogen" ist. Stifter geht ins Jahr 1138 zurück, in den Zauber einer uranfänglichen Welt, wo einer in sein Schicksal hineinreitet, das ein Adelsgeschlecht neu begründet. Wenn Wilhelm Meister die „Reinheit des Herzens" als das eigentliche Lichtorgan der Seele begreift, so tritt für Stifters Witiko ergänzend der Begriff des „Rechten" hinzu, der das Sozialgefüge mitumfaßt, dem sich Witiko von Anbeginn eingeordnet weiß. Ist Wilhelm der freischweifende Bürgerssohn, der durch die Bohêmewelt des Theaters hindurcherzogen wird auf die Totalbildung der Edelmannstradition, entstammt Witiko selber einem Adelsgeschlecht, wiewohl verarmt, und ist mit seinen 20 Jahren dank der Passauer Bischofsschule christlich gründlich durchgebildet, ein Muster an Klugheit, Pflichtgefühl, Rechtlichkeit, der genau weiß, was er will.

Der Satz, mit dem ihn Stifter ins Romangeschehen einführt, nach einer Beschreibung der Landschaft, die von Passau zum böhmisch-bairischen Wald hin sich erstreckt, ist so vorbildlich gebaut auf ein Epos in ungebundner Rede zu, daß wir davon unseren Ausgang nehmen:

„Zur Zeit, da in Deutschland der dritte Conrad, der erste aus dem Geschlechte der Hohenstaufen, herrschte, da Baiern der stolze Heinrich inne hatte, da Leopold der Freigebige Markgraf in Österreich war, da Sobeslaw der Erste auf dem Herzogstuhle der Böhmen saß, und da man das Jahr des Heiles 1138 schrieb: ritt in der Schlucht zwischen dem Berge des Oberhauses und dem des Nonngütleins — welche Berge aber damals wild verwachsen waren — auf einem grauen Pferde, dessen Farbe fast wie der frische Bruch eines Eisenstückes anzuschauen war, ein Mann von der Donau gegen das mitternächtige Hügelland hinaus."

Was dem Satzgefüge sein Gepräge gibt, ist die Spannung zwischen dem Vordersatz mit seinem in fünf Zeitbestimmungen aufgeteilten Geschichtsbild, und dem Nachsatz, der sich um den einsamen Reiter zusammenzieht. Mit dem Rhythmus des Epikers, der uns auf ein Epos in ungebundener Rede vorbereitet, wird hier Deutschland, Bayern, Österreich, Böhmen ins gleichzeitige geschichtliche Geschehen hineingerufen, und unser lebendigster Anteil dem Reiter zugewendet, dessen Pferd der Dichter überraschend ein kühnes Gleichnisbild zuspricht, das wir nicht vergessen werden und das unsren Gemütssinn unmittelbar auf Reiter und Pferd richtet. Zwei Generalthemen sind damit angeschlagen und in elementare Spannung gebracht, der Spannung des Satzgefüges gemäß: einmal das große geschichtliche Geschehen, um Führergestalten zusammengezogen: Konrad der Hohenstaufe, Heinrich von Bayern, Leopold von Österreich, Sobeslaw von Böhmen, und dagegen der einsame Einzelne, der seinen eigenwilligen Lebensmotor in Gang bringt, auf seinem starken Pferd, dessen Farbe an den „frischen Bruch eines Eisenstückes" erinnert. Wenn jetzt vorerst das Geschichtsgeschehen zurücktritt, so behalten wir doch für den Reiter, den wir auf seinen Abenteuern begleiten, eines immer fest: daß er in eine große Geschichtsspannung hineinreiten wird.

Wir werfen dem Eindringen in Stifters Epos eine Frage voraus: Hat uns Stifter für den Aufbau seines Riesenwerks symbolische

Stützen gegeben, die das Eindringen in den Sinnzusammenhang erleichtern? Eines drängt sich da ohne weiteres auf. Der Dichter beschert seinem Helden schon am zweiten Tag seiner Reise die Begegnung mit Berta, Tochter des Ritters Heinrich von Jugelbach, einem Deutschen, der dort gesiedelt hat. Witiko trifft mit ihr zusammen am Sonntag-Morgen, nachdem er auf der Waldhöhe sein Gebet verrichtet. Sie trägt einen Goldreifen ums Haar, der ganz mit fünfblättrigen wilden roten Waldrosen besteckt ist. Die fünfblättrige Waldrose bekommt die Würde eines Dingsymbols, das zusammenziehende Kraft gewinnt, nicht nur für das Lebensverhältnis Witikos und Bertas, das durch die ganze Romanhandlung hindurchgeht. Witiko nimmt in die Mitte seines Kampfschildes die Waldrose auf. Als er nach 4 Jahren seine Werbung vorträgt, erhält er vom Vater Bertas die Antwort: „Ihr habt in der Schlacht die rote Waldrose auf dem weißen Schilde getragen; sehet, daß die Rose in die Geschicke Eurer Länder hineinblühet, und dann kommt... Wenn eine Burg wird, in der die Rose ist, so denke ich, daß die Burg der Rose und daß Stauf und Schauenburg in gleicher Größe und in Wohlvernehmen fortbestehen mögen." Das will besagen, daß Witiko die Braut heimführen darf, wenn seine Burg ebenso herrscherlich erbaut ist, wie die beiden Burgen derer von Jugelbachs. So wird nach sechs Jahren Witiko seine „heilige Werbung" der Ehe vorbringen dürfen und die Hochzeit wird auf der Witiko-Burg stattfinden, Berta wird einen Kranz von Waldrosen aus Juwelen erhalten, Witiko einen Gürtel, dessen Schloß sich aus fünf Juwelenstücken so zusammenschließt, daß eine Waldrose erkennbar wird.

Wenn man mit heranzieht, daß nach der mittelalterlichen Quelle Witikos altes Geschlecht der Rosenberge drei Rosen im Wappen hatte, dann scheint, wie Paul Requadt es ausgedrückt hat, „die Freiheit des symbolischen Spiels hier erstarrt", konventionell geworden. Das ist aber doch nur die äußere Seite der Sache.

Die Waldrose ist nicht nur Wappenzeichen. Sie behält als wild gewachsene Rose im Wald den Zusammenhang mit dem Waldboden, dem sie entstammt, und dem beide Liebenden sich zugehörig fühlen. Wenn Witiko die erste Begegnung mit Berta als Eingriff des Schicksals spürt; Berta im Schmuck der Waldrosen, dann ist er zugleich mitbewegt von der Erinnerung, daß seine Vorfahren, die ursprünglich aus Rom herzuleiten sind, stets Waldrosen angepflanzt haben, auch in Böhmen, wo das Geschlecht der Rosenberge einmal groß und dann wieder klein geworden ist. Das Gespräch zwischen

Berta und Witiko, im Zeichen der Waldrose, ist bei aller ersten spielenden Begegnung der Jugend ein Aufeinanderzusprechen, in dem jeder sich dem andern tiefer zeigt, als er es je sonst tun würde. Damit dringt bereits das Waldrosenmotiv in die tiefere unkonventionelle Schicht vor. Stifters eigentümlich vereinfachende Sprache, die uns noch gründlicher beschäftigen muß, wirft hier ein Licht insbesondre auf Witikos Inneres voraus, der als der unbewußt Liebend-Werbende mehr aus sich heraus geht.

Da der Reiter bei dem Mädchen angekommen war, sagte er: „Was stehst du mit deinen Rosen hier da?"
„Ich stehe hier in meiner Heimat da", antwortete das Mädchen, „stehst du auch in derselben, daß du frägst, oder kamst du wo anders her?"
„Ich komme anders woher", sagte der Reiter.
„Wie kannst du dann fragen?" entgegnete das Mädchen.
„Weil ich es wissen möchte", antwortete der Reiter.
„Und wenn ich wissen möchte, was du willst", sagte das Mädchen.
„So würde ich es dir vielleicht sagen", antwortete der Reiter.
„Und ich würde dir vielleicht sagen, warum ich mit den Rosen hier stehe" ,entgegnete das Mädchen.
„Nun, warum stehst du da?" fragte der Reiter.
„Sage zuerst, was du willst", erwiderte das Mädchen.
„Ich weiß nicht, warum ich es nicht sagen sollte", erwiderte der Reiter, „ich suche mein Glück."
„Dein Glück? hast du das verloren?" sagte das Mädchen, „oder suchst du ein anderes Glück, als man zu Hause hat?"
„Ja", antwortete der Reiter, „ich gehe nach einem großen Schicksale, das dem rechten Manne ziemt."
„Kennst du dieses Schicksal schon, und weißt du, wo es liegt?" fragte das Mädchen.
„Nein", sagte der Reiter, „das wäre ja nichts Rechtes, wenn man schon wüßte, wo das Glück liegt, und nur hingehen dürfte, es aufzuheben. Ich werde mir mein Geschick erst machen."
„Und bist du der rechte Mann dazu?" fragte das Mädchen.
„Ob ich der rechte Mann bin", antwortete der Reiter, „siehe, das weiß ich noch nicht; aber ich will in der Welt das Ganze tun, was ich nur immer tun kann."
„Dann bist du vielleicht der Rechte", erwiderte das Mädchen. „Bei uns, sagt der Vater, tun sie immer weniger als sie können. Du mußt aber ausführen, was du sagst, nicht bloß es sagen. Dann weiß ich aber noch nicht, ob du ein Schicksal machen kannst. Ich weiß auch nicht, ob du ein Schicksal machst, wenn du in unserem Walde auf der Wiese stehst."
„Ich darf da stehen", sagte der Reiter, „denn heute ist Sonntag."

Das Gespräch geht noch weiter fort. Es genügt, vorerst, die Zeichen der Waldrose dahin zu vertiefen, daß alles zwischen den beiden symbolisch wird. Witiko wird für Berta der, der „nach einem großen Schicksale geht", und es ist für sie ein Schicksal, das sie einbegreift. Witiko wird der, der „das Rechte" will, der „in der Welt das Ganze tun will": Ideal des Mannes, der Berta als ihr künftiger Gatte vorschweben wird. Berta aber wird für Witiko die lebendige Waldblüte, die zu erringen er sich die Rose zum Wahrzeichen wählen wird. Aus dem Gespräch führen wir noch zwei Stellen an:

> „Es wird doch eine Eingebung gewesen sein, daß ich die Rosen genommen habe", sagte Berta.
> „Nimmst du oft Rosen?" fragte Witiko.
> „Ich nehme sie zuweilen", sagte Berta.
> „Und daß es in dieser Jahreszeit noch Rosen gibt, ist schon ein Wunder", sagte Witiko.
> „Ich habe diese auch nur heute im Waldschatten gefunden und in meinen Ring gesteckt", entgegnete Berta.
> „Siehst du", sagte Witiko.
> „So mögen sie Euch ein Zeichen sein", erwiderte Berta, „und möget Ihr recht viel Glück haben."

Berta selbst ist es, die die Rosen ihm zum Zeichen erhöht, und es hat besonderes Gewicht, daß sie eben jetzt das kindliche Du in ein gewichtiges und repräsentatives „Ihr" verwandelt. Sie fügt hinzu: „Ich werde Euch zu meinem Vater führen."

Nachdem Witiko dann im Hause des Ritters gastliche Aufnahme gefunden hat, nachdem er erfahren, daß sowohl sein Vater wie seine Mutter dem Ritter bekannt sind, bekommt das letzte Zwiegespräch zwischen Witiko und Berta besonderes Gewicht:

> „Vielleicht höre ich Euch doch wieder einmal singen, wenn ich wieder einmal komme", sagte Witiko.
> „Kann sein, wenn Ihr denkt und singt wie der Wald", entgegnete sie.
> „Ich habe gejauchzt, sagte er, singen kann ich nicht, aber denken wie der Wald."

Es gehört zur Stilisierungskunst Stifters im „Witiko"-Roman, daß an den Schluß solcher Gespräche, die in ihrer strengen Einfachheit in Rede und Gegenrede verkettet sind, etwas hervordringt, was ganz unauffällig scheint, plötzlich wie ein Blitz erhellend wirkt. So geht es mit Bertas Zuruf: „wenn Ihr denkt wie der Wald", und mit Witikos Antwort: „singen kann ich nicht, aber denken wie der Wald."

Das ganze Epos in ungebundener Rede wird sich unter dies Wort gestellt finden: Witiko wird immer denken wie der Wald, und nur aus dem ganzen Epos werden wir uns deutlich machen können, was mit solchem Bild gemeint ist. Wir begreifen sofort, daß das mehr als eine Augenblicksmetapher Bertas ist, daß in Witikos Antwort dies Bild sich zu einer symbolischen Wirklichkeit verfestigt, in der erst das Wahrzeichen von der Waldrose seinen unausschöpflichen Untergrund bekommt.

Hier kann uns Jarnos Leitspruch aus „Wilhelm Meisters Wanderjahren" hellhörig machen: „Wer sich zum Gesetz macht, was einem jeden Neugebornen der Genius des Menschenverstandes heimlich ins Ohr flüstert, das Tun am Denken, das Denken am Tun zu prüfen, der kann nicht irren." Mit solchem Grundwort arbeitet Goethe Stifter vor. Stifter aber geht über Goethe hinaus. „Wie der Wald denken" das ist als wenn dem Genius des Menschenverstandes zugemutet würde, aus der Mitbewegung mit dem ganzen wachsenden Leben zu denken. Das will besagen:

Was Stifter mit großer verinnerlichter Kunst um bestimmte Ding-Symbole zusammenzieht, wird zugleich aus der gesamten Erzählstruktur heraus mit unerbittlichem Ernst dichterisch bewältigt und überzeugend gemacht. Lange vor dem Abschluß des Romans hat Stifter seine Poetik zusammengefaßt in der berühmten Vorrede zu den „Bunten Steinen" 1853. Gegen den Vorwurf, daß er „das Kleine bilde", erhebt er den Anspruch auf eine Kunst, in der es den Unterschied „groß" und „klein" nicht gibt. Er prägt einen eignen Begriff aus, auf den es ihm ankommt: „Wir wollen das sanfte Gesetz zu erblicken suchen, wodurch das menschliche Geschlecht geleitet wird." Wenn wir zerstörerischen Leidenschaften eines Einzelnen entgegentreten, spüren wir die Befriedigung, daß es uns um etwas Höheres geht. „Es gibt Kräfte, die nach dem Bestehen der gesamten Menschheit hinwirken ... Es ist das Gesetz dieser Kräfte, das Gesetz der Gerechtigkeit, das Gesetz der Sitte, das Gesetz, das will, daß jeder geachtet, geehrt, ungefährdet neben dem anderen bestehe ... Dieses Gesetz liegt überall, wo Menschen neben Menschen wohnen, und es zeigt sich, wenn Menschen gegen Menschen wirken. Es liegt in der Liebe der Ehegatten zueinander, in der Liebe der Eltern zu den Kindern, der Kinder zu den Eltern, in der Liebe der Geschwister, der Freunde zueinander, in der süßen Neigung beider Geschlechter, in der Arbeitsamkeit, wodurch wir erhalten werden, in der Tätigkeit, wodurch man für seinen Kreis, für die Ferne, für die Menschheit wirkt, und endlich in der Ordnung und Gestalt, womit ganze Gesellschaften und Staaten ihr Dasein umgeben und zum Abschlusse bringen." Überall wirkt hier Stifters „sanftes Gesetz".

Dies Gesetz nun umfaßt mit seiner sanften Gewalt auch das „Erhabene", wie es „sich überall in die Seele senkt, wo durch unmeßbar große Kräfte in der Zeit oder im Raume auf ein gestaltvolles vernunftgemäßes Ganzes zusammengewirkt wird". Da gibt es steigerndes „Entzücken, weil das Ganze höher steht als der Teil, weil das Gute größer ist als der Tod". So erreicht Stifter, daß er mit seinem sanften Gesetz beides umspannt, das sogenannte Große wie das Kleine. Er erreicht eine Art Doppelblick:

„Wenn wir die Menschheit in der Geschichte wie einen ruhigen Silberstrom einem großen ewigen Ziele entgegengehen sehen, so empfinden wir das Erhabene, das vorzugsweise Epische. Aber wie gewaltig und in großen Zügen auch das Tragische und Epische wirken, wie ausgezeichnete Hebel sie auch in der Kunst sind, so sind es hauptsächlich doch immer die gewöhnlichen, alltäglichen, in Unzahl wiederkehrenden Handlungen der Menschen, in denen dieses Gesetz am sichersten als Schwerpunkt liegt, weil diese Handlungen die dauernden, die gründenden sind, gleichsam die Millionen Wurzelfasern des Baumes des Lebens."

Stifters Doppelblick bringt hier zweierlei zusammen: den großen Gang der Geschichte als Spiegel des Erhabenen, und den menschlichen Alltag, der aus unendlich vielen kleinen unmerklichen Handlungen besteht. Weil aber in diesen sich wiederholenden unzähligen kleinen Handlungen das „Gesetz" seinen sichersten „Schwerpunkt" hat, drängt sich Stifter abermals ein Bild auf, das uns vertraute Bild vom Wald: als die „Millionen Wurzelfasern" des Lebensbaumes. Zur Geschichte in ihrem ewigen Gang spannt sich die Natur in jedem Einzelnen.

Man hat darin das Widersprüchliche betont, als Antwort Stifters auf die Revolution 1848: „das emotionale Bedürfnis nach dem Beruhenden, Idyllischen, und das metaphysische Bedürfnis nach Größe, nach dem Erhabnen", das sich dem Kosmischen öffnet, damit die Prosa dem Symbol. Fritz Martini (1962) spricht von der „stufenhaften Entfaltung eines das Kleine zum Unbegrenzbaren . . . ordnenden Seinszusammenhangs", vom „Gleichgewicht zwischen Einfachheit und Größe".

Den Zusammenblick des Widersprüchlichen verlegt die jüngste Forschung 1966 in Stifters Erzählhaltung, die solchen Abstand zu nehmen weiß, solchen reinen „Außensicht-Standpunkt", daß alles gleich wichtig zu werden scheint und der Leser gezwungen ist, sich dem „sanften Gesetz" zu öffnen, das hinter allem wirkt, jenseits jeder psychologisierenden Reflexion. Im Leser vollzieht sich, herauszufinden, was hier groß und was klein ist im Gesamtgeschehen. Er stößt auf eine Schlichtheit der Sprache in der Zurückhaltung der Gebärden, der Gesprächsmitteilungen, daß ihm selber aufgegeben bleibt, herauszubekommen: wie weit es dem Menschen gelingen kann, „wie der Wald zu denken".

Karlheinz Rossbacher, in seiner Salzburger Dissertation 1966, spricht hier von einer „literarischen Relativitätstheorie", die eine „neue Relation der Größenverhältnisse" ergibt. Er glaubt sich auch nur dadurch helfen zu können, daß er von der „Doppelbödigkeit der Ausdrucksgebärden" spricht. Derart, daß es Ausdrucksgebärden bei Stifter gibt, die unterirdische Reflexionen verschleiern, als eine Art „Mit-dem-Körper-Reflektieren".

Es berührt zugleich die Frage, wie weit Stifter im Sinn der Schillerschen Polaritäten „naiv" oder „sentimentalisch" sei. Was in Stifter solche Zweipoligkeit zu überschwingen besonders imstande war, ist das neuerdings durch Hermann Frodl ins Licht gerückte Erbe des österreichischen Barock, das mit einer kindlichen Gläubigkeit und Volksmäßigkeit ein unentwegtes Ringen um Ordnungen verbindet, denen das Ungebärdige und Wilde zum Opfer fallen muß. Hier gründet Stifters undurchdringliche Erzählhaltung, die mit ihrem „Außensichtstandpunkt" zugleich die äußerste Distanz in der Plastik des Einfachen erreicht und ein so unmittelbares Mit-Leben mit seinem naiven Helden, in dem „der Wald denkt" und der z. B. als Zweiundzwanziger vor der Versammlung der böhmischen Großen den Mut und die Unbefangenheit besitzt, vor allem das Wort zu wiederholen, das der Herzog für ihn gebraucht hat: „Du blickest ehrlich!" Wenn die Versammlung daraufhin verstummt, dann drückt Stifter hier etwas aus, was man nur mit Rührung bezeichnen kann, Rührung über so viel unbeirrbare Einfalt, die sich eben dadurch überwältigend bezeugt. Das rückt Stifters Haltung hier an die Spuren eines „humanen Humors" heran, wie sie Herman Frodl 1968 ebenfalls aus dem barocken Erbe herausentwickelt hat. Es bestätigt Jean Pauls Formel, daß sich die unendliche Idee des Humors darin erweist, daß „die Vernunft den Verstand mit Licht betäubt", derart, daß „der Humor den Verstand verläßt, um vor der Idee fromm niederzufallen". Es setzt voraus, gegenüber allen Spaltformen romantischer Ironie, daß Stifter eine Grundfrömmigkeit besitzt, in der sich für ihn „das Gleichgewicht zwischen Einfachheit und Größe" unreflektiert und unspaltbar herstellt. In solchem Sinn ist Witiko der potenzierte Stifter, und das Geheimnis seiner Lebensdynamik liegt darin, daß er, der die Welt der Waldleute in Bewegung bringen wird, selber vom größeren Strom des geschichtlichen Geschehens immer mitbewegt ist. In solcher Mitbewegung dringt Stifter selbst in alle Unterströme seines barocken Erbes zurück.

Aber wir haben damit vorausgegriffen und kehren zum Lederreiter zurück, der auf sein großes Schicksal zureitet und damit in die Geschichtsspannung hinein, auf seinem Weg zum Hof des Böhmen-Herzogs Sobeslaw, dem er Dienste anbieten will. Eine erste politische Vorausspannung erleben wir mit, als Witiko dem Scharlachreiter und seinem Gefolge begegnet, der das Gespräch aufs übermütigste einleitet: „Du einzelner Mann, du reitest aus, das Herzogtum Böhmen zu erobern." Was wird Witiko antworten? Es ist eine Antwort, die uns darauf vorbereitet, daß hier ein geborener politischer Mensch spricht, dessen Worte symbolisches Gewicht haben, auch wenn er es gar nicht will. „Was die Eroberung Böhmens angeht, so wird sie dir weit eher gelingen als mir, da du ein solches Geleite hast, und ich allein bin." Man braucht nur den Blick auf die zwölf jungen Männer um den Scharlachreiter zu richten, zur Jagd gerüstet, mit Hüfthörnern, Jagdlanzen, in bunten höfischen Gewändern, Reiherfedern auf den Ritterhauben. Treffender konnte Witikos Antwort nicht sein. Der Scharlachreiter ist davon beeindruckt. Was er jetzt sagt, ist im Stil der Übertreibung doch ein hohes Anerkennen der Distanz, in der sich Witiko hält:

„Unsere Rosse sind gebrechliche leichte Dinge, die dahin rennen, und unsere Gewänder sind Flitter, die ein Stab zerreißt, während dein grauer Zelter, auf dem du im Schritte reitest, breit und fest ist, und deine Gewänder undurchdringlich sind, daß man meinen sollte, du könntest Hostas Burg, die der Herzog jetzt so eilig neu baut, gemach niederreiten."

Besser konnte Stifter, der Epiker, seinen Helden Witiko gar nicht charakterisieren als er es hier den Scharlachreiter tun läßt. Witiko, der Zwanzigjährige, wie wir schon wissen, macht den Eindruck eines felsigen Mannes, undurchdringlich, fest und breit, mit der Ruhe, in der er im Schritt durch die Landschaft reitet. Wir lassen noch Witikos Antwort folgen. Sie fügt eine weitere Dimension hinzu.

„Und wenn ich die Burg des Hosta und den reichen Wyschrad und das ganze Böhmen niederreiten könnte, so würde ich es nicht tun, so lange Sobeslaw besteht, um dessen langes Leben ihr Gott bitten solltet; aber deines Herzens Gelüsten wäre es, hier zu schalten, weil du die Worte zu mir gesagt hast, die der Schalk dir eingab."

Der Ernst, mit dem hier auf Gott verwiesen wird, nimmt sich damit das Recht, auch den „Schalk" auszusprechen, der den Scharlachreiter in seine Grenzen verweist.

Was an dem kurzen Gesprächseingang deutlich wird, ist Witikos Warnung, mit politischen Dingen nicht zu spaßen, wie es der Scharlachreiter tut. Insofern ist das Gespräch von Anbeginn planvoll gebaut, Stifter fühlt sich mit seinem Epos verantwortlich für jedes hier gesetzte Wort. So dürfen wir jetzt das Gesamtgespräch überschauen, in dem Witiko sich gegen allen Übermut des Gefolges, in dem er nun Aufnahme findet, so behauptet, daß alle sich ihm bekannt machen und daß der Scharlachreiter ihm ein turbulentes Geschichtsgemälde der blutigen böhmischen Geschichte gibt. Balladen in Prosa kann man es nennen, und Witiko nimmt solchen elementaren Anteil, daß er ausruft: „Das sind furchtbare Gerichte." Bis in die unmittelbare Gegenwart führt der Scharlachreiter das geschichtliche Geschehen, um die drei Herzogsbrüder und ihre Zwiste, bis nach dem Tod des großherzigen Wladislaw sein empörerischer Bruder Sobeslaw den Thron besteigt und sich im Kampf gegen den deutschen Kaiser Böhmens Selbständigkeit erneut erkämpft. Auch gegen Mordversuche von Aufrührern vermag er sich zu bewahren und, ohne Rache, ein gerechtes Gericht anzurufen. Unversehens ist so Witiko in die Spannungen des wirklichen Geschichtsgeschehens hineingeritten. Jetzt gibt er selber auch seinen Namen Witiko preis, und zu seiner Überraschung erfährt er, daß der Scharlachreiter, der ihm solch lebendiges Bild aus Böhmens Geschichte gegeben, selber der Sohn des verstorbenen Wladislaw ist, Neffe des Herzogs Sobeslaw. Es geschieht beim Abschied. Witiko aber entschließt sich zu einem Abschiedswort, in dem sich noch einmal sein ganzes Wesen zusammennimmt:

„Wenn du das alles bist, so solltest du ernster sein." Auch das wirkt am Schluß in uns fort wie ein erhellender Blitz. Es gehört zur weltmännischen Haltung des Scharlachreiters, daß er keine Spur von Kränkung verrät und Witiko freundlich verabschiedet: „Lebe wohl, und finde dein Glück!"

Wir aber begreifen, daß wir einer symbolischen Begegnung beigewohnt haben, zwischen dem Helden, der sein Glück sucht und sich darauf zubewegt, und zwischen dem, der als der künftige Herzog von eben dem Geschichtsgeist, den er hier beschworen hat, mitbewegt werden wird in der Sorge um das Ganze. Witiko aber wird ihm zureiten.

Zwei Jahre später finden wir Witiko am Hof des Herzogs Sobeslaw, der im Sterben liegt. Witiko hat ihm als Reiter gedient und sich beim Zug gegen die Sachsen so hervorgetan, daß der Herzog ihm einen wichtigen Auftrag gibt. Witiko soll nach Prag reiten zur Großversammlung der Obersten des Herzogtums, die über die Nachfolge beraten werden. Der Herzog will genau wissen, was da geschehen wird. Seine Begründung ist einfach: „Du gehörst keinem Vornehmen meines Reiches an, du blickest ehrlich, und wirst mich nicht verraten." Witikos Gegenfrage ist eine politische Frage: „Wenn ich die wahre Nachricht zurückbringe, wirst du dann gegen die deines Landes, die dir zuwider handeln, feindlich verfahren?" Witiko weiß bereits, um was es geht. Werden die Großen den jungen Sohn des Herzogs anerkennen, den er ihnen vor zwei Jahren als Nachfolger unter Eid aufgezwungen hat? Oder werden sie ihn mit seinen 21 Jahren für zu jung halten und nach einem älteren suchen? Der Herzog beruhigt Witikos Gewissen. Und Witiko reitet nach Prag.

Auch das ist eine symbolische Begegnung. Zum ersten Mal entfaltet sich im Epos großes politisches Geschehen, mit vielen Reden und Gegenreden, alle von der Sorge um die Zukunft des Herzogtums mitbewegt. Witiko aber wird seinen Auftrag so ernsthaft ausführen, so wortwörtlich erfüllen, daß er sich über jede Konvention hinwegsetzt und bis ins Gremium der höchsten Würdenträger vordringt. Witiko also bewegt sich eigenwillig in die Mitte des politischen Geschehens. An den Wellen des Mißtrauens, die ihm entgegenschlagen, kann er ermessen, was er getan. Zunächst einmal wird er als Spion des Herzogs angesehen. Alle, die ein schlechtes Gewissen haben, wollen ihn unschädlich machen. „Werft ihn in den Turm." Was er anstrebt, ist „Verrat am Vaterlande". Ein Junger fordert: Laß ihn „an einem Pfahl aufhängen". Ein alter Böhme, namens Bolemil, gibt einen Rückblick auf die blutige Geschichte Böhmens und warnt davor, wieder einen Nachfolgestreit hervorzurufen. Eben darum aber will er keine Gewaltsamkeit gegen Witiko. Dann ergreift der Führer der Versammlung das Wort und fordert, daß Witiko zunächst einmal angehört wird. Das ist eine erste Öffnung für den politischen Augenblick.

Witikos große Bescheidenheit erwirkt Vertrauen. Und als er zur Beglaubigung ein goldenes kleines Kreuz vorlegt, das ihm der

Herzog persönlich gegeben hat, darf er weitersprechen. Seine Bescheidenheit sucht unwillkürlich ein Bild, das jede menschliche Willkür ausschließt, ein Bild, das verdinglicht: „Ich selber komme nicht in Betracht, so wenig wie ein Stücklein Papier, darauf eine hohe Hand eine Zeile geschrieben hat, die man findet und achtet."

Das gefällt den Mächtigen. Es folgen Ausrufe: „Das ist ein treuer Knabe." „Das ist ein mutiger Mann." Das Mißtrauen schwindet. Und nun folgt die Frage, mit der Stifter hier die höchste Steigerung vorbereitet:

„Warum hat der Herzog nicht einen Lechen des Reiches an die Versammlung gesendet? Warum hat er nicht geharrt, bis ihm einer aus dieser Versammlung die Nachricht bringt, sondern hat dich, fast einen Knaben, geschickt?"

„Ich weiß es nicht", antwortete Witiko. „er hat gesagt: du blickest ehrlich, du wirst meinen Auftrag vollführen".

Das ist der Augenblick, den wir schon vorweggenommen haben, um ihn gebührend hervorzuheben. Der Versammlung verschlägt es geradezu den Atem. Sie verstummt, und als Witiko erklärt hat, er sei nicht gekommen, zu reden, nur zu hören, tritt ein Umschwung ein. Ausdruck des Umschwungs wird die Rede des Bischofs von Olmütz Zdik, dessen Geschick später noch besonders mit Witikos Geschick sich verbinden wird. Er ist der erste, der aus dem Herzen spricht. Nachdem er den Ruhm des Herzogs hochgehoben hat, geht er vom Zustand des Sterbenden aus. „Wir sind ihm Mitleid schuldig, lasset uns den Zwischenfall mit Mitleid lösen, wie er nur zu lösen ist." Er läßt sich mitbewegen von dem, was den Sterbenden bewegt hat. Dessen Vertrauen zu Witiko nimmt er in sich auf und begreift, was der Herzog will. „Der junge Reiter sollte ergründen, was geschehe, und es dem Herzog melden." Von jener selben Ehrlichkeit getragen, die aus Witikos Worten spricht, klärt er die Lage des geschichtlichen Augenblicks. Es geht allein um das Heil Böhmens; alles was hier zu beraten ist, hat das Licht nicht zu scheuen. Also darf es auch des Herzogs Bote hören. Es geht darum, daß der Herzog sterben wird, ohne seinen Sohn zur Herzogswürde herangebildet zu haben. „So spreche ich, der ich für alle mitsorgen möchte." Solche echte Mitsorge überträgt der Bischof auf alle in der Versammlung. So wird dann Witiko ein Sitz angeboten, und es ist ihm vergönnt, an der sorgenden Mitbewegung teilzunehmen, die jetzt alle weiteren Reden erfüllt.

Keineswegs sind dabei alle von der Sorge ums Ganze bewegt. Viele denken nur an sich, wenn sie sich gegen den aufgezwungnen Herzogssohn wenden. Einige wollen überhaupt keinen Herzog mehr, nur die Freiheit der Barone. Aber die kleineren fürchten gerade diese Freiheit, unter der sie zu leiden haben. Und so kommt es zu andern Vorschlägen, Konrad von Znaim, oder Wladislaw, Neffe Sobeslaws, Witikos Scharlachreiter. Beide sind Nachkommen des sagenhaften Primislaw. Dann steht auf Sylvester, Bischof von Prag, und fordert, sich an den Eid zu halten und Sobeslaws Sohn zu wählen. „Die Hand des Meineidigen verdorrt." Der alte Bolemil tritt ihm bei, indem er nochmals die blutige Geschichte Böhmens beruft. „Wie wenige gibt es, die zu wählen verstehen."

Noch einmal ergreift der Bischof Zdik das Wort. Er war es, der an die Ehrlichkeit appellierte, unter dem Eindruck Witikos. Er stellt sich Bischof Sylvester entgegen. „Wenn wir das Versprechen nicht halten, so begehen wir keine Sünde." Denn die Lage ist eine andre. Sobeslaws Sohn ist zu jung, zu weich, für die verwirrten Zeiten. Und so schlägt Bischof Zdik jetzt Sobeslaws älteren Neffen vor, als den Besten, Sohn eines großmütigen Vaters, Wladislaw, Witikos Scharlachreiter. Es zeigt sich, daß er die Jugend für sich hat. Und auch die Stimme der Barone, für die der reichste, Nazerat, spricht. Mit großer Mehrheit wird Wladislaw gewählt. Einen Mißklang bringt nur noch der Bischof Sylvester. Als Seelenhirt Böhmens widerspricht er der Wahl und legt sein Bischofsamt nieder. „Die Strafe wird auf die Häupter des Meineids fallen."

Damit ist dies geschichtliche Großereignis zu Ende. Witiko reitet zum Herzog und berichtet. Des Herzogs Dank für Witikos Mut, in die Versammlung selber vorzudringen und ihm die echte Wahrheit zu berichten, ist groß. Des Herzogs Gattin übergibt ihm reiche Gaben. „Bleibe so, wie du jetzt bist." Witiko darf noch mit anhören, wie der Herzog zum Sohne Wladislaw spricht: „Unterwirf dich. Nazerat wird gegen Wladislaw nicht siegen." Dann stirbt der Herzog. Witiko erlebt auch das Sterben mit. Dann reitet er nach Prag und wird vor den neuen Herzog gerufen, der ihn seines Wohlwollens versichert. Witikos Antwort aber lautet: „Hoher Herr, ich bitte dich, daß du mich jetzt noch meiner Wege gehen läßt." Der Herzog entläßt ihn im gleichen Wohlwollen. „Ich befehle, daß ihn niemand beschimpft oder verletzt." Witiko reitet in den Wald zurück, setzt sich an seinen Tisch und sagt nur „Hier bin ich also". Hier können wir den Epiker großen Stils besonders eindrucksvoll am Werke sehen. Was er in den Reden und Gegenreden bietet, ist geschichtliches Geschehen, im lebendigen Fluß der Kräfte und Gegenkräfte, aufgeschlossen dem unmittelbaren geschichtlichen Augenblick, wie ihn das drohende Ableben des Herzogs hervorruft. So wie Stifters Eingangssatz beides zusammensieht, Geschichtsgeschehen und Ausritt des Einzelnen, so ist in die Mitte der Versammlung der Großen Witiko gestellt, als unscheinbare, nur still aufnehmende Figur, und doch mit welchem unbeirrbaren Mut zugleich, im Auftrag seines Herrn. Was ihm die Gemüter aufschließt, die ihm anfangs durchaus entgegenstehen, ist ein Akt der Seelentapferkeit, der Reinheit des Herzens wie Rechtlichkeit voraussetzt, die sich dem Gefüge verantwortlich weiß. Welche wahrhafte Einfalt gehört dazu, die Worte des Herzogs zu wiederholen: „Du blickest ehrlich", ohne sich gehemmt zu fühlen, einzig aus dem Impuls eines Selbst, das aus dem Ganzen denkt, tief davon durchdrungen, das Rechte zu tun.

So vermag Witiko seinen Impuls als bewegende Kraft der Versammlung zuzuleiten, und indem er sich in sie einfügt, unaufdringlich, aufgeschlossen, unbefangen, mitbewegt vom ihn umflutenden politischen Geschehen, wirkt er selber auf die Gemüter ein, durch die Stimme des Bischofs Zdik, der sich zum Mitleiden mit dem Sterbenden, und zur Mitsorge um die Zukunft des Reichs berufen fühlt. Witikos alle Widerstände überwindende Ehrlichkeit wirkt auf den Bischof so bestimmend nach, daß er genau das zu tun empfiehlt, was der geschichtliche Augenblick fordert, sogar gegen den Einspruch des Gottesmanns, der die Meineidigen verflucht. Es ist der Durchbruch durch jede Art Konvention, der zur Neuwahl führt. Es ist die alle ergreifende Mitbewegung mit dem geschichtlichen Geschehen, die sich hier durchsetzt. Witiko selbst aber, der den Anstoß gegeben, findet sich nach dem Erlebnis dieser Wahlversammlung der Großen auf sich selbst zurückgeworfen. Was in ihm vorgeht, erfahren wir nur aus seinem Tun. Er bittet, ihn seiner Wege gehn zu lassen. Es ist keine Absage. „Ich möchte nur meine Gedanken sammeln." Dazu geht Witiko in den Wald.

Was anders erleben wir hier als daß Witiko sich im Walde sammelt, um „wie der Wald zu denken". Die Frage bewegt ihn, wo für ihn „das Rechte" liegt, zwischen dem Sohn seines Herzogs, dem er gedient hatte, und der rechtmäßig gewählt war, und zwischen dem Neugewählten, den die Not der geschichtlichen Stunde berief.

Mit welchem langen epischen Atem wird hier erzählt, und mit welchem Abstand zu allen Figuren, zum Helden Witiko ebenso wie zu denen, die hier vom geschichtlichen Geschehen bewegt werden. Stifter selbst ist es, der sich vorgenommen hat, „wie der Wald zu denken", ganz in denen zu sein, die die Welt bewegen, und ganz in denen, die durch die Geschichte bewegt werden. Einzig die Größe der Aufgabe, die alle Gestaltkräfte forderte, setzte Stifter in den Stand, jenen undurchsichtigen Doppelblick unbeirrbar festzuhalten, der ganz über den Dingen steht und ganz sich von ihnen mitbewegen läßt.

Abermals verläßt der Dichter jetzt vorerst den Gang des geschichtlichen Geschehens, nachdem er noch in einer kurzen Szene gezeigt hat, mit welchem Takt und großzügig-gerechtem Sinn der neue Herzog die Gattin des Toten tröstet, ihr Lebenssicherheit auf ihrer Burg gewährt und dem Sohn eine Zukunft bietet. Für fast zwei Jahre verschwindet Witiko inzwischen im Wald, unter seinen Waldleuten. Er beginnt mit ihnen zu leben, sich wie sie zu kleiden und mit ihnen Gespräche zu führen. Sie lernen von ihm, aber er auch von ihnen, wie man den Forderungen begegnet, die der Alltag im Waldleben stellt. Sehr viel später erst wird Witikos künftiger Schwiegervater die Formel dafür prägen: „In dem Walde stehen noch viele Dinge bevor, und Ihr, Witiko, habt ein Werkzeug gefunden, die Dinge hervorzurufen, die Zuneigung der Leute, und Ihr habt die Art, die Dinge zu rufen, und die Klugheit, und jetzt auch die Macht." Damals allerdings hat Witiko die Macht noch nicht. Aber er beginnt „wie der Wald zu denken". Dazu gehört es, daß er nach einiger Zeit auch beginnt, die größeren Herren in der Nachbarschaft im Walde zu besuchen. Es gibt einen Querschnitt durch die Struktur. Das erste, was Witiko erfährt, ist, daß sein Auftreten auf der Ratsversammlung ihn überall bekannt gemacht hat. Die Gespräche, die er führt, sind immer politische Gespräche, um die Grundfrage, wie der neue Herzog regiert, wie weit er die Großen in Zucht zu halten vermag. Vom Nachbar Rowno hört er: „Im Walde geht es auch vorwärts, Witiko. . . . Wir dehnen unsre Besitzungen gegen den Wald aus, du mußt auch streben, Witiko, gleiches zu tun." Er hört auch von Rowno den Satz: „Es ist immer nur einer gewesen, der der Stifter eines großen Geschlechtes geworden ist." Beim alten Nachbar Lubomir, der in einer Burg lebt, kann er hören: „Alle Menschen suchen ihre Zukunft. Wenn sie es nicht täten, so käme das Leben zum Stehen." Eben das kann im Wald nicht geschehen. Dafür sorgen die Waldleute, mit ihrem stillen starken Wachstum. Bei Diet von Wettern muß Witiko den Verdacht abwehren, daß er gern den Sohn des Sobeslaw zum Herzog gehabt hätte. Ein Gespräch mit Diet hat auch zukunftbewegende Kraft:

„Dort sollte eine Burg stehen", sagte Witiko.
„Wenn ich dessen mächtig wäre, ich hätte sie schon gebaut", antwortete Diet.
„Etwa baut sie einmal einer deines Geschlechtes", entgegnete Witiko.
„Oder ein anderer, wer kann das wissen", sagte Diet.

Es ist die Stelle, an der in vier Jahren die Witikoburg stehen wird. Noch einen Schritt tiefer ins Prophetische hinein wird Witiko geführt, als er sein Eigentum in Böhmen aufsucht, ein weißes Steinhaus am Wangelschlage, das in der Obhut des alten Böhmen Huldrik steht: „So ist meine Bitte im Himmel erhört worden, und meine Augen sehen auf dieser Stelle Witiko, von dem Heil ausgehen wird."

Alle Besuche Witikos sind als Großereignisse vom Dichter dargestellt, mit epischer Freude, Festlichkeit, Anschaulichkeit. Während in den Gebärden und Gesprächen etwas Zeitloses zelebriert wird, ganz durchwirkt mit Typenzügen, ins Dauernde verfestigt, geht ein mächtiges unterirdisches Bewegen auf die Zukunft zu hindurch. Das gilt es herauszuheben, will man Witikos Leben im Walde richtig sehen. Wenn hier eine Stille ist, ist es Stille vor dem Sturm. Eines könnte dabei auffallen, daß Witiko keinen Besuch beim Ritter Heinrich und seiner Tochter Berta macht, die er sich zur künftigen Gattin im Herzen bereits erwählt hat. Aber eben auch das gehört zu der Art, wie Witiko denkt: ganz aus der Tiefe seines Walddenkens her: solange er noch nichts vor sich gebracht hat, solange er nicht einmal weiß, wem er dienen soll, solange er wie seine Waldleute in der vorbereitenden Stille lebt, solange darf er es sich nicht herausnehmen, Berta wiederzusehen.

Alsbald dann überstürzen sich die Ereignisse. Auf einer Versammlung beim mächtigen Böhmen Nazerat muß Witiko miterleben, daß die Großen unzufrieden sind mit dem neuen Herzog, weil er sie nicht in ihrer Macht ausschweifen läßt wie sie wollen, sondern strenge Zucht übt. Was sich zusammenzieht, ist der Bürgerkrieg, der in Mähren gegen den Herzog vorbereitet wird. Es ist im Jahr 1142. Witiko sammelt die Waldleute um sich, Peter Laurenz den Schmied, Tom Johannes den Fiedler, David den Zimmerer,

Stephan den Wagenbauern und viele andere. Als Witiko ihnen sagt, daß die Barone sich gegen den Herzog empört haben, erklären sich alle bereit, mit ihm zu ziehen. Er trifft Rowno bereits im Aufbruch, und Lubomir schon nicht mehr in seiner Burg. Lubomirs Gattin gibt ihm den Rat: „Sei eingedenk, das Rechte zu tun." Darnach stößt Witiko auf den Sohn des verstorbenen Herzogs, den jüngeren Wladislaw, er wird von ihm als Freund angesprochen und erfährt, daß zum neuen Führer Konrad von Znaim erwählt sei, dem sich alle Aufrührer unterordnen, auch Sobeslaws Sohn. Jetzt wendet sich Witiko offen von ihm ab. „Du hast dein Recht selber hingeworfen." Nun kann es für Witiko nur noch einen rechtmäßigen Herzog geben, Wladislaw, Sobeslaws Neffen, den Scharlachreiter. Ihm reitet Witiko mit seinen Waldleuten zu.

Im Gefolge des Herzogs erlebt Witiko noch, wie Wladislaw dem aufrührerischen Nazerat entgegentritt: „Du bist nie an der Spitze eines Volkes gestanden, das dir traut, und dem dein Gewissen entgegenschlägt. Du kennst nur dein Gelüste, und die Macht, die du gegen das Volk ausüben möchtest." Darum muß die Schlacht entscheiden. Witiko ist jetzt mit ganzem Herzen bei denen, die von der Sorge um Böhmen bewegt sind. Mit seinen Waldleuten erlebt er seine erste Schlacht. Sie haben ihn sich zu ihrem Führer gewählt. Neben ihm kämpfen die Waldleute um Rowno und die um Diet von Wetteren. Den Oberbefehl über alle Waldleute hat der Herzog einem aus seinem Gefolge gegeben.

An den Anfang der Schlacht hat Stifter für Witiko einen homerischen Augenblick gestellt. Witiko liebkost sein Pferd: „Nur heute bleibe treu." Das Pferd gibt ihm Zeichen der Liebkosung zurück. Witiko hat im weißen Schild in der Mitte die fünfblättrige Waldrose. Laut spricht er sie an: „Wenn es wahr ist, Rose, daß du schon einmal geblüht hast, so blühe wieder." Solche poetische Steigerung soll kund tun, was für Witiko sein erster Schlachtengang bedeutet.

Witiko mit seinen Waldleuten ist es dann vergönnt, in der Schlacht die Lücke zu schließen, die durch Verräter aufgerissen wurde. Damit helfen sie die Schlacht entscheiden.

Witikos Umsicht bewährt sich erst ganz, als der vom Herzog eingesetzte Führer gefallen ist. Witiko erkennt den Umfang der Lücke, setzt Nachbarverbände mit ein, läßt sich vom Herzog einen Trupp Reiter geben, die er in die Lücke hineinreitet. Die den Verrat ausnutzenden Aufrührer unter Nazerat werden zurückgeschlagen, Nazerat selbst wird vom Pferd gestochen, seinen Sohn erschlägt der Schmied mit der Keule. Es ist, als wäre Witiko ausersehen, den Fluch gegen die Verräter, den der Bischof Sylvester ausgestoßen, zu erfüllen. Unter den vielen, denen der Herzog feierlich Dank abstattet, ist auch Witiko mit den Waldleuten. „Ihr seid gewesen wie das Pech eures Waldes und seid kleben geblieben." Später heißt es dann noch einmal: „Männer des Waldes, Ihr habt eigentlich den Tag gerettet." Die Waldleute sind es, die noch einmal ihren Führer Witiko rühmen. Witiko erhält jetzt den Oberbefehl über alle Waldleute.

Der Herzog muß sich entschließen, nachdem er durch den Verrat um den entscheidenden Sieg gekommen ist, eine zweite Feldschlacht zu vermeiden und sich auf Prag zurückzuziehen. Die Rede, die er vor dem versammelten Heer in Prag hält, drückt alles aus, was Witiko erfüllt. „Wir kleinen Menschen können das Höchste nicht sehen; aber wir, die wir hier versammelt sind, glauben, daß wir auf dem Rechte stehen, und wir müssen das Recht mit der Herzhaftigkeit und der Einsicht, die wir haben, zu Ende bringen." Wladislaw berät sich dann mit allen Mächtigen, wie er der Übermacht der Aufrührer begegnen soll. Er erreicht die Zustimmung aller, daß er Prag verteidigt und selbst den deutschen König Konrad, seinen Schwager, auf dem Reichstag in Nürnberg aufsucht, um das deutsche Reichsheer zu Hilfe zu rufen. Während Stifter jetzt die Belagerung Prags im homerischen Schlachtenstil und zugleich nach den Chroniken faktentreu darstellt, unter Leitung von Wladislaws Bruder Diepold und der heldenmütigen Herzogin, nimmt der Herzog Witiko mit nach Nürnberg. So reitet jetzt Witiko in die größere geschichtliche Reichsspannung hinein, erlebt Konrad den Hohenstaufen, den künftigen Friedrich Barbarossa und alle Großen des Reichs. Auch ihre Reden, die sich auf sofortige Hilfe für Wladislaw, den Schwager des Königs Konrad, einigen. Als dann das glänzende Ritterheer der Deutschen zum Entsatz von Prag herannaht, hat Witiko bei Pilsen seinen bisher größten Augenblick.

Der Epiker bewältigt eine turbulente Schlacht-Episode. Witiko als Führer der Vorhut trifft auf drei der Aufrührer-Herzöge: Wratislaw von Brünn, Otto von Olmütz und Wladislaw, Sohn des Sobeslaw. Witiko belauscht ihr Gespräch mit Spionen aus Konrads Heer. Sie schildern mit entsetzten Worten, wie riesengroß das deutsche Heer ist, viermal, sechsmal, zwölfmal größer als die Mähren. Eben jetzt gelingt es Witiko und seinem Freund Odolen, die Herzöge zu umzingeln, mit großer Übermacht. Odolen will sie töten.

Witiko stemmt sich dem entgegen. Er redet die Herzöge an: „Erhabne Söhne des Primislaw." Er befragt sie, ob sie sich unterwerfen wollen. Sie schweigen, ihre Leute beschimpfen Witiko, Odolen nimmt den Augenblick wahr, den Herrn dieser Situation zu spielen. „Ich befehle euch, legt eure Schwerter nieder." Witiko redet ihm entgegen. Kampf wäre Mord, und „wir morden nicht". Witiko spricht mit der Stimme der Vernunft: die Herzöge sollen zurückreiten, ihr Heer auflösen, weil jeder Kampf vergeblich wäre. Während beide noch streiten, wird Witiko angegriffen, muß den Angreifer vom Pferd stürzen. Der Kampf hat begonnen. Der Ausgang kann bei der Übermacht nicht zweifelhaft sein. Da vollführt Witiko mit seinen Reitern eine Schwenkung, öffnet eine Lücke, durch die die Herzöge entfliehen.

Für Odolen und seine Schar ist das „Verrat". Witikos Leute schützen ihn. Odolen deckt Witiko. „Er ist ein Tor. Ich werde ihn zum Gericht führen." Sogleich beherrscht Witiko die neue Lage. Er gibt sich Odolen gefangen, übergibt ihm den Befehl über seine Leute. Inzwischen sind die Herzöge entflohen, sie können nicht mehr eingeholt werden. Witiko meldet alles dem Herzog. Der Herzog beläßt ihm sein Schwert. Aber er ordnet ein Kriegsgericht an.

Das Gericht findet erst in Prag statt, nachdem die Stadt entsetzt ist, der Gegner sich zerstreut hat, und nachdem das deutsche Reichsheer bereits wieder den Rückweg nach Deutschland angetreten. Odolen gibt seinen Bericht, Witiko gibt seinen Bericht. Er gesteht, daß er mit Absicht die Herzöge habe entrinnen lassen. Sie sollten dazu geführt werden, ihr Heer aufzulösen, aus Furcht vor der Übermacht. So lehnt Witiko den Vorwurf des Verrats ab. Er bekennt sich schuldig, gegen das Kriegsgesetz gefehlt zu haben.

Des Herzogs Urteil ist salomonisch. Witiko hat keinen Verrat geübt. Aber weil er gehandelt hat, als wäre er der Herzog selbst, hat er des Herzogs Recht verletzt und wird vom Hof verbannt. Witiko führt seine Waldleute in den Wald zurück.

Stifter hat diese Episode zu einer Achse des ganzen Epos gemacht. Witikos Handlungsweise erfährt immer weitere Aufhellungen, die Witikos weitblickende Klugheit im Nu des geschichtlichen Augenblicks aufleuchten lassen. Bereits als das Kriegsgericht erging, war offenbar, daß Witikos Absicht erreicht war: die Herzöge hatten ihrem Anführer Konrad von Znaim so zugesetzt, daß er keine Schlacht mehr lieferte. Sehr viel später wird der Herzog selbst Witiko zugestehen, daß durch seine Handlung die Schlacht vor Prag unterblieb und daß infolgedessen die Hilfe des deutschen Reichsheers nicht mehr nötig war. Witiko benutzt die Aussprache mit dem Herzog, um noch eins dazu zu sagen. Wenn damals die drei aufrührerischen Fürsten als Gefangene eingebracht worden wären, hätte der Herzog sie aburteilen müssen. Das Urteil wäre in jedem Fall schwierig geworden. Als nach der letzten Schlacht Wratislaw von Brünn gefangen vor den Herzog geführt wurde, erklärte er: „Witiko, daß du uns verächtlich entrinnen ließest, hat mich mehr gekränkt als die tollen Worte des wilden Odolen. Rede nicht, du hast klug und rechtlich gehandelt. Wir haben Konrad von Znaim geraten, die Belagerung Prags aufzugeben."

Hier wird Witikos Handlungsweise „klug und rechtlich" genannt. Wir erkennen, worum es Witiko gegangen ist, und worum es dem Dichter selbst geht bei Witiko: immer „das Rechte" zu tun, auch wenn es sein muß, gegen die Konvention, selbst gegen den Vorwurf des „Verrates". Es geht um das „Rechte". Das aber ist kein abstrakter Begriff, sondern es schließt stets den Augenblick ein, wo es verworrenen Situationen abgerungen werden muß als ein einmaliger Entschluß. Es muß ein Entschluß sein, in dem der, der hier handelt und Bewegungen einleitet, selbst im tiefsten mitbewegt sein muß vom Ganzen des geschichtlichen Geschehens. Er muß das Ganze im Blick haben. Was aber ist das dann wiederum anders als daß Witiko „wie der Wald gedacht hat". Sein Entschluß ist in ihm gewachsen, so gesetzhaft wie wenn der Baum im Wald Wachstumsringe ansetzt.

Stifter hat sich damit aber noch nicht genüge getan. Witiko kehrt nach dem Gerichtsspruch des Herzogs auf seiner Heimfahrt in den Wald beim früheren Bischof Sylvester ein, der jetzt im Kloster lebt. Es ist der Bischof, der vor dem Meineid gewarnt hatte. Witiko sucht sein untrügliches Gewissen auf und bittet ihn um Rat. „Erlaubt, daß ich Euch um das Gute frage." Sylvesters Antwort ist eine Überraschung: „Zu dem Guten tut Hilfe nicht not; denn das weiß ein jeder Mensch." Konkret nennt er Wladislaw, Witikos Herrn einen „guten Herzog", wenn auch „durch die Gewalt einer Wahl Herzog". So kann sich Witiko hier bestätigt fühlen. Dann befragt er Sylvester, wie er Witikos Entschluß beurteilt, die Herzöge entrinnen zu lassen, um weitern Krieg zu vermeiden. Sylvester antwortet: „Ich meine, daß es nicht gut ist. Du hast dich dem Herzog als Krieger verpflichtet und hattest nur zu tun, was die Sache des Kriegers ist." Das ist die strengste Entscheidung, etwa vergleichbar der des Kurfürsten von Brandenburg beim Prinzen von Homburg. Doch wie neben dem Kurfürsten Natalie steht und Kleist durch ihr Mitwirken eine versöhnliche Lösung findet, so läßt Stifter Witikos Besuch beim Bischof Sylvester unmittelbar den Besuch bei Berta folgen. Berta aber sagt zu Witiko: „Du hast die mährischen Fürsten entrinnen lassen. Der Herzog hat dich in dem Gerichte darüber geehrt." Witiko darf erfahren, daß Berta über alles unterrichtet ist, was er im Lauf der Jahre getan, und daß sie alles gut und richtig findet. Sie weiß, daß er ins Schild die Waldrose als Wahrzeichen aufgenommen und daß er der Führer der Waldleute geworden und geblieben ist. Darum verlobt sie sich ihm.

Wir dürfen daraus schließen, daß es für Menschen wohl immer eine Vermessenheit bedeutet, „wie der Wald zu denken", daß aber Witiko mit seiner Handlungsweise dem am nächsten gekommen ist, was als das „Rechte" unter Menschen möglich ist. Stifter hat damit das politische Denken um eine Idealform erweitert, die der unbefangnen Weisheit ziemt.

Wir verfolgen Witikos weiteren Weg. Nachdem ihn der Herzog als Führer seiner Waldleute in den Wald entlassen hat, finden wir Witiko auf einer Reise zur Mutter über Passau nach Wien. Die Reise dient einem geheimen Zweck zugleich, den Witiko wahrhaft mit einem Schweigen zudeckt, als wenn er der Wald selber wäre. Witiko führt den aus Mähren vertriebenen Bischof Zdik unvermerkt von Verfolgern nach Passau. Zdiks Dank an Witiko lautet: „Du hast treue Christenpflicht an mir geübt. Möge sie dir im Walde gelohnt werden." Und Witiko antwortet: „Das Glück im Walde ist meinem Herzen lieber als das Glück anderswo."

Witikos Ausritt nach Österreich ist zwar kein Ritt in geschichtliche Spannungen hinein, und die Reise führt aus dem Wald heraus. Was hier durch den großen Epiker sich aufschließt, sind Kontrastwirkungen. Die Gespräche, die Witiko miterleben darf, führen tief in die mörderische Dynamik der Geschichte. Der vertriebene Bischof Zdik durchleuchtet nochmals die blutige böhmische Welt. „Swatopluk ist ermordet worden, weil er gemordet hat." Zdik selbst ist von den Aufrührern vertrieben worden, weil er den Bann gegen sie ausgesprochen hat. Der Bischof von Passau weitet Witikos Geschichtsbild: „Es geschehen Zeichen und Wunder, und Mächte wachsen und vergehen." Er beleuchtet den jähen Aufstieg der Hohenstaufen, und den blutigen Aufstieg der Normannen in Italien. Er spricht vom Wunder der Zeit, der Befreiung des Heiligen Landes, und von der Heimsuchung, als die Reinheit des Herzens verschwunden war. Und vom Krummstab, segensreicher als das Schwert.

Witiko fährt dann zu Schiff auf der Donau von Passau bis Wien, prägt sich alle Schönheiten der unsterblichen Landschaft ein. In Wien findet er die Mutter als Gast der Markgräfin Agnes, Tochter Kaiser Heinrichs IV, Mutter des Markgrafen von Österreich. Auch Witiko wird als Gast aufgenommen. In die Idylle fährt das Gedenken der Kaiserstochter an die Schrecken im Kaiserhause, als Agnes' Brüder vom alternden Vater abfielen, der im Bann war, und als Heinrich V. den Vater aufs grausamste demütigte und durch die Lande jagte, bis in seinen Tod. Heinrich aber starb selber kinderlos, selbst im Bann, und mit jungen Jahren durch ein Geschwür vom Tod gezeichnet. Solche schreckhaften Hintergründe gehören für Stifter zum Gesamtbild, durch das Witiko hindurch geführt werden soll.

Die Begegnung mit der Mutter nach vier Jahren umkreist in feierlicher Gehaltenheit Witikos Geständnis seiner Liebe zu Berta von Jugelbach. Die Mutter warnt ihn, weil sie den Adelsstolz des Vaters kennt, sie warnt vor jeder Art Hoffart in seinen Zukunftszielen. Dann erlebt Witiko noch die höfische Welt des Markgrafen, eine Kontrastwelt, die maniristische Züge zeigt, insbesondre beim Schulfreund, dem Kürenberger, den Stifter geradezu parodistisch malt. Hier spricht Witiko abermals eines seiner Grundworte: „Ich diene meiner Heimat." Meine Waldleute, sagt er, turnieren nicht. Wo sie mit ihren Keulen hinschlagen, geht es gleich ums Leben.

Als Witiko in den Wald zurückkehrt, weiß er bereits, daß es um die Endentscheidung mit den Aufrührern geht. Als Führer der Waldleute kümmert er sich um alles, täglich wird geritten, Waffen geübt, Schwerter geschmiedet, Lanzenschäfte und Keulen aus härtestem Holz gemacht. Er erlebt, daß sie alle spontan dieselbe Waldrose als Wahrzeichen an die Fahnen heften, die er im Schilde trägt. Alle ziehen unter seiner Führung mit, sowie der Herzog ruft. Ein Wort Witikos vor der Schlacht mag genügen: „Haltet nur jetzt alle Bewegungen fest, wie die Wurzeln eurer Bäume den Waldboden in ihrer Ruhe festhalten. Der kleinste Fehler könnte sehr übel sein, und wir müßten schamrot werden vor jedem Strauche unseres Waldes." Witikos Waldleute werden durch eine Schlucht hindurch den Feind umgehen und in die Flucht treiben. Wieder dankt ihnen der Herzog den Sieg. Witiko wird vom Herzog zum Herrn seiner Wälder erhoben und ihm Untertanen und Abgaben zugewiesen. Als

Herr des Waldes kehrt er zurück, sich die Burg zu bauen und Berta heimzuführen. Er baut die Witikoburg in Böhmen. Die Waldrose wird eingemeißelt. Die Forderung des Ritters ist erfüllt: Witikos Rose hat „in die Geschicke des Landes hineingeblüht".

Witiko darf Berta aufsuchen; die Sprache steigert zum feierlichen Ritus jetzt, was durch sechs Jahre das Gesetz der Liebe beiden abgefordert hat. Ins Gespräch der beiden Liebenden nimmt Stifter zusammen, was durch die ganzen Jahre beide aufeinanderzubewegt hat, als Bewußtmachung dessen, was hier in einem Mann und in einer Frau polar ergänzend „der Wald gedacht". Nirgends läßt sich die Stilisierung durch Sprache an den Elementen des Satzes besser aufzeigen als im dritten Gespräch der Liebenden:

> „Was willst du zu mir sprechen, Witiko?" fragte Berta.
> „Du hast an dem schönen großen Steine neben dem Waldsaume vor zwei Jahren zu mir gesagt, Berta", antwortete Witiko: „baue dir ein Haus, Witiko, und wenn dann noch kein Makel an dir ist, folge ich dir und harre bei dir bis zum Tode."
> „Nun baue ich mir ein Haus, und bin gekommen, dich zu fragen, ob ein Makel an mir ist."
> „Es ist kein Makel an dir, Witiko", antwortete Berta.
> „So wirst du mir in das Haus folgen", fragte Witiko.
> „Ich werde dir in das Haus folgen", entgegnete Berta.
> „Und wirst dort harren bis zu dem Tode?" fragte Witiko.
> „Ich werde harren bis zu dem Tode", antwortete Berta.
> „So ist gesprochen, was zuerst gesprochen werden sollte", sagte Witiko. „Berta, Berta, sei mir tausendmal gegrüßt."
> „Sei tausend und abertausendmal gegrüßt, Witiko", antwortete Berta.
> Und sie reichten sich die Hände, hielten sich an denselben und schauten sich in das Angesicht.
> „Berta", sprach Witiko, „du hast gesagt: Ich will, daß dir keiner gleich ist, so weit die Augen blicken, es mögen unten die Bäume des Waldes emporstehen, oder die goldenen Felder der Ähren, oder der grüne Sammet der Wiesen dahin gehen. Nun aber sind mir viele gleich, es sind sehr viele über mir, wirst du mich in hoher Achtung halten können, Berta?"
> „Witiko", antwortete Berta, „als ich jene Worte gesagt hatte, gabst du mir die Erwiderung: Ich will zu dem Höchsten streben."
> „Ich wollte es, und will es noch", sagte Witiko, „und ich habe auch gesagt, daß ich das Ganze tun will, was ich kann."
> „Nun, das Streben ist der Anfang", sagte Berta, „und den Anfang hast du gemacht, Witiko. Ich habe an jenem Steine auch gesagt: Wenn ich dir folge und bei dir harre, dann rede zu den Männern deines Landes, bringe sie zu dem Großen, und tue selber das Große. Ich kann also nicht wollen, daß dir jetzt schon keiner

gleich ist; aber die Jahre werden es nach den Jahren bringen, und einmal werde ich sagen: Witiko, jetzt ist dir keiner gleich."
„Und die Jahre werden nach den Jahren vergehen, und du wirst es nicht sagen können", antwortete Witiko.
„Dann werde ich noch weiter harren", sprach Berta.
„Und wenn du immer harrest", sagte Witiko.
„So weiß ich dich auf dem Wege", antwortete Berta. „Witiko, ich habe gesagt: Wenn du ein niederer Mann würdest, so würde ich als dein Weib von dir gehen, dahin du mir nicht folgen könntest."
„Ich werde niemals ein niederer Mann", sagte Witiko, „und so Berta, in diesen Gefühlen wirst du mein Weib."
„So werde ich dein Weib", entgegnete Berta.

Das Gespräch ist ein Urelement des Stifterschen Epos. Immer nimmt das Miteinander des Gesprächs unterirdische Bewegungen auf, die sich zu Handlungen fortbewegen. Immer steigen Handlungsimpulse aus der Mitbewegung auf, die alle Sprechenden ergriffen hat, oft in Rede und Gegenrede. Beim Gespräch der Liebenden geht es um Formeln der Liebessprache, vor Jahren ausgetauscht und eben jetzt feierlich in die Erinnerung gerufen. Jede Wiederholung bekräftigt die Stärke, Ursprünglichkeit, Einmaligkeit und Zeitlosigkeit dieser Liebe, ihr unbeirrbares Gesetz. Daß sich beide darin wiederholen, steigert die kurzen Sätze ins Rituale. So vollzieht sich die ideale Bewegung aufeinanderzu im Gespräch. Die Ergänzung, die einer im andern findet, führt jeden zum höchsten Bewußtsein seines Selbst, das sich dem andern aufgeschlossen hat. Es wird zur vollkommenen Entsprechung von Ich und Du. Wir können darauf das Wesensbild anwenden, das der Philosoph des Ich und Du geprägt hat, Martin Buber, als generelle Wahrheit: „Die Menschen reichen einander das Himmelsbrot des Selbstseins."

Das Gespräch enthält zugleich eine Steigerung, die aus dem idealen Persönlichen ins Politische übergreift und damit in die Haupthandlung des Epos. Bertas Forderung gipfelt in dem Wort: „Ich will, daß dir keiner gleich ist." Sie fügt Worte hinzu, die aus dem gemeinsamen Waldleben geprägt sind: „so weit die Augen blicken, es mögen unten die Bäume des Waldes emporstehen, oder die goldenen Felder der Ähren, oder der grüne Sammet der Wiesen dahin gehen". Das ist weiblich poetisch gesehen, und also übertreibend. Witikos Antwort ist von einer tieferen Erinnerung mitgeprägt, die auf ein Gespräch Witikos mit seiner Mutter zurückgeht. Da hat er Berta gerühmt, die die schlechten Taten haßt und die großen und herrlichen liebt. Er hat Bertas Worte der Mutter wiederholt: er solle tun, daß ihm keiner gleich sei in dem Felde der goldenen Ähren und in dem Walde der Wipfel der Bäume." Da hatte die Antwort der Mutter gelautet: „Strebe nicht mit Hoffart nach deinem Ziele." Dies Mutterwort klingt in Witikos Antwort nach: „Es sind sehr viele über mir", und es werden stets viele über Witiko bleiben. So vollzieht sich im Zwiegespräch und im Austausch der Meinungen zwischen dem Mann und der Frau eine Klarheit des Denkens, die das romantische Zuviel zurückdrängt um der Sache willen. Berta legt es dahin aus, daß Witiko nie ein niederer Mann werden wird. Darin spricht sie Witikos Wesen aus. Wenn er weder nieder noch hoffärtig sein kann, sondern die genaue Mitte hält, bestätigt sich im Liebesgespräch, was der ganze Roman bezeugen wird. Und so scheint auch dies Gespräch zu erfüllen, wozu Berta einst Witiko aufgefordert hat: „wie der Wald zu denken", unter dem Wahrzeichen der Waldrosenblüte.

Nachdem wir das Gesamtgeflecht des Romans so bis ins Einzelne immer wieder auf das Waldrosen-Dingsymbol und seinen lebendigen Waldgrund bezogen haben, dürfen wir jetzt auf Goethes Symbol-Formel zurückgreifen, die er 1820 geprägt hat: „Es ist nach unserem Ausdruck ein Symbol . . . Es ist die Sache, ohne die Sache zu sein, und doch die Sache. Ein im geistigen Spiegel zusammengezogenes Bild, und doch mit dem Gegenstand identisch." Beide, Berta wie Witiko, leben mit den Gesetzen des Waldes. Beide denken, wenn sie Zwiesprache halten, „wie der Wald". Sie sind nicht der Wald selbst, sie sind „die Sache, ohne die Sache zu sein". Und sie sind doch mit dem Gegenstand identisch, insofern sie bis in den Lebensuntergrund mitbewegt sind vom geschichtlichen Waldgeschehen, ihm so eingefügt wie Wald-Dinge, und entschlossen, immer das zu tun, „was die Dinge fordern".

Hier dringt ein Begriff herauf, dem der Dichter erst auf dem Höhepunkt des geschichtlichen Geschehens seine volle Würde gegeben hat. Der höchste kirchliche Würdenträger, der Abgesandte des Papstes, Kardinal Guido, der soeben kraft seines Amtes die besiegten Aufrührer wieder unter die Gnade der Kirche gestellt und mit der Gewalt seiner Rede ihr Gewissen geweckt hat, so daß sie alle öffentlich den Herzog Wladislaw um Verzeihung gebeten haben, derselbe Kardinal Guido würdigt Witiko einer Privataudienz. Dabei kommt es zu folgendem Gespräch:

Dann sagte der Kardinal: „Mein junger Sohn, du hast der Kirche in der Bedrängnis gedient, und du hast im Streite die Friedfertigkeit angestrebt."

„Hocherhabener kirchlicher Fürst", sagte Witiko, „ich suchte zu tun, wie es die Dinge fordern, und wie die Gewohnheit will, die mir in der Kindheit eingepflanzt worden ist." „Und der Glaube, mein Sohn, den der gute Priester Benno in dein Herz gesenkt hat", sagte der Kardinal. „Du hast an dem Sonntage im Walde, da nirgends eine Kirche war, den Tag gefeiert, dein Tier hat geruht, und du hast in der Einsamkeit der Bäume gebetet. Und wenn du zu tun strebst, was die Dinge fordern, so wäre gut, wenn alle wüßten, was die Dinge fordern, und wenn sie alle täten, was die Dinge fordern; denn dann täten sie den Willen Gottes."

„Oft weiß ich nicht, was die Dinge fordern", sprach Witiko. „Dann folge dem Gewissen, und du folgst den Dingen", sagte der Kardinal.

Es ist Witikos Bescheidenheit, die sich die rühmenden Worte des Kardinals zurückvereinfacht auf die Formel: „Ich suchte zu tun, wie es die Dinge fordern", und soweit hier geschichtliche Wurzeln liegen, auf die „Gewohnheit, in der Kindheit eingepflanzt". Der Kardinal gibt Witikos Worten die Weltweite, die seinem Weisheitsblick entspricht. So zieht er die religiöse Dimension hinein: „der Glaube" und er erinnert Witiko an den Lehrer seiner Passauer Klosterschule, den „guten Priester Benno". Weiterhin nimmt er Witiko als den, der aus dem Walde kommt und mit dem Walde lebt. Seine Worte können Witiko erinnern, daß er an jenem Schicksals-Sonntag, an dem er zum ersten Mal Berta begegnet ist, vorher im Walde gebetet hatte. Dann nimmt der Kardinal Witikos Formel auf und weitet sie aus: „so wäre gut, wenn alle wüßten, was die Dinge fordern, und wenn alle täten, was die Dinge fordern." Damit meint er den Geist der Geschichte, von dem alle mitbewegt werden, und er deutet an, daß Witiko an ein Weltgeheimnis gerührt hat: wenn alle ganz von der Mitbewegung getragen sind, dann sind sie von den Gesetzen der Tiefe getragen, von dem Willen Gottes, von den Schöpfungsmächten, die in der Geschichte ihren genauen, unerbittlichen, erhabenen und zugleich unmerklichen Gang gehen. Wieder ist es Witikos Bescheidenheit, die das Kardinalsgespräch weiterführt: „Oft weiß ich nicht, was die Dinge fordern." Witiko berührt selber das Rätsel, das in der Vereinfachung seiner Ding-Formel liegt: daß man alles und nichts damit meinen kann und daß solche Vieldeutigkeit ratlos macht. Aber der Kardinal weiß Rat, und eben sein Rat ehrt den, der die Formel geprägt hat: „Folge dem Gewissen, und du folgst den Dingen." Der Kardinal spricht Witiko, der „im Streite die Friedfertigkeit angestrebt hat", ein Wissen um die Gesetze der Dinge zu, das sich als Gewissen immer wieder zu eignen Entscheidungen durchringen wird, in denen es um das „Rechte", das Grundwahre geht. Dies Stück Weltgewissen in Witiko ist eines der treibenden Kräfte im Epos der Weltgeschichte, die hier in Dichtung hinaufgehoben ist, im Stifterschen Stil, der ein Stil der Einfalt und zugleich der vollkommnen Mitbewegung ist.

Wir begreifen, daß die Ausweitung, die der Kardinal Witikos Formel gibt, zugleich alles bestätigt, was wir auf den Spuren der Waldrose und der Waldsymbolik haben zusammenfassen dürfen in die mythische Vorstellung, daß es in Witiko der Wald ist, der denkt.

Aber Stifters Epos kreist nicht nur um Witiko. Wie er früh dem Scharlach-Reiter begegnet ist und in die Spannungen der großen Geschichte hineintritt, so kreist Witikos eignes Schicksal sternhaft immer um Herzog Wladislaw, den gerechten, gestrengen und mildherzigen Leiter der Geschicke Böhmens. Witikos Begegnungen mit Berta sind nur als stille Waldbegegnungen eingefügt dem gewaltigen politischen Spiel, das der Herzog mit den Aufrührerherzögen durchspielen muß. Dem Sieg über die Feinde, den der Herzog so entscheidend Witiko und den Waldleuten verdankt, folgt das feierliche Schauspiel des Richterspruchs, der Befragung aller Mächtigen, der Anrufung der Kirche, der aufrüttelnden Reden des Kardinals Guido als Abgesandter des Papstes, und dann die Buße und das Sich-Niederwerfen der Aufrührer, die vom Herzog wieder in ihre Machtstellungen eingesetzt werden. Alles, was der Herzog sagt und tut, „übt Gerechtigkeit", und wenn er durch die eigenmächtige Wahl der Mächtigen zum Herzog den Protest des Bischofs Sylvester hervorrief, so ist es Sylvester selbst, der seinen Krieg gegen die Aufrührer gut geheißen hat.

Auch für die Ausweitung des politischen Geschehens über die Welt Witikos hinaus, der inzwischen mit feierlichen Festlichkeiten sein Witikohaus erbaut, seine Mutter aufgenommen und Berta heimgeführt hat, hat der Epiker ein erweiterndes Gleichnis bereit, das symbolische Aufgaben übernimmt. In das Waldidyll Witikos fällt der neue Ruf des Herzogs zum Krieg gegen dieselben Aufrührer, abermals auf Tod und Leben. Ihm zum Trost übermittelt

Witikos früherer Erzieher, der Priester Benno, ein anderes Wort des Kardinals Guido:

„Der hocherhabene Kardinal hat einmal zu mir gesagt: die Wälder wachsen langsam aber sicher, wenn sie Sonne und Feuchtigkeit haben; noch langsamer aber beugt sich der Sinn eines ganzen Volkes, er beugt sich dennoch auch sicher, wenn der rechte Sonnenschein über ihm ist. Der hohe Kardinal ist mild und stark, und wäre wohl ein Sonnenschein, wie er gesagt hat." Es ist die Lichtsymbolsprache, die hier die Waldsymbolik übergriffen hat, wo es um den Sinn eines ganzen Volkes geht. Wo zugleich der Kardinal mit den Lichtkräften eines rechten Sonnenscheins in einsgesehen ist, werden geistige Geheimnisse aufgerufen. Hatte das Ding-Symbol der Waldrose für Witiko zusammenziehende Kraft, bekommt Bennos priesterliches Bild im Geist des Kardinals aufschließenden Sinn. Es deutet voraus auf Kämpfe, mit denen der Sinn der Völker gebeugt werden muß. Der Abstand des Epikers gewinnt noch eine Dimension mehr. Es geht nicht mehr nur um Witiko und seine Welt, daß wir sie in ihrer symbolischen Wirklichkeit erleben nach den Tiefen, aus denen der Wald in ihm denkt. Es geht um ein ausstrahlendes Licht, wie es als Christuswort bei Johannes aufgezeigt ist: „Ich bin das Licht der Welt." Gottes zeugende Kraft wirkt nicht nur im Wachsen der Wälder auch in den Geistkräften, die den Sinn der Völker beugen. Ein Analogon für die „höchsten geistigen unteilbaren Energien", wie Goethe sie in den Aphorismen zur Farbenlehre als „Geist" und „Licht" zusammenbringt.

Damit ist dem, was Lukacs am modernen Roman als „tranzendentale Obdachlosigkeit" bezeichnet hatte, etwas entgegengedichtet, was sich in der Forschung bereits im Begriff eines „mythischen Analogons" niedergeschlagen hat. Wir fassen es in unserem symbolischen Kosmos der Dichtung am Witiko-Roman als die weltweite Spannung, mit der Stifters epischer Abstand uns lehrt, zugleich zusammenzuziehen und aufzuschließen im symbolischen Geschehen: wir erleben die Witiko-Welt, die sich mit ihren Waldleuten zum Bewegungsmotor macht im Aufstieg bis zum Herrn des Waldes, zum Neugründer des Rosenberger-Geschlechts auf dem Witikohause; und wir erleben die Welt des Herzogs von Böhmen und Mähren, Wladislaw, als mächtige, vom großen Geschichtsgeschehen bewegte Welt, im beständigen Kampf mit aufrührerischen Abkömmlingen des Primislaw-Geschlechts und dem Versuch, ihren Trotz aus den Geistkräften eines christlichen Zeitalters zu beugen. Beide Welten durchdringen sich im Abstand des Ephikers, der nicht „groß" und nicht „klein" kennt, so wie sich in der Freundschaft zwischen dem Herzog und Witiko die sozialen Unterschiede im „Bund der Guten" aufheben, dem Witiko noch den Gedanken hinzufügt, daß mit der Unterwerfung der Aufrührer der Bund größer werden wird. Sind wir hier nicht überraschend an den Bund der Guten in Goethes „Wanderjahren" erinnert? „Ich suchte zu tun, wie es die Dinge fordern" so vereinfacht sich Witiko sein Werk. Und das Schicksal beschert ihm, zu denken, wie der Wald denkt. „So spreche ich, der ich für alle mitsorgen möchte" sagt der Bischof von Olmütz, als er auffordert, Wladislaw als Herzog zu wählen. Der Herzog aber lebt nur aus der Mitsorge für alle Böhmen. Und im Geist des Kardinals wird er zum „rechten Sonnenschein", der den Sinn der Völker beugt.

Aber zum Gang der Weltgeschichte, die hier in die Dichtung eingeströmt ist, gehört es, daß sie unaufhaltsam weiter geht, daß alle, die sie zu bewegen glauben, unterirdisch vielmehr mitbewegt und voranbewegt werden. So findet sich der Herzog von Böhmen und Mähren, auf der Höhe seines Ruhms und seiner Macht, unversehens vor neue allerschwerste Lebensproben gestellt. Nach dem frühen Tod seines Schwagers Konrad III in Deutschland besteigt dessen Neffe, Friedrich Barbarossa, den Thron. 1155 zum Kaiser gekrönt, führt er ein strenges Regiment gegen Raubritter und unbotmäßige Fürsten. Wladislaw von Böhmen wird er der beste Freund. Als Dank für Wladislaws Hilfe im Kriegszug gegen Polen überrascht der Kaiser ihn dadurch, daß er ihm 1158 die Königswürde verleiht, auf dem Reichstag zu Regensburg. Jubelnd vom Volk der Böhmen in Prag begrüßt, eröffnet der neue König eine Versammlung seiner Großen mit dem Bewußtsein, daß eine neue Ära begonnen hat, daß es jetzt um Ansehen und Ehre des Reiches gehe, mit anderen Reichen zusammenzuwirken. So ruft er auf, den Kaiser beim Feldzug gegen Mailand zu unterstützen. Aber dabei stößt er auf gewaltigen Widerstand. Noch einmal entfaltet das Epos seinen Gang in einer Fülle von Reden und Gegenreden. Wladislaw muß erleben, daß einer nach dem andern den nationalen Stolz der Böhmen gegen die vom Kaiser verliehene Königswürde aufruft bis zur strikten Weigerung, nach Mailand zu ziehen. „Wer hat dich genötigt, von den Deutschen Ehre und Macht zu gewinnen? Jetzt bist du zinspflichtig und wir die Knechte eines Knechts." Wer dazu den Rat gegeben, verdient ans Kreuz geschlagen zu werden. „Ans Kreuz, ans Kreuz."

Des Königs Rede wird zum politischen Meisterstück. Er wählt den ruhigen geschichtlichen Überblick, um klar zu machen, wie die Völker immer enger verbunden sind. Inmitten aber hat sich die römische Kaiserwürde entwickelt, vom Papst verliehen. Freundschaft mit Friedrich Barbarossa ist besser als wenn er Böhmen und Mähren zur deutschen Ostmark zwingt. Wirksam wird jetzt ein rhetorisches Bild einfließen: „Die Kaiserkrone glänzt über die Völker, und von ihr erglänzen die Königskronen" ... Friedrich, der römische Kaiser, Schirm und Schimmer der Christenheit, hat mir die Königskrone freiwillig verliehen, und sie strahlet in die Welt ... Ihr könnt die Ehre nicht ablehnen, und wenn ihr es auch tut, so strahlt ihr wider euern Willen in der Ehre."

Der König weist einen Vorwurf nach dem andern zurück. Er hätte sich die Königskrone von den Böhmen selbst geben lassen sollen. „Meinet ihr, die Krone hätte in die weiten Länder, oder auch nur in dem eigenen Lande geleuchtet?" Abermals hier das wirksame rhetorische Bild vom Lichtglanz der Krone. „Die Ehre muß von der Höhe kommen, daß sie heilig ist." Konkret geschichtlich heißt das: von der papstgeweihten Kaiserkrone. Nachdem dann der Kaiser freiwillig ihm die Königskrone gegeben, entfällt der Vorwurf falscher Ratgeber, die ans Kreuz zu schlagen wären. Schließlich bestände keine Verpflichtung zum Zug nach Italien. Nur er selbst, der König, habe sich verpflichtet, weil Kaiser Friedrich ein Ritter voll Schimmer und Adel sei, der auszöge, um Aufrührer zu züchtigen.

Mit solcher wirkungsvollen Rede hat der König bereits den Umschwung herbeigeführt. Dazu kommt nun noch die Rede Witikos. Auch er übernimmt das wirkungsvolle Bild vom „Ruhmesschimmer" des Kaisers. „Wenn wir heimkehren, wird dieser Schimmer von unsern Helmen, von unsern Schilden, von unsern Schwertern leuchten." Was Witiko neu hinzufügt, als seine nüchterne Zutat, ist der Ruhm, der in Liedern und Erzählungen fortlebt. „Die Worte sind so mächtig, daß sie alles bewegen." Wenn wir mithelfen, in Italien Ordnung zu schaffen, kommt unser Land in die Lieder und Erzählungen der Völker.

Die Folge der beiden Reden ist, daß alle mit nach Italien ziehen. Es wird ein Ruhmesblatt insbesondre für die Waldleute, die mit ihren kleinen Waldpferden einen Fluß durchschwimmen, die Mailänder besiegen und eine Art Brückenkopf bilden, bis die zerstörte Brücke wiederhergestellt ist. Im Heer der Völker, auch der höfischen

Österreicher, gibt sich Witiko betont als „ländlicher Mann". Es ist aber auch der besondre Ruhm des Königs der Böhmen, der zuverlässigste aller Kaisertreuen. Mailand als Hort des Aufstandes, der unbezähmlichen Tücke und Verschlagenheit, wird am schwersten gestraft. Als Friedensvermittler wirkt Wladislaw, der Böhmenkönig. Dann beginnt die Heimfahrt, der ruhmvolle Einzug in Prag. Ebenso ruhmvoll Witikos Einzug in seine Witikoburg.

Daß die Mailand-Fahrt unter dem „Ruhmesschimmer" Barbarossas von Anbeginn im Plan des Epos angelegt war, macht der Dichter durch eine Episode deutlich, die Anfang und Ende verbindet. Bei Witikos erster Herberge im Wald war ihm ein junger Krauskopf begegnet, dessen Ehrgeiz dahin ging, auch einmal ein Pferd zu besitzen. Er fragt Witiko, ob er ein Pferd behalten dürfe, das er im Krieg erbeutet habe. Witiko antwortet, wenn er es als einzelner erbeutete, in seiner Eigenschaft als zugeteilter Kriegsknecht, dürfe er es wohl behalten. Witiko trifft den Krauskopf als Knecht des Ritters Heinrich von Jugelbach wieder, Wolf geheißen. Wolf darf Witiko auf dem Mailandzug begleiten. Und da nun schwimmt Wolf als erster über die Adda, um sich ein Pferd der Mailänder zu erbeuten, mit ihm zurückzuschwimmen. Er zeigt so allen, wie man über den Fluß mit Pferden schwimmen kann. Und wie der kühne Odolen schwimmen nun Witiko und alle seine Leute hinüber und besiegen die Mailänder.

Mailand aber bedeutet im großen Geschichtsgeschehen eine Keimzelle der Empörung, des Widerstandes, der Städtefreiheit gegenüber jeder Art kaiserlicher Gewalt. So wird 1162 der Feldzug gegen Mailand wiederholt, und Witiko ist zum zweiten Mal dabei. Mailand wird geschleift, bis auf die Kirchen. Damit eilt das Epos dem Ende zu. Wir erleben noch ein Gespräch Witikos und Bertas: „Witiko, jetzt ist dir keiner gleich", sagt Berta. Er antwortet: „Es sind viele über mir! dir aber gleicht keiner."

Nur als Schluß-Vignette ist der Reichstag zu Mainz 1184 noch angefügt, zu Pfingsten, Witiko nimmt teil mit Berta und Priester Benno, dem Erzieher seiner Jugend, um „den Glanz des Kaisers zu schauen".

Stifter hat hier mit absichtlicher Großzügigkeit die weiteren Italienzüge und Kämpfe unerwähnt gelassen, den 4. Italienzug 1166—1168, auf dem eine Seuche das Heer hinrafft, auf dem die Lombardischen Städte abfallen und Mailand wiederaufgebaut wird. Und den 5. Italienzug, 1174—1178 mit der Niederlage bei Legnano und dem Waffenstillstand mit den Lombarden. Auch daß Heinrich der Löwe den Kaiser im Stich läßt, daß er nach einem schweren Reichskrieg nach England verbannt wird, spielt keine Rolle. Oder der Streit zwischen Kaiser und Papst, der die ganze Folgezeit verdunkeln wird. Stifter begnügt sich mit dem Satz: „Der Kaiser wollte ein Fest feiern, weil der Streit im Reiche, der mit der Kirche, und der in Italien geendet war."

Literaturforscher des Marxismus haben das zum Anlaß genommen, Stifter vorzuwerfen, daß er sich in Widerspruch verstrickt habe. Er entwerfe um Witiko, den Mann des Rechts, „die utopische Gestalt einer vorbildlichen, auf das Recht gegründeten Staatsordnung des westeuropäischen Abendlandes". Stifter läßt darnach seinen Helden Witiko in voller Freiheit entscheiden, wem er dienen will. Er wählt Wladislaw als Inbegriff eines gerechten Herzogs, nachdem der rechtmäßige Sohn des Sobeslaws sich selber seines Rechtsanspruchs begeben hat, als er sich dem Aufrührer Konrad von Znaim unterordnete. Wie aber ist es nun mit dem Stauferkaiser? Während Wladislaw die böhmischen Aufrührer niederwirft, dann aber wieder einsetzt nach ihrer Buße, wirkt Barbarossa in der Niederwerfung der freien Städte Italiens sehr viel grausamer. Der Rostocker Professor Walter Epping sieht 1956 in Stifters Gesamthaltung den Einfluß der verherrlichten österreichischen Monarchie, als Erbe des mittelalterlichen Kaiserreichs. Der Italiener Claudio Magris 1966, auch ein Marxist, glaubt bei Stifter „trotz persönlicher Freiheitsliebe und mancher sozial aufgeklärter Einwürfe den Stil der konservativen Kultur des reaktionären Österreich" festzustellen. Stifter habe so im „Witiko" eine „Art habsburgische Äneis" geschrieben, den „utopischen Traum einer befriedeten, von Gerechtigkeit, Brüderlichkeit und gesittetem Anstand geleiteten Welt", als „habsburgischen Mythos". Aber „die Freiheit schrumpfe zu einer Art stolzer Autonomie innerhalb der Waldgemeinschaft zusammen". Der Roman als Ganzes sei „ein Epos der grandiosen Statik und des veränderungsunfähigen Lebens". Witiko, der deutsche Haartracht mit böhmischer Kopfbedeckung vereine, verträte den „Aspekt der übernationalen Ethik", des Deutsch sprechenden und habsburgisch fühlenden böhmischen Hochadels.

Dagegen hatte Erik Wolf den „Rechtsgedanken Stifters" 1941 dahin entwickelt, daß nicht nur Witiko Inbegriff des sanften Gesetzes ist, das sich den Entschluß zum „Rechten" immer neu erkämpft, sondern daß auch Barbarossa auf den roncalischen Feldern die Rechtsgelehrten Italiens versammelt und öffentlich erklärt: „Ich habe durch den Krieg die Strafe vollzogen, jetzt muß ich im Frieden durch die Gesetze auch den Schutz vollführen." Es geht darum, daß „jedem sein Recht unverkürzt verbleibt, dem Untertanen und dem Könige".

Erich Fechner „Recht und Politik in Stifters „Witiko" 1952 erhebt dann unmittelbar nach der Katastrophe 45 Stifters „Elementarbuch der Politik" in die kompensierende Würde, die unsrer erkrankten Zeit das „Vertrauen in das Sein" zurück gewinnt. Wie Witiko will Stifter „das Ganze sichtbar machen, den Zusammenhang von Mensch, Welt und All". Unter dem Doppelblick: „Der Einzelne, der durch seine Entscheidung das Ganze mitgestaltet, wird zugleich vom Ganzen auch gehalten." Willi Kroll „Das Recht in der Dichtung Stifters" 1958 erweitert unsern Blick für „einen der größten deutschen Geschichtsromane" durch die „Rangverschiedenheit der Ordnungsträger in ihrer Bezogenheit auf Gott".

Wie stellt sich Stifters Gesamtbild dar, wenn wir die Vorwürfe der Marxisten einbeziehen?

Zum symbolischen Kosmos der Dichtung gehört es, daß sich in ihm beides auftut: das Abgründige der Widersprüche des Daseins und die Ahnung einer alles überspannenden Ordnung, die dem Chaos entgegenwirkt. Je kühner hier die Ausgriffe im Zusammenblick des Widersprüchlichen, um so reiner die Gestalt gewordenen Gegenkräfte. Hier erst werden die Leistungen dessen offenbar, was die Symbolik zum Gipfel aller poetischen Darstellungsmöglichkeiten macht. Und so hat Stifter selbst die Antworten auf alles, was ihm entgegengehalten wird, in der Wandlungskraft seiner Symbole vorausgegeben. Vor die letzte Zerreißprobe, in die das Reich des Herzogs mit dem Aufstand des treusten Bruders Diepold gebracht wurde, hat Stifter ein Wort des Kardinals Guido gestellt, vom Priester Benno an Witiko übermittelt. Da ist es der Ausgriff ins Kosmische der Lichtsymbolsprache, was als Trostkraftquell aufgeboten wurde. Wie die Wälder wachsen im rechten Sonnenschein, so lassen sich Völker beugen, wenn auch langsam, unter dem geistlichen Licht, dem sich dasselbe rechte Sonnenlicht als Analogon anbietet.

Nachdem dann der Sieg erfochten war, erlebte Wladislaw die überraschende Ehrung mit der Königswürde durch den römischen Kaiser, 1158. Eine neue Steigerungsform des herrscherlichen Lebens dringt in die Rednersprache ein: „die Ehre unseres Reiches." Es gilt den Kampf der kaiserlich-ritterlichen Welt gegen die heraufdringende Welt der freien Städte Italiens: Händler, Handwerker, Krämer. Als dann der neue König bei den nationalgesinnten Böhmen auf Widerstand stößt, bildet sich in der Sprache der Rhetorik beim neuen König wie bei Witiko, seinem treusten Freunde, eine wirkungsvolle Bildlichkeit heraus: „Die Kaiserkrone glänzt über die Völker und von ihr erglänzen die Königskronen." Friedrich, der „Schirm und Schimmer der Christenheit" ... Wenn ihr die Ehre der Königskrone ablehnt, so strahlt ihr wider euern Willen in der Ehre. Witiko nimmt den „Ruhmesschimmer des Kaisers" auf, mit dem wirkungsvollen Redeschluß: „Dieser Schimmer, wenn wir heimkehren, wird von unsern Helmen, von unsern Schilden, von unsern Schwertern, von unsern Panzern leuchten."

Es gehört zum Aufbauplan des Epos, daß die Steigerungsformen der Rede sich hier wirkungsvoll einer Strahlen-Metapher bedienen. Sowohl der König wie Witiko treten damit in eine neue Wirkungsstufe ein. Wie Witiko es zu Beginn der Ansprache ausdrückt: „Ich rede noch von einem Dinge, das bei den Menschen groß und erhaben ist, und über die Länder und ihr Leben hinausreicht, von dem Ruhme." Der Kraft der Begeisterung greift auf alle über: „Die Sache ist so schimmerreich" ruft Odolen. Es folgt der Römerzug gegen Mailand, der einen vollen Sieg erringt, Witiko und sein König stehen dabei oben an. Sie haben Ruhm erworben und dürfen damit rechnen, wie Witiko es vorausgesagt, daß ihre Taten in Liedern und Erzählungen fortwirken.

Eines aber ist keineswegs damit gesagt, daß der Glanz, der von Ehre und Ruhm ausgeht, vom Kaiser und seiner Kaiserkrone, mehr ist als eine steigernde Illusion. Betont nennt Witiko sich gegenüber den Rittern Österreichs und ihrer höfischen Lebensart einen „ländlichen Mann". Für ihn sind die Rosen, die ihm als schönster Schmuck im Goldreifen seiner Berta entgegenblühen, mehr als alle Glanzeffekte des Ruhms. Und so ist auch der Ausklang des Epos keine Verherrlichung kaiserlicher Majestät im Sinn des Habsburgreichs. Es ist einzig die Verherrlichung des großen Geschichtsgeschehens, das mit seiner unausschöpflichen Lebensdynamik alle übergreift, die selber glauben, die großen Beweger zu sein, während sie nur mitbewegt werden aus unerfindlichen Gesetzen. Stifters Witiko-Epos ist kein „Epos der grandiosen Statik und des veränderungsunfähigen Lebens". Stifter hält sich offen den Lebensimpulsen, die für Wladislaw und Witiko von der Begegnung mit der kaiserlichen

Majestät ausgehen. Beide sind nüchtern und lebensnah genug, auch den „Ruhmesschimmer" des Kaisers als Bereicherung zu spüren und ihre Kräfte im großen Römerzug mit zu erproben. Ihre Aufgaben aber bleiben andere als die, denen der Kaiser in Italien entgegengehen wird, wenn er sich mit dem Bund der freien lombardischen Städte einläßt. Die Dynamik, die hier aufbrechen wird, ist nicht mehr Aufgabe des Epos, das sich um die Gestalt Witikos zusammengeschlossen hat. Witiko vielmehr wird eher die Züge eines ländlichen Großunternehmers herausbilden, der die Ausfuhrchancen der Waldprodukte nach Prag hin erkundet und im Walde Kohlen brennen läßt, für das Abschwemmen der geschlagenen Hölzer auf der Moldau sorgt, Tierzucht und Pferdezucht steigert. Auch daß ihn sein König mit weiterem Land belehnt hat, führt ihn erweiterten Aufgaben zu. Er kann sich an den Waldgesängen erfreuen, mit denen ihn die prophetischen Waldfrauen begrüßen, die alte Susanne von der untern Moldau und die alte Willbirg. Witiko ist zurückgekehrt in die Räume, in denen der Wald in ihm denkt. Dieses Denken aber hat mythisches Maß, ganz im Stil eines Epos der ungebundenen Rede.

Wenn etwas Stifter davor bewahren mußte, Witikos Walddenken dem Ruhmesschimmer der Kaiserkrone unterzuordnen. dann waren es die Erschütterungen, die mit der Niederlage von Königgrätz während der Witiko-Arbeit über ihn ergingen. Damals schrieb er an Joseph Türk, am 5. Oktober 1866, zwischen dem II. und III. Bandes des „Witiko": „Preußen riß Deutschland an sich, vielleicht reißt es einmal das ganze an sich, dann wächst Deutschland dem Preußentum über das Haupt; es entsteht erst recht ein Deutschland, in welchem es auch eine Mark Brandenburg gibt. Wie es sei: Gott waltet gerecht, und Europa ist so leichtfertig geworden, daß es einer Züchtigung bedurfte, und die Züchtigung ist noch nicht aus." Alles in diesem Bekenntnis atmet das Mitergriffensein vom unbeirrbaren Geist der Geschichte in ihrem die Menschengrenzen immer wieder durchwirkenden, umstürzenden mythischen Maß. Nur eines ist imstande, dem Widerpart zu bieten, das Stiftersche „sanfte Gesetz", das in die Stürme der Böhmenzeit um 1150 Witikos Lebensbaum sich aufrichten läßt, langsam, zwischen Sonnenschein und Feuchtigkeit bestrebt, einen Wachstumsring nach dem andern anzusetzen, jeden mit dem Ziel, immer das Ganze zu tun.

Es gibt noch ein Briefwort Stifters vom Januar 1861, in dem er sich klar wird, welche Forderungen sein Epos in ungebundener

Rede an ihn selbst als Dichter stellt. Es ist die Ergänzung zur Poetik des sanften Gesetzes, die er einst seiner Kleinkunst, den „Bunten Steinen", vorausgestellt hatte. Es ist zugleich die Höchstforderung an das symbolische Vermögen des Dichters:

> „Witiko geht langsamer als alle meine früheren Arbeiten vonstatten. In allen meinen früheren Sachen habe ich den Stoff mehr oder minder aus mir selbst geboren, er floß daher samt seiner Form aus mir in die Feder. Hier aber ist der Stoff ein gegebener, die Personen und ihre Handlungen haben außer mir eine Berechtigung. sie sind wirklich gewesen, sind in einer ganz bestimmten Form gewesen, und war jene Form die der Wirklichkeit, so muß die, in welcher ich sie bringe, die der Kunst sein, welche als Wirklichkeit erscheint, ohne es sein zu dürfen; denn die wirklichste Wirklichkeit jener Personen wäre in der Kunst ungenießbar. Gebe ich also meinem Stoffe die Form, so ist sie doch von mir ganz unabhängig, und hängt nur von dem Stoffe ab, ich muß sie finden, nicht e r - finden. Das Finden macht mir aber oft große Freude, wie dem Naturforscher, wenn er unbekannte aber längst vorhandene Erscheinungen entdeckt. Meine Geschichte war längst da, ich entdecke sie nur, und da arbeite ich mit einer Lust, die ich früher nie gekannt habe. Darum ist mir öfter, als hätte ich früher nur geschwärmt, und dichtete jetzt. Die Griechen hatten das Wort „poiein" (ich mache) für Dichten. Wie bezeichnend! Gestalten muß man machen, nicht Worte. Daher habe ich jetzt das Gefühl, daß ich mich eher zerreissen ließe, als an Witiko hudelte, das Werk soll sonst keinen Fehler haben, als der in der Unzulänglichkeit meiner Kraft liegt."

Hier ist jedes Wort wichtig, und so erscheint der Brief unverkürzt. Es ist die Poetik eines Dichters, der begriffen hat, daß alle Versuche, durch Dichtung Welt zu bewegen, nur „Schwärmereien" sind, soweit sie nicht aus der totalen Mitbewegung mit den Schöpfungsgesetzen hervorgegangen sind. Das setzt voraus das Ergriffensein vom großen Stoff, den am gewaltigsten der Gang der Weltgeschichte bereit hält. Und da gilt es, die Form nicht zu erfinden, sondern zu finden. Es sind für Stifter Entdeckungsfahrten, denen der Naturforscher vergleichbar. Es setzt weiterhin im Abstand zu allen Schwärmer-Einfällen eine Geistperspektive voraus, für die die üblichen Unterschiede von klein und groß verschwinden und alles vielmehr in eine stetige Mitbewegung hineingezogen ist, die sich des sanften Gesetzes zu bedienen weiß, um stets gegenwärtig und zugleich zukünftig zu sein. Hier geht es nirgends um „Worte", sondern um „Gestalten", die wie Witiko etwas vom Wachsen des Waldes in sich haben und wenn sie denken „wie der Wald denken", ohne auf sich und andre zu reflektieren. Wie anders soll sich großer Stoff in Kunst verwandeln als durch stetiges mitbewegtes Geschehen, das in allem und jedem symbolisch wird, derart daß nichts geschieht als was „die Dinge fordern", in der nie aufzuhebenden Spannung zwischen Menschen, die zu bewegen glauben, und die einer so mächtigen Mitbewegung einverleibt sind, daß sie als vollkommene Handlungsträger Dingen gleichen, die zu Gestalten ausgeformt sind. Wie das die Sprache leistet, die unsre Umgangssprache ist, läßt sich wiederum nur aus einer stets gegenwärtigen Symbolkraft verstehen, die das Paradoxe verwirklicht: „die Sache, ohne die Sache zu sein, und doch die Sache"; „ein im geistigen Spiegel zusammengezogenes Bild, und doch mit dem Gegenstand identisch". Es spricht für die Gegenwartsnähe der jüngsten Forschung, daß sich Doktorarbeiten häufen, die dies Paradox aus den Stifterschen Stilformen der Sprache herausarbeiten. Dahinter zeichnet sich die wachsende Erkenntnis ab, daß Stifters großer Geschichtsroman „Witiko" ein einmaliges Ereignis in der Geschichte des Romans bedeutet, als das Wunder eines „Epos in ungebundner Rede". Wir beschränken uns, aus der jüngsten Dissertation von Eduard Rückle „Die Gestaltung der dichterischen Wirklichkeit in Stifters Witiko" von 1968 die Schlußfolgerung aufzunehmen: „Die Gesamtstruktur als solche ist symbolisch" (149). Auch die aus dem Nachlaß 1967 erschienene Witiko-Monographie von Georg Weippert (Soziologe und Wirtschaftler) soll noch zu Wort kommen mit der Darstellung des symbolischen Kerns: „Witiko als homo politicus, Mensch von geschichtsbildender Kraft." Das ganze Schlußkapitel dient dem „Epos der ungebundenen Rede" und seinem Sprachpurismus.

Stifters historisch eindringliches Weltbild ist geschaffen von einer lebendigen Phantasie für die Eigenart des Personalen und die schicksalsträchtigen Verknüpfungen der Situation, die großen Szenen dramatisch-symbolisches Gewicht geben für die Erkenntnis des Volkscharakters und seine Beteiligung an Recht und Unrecht.

Wilhelm Raabes Roman „Stopfkuchen"

Seit Romano Guardini 1932 in der Manesse-Bibliothek der Weltliteratur Raabes „Stopfkuchen" mit einem Nachwort versehen hat, ist dies 1890 zuerst erschienene Werk unzweifelhaft in den Rang der Romane der Weltliteratur aufgestiegen. Gleich eingangs braucht Guardini ein Bild, das uns aus dem „Witiko" vertraut ist: „Wie soll man es anstellen, um das Wurzelgeflecht eines alten Baumes so zu beschreiben, daß die Leser sehen, wie Stränge und Fasern laufen?" Darnach müßte es also Vergleichsmöglichkeiten zwischen Witiko und Stopfkuchen geben, so entgegengesetzt auch bekannterweise der auf rauhen Stil gestellte protestantische Norddeutsche und der benediktinische Österreicher mit seinen harmonischen gleichgewichtigen Satzgefügen anzusehen sind.

Das Bild vom „Wurzelgeflecht" des Baumes trifft zugleich in eine Kernfrage der Zeit: aus welchen Grundkräften leben die Menschen im Zeitalter der „Gleichgewichtsstörungen"? Was einst Schiller vorausvisiert mit der Polarität des Naiven und Sentimentalischen, entläßt so viele Differenzierungen im Einzelnen, man möchte sagen, als es Individualitäten gibt. Am Ende steht Nietzsches Entdeckung des „Ressentiments" 1887 und Freuds Traumdeutung 1900. Hier läßt sich eine Gegenüberstellung einordnen, die sich Fritz Martini in seiner Darstellung des bürgerlichen Realismus 1848—1898 aufdrängte: „Stifters epische Stilisierung zum gegenständlichen Objektiven und Raabes stilisierend humoristischer Erzählstil zum Subjektiven bedeuten zwei antinomische Grenzformen des Erzählens." Wenn trotzdem Stifter und Raabe vergleichbar werden im Sinn des „Wurzelgeflecht"-Bildes, dann geht es im „Stopfkuchen" um die Lebensfrage des „objektiven Humors".

Raabe selber hat seinem Buch schon im Titel die Wendung ins Humorige gegeben. „Stopfkuchen" ist ein Spottname aus der Schulzeit. Heinrich Schaumann ist ein Dicker, und da sieht ihn die Grausamkeit der Mitschüler als einen, der immer Kuchen stopft. Darin liegt immer noch etwas Gutmütig-Komisches, so daß man einfach zum Lachen gestimmt ist. Einen andern Mitschüler namens Störzer nennen dieselben grausamen Jungen „Storzhammel". Da hört die Gemütlichkeit auf.

Von vornherein ist nun Raabes Roman auf eine Vertiefung der Wirkungsmöglichkeiten des Humors angelegt dadurch daß wir die Gestalt des Helden nur in dem Brechungswinkel erleben, in dem ihn das Temperament und der Charakter des Erzählers Eduard sieht. Eduard ist als Jugendfreund eingeführt, der von seiner Farm im Burenland in die deutsche Heimat für kurze Zeit zurückgekehrt ist. Auf der Rückfahrt schreibt er alles zusammen, was er in der Heimat erlebt hat. Offenbar ist seine Betroffenheit so groß, daß ihm nichts anderes im Sinn liegt, als die Rückreise mit seiner Niederschrift auszufüllen und sich selbst klar zu werden, was es mit dem alten Schulfreund auf sich hat, der den Spottnamen Stopfkuchen trägt und der sich so weit über diesen Spottnamen hinaus entwickelt hat.

Eine besondre Spannung kommt dadurch hinein, daß Eduard einen Gegenpol zum Grundwesen Stopfkuchens darstellt. Eduard war auf der Schule ein Musterschüler; sein Wunsch zu lernen war so groß, daß er immer wieder den Landbriefträger Störzer begleitet hat, der ein begeisterter Geograph war, ein geographischer Autodidakt. Das hat geradezu Eduard den Anstoß gegeben, früh in die Welt zu gehen und sich in Südafrika anzusiedeln. Was Eduard zu seiner Chronistenrolle mitbringt, ist die gemeinsam durchlebte Jugendzeit, die immer wieder im Rückblick mitbeschworen wird.

Romano Guardini hat das so festgehalten: „Das Buch berichtet aus der Rückschau. Dadurch tritt eine eigentümliche Verdoppelung des Geschehens ein. Ein erster Vorgang bricht sich in einem zweiten; ein Charakter in einem anderen. Das Leben taucht in sich selber auf; Gewesenes erhebt sich im Gegenwärtigen, und die Flüchtigkeit des Daseins empfängt in der Innigkeit des Gedenkens eine seltsame Hoffnung."

In diesen so hoffnungsvollen Gesamtblick fallen nun elementare Kontrastwirkungen. Stopfkuchen hat es selbst am klarsten ausgedrückt, mit humoristischer Verschärfung in die Bildsphäre: „Ihr Schlaumichel, Schnellfüße, gymnasiastische Affenrepublik hattet keine Ahnung davon, was in einem Bradypus bohren und treiben kann."

Bradypus ist ein Wort aus dem Schulunterricht, aus der Naturgeschichte, Name für das Riesenfaultier, vom Lehrer Blechhammer mit besonderer Quällust auf Stopfkuchen angewandt, der seinen Schulsack nur riesenfaultierhaft langsam von Klasse zu Klasse trägt. Zugleich deutet sich im Bradypus etwas anderes an: daß der Name Stopfkuchen nur sehr oberflächlich einem Jungen aufgeheftet ist, der vielmehr an ein Riesenfaultier erinnert und damit elementarere Grundschichten gewichtig wirken läßt. Auffallen muß außerdem die Schärfe, mit der Stopfkuchen über seine Klassenkameraden herfällt: „Schlaumichel, Schnellfüße, Affen." „Schnellfüße" trifft dabei besonders Eduard, den Landläufer neben Störzer, den späteren Weltfahrer. Hier scheint sich doch eine langaufgespeicherte elementare Empörung Luft zu machen, die die Möglichkeiten zu komischen Kontrasten bis zum Paradoxen spannt.

Stopfkuchens Worte machen noch eines deutlich: daß nicht Eduard, der Chronist, der Schnellfüßer, die Hauptspannungen aufläd, sondern sein Antipode, dem die Ausmaße eines Riesenfaultiers zugesprochen werden. Es wird sich dahin auswirken, daß Eduards Gesamtmonolog, der sich als Niederschrift aus der Erinnerung gibt, immer mehr überwuchtet wird von den gewaltigen Monologen, die das Riesenfaultier „ausschwitzt", in seinem wachsenden Sich-Bewußtwerden dessen, was er dem einstigen Schulfreund Eduard zu bieten hat. Das muß wechselvolle Humore geben.

Schon die Gedanken, die Eduard überfallen auf dem Weg zu seinem alten Schulfreund, der auf der „Roten Schanze" seinen Lebensruhesitz gefunden hat, schon Eduards Erinnerungen an die Schulzeit bringen Stopfkuchen auf eine Weise zum Reden, die uns auf ein ausgesprochenes Original stimmen. Stopfkuchens Ablehnung jedes bürgerlichen Berufs und jeder Art Schul-Schulung ist so elementar wie nur möglich. „Herr du mein Gott, wenn mich einer zum Bauer auf der Roten Schanze machen wollte, ich hinge jedes Pastorenhaus in der Welt drum an den Nagel und schlüge Kienbaum mit Vergnügen dreimal tot!" „Wenn ihr morgen Blechhammern, euern Herrn Oberlehrer Doktor Blechhammer, irgendwo am Wege abgegurgelt fändet, dann könntet ihr dreist auch mir die Geschichte in die Schuh schieben und behaupten, ich sei's gewesen und habe mir endlich das Vergnügen gegönnt und meine Rache ausgeübt."

Hier wird auf etwas angespielt, dem Raabe bereits im Untertitel seines Romans Rechnung getragen hat: „Eine See- und Mordgeschichte." Auch das geschieht in humoristischer Übertreibung. Die Seegeschichte besteht einzig darin, daß Eduard den Erinnerungsbericht auf der Rückfahrt nach Afrika, also auf See, niederschreibt, vom Rhythmus der Meereswogen getragen. Die Mordgeschichte betrifft wohl einen tatsächlichen Mord, der vor Jahren an dem Viehhändler Kienbaum verübt worden ist. Doch der Täter blieb unbekannt. Nur als Gerücht ist damals umgegangen, daß der Bauer auf der Roten Schanze, Quakatz mit Namen, der Mörder gewesen sei. Aber es war ihm nichts nachzuweisen. Und so blieb also immer noch offen, wer Kienbaum totgeschlagen hat. In dies Gerücht hinein erschallt ehedem die Jungensstimme Stopfkuchens: „ich schlüge Kienbaum mit Vergnügen dreimal tot." Das ist genauso übertreibend, als wenn Stopfkuchen seinen Oberlehrer Blechhammer mit Genuß abgurgeln würde.

Es sind die genußvollen Übertreibungen einer flegeligen Schuljungenphantasie, und Eduard registriert sie in der Erinnerung, weil sie ihm haften geblieben sind. So grotesk mußten sie seinen Musterschüler-Vorstellungen erscheinen. Aus solcher Spannung zwischen zwei Jungenscharakteren erwachsen die Zukunftswürfe, auf die hin hier alles angelegt ist. Stopfkuchen hat sie am Schluß von Eduards frühen Erinnerungen nochmals auf Stopfkuchenweise zusammengefaßt:

„Auf der untersten Bank zu sitzen und zu all Blechhammers Redensarten keinen Muck sagen zu dürfen, das ist zehntausendmal schlimmer, als Kienbaum nicht totgeschlagen zu haben und doch dafür angesehen zu werden. Ja, sieh mich nur so drauf an, Eduard. Du bist auch so einer von denen, die sich stündlich gratulieren, daß sie nicht der Mörderbauer von der Roten Schanze oder Heinrich Schaumann sind." ... „Alle kenn ich euch in- und auswendig."

Hier bereits gilt es eines festzuhalten, um das Spannungsfeld der Humore auszubreiten: daß Raabe selbst sowohl hinter Eduard wie hinter Stopfkuchen steht, daß er seine Phantasie doppelspurig arbeiten läßt, aus einem Abstand, der in die Gleichgewichtsstörungen der Zeit sowohl den Schnellfüßer wie das Riesenfaultier sich hineinentwickeln läßt, den Schnellfüßer als mitlebenden Berichter, getragen vom Rhythmus der Meereswogen, und das Riesenfaultier, das sich auf die Eroberung der Roten Schanze zubewegt. Als erläuternder Begleittext kann Raabes Briefwort von 1893 gelten: „daß es sich um den künstlerischen Lebensweg des Autors und die Eroberung der Kunst, eine humoristische Erzählung zu schreiben, handele." Das gibt ihm im späteren Rückblick 1905 das Gefühl: „Beim Stopfkuchen habe ich mich eben am freiesten und sichersten über der Welt empfunden." Das Hochgefühl, das mit der Eroberung der Kunst zusammenhängen muß, eine humoristische Erzählung geschrieben zu haben, deutet auf den Spiel-Übermut, der zum großen Humor gehört. Ganz im späten Alter hat dann Raabe noch mündlich im Gespräch erklärt, Stopfkuchen sei sein bestes Buch: „Da habe ich die menschliche Kanaille am festesten gepackt." Damit ist das Ziel anvisiert, das für Raabe auf dem Doppelweg Eduard-Stopfkuchen zu erreichen ist.

Diesen Weg beschreitet er bewußt als Humorist. „Wer ist ein Humorist? Der den winzigsten aller Nägel in die Wand oder die Hirnschale des hochlöblichen Publikums schlägt und die ganze Garderobe der Zeit und aller vergangenen Zeit dran aufhängt." Raabes Wort bekommt Tiefe dadurch, daß für ihn jener winzigste aller Nägel zugleich einen höchsten Wert darstellt, der uns in dieser seiner Doppeleigenschaft ins Herz trifft und überzeugt.

Es gehört zum planvollen Aufbau des Stopfkuchen-Romans, der sich infolge solcher virtuosen Planung unmittelbar mit dem erhabnen Bau des Witiko-Romans vergleichen läßt, daß jener winzigste aller Nägel genau in die Mitte des Stopfkuchen-Romans eingelassen ist. Es ist die Stelle, an der Stopfkuchen nicht nur Eduard, den Chronisten, und mit ihm den Leser, sondern ebenso die eigne Frau Valentine geborene Quakatz mit der Nachricht überrascht:

„Aber das steht auch fest, mein Herz, mein Kind, du altes gutes Weib, und du, afrikanischer Freund, daß ich es beiläufig und fast ohne mein Zutun herausgekriegt habe: wer Kienbaums Mörder gewesen ist — wer Kienbaum totgeschlagen hat."

Raabe bedient sich der Brechung des Geschehens im Geist des Berichterstatters, um diesem einmaligen Augenblick sein Gewicht zu geben: „Feuer auf dem Schiff!" unterbricht Eduard sein Geschreibsel, und er fügt hinzu: „Wie als wenn eben vom Hause her auch der Ruf: „Feuer! Feuer auf der Roten Schanze!" erschollen wäre, war ich aufgesprungen und stand Frau Valentine aufrecht am Tische und hatte ihr Strickzeug weit von sich geschleudert."

Warum läuft in diesen Augenblick alles zusammen? Stopfkuchen, der komische Dicke, vorerst auch von Eduard immer noch leicht komisch genommen, bezeugt mit einem Mal, daß unterhalb seiner breitschweifigen Redeweise, seiner fetten Langsamkeit und Unbeweglichkeit eine geistige Kraft am Werke ist, die sich plötzlich hoch über alles biedermeierlich gemütliche Alltagsgeschehen erhebt, die Kraft einer Hellsicht, wie von unterirdischen, zugleich überirdischen Mächten bewegt. Stopfkuchen selber wird diese Mächte benennen:

„Es geht heute keiner mehr Kienbaums Mörder an den Kragen als der Totenrichter: und freilich, wer weiß, ob nicht grade der uns drei heute hierherbestellt hat zu seinen Schöffen und Beisitzern?"

„Wer weiß, ob der höchste und letzte Richter mich nicht bloß deshalb so fett und so gelassen in die hiesige Gegend abgesetzt hat?

Was die Gelassenheit anbetrifft, soll er wirklich den Richtigen an mir gefunden haben."

Unterhalb „Stopfkuchen" wird der „Bradypus" erkennbar, und Raabe hat dafür gesorgt, daß dem Eroberer der Roten Schanze noch ein Symbolum zugefallen ist, mit dem er dem Freunde Eduard ein erstes gewaltiges Staunen abgenötigt hat: das in den Kiesgruben der Roten Schanze aufgefundene Mammut — wie es sich in riesiger Versteinerung erhalten hat. Stopfkuchen hat ein ursprüngliches Verhältnis in sich zu seinem Mammut entdeckt, als ein Jahrtausend-Abstand, der seiner Bradypusgelassenheit entspricht. Seine Zwiesprache mit dem Mammut, die er gelegentlich abhält, hängt mit der Hellsicht zusammen, aus der heraus er entdeckt hat, wer Kienbaum erschlagen hat.

Von der Mammutgelassenheit her bekommt Stopfkuchens Sprache, wie sie Eduard getreulich nachzeichnet, erst ihren eigentlichen Charakter. Es ist ein gewolltes Zerdehnen der Zeit, mit dem Ziel, alle Schablonen des „man" in der Sprache zu durchstoßen auf das ursprünglich heraufdringende Leben hin. Nur so kann Stopfkuchen seinen Zuhörern überzeugend machen, daß die Kanaille in jedem auf der Lauer liegt, und daß die Freiheit des Willensentscheids immer „zwischen Gottes und Satans Willen" gefunden werden muß, wenn man „frei durchgehen" will.

In einer Reihe von Stufungen hat Raabe im Romanaufbau seinen Plan verarbeitet. Vorerst tritt neben Stopfkuchen und Eduard als dritte Stimme die Tochter des „Mordbauern", Valentine Quakatz, Stopfkuchens glückliche Frau und Herrin der Schanze. Wenn sie erzählt, was sie unter dem Haß und der Niedertracht der Schuljugend, des Dorfs, des Gesindes hat durchmachen müssen, so daß nur ein Wunder sie bewahrt hat, nicht selber zur „Mörderin oder Totschlägerin" zu werden, dann kann nichts Stopfkuchens Zugriff besser begründen, den Mordgerüchten auf den Grund zu kommen. Zugleich kann niemand so tief in Stopfkuchens Seele hineinleuchten wie Tine. Was sie da findet, drückt sie auf die allernüchternste Weise aus:

„Nicht etwa, weil er grade so was Besonderes an sich gehabt hätte, sondern grade vielleicht, weil er das nicht hatte und auch an uns in unserer Verscheuchung und Verschüchterung nichts Besonderes fand und mit uns wie mit ganz gewöhnlichen sonstigen Menschen in Verkehr und Umgang kam." Damit ist gesagt, daß Stopfkuchens Jungenseinfalt sich so wunderbar eingepaßt hat, weil er an nichts Anstoß nahm, weil er sich von den Nöten und Sorgen Tines und ihres so bös gewordenen Vaters ohne jede Furcht einfach mitbewegen ließ. So hat er aus Tine, dem „verwilderten Tier" einen Menschen gemacht, ihr den „Glauben an den lieben Gott" nicht erschüttern lassen. So hat er mit seinem Quartanerlatein den Korpusjuris-Komplex des alten Quakatz ausgeräumt und ihm Ruhe gegeben nach dem Bibelwort: „In den Mäulern der Unmündigen will ich der Wahrheit eine Stätte bereiten." So hat Stopfkuchen schließlich die Rote Schanze erobert. Wenn er mit dem Studentenlied anrückt: „Was kommt dort von der Höh?", dann rückt er ins komischste Licht. Zugleich bewährt er sich als hochnötiger Großknecht und Hochzeiter, der den Ruf der Roten Schanze wiederherstellt, Vater Quakatz mit der Welt zufrieden sterben läßt.

Dennoch mutet Stopfkuchen seiner Frau vorerst zu, daß er ihr vorenthält, wer Kienbaum erschlagen hat. Eduard verzeichnet alle Streitgespräche des Ehepaars genau. Er macht uns deutlich, daß Stopfkuchen es nicht mehr nur mit Eduard, auch mit Tine zu tun hat. Aber Stopfkuchens weitausholende Langsamkeit ist durch nichts zu erschüttern, und Raabe ergreift vielmehr die Gelegenheit, uns klarzumachen, daß des Dicken Verhalten zu Tinchen einer ganz anderen Seelenschicht entspringt, als dem überlegenen Übermut, mit dem er Eduard behandelt, dem er den Schuljungenspott von einst „heimzahlt". Mit Tinchen lebt Stopfkuchen unmittelbar mit, und darum beruft er ihr Urvertrauen, daß er nichts tun wird, was er nicht aus ihrem tiefsten Seelengrund mitgefühlt hat. Aber als er andeutet, daß er das Geheimnis um Kienbaum in Eduards Begleitung unter die Leute bringen will und daß er Tinchen nicht mitnehmen will, drückt sie das, was sie bewegt, mit solcher resoluten Gradheit aus, daß er spürt, er muß sie ganz ernst nehmen. Tinchen sagt: „Du erzählst freilich den ganzen Tag durch nach deiner gewöhnlichen Art das Schlimmste und das Beste, das Herzbrechendste und das Dummste, wie als wenn man einen alten Strumpf aufriwwelt; aber jetzt solltest du damit aufhören und Rücksicht auf mich nehmen, grade wenn du mich auch zu allen übrigen Frauen auf Erden rechnest."

Stopfkuchens Antwort bezeugt uns, mit welcher Herzenszartheit er sogleich innerlich auf das Bild vom riwwelnden Strumpf hin umschaltet. Er spricht von dem „albernen alten, abgestunkenen Unrat", vor dem er sie bewahren will, und dann streut er in den Vorschlag, ihr alles nachts zu berichten, ein paar Verse vom alten

Goethe: „oben die Sterne und unten die Gräber"; Verse, die nur Sinn haben, wenn ihr das ganze Gedicht ebenso vertraut ist wie ihm. Es ist ein Gedicht „Symbolum", das 1816 unter dem Gesamttitel „Gesänge der Freimaurer" erschien. Die Verse sind aus der dritten Strophe des lyrisch didaktischen Gedichts. Die Strophe lautet:

„Und schwer und schwerer
Hängt eine Hülle
Mit Ehrfurcht. Stille
Ruhn oben die Sterne
Und unten die Gräber."

Wir begreifen, daß hier im „Symbolum" etwas vom geheimen Logen-Einverständnis der Ehegatten angerührt ist und daß auch solche Spannweite des Symbolums zu der Kunst gehören muß, eine humoristische Geschichte zu schreiben. Raabe rührt hier an die Grundquellen seines Humors. Eduard als Chronist gibt das entscheidende Stichwort: „Daß ihr zwei das glücklichste Ehepaar seid, das sich je zueinander gefunden und ineinander hineingelebt hat."

Es ist ein Augenblick der Wende. Damit daß sich Frau Valentine einverstanden erklärt und ihren Mann mit Eduard in die Stadt entläßt, tritt sie selbst jetzt zurück, und ein neuer Abschnitt beginnt. Stopfkuchen klärt als ersten Eduard auf. Auch dazu wählt er sich den fruchtbarsten Augenblick. Eduard ist es selbst, der den alten Schulfreund an den Sarg des aufgebahrten Störzer führt: Eduard gedenkt dankbar des Toten, der ihn nach Afrika geführt habe, während Stopfkuchen unter der Hecke geblieben sei. Da legt Stopfkuchen die geballte Faust neben die offene Hand Eduards auf denselben Sarg und sagt: „Macht die Geschichte drüben unter euch dreien aus, ihr drei: Kienbaum, Störzer und Quakatz." Damit weiß Eduard, wer der Mörder war: Störzer, sein „lieber Freund, sein getreuer müder Wandersmann". Eben erst hatte er zu Stopfkuchen gesagt, und auch das gehört zur Absicht des diese Szene aufbauenden Dichters: „Der Mensch kommt nie über den Egoismus weg, alles nur in seinen eigenen Gedankenzusammenhang hineinzuziehen." Mit dem Schock, den ihm Stopfkuchen versetzt, wird er zum ersten Mal aus solchem Egoismus herausgeworfen, und zwar gehört es zum Ausmaß des Schocks, daß Eduard begreift: gerade der, der unter der Hecke geblieben war, muß Seelenkräfte besitzen, die sich weit über den Eduard-Egoismus erheben.

Es sind die Seelenkräfte, mit denen Raabe selbst glaubt „die Kanaille am festesten gepackt zu haben." Auch zum Aufklärungsbericht wählt sich Stopfkuchen jetzt den fruchtbarsten Augenblick. Eduard ernennt er zum „Chorus in der Tragödie". Als Ort erwählt er die leere Gaststube des Gasthofs zum Goldenen Arm, eine Stunde bevor der Stammtisch Brummersumm zusammenkommt. Als Zuhörer aber sucht er sich die beste Vertreterin der „Frau Fama" aus, das Schenkmädchen Meta, die im Hintergrund zuhört und mit unzähmbarer Neugier jedes Wort aufnehmen wird, um es alsbald dem Stammtisch mitzuteilen. Sich selbst nimmt Stopfkuchen dabei wie eine Art Bänkelsänger, der „zur Drehorgel" singt, wobei also alles, was zu erzählen ist, eine Art Umsetzung in balladische Anschaulichkeit erfährt.

Raabe nähert sich damit dem Höhepunkt dessen, was ihm mit dem Stopfkuchen-Roman vorgeschwebt hat: eine humoristische Erzählung zu schreiben. Der Rahmen, den der Bänkelsänger wählt, deutet auf eine Objektivierung, die dazu vorbereiten kann, sich auf das Wesen des objektiven Humors zu besinnen.

Hier bietet sich aus der Zeit heraus, die Raabe mitdurchlebt hat, die Formel an, die Hegel in seinen Vorlesungen zur Ästhetik für den objektiven Humor gefunden hat, in seiner Durchleuchtung der Romantik als verantwortliche Zerstörerin der von Hegel entwickelten Kunstform durch subjektiven Humor. Da heißt es am Ende des II. Teils:

„Zum wahren Humor gehört viel Tiefe und Reichtum des Geistes, um das nur subjektiv Scheinende als wirklich ausdrucksvoll herauszuheben und aus seiner Zufälligkeit selbst, aus bloßen Einfällen das Substantielle hervorgehen zu lassen." Im Hinblick auf den englischen Humor fügt Hegel hinzu: „Das Sichnachgeben des Dichters im Verlauf seiner Äußerungen muß, wie bei Sterne und Hippel, ein ganz unbefangenes, leichtes, unscheinbares Fortschlendern sein, das in seiner Unbedeutendheit gerade den höchsten Begriff von Tiefe gibt; und da es eben Einzelheiten sind, die ordnungslos hervorsprudeln, muß der innere Zusammenhang um so tiefer liegen und in dem Vereinzelten als solchen den Lichtpunkt des Geistes hervortreiben."

Den Begriff des „objektiven Humors" entwickelt Hegel dann am Gegensatz zur Romantik:

„Die romantische Kunst war von Hause aus die tiefere Entzweiung der sich in sich befriedigenden Innerlichkeit, welche, da dem insichseienden Geiste überhaupt das Objektive nicht vollkommen entspricht, gebrochen oder gleichgültig gegen dasselbe blieb. Dieser Gegensatz hat sich im Verlauf der romantischen Kunst dahin entwickelt, daß wir bei dem alleinigen Interesse für die zufällige Äußerlichkeit oder für die gleich zufällige Subjektivität anlangen mußten. Wenn sich nun aber diese Befriedigung an der Äußerlichkeit wie an der subjektiven Darstellung dem Prinzip des Romantischen gemäß zu einem Vertiefen des Gemüts in den Gegenstand steigert und es dem Humor andrerseits auch auf das Objekt und dessen Gestaltung innerhalb seines subjektiven Reflexes ankommt, so erhalten wir dadurch eine Verinnigung in dem Gegenstande, einen gleichsam objektiven Humor."

Hegels Vorlesungen wurden 1835, in zweiter Auflage 1842 durch Hegels Schüler Hotho veröffentlicht, der während Raabes Berliner Studienzeit 1854—1856 ihm in seinen eigenen Vorlesungen zur Ästhetik Hegels Auffassungen vermitteln konnte. Darauf aber kommt es weniger an als auf die innere Anschauung, die sich aus dem Gegensatz des beginnenden Realismus zur Romantik ergab.

Der Begriff einer „Verinnigung" in dem Gegenstand, einer „Vertiefung des Gemüts in den Gegenstand" beruft Grundkräfte, die wir im Gesamtwesen Raabes, insbesondre aber in der Gestalt Stopfkuchens entwickelt finden. Als Stopfkuchen dem Freund Eduard, während Frau Valentine abgerufen war, deutlich machen wollte, was der alte Quakatz für ein Unmensch geworden war, da drängt sich ihm folgendes Geständnis auf die Lippen:

„Daß ich ihn nicht drei oder drei Dutzend Male totgeschlagen habe, das war keine Kleinigkeit, das sage ich dir jetzt schon. Es gehörte eben eine Natur, oder, wenn du lieber willst, ein Gemüt wie das meinige dazu, um so einem mißglückten Ebenbilde Gottes an den Kern zu kommen."

Es klingt wie das vorausgeschickte Leitmotiv, unter dem wir im künftigen Bericht Stopfkuchens erfahren werden, wie seine „Natur und sein Gemüt" angelegt sind, dem noch viel mißglückteren Ebenbild Gottes im Mörder Störzer an den Kern zu kommen und ihm das Geständnis seiner Mordtat abzuringen. Da erst erfährt dann Eduard, bis zu welchem Grad der Dicke, während er unter der Hecke lag, sich hat mitbewegen lassen von den Grundkräften in den Tiefen der menschlichen Seele und des Miteinanders unter Menschen; und wie er es verstanden hat, nur mit Mammutgeduld die Augen offen zu halten, bis wie von selbst ans Licht tritt, was unter der maskenhaften Gesamt-Garderobe der Zeit an lemurenhaftem Kanaille-Unwesen verborgen lag. Der winzige Nagel aber, an dem er das alles aufhängt, wird der aufgedeckte Kienbaum-Mord sein. Eben hier bewährt sich, wie im englischen Humor, daß das scheinbar Unbedeutendste den höchsten Begriff von Tiefe gibt.

Ehe wir uns nun daran machen, vom bei Hegel gewonnenen Begriff des „objektiven Humors" her Raabes Darstellung von vornherein in ein geistigeres Licht zu stellen, soll noch deutlich gemacht werden, was Hegel von einem Künstler erwartet, der eine „Natur" und ein „Gemüt" in einem ist, so wie Stopfkuchen es bei Raabe uns selber ins Bewußtsein gerufen hat. Hegel entfaltet daran sein Idealbild der archaischen Kunst, so wie Stopfkuchen sich bis in die Zwiesprache mit seinem Mammut oder seinem Riesenfaultier zurückvertieft, um von den Grundbewegungen der archaischen Tiefe mitbewegt zu sein. Da heißt es bei Hegel:

„Der Künstler ist in seiner Produktion zugleich Naturwesen, seine Geschicklichkeit ein *natürliches* Talent, sein Wirken nicht die reine Tätigkeit des Begreifens, die ihrem Stoff ganz gegenübertritt und sich in freien Gedanken, im reinen Denken mit demselben eint — sondern, als von der Naturseite noch nicht losgelöst, unmittelbar mit dem Gegenstande vereinigt, an ihn glaubend, und dem eigensten Selbst nach mit ihm identisch. Dann liegt das Subjektive gänzlich in dem Objekt, das Kunstwerk geht ebenso ganz aus der ungeteilten Innerlichkeit und Kraft des Genies hervor, die Produktion ist *ferme,* unwankend, und die volle Intensität darin zusammengehalten. Dies ist das Grundverhältnis dafür, daß die Kunst in ihrer Ganzheit vorhanden sei."

Wir begreifen, daß beides aufeinander zugeordnet ist, objektiver Humor und Kunst in ihrer Ganzheit, wie sie sich im symbolischen Kosmos der Dichtung wiederfindet.

Nunmehr verfolgen wir den Weg, den Raabe geht und den er seinen Stopfkuchen mit dem Gang zur Stadt in Eduards Begleitung antreten läßt, einem Bänkelsänger mit der Drehorgel vergleichbar. Stopfkuchens erster Kanaille-Zugriff ereignet sich beim Begräbnis seines Schwiegervaters Quakatz. Es ist wie ein innerer Zwang, wenn er auf den Pfarrer von Maiholzen einwirkt und ihn für eine ganz besondere Art Grabrede zu begeistern weiß. Wortwörtlich läßt er dann in der Schenke den Pfarrer sprechen, genau wie am Grabe, und jedes Wort geht dem Schenkmädchen ein. Der Pfarrer richtet die ernste Warnung an jeden Christen, der sich ehedem an den Mord- und Rufmordgerüchten mochte beteiligt haben, alle schlimmen Gedanken jetzt abzutun. „Vielleicht geht noch ein andrer im Leben umher als ein lebendiges Beispiel davon, was der Mensch aushalten kann mit einer Bluttat auf der Seele und dem täglichen und nächtlichen Bewußtsein, einen andern, einen Unschuldigen, dafür aufkommen zu lassen." Man kann wohl sagen, hier spricht aus Stopfkuchen, der sich des Pfarrers bedient, „die ungeteilte Innerlichkeit und Kraft des Genies." Es hat durchaus etwas Geniales, wie hier ins Wort der Grabrede hinein ein Impuls durch die Hörer getrieben wird, der wie vom Geist des Toten mitbewegt ist und auf alle ausgreift. Der nächste Schritt ist die Bitte an alle, die noch schlimme Gedanken haben, wenigstens die Hand von der Grabschaufel zu lassen. Die Folge ist, daß sich alle zur Schaufel drängen. Nur der, dem Stopfkuchen die Schaufel weiterreicht, läßt sie fallen und verschwindet in der Menge. Hinterher erst wird Stopfkuchen bewußt, daß es Störzer war, das „Kains-Zeichen" auf der Stirn. Was hat sich hier kundgetan als objektiver Humor?

Wir sind in Eduards Niederschrift. Wir erleben, wie Stopfkuchen, mitten im „Drehorgelsang" einem der kommenden Stammtischbrüder zuruft: „Schönen guten Abend, Herr Müller." Wir erleben die Wirkung auf die Schenkin, auf Eduard. Wir hören Stopfkuchens Meditation: „Die Kraniche des Ibykus über dem Maiholzener Dorfkirchenhöfe?" Wir erleben mit Eduard Stopfkuchens Selbstgespräch, bei allem Darüberstehen („Das reine Friedhofs-Morgensonne-Gespenst") ein tiefes Betroffensein: „Da, da, da — jetzt, jetzt, jetzt? Sollte sich nicht auch einmal unter deiner Speckhülle etwas melden, was —?" Jedenfalls etwas, das man ernst nehmen muß. Denn es kommt offenbar aus dem verräterischen Unbewußten. „Mir ging glücklicherweise die Pfeife dabei aus, und ich hatte sie wieder anzuzünden." Haben wir hier nicht das unscheinbare, unbefangene Fortschlendern über der Tiefe? Wir erleben Stopfkuchens Gespräch mit seiner Frau, die er seltsam beruhigt findet: es ist ihr gleichgültig geworden, wer Kienbaum erschlagen hat, sie fühlt sich hinter ihrer Schanze geborgen. Also fühlt sich auch Stopfkuchen nicht veranlaßt, „zum Prytanen zu gehen".

Aber was in Stopfkuchen innen in Bewegung gekommen ist, setzt sich fort. Die „Verinnigung mit dem Gegenstand" beginnt. Es geht um das Abenteuer ins Unbekannte der Menschenseele. Wie entringt man einem Mörder das Geständnis? Nur indem man zu dem Untergrund vordringt, wo sich der Acheron bewegt, wo man von ihm mitbewegt werden kann. „Wirklich, Störzer, Sie machen ja wieder ein Gesicht wie — neulich — dort auf dem Maiholzener

Kirchhofe, als ich Ihnen an unseres seligen Vaters Grube den Spaten zureichen wollte." Ein Gesicht wie Quakatz, wenn man ihm wieder suggerieren wollte, er habe Kienbaum erschlagen. Störzers Abgang gleicht einer Flucht.

Wenn Stopfkuchen jetzt, wo er den Mörder kennt, in die Kammer zum versteinerten Mammut geht, um mit ihm Zwiesprache zu halten, dann ist darin der Drang zum Objektiven ganz offenbar. Zu einer Jahrtausend-Perspektive, in der sich alles Zufällige abscheidet und das „Substantielle" heraufdringt. Solche „Verinnigung" aber führt zum objektiven Humor. Stopfkuchen scheidet die Justiz als menschliche Institution aus. Soll er aber tun, als wüßte er von Nichts? „Ein Gott hätte man sein müssen, um das zu können." Gemessen an der göttlichen Dickfelligkeit ist Stopfkuchens Dickfelligkeit nur im komischen Kontrast zu sehen. Aber ihr eignet etwas, was die Komik zum Humor erhebt: ein Organ, mitbewegt zu werden mit allem, was im Seelengrund des „verjährten Sünders" vor sich geht. So erwächst die Aufgabe: „Sitze erst einmal selber zu Gericht."

Stopfkuchens Ausstrahlung ist zugleich komisch und ehrfurchterweckend. Eduard nennt ihn jetzt „den feisten Folterknecht", den „Folterer, der mit dem Hammer an die Dammschrauben klopft". Zugleich hört er ihn sprechen vom „Näherkommen der Erinnyen", und er findet ihn bereit, die Erinnyen als „Eumeniden" zu sehen. „Wenn sich Zürnen und Wohlwollen im gegebenen Falle vereinigen ließen, war das mir wahrhaftig recht."

Hier zeigt uns objektiver Humor ein Doppelgesicht: geistige Überlegenheit, die mit genauer Schärfe die Stelle aussucht, an der dem Mörder am ersten sein Geständnis zu entlocken ist. „Guten Tag, Alter! Hier ists ja wohl gewesen." Solche Kühnheit, den Acheron zu bewegen, kann aber nicht ohne den Höllenhund sein. Das Wutverzerrte Gesicht Störzers läßt das Schlimmste befürchten. Aber aus Stopfkuchen spricht nicht nur der Richter, auch der Mensch. Und die Worte, die der Mensch findet, aus furchtlosem, zugleich mitfühlendem Herzen, bewirken in Störzer den radikalen Umschlag. Er gibt jeden Widerstand auf. Stopfkuchens Humor stellt es so dar, als habe Störzer in ihm den „Jüngsten-Gerichts-Boten" gesehen, und der Anblick Störzers: im Graben, auf dem Gesicht liegend, „mit racheanlockend-hochgehobenem Hinterteil" erreicht in der Mammutperspektive Stopfkuchens einen Grad von grotesker Komik, die schon wieder mit Entsetzen gemischt ist um der Entwürdigung des

Menschlichen willen. Stopfkuchen selber entspannt hier durch Selbsthumor: „Ich bin fest überzeugt, wenn ich je in meinem Dasein ein Nußknackergesicht gemacht habe, so ists damals gewesen."

Das sind wahrhaft exemplarische Großleistungen des Humors aus einer schöpfungsmitbewegten Einfalt, die sich zur göttlichen Hellsicht mitberufen weiß.

Es gelingt, durch gütliches Zureden Störzer soweit zu beruhigen, daß durch sein „beneidenswert dickstes Fell der ganzen Gegend" das Geständnis „durchsickert". Ein Verhältnis wie zwischen „Beichtvater und Beichtkind" stellt sich her.

Auf Eduard wirkt solch Elektroschock des objektiven Humors ausweitend: er hört gleicherweise Stopfkuchen sprechen im Goldenen Arm, und Störzer am Grabenrand, seinem einstigen Freund.

Was nun zwischen Beichtvater und Beichtkind in Rede und Antwort heraufdringt, ist nichts weiter als die einfache Wahrheit, wie es zu dem Mord hat kommen können und zu der Verhärtung, daß Störzer den Unschuldigen hat leiden lassen. Man kann sagen: das Einfachste ist hier das Unheimlichste, darin liegt hier der große Humor.

Stopfkuchens erste Frage lautet, nach dem Geständnis: „An meinen armen Schwiegervater haben Sie zum Exempel nicht gedacht?" Störzers Antwort: „Es war gegen die Natur." Das versucht er sich und Stopfkuchen klarzumachen. Dabei dringt dann der Acheron herauf, wie ihn später Freud bewegt hat. Stopfkuchens Mitbewegung greift hier weit der Zeit voraus. Störzer hat seinen Kienbaum-Komplex. Kienbaum und Störzer waren von Kind an wie gegeneinandergekettet. Kienbaum hat den Namen Storzhammel geprägt. Kienbaum wuchs sich zum reichen Viehhändler aus, tagtäglich begegneten sich die beiden, Kienbaum hoch im Kutschwagen, Störzer immer auf der Landstraße. Und immer flog von oben herab die schnippende Peitsche, und irgend ein Hohnwort: „Lauf dich zum Teckel!" „Hast du dich heute wieder für fünf Groschen zum Teckelhund gelaufen?" Bis zu dem Augenblick, wo die Galle überlief. Bis die überraschte Hand einen Feldstein zu fassen bekommt und wirft. Die Pferde des Wagens gehen durch, Störzer erfährt erst andern Tags, daß Kienbaum im Wagen tot aufgefunden wurde. Aller Verdacht hat sich bereits gegen Quakatz gerichtet, der im Wirtshaus beim Handel mit Kienbaum in wüsten Streit geraten war. Nicht ein Verdachtsmoment fiel auf Störzer. Das nun nachträglich aufzuklären, ging für Störzer „gegen die Natur". Er beruhigte sich damit, daß Quakatz ein wohlhabender Mann war, der sogar „zurückgelegt hatte". Und dem nichts Entscheidendes vor Gericht nachgewiesen werden konnte. Sein Geständnis aber hat Störzer erleichtert. Er nimmt an, er wird nun sogleich abgeführt werden.

Aber Stopfkuchen zeigt ihn nicht an. Er hat mit seinem Mammut Zwiesprache gehalten, und vieles in Störzers Darstellung hat ihn miterregt. So besonders das Wort, daß der ungezielte Wurf getroffen hat „durch Gottes und Satans Willen". Stopfkuchen hat sich beschränkt, auf seine Weise den Rufmordgerüchten „die Lemurengurgel" zuzudrücken. Und er hat abgewartet, bis Störzer gestorben war. Aber am Tag von Störzers Tod, in Gegenwart Eduards, den ihm der Zufall bescherte, gibt er dem alten Quakatz sein „letztes Recht". Er bringt die Geschichte, wer Kienbaum wirklich erschlagen hat, unter die Leute, und so geschickt, daß er bereits wieder auf der Roten Schanze ist, während das neue Gerücht umläuft. Eduard aber stellt sich die Frage: „Wer von beiden war mir nun der Unbegreiflichste, der Unheimlichste geworden?"

Gewiß ist Störzer unheimlich, auf seine Art, wie er zwischen Gott und Satan zum Mörder fast wider Willen wird, und wie er die Mordtat zu verschweigen vermag, durch Jahrzehnte, sich verhärtend gegen alles, was Quakatz unter den Rufmord-Gerüchten hat ausstehen müssen, Quakatz und seine Tochter Tine. Störzer in der Maske des Biedermanns, zu dem Eduard als Junge aufgeschaut hat, mit seiner Unruhe, die in die Geographie ausgriff.

Unheimlicher aber für Eduard ist Stopfkuchen, der zu den „Unmündigen" gehörte und der sich selber zu den „Einfältigen" rechnete. Und der sich doch unter seiner Hecke von allem mitbewegen ließ, was mit seinem Tinchen zusammenhing und dem, was ihr und ihrem Vater das Leben verdüsterte. Da hat er dann zugewartet, mit Mammutsgeduld, bis sich im Lemurengeflecht der Mordgerüchte der Augenblick bot, beim Quakatzbegräbnis, eine Probe zu machen, ins Menschlich-Unbewußte vorzustoßen, ins Kanaillenhafte, um der Wahrheit auf den Grund zu kommen. Alles ist hier unheimlich: die Hellsicht, die unbeirrbar alles durchdringt, immer mit dem Blick für den fruchtbarsten Augenblick; und die Ausstrahlung des Dicken, seine Aufgeschlossenheit, sein Mitgefühl, seine archaische Mitbewegung mit allen acherontischen Tiefen, derart daß Störzer sein Innerstes vor ihm umgestülpt hat wie einen Handschuh. Eduard selbst mochte auch der Schock besonders umheimlich sein, den Stopfkuchen dem Freunde Eduard beigebracht, daß er zum ersten Mal sich aus seinem Eduard-Egoismus herausgeworfen fühlt.

Alles hat sich in Eduard umgesetzt zu einem Gesamteindruck, dem er in folgendem Stopfkuchen-Hymnus Ausdruck gibt: „So wahrscheinlich bald nach Mitternacht hatte ich mich ganz in des Dicken Stelle, das heißt, in seine Haut versetzt, das heißt, war in dieselbe hineinversetzt worden. Ich war zu seinem Leibesumfang angeschwollen und hatte mich auf die Höhe seiner behaglichen Weltverachtung erhoben und hatte gesagt: Dem dürren Afrikaner, diesem Eduard, wollen wir nun doch einmal aus dem alten Neste heraus imponieren und ihm beweisen, daß man auch von der Roten Schanze aus aller Philisterweltanschauung den Fuß auf den Kopf setzen kann. Dem wollen wir einmal zeigen, wie Zeit und Ewigkeit sich einem gestalten können, den man jung allein unter der Hecke liegen läßt und der da liegen bleibt, und um die Seele auszufüllen, nach Tinchen Quakatz sucht und, um den Leib bei Rundung zu erhalten, die Rote Schanze erobert und in Mußestunden von letzterer aus auch den gestern vergangenen Tag als wie einen seit Jahrtausenden begrabenen Mammutsknochen ausgräbt."

Was Raabe uns hier als Stopfkuchenporträt bietet, ist allein in der Eduard-Brechung aufgefangen. Eines spürt Eduard ganz objektiv: er ist in Stopfkuchen „hineinversetzt worden". Aber wenn er sich das so umsetzt als wäre er in den Fetten geradezu körperlich verwandelt worden, dann kommt ihm mehr das Komische, das Stopfkuchige zum Bewußtsein, als das Mummuthafte. Da bezeugen sich Eduards Grenzen, die Raabe hier deutlich zu setzen weiß. Dazu gehört es sicherlich auch, daß Eduard das Wort prägt von der „behaglichen Weltverachtung" und daß sich ihm vor allem aufdrängt, was Stopfkuchen ihm, Eduard, habe sagen wollen, um ihm zu imponieren. Keiner braucht so oft das Wort „Behagen" wie Eduard. Dennoch ist so viel von Stopfkuchens Grundwesen in Eduard eingedrungen, daß sich ihm unwillkürlich die Welt ausweitet zur größtmöglichen Spannweite zwischen „Zeit" und „Ewigkeit". Das allein schon sprengt die „behagliche Weltverachtung": Stopfkuchen als Herr der Zeit, als Diener der Ewigkeit.

Großzügiger läßt sich die Totalerschütterung nicht in ein Begriffspaar bringen, die Eduard gezwungen hat, auf seinem Schiff nichts anderes zu tun als alles niederzuschreiben. Und da findet dann Eduard jenen symbolischen Mittelpunkt, auf seine Weise: den Nagel, an dem man alles aufhängen kann: daß Stopfkuchen „den gestrigen Tag als wie einen seit Jahrtausenden begrabenen Mammutknochen ausgräbt". Da ist das Stopfkuchige wahrhaft dem Mammuthaften gewichen. Da ist Stopfkuchens unheimliche Hellsicht umgesetzt in den Mut: den Mammutknochen auszugraben, noch das Unterste im Lemurengewühl der Kanaille im Menschen ans Licht der Ratio heraufzubefördern. Eduard hat eine für sein Behagen wirklich kühne Analogiesetzung vollzogen: zwischen der Untat, mit allen daran angesetzten Rufmordgelüsten, als ein Urarchaisches im Menschen, und zwischen Stopfkuchen auf der Roten Schanze, der im Untergrund sein Mammut entdeckt hat als sein Weltgewissen, mit dem er Zwiesprache halten kann als wäre es ein lebendiges mythisches Wesen, von allem mitbewegt.

Was Eduard hier mit den Griffen seiner Eduard-Ratio zur Deckung zu bringen sucht, hat Raabe selbst, der Dichter, uns in die komplexe Stopfkuchengestalt hineinverdichtet, als Herr der Zeit, als Diener der Ewigkeit. In solcher Gestalt ein Inbegriff objektiven Humors, auf den alle Merkmale zutreffen, die Hegel gehäuft hat, um den auflösenden Tendenzen der Romantik und ihrem subjektiven Humor entgegenzuwirken. Stopfkuchen vollzieht mustergültig die „Verinnigung in den Gegenstand", um ganz und gar das „Substantielle" aus allen durchgestandenen Kalamitäten der Quakatznöte ins Licht zu heben, als Eroberung der Roten Schanze, als Eroberung der Kunst, objektiven Humor zu verwirklichen im Triumph über Zeit und Ewigkeit. Der Spiel-Übermut des Herrn der Roten Schanze geht zusammen mit dem mammuthaften Mitbewegtsein von allem, was unterirdisch im Menschen vor sich geht, was den Acheron der Zeit bewegt.

Wie Eduard sich zu Stopfkuchen verhält, dazu hat uns Raabe das Schlußbild des Romans gegeben: Eduard, der auf beschleunigter Rückfahrt nach Afrika an der Roten Schanze vorbeifährt, mit dem Blick auf die beiden „winzigen Figürchen", die er sich alsbald durch die blauen Vorhänge des Eilzugfensters verhängt. Eduard holt sich zuletzt den „Satz vom zureichenden Grunde" heran, zu folgender vereinfachenden Formel seiner Eduard-Ratio: „Wie mich der Le Vaillant in der Bibliothek des Landbriefträgers Störzer zu den Buren gebracht hatte, so hatte der Steinwurf aus Störzers Hand den Freund zu Tinchen geführt und zum Herrn der Roten Schanze gemacht." Was dem einzig widerspricht, ist die Besessenheit, mit der derselbe Eduard sich auf seinem Schiff daran macht, alles zusammenzuschreiben, was ihm dieser letzte Tag in der Begegnung mit Stopfkuchen gebracht hat, um hinter dem Satz vom zureichenden Grunde das Unzureichende mitzuerfassen, das Mammuthafte, eben das was imstande gewesen war, Eduard für Augenblicke aus seiner behaglichen Weltverachtung und aus seinem Schnellfüßer-Egoismus herauszuwerfen in die Dimensionen der Stopfkuchenschen Natur.

Um solche Elektroschocks gerade ist der Roman geschrieben, und überall wo der Eduardblick nicht mehr zureicht, stellt sich Stopfkuchens objektiver Humor ein, als „die Kraft des Genies", die uns Stopfkuchen zur symbolischen Gestalt macht, wie er sich die Rote Schanze erobert, während sein Dichter sich eben damit die „Kunst erobert hat, eine humoristische Erzählung zu schreiben". Raabe überläßt es den Ausstrahlungen der Symbolkraft, mit der er alles gestaltet hat, seine Leser auf die Spur zu treiben, die zum Mammutgeheimnis führt. Die einfachste Formel dafür liegt in Stopfkuchens Wort: „Es gehörte eben eine Natur, oder wenn du lieber willst, ein Gemüt wie das meinige dazu, um so einem mißglückten Ebenbilde Gottes an den Kern zu kommen." Und in der Weise, „fortzuschlendern" wie in Stopfkuchens Wort: „Ich bin ein wenig breit — auch in meiner Schöne-Geschichten-Erzählungsweise. Aber dafür sind andere Leute desto kürzer, und so gleicht auch das sich im großen und ganzen immer wieder aus." Stopfkuchen sagt das in dem Augenblick, wo es um Störzers Geständnis geht, wo jedes Wort sich in die Tiefe bewegt, das „Substantielle" heraufzuholen.

Hegels „Verinnigung mit dem Gegenstand" erscheint wie eine Vorausschau auf Raabe im ganzen. Auch die Haltung Hegels zur Romantik, die sich dahinter abzeichnet, entspricht Raabes Haltung: „In unseren Tagen hat sich fast bei allen Völkern die Bildung der Reflexion, die Kritik, und bei uns Deutschen die Freiheit des Gedankens auch der Künstler bemächtigt und sie in betreff auf den Stoff und die Gestalt der Produktion .. sozusagen zu einer tabula rasa gemacht." Raabes Gesamtwerk mit dem Rückgriff auf den „Zusammenhang der Dinge" ist ein Gegenwurf zur Romantik und ihre auflösenden Tendenzen. Und wenn Raabe sich im „Stopfkuchen" „am freiesten und sichersten über der Welt empfunden hat", dann bestätigt er damit nur Hegels Entdeckung des „objektiven Humors", der mit der „Verinnigung", mit der „Vertiefung des Gemüts in den Gegenstand" zusammengeht. Raabes Altersstil, der im „Stopfkuchen" triumphiert, läßt Grundzüge des objektiven Humors erkennen, die Hegels Postulate ergänzen. Raabe, der sich eins weiß mit seinem Helden in der Grundposition, ein höchstes Ziel erreicht zu haben, Stopfkuchen die Rote Schanze, Raabe die Kunst des objektiven Humors, umfaßt mit seiner produktiven Phantasie eine Spannweite, die genau ausgemessen werden kann. Einmal die Freiheit des Homo ludens, wie wir sie im englischen Humor bis in das „unscheinbare Fortschlendern" der Sprache vorfinden. Zum andern die „Verinnigung im Gegenstand", als eine fast mythische Kraft, sich mitbewegen zu lassen vom Grundgeschehen der Zeit, bis hinab in die Untergründe, wo es gilt, den Acheron zu bewegen. Dafür hat Raabes produktive Phantasie sich die Figuren des Mammuts und des Riesenfaultiers ausgedacht, die Stopfkuchen, der damit als moderner Märchen-Hans im Glück erscheint, in seiner Roten Schanze miterobert hat. Die Zwiesprache mit dem archaischen Urgrund, nicht als eine willkürliche Mythisierung des Mammuts, sondern als Begnadung, als Geschenk der Schöpfung an den, der das Zauberwort weiß, diese Zwiesprache vertieft nur, was Stopfkuchen in sich selbst als „eine Natur, ein Gemüt" vorfindet.

Solche Spannweite verbürgt zugleich jene komplexe „Kraft des Genies", von der Hegel spricht derart, daß sich die Erfindungskraft des Homo ludens, die als objektiver Humor auftritt, zur Deckung bringt mit der Kraft der symbolischen Gestalt. Dadurch wird es allein möglich, Raabes „Stopfkuchen" neben Stifters „Witiko" zu stellen als zwei polare Ausgestaltungen des Zeitalters, das von der Krise des „Subjektivismus" bedroht ist. Stifter stilisiert ins Erhabene, indem er sich als Stimme weltgeschichtlichen Geschehens selber gibt, eingefangen ins „sanfte Gesetz". Raabe steigert sein Organ für den Zusammenhang der Dinge sozusagen ins Mammuthafte, um in die Rauhigkeiten einer labyrinthischen oder acherontischen Untergrundsbewegung vorzustoßen, wo das Göttliche dicht beim Satanischen liegt. Gemeinsam für beide Romanwerke kann dann das Bild vom „Wurzelgeflecht eines alten Baumes" gelten, wie es Guardini für Raabes Kunst gewählt hat. Witiko, der wie der Wald denkt, und Stopfkuchen der mit dem Mammut Zwiesprache hält, beide Heldenfiguren überragen auf mythische Weise ihre Zeit. Um solche mythische Mitte ist bei beiden Dichtern der symbolische Kosmos der Dichtung gebaut.

Erfolgreich hat sich in den Dienst des deutschen „Poetischen Realismus" Wolfgang Preisendanz gestellt, mit seinem Buche „Humor als Einbildungskraft des Dichters". 1963. Er bemüht sich, den Romanwerken des deutschen „Poetischen Realismus" ihr Recht zu geben gegenüber dem Weltruhm der Ausländer, aufgrund der produktiven Phantasiekräfte, die sich als Humor im Deutschen entwickeln. Hegels objektiver Humor wirkt dabei mit herein. Preisendanz widmet den Hauptteil Gottfried Keller, betrachtet Raabe nur im verkürzten Ausblick unter dem Begriff des „spekulativen Humors". Als Beispiel wählt er für Raabe „Das Odfeld", doch berührt er mit einem Seitensprung auch „Stopfkuchen". Hier müssen wir ihm entgegentreten, weil er seine großzügige Gesamtthese dadurch wieder aufhebt, daß er sowohl das „Symbol" wie das „Gemüt" im Geist einer vom Krieg überforderten Generation zu entmachten entschlossen ist. Er zitiert eine Briefstelle zum „Stopfkuchen", kurz nach Abschluß des Romans 1890: „Als ich den Strich unter das Ding zog, war ich in der Tat selbst ein wenig zufrieden mit meiner ironischen Symbolik oder Allegorik." Die Briefstelle, impulsiv niedergeschrieben beim Abschluß, wertet Preisendanz als eine Art Grundsatzerklärung und macht sie zum Hebel, die Symbolik des Ganzen aufzuspalten. Das Zitat sei ganz angeführt als Beispiel für die hier wirksam gemachte dialektische Methode:

> „Die Ironie läßt scheinbar etwas als das gelten, was es zu sein behauptet, und trifft dabei doch ohne jeden ausdrücklichen Hinweis die Inkongruenz von Sich-Ausgeben-Als und An-sich-sein. Wenn Raabe demnach von ironischer Symbolik spricht, so muß er wohl doch diese Inkongruenz ins Auge fassen, muß er sagen wollen: was als Symbol zu gelten scheint, ist eigentlich keines, gibt sich nur als solches aus: Bedeutung und Erscheinung haben an sich nichts miteinander zu schaffen, sie sind nur durch die Gestaltung des Objektiven innerhalb des subjektiven Reflexes vermittelt. Raabe könnte der Briefstelle nach sogar meinen: ich nenne meine Art der Symbolik ironisch, weil sie eher Allegorie ist, ein durchaus „subjektiv Gemachtes", in subjektiver Willkür gestiftetes Zusammenfallen von Sinn und Erscheinung."

Unsere ganze Darstellung steht dem entgegen, daran bezeugt sich wohl der Gegensatz der Generationen, hinter dem das Phänomen selbst nicht verschwinden darf. So mag die von Preisendanz angeführte Briefstelle erneut beleuchtet werden. Was Raabe veranlassen konnte, unmittelbar nach dem Abschluß und im unverbindlichen Brief von „ironischer Symbolik oder Allegorik" zu sprechen, war der groteske Kontrast-Zusammenhang des fetten Stopfkuchen mit dem knochenmageren Autor, der sich doch in solcher Tarnung mit seinem Helden identisch fühlte. Je mehr Jahre vergingen nach dem Abschluß, um so weiter wurde Raabes Blick. 1893 bereits betont er im Brief den „objektiven Wert der Dichtung". Damit gab er dem Bekenntnis, eine „humoristische Erzählung" geschrieben zu haben, die Richtung auf Hegels objektiven Humor. 1905 hieß es dann: „Beim Stopfkuchen habe ich mich eben am freiesten und sichersten über der Welt empfunden." Und er zitiert seinen Goethe:

Ursprünglich eignen Sinn
laß dir nicht rauben!
Woran die Menge glaubt,
ist leicht zu glauben.

Damit ist nicht nur das Vorbild der Goetheschen wahren Symbolik näher gerückt, auch die Grundlage des Selbst als ein Absolutes, Objektives. Raabes Symbolblick deckt sich mit der Kunst, eine humoristische Erzählung zu schreiben. Beides fließt aus der gleichen Zwiesprache, die Raabe seinen Helden mit seinem Mammut halten läßt. Aus der Tiefe der Gemütszwiesprache.

Während bei Preisendanz Humor als „Ironie" von der Gemütsmitte und der Symbolmitte abgespalten wird, entsteht im gespaltenen Deutschland heute eine nicht mehr überbrückbare Kluft. Der Marxismus, jedem bürgerlichen Kultur-Überbau entgegen, macht Raabe zum Repräsentanten eines kleinwinkligen Deutschland, das 1848 seine große Stunde versäumt habe. Georg Lukacs spricht 1949 im Thomas-Mann-Essay von der „kleinen Welt der Raabeatmosphäre", macht sie mitverantwortlich für den Untergang des Musikergenies Leverkühn im „Doktor Faustus". Jetzt heißt es für die Nachwirkung der kleinen Raabeatmosphäre: „daß sie alle Inhalte und Bestimmungen der großen Welt in die eigene, eigenbrötlerisch-sonderlinghafte, esoterisierende und reaktionäre, immer barbarischer werdende Philisterhaftigkeit herunterzerre." Der Chronist Serenus Zeitblom wird „den Raabe-Gestalten angenähert", Ausdruck für die „Widerstandsunfähigkeit der besten bürgerlichen Intelligenz" im Dritten Reich, ähnlich widerstandslos wie die Raabegestalten gegenüber der „heraufziehenden Bismarckzeit".

Was damit vom marxistischen Sozialismus her Raabes Gesamtwerk abgeschnitten wird, ist das Grundvermögen, sich mitbewegen zu lassen von den vorwärtsdrängenden Kräften des Zeitalters. Darnach kann Stopfkuchen hinter seiner Roten Schanze kein Symbol mehr sein, auch wenn er sich mit seinem Mammut unterhält oder Schnellfüßern wie Eduard vor Augen führt, wie man den Acheron bewegt. Für die jüngste marxistische Generation gibt es nur noch radikale Formeln wie „Irrationalismus“ und „Fortschrittsfeindlichkeit“, auch für jeden, der Raabe im westlichen Sinn ausdeutet.

Im Unterschied zu Preisendanz hat sich auch die jüngste Raabeforschung des Westens radikalisiert. Hermann Helmers will grundsätzlich Raabe nicht mehr aus dem Kontinuum seiner Werke betrachten, sondern „mosaikartig“ aus Einzelinterpreationen sich ein „neues Raabebild“ aufbauen, das nicht nur „Symbol“ und „Gemüt“ ausschaltet, sondern einzig den Raabe der „Kritik, der Satire, des Spotts und der Karikatur“ betrachtet auf Vorausgriffe Brechtscher „Verfremdungen“ hin. Als Vorläufer der Epik des 20. Jahrhunderts wird Raabe, der Sozialkritiker, nah an den Marxismus herangerückt, sofern er „den geistigen Überbau der kapitalistischen Gesellschaft“ geißelt. Raabe hat den Typus, der hier verfremdend wirksam wird, vorweggestaltet im Herrn von Schmidt, Chronist des „Meister Autor“: „er übergeistreichelt seine Relation.“

Was Raabe am Typus des Herrn von Schmidt im Brief kritisch heraushebt, setzt nur fort, was Hegel in jener Kritik des romantischen Subjektivismus schärfer formuliert hatte: „In unseren Tagen hat sich fast bei allen Völkern die Bildung der Reflexion, die Kritik, und bei uns Deutschen die Freiheit des Gedankens auch der Künstler bemächtigt und sie in betreff auf den Stoff und die Gestalt der Produktion . . . sozusagen zu einer tabula rasa gemacht.“ Überraschend begegnen wir dem Begriff des „Tabula-Rasa“-Machens für die Generation, die 1945 überfordert aus den Schrecken der Katastrophe zurückkam. Urs Widmer (1966) spricht vom Postulat,Tabula Rasa zu machen in der Prosa 1945—48. Armin Mohler 1965 faßt die ganze Generation als Tabula-Rasa-Generation zusammen. Der Versuch, Raabe in die Brechtsche „Verfremdung“ zu werfen, kann nur als ein solcher Tabula-Rasa-Akt verstanden werden: mit allen Grundwerten Raabes wird tabula rasa gemacht.

Bis zu welchem Grad damit an Raabe vorbeigegangen wird, mag abschließend ein Ausspruch Raabes (Notizbuch 5. Juli 1875) dartun: „Die interessantesten Zeiten des Menschendaseins sind nicht die, in welchen man sich der Illusion hingibt, sein Leben selbst führen zu können , . . . sondern die, in denen man den Flügelschlag des Schicksals deutlich über seinem Kopf rauschen hört. Und trotz aller möglichen Unruhe und Aufregung sind die letzteren, so paradox es klingen mag, die normalen.“ Wer Raabe, um ihn zu verfremden, solchen Weltzusammenhangs beraubt, wie er selbst ihn hier im Bild ergreift, leistet den marxistischen Verzerrungen Vorschub, wird selber zum Tabula-Rasa-Mann.

Theodor Fontanes Roman „Der Stechlin“

Fontane erlebte noch den Abdruck seines letzten Romans „Der Stechlin“ in der Zeitschrift „Über Land und Meer“ Oktober bis Dezember 1897. Die Buchveröffentlichung Ende 1898 erlebte er nicht mehr. So ist dieser Roman sein Altersvermächtnis. Unwillkürlich überträgt sich die Darstellung vom Sterben des alten Stechlin auf die Grundgestimmtheit, aus der wir Fontanes eignes Sterben uns vorzustellen haben. So erhält sie besonderes Gewicht, ohne daß wir daran denken dürften, im alten Stechlin Fontane selbst zu sehen. Gerade der symbolische Blick des alternden Künstlers stellt einen Abstand her, der alles Selbstbiographische ausschließt. Es geht um eine symbolische Gestalt, in die sich für Fontane alles verdichtet, was er selbst als den „ganz eigentümlichen Charme“ des alteingesessenen märkischen Adels zusammenfaßt (1898).

Wie sehr hier die symbolische Einbildungskraft am Werke ist, ist schon im Titel „Der Stechlin“ mit aufgenommen. Um die Gestalt des alten Stechlin breitet sich sein ganzer Grundbesitz mit Schloß und Wäldern und Seen aus, insbesondre der Stechlin-See, um den sich schon in Fontanes „Wanderungen“ I die Stechlin-Sage entwickelt findet. Bereits in die dritte Auflage der „Wanderungen“ 1873 hatte Fontane ausführlichen Bericht vom „Großen Stechlin“ gegeben: „Er ist einer von den Vornehmen, die große Beziehungen unterhalten. Als das Lissaboner Erdbeben war, waren hier Strudel und Trichter, und stäubende Wasserhosen tanzten zwischen den Ufern hin. Er geht 400 Fuß tief und an mehr als einer Stelle findet das Senkblei keinen Grund.“ Das erinnert unmittelbar an den Mummelsee, wie wir ihn aus Grimmelshausens „Simplicissimus“ kennen: eine Tiefe bis ins Innre der Erde, mit allen Meeren und Quellen verbunden. So daß es nicht wundern kann, wenn alle Erschütterungen wie vom Seismographen angezeigt werden. Außerdem aber gibt es besondre Lokalsagen, die sich an waghalsige menschliche Übergriffe heften. So berichtet Fontane von einem Fischer, der noch fischen will, wenn der See sich im Zorn verdunkelt hat. Da „gibt es ein Unglück: und der Hahn steigt herauf, rot und zornig, schlägt den See mit Flügeln, bis er schäumt und wogt, und greift das Boot an". Eine Nixensage, wie Petersen vermutet, der Nix mit einer roten Kappe auf dem Kopf. Ein „noch ungeformter Balladenstoff". In den Stechlinroman geht das ein gleich zu Anfang mit Worten, die die Anwohner unter sich verbreiten: „Das mit dem Wasserstrahl, das ist nur das Kleine, das beinah Alltägliche; wenns aber draußen was Großes gibt, wie vor hundert Jahren in Lissabon, dann brodelts hier nicht bloß und sprudelt und strudelt, dann steigt statt des Wasserstrahls ein roter Hahn auf und kräht laut in die Lande hinein."

Was will das im Romangeschehen bedeuten?

Wir wenden uns sogleich der Hauptstelle zu, in der der Sinn gradezu ausgedeutet wird. Es geschieht im Gespräch Melusines mit Pastor Lorenzen. Eben erst hat sie auf dem Weg zum Stechlin-See den Schulzen Kluckhuhn kennen gelernt, der den Beinamen „Rolf Krake" führt. Sie erfährt dabei „den Zusammenhang der Dinge": daß Kluckhuhn 1864 Düppel miterlebte unter der drohenden Nähe des dänischen Kriegsschiffs Rolf Krake. „Ich sag euch, was sie jetzt die soziale Revolution nennen, das liegt neben uns wie damals Rolf Krake." Eben weil er solchen Vergleich immer im Munde führt, nennen sie ihn im Dorf Rolf Krake. Solcher Zusammenhang der Dinge gefällt Melusine: „Patriotismus, in Humor und selbst Ironie gekleidet." Kluckhuhn gesteht ihr: „Mitunter erscheint mir der Rolf Krake noch im Traum. Und ist auch nicht zu verwundern. Denn Rolf Krake war wie ein richtiges Gespenst. Und wenn solch Gespenst einen packt, ja, da ist man weg." Und dann rühmt Kluckhuhn der Gräfin noch die Heldentat des berühmten Pioniers Klinke, der sich selbst mit in die Luft sprengte, um die Schanze von Düppel aufzureißen. „Immer bloß das Kleine, da zeigt sich's, was einer kann." Im Gegensatz zu allen Muß-Helden. Das ist der unmittelbare Hintergrund in Melusines Erinnerung, als sie jetzt ihr Gespräch mit Pastor Lorenzen führt. Und noch ein andres Erlebnis kommt hinzu. Als Kluckhuhn jetzt den Schnee über der Strudelstelle des Sees hat freifegen lassen, um sie aufzuhacken, da schrickt Melusine davor zurück. „Die Natur hat jetzt den See überdeckt; da werd ich mich hüten, irgendwas ändern zu wollen. Ich würde glauben, eine Hand führe heraus und packte mich."

Und nun beginnt das Gespräch mit Pastor Lorenzen. Sie knüpft an die Begeisterung an, die der Pastor dem portugiesischen Pestalozzi entgegenbringt, Joao de Deus, der eben im Jahr wo der Roman spielt, 1896, gestorben ist und vom ganzen Land insbesondre von allen Kindern betrauert wird. In Erinnerung an den „herrlichen Mann" und auch an Lorenzen, Woldemars Erzieher, haben Melusine, Armgard und Woldemar, zusammen mit Melusines Freundin, der Baronin, einen feierlichen Bund geschlossen, die Hände über Kreuz. Melusine fordert Lorenzen auf, selber mitzutun bei diesem Bund. Darüber hinaus drängt sich Melusine der Begriff vom „großen Zusammenhang der Dinge" auf, im Rückblick auf den Stechlin-See, den sie sich nicht hat aufhacken lassen, aus Respekt „vor dem Gegebenen". Aber im Hinblick auf das „Werdende" kommt sie zu dem Satz: „Und vor allem sollen wir, wie der Stechlin uns lehrt, den großen Zusammenhang der Dinge nie vergessen. Sich abschließen heißt sich einmauern, und sich einmauern ist Tod. Es kommt darauf an, daß wir gerade d a s beständig gegenwärtig haben." Erst damit ist Melusine dann beim eigentlichen Ziel ihres Gesprächs. Sie legt Lorenzen die Zukunft Woldemars ans Herz. „Er hat einen edlen Charakter, aber ich weiß nicht, ob er auch einen festen Charakter hat. Er ist feinen Sinnes, und wer fein ist, ist oft bestimmbar. Er ist auch nicht geistig bedeutend genug, um sich gegen abweichende Meinungen, gegen Irrtümer und Standesvorurteile wehren zu können. Er bedarf der Stütze." Diese Stütze soll Lorenzen auch künftig für Woldemar bleiben.

Hier ist viel zusammengespannt als Lehre des Stechlin-Sees: „den großen Zusammenhang der Dinge nie zu vergessen." Petersen (1928) weist daraufhin, daß gerade der Tod des Joao de Deus, geistig gesehen, ebensolche Erschütterung bedeutet wie das Erdbeben von Lissabon. „Es ist keine Revolution, die den roten Hahn aufsteigen läßt, sondern ein sympathetisches Mitschwingen der eigenen Bewegtheit." Wir dürfen hier Petersen dahin ausdeuten, daß es immer um die innerste Mitbewegung geht, für die der Stechlin als Symbol steht. So läßt Fontane in den „Zusammenhang der Dinge" auch die Volksstimme mit einschwingen, für die das Gespenst der sozialen Revolution sich zum Rolf Krake verdichtet. Als der rote Hahn, der plötzlich heraufsteigt und kräht.

Wenn Fontane seinen Altersroman einen „politischen Roman" nennt (schon seit 1895), so kann er nur eben jenen Zusammenhang der Dinge im Sinn haben, der das Stechlin-Symbol umspannt, vieldeutig, untergründig, polar ausschwingend zwischen weiten Polen. Und wenn der Stechlin-Roman seine Grundpolarität gerade darin sieht, daß so gut wie nichts geschieht, als daß Gespräche geführt werden, die die Sprechenden selber als „Plauderei" bezeichnen, somit allen Zufälligkeiten des Alltags aufgetan, dann ergibt sich als hintergründige Atmosphäre jeder solchen Plauderei eine Kontrastwirkung auf den „Zusammenhang der Dinge" hin, die nicht ohne Einfälle großen Humors durchzuführen sein wird. Das geht schon aus unsrer Betrachtung der beiden Stellen hervor, in denen sich Melusine der Formel vom „Zusammenhang der Dinge" bedient. Was verbindet Rolf Krake mit Melusine? Der Schrecken vor einer roten Revolution und der Ruf zum Bund der Guten im Zeichen der Friedensliebe? Woher kommt Fontane die Formel vom Zusammenhang der Dinge zu?

Es ist die Gegenformel zu den „Gleichgewichtsstörungen" der Zeit. Der Philosoph Hermann Lotze in Göttingen hatte seinem Werk „Mikrokosmos" (1856—1864) die Grunderfahrung vom Zusammenhang des Ganzen zugrundgelegt und 1879 dem Werk „Metaphysik" ein Kapitel: „Der Zusammenhang der Dinge" eingefügt. Ein teleologischer Idealismus, der bis zu Herders „Ideen" zurückführt, nimmt die Eroberungen der modernen Naturwissenschaften in sich auf. Als Lotze 1881 starb, wurde Wilhelm Raabe auf Lotzes „Zusammenhang der Dinge" aufmerksam und arbeitete ihn in den Entwicklungsroman „Prinzessin Fisch" hinein, der 1882 erschien. Raabe gab der Formel besonderes Leben dadurch daß er als Erzieher den Buchdrucker-Altgesellen, genannt „der Bruseberger", einführt und ihm als Autodidakten die philosophische Redensart vom „Zusammenhang der Dinge" mit auf den Weg gibt. Er behauptet, er habe sie aus einem Kompendium und gebraucht sie tagtäglich, unbekümmert darum, daß seine Meisterin ihn damit aufzieht und ins Komische rückt. Aber sie macht ihn doch nicht lächerlich. Dazu ist ihr Vertrauen in seine verständige Herzensgüte zu groß. Auf solche Weise nimmt Raabe der Redensart das falsche Pathos und verstärkt nur ihr Lebensgewicht. Tatsächlich geht es Raabe hier wie sonst immer um den Herzenszusammenhang, und so zielt Brusebergers Erziehung dahin, daß der Kind-Jüngling, um den es geht, durch falsche Illusionen hindurch zum nüchternen Werkeltagszusammenhang der Dinge erzogen wird, kraft der nie versiegenden Quellen des Gemüts im Zusammenhang der Dinge.

Solche Herkunft erscheint nicht unwichtig für Fontanes Gebrauch. Eben erst, am 25. Juni 1881, hatte Fontane an seine Frau geschrieben:

„Ich war heut ein bißchen 'runter, was ich auf Turgenjews „Rauch" schieben muß, womit ich gestern fertig geworden. Es ist in seiner Art doch ersten Ranges. Nur solche Leute lass' ich überhaupt noch als Schriftsteller gelten. Alles ist klug, bewußt, sorgfältig und in seinem Kunstmaß einfach meisterhaft. Dennoch ist es ein Irrweg und ein Verkennen des eigensten innersten Wesens der Kunst. Es wirkt alles nur aufregend, verdrießlich, abspannend. Schließlich ist er auch ein Russe und grenzt an die Gesellschaft, die er perhorresziert. Die schönen Kapitel im ‚Horn von Wanza' sind ein wahres Evangelium daneben."

Raabes „Horn von Wanza" erschien 1880. Was darin als eine Art „Evangelium" berührt, ist der große Humor, der immer ans Herz rührt. Der winzigste Nagel, an den hier die gesamte Garderobe der Zeit aufgehängt wird zum komischen Kontrast, ist hier die unbeirrbare Einfalt des Herzens im Nachtwächter Marten Marten, der alles in sich mitbewegt, was ihm im Zusammenhang der Dinge begegnet, ohne daß hier die Formel vom Zusammenhang gebraucht würde.

Das Seelenklima Fontanes ist ein anderes als das Raabes. Eben darum sind die gemeinsamen Untergründe im Blick festzuhalten, wenn wir jetzt von Raabes „Stopfkuchen" als einem Weltroman zu Fontanes „Stechlin" schreiten.

Angesichts der ungewöhnlichen Spannweite zwischen dem Stechlin-See-Symbol und dem Plauderstil des alten Stechlin, der sich durchs Ganze zieht, hat Fontane es für gut gehalten, eingangs ein Gesamtporträt des alten Stechlin vorauszuschicken. Wir betrachten das nicht als Schwäche eines Altersstils, sondern als Steigerung einer höchst bewußten Kunst. Da heißt es: „Sein schönster Zug war eine tiefe, so recht aus dem Herzen kommende Humanität, und Dünkel und Überheblichkeit waren so ziemlich die einzigen Dinge, die ihn empörten." Fontane gibt damit einen Wink, wo die innersten Werte in der Spannungsskala liegen. Solcher Wink ist um so wichtiger zu nehmen, als Dubslaw von Stechlin sein adliges Selbstgefühl „in Humor kleidet, auch wohl in Selbstironie, weil er seinem ganzen Wesen nach überhaupt hinter alles ein Fragezeichen machte".

So wird es darum gehen, hinter die Fragezeichen zu kommen, um zu erkennen, wo die Herzensentscheidungen liegen. Wo es nicht mehr um Selbstironie, sondern um den objektiven Humor geht, wo das Innerste im alten Stechlin von denselben Grundkräften mitbewegt wird, wie der Stechlin-See. Da erscheint es für Fontanes Symbolblick kennzeichnend im Sinn eines allumfassenden Kunstverstandes, daß am Ende, in der Grabrede, die Pastor Lorenzen dem alten Stechlin hält, alles sich zusammenfaßt in den Satz: „Er hatte vielmehr das, was über alles Zeitliche hinausliegt, was immer gilt und immer gelten wird: ein Herz ... Alles, was einst unser Herr und Heiland gepredigt und gerühmt, und an das er die Segensverheißung geknüpft hat, — all das war sein: Friedfertigkeit, Barmherzigkeit, und die Lauterkeit des Herzens. Er war das Beste, was wir sein können, ein Mann und ein Kind."

Worauf also zielt der Bund, den die Überlebenden im Zeichen des Stechlin-Sees, und seines Zusammenhangs der Dinge geschlossen haben? Melusine faßt es nach dem Tod des alten Stechlin als Schlußwort des Romans zusammen: „Es ist nicht nötig, daß die Stechline weiterleben, aber es lebe der Stechlin." Da ist die Herzstelle im reinen Herzen gemeint, wo es „sprudelt und strudelt". Das aber ist nichts, was sich vorausberechnen läßt. Das hängt allein von der Tiefe der Mitbewegung ab, die in die Strudel der Zeit alle hinein zieht, die nicht abgestumpft sind, sondern mitbewegt und zum Mit-Tun entschlossen. Da reicht auch die Dialektik von Alt und Neu nicht aus. Da gilt nur eins, was wiederum der alte Stechlin als Stimme des Dichters und als Stimme des ewigen Stechlin-Sees verkündet: „Ich bin gegen alle falschen Mischungen."

Aus solcher Sinnmitte entwickelt Fontane sein Weltbild der Plaudergespräche im Zeitalter des neuen deutschen Reichs, das im Jahr 1895—1896 nicht mehr durch die starke Hand Bismarcks zusammengehalten wird, sondern unter einem neuen jungen Kaiser auf ungewissen neuen Kurs gegangen ist. Noch lebt der Alte in Friedrichsruh als der kühne Frondeur. Der Adel aber ist nicht mehr das, was er einstmals war. Und was neu heraufdringt, gibt sich in den Aufruhrimpulsen der Sozialdemokratie. Die Unruhe einer Zeit vor dem Sturm kündet sich an.

Die Spannung zwischen der Totalanschauung, die sich im Stechlin-See ihr Symbol herausgestaltet, und zwischen den einzelnen Plaudergesprächen ist so groß, daß hier die Anstrengungen von Wolfgang Preisendanz, den Humor als dichterische Einbildungskraft am Werke zu sehen, ihr wirksamstes Material finden. So hebt er die folgende Stelle heraus. Es handelt sich um die Fahnenstange auf dem Aussichtsturm bei Schloß Stechlin. Eine Preußenfahne, schwarz und weiß, ziemlich verschlissen:

> „Engelke hatte vor kurzem einen roten Streifen annähen wollen, war aber mit seinem Vorschlag nicht durchgedrungen. „Laß. Ich bin nicht dafür. Das alte Schwarz und Weiß hält gerade noch; aber wenn du was Rotes dran nähst, dann reißt es gewiß."

Die Einbildungskraft vermag hier auszudrücken, mit reinem Humor, im Kontrast zwischen dem Tuchfetzen und dem, was er in der Totalanschauung Stechlins zu sagen hat, daß Preußen sich aus der neuen Reichsgründung nichts Gutes gewärtigen kann. Preisendanz folgert: „Das charakterisiert den Schloßherrn und verrät seine politische Auffassung." Das ist richtig, doch noch nicht vollständig. Der kontrastierende Humor, der hier zwischen Klein und Groß waltet, zwischen dem Fahnentuch und dem, was es bedeuten kann, hat solche Spannungsweite, daß sich mit dem „Rot" nicht nur die neue Reichsfahne verbindet, sondern zugleich das Hereindringen des „Roten" im Sinn des Stechlin-Symbols, dem roten Hahn als Sturmzeichen der sozialistischen Revolution. Hier kommt alles auf den alten Stechlin an und sein Mitbewegtsein von den Grundkräften der Zeit. Insofern trifft hier die Kraft der Humor-Phantasie im einfallsreichen Spiel mit dem zusammen, was sich im Herzen des alten Stechlins abspielt, was mit den Gemütswerten seines Weltbilds untrennbar zusammenhängt. Der alte Stechlin mit dem „Bismarckkopf", mit „jener Heiterkeit, die menschlich gesehen so ziemlich unser Bestes ist", als nobelste Adels-Repräsentation gegenüber dem Typus des „Bourgeois" und „Parvenu" Gundermann vertritt im Kräftespiel des Romans durchaus die Reichsfahne: Schwarz-Weiß-Rot gegenüber dem heraufdringenden Revolutionsrot der Sozialdemokraten. Darum läßt er sich überreden, sich zur Wahl für die Konservativen aufstellen zu lassen. Und was ihn dazu letzthin bestimmt, ist ein Bismarckwitz. Als ein zum Finanzminister Ausersehener erklärte, er verstände nichts davon (dasselbe was Stechlin sagt), antwortete Bismarck: „Darum wähle ich Sie ja gerade, mein Lieber." Solchem überlegenen Humor kann Stechlin nicht widerstehen, und er geht in die Wahl, obgleich er sich bewußt ist: „Ich gehe einem totalen Kladderadatsch entgegen." Das alles ist schon drin in dem humorigen Kontrast: das Fahnentuch reißt, wenn man was Rotes dranhängt.

So ist es durchaus richtig, was Preisendanz folgert, daß alle diese Plaudergespräche „zu Spiegeln einer Totalbestimmung des Menschlichen werden", gerade dann, wenn „völlig private, belanglose oder abseitige Dinge zur Sprache kommen". Und es ist richtig, daß sich „plötzlich die Dimension des Aktuellen auftut": Wenn sich plötzlich bezeugt „wie alles Menschliche in wesentlichem Bezug zur Gesamtsituation steht". Nur ist alles, wovon der alte Stechlin mitbewegt wird, zugleich unterirdisch verbunden dem, was aus dem Stechlin-See herauf sprudelt und strudelt. Das heißt, alles bleibt vom Stechlin-See-Symbol überschattet, auch die im Plauderstil sich durch hundert Zufälle hindurchspielende Einbildungskraft des Humors.

Hier ergeben sich natürlich weite Spannungsfelder, besonders überall dort, wo nicht der alte Stechlin selber persönlich mitbeteiligt ist. Es gibt Gespräche, in denen der eine den andern „schraubt", so Czako seinen Freund Rex, oder wo an der Gegenwart des Gesprächsteilnehmers, am Kontrast der Charaktere, sich einer selber innerlich geschraubt findet zu Wahrheiten, die er sonst gewiß nicht äußern würde, so Superintendent Koseleger gegenüber dem Dorfpastor Lorenzen. Da wird konstatiert, angesichts der Dorf-Originale, die um den alten Stechlin versammelt sind: „Das Groteske hat eben auch seine Größe, und nicht die schlechteste." Was Koseleger als „grotesk" empfindet, ist es vielleicht im großen Schatten des Stechlin-Symbols gar nicht, sondern heraufsprudelnde Originalität. Dagegen was dann Koseleger über sich selbst verrät, wirft eine Art Blitzlicht durch die ganze Stechlin-Szenerie: „Unglücklich sind immer bloß die Halben, und als einen solchen habe ich die Ehre mich Ihnen vorzustellen. Ich bin ein Halber, vielleicht sogar in dem, worauf es ankommt." Da zeigt sich, daß die Gegencharaktere, die „reinen Herzens" sind, die Armgard, die beiden Stechline und Lorenzen, im Gesamtbild des Stechlinromans zu den „Ganzen" gehören. Und wieder bekräftigen wir uns an dem Ausspruch des alten Stechlin: „Ich bin gegen alle falschen Mischungen."

Preisendanz nun, in Verteidigung seiner dichterischen Einbildungskraft des Humors, findet sich einer solchen Fülle privater Plaudereinfälle gegenüber, daß er sich zu der These durchringt, daß die Spannungsbrücke zwischen „Privatem" und zwischen der „Zeit" als Totalwert überhaupt nicht mehr durch „Symbolik" begreiflich würde. Er begründet es mit der These, daß „die Radikalität der Absicht Fontanes, die Illusion des Lebensbildes zu geben, eine symbolische Vermittlung von Wesen und Erscheinung ... weitgehend ausschließt".

Preisendanz will mit solchem eignen Radikalismus dem entgegenwirken, was Fontane selbst mißverständlich gegenüber dem modernen Zola-Naturalismus „den verklärenden Schönheitsschleier" nennt. Fontane meint damit ein „unverzerrtes Widerspiel des Lebens". Wenn er Raabes „Horn von Wanza" gegen Turgenjew stellt, als „ein wahres Evangelium" gegenüber dem „grenzenlos prosaischen" Turgenjew, dann tritt hier genau dasselbe Grundproblem uns entgegen, was uns veranlaßt, Raabes „Stopfkuchen" als Weltroman neben Fontanes „Stechlin" zu stellen. Wie weit ist symbolische Gestaltungskraft, wo sie zugleich als „dichterische Einbildungskraft des Humors" erscheint, imstande, jene Verwandlung vorzunehmen, die den Rang des Weltromans erreicht? Das Seelenklima Fontanes ist dabei ein andres als das Raabes. Raabe ist stärker auf die Gestalten angewiesen, die zugleich „eine Natur und ein Gemüt" sind. Fontane, kraft der französischen Ratio und seiner Berlin-Substanz, die sogleich aufleuchtet, wo das Stichwort „helle" den beweglichsten Verstand in Schwung versetzt, läßt sich auf extremere Experimente ein als Raabe. Dennoch bezeugt gerade der Stechlin-Roman, daß Fontane des festen Glaubens ist, durch ein alles überragendes Symbol wie das des Stechlin-Sees als Inbegriff der stärksten unterirdischen Mitbewegung alle Verwandlungen in die „verklärende Kraft" der Kunst vorzunehmen, die auch dem geistreichsten Spiel mit den Kontrasten des Alltags den Zusammenhang mit dem Ganzen, die innere Mitbewegung mit dem Zeitgeschehen zutraut.

Selbst der Typus, der der Preisendanzschen Theorie am eindeutigsten zu entsprechen scheint, Hauptmann von Czako, Woldemars Freund vom Regiment Alexander, eingeführt als „ganz moderner, politisch stark angekränkelter Mensch", geistreich bis zum „Frivolen", wird vom Dichter im Tischgespräch unversehens mitten ins Stechlin-Symbol hineingezogen. Der Karpfen aus dem Stechlin-See veranlaßt ihn zu der Frage:

> „Welche Revolutionen sind an diesem hervorragenden Exemplar seiner Gattung wohl schon vorübergegangen? ... Wenn nun's im Stechlinsee zu brodeln beginnt, wie verhält sich der Stechlinkarpfen? dieser doch offenbar Nächstbeteiligte bei dem Anpochen derartiger Weltereignisse? ... Ist er ein Feigling, der sich in den Moorgrund verkriecht, also ein Bourgeois, der am andern Morgen fragt: „Schießen sie noch?"

Aus dem geistreichen Spaß fällt der „angekränkelte" Politiker in die zentrale Frage, wie sich die „Nächstbeteiligten" verhalten. Und er konfrontiert den Leser mit seinem Spiegelbild, dem Bourgeois, der sich feige verkriecht. Aus dem Spaß ist sozial-politischer Humor geworden. Kraft des Stechlin-Symbols. Dem subjektiven Einfall ist der Sprung ins Objektive gelungen. Wir sind bei der Grundstruktur des Bürgers angelangt, wie er um 1895 aussieht, wie er 1968 aussieht. Und der alte Stechlin drückt das Siegel drauf, mit entwaffnendem Selbsthumor:

> „Ins Innere der Natur dringt kein erschaffner Geist. Und zu den innerlichsten und verschlossensten zählt der Karpfen; er ist nämlich sehr dumm. Aber nach der Wahrscheinlichkeitsrechnung wird er sich beim Eintreten der großen Eruption wohl verkrochen haben. Wir verkriechen uns nämlich alle. Heldentum ist Ausnahmezustand und meist Produkt einer Zwangslage. Sie brauchen mir übrigens nicht zuzustimmen, denn Sie sind noch im Dienst."

Stechlins Ausdrucksweise, hier ganz wiedergegeben, sprudelt und strudelt aus der Fülle einer höchst komplexen Welterfahrung, die sich souverän in den Kontrast-Überblick erheben kann, der zum Dauer-Humor führt, weil er so unmittelbar aus der Mitbewegung mit dem Ganzen spricht.

Eine reine Grotesk-Figur, der Musik-Doktor Niels Wrschowitz mit dem Dänen-Komplex, dessen Telegrammstil wie ein Messerschnitt durch die harmlosesten Gespräche fährt, ist im Grunde nur eingeführt, um folgende Wahrheit auszusprechen, die Czakos Witzwort ergänzt: „Oberklasse gutt, Unterklasse serr gutt, Mittelklasse nicht serr gutt."

Die Mittelklasse ist der Bourgeois, Fontanes unerschöpflich karikierte Durchschnittsfigur; im Stechlin-Roman repräsentiert vor allem durch Herrn von Gundermann, Schickedanz und den Superintendenten, der sich selber einen „Halben" nennt. Zugleich aber ist der Adel in vielen Grotesk-Typen auch bereits als angekränkelt dargestellt. Die ganze Wahlkampagne wirkt grotesk, mit der „komischen Figur" des Freiherrn von der Nonne, dessen Stimme klingt, „wie wenn Mäuse pfeiffen", mit dem „Edlen Herrn von Alten-Friesack", der nur noch nicken kann, mit den Adelsgesprächen nach der Wahl-Niederlage der Konservativen, die nur „ganz von der heiteren Seite" genommen wird. Auch der Adel verkriecht sich, nach der Explosion des Siegs der Sozialdemokraten. Nach Fontanes Überzeugung ist politisch nichts mehr zu erwarten.

Davon abgehoben bleibt natürlich der alte Stechlin und seine Ergänzungsfigur, Graf Barby, den das Schicksal mehr zum „Weltmann" gemacht hat. Beide haben „Bismarckköpfe". Der Dichter hat sich eines Tagebuchs bedient, in dem Woldemar den ersten Gesamt-Eindruck des Grafen festhält, „wie ein Zwillingsbruder von Papa, dasselbe humane Wesen, dieselbe Freundlichkeit, dieselbe gute Laune". Satirischer klingt Czakos Randbemerkung, die Barbys, einst reichsunmittelbar, hätten noch so viel „Gottesgnadenschaft" in den Knochen, daß sie es sich leisteten, liberal zu sein. Der alte Stechlin, mit seinem märkischen Junker-Selbstbewußtsein, habe „ein Stück Sozialdemokratie" im Leibe. Dem Dichter geht es um komplexe Größen, über die drei Klassenschichten erhoben. Während Graf Barby, weniger originell als Stechlin, im frühverstorbenen Friedrich III. sein Ideal sah, greift Stechlin im Geist des alten Von-der-Marwitz auf die Freiheitskriege zurück als größte deutsche Zeit, mit den Russen im Bund. „Große Zeit ist es immer nur, wenns beinah schief geht." Als Nikolaus-Kürassier ist ihm das in Fleisch und Blut eingegangen. Gegenüber den Sozialdemokraten resigniert er darum nicht. „Mitunter ist mirs, als stiegen die seligen Quitzows wieder aus dem Grabe herauf." Das ist nicht im Sinn der miterlebten Adelsgroteske, sondern im Sinn „unseres Zivil-Wallensteins" im Sachsenland. So reicht der alte Stechlin in die Tiefenstrudel des Stechlin-Sees, hinab, daraus dringt die Übersicht seines Humors.

Fontanes eigner Humor wagt es, seinen „Zeitroman" über eine Vielfalt privater Spannungsfelder auszuweiten. Er treibt alle Gespräche auf paradoxe Wahrheiten zu, die einen Grundstrom von Weltheiterkeit ausstrahlen. Das erste Gespräch, das wir miterleben, zwischen Vater und Sohn Hirschfeld, scheut sogar den Kalauer nicht. Des alten Stechlins Urgroßvater, in Friedrichs des Großen Schlacht von Prag gefallen, „hat gezahlt mit seinem Leben". Dazu der Sohn: „Ja, der hat gezahlt; wenigstens hat er gezahlt mit seinem Leben. Aber der von heute ..." Dieser Sohn Isidor wird für Torgelow, den Sozialdemokraten stimmen, gegen den Rat des Vaters. Unter der Devise: „Wenn ich wähle, wähl ich für die Menschheit." Gendarm Uncke wird den alten Stechlin aufklären: Isidor gehe es nicht um das Politische. „Das Prinzip ist ihm egal, er will bloß mogeln und den Alten an die Wand drücken." Das nennt er das „Zweideutige", er als Stimme der „Unterklasse", die unmittelbar an die Wahrheit rührt, weil sie „serr gutt" ist. Stechlin wird es spüren beim letzten Krankenbesuch von Hirschfeld-Vater, der ihm

Geld für eine Hypothek aufzwingen will, um ihn hereinzulegen. Auch da behält Uncke mit seinem „ewigen Zweideutigen" Recht. Nur Humor kommt darüber hinweg.

Auch Hauptmann von Rex, der christliche Sektierer, liebt das Paradoxe, wo er auf Gegenpositionen stößt. Pastor Lorenzen ist ihm, wie der Frau Domina, der Herrin von Kloster Wutz, ein innerer Angang. Es drückt sich ihm so aus: „Der Alte liebt ihn, und sieht nicht, daß ihm sein geliebter Pastor den Ast absägt, auf dem er sitzt." Stechlin selber ergänzt das dahin, Lorenzen lehre, „die aristokratische Welt habe abgewirtschaftet, und nun komme die demokratische". Er nimmt es Lorenzen nicht übel, wenn er den See einen „richtigen Revolutionär" nennt, „der gleich mitrumort, wenn irgendwo was los ist". Er prägt selber das Paradox: „Wenn Koseleger (der Superintendent), reussierte, so haben Sie den Scheiterhaufenmann comme il faut. Und der erste, der drauf muß, das sind Sie" (Lorenzen). Denn er wird sofort das Bedürfnis spüren, seine Gewagtheiten von heute (daß er selber ein Halber sei) durch „irgendein Brandopfer wieder wettzumachen". Das Rätsel Lorenzen aber rechtfertigt sich wiederum durch den Mut zu eignen Paradoxien. So wird Lorenzen ausgezeichnet, das einzige geflügelte Wort des Stechlin-Romans zu prägen: „Sie sagen Christus und meinen Kattun." Und doch nun enthebt Fontane seine Pastor-Lorenzen-Gestalt jeder rein satirischen oder ironischen Beleuchtung. Was an ihm paradox ist, hat Größe. Vom Stechlin-Sohn Woldemar hören die Damen Barby: „Ich liebe ihn, weil ich ihm alles verdanke was ich bin, und weil er reinen Herzens ist." Und Lorenzens Vorbild, Joao de Deus, um dessen Tod ein ganzes Volk trauert, weil er nur für die Armen gelebt, schließt Woldemar und die Damen Barby zum Bund der Guten zusammen. In Lorenzens Gegenwart prägt Melusine den Symbolsinn des Stechlin-Sees: „den großen Zusammenhang der Dinge nie zu vergessen." Aber dem alten Stechlin bleibt es vorbehalten, seinen geliebten Pastor, den Mann des reinen Herzens, in die Sphäre des objektiven Humors zu rücken, die ihm Fontane zugedacht: „Da haben wir natürlich noch unsern Pastor; nu der ginge, bloß daß er immer so still dasitzt, wie wenn er auf den heiligen Geist wartet. Und mitunter kommt er; aber noch öfter kommt er nicht." Keinesfalls behält darum der Hauptmann von Rex recht damit, daß Lorenzen den Ast absäge, auf dem sein Kirchenherr Stechlin sitzt. Vielmehr endet der Roman mit dem Brief Melusines an Lorenzen, der an ihren geschlossenen

Pakt erinnert. Darin bittet sie Lorenzen, Woldemars Stütze zu bleiben, weil er einen edlen, doch keinen festen Charakter habe. Und Lorenzen, der weiß, daß der Adel „nicht mehr die Säule ist, die das Ganze trägt", verspricht ihr, ihn dem Neuen offen zu halten, ohne das Alte beiseitezuräumen. In diesen Sinn hinein spricht Melusine das letzte Wort, aus dem Stechlin-Symbol heraus: „Es ist nicht nötig, daß die Stechline weiterleben, aber es lebe der Stechlin."

Wohl gibt es noch eine Gestalt, um die alles Paradoxe bis zum Grotesken gehäuft ist: des alten Stechlin ältere Schwester Adelheid, Domina des Klosters Wutz. Sie stammt von der ersten Frau des Vaters, die ein großes Vermögen mitgebracht hatte. Ihr Reichtum steht schützend hinter dem Stiefbruder und seinem Sohn Woldemar, dem sie allein die Laufbahn als Garde-Dragoner-Offizier ermöglicht hat. Das ist der respektvolle Hintergrund, von dem her alle burlesken Einfälle der unerschöpflichen Spottphantasie des Bruders zu sehen sind. „Wer Tante Adelheid geheiratet hätte, hätte sich die Tapferkeitsmedaille verdient, und wenn ich schändlich sein wollte, so sagte ich: das eiserne Kreuz." Das ist zum Sohn gesagt. Danach folgt der Besuch Woldemars mit den Freunden Czako und Rex im Kloster Wutz. Fontane braucht dazu dreißig Seiten. Es ist eine einzige Groteske, aufgeheitert durch Czakos Gespräche mit der Stiftsdame von Schmargendorf, dem „Pummel", beim Gartengang in Czakos geistreicher ironischer Phantasie als Gang Mephistos mit Frau Marthe parodiert. Als stummes „Tafelornament" wirkt die zweite Stiftsdame, eine echte von Triglaff, mit „starren Kakadu-Augen, die in das Wesen aller Dinge zu dringen schienen", höchsten Tiefsinn im Ausdruck mit „ganz ungewöhnlicher Umnachtung" verbindend. Was sich hier als Geschehen entfaltet, faßt der alte Stechlin später als „petrefakt" zusammen. Melusine, (für Adelheid der Inbegriff des „Verführerischen"), nennt sie „eminent unfranzösisch, zurückgeblieben, vorweltlich". Für Fontanes Gesamtsicht ist es die Kontrastwelt, in der sich ins Groteske steigert, was an satirischen Zügen die Adelswelt der Stechline zu bieten hat. Dagegen kann sich dann das Grundwesen des alten Stechlin um so humaner abheben. Zum objektiven Humor entfaltet sich dieses Kontrastspiel beim letzten Besuch Adelheids, am Krankenbett des Bruders, wo sie sich bis zu seinem Absterben einzuquartieren entschlossen hat. „Ja, da soll doch gleich 'ne alte Wand wackeln!" ist Stechlins erste Reaktion, auf die Nachricht. Dann aber wird seine Einbildungskraft produktiv: Wie Franz Moor hat er sich einen

Überraschungs- und Schreckeffekt ausgedacht. Vorausgegangen ist, daß er sich den Digitalistropfen des Arztes entzogen und in die Obhut einer alten Kräuterfrau gegeben hat, die „alte Buschen" genannt. Deren Enkelin Agnes, ein kleiner Bankert, aber zierlich, klug und gänzlich ohne Furcht, holt er sich zur Pflege heran, zur Entlastung seines alten Dieners, wie er sagt. Agnes, geputzt „wie ein Kätzchen", einen langen roten Strumpf strickend, bringt es fertig, einzig durch ihr Dasein die Domina zu vertreiben. „Wie kommst du zu dem Kind?" ist ihre empörte Frage. Und es ist ihr ausgemacht, daß es ein natürliches Kind ihres unsittlichen Bruders sein muß. „Der Klapperstorch hat es dir wohl von der grünen Wiese gebracht und natürlich auch gleich für die roten Beine gesorgt." Die roten Strümpfe sind es, die sie verjagen, als Zeichen „von Ungehörigkeit und Verkehrtheit, daß alle gesellschaftliche Scheidung aufhört". Der Spielübermut des alten Stechlin, der so kühn auf die unbewußten Komplexe zielt und sein Ziel erreicht: wenigstens in Frieden sterben zu können, gewinnt das Heitre überlegenen Humors. Die Härte gegenüber der nächsten Verwandten gleicht sich aus gegen die petrefakte Herrschsucht, mit der sie sein Sterben überzieht, und so bleibt Raum für das reine Spiel der Einbildungskraft, die den treffendsten Ausweg findet. Und immer doch zugleich aus der Tiefe eines abwägenden Herzens, das auch den kleinen Bankert in seine Fürsorge einbezieht.

Zum Stechlin-Vater gehört nun noch der Stechlin-Sohn Woldemar. „Ein edler, doch kein fester Charakter." Wie vermag Fontane Woldemar ins Stechlin-Symbol miteinzubeziehen? Fontane beherzigt das Goethewort: „Jeder neue Gegenstand, wohl beschaut, schließt ein neues Organ in uns auf." (Im Aufsatz: „Bedeutende Förderung durch ein einziges geistreiches Wort." 1823). Zum ersten Mal zeigt Woldemar einen eignen Ton, als er im Gespräch mit dem Vater den Freund Rex charakterisiert: „Er hat eigentlich einen guten Charakter, und im cercle intime kann er reizend sein. Er verändert sich dann nicht in dem, was er sagt, oder doch nur wenig, aber ich möchte sagen, er verändert sich in der Art, wie er zuhört." Was sich hier verrät, ist ein besondres Organ für das Verhalten im Gespräch. Und so findet er die volle Zustimmung des Vaters, als er mit dem, was sein Herz am tiefsten beschäftigt, zurückhält: „Du weißt ja auch, daß du selber einen abergläubischen Zug hast und ganz aufrichtig davon ausgehst, daß man sich sein Glück verreden kann, wenn man zu früh oder zu viel davon spricht." So sind wir vorbereitet, einen Ausspruch Woldemars richtig zu würdigen, mit dem er bereits sein Schicksal entschieden hat. Auf der Landpartie zum Eierhäuschen hat Melusine ihn ausgefragt über den Mann, von dem er sagt, daß er ihn liebe, weil er ihm alles verdanke und weil er reinen Herzens sei, über Pastor Lorenzen. Armgard ist auffallend schweigsam und so ruft sie ihre Schwester auf den Plan: „Armgard, du bist so schweigsam, finden Sie nicht auch, lieber Stechlin?" Darauf antwortet Woldemar: „Ich glaube, Gräfin, wir lassen die Komtesse. Manchen kleidet es zu sprechen, und manchen kleidet es zu schweigen. Jedes Beisammensein braucht einen Schweiger." Damit bereits ist Woldemars innere Entscheidung für Armgard gefallen. Wir sind vorbereitet, daß so viel Verständnis für ein echtes Gespräch, das einen Schweiger braucht, auch bereits Armgards innere Entscheidung beeinflußt hat. Und so kann uns Fontane einer Verlobungsszene entgegenführen, die einmalig ist in der gesamten Weltliteratur. Vorausgeht noch der Bund der Guten, die Hände über Kreuz, um Lorenzens Vorbild Joao de Deus. Da finden sich Woldemar und Armgard im Bund zusammen. Vorausgeht auch noch, daß Armgard für Woldemar, der nach England geht, mit plötzlich überraschender Erzählfreude aus ihrer Kindheit berichtet, ein Abenteuer, das sie mit sechs Jahren in London durchlebt hat, voller Überraschungen beim ersten Ausflug in die Riesenstadt. Als Wohldemar von England zurück ist, beim ersten Besuch, geschieht ihm etwas Ähnliches. Als er von seinem stärksten Eindruck in England berichtet, dem Denkmal für König Harald und Edith Schwanenhals, die den gefallenen Geliebten auf dem Schlachtfeld von Hastings suchte, da gesteht er, eine Vision gehabt zu haben: „Und ich sah Editha und sah auch den König, trotzdem ihn die Zweige halb verdeckten." Woldemar fügt hinzu: „Und dabei gedacht ich Ihrer in alter und neuer Dankbarkeit." Das war an die beiden Schwestern gerichtet. Als im weiteren Gespräch Melusine fragt: „Armgard sage, für welche von beiden Königinnen bist du?" und sie meint Elisabeth von England oder Maria Stuart, antwortet Armgard: „Elisabeth von Thüringen ist mir lieber als Elisabeth von England." Sie fügt hinzu: „Andern leben und der Armut das Brot geben, darin allein ruht das Glück."

Soweit hat Fontane die Vorbereitungen geführt. Dann begleitet Armgard den Gast zur Tür. Um etwas zu sagen, in der Verlegenheit zwischen beiden, äußert er: „Welche liebenswürdige Schwester Sie haben!" Armgard, errötend, antwortet: „Sie werden mich eifersüchtig machen." Als verschlüge es beiden die Stimme, verkürzen sie, was sie sagen wollen, aufs Äußerste. „Wirklich, Komtesse?" fragt Woldemar. „Vielleicht ... gute Nacht", antwortet Armgard. Hinterher, der Schwester, gesteht sie: „Ich glaube fast, ich bin verlobt." Und sie ist es auch.

Was nun hat das mit dem Stechlin-Symbol zu tun? Beide, die hier zusammenfinden, haben ein innerstes Organ entwickelt, mitbewegt zu sein, ohne die Tiefe ihrer Mitbewegung ganz ausdrücken zu können. So stehen beide am dichtesten im Zentrum, das von den Strudeln der Tiefe berührt wird.

Zugleich ist damit ausgedrückt, daß Woldemar zwischen den beiden Gräfinnen Barby die richtige für sich und für Stechlin-Schloß und Wälder und See gewählt hat. Auch für Stechlin-Vater, der der frostigen Schwester entgegenhält: „Sie hat so was Unberührtes" und hinzufügt: „Über solche Dinge spaß ich nicht!" Noch andere Glanzlichter läßt Fontane auf Armgard fallen. Vater Barby nennt sie seine „Cordelia" und beruft damit die Lichtgestalt aus dem „König Lear". Melusine, wenn sie die Schwester als „freundlich Element" anspricht: „Also sei ruhig, freundlich Element", deutet zum ersten Mal auf die Meerfee zurück, aus der ihr Name den Märchenschimmer gewinnt. Mit dem freundlichen Element ist ein Satz aus Goethes Novelle „Die wunderlichen Nachbarskinder" heraufgerufen: „Das Wasser ist ein freundliches Element für den, der damit bekannt ist und es zu behandeln weiß." Nichts kann deutlicher verkünden, daß Armgard dem Stechlin-See zugeordnet ist als freundliches Element, ganz im Kontrast zu dem trügerischen Element, das in Goethes Wahlverwandtschaften der See darstellt, der das unselige Kind verschlingt.

Ohne die Parallele zu überanstrengen, begreifen wir, daß mit der Wahl, die Woldemar getroffen hat, die Herzstelle berührt ist, um die es bei aller Mitbewegung mit dem, was sich im Zentrum abspielt, geht. Nur die Kraft der reinen Herzen, die nicht vom Ich bewegt sind, sondern von den Gesetzen, die die Schöpfung bewegen, trägt die Welt und erhält sie im Gleichgewicht. Nur sie auch begreift die Zeichen der Zeit, aus denen die Revolten aufsteigen, die die Welt verändern. Woldemar ist kein Original wie sein Vater. Aber er hat in sich das Organ entwickelt, im Gespräch als dem Medium des Miteinander zuzuhören, auch zu schweigen, wo es not tut, und nichts um des Redens willen zu zerreden. Auch das ist ein Wert im krisenbedrohten Zustand, bei dem der alte Stechlin von der „großen Generalweltanbrennung" spricht. „Alles wird angebrannt und angeätzt." Was sich im Bund von Woldemar und Armgard für die Stechlin-Welt ankündigt, könnte man die Sorge um die Reinheit der Quellen nennen als Inbegriff jenes echten Konservativen, was durch den alten Stechlin repräsentiert wird, der auf seinem letzten Lager zu Lorenzen sagt: „daß wir Alten vom Cremmer Damm und von Fehrbellin her immer noch mehr Herz für die Torgelowschen im Leibe haben als alle Torgelows zusammengenommen."

Und nun bleibt noch: die „Unterklasse serr gutt". Da sind als zwei Prachtexemplare die beiden Diener: Engelke für Stechlin und Jeserich für Graf Barby. Die Zwiegespräche Stechlins mit seinem Diener gehen durch den ganzen Roman. Engelke ist genau so originell wie sein Herr. Sie treffen sich im selben, durch nichts zu erschütternden gelassenen Humor. Und Fontane gebraucht ihre Zwiegespräche zu einem dauernden Doppelakkord.

1) „Ob die Gundermanns wohl können?
Ach, die können schon. Er gewiß, und sie kluckt auch bloß immer so rum." Was damit eigentlich gemeint ist, bleibt offen. Aber komisch wirkt die Vorstellung einer Klucke, die auf ihren Eiern sitzt.

2) Hast du noch nicht erlebt, daß einen gute Nachrichten auch genieren können?
„Jott, gnädiger Herr, ich kriege keine."

3) Und da sind wir wieder bei Gundermann.
„Ach, gnädiger Herr, den nich. Un er soll ja auch so zweideutig sein... Un dann die Frau Gundermann. Das is ne richtige Berlinsche. Verlaß is auf ihm nich und auf ihr nich.

4) Katzler ist ein Schweiger.
Aber er schweigt doch immer noch besser als die Gundermannsche red't."

5) „Weißt du noch, wie ich mir in dem Jahre, wo ich Zivil wurde, den ersten Schniepel machen ließ? Schniepel hat so was Fideles: Einsegnung, Hochzeit, Kindtaufe."
„Gott, gnädiger Herr, immer is es doch auch nich so. Die meisten Schniepel sind doch, wenn einer begraben wird."

6) „Denke dir, Engelke, sie wollen mich bekehren!"
Aber, gnädger Herr, das is ja doch das Beste.
„Gott, nu fängt der auch noch an."

> 7) Engelke, wenn Doktor Moscheles wiederkommt, so sag ihm ich sei nicht da ... Ich mag ihn nicht, solchen Allerneuesten, der nach Sozialdemokratie schmeckt und seinen Stock so sonderbar anfaßt, immer grad in der Mitte. Und dazu auch noch nen roten Schlips.
> Es sind aber schwarze Käfer drin.
> Ja, sie sind drin, aber ganz kleine ...

Das sind alles Klein-Kontrastwirkungen, die wie von selbst aus dem Gespräch herausblitzen, ganz ohne Chargiertheit. Man könnte einen Stifterschen Begriff verwenden: die Witze spiegeln, was die Dinge fordern. Darum verbreiten sie solche echte Heiterkeit. Beide Sprecher sind beteiligt.

Einmal ist es Engelke auch vergönnt, ausführlicher aus sich herauszugehen. Als der Alte den Doktor ablehnt und sich nach der Buschen erkundigt:

> „Wie steht es eigentlich mit der Buschen? Die soll ja doch letzten Herbst uns' Kossät Rohrbeckens Frau auf die Beine gebracht haben.
> Ja, die Buschen ...
> Na, was meinst du?
> Ja, die Buschen, die weiß Bescheid. Versteht sich. Man bloß daß sie ne richtige Hexe is, und um Walpurgis weiß keiner, wo sie is. Und die Mächens gehen Sonnabends auch immer hin, wenn's schummert, und Uncke hat auch schon welche notiert und beim Landrat Anzeige gemacht. Aber sie streiten alle Stein und Bein; und ein paar haben auch schon geschworen, sie wüßten von gar nichts."

Hier kommt ein Stück Volksseele zu Wort. Komplexer läßt sich die Hexenwirkung der Buschen nicht ausdrücken, mit allem Drum und Dran. Auch das ist „unverzerrtes Widerspiel des Lebens". Der Alte braucht ein längeres Gespräch, bis Engelke selber dazu lacht und mit „Mamsell Pritzbur" spricht.

Der Diener das Grafen Barby kommt seltener zu Wort, ganz dem entsprechend, wie der Graf hinter dem alten Stechlin zurücktritt. Aber was er sagt, trifft genau in dieselbe Spur. Es geht um die Frage, wen wohl Woldemar wählen wird. Der alte Graf fragt: „Ist es die oder ist es die?" Jeserich weicht ins Allgemeine aus:

> „Ja, Herr Graf, wie soll ich darüber denken? Mit Damen weiß man ja nie — vornehm und nicht vornehm, klein und groß, arm und reich, das ist all eins. Wenn man denkt, es is so, denn is es so, und wenn man denkt, es is so, denn es is wieder so. Wie meine Frau noch lebte, Gott habe sie selig, die sagte immer: Ja,

Jeserich, was du dir bloß denkst; wir sind eben ein Rätsel. Ach Gott, sie war ja man einfach, aber das können Sie mir glauben, Herr Graf, so sind sie alle."

Hier führt uns die „Unterklasse" an den Urquell des Humors. Und er sieht anders aus als bei Preisendanz. Alles hängt an der Einfalt des Herzens, mit der Jeserichs Frau sagt: „Ja, Jeserich, was du dir bloß denkst; wir sind eben ein Rätsel." Die überwältigende Komik liegt darin, daß sie sich kurzerhand zur Stimme aller Frauen macht. Das Kleinste wagt sich ans Größte. Aber wie Jeserich die Stimme seiner Seligen einbaut: „Ach Gott, sie war ja man einfach" und ihr dann doch recht gibt: „so sind sie alle", blinkt durch die Einfältigkeit die echte Einfalt durch, und mit einem Mal ist etwas dran. Und der alte Graf Barby gibt ihm selber recht: „Ich freue mich, daß du das auch so scharf aufgefaßt hast. Du bist überhaupt ein Menschenkenner. Wo du's bloß her hast? Du hast so was von nem Philosophen. Hast du schon mal einen gesehen?"

„Nein, Herr Graf. Wenn man so viel zu tun hat und immer Silber putzen muß."

Damit sind wir wieder in der großen Weltheiterkeit, die wie aus den Dingen selber aufsteigt. Das Problem aber, das hier so erheiternd angeleuchtet wird, ist das Zentralproblem des ganzen Romans. Für wen wird sich Woldemar entscheiden? Für die Meernixe als verführerisches Element? Oder für Armgard das „freundliche Element"? Davon hängt es ab, ob der Stechlin weiterlebt. „Ich bin gegen alle falschen Mischungen", sagt Vater Stechlin zum Sohn.

Dabei könnte nach Anlage des Ganzen Woldemar die Wahl wirklich schwer fallen. An Melusine, das ist sein erster Eindruck, ist „alles Temperament und Anmut", an Armgard „alles Charakter, Schlichtheit. Festigkeit." Vom Namen Melusine hat Fontane nicht allzuviel hergemacht: daß sie Böcklins Meerfrau liebt „mit dem Fischleib", daß Czako sich ganz und gar für Melusine entscheidet: „Alles, was aus dem Wasser kommt, ist mehr. Venus kam aus dem Wasser." Überraschen muß es, daß sie so energisch dagegen ist, die Strudelstelle im See aufzuhacken im Winter: „Ich mag kein Eingreifen ins Elementare." Fontane hat sie nicht als verführerisches Elementarwesen für Woldemar gefährlich werden lassen. Sie ist die Erzieherin der jüngeren Schwester, so wie Lorenzen der Erzieher Woldemars wurde. Und beide Erzieher, Melusine und Lorenzen, werden aufeinander zugeführt, bis zu dem entscheidenden Augenblick, wo Melusine zufällt, den Sinn des Stechlin-Sees für alle ins

Bewußtsein zu heben. Melusine ist, bei aller Abneigung gegen „Berufe, die sozusagen eine Zipfelmütze tragen", bei der Lust zum „Vabanque"-Spiel, eine echte Spielnatur auf der intellektuellen Ebene. Das Streitgespräch, das sie beim Begräbnis des alten Stechlin mit der Frau Domina führt, ganz am Romanschluß, zeigt sie auf der Höhe ihrer Begabung. Im Grunde sind alle ihre Gespräche Streitgespräche. Bis zum offenen Angriff gegen Woldemar: „Wer aus der Mark ist, hat meist keine Phantasie." Fontane braucht im Konzert der vielen Stimmen die Dissonanz. Keiner übt sie leichter, heiterer, freier als Melusine. Aber sie bleibt, ebenso wie Czako, ihr unbedingtester Verehrer, in der geschliffenen intellektuellen Sphäre. So wird sie zur Antipodin der Domina, zur polaren Ergänzung der Schwester, zum Liebling des alten Stechlin: „Das ist eine Dame und ein Frauenzimmer dazu . . . So müssen Weiber sein." Darum aber gehört ihr in der Skala der Humore im Roman Satire und Ironie. „Und schließlich, ich muß leider zu diesem Berolinismus greifen, ist die gute Domina doch nichts weiter als eine Stakete, lang und spitz. Und nicht mal grün angestrichen." Als sie zum ersten Mal vom Stechlin-See hört: „Aber was hat der Stechlin? Ich vermute, Steckerlinge." Als der Kunstmaler Cujacius den Salon verlassen hat, fällt Melusine über ihn her. „Er malt immer denselben Christus. Es predigt sein Christus allerorten, ist aber drum nicht schöner geworden."

Damit aber gerade reicht Melusine in den Bereich dessen, was Preisendanz als Humor versteht. „Ein Hauptmerkmal des Geistreichen der Gespräche ist immer wieder, daß die Gesprächspartner Wirklichkeiten, die eigentlich ein weites Feld sind, in äußerst punktueller und daher scheinbar ganz unangemessener Konkretion zur Sprache bringen." Als Beispiel wird Melusines Tunnelerlebnis angeführt.

Und doch nun bleibt auch Melusine mit ins Zentrum der Stechlin-Symbols einbezogen. Als die, die den Sinn am klarsten ins Bewußtsein hebt: „den großen Zusammenhang der Dinge nie vergessen." Und es ist die Fürsorge für den Schwager, seinen „edlen, doch nicht festen Charakter", die sie zu Lorenzen führt. Woldemar aber hat nicht sie gewählt, sondern Armgard, die Schwester, die so verständnisvoll schweigen kann, die „so was Unberührtes hat", wie der alte Stechlin sagt. Beide Schwestern werden um ihn sein, damit der große Zusammenhang der Dinge nie vergessen wird.

Dies Gesamtbild Melusinens müssen wir festhalten, wenn wir noch auf einen ironischen Doppelsinn hören, der sich mit Melusinens Zuruf an die Schwester verbindet: „Also sei ruhig, freundlich Element." Wir hatten das auf Goethes berühmte Novelle „Die wunderlichen Nachbarskinder" bezogen, wo sich die See als „freundlich Element" angesprochen findet. Es gibt nun aber noch den Ausspruch Mephistos in der Hexenküche, wo er die auflodernde Flamme zurückdämmt: „Sei ruhig, freundlich Element." Darnach fiele Melusine die Rolle Mephistos zu und Armgards Herzenstiefe verwandelte sich in ein unterirdisches Höllenfeuer. Als Geistesblitz ihrer scharf-äugigen Ironie könnte das im geheimen Unterton Melusinens mitgemeint sein und würde nur die Tonlage ihrer ironischen Geistigkeit verstärken. Armgard aber kann nur den See als freundlich Element verstehen, und da sie den Ausspruch ohne Antwort läßt, kann sie es nur zustimmend aufgenommen haben.

Daß Melusine eine Sonderstellung zufällt, hat Josef Hofmiller auf den Gedanken gebracht, das im Namen „Melusine" aufgerufene Nixen-Element müsse ursprünglich stärker betont gewesen sein. Wenn Pastor Lorenzen im letzten Gespräch mit dem alten Stechlin die Zukunft so umschreibt: „Die Zeit wird sprechen und neben der Zeit das neue Haus, die blasse junge Frau und vielleicht auch die schöne Melusine", dann liest Hofmiller daraus ein Spannungsverhältnis für den Mann zwischen zwei Frauen. Wobei dann Melusine zur Nixe wird, die den Mann stärker anzieht und, um nicht in die Ehe einzubrechen, zuletzt in den See geht. Gerade solchen Ausweitungen der Melusinen-Gestalt hat Fontane bewußt entgegengearbeitet. Nicht weil er das „Elementare" nicht mehr habe darstellen können, sondern weil ihm wichtiger geworden war, das Gesamtgeflecht der Menschen um die Stechlin-Gestalt und um den Stechlin-See als Spiegelung des großen Zeitgeschehens zu geben. Leidenschaftskonflikte hatte er in „Effi Briest" und in „Unwiederbringlich" hinter sich gebracht. Jetzt ging es um die Mitbewegung mit dem Ganzen. Da fällt dann Melusine die Aufgabe zu, den „großen Zusammenhang der Dinge" bewußt zu machen. Das ist ihre einzigartige Stelle in diesem symbolischen Kosmos der Dichtung.

Die Zwanglosigkeit der durchs Ganze verteilten Plaudergespräche, die ihren vollen Zauber ausmacht, aber bringt es mit sich, daß sich gegen die Geschlossenheit des Kunstwerk-Ganzen gelegentlich Vorwürfe einstellen. Den ersten Biographen Conrad Wandrey 1919 hatte es geradezu generell in die Ablehnung des

Stils als schwachen Altersstil getrieben. Die heutige Generation würdigt den „Stechlin"-Roman durchaus, doch kommt Peter Demetz 1964 dazu, vom „additiven Prinzip" zu sprechen, und an zwei Stellen „Wucherungen" anzunehmen. Einmal die Lebensgeschichte des Ehepaars Schickedanz, die mit sieben Seiten der Umwelt der Grafenfamilie Barby eingepaßt ist. Witwe Schickedanz ist die Hauswirtin, als Frau „Hagelversicherungssekretär" in ihre Bourgeois-Würde gebracht. Fontane erweitert damit den Bourgeois-Typus um zwei Prachtexemplare. Das ist der Sinn. Von Schickedanz heißt es: „Arbeiten kann jeder, das große Los gewinnen kann nicht jeder." Seitdem fühlt er sich als „verhätscheltes Zierstück" seiner Versicherungsgesellschaft und gebärdet sich, als wäre er „Fürst". Nur zum Orden hat er es nicht gebracht, obgleich Frau Schickedanz betont: „Gott, er hat immer so brav gewählt." Wir können gewiß sein: hier haben wir im Extrem den Typus, dem der Stechlin-See nie sprudeln würde. Witwe Schickedanz aber tritt ihren Mietern immer entgegen wie „Macht gegen Macht".

Die andere Stelle, die Peter Demetz als Wucherung rügt, bildet sich um den Hochzeitsgast Doktor Pusch, dessen Nachterlebnisse nach der Hochzeit das 34. Kapitel mit acht Seiten füllen. Pusch geht mit vier anderen Hochzeitsgästen, darunter Doktor Wrschowitz, noch in ein Berliner Bierlokal. Er ist Typus des von Fontane argwöhnisch betrachteten „formlosen Intellektuellen". Er „fällt, nach Demetz, aus dem Rahmen". Betrachten wir die Redensarten, mit denen er die Plaudergespräche lenkt, so stoßen wir auf zwei überraschende Begriffe. Um zu illustrieren, wie heutzutage Kunst entsteht, die dem Geschmack des Publikums entspricht, braucht er ein Bild. Was bietet ein Kranzladen? Einen aus Weidenrute geflochtenen „Urkranz". Ihm werden je nach Bedarf Georginen oder Teichrosen oder Orchideen eingebunden. Ebenso ist es nach Doktor Pusch mit der „Urnovelle". Nichts „fehlt als der Aufputz". (Verstoß gegen die Sittlichkeit als „Orchidee"). Nichts kann solchem schematischen Rückgriff auf „Ur"-formen konträrer sein, als die Haltung der reinen Herzen, die den großen Zusammenhang der Dinge nie vergessen und offen sind, mitbewegt, wenn die wahrhaften Ursprünge aufbrechen. Auch hier wird die Episode gerechtfertigt, durch den Gegensinnbezug zum Stechlin-See-Symbol.

Von Peter Demetz wird ausdrücklich herausgehoben, daß beim Stechlin-Roman „die Energie dichterischer Symbole aus der Tiefe wirkt", und daß die Meisterschaft sich „durch die Dichte der symbolischen Textur bestimmt". Von daher kritisiert Demetz die Darstellung Walter Müller-Seidels im Sammelwerk „Der deutsche Roman" II, 1963, weil er versucht habe, die „Idee" auf Hegelsche Art als das „Ganze" zu gewinnen mit der Dialektik: Alt und Neu. Für Demetz geht es nicht um „abgeschlossene Definitionen", sondern um „konkrete Formen des Miteinander" mit „wechselseitiger Spiegelung der Erscheinungen". Wenn auch Müller-Seidel natürlich die Symbol-Mitte des Stechlin-Sees erkennt, muß es höchst überraschen, wenn er als Quintessenz der Stechlin-Gesinnung festzustellen glaubt: „eine Unentschiedenheit, die das Ja so wichtig oder unwichtig nimmt wie das Nein." Er führt dazu den modernen Begriff der „Ambivalenz" ein, den er siebenmal gebraucht, hauptbezogen auf die Ambivalenz von Alt und Neu. Wohl spricht er einmal von der „dichterischen Überhöhung der Ambivalenz" im Stechlin-See, als „Sinnbild der Gegensätze, die sich in ihm vereinen". Alsbald aber erklärt er den See selber als „ambivalent": „Bewahrer und Revolutionär zugleich."

Das Beunruhigende liegt hier in der Einführung eines Begriffs, den Fontane selbst nie verwendet und auch gar nicht verwenden könnte, weil der Begriff „Ambivalenz" erst 1910 geprägt wurde, und zwar von einem Schweizer Psychiater, Eugen Bleuler in Zürich, um einen neurotischen Bestand präzis zu bezeichnen: die Haß-Liebe der Patienten gegen den Arzt. Weltbedeutung erreichte der Begriff dann erst, als Sigmund Freud ihn in sein System übernahm, für den er wie geschaffen war. Es geht bei der Ambivalenz um den Widerstreit des Bewußten und Unbewußten in derselben Seele. Der altüberlieferte römische Begriff der „Ambiguitas" reichte dazu nicht aus. Es galt nicht einfach eine Sache von zwei Seiten zu sehen (ambi-agere), sondern es ging um ein neues Phänomen der „Zwiewertung", auf denselben Menschen gerichtet: (ambi-valere).

Die Unklarheiten, die Müller-Seidel in das Wertesystem des Stechlin-Romans hineinbringt, mögen an einem Beispiel deutlich werden. Bei Müller-Seidel heißt es: „Woldemar wie Armgard sind durchaus schemenhaft gezeichnet." Max Rychner, der wohl das vollkommenste Porträt des alten Dubslav geschrieben hat, wird zu dem völlig entgegengesetzten Bild geführt: „Über Woldemars Scheitel brennt eine heimliche Pfingstflamme." Die Romanhandlung zielt darauf, daß Woldemar die Richtige wählt. Fontane hat seine ganze Kunst eingesetzt, mit allen jenen von uns aufgezeigten Hinweisen durch das Ungezwungne des Plauderstils die Tiefenströmungen der

Herzen hindurchzuleiten eben auf jenes Ziel hin. Was sollte wohl des alten Dubslavs „aus dem Herzen kommende Humanität" besagen, wenn die wirklichen Herzensentscheidungen im Roman nicht ernst genommen werden? Was soll uns Woldemars Bekenntnis: „Ich liebe ihn, weil er reinen Herzens ist?" Um Lorenzen und sein Vorbild aber wird der Bund geschlossen, als dessen Wortführer Melusine das Schlußwort zur „Idee" des Romans spricht: „Es ist nicht nötig, daß die Stechline weiterleben, aber es lebe der Stechlin!" Es wäre der reine Hohn, wollten wir als Inbegriff der Idee einsetzen: „die Unentschiedenheit, die das Ja so wichtig oder unwichtig nimmt wie das Nein."

Genau das Gegenteil erfordert die rätselhafte Mitbewegung aus dem Grund der Weltstrudel, die aufsteigen, wenn die Welt sich verändern will. Gerade die Stechlin-Impulse, die im See-Symbol zusammengeschlossen sind, ob sie als Liebeskraft wirken im Bund der Guten oder im Volksmund als roter Hahn, der die Revolution verkündet, durchbrechen jede Art lähmende Ambivalenz, die im Widerstreit des Bewußten und Unbewußten zur neurotischen Unentschiedenheit führen. Das gilt gerade in Zeiten, wie sie Freud voraussieht. Gegen sie hat Fontane sein Stechlin-Symbol aufgerichtet.

Und so lesen wir in einem Aufsatz der jüngsten Generation, bei Horst Türk 1965: „Nicht Ambivalenz oder Unentschiedenheit, sondern die Geburt des Neuen aus dem Alten ist der Sinn." (Dabei meint er das Wort Lorenzens: „Dies neue Christentum ist gerade das alte.") Er vertieft den Sinn des Stechlin-Symbols aus dem paradoxen Heldentum Dubslavs: wie der den Tod annimmt, „der das Bleibende als unveräußerbaren Wert setzt". Eben das gehört zu jener „Verinnigung in den Gegenstand", auf die Hegel den objektiven Humor gründet.

Nur im Akt einer solchen „Verinnigung" wurde es Fontane möglich, auch Gespräche, die den Plauderstil ins Tief-Gedankliche abgestreift haben, einbezogen zu halten in die „Sinnbildlichkeit" des Ganzen. Das Schlußkapitel hat nur den einzigen Sinn, jener Hegelschen Formel gerecht zu werden:

„Zum wahren Humor gehört viel Tiefe und Reichtum des Geistes, um das nur subjektiv Scheinende als wirklich ausdrucksvoll herauszuheben und aus seiner Zufälligkeit selbst, aus bloßen Einfällen das Substantielle hervorgehen zu lassen." Alle, die noch auftreten, um Stechlin das Sterben zu erleichtern, haben dasselbe

„Substantielle": lautere Herzen. Agnes, das Kind, dem der Alte sogar seine Wetterfahnen aus dem Museum opfert, um ihr Spaß zu machen; dann fortdauernd Engelke im Gespräch; dann Krippenstapel mit der Honigwabe, „beinah so was wie der mittelalterliche Zehnte". Krippenstapel mit der Bienenweisheit: „sie nimmt nie das Gift, immer bloß die Heilkraft"; dann Gendarm Uncke, der von Torgelow im Reichstag berichtet „Torgelow, nu bist du still; so geht das hier nicht!" Und als letzte Steigerung das Gespräch mit Pastor Lorenzen, auf jahrelange Gesprächsverbundenheit gegründet. Wieviel Vertrautheit liegt in Stechlins Bekenntnis: „Zuletzt stirbt selbst die alte Kindermuhme in einem aus." Ein Griff in die Tiefe allen Ursprungs. Wieviel Grundvertrauen zeigt Lorenzens Bildungsbild, auf den See bezogen: „Ich seh nicht ein, warum unser alter König in Thule hier nicht noch lange regieren sollte. Seinen letzten Trunk zu tun und den Becher dann in den Stechlin zu werfen, damit hat es noch gute Wege." Dafür überrascht ihn sein König in Thule damit, daß er die Einbildungskraft ins Politische spielen läßt. Was man hier exemplarisch beobachten kann, ist das Ineinanderfließen von humoristischer und symbolischer Einbildungskraft. Die Übertreibungen sind humoristisch gewollte Kontraste. Was dahinter heraufdringt, hat Symbolgewicht. „Und solch unsichere Passagiere wie mein Woldemar und wie mein lieber Lorenzen kommen den Torgelowschen auf halbem Wege entgegen ..." Und dann malt sich Stechlin die Zukunft des Hauses Stechlin aus: Bismarckgegner, Kathedersozialisten, Damen mit kurzgeschnittnem Haar. Im Album der Berühmtheiten neben dem alten Kaiser, Bismarck und Moltke: „Marx und Lasalle, Bebel und Liebknecht." Im ganzen Roman hat der Alte nicht so viel auf einmal gesprochen. („Wer so lange sprechen kann, der lebt noch zehn Jahre.") Fontane demonstriert zum Schluß, wie es ist, wenns im Stechlin-Innersten sprudelt und strudelt. Und es geschieht einzig aus der Sorge um die Zukunft. Die Stechlin-Zukunft, die deutsche Zukunft. Darum soll Lorenzen hinter Woldemar stehen, damit er nicht ins Liberale auseinanderfließt, sondern ganz und gar gegenwärtig ist, wenn es darauf ankommt, Herzensentscheidungen zu treffen. Darum kann Lorenzen als Antwort die Formel prägen: „Dies neue Christentum ist gerade das alte." Das geht weit über die Dialektik von Alt und Neu hinaus. Es geht um die Ursprünge. Daß sie gegenwärtig sind, als Herzkraft, die dauert, wenn es zum Sturm kommt. Beim alten Goethe in den „Wanderjahren" bedeuteten die „Entsagenden", die Kampfansage an alles Erstarrte, das Zurück zu den Ursprüngen, da wo sie noch ursprünglich sind, um sich als Ganzes im Menschen gegenwärtig zu halten.

Fontanes „Stechlin" steht als Weltroman neben Stifters „Witiko" und Raabes „Stopfkuchen", weil es ihm gelungen ist, sein Zeitbild aus den Jahren 1895—1896 mit allen politischen Horizonten hinaufzuheben in den symbolischen Kosmos der Dichtung, der die Kraft besitzt, den Plauderstil des Alters einzuschmelzen dem Tiefgang des Stechlin-Symbols, mittelst der „Verinnigung in den Gegenstand", als die Ausdrucksform des objektiven Humors.

Thomas Mann „Die Buddenbrooks"

Fontanes Stechlin-Roman erschien mit der Jahreszahl 1899. Thomas Manns erster Roman „Die Buddenbrooks" 1901. Vergleicht man die Tafelfreuden und Gespräche im Haus des alten Stechlin mit der Festtafel im Hause Buddenbrook zur Hauseinweihung, durch vier Kapitel, dann könnte man denken, hier herrsche unmittelbare Kontinuität. Und die Verehrung, die Thomas Mann dem alten Fontane entgegenbringt, scheint der untrüglichste Beweis.

Und doch ist der Schnitt, der hier alte und junge Generation trennt, größer als alles, was Fontane von Raabe und Stifter absondern mag. Das Stechlin-Symbol, das in der See-Sage seinen mythischen Untergrund besitzt, beruft dieselbe kosmische Mitbewegung wie Stopfkuchen sie in der Zwiesprache mit seinem Mammut herstellt und wie Witiko sie gegenwärtig hält, wenn es heißt, daß er „wie der Wald denkt". Alle umgreift Goethes Wort von der anschauenden Urteilskraft, „daß wir uns, durch das Anschauen einer immer schaffenden Natur zur geistigen Teilnahme an ihren Produkten würdig machen".

Bei Thomas Mann gibt es den Zugang zur „immer schaffenden Natur" nicht mehr. Sein Familienroman der Kaufmannsfamilie Buddenbrook kennt nur noch die „Firma" als zusammenfassendes Lebensmotiv. Was hier als das Immer-Schaffende vorwärtsdrängt, begrenzt sich im Sog, den Geld und Geltungsverlangen auszuüben weiß. Der „Verfall einer Familie" geht parallel mit dem allmählichen Schwund eines Kapitals von 900 000 M. Zugleich doch zwingt der Geist der Firma in ein erweitertes Sozialgefüge, wenn auch im Rahmen des Familienromans. Der Zeitraum von 1835 bis 1875, der hier durchlebt wird, durchmißt den Wandel vom sogenannten Biedermeier bis zur Gründerzeit und er wird erschüttert von der

Revolution 1848 und den drei Kriegen, die das deutsche Reich begründeten 1864, 1866 und 1870—1871. Die Wellen der Erschütterung allerdings werden in der freien Bürgerstadt Lübeck nur am Rande verspürt. Der zum Konsul aufgestiegene Vertreter der zweiten Generation und der zum Senator aufgestiegene Hauptheld Thomas Buddenbrook als Vertreter der dritten Generation umgreifen mit ihrem Leben das Gesamt des Lübecker Stadtstaates mit. Der „Verfall" vollzieht sich durch vier Generationen.

Inzwischen ist der Erstling Thomas Manns zum unbestrittenen Rang eines Weltromans aufgestiegen, in alle Weltsprachen übersetzt. Ihm vor allem verdankt Thomas Mann den Nobelpreis 1929. Auf welche künstlerischen Qualitäten stützt sich solcher Welterfolg? Wie weit hat das symbolische Vermögen dazu beigetragen? Wie weit haben wir es mit einem symbolischen Kosmos der Dichtung zu tun?

Vorerst geben wir einen Überblick über die grundverschiedenen Wirkungen, die der Roman ausgelöst hat. Es gibt einen ersten Begriff für die Spannweite, die dieser Art symbolischem Kosmos innewohnt. Thomas Mann hat selbst in seiner Festrede „Lübeck als geistige Lebensform" 1926 ein Stück Wirkungsgeschichte gegeben. Als er sich entschloß, die „Geschichte des sensitiven Spätlings Hanno" auf ein „Prosaepos" auszuweiten, das vier Generationen umschließen sollte, ließ er „die recht unlübeckischen geistigen Erlebnisse einströmen, die seine zwanzig Jahre erschüttert hatten, den musikalischen Pessimismus Schopenhauers, die Verfallspsychologie Nietzsches". Was also diesen Zwanzigjährigen mitbewegte, waren die geistigen Erschütterungen der Zeit: Schopenhauer, der Totengräber der Klassik, und in paradoxer Ergänzung Nietzsche, hinter dessen „Verfallspsychologie" die Lehre vom Übermenschen steht. So persönlich aber empfand er diese Auseinandersetzung mit dem Zeitgeist, daß er sich dahin zusammenfaßt: „Kein Gedanke, daß etwas überartistisch und mehr als autobiographisch Verdienstliches darin liegen könnte, ein Bild hanseatischen Lebens aus dem neunzehnten Jahrhundert, Kulturgeschichtliches also, gegeben zu haben. Kein Gedanke, dies Verdienstliche könne etwa darin liegen, daß damit zugleich ein Stück der Seelengeschichte des deutschen Bürgertums überhaupt gegeben war."

Das aber wurde nun die große Überraschung für Thomas Mann selbst: „Wie oft, etwa in der Schweiz, in Holland, in Dänemark, habe ich junge Leute ausrufen hören: „Dieser Prozeß der Entbürgerlichung, der biologischen Enttüchtigung durch Differenzierung, durch das Überhandnehmen der Sensibilität — genau das bei uns." Thomas Mann lernte begreifen, daß es ein „Erlebnis europäischer Solidarität" gibt, „daß die Völker Europas nur Abwandlungen und Spielarten einer höheren seelischen Einheit darstellen". „Man gibt das Persönliche und ist überrascht, das Nationale getroffen zu haben." Er schreibt einen deutschen Unternehmerroman durch vier Generationen, und es ereignet sich, daß er typische Grundzüge einer Generationsfolge entwickelt hat, die die Zustimmung in ganz Europa finden.

Thomas Mann sucht selbst die Begründung. Die Kräfte des Unbewußten sind nichts Zufälliges, sie haben das Gesetzhafte einer „Lebensform". Hier sind die Ursprünge des Symbolischen. „Künstlertum ist etwas Symbolisches. Es ist die Wiederverwirklichung einer ererbten und blutsüberlieferten Existenzform auf anderer Ebene." Man hört nicht auf, wenn man sich als Künstler emanzipiert, das zu sein: „was die Väter waren." Man ist es „in anderer, freierer, vergeistigter, symbolisch darstellender Form nur noch einmal".

Wir erkennen, wie gesetzhaft Thomas Mann die unbewußten Kräfte anspricht, sich mitbewegen zu lassen von den geistigen Erschütterungen der Zeit, die durch ganz Europa die gleichen Erschütterungen hervorrufen. Allerdings sind es Erschütterungen besondrer, geistig-philosophischer Art. Spiegeln sie Schöpfungsgesetze wider? Oder nur in einer durch den Geist begrenzten, oft verzerrenden Form? Haben wir in Schopenhauers „Welt als Wille und Vorstellung" die wirkliche Welt? Besonders wenn sie sich im Geiste Thomas Buddenbrooks mit Nietzsches „Willen zur Macht" verflicht? Bedenken wir zugleich, daß wir in einem Kaufmannsroman sind, wo nüchtern gerechnet wird, dann müssen an die „symbolische Darstellung" sich große Forderungen richten. Mit dem Kaufmannsmilieu treten Sozialgefüge auf, die ins kapitalistische Weltsystem hineingehören. Das wiederum ruft das Interesse des marxistischen Ostens auf, der die bürgerliche Welt als kapitalistisch mißbrauchte Welt anzusehen pflegt.

So sieht Hans Mayer in seinem Thomas-Mann-Buch 1950, überzeugt von der „Sprengkraft der dialektischen Methode", im Bürgertum der „Buddenbrooks" die „Zeichen einer unlösbaren Antinomie": starre Gesetze des Patriziats, auf die unwillkürlich alle ausgerichtet sind, und die dauernde Bedrohtheit durch die Krisen des Wirtschaftslebens. Die hier aufgedeckten „Abgründe" sind für Hans Mayer die „Abgründe des Bürgertums schlechthin". Zwar ist ihm Thomas Mann selbst der Typus des echten Bürgers, schon darin daß er die Kunstform des Gesellschaftsromans mit bürgerlicher Beharrlichkeit festhält, während die Umwelt bereits aufgehört hat, bürgerlich zu sein. In Wirklichkeit haben bereits die Eltern von Thomas Buddenbrook ihre „feuchte Stelle", und vermutlich werden auch die künftigen Hagenströms sie haben. Alle gehören „der bürgerlichen Endzeit" an.

Eine jüngste Stimme dagegen, Jürgen Kuczynski, 1966, bekannt als „Historiograph des Arbeiters unter dem Kapitalismus", findet die „Buddenbrooks" keineswegs exemplarisch für den Verfall des reichsstädtischen Bürgertums. Thomas Buddenbrooks psychischer Zusammenbruch ist für ihn nur „medizinisch zu erklären". Was Thomas Mann selbst „die Entartung ins Subjektiv-Künstlerische" nennt, hat nichts mit der historischen Entwicklung der Bourgeoisie zu tun. Dafür zieht Kuczynski vielmehr Engels heran, der eine Art Vergeistigung des Unternehmers nur in einer Richtung erkennen kann: „Der fabrizierende Millionär hat Besseres zu tun, als Zeit zu verlieren mit kleinlichen Kniffen" d. h. mit den frühen Methoden der „Prellerei und Mogelei". Die Großindustrie wird „moralisch". Der Arbeiter wird jetzt besser behandelt. Aber: „alle Konzessionen an die Gerechtigkeit und Menschenliebe waren nur Mittel, die Konzentration des Kapitals in den Händen weniger zu beschleunigen." Der „Großraub" bleibt, mit dem kapitalistischen System. Nur die Methoden haben sich verfeinert, „das Unglück der Arbeiterklasse zu verbergen". Hier wird also eine ganz andre Fortentwicklung des Unternehmertums ins „Ethische" beobachtet als bei Thomas Mann.

Die klarste Formel findet der Russe W. Dnepzow 1960: „Die ‚Buddenbrooks' werden gewöhnlich als sozialer Roman bezeichnet und mit Generationsromanen wie der „Forsytesaga" und den „Thibaults" von Roger Martin du Gard verglichen. Dabei ist es wichtig, auch den prinzipiellen Unterschied zu beachten. Die Generationsromane erweitern sich gegen Ende immer mehr zu sozialpolitischen Romanen. In den „Buddenbrooks" dagegen verengt sich der Inhalt am Schluß aufs äußerste und stützt sich auf eine hermetisch abgeschlossene, kleine, ästhetische Welt ... Die großen sozialen Romane des 20. Jahrhunderts können mit Recht als Ausschnitte aus der Geschichte bezeichnet werden; sie führen zum weiteren Geschehen hin, lassen eine Fortsetzung zu. In den ‚Buddenbrooks' gelangt der zu untersuchende Prozeß an sein logisches Ende, er erschöpft sich und schließt jede Entwicklung auf der gegebenen Ebene aus; der Tod setzt nicht nur den physischen, sondern auch den historischen Schlußpunkt."

Hier kommt, in der Russenperspektive, etwas Wichtiges zum Ausdruck: Thomas Manns Unternehmerroman, gemessen an der großen Sozialbewegung, die auch ihn trägt, setzt einen Schlußpunkt, schneidet die Entwicklung ab. Dem entspricht es, daß im Roman selbst das Firmenschild, das die vier Generationen vereinigt, mit unbarmherziger Logik in die unmittelbaren Herzensbewegungen hineinschneidet, sowohl bei der oberflächlichen Tony wie beim künftigen Chef der Firma. Vielleicht wirkt auch die pessimistische Schopenhauer-Philosophie mit herein, die inneren Verbindungen mit den vorwärtswirkenden Schöpfungsgesetzen abzuschneiden?

Hier gibt bereits der Rahmen, die vorausgenommene Wirkungsgeschichte des Romans, Rätsel auf. Alles wird davon abhängen wie weit es Thomas Mann gelungen ist, mit den Kräften seiner „symbolischen Darstellung" den Unternehmerroman zum dichterischen Kosmos auszuweiten. Der Weltrang des Romans spricht dafür, daß ihm das kraft höherer Gesetze der Kunst, der Symbolgewalt der Kunst, wirklich beschieden war.

Wenn das einzige zusammenspannende Zeichen die durch alle vier Generationen hindurchgehende „Firma" ist, woher mag dann die Symbolkraft kommen, die über den rechnerisch bewältigten Schwund eines großen Firmenvermögens hinaus „das Unerforschliche offenbart"? Hier bietet sich in Thomas Mann selbst, in dem was er die „Lebensform" eines zwanghaften und gesetzlichen Unbewußten benannt hat, eine Grundstruktur an, die sich strukturbildend dem ganzen Roman aufzuprägen imstande war. Auch hier hat die Forschung bereits vorgearbeitet. Zwei Thomas-Mann-Bücher der westlichen Forschung treffen sich im gemeinsamen Titel: Erich Heller „Thomas Mann. Der ironische Deutsche" 1959 und Reinhard Baumgart „Das Ironische und die Ironie in den Werken Thomas Manns" 1964. (Aus einer Dissertation von 1952.) Die Ironie also ist es, aus der heraus das Grundwesen Thomas Manns verstanden werden kann. Ironie ist nun ein äußerst komplexer Begriff. Beide Forscher beschränken sich auf die in Thomas Mann verwirklichte Ironie. Baumgart findet in Thomas Manns „Sachlichkeit, Formstrenge und Wirklichkeitstreue" die Bürgschaft dafür, daß Thomas Mann einen „Gegentypus zur romantischen Ironie" darstelle. „Distanz" liefert der Ironie den Spannungsraum. Diese Distanz sieht Baumgart für die „Buddenbrooks" gegen den Hintergrund: „Ironie und Dekadenz". Die Selbstsicherheit des Erzählers, scheinbar ohne „Teilhabe", ist beherrschte innere Schwäche. Hinter „forcierter Impassibilität", zum oft „höhnischen satirischen Selbstbewußtsein" gesteigert, verbleibt Thomas Mann allzu identisch mit seinem Helden Thomas Buddenbrook, als „Sinnbild der eignen Dekadenzmoral". So vermißt Baumgart noch „das freie Spiel mit den Paradoxien". Zur Dekadenz gehört, daß Tragisches und Komisches nicht mehr geschieden werden, daß in einer „zweideutigen Optik" tragische und komische Aspekte zugleich gesehen werden. Die „Chronik des Verfalls" stellt das Geschehen mit allen seinen Motivverflechtungen dar ohne ins „Immergültige zu tranzendieren". Der innere Doppelsinn des Verfallsprozesses, der zugleich ein Anwachsen an seelischer Sensibilität und geistiger Bewußtheit bedeutet, bleibt in der Tiefe der Ironie „noch unausgespielt". So faßt sich Baumgart dahin zusammen: „Es gibt Ironien in diesem Roman, keine Ironie."

Erich Heller entwickelt den totaleren Blick für die Kunstwerk-Ganzheit, als zugleich realistischen und philosophischen Roman. Seine geistige Struktur führt er auf Schopenhauer zurück, auf den „metaphysischen Rausch", den der Zwanzigjährige durch Schopenhauers Lektüre erfuhr. Daraus leitet sich die „Ideen-Anatomie", die den Lübecker Unternehmerroman zum Weltroman weitet. Dabei erscheint dann Schopenhauers Dualismus: „Welt als Wille und Welt als Vorstellung" als die Polarität von „Leben und Geist". Schritt für Schritt treten beide auseinander. Indem Thomas Mann dabei die Schopenhauersche Struktur der Handlung bewahrt im Niedergang der Firma, schwebt er ironisch zwischen Schopenhauer und Nietzsche, zwischen Verneinung und Bejahung der Willenswelt.

Erich Heller findet also in der Ironie, die sich zwischen Schopenhauer und Nietzsche „mit zwiespältiger Sympathie" in der Schwebe hält, die Ursprungsmitte des Romans. Das wirkt sich dahin aus, daß zwar die Firma immer gegenwärtig ist als finstrer Wille zum Leben, der die Einzelnen zwingt, „Glieder in der Kette" zu sein, oder sich in Thomas Buddenbrooks Bewußtsein dem Untergang „entgegengetragen" zu fühlen, daß aber zugleich eine Verfeinerung des Bewußtseins auftritt, die sich allem Soziologischen enthebt in ein anderes Reich. Während Tony die „komische Inkarnation von Schopenhauers Idee der Gattung" wird, während Christian die „Anlage zu Nietzsches ästhetischem Nihilisten" in sich hat, der „die Kultur Europas usurpieren, schwächen und endlich zerstören wird", verwandelt sich Thomas Buddenbrook über Schopenhauers Lektüre die Willensenthebung zur rauschhaften Fülle eines Nietzsche-trunkenen All-Ich. Und die letzte Steigerung bildet Hanno Buddenbrooks Auflösung in die Kunst, in den Orgiasmus Wagnerscher Musik. Und alles dargestellt mit größter ironischer Distanz und epischer Gelassenheit.

Beide Deutungen, die die Ironie ins Zentrum rücken, geben damit eine ähnliche Spannweite über die Abfolge von vier Generationen, wie sie Wolfgang Preisendanz für den poetischen Realismus des 19. Jahrhunderts in der Einbildungskraft des Humors aufzuzeigen suchte. Vielleicht hängt es dann mit dem Entschluß Thomas Manns zusammen, aus dem Familiengemälde der Lübecker Mann-Familie den Unternehmerroman um die Getreide-Handelsfirma Buddenbrook als „Verfall einer Familie" in Gang zu bringen, wenn sich unwillkürlich für die umspannende Distanzhaltung nicht mehr der Begriff des „Humors", sondern der Begriff der „Ironie" einstellt. Daß damit zugleich die Auflösung einer ganzen Gesellschaftsordnung sich ankündigt, über Thomas Manns ursprüngliche Absichten hinaus, gehört mit zur Weltwirkung des Romans. Insofern kann man den soziologischen Gesichtspunkt nicht ausklammern, wie Erich Heller es tut. Hier eben beginnen die ironischen Beleuchtungen sich erst recht zu vertiefen zu dem, was Thomas Mann selbst die „symbolische Darstellung" nennt.

Wir gehen von einem höchst auffälligen Kriterium aus, das dem Roman seinen Stempel aufdrückt. Ein Leitbegriff zieht sich über fünfzigmal durch die Handlung hindurch: der Begriff der „Firma". Bedenkt man, daß außerdem noch Ersatzworte auftreten wie „das Geschäft" oder „das Haus Buddenbrook" und daß fast ebenso oft als Innenseite der Firma der Begriff der „Familie" sich anbietet, mit der Familienmappe, die als Heiligtum alles aufzeichnet, was seit Gründung der Firma durch Generationen sich ereignet hat, dann ergibt sich für diesen realistischen Roman die klare Eingrenzung auf einen Unternehmerroman, in dessen Mitte die Familienfirma steht. Thomas Mann knüpft damit an eine Tradition an, die Gustav Freytag mit „Soll und Haben" 1854 begonnen hatte. Freytags Roman spielt zeitlich früher, er bringt noch den Polenaufstand von

1830 mit hinein. Das Handelshaus Schröter in Breslau bewahrt noch mehr den statischen Typus des „Kaufmanns", der allen Risiken voraus die „Ehre des Geschäfts", die „stolze Redlichkeit", die „Reinheit der kaufmännischen Ehre" hochhält. Freytag unterscheidet bereits „Fabrikant" und „Kaufmann". „Der Fabrikant schafft neue Werte, der Kaufmann macht sie populär." Herr von Fink „eignet sich besser zum Fabrikanten", mit seinem „unternehmenden Geist". Freytag läßt seinen Biedermeierjüngling Anton Wohlfahrt, dem die Firma Schröter zur „Heimat" wird, vielerlei Proben bestehen, in denen er „brav geblieben ist", bis er ins „Soll und Haben" der Firma aufgenommen wird. Freytags Kaufmanns-Idealismus aber ist nicht borniert. So lesen wir bei ihm: „Jede fortgesetzte Tätigkeit unter Schwachen und Schlechten bringt auch einen Ehrenmann in Gefahr." Und der Firmenchef Schröter warnt Anton, der sich von der Noblesse des Adels verblenden läßt: „Wo die Kraft in der Familie aufhört, da soll auch das Vermögen aufhören. Das Geld soll frei dahinrollen in andere Hände."

Thomas Mann, der mit seiner ausgesprochenen Künstlerbegabung aus der Tradition der Mann-Familie ausbricht, ebenso wie sein Bruder Heinrich, hat in die Umformung des Lübecker Handelsmilieu einer Getreidefirma von den Manns zu den Buddenbrooks von Anbeginn den ironischen Gesamtblick aufgenommen, daß auch große Firmen untergehen. So wird die große Eingangsszene 1835, die Feier der Einweihung des neuen Hauses Buddenbrook, ein Haus aus der Barockzeit von 1682, überschattet vom Schicksal des letzten Besitzers, der Firma Ratenkamp und Co. „Traurig, dieses Sinken der Firma in den letzten zwanzig Jahren.' Man erwähnt im Gespräch, daß der letzte Firmenchef sich den falschen Kompagnon gewählt habe. Darauf gibt der jetzige Hauptleiter der Firma, Konsul Buddenbrook, Sohn des Chefs, eine bemerkenswerte Antwort, die ihr eignes Gewicht hat und so auch wirken soll: „Ich glaube, daß Dietrich Ratenkamp sich notwendig und unvermeidlich mit Geelmaack verbinden mußte, damit das Schicksal erfüllt würde ... Er muß unter dem Druck einer unerbittlichen Notwendigkeit gehandelt haben ..." „Er war erstarrt."

Damit bereits greift Thomas Mann weit über Gustav Freytags Roman hinaus. Was dort nur gelegentlich angedeutet wird, ist hier in den Charakter des Konsuls strukturbildend mit aufgenommen: daß Firmengeschicke Schicksale sind, die sich gesetzhaft abspielen, über den Willen des Einzelnen hinweg. Der alte Buddenbrook, sein

Vater, teilt diese Auffassung nicht. „Das ist so eine von deinen ideés." Am selben Abend noch wird er mit dem Sohn eine Auseinandersetzung haben und ihm vorwerfen: „Was seid ihr eigentlich für eine Kompanei, ihr jungen Leute — wie? Den Kopf voll christlicher und phantastischer Flausen — und Idealismus." Auch der Schicksalsgedanke ist solch ein romantischer Zug, für den nüchternen Realisten Johann Buddenbrook, der das Geld verdient hat, mit dem jetzt das neue Haus gekauft werden konnte.

Thomas Mann differenziert darnach sehr viel genauer die Einzelcharaktere durch die Generationen. Der alte Buddenbrook ist ein ungebrochner Unternehmertypus, der jede Gelegenheit wahrgenommen hat. „Er hatte ein Stück von der Welt gesehen, war Anno 13 vierspännig nach Süddeutschland gefahren, um als Heereslieferant für Preußen Getreide aufzukaufen." Er ist auch der Einzige, der eine Liebesheirat geschlossen hat, der zeitlebens der Frau nachtrauert, die bei Geburt des ersten Sohnes starb. Später hat er dann nochmals geheiratet, eine reiche Hamburgerin, nicht aus Liebe, sondern um der Firma willen. Aus der zweite Ehe stammt der Konsul. Der robuste Vater kann dem Sohn sagen: „Es passiert leicht, daß du ratlos bist." Das kommt aus einem gewissen Zwiespalt des Sohns, zwischen realem Erwerbssinn und christlich-romantischen Vorstellungen, zu denen auch sein Schicksalsfatalismus gehört. Der Konsul hat drei Kinder, die alle drei nebeneinanderher die farbige Buntheit ins weitere Gesamtbild bringen: Tony, Thomas und Christian. Alle drei differenzieren den Typus weiter. Alle sind im Reichtum aufgewachsen. Ihre Mutter, eine geborene Kröger aus reicher Lübecker Getreidehandelsfirma, die „einen Hang zum Luxus" mitbrachte, wirkt bestimmend mit herein. Von Tony sagt uns der Ezähler:

„Ihr ausgeprägter Familiensinn entfremdete sie nahezu den Begriffen des freien Willens und der Selbstbestimmung und machte, daß sie mit einem beinahe fatalistischen Gleichmut ihre Eigenschaften feststellte und anerkannte ... ohne Unterschied und ohne den Versuch, sie zu korrigieren. Sie war, ohne es selbst zu wissen, der Meinung, daß jede Eigenschaft, gleichviel welcher Art, ein Erbstück, eine Familientradition bedeute und folglich etwas Ehrwürdiges sei, wovor man in jedem Fall Respekt haben müsse."

Dieser Charakterzug prägt sich in dem Augenblick aus, als Tony, die um der Firma willen ihre Jugendliebe geopfert und einen ihr im Grunde widerlichen Kaufmann geheiratet hat, den Bankerott ihres Mannes miterleben muß. So fällt auf ihre Erbeigenschaften-Würde, die sie als Familienschicksal mit sich trägt, von vornherein ein fragwürdiges Licht. Alles wird sich als falsch erweisen, was sie tut. Zweimal wird sie daneben heiraten und sich scheiden lassen. Das dritte Mal ist es ihre Tochter, die daneben heiratet. Immer hat die Rücksicht auf die Firma eine Rolle gespielt. Eben damit sind Fehlleistungen verbunden, die in der Struktur des Typus verankert scheinen. Als wäre hier wirklich ein Fatum mit im Spiel. Ihr eigner Vater hat das Bild dafür geprägt. In dem Brief, in dem er ihr um der Firma willen die erste Ehe aufgezwungen hat, heißt es: „Wir sind, meine liebe Tochter, nicht dafür geboren, was wir mit kurzsichtigen Augen für unser eigenes, kleines, persönliches Glück halten, denn wir sind nicht lose, unabhängige und für sich bestehende Einzelwesen, sondern wie Glieder in der Kette ..." Die unbewußte Ironie, die hier waltet, wird doppelt deutlich, wenn wir erkennen müssen, daß der Vater bei der Wahl des Schwiegersohns sich durch christliches Gehabe hat darüber forttäuschen lassen, daß er einem ausgesprochenen Betrüger zum Opfer gefallen ist und ihm auch die Tochter zum Opfer gebracht hat.

Was sich hier im Vater wie in der Tochter als eine Art Schicksalsfatalismus ins Bewußtsein hebt, muß als Degenerationserscheinung gewertet werden, infolge des Fetischcharakters, den „die Firma" angenommen hat. Für den ungebrochenen Unternehmertypus wie den alten Buddenbrook ist die Firma das lebendige Ziel aller Unternehmer-Energien. Sie wandelt sich mit dem Leben, das in ihm wächst und sich in die Welt ausweitet. Sie ist für ihn nicht Selbstzweck, sondern Lebenssteigerung, in der sich seine Möglichkeiten erfüllen. Darum schätzt er es gar nicht, daß der Fortschritt der Technik alle Kultur an den Rand drückt. „Alle Welt denkt an nichts als Bergwerke ... und Industrie ... und Geldverdienen. Brav, das alles, höchst brav! Aber ein bißchen stupide."

Im Sohn und der Enkelin aber wird die Firma zum Fetisch, dem man alles opfert. Der Konsul heiratet nicht aus Liebe, sondern um die Firma durch eine reiche Mitgift zu steigern. Tony als Schwester des Haupthelden Thomas wird individueller durchgestaltet als ihr Vater. So durchleben wir mit ihr die Sommerfrische in Travemünde, in der ihr das Glück einer ersten Jugendliebe zuteil wird, nachdem ihr die Werbung des Kaufmanns Bendix Grünlich nur Widerwillen erweckt hatte. Am Studenten Morten, Sohn des Lotsenkommandanten, bei dem Tony einquartiert ist, begegnet ihr das starke naive unverfälschte Leben, ein revolutionierender Student, Stimme der unterdrückten Burschenschaft der Zeit. Seine Verachtung des Adels, mit seinen Privilegien, sein Ruf nach Freiheit der Presse, der Gewerbe, des Handels — alles ist für Tony eine neue Welt. Daß sie selber zu den Privilegierten gehört, ist ihr das Überraschendste: „Ihr Vater ist ein großer Herr, und Sie sind eine Prinzeß. Ein Abgrund trennt sie von uns andern!" Thomas Mann führt hier ein Symbol ein, das Tony zum ersten Mal unmittelbar an die Natur heranbringt. Morten prägt es zur lebendigen Redensart aus, die in Tonys Seele fortwirken wird: „Wenn Sie wieder in Ihren Kreis der Bevorzugten treten, dann kann man auf den Steinen sitzen." Das ist das Los der Nicht-Privilegierten: zeitlebens auf den Steinen sitzen zu müssen. Als Tony, die geschiedene Frau, noch wieder eine Stufe tiefer fällt mit dem Schwiegersohn, der ins Gefängnis muß, da dringt es in ihr herauf: „Wir können einfach auf den Steinen sitzen." Für Morten war das ein Übergang. Für Tony wird es zum schrecklichen Dauersymbol: das einzige Mal, wo ihr das Leben begegnet ist, hat sie es „auf den Steinen sitzen lassen". Zeitlebens wird sie darum selber auf den Steinen sitzen. Das heißt: auf einem unfruchtbaren Steingrund. Eben dies Sinnbild verbindet sich für den Leser damit, daß Tony einzig um des Fetischs willen, den für sie die Firma bedeutet, ihre Jugendliebe hat auf den Steinen sitzen lassen. Sie selber ist versteinert, ohne es zu merken. Und Tony hat das nur verkraften können, weil sie von einer solchen Flachheit ist, daß sie „mit fatalistischem Gleichmut" durch die Zeit treibt, zum Kiesel abgeschliffen, um im Bild von den Steinen zu bleiben.

Thomas Mann hat Tony dadurch lebens- und liebenswert gemacht, daß er sie komisch nimmt. Dank ihrer Naivität, die sich mit immer neuem Impetus für die Firma einsetzt, um zu immer neuen Fehlentscheidungen zu kommen, wird sie im Sinn Erich Hellers „zur Parodie eines absoluten Prinzips". Nur daß diesem Prinzip alles Echt-Absolute fehlt, weil es in ihr zum Fetisch erstarrt ist. Dadurch kommt der komische Kontrast, der gelegentlich ins Tragikomische übergeht. Tonys Auftrag wird es sein, dem Bruder Thomas, dem späteren Chef der Firma, zur schwesterlichen Ergänzung zu werden, im Guten wie im Bösen. Während ihre Grünlich-Ehe etwas Grotesk-Widerliches hat, breitet sich um die Permaneder-Ehe dank seiner „unverwüstlich gemütlichen Laune", seinem bayrischen Herzen ein leichter echter Humor aus. Das berühmte „Wort", mit dem der I. Teil des Romans schließt, stellt den Gipfel eines satirischen Humors dar, im Sinn der „verdrossen behaglichen Formlosigkeit" Permaneders, für die der allzukonventionellen Tony das Organ fehlt. Tonys weitere Schicksale verfolgen wir vom Bruder Thomas her.

Seit Thomas mit 16 Jahren ins Geschäft eingetreten ist, „mit zähem Fleiß" dem Vater nachahmend im Dienst der „vergötterten" Firma, zieht sich um ihn das künftige Geschehen zusammen. Zur selben Zeit, wo Tony ihrer Jugendliebe entsagt, nimmt auch Thomas Abschied von seinem Blumenmädchen: „Man wird getragen, siehst du ... Wenn ich am Leben bin, werde ich das Geschäft übernehmen, werde eine Partie machen." Schon deutet sich auch bei Thomas ein fatalistischer Schicksalsbegriff an. Aber als 1855 nach dem Tod des Konsuls Thomas Chef der Firma wird, mit 750000 Mark Kurant, zeigt sich, daß die Ähnlichkeit mit dem Großvater auch im eingebornen Unternehmertypus hervortritt: „Die Sehnsucht nach Tat, Sieg und Macht, die Begier, das Glück auf die Knie zu zwingen, flammte kurz und heftig in seinen Augen auf. Er fühlte die Blicke aller Welt auf sich gerichtet, erwartungsvoll, ob er das Prestige der Firma, der alten Familie zu fördern wissen werde." Bald zieht „ein genialerer, ein frischerer und unternehmenderer Geist" in die Firma ein, deren „Glanz zu mehren" sein Lebensziel wird. Das Jahr 1856 bringt Verlobung und Heirat mit der Millionenerbin in Amsterdam, der schönen, fremdartigen Gerda Arnoldsen. „Ich liebe sie, aber es macht mein Glück und meinen Stolz desto größer, daß ich gleichzeitig unserer Firma einen bedeutenden Kapitalzufluß erobere." Schon die Wahl, die Thomas getroffen, Gerda, die Geigerin, die Künstlerin, mit dem schweren dunkelroten Haar, und daß sie sich für Thomas entschied, bezeugt sein den Durchschnitt überragendes Genie. Alles scheint ihm jetzt zu gelingen. Er wird niederländischer Konsul, Vorstand der Eisenbahngesellschaft, er zeigt sich „als der am wenigsten bürgerlich beschränkte Kopf", auch in allen Fragen des Gemeinwesens. Ein Sohn wird ihm geboren, die Taufe ist ein Stadtereignis, mit dem Altbürgermeister als Paten. 1862 folgt die Wahl zum Senator. Und dann 1863 entschließt er sich, ein neues Haus zu bauen, an dem nichts gespart zu werden braucht.

Und doch bohrt eine Unruhe in ihm. Ein türkisches Sprichwort fällt ihn an: „Wenn das Haus fertig ist, so kommt der Tod." Ein symbolischer Blick drängt sich ihm auf. Thomas Mann gibt ihm das Bild dazu: „Ich weiß, daß oft die äußeren ... Zeichen und Symbole des Glücks und Aufstiegs erst erscheinen, wenn in Wahrheit alles schon wieder abwärts geht. Diese äußeren Zeichen brauchen Zeit, anzukommen, wie das Licht eines solchen Sternes dort oben, von dem wir nicht wissen, ob er nicht schon im Erlöschen begriffen, nicht schon erloschen ist, wenn er am hellsten strahlt." Wir sind im Bereich der Lichtsymbolsprache. Aber welcher Abstand zurück zu Wilhelm Meisters Lichtbetroffenheit. Hier spricht Thomas Mann selbst zu uns, aus dem bedrohten Gefühl der Jahrhundertwende 1900, die man als Fin de siècle ausgezeichnet hat. Das Unternehmertum, für das Thomas Buddenbrook repräsentativ wird, ist bereits im Sinn jener dunklen Lichtsymbolik von einem unterirdischen Pessimismus angehaucht. Was sich im Vater, dem Konsul, und in Tony als Fatalismus vorausgedeutet hat, tritt jetzt auch im Chef der Firma Thomas hervor. Eine Reihe äußerer Ereignisse bereiten die Wende vor.

Es beginnt mit Tonys Scheidung der Permaneder-Ehe. Ihre Aussprache mit dem Bruder verrät eine bedenkliche Störung des inneren Gleichgewichts in ihrer so naiven, selbstverliebten Natur. Was sie erschüttert hat, ist nicht nur die Stinkfaulheit Permaneders, der auf die Mitgift hin sogleich seine Firma aufgegeben hat, um nur noch Bier zu trinken. Es ist auch nicht nur das Schimpfwort „im ungebildeten Bierdialekt"; es ist „der heimliche Skandal, der im stillen an einem zehrt und die Selbstachtung wegfrißt". In ihrer aufgewühlten Seele tritt ihr Jugenderlebnis mit Morten hervor. (Wortwörtlich wiederholt sie sich seine Worte): daß sie sich als Lübecker Patrizier-Adel fühlt und darum in München nicht leben kann, wo sie nur „lächerlich hochmütig" wirkt. Darüber ist ihr jede Möglichkeit verschwunden, die Dinge komisch zu sehen. Um so hemmungsloser wird ihr Stolz auf die Buddenbrook-Firma werden, und das wird sich verhängnisvoll auswirken: „Nun mußt du ganz allein zusehen, daß wir Buddenbrooks den Platz behaupten." Tony wird es sein, die dem Bruder zuredet, das neue Haus zu bauen: „Und wenn schon, Tom, dann auch vornehm."

Schlimmer wird ein andrer Einfluß Tonys sein. Vorausgegangen ist noch ein schrecklicher Streit zwischen Mutter und Sohn. Die Mutter ist nach dem Tod des Konsuls sektierhaft fromm geworden. Der Schwiegersohn Pastor Tiburtius, Gatte der jüngsten Tochter Klara, hat sich nach Klaras Tod ihr Erbe erschlichen. Die Mutter hat es auf einen letzten Bittbrief Klaras vor ihrem Tod dem Pastor ausgeliefert, ohne den Chef der Firma zu fragen. 127500 M. Kurant. Thomas erlebt zum ersten Mal einen „Paroxismus von Entrüstung". Eine tiefste Erschütterung des Selbstgefühls, die keineswegs Raum läßt für das satirische Element, das hier der Autor selbst mit der ganzen falschen Christlichkeit ins Spiel bringt. Vielmehr werden die nächsten Jahre für die Firma noch weitere Verluste bringen. Während der Preußensieg über Dänemark 1864 den Lübeckern, die mit Preußen gegangen sind, einen Aufschwung beschert, erleidet die Firma Buddenbrook an einer Groß-Firma in Frankfurt, das mit Österreich gegangen war, einen Verlust von 20 000 Talern auf einen Schlag. In Thomas verstärkt sich das Gefühl, daß das Glück von ihm gewichen ist.

In diesen Augenblick fällt 1868 ein verhängnisvolles Gespräch mit Tony, der geschiednen Frau Permaneder. Sie kommt von ihrer adligen Pensionsfreundin Armgard von Maiboom und bringt ein Angebot mit: Spielschulden zwingen den adligen Gutsbesitzer, die gesamte Ernte im Voraus für 35 000 M. Kurant zu verkaufen. Als Thomas solchen Wucherhandel empört ablehnt, wird Tony auf eine überraschende Weise beredt:

„Wenn ich mich frage, warum du gereizt bist, so kann ich nur sagen, daß du im Grunde doch nicht so ganz abgeneigt bist, dich mit der Sache zu beschäftigen. Denn ein so dummes Weib ich bin, das weiß ich aus mir selbst und von anderen Leuten, daß man im Leben über einen Vorschlag nur dann erregt und böse wird, wenn man sich in seinem Widerstande nicht ganz sicher fühlt und innerlich sehr versucht ist, darauf einzugehen."

Zweifellos will Tony dem Bruder und der Firma helfen, das macht sie hellsichtig, und es zeigt sich, daß sie in ihren beiden Ehen und Ehescheidungen doch etwas gelernt hat. Sie kennt sich sogar im Unbewußten aus. Und gerade weil Thomas Erfolge braucht und ersehnt, trifft ihn ihr Scharfblick. „Eine verteufelt schlaue Person, diese kleine Tony." Würde nicht die Konkurrenz, Konsul Hagenström, unbedenklich das Geschäft machen, wenn er es nicht macht? Ist er „ein Mann der unbefangenen Tat oder ein skrupulöser Nachdenker?" Thomas entschließt sich, die Ernte auf dem Halm zu kaufen und sie wird ihm durch den Hagel zerschlagen. Thomas Mann hat das Ereignis in das Gründungsfest der Firma Buddenbrook, die 1768 gegründet worden war, eingebaut. Ein Hundertjahrsfest mit allem Drum und Dran. Aber mitten hinein in die Schwüle und den Hagelschlag fällt die Depesche, die die Vernichtung der gesamten Ernte anzeigt. Die Firma geht daran nicht zugrund. Aber die Spannkräfte des Unternehmers Buddenbrook sind gebrochen. Der Untergang beginnt.

Die Ironie der Darstellung am Gründungsfesttag erreicht einen Gipfelpunkt. Alles wird auf eine schrecklich ironische Weise symbolisch. Tony wiederum ist es, die ein Bild vorbereitet hat: Porträts der vier letzten Firmenchefs, und darüber in gotischen Lettern der Spruch, der vom Ahnherrn stammt und den Thomas von seinem Vater im Brief übermittelt bekommen hat: „Mein Sohn, sei mit Lust bei den Geschäften am Tage, aber mache nur solche, daß wir bei Nacht ruhig schlafen können." Zum ersten Mal ist Thomas Buddenbrook davon abgewichen. Und ein Hohn sondergleichen ist es, daß gerade Tony völlig ahnungslos die Trägerin des festlichen Bildes wird.

Was hier durch Tonys „verteufelte Schläue" sichtbar geworden ist, ist ein Widerstreit des Bewußten und des Unbewußten, zwischen bewußter Moral und unbewußtem Erfolgswillen, der sich über Hemmungen hinwegsetzt. Der vertiefte Zwiespalt, der schon Toms Vater manchmal „ratlos" gemacht hatte. Jetzt wird der Mißerfolg den Chef des Hauses Buddenbrook weit zurückwerfen. Er wird spüren, wie die Entfremdung zwischen ihm und seinem kleinen Sohn Hanno wächst, der ganz der Musikwelt der Mutter gehört. Er wird die wachsende Kluft zwischen sich und Gerda spüren: „Thomas, ein für allemal, von der Musik als Kunst wirst du niemals etwas verstehen . . . In der Musik geht dir der Sinn für das Banale ab, der dir sonst nicht fehlt." Und schließlich wird sich nach dem Tod der Mutter zwischen ihm und seinem Bruder Christian ein Streit erheben, der schreckliche Gegensätze bewußt macht: „Ich bin geworden, wie ich bin, sagt Thomas, weil ich nicht werden wollte wie du. Wenn ich dich innerlich gemieden habe, so geschah es, weil ich mich vor dir hüten muß, weil dein Sein und Wesen eine Gefahr für mich ist."

Der Bruder Christian tritt damit bedeutsam in die Nebenrolle zum Bruder Thomas ein. Das erste, was wir über ihn hören, als er seinen Schullehrer täuschend nachmacht, ist ein Ausruf des Großvaters: „N Aap is hei!" Als eine Art Possenmacher taucht er immer wieder im Familiengespräch auf. Täuschend weiß er Bendix Grünlich ins Groteske zu entlarven. Früh schon schreckt er sich und andre durch Wahnvorstellungen: „Denkt euch, wenn ich aus Versehen . . . diesen großen Kern verschluckte, und wenn er mir im Halse steckte . . ." Christian ist das schlechthin unbürgerliche Element im Hause Buddenbrook. Jeder Versuch, ihn der Firma zu verbinden, schlägt fehl. Als „Krischan" spielt er den Clown im Herrenklub. Der erste Bruderstreit entsteht, als Christian im Klub erklärt hat,

„eigentlich sei jeder Geschäftsmann ein Gauner". Thomas ist empört, daß er auf solche Weise die Firma kompromittiere. Hagenström, der große Konkurrent, hat die Gelegenheit ergriffen, Christian zu beschämen. „Ich meinerseits halte meinen Beruf sehr hoch!" Was aber erklärt Christian? „Ich habe mich wahrhaftig für ihn geschämt. Noch gestern abend im Bett habe ich lange darüber nachgedacht und hatte ein sonderbares Gefühl dabei ... Ich weiß nicht, ob du das kennst."

So extrem sind die Gegensätze, daß Thomas geradezu ins Moralische des entrüsteten Firmenchefs erstarrt: „Du bist ein Auswuchs, eine ungesunde Stelle am Körper der Familie." Christian aber in seinen Enthemmungen ist an keiner Stelle zu erschüttern. Thomas Mann braucht ihn in der Narrenrolle, um dem „Verfall der Familie" eine Befreiung ins Groteske abzugewinnen. Christian wird nach Hamburg abgeschoben, kehrt zurück, nachdem er sein Geld vertan. „Ich kann es nun nicht mehr" erklärt er mit 33 Jahren. Als kranker Sonderling findet er bei der Mutter Unterkunft. Gerda findet jetzt Geschmack an ihm: „Er ist kein Bürger, Thomas. Er ist noch weniger ein Bürger als du."

Das ist das Schreckgespenst, vor dem Thomas im erbitterten Bruderstreit die Worte ausstößt: „Ich bin geworden, wie ich bin, weil ich nicht werden wollte wie du." Ein Zwiespalt tut sich im Innersten auf, in dem sich der Prozeß der „Entbürgerlichung" vorbereitet, der die Familie Buddenbrook dem Verfall und Untergang zutreibt. Thomas kämpft verzweifelt gegen den Zerstörer in ihm selbst. Erstes Signal wird der Hausverkauf sein. Das schöne Barockhaus, 1835 vom Großvater gekauft, geht 1872 in die Hände des Konsuls Hagenström über. Thomas selber tröstet die untröstliche Tony: „Ja, so werden damals die auch gedacht haben, die das Haus verlassen mußten, als Großvater es kaufte." Und er fügt hinzu: „Alles hat seine Zeit", in salomonischer Resignation. Daß grade Hagenström es kauft, kann Thomas nur eine „Ironie des Schicksals" nennen. In die Leere, die ihn ergriffen hat, stürzt sich die Lektüre eines Buches. Nur den Titel eines Kapitels prägt er sich ein: „Über den Tod und sein Verhältnis zur Unzerstörbarkeit unsrers Wesens an sich." (Es findet sich in den Erläuterungen zum IV. Buch von Schopenhauers „Welt als Wille und Vorstellung".) Thomas kümmert sich nicht um das philosophische System. Ihn begeistert nur, wie hier ein großer Geist ihn bestätigt gegenüber dem „grausamen und höhnischen Leben". Und dann erlebt er in sich eine Lichtvision: „Eine unermeßlich tiefe, eine ewige Fernsicht von Licht."

Was ist der Tod? Befreiung von Schranken! Befreiung aus den „Gitterfenstern der Individualität". Alles, was man nicht hat sein können, wird man sein. „In allen denen werde ich sein, die je und je Ich gesagt haben." Das ist die leuchtende Klarheit, die ihn durchdringt. „Ich werde leben!"

Die Lichtvision allerdings ist wie von einem schon erloschenen Stern. Am nächsten Morgen schon hat Thomas „ein ganz kleines Gefühl von Geniertheit über die geistigen Extravaganzen von gestern". Der Name „Schopenhauer" fällt nicht im Roman, noch weniger „Nietzsche". Vielmehr sinkt Thomas „zu den Begriffen und Bildern der Kindheit" zurück. Er wird im Grunde „ratlos" und behält nur noch so viel Takt, nicht den Pastor um Rat zu fragen. Schließlich „stellt er alles Gott anheim" und macht sein Testament. Hanno erhält den ersten Auftrag im Dienst der Firma und führt ihn mit Festigkeit durch: „Niemand darf hinein. Papa macht sein Testament."

Travemünde vereint zur späten Herbsterholung die drei Geschwister. Drei bereits Abgewrackte, deutet der Ironiker an: „Sieh, wie mager ich werde ... Ist es nicht auffällig und sonderbar?" fragt Christian. Thomas führt matte Gespräche: „Das Niveau sinkt, ja, das gesellschaftliche Niveau des Senates ist im Sinken begriffen, der Senat wird demokratisiert, und das ist nicht gut." Tony fällt in die Morten-Sprache zurück, „verwirft kurzerhand jede Rangordnung der Stände". Der Erzähler nennt sie ein „glückliches Geschöpf": „Alles hatte sie in einer Flut von banalen und kindisch wichtigen Worten wieder von sich gegeben." Thomas Manns Ironie ist vollkommen. Thomas Buddenbrook wird angesichts des Meeres elegisch: „Was für Menschen es wohl sind, die der Monotonie des Meeres den Vorzug geben?" „Mir scheint, es sind solche, die zu lange und zu tief in die Verwicklungen der innerlichen Dinge hineingesehen haben, um nicht von den äußeren vor allem eins verlangen zu müssen: Einfachheit." Tony schämt sich für den Bruder: „Dergleichen sagt man doch nicht!"

Dann ereilt Thomas in Lübeck ein grotesker Tod: schreckliche Zahnschmerzen, die ihm der ungeschickte Zahnarzt zugefügt, werfen ihn um. Er fällt auf der Straße zusammen in Kot und Schmutz. Gerdas schönes Gesicht ist „in Grauen und Ekel ganz und gar verzogen". Christian hat ihn überlebt, doch nur, um in Hamburg sein Verhältnis zu heiraten und alsbald in eine Anstalt überführt zu werden. Gerda verkauft ihr neues Haus und zieht zum Vater nach Amsterdam zurück, nachdem Hanno durch eine Typhus-epidemie hingerafft worden ist. Die Schlußszene der Frauen ist wie ein Nachglanz der Schlußszene in Raabes „Schüdderump". Tony wird die Familienmappe übernehmen. Als Groteske klingt der Glaubensruf der alten Lehrerin in uns nach: „Es ist so!": Das christliche Wiedersehen.

Im Gesamtaufbau des Romans fehlt aber noch die vierte Generation. Seitdem Hannos Taufe den II. Teil des Romans eingeleitet hat, wächst er sich neben dem Vater zur Hauptfigur heran. In Hannos Welt spielt die „Firma" keine Rolle. Dafür dringt herauf, was im ganzen übrigen Roman herausgespart ist, die unausschöpfliche Welt des Gefühls. Sie dringt mit einem Urton herauf, den wir sonst nirgends finden. Als Tony den kleinen Hanno im Schlaf aufsucht, erlebt sie den Nachschrecken mit, den ihm die Schule eingejagt hat. Zugleich murmelt er Verse vor sich hin, die sich ihm eingeprägt. Es ist ältestes Volksgut, für das Thomas Mann bis zum kleinen Echo im „Doktor Faustus" empfänglich bleiben wird:

> Will ich in mein Gärtlein gehn,
> will mein Zwiebeln gießen,
> steht ein bucklicht Männlein da,
> fängt als an zu niesen.

Und dann aus der „Ammenuhr":

> Der Mond der scheint,
> Das Kindlein weint,
> Die Glock schlägt zwölf,
> Daß Gott doch allen Kranken helf!

Das bewegt den Schlafenden so tief, daß er aufschluchzt und Tränen ihm über die Wangen laufen. Tony ist das zu viel. Und als Hanno am Gründungstag der Firma dem Vater „Schäfers Sonntaglied" von Uhland vortragen soll, bleibt er stecken und bricht über dem Vers „Ich bin allein auf weiter Flur" in Tränen aus. „Ein übergewaltiges Mitleid mit sich selbst" ist es, was ihn lähmt, und worüber der Vater ernstlich sich erzürnt. Dann aber erschließt sich Hanno die Welt der Musik. Es ist die Welt der Mutter und ihres Mitspielers, des Organisten Edmund Pfühl, der Sebastian Bach verehrt und Hanno die Anfänge der Harmonik und der Kontrapunktik beibringen wird. So erlebt er seine Welt: sogar schon das Meistersinger-Vorspiel darf er mithören. Und das Glück wird ihm zuteil, am feinfühligsten Lehrer in die Tiefen des Strengen Stils eingeführt zu werden. Hanno, in der Schule ein Nachzügler, eignet sich am Flügel alles an, weit über seine Jahre hinaus. Sogar beim Orgelspiel in der Kirche darf er mit dabei sein, beim Handhaben der Register helfen. Er erfährt die Musik als den eigentlichen Gottesdienst, in dem die Predigt zum „albernen Geschwätz" absinkt. Zum achten Geburtstag, 1869, darf er der ganzen Familie vorspielen, was er selber komponiert hat. Schon spannt sich das Gebilde zwischen kindlich musikalischen Mitteln und der raffinierten Art, mit der sie zur Geltung gebracht werden. Schon bezeugt Thomas Mann seine ungewöhnliche Begabung, Musik in Worte zu setzen, um uns vorzubereiten, daß in Hanno eine andere Welt aufbricht, die alles hinter sich läßt, was zur Firma Buddenbrook gehört:

„Und nun kam der Schluß, Hannos geliebter Schluß, der an primitiver Gehobenheit dem Ganzen die Krone aufsetzte. Leise und glockenrein umperlt und umflossen von den Läufen der Violine tremolierte pianissimo der e-Moll-Akkord ... Er wuchs, er nahm zu, er schwoll langsam, langsam an, im forte zog Hanno das dissonierende, zur Grundtonart leitende Cis herzu, und während die Stradivari wogend und klingend auch dieses Cis umrauschte, steigerte er die Dissonanz mit aller seiner Kraft bis zum fortissimo ..."

Was wohl hat Thomas Mann damit im Sinn, hier das Tor aufzuschließen in eine schlechthin andere Welt, die für Thomas Buddenbrook zur Gegenwelt wird, die ihm Frau und Sohn entführt. Was ihm selbst nur das Zeugnis eines „distinguierten Geschmacks" gewesen war, in dem er sich sein großbürgerliches Unternehmertum bestätigt hatte, mit der kühnen Wahl der fremdartigen Gattin, das verwandelt sich im Spiel des Sohns unversehens in Gesetze einer sich ihm schlechthin entfremdenden Zukunft. Wohin soll das führen im Aufbau des Romans? Hanno selbst vollzieht den radikalen Schnitt, wenn er im Familienbuch die Stelle findet, die von ihm berichtet, und mit dem Lineal einen Doppelstrich quer über das Blatt herüber zieht. „Ich glaubte, es käme nichts mehr." Wenn sich hier unbewußte Hellsicht auswirkt, welche groteske Formen werden wir noch zu erwarten haben?

Vorerst ist es die Schule, die Hanno zu bestehen hat. Der Badeaufenthalt in Travemünde hat sein Herz nur „weicher, träumerischer, verwöhnter, empfindlicher" gemacht. Der Schultag, den der Fünfzehnjährige durchlebt, mit dem Freund Graf Mölln, ist ein einziges Schreckenskabinett, das Lehrer wie Panoptikumsfiguren vorbeiziehen läßt. Eine schrille Satire von unten her für das Lübeck der Gründerzeit. Das Letzte am Tag dann ist Hannos einsames Phantasieren am Flügel, ins Chaos einer kakophonischen Auflösung hinein, „Signale gleich Angstrufen", zuletzt ein Stück Melodie, kindische Takte, doch „lasterhaft" in der Maßlosigkeit, in der sie ausgebeutet wird. Bis zur Erschöpfung. Ein Preisgegebener, nach des Vaters Tod. Thomas Mann führt den Typhus ein, dem der Wehrlose zum Opfer fällt.

Für Leser, die eine solche Art Untergang ratlos macht, hat Thomas Mann unauffällige Signale eingebaut, ironisch und symbolisch wirksam zugleich. So wird man nicht darüber weglesen, daß dem Kapitel von Hannos Taufe im Beginn des II. Bandes merkwürdige andere Kapitel folgen. Erst einmal ist Christian zur Taufe aus Hamburg herübergekommen, und er eröffnet dem Bruder: „Ich kann es nun nicht mehr!" Christian ist fertig, mit seinem Geschäft in Hamburg, mit seinem Geld, mit dem Rest von Bürgerlichkeit, der ihn noch an das Buddenbrooksche band. Fast zur selben Zeit mit Thomas hat auch er ein Kind gezeugt, mit seinem Hamburger Verhältnis, ihr drittes. Hemmungslos rühmt er sie: „ein prachtvolles Geschöpf ... so gesund! so gesund!" Vorerst wird er ins Ausland gehen. Der ironische Kontrast ist offenbar zu dem festlich-feierlichen Taufakt im Hause Buddenbrook, um den winzigen Justus Johann Kaspar, der „ziemlich ungesund" aussieht. Dann folgt das nächste Kapitel, das vom Tod des ältesten kaufmännischen Senators James Möllendorpf berichtet, ein Tod „auf groteske und schauerliche Weise". So sehr sind dem diabetischen Greise „die Selbsterhaltungstriebe abhanden gekommen", daß er einer lüstern infantilen Freßsucht frönt. Zwischen Torten und Kuchen trifft ihn der Schlag. Erich Heller faßt es als „vollkommne Karikatur" desselben „wollüstigen Selbstmords des Willens", wie er sich zuletzt in den „lasterhaften" Maßlosigkeiten von Hannos musikalischen Phantasien auswirkt. Entartungserscheinungen, die parallel gehen im selben Kaufmannsstand, wie ihn Thomas Mann durch vier Generationen dem Verfall und Untergang zugeführt hat, Die Entartung kann nur darauf zurückgehen, daß der komplexe Typus des ins Leben kühn ausgreifenden Unternehmers nicht mehr aus der vom Lebensprozeß mitbewegten Pionierkraft des Daseins selbst seine Dynamik empfängt, sondern sich innerlich aufgespalten hat, vorerst zwischen Moral und Erwerbssinn, zwischen Geist und Leben bis zur Ausdifferenzierung eines Firmenfatalismus, dem man wie einem Fetisch das Leben opfert, und einem Freiwerden der unterdrückten Gemütskräfte im künstlerischen Ausbruch. Entfremdungen sind die Folge, bis sich im vereinsamten Einzelnen Einzelorgane verselbständigen, der Orgiasmus der Freßsucht wie der Orgiasmus der Musik. Es sind zuletzt Selbstzerstörungsformen des Sinnlichen und des Genialen, hinter denen sich im Geist des Dichters Schopenhauers blinder Wille zum Leben als Dekadenzerscheinung der Zeit abzeichnen mag.

Zugleich haben wir in so extremen Polen wohl die größtmögliche Spannweite der Thomas Mannschen Ironie. Einmal wo das Groteske ins Schauerliche übergeht, in der unbarmherzigen Härte des satirischen Blicks, der im Einzeltypus den ganzen Stand geißelt, zum andern jene Schwebekraft einer liebevollen Ironie, die im Schicksal des kleinen Hanno das Tragische streift. Hier wird man an Friedrich Schlegels Wort in seiner Besprechung von Goethes „Wilhelm Meister" erinnert: „Wir müssen uns über unsre eigne Liebe erheben, und was wir anbeten, in Gedanken vernichten können: sonst fehlt uns der Sinn für das Weltall." Wenn der Unternehmerroman, der um nichts als die Firma kreist und in fast allen Gesprächen mit Geldüberlegungen zu tun hat, eine Sachlichkeit, Formstrenge und Wirklichkeitstreue des Erzählstils beweist, die den „Gegentypus zur romantischen Ironie" darzustellen scheint, dann bewahrt sich Thomas Mann doch zugleich jenes Positivste der romantischen Ironie, daß sie „den Sinn für das Weltall" offen hält. Hier wohl treten die Züge auf, die diesen Unternehmerroman einer Familienfirma in den symbolischen Kosmos der Dichtung weiten.

Im Wechselgeflecht der männlichen und weiblichen Mitglieder der Buddenbrookfamilie, durch vier Generationen, mit der besonders einfallsreichen Charakterisierung der drei Geschwister Tony, Thomas und Christian aus der dritten Generation, in allen Schattierungen der Satire, der Ironie, des leichtsatirischen Humors, mit der allmählichen Vertiefung von Spalterscheinungen in den Charakteren dringt langsam etwas herauf, was sich als Widerstreit des Bewußten und des Unbewußten unaufhaltsam und mit der Wucht eines fatalistischen Schicksalsgefühls ankündigt. Es erreicht seine Handlungsmitte in dem Augenblick, wo Thomas, der Chef der Firma, für die Verführungen der „verteufelt schlauen" Tony, die zugleich die kindlich flachste Repräsentantin der Buddenbrooksfamilie darstellt, anfällig wird und Geschäfte abschließt, die ihn nachts nicht mehr ruhig schlafen lassen. Daß es am Fest der hundertjährigen Firmengründung zum Schnittpunkt kommt, verbürgt die symbolische Darstellungskunst, die hier mit der ironischen zusammenfällt.

Was sich hier einprägen soll als wirkungsvolles Sinngeschehen, ist die durchdringende Zweideutigkeit des bürgerlichen Bewußtseins: Glanz und Glück einer Reichtums-Oberschicht, die Ja sagt zum Geld, zur Macht, zum Gewinn und Erfolg und Stolz der Firma, und die zugleich ein Fatum vom Unbewußten her wirksam spürt im Sich-Differenzieren der Charaktere, im Sich-Verfeinern der bürgerlichen Kultur, die sich auf jene Lehre zubewegt, die gerade in der erfolggeschwellten Gründerzeit populär zu werden beginnt: Schopenhauers Lehre von der Verneinung des Willens zum Leben, von der Verherrlichung des Nichts. Auch hier hat der Dichter für einen symbolischen Gipfelaugenblick gesorgt: Thomas Buddenbrooks Zufallslektüre, die wie der Eingriff des Fatums selber wirkt: daß sich ihm im Triumph über das grausame Leben eine Lichtvision im inneren Geiste auftut; der Tod als der große Befreier vom blinden Willen zum Leben, als Hinübertritt ins Unbegrenzte, in das Mit-Leben mit allen. Eine kurze alles überblendende Euphorie, der sich der Chef der Firma sogleich hinterher schämt, als geistige Extravaganz, die ihm nicht zusteht. Und die mit erbarmungsloser Ironie zunichte wird im grotesk schauerlichen Todesende, das Thomas Buddenbrook vom Fatum bereitet ist. Noch erweitert sich die Szene, öffnet sich dem „Sinn für das Weltall": im Triumph der Kinderseele Hannos, vom Dichter mit schwelgerischer Liebe dargestellt, als Eroberung des Reichs der Musik. Hier allein wird Kunst der Gegenwart bewußt gemacht: Wagners Meistersingervorspiel, Klavierauszüge aus „Tristan und Isolde". Im Organisten Pfühl tritt Bach und Beethoven dagegen auf: gegen „den parfümierten Qualm, in dem es blitzt". Aber Hanno wird der Verführung zuletzt in seinen musikalischen Phantasien erliegen, und das Fatum holt ihn im Typhustod von dieser Erde weg und besiegelt das Ende des Hauses Buddenbrook.

Damit hat Thomas Mann seinen Griff über den Unternehmerroman, über den Roman von der Familienfirma hinaus, ins damalige Weltgefüge getan. Er hat im Glanz seiner ironischen Darstellungskunst in die Lebensmitte hineingeleuchtet, aus der heraus solche Kaufmannsfamilien durch Generationen wachsen, und zugrundegehen, sich selber zugrunderichten. Eben diese Lebensmitte tut sich auf als fatalistischer Widerstreit des Bewußten und Unbewußten, der die Unternehmer-Energien lähmt und die im Fetisch-Dienst der Firma unterdrückten Gefühlstiefen entarten läßt zum Orgiasmus eines unbürgerlichen Künstlertums.

Vielfach sind die Entartungen innerhalb der Buddenbrooks-Charaktere ausgeformt: Tony, die ihre Jugendliebe „auf den Steinen sitzen läßt", selber wie zum runden Kiesel abgeflacht, mit dem sie um ihr Idol, die Firma, bis zum Ende herumkreist; Christian, vom blinden Willen zum Leben immer wieder bis zur Selbstlähmung seiner „zu kurzen Nerven" übermocht; Thomas, der Chef der Firma, aus kühnstem Unternehmertum in unbegreiflichen inneren Lähmungszuständen zurückgeholt in einen letzten Todesorgiasmus; und Hanno zuletzt, die reine Künstlerseele, allzu zart organisiert, weder der Schule noch dem robusten Lebenskampf einer Firmenpflicht gewachsen, aus seinen chaotischen Phantasien vom groben Fatum beseitigt.

Was somit den Erstling Thomas Manns welthaltig macht im Sinn eines symbolischen Kosmos der Dichtung, ist der wahrhafte Röntgenblick in jenen Widerstreit des Bewußten und des Unbewußten, an dem die Zeit erkrankt ist und aus dem heraus sie sich in ihren Repräsentanten selber zu zerstören beginnt. Solche Lähmungserscheinungen des Unternehmertypus, symbolisiert in der Todesbeschattung, die von Anbeginn über allem liegt und die sich steigernd im Dichter selber auslebt als wachsender Todesorgiasmus, sie gerade müssen es sein, die dem Roman seinen Welterfolg gesichert haben. Wie einstmals der junge Goethe seinen ersten Weltruhm gewann durch die „Leiden des jungen Werther", in denen er im Zeitalter der Empfindsamkeit „das Innere eines jugendlichen Wahns" zur symbolischen Darstellung erhöhte, so ist es Thomas Mann gegangen. Er hat wirklich „ein Stück der Seelengeschichte des deutschen Bürgertums überhaupt gegeben". Was sich ihm selber darstellt, als geistige „Erschütterung" durch den „musikalischen Pessimismus Schopenhauers, durch die Verfallspsychologie Nietzsches", dürfen wir heute vertieft dahin zusammenfassen, daß er bereits das Zeitalter Freuds vorweggenommen hat, der mit seiner „Traumdeutung" 1900 zuerst in die Zeit bewußt eingetreten ist. Freud erst hat den Widerstreit des Bewußten und Unbewußten als die ursprüngliche Zeitneurose erkannt, die Nietzsche mit seiner Entdeckung des „Ressentiments" 1887 vorweggenommen hat. Erst

1910 sollte der neue Name geprägt werden, der die eigentümliche Struktur des zwiegespaltenen Menschen zusammenfaßt: die „Ambivalenz", die „Zwiewertung". Freud wird 1911 bereits das durch den Schweizer Psychiater Eugen Bleuler geprägte Wort in die Gesamtstruktur seines Neurosensystems übernehmen. Thomas Mann wird der große Meister der Ambivalenz im gesamten späteren Werke sein. Als der Dichter des „Doktor Faustus" wird er uns noch einmal im Rahmen der Weltromane, die uns hier aufgegeben sind, begegnen.

Thomas Mann hat in den „Buddenbrooks", die er als „Verfall einer Familie" konzipierte, damit eines der besonderen Rätsel unsrer Gegenwart einer ersten Deutung zugeführt: warum nach dem Kaufmanns-Idealismus in „Soll und Haben" sich der Unternehmer-Roman nicht in großer Dichtung hat durchsetzen können, obgleich Deutschland mit der Epoche seiner Gründerzeit und der wachsenden Industrialisierung ungeheure Unternehmer-Energien aufgerufen hat, die weithin das 20. Jahrhundert bestimmen. Thomas Mann beleuchtet nur eine Frühzeit, 1835—1875, und nur in der politischen Windstille Lübecks. Die eigne Familientradition gab ihm den ironiegeladnen Stoff. Seine enorm ausgeprägte ironische Begabung, mochte mit der Hellsicht des Dichters vorausgespürt haben, daß nichts sich der Ironie glücklicher darbot als der Kontrast einer welterobernden Gründerzeit mit ihren vielen neu sich gründenden Industrieen und der „Verfall einer Familie" als Familienfirma. Die Grundstruktur derer, die sich um Firma und Gelderwerb herumzukristallisieren haben, ist wesensmäßig auf den robusten Kampf ums Dasein eingestellt. Die ideale Struktur des Unternehmers hat Goethe in den „Wanderjahren" vorausgezeichnet: „Wer sich zum Gesetz macht, was einem jeden Neugebornen der Genius des Menschenverstandes heimlich ins Ohr flüstert, das Tun am Denken, das Denken am Tun zu prüfen, der kann nicht irren." Darum ziehen die Auswanderer in die „neue Welt", mit ihren „uranfänglichen Zuständen". „In der alten Welt ist alles Schlendrian."

Hundert Jahre später deckt Thomas Mann im alternden Europa die Stelle auf, wo die Unternehmerenergien gelähmt werden: wo sich zwischen Tun und Denken Zwiespälte auftun bis in den Widerstreit des Bewußten und Unbewußten, und wo sich vom Unternehmertypus mit seiner Firmen-Erstarrung der Künstler als verirrter Bürger abspaltet. Und während die moderne Industriegesellschaft das Gesicht der westlichen Welt verändert, findet Thomas

Mann die Zustimmung der Jugend: „Dieser Prozeß der Entbürgerlichung, der biologischen Enttüchtigung durch Differenzierung, durch das Überhandnehmen der Sensibilität — genau das bei uns!" In der sozialistischen Perspektive stellt sich das so dar, wie es der Russe am einfachsten formuliert: „In den ‚Buddenbrooks' verengt sich der Inhalt am Schluß aufs äußerste und stützt sich auf eine hermetisch abgeschlossene, kleine ästhetische Welt." ... „Der Tod setzt nicht nur den physischen, sondern auch den historischen Schlußpunkt."

Hier ist nur eines unbeachtet geblieben: die Weltweite im symbolischen Kosmos der Dichtung. Für Thomas Mann ist das Soziologische im Rahmen der Familienfirma durchaus zusammengesehen mit dem Ästhetischen. Thomas Manns Ironie umspannt beides. Und der innere Zusammenhang zwischen dem „Verfall der Familie" und dem Differenzierungsprozeß geht auf Vorgänge zurück, die zur inneren Lähmung des Unternehmertypus führen. Die Entdeckung des Widerstreits zwischen dem Bewußten und Unbewußten im Menschen bis zum Lähmungszustand der „Ambivalenz" ist nicht an das Bürgertum des kapitalistischen Systems gebunden. Die Vorausentdeckung Nietzsches mit dem Begriff des „Ressentiments" 1887 geht der russischen Revolution von 1917 weit voraus. Thomas Manns Hellsicht im Roman der Buddenbrooks dringt ins Gesamteuropäische vor. Weit voraus liegt die Spaltung zwischen Geist und Gemüt, auf die bereits Goethe hingewiesen hat. Das Gemüt als Zusammenfassung aller Mute (nur die deutsche Sprache kennt das Wort „Gemüt") erfährt noch in Kants „Kritik der Urteilskraft" die Auszeichnung des Paragraphen 49: „Von den Vermögen des Gemüts, welche das Genie ausmachen." Da heißt es: „Geist, in ästhetischer Bedeutung, heißt das belebende Prinzip im Gemüte." Erst die Überforderung der Romantik an die Grundkräfte des Gemüts (Novalis: „daß Schicksal und Gemüt Namen eines Begriffes sind"), und die Abkehr des Realismus von der Romantik haben zur Spaltung von Geist und Gemüt geführt. Damit beginnen die „Gleichgewichtsstörungen", die Rudolf Kassner seiner Darstellung des 19. Jahrhunderts zugrunde legt. An ihrem Ende sieht sich der Kaufmannssohn Thomas Mann als „verirrten Bürger" und geht seinen Spaltungen als Zeiterscheinungen auf den Grund. So entsteht ihm unter der Hand aus einer pathologischen Novelle um den kleinen Hanno der Buddenbrook-Roman als Epos in Prosa.

Was diesem Roman einer Familienfirma verloren gegangen ist unter dem Sog, den das Firmenschild ausübt, sind die ursprünglichen Herzbewegungen, die als Mittelsmacht zwischen Geist und Gemüt das Komplexe des Schöpferischen im Menschen verbunden halten mit dem alles bewegenden Schöpfungsgrund. So zwingt das Schicksal, das sie als Fatum empfinden, alle Mitglieder der bestimmenden dritten Generation, wahrhaft „auf den Steinen zu sitzen", auf einem im Grunde unfruchtbaren Steingrund. Tony wird darüber sentimental, Christian beginnt darüber seine Narrensprünge, und Thomas zwischen beiden mißt alle Qualen des Zwiegespaltenen aus. An Thomas aber wird der Lähmungszustand offenbar, der dem Unternehmertypus in solchen Zeiten der Gleichgewichtsstörungen zufällt. Was Thomas für seinen Geniestreich hielt, die Ehe mit der millionenschweren schönen Holländerin, die alle Lübecker als „tiptop" empfinden, wird der folgeschwerste Fehlgriff seines Lebens. Denn für den Unternehmertypus ist im unerbittlichen Kampf ums Dasein, den das Erwerbsleben verlangt, die Ergänzung durch die Herzens- und Gemütskräfte der Frau lebensnotwendiger als das mitgebrachte Geld. Aus den vertieften Gleichgewichtsstörungen gehen dann Grotesken hervor wie in den Selbstzerstörungsformen des Sinnlichen die Freßsucht und in den Selbstzerstörungsformen des Genialen eine chaotisch-orgiastische Musik.

Daß aber die Ironie nicht alles zu umspannen vermag, wenn man sich selber gezwungen findet, auf den Steinen zu sitzen, mag am einfachsten Beispiel noch aufgezeigt sein. Die Revolution von 1848 schlägt selbst bis hinauf in den nordischen Stadtstaat Lübeck seine Wellen. Konsul Buddenbrook, der Vater der drei Geschwister, findet sich konfrontiert mit einer aufgeregten Volksmenge, die vor den Sitzungssaal der Bürgerschaft gezogen ist. Der einzige, der sein „Herz" für das Volk entdeckt, ist der Makler Gosch, eine Karikatur von Mensch, der immer schauspielert und übertreibt. Konsul Buddenbrook tritt vors Volk nur, weil sein reicher Schwiegervater nach seinem Wagen ruft. Jedenfalls steht er nun vor der Menge. Er tut das Verständigste, er redet einen ihm bekannten Lager-Arbeiter an, und zwar im niederdeutschen Platt. Der Arbeiter besteht darauf, daß sie Revolution machen wollen, wie in Berlin und Paris. Es entwickelt sich folgendes Gespräch:

> „Smolt, wat wull Ji nu eentlich! Nu seggen Sei dat mal."
> „Je, Herr Kunsel, ik seg man bloß: wi wull nu ne Republike, seg ick man bloß . . ."

„Öwer du Döskopp ... Ji heww ja schon een!"
„Je, Herr Kunsel, denn wull wi noch een."

Mit einem Witz wird hier die Revolution beschwichtigt. Alle brechen in ein Gelächter aus, und sie gehn nach Haus. Das kann wohl dem Ironiker Thomas Mann genügen, aber nicht dem unterirdischen Geist der Revolution, die ein aufgewühltes Volk in seine elementare Mitbewegung zieht. So leicht hat es sich selbst im Biedermeierdeutschland sonst nirgends ein Staat gemacht, Metternich in Wien muß fliehen, Berlin hat Straßenkämpfe, zieht das Militär aus der Stadt, in Baden gibt es blutigen Aufstand, der niedergeschlagen werden muß, usw. Die drei Kriege 1864, 1866, 1870—71 spielen gar keine Rolle. Es ist als hätte der Herzensschwund, der die Buddenbrooks zugrunderichtet, auch dem Ironiker Thomas Mann die Stimme verschlagen. Insofern kommt die soziologische Perspektive zu kurz.

Aber Thomas Mann geht es um das Soziologische nur innerhalb der Unternehmerfamilie, die zugrundegeht. Die Lähmungserscheinungen, die er dabei beobachtet, sind von hellsichtiger Schärfe. Er sieht voraus, daß sich die innere Struktur des Unternehmertypus zum positiven Helden eines großen Romans nicht mehr eignet. Als Robert Musil 1930 seinen Roman „Der Mann ohne Eigenschaften" (mit dem I. Teil) veröffentlichte, verlegte er den Schauplatz ins Wien von 1913, in das Wien, das 1911 in Sigmund Freuds Schriften zum ersten Mal der „Ambivalenz" zur Weltresonanz verhalf. Und Musils Held Ulrich wird ganz klar zum Ausdruck bringen, daß „die Ambivalenz das Schicksal seiner Generation" sei. Der Mann ohne Eigenschaften aber ist der Gegentypus zum tatkräftigen Unternehmer. Thomas Mann selbst hat keinen Unternehmerroman mehr geschrieben. Statt dessen den Sanatoriumsroman „Der Zauberberg" 1924, Spiegel weitgreifender Zeiterkrankungen. Und den Roman des Musikergenies „Doktor Faustus" 1947, der wie Nietzsche geschlechtlich erkrankt und aus dem Teufelspakt: „Du darfst nicht lieben", aus den erkrankten Gehirnzellen die genialen Dissonanzen des modernen Musik-Manierismus hervortreibt. Der so entstandene Roman „Doktor Faustus" soll uns mit seinem Anspruch auf das Weltbild unsrer jüngsten Gegenwart und mit seinem Gericht am Hitlerdeutschland noch beschäftigen.

Franz Kafka „Das Schloß"

In seiner Schrift: „Wider den mißverstandenen Realismus" 1958 stellt Georg Lukacs die Frage: „Franz Kafka oder Thomas Mann?" Lukacs entscheidet sich für Thomas Mann, weil er einen Gipfel des „kritischen Realismus" bedeute, weil sein Weltbild im Wechselgeflecht des mitmenschlichen Daseins „gesellschaftlich-geschichtlich" sei. So stelle er mustergültig die Krise der bürgerlichen Dekadenz (wie z. B. in den „Buddenbrooks") dar. Kafka dagegen sei zwar „die größte dichterische Gestalt" des modernen Avantgardismus, aber bei ihm „schlage der Realismus des Details in ein Leugnen der Realität dieser Welt um". Auch das ergibt eine „Totalität", doch nur im „Umschlag ins Paradox-Absurde", nur als „Allegorie eines transzendenten Nichts", wobei „die dichterische Einheit durch das Allegorisieren zerrissen werde". Bei Kafka werde der Alltag selbst gespenstig, doch infolge der panischen Angst vor der „restlos verdinglichten Welt des Kapitalismus" vollziehe sich der Umschlag des Subjekts in die Substanz nur als „hypostasierte subjektive Pseudosubstanz". Das ergäbe eine verzerrte Welt. Anders ausgedrückt: „Kafka sei der Klassiker des Stehenbleibens bei der blinden und panischen Angst vor der Wirklichkeit." Seine Größe liege in der „schlichten Aufrichtigkeit, Einfachheit und Selbstverständlichkeit", mit der er diese Angst gestalte. Es sei die alte Habsburgische Monarchie, die im Licht der Kafkaschen „prophetischen Angst" „gespenstige Gegenständlichkeit" erhalte. Ausdruck der „Hölle und Ohnmacht alles Menschlichen" im heutigen Kapitalismus. Doch gesteigert zu „Chiffrezeichen eines unfaßbaren Jenseits". So verberge die Schlichtheit des Ausdrucks die widerspruchsvollsten Tendenzen. Und die Suggestionskraft gehe im Grunde aus von der „allegorischen Diskrepanz zwischen Sein und Sinn".

Was den Ausführungen von Georg Lukacs ihr besonderes Gewicht verleiht, ist die soziologische Perspektive des Ostens, der grundsätzlich die Welt anders sieht als der Westen. Da die Welt heute in zwei Riesenblöcke zerfällt, ergeben sich zwei Grundperspektiven. Wer Kafka vom Standpunkt des Ostens sieht wie Lukacs, wird keinesfalls der Gefahr verfallen, die Welt nur mit Kafka-Augen zu sehen. Er sieht Kafkas Begrenzungen, gegenüber Tendenzen des Westens, Kafkas Werk zu überschätzen.

In der Spaltung der zwei Weltblöcke liegt die Gefahr einer Spaltung des Menschen überhaupt. Während der Osten einen eigenen „sozialistischen Realismus" besonders im Roman entwickelt, hat sich der Individualismus des Westens im Gegensatz zum politisierten Osten in der Kunst geradezu entpolitisiert und strebt mit allen Energien der Übersteigerung eines formalen Manierismus zu. Was dabei gefährdet wird, sind die Möglichkeiten des symbolischen Vermögens, wie sie sich im Weltroman des 19. Jahrhunderts noch vollentfaltet finden. Thomas Mann besann sich bei der Rückbetrachtung der „Buddenbrooks" 1926 noch auf den Grundsatz: „Künstlertum ist etwas Symbolisches". Dabei fand er sich von einem gesetzhaften Unbewußten getragen, von einer unbewußten „geistigen Lebensform": „Man hört nicht auf, zu sein, was die Väter waren, sondern ist ebendieses in andrer freierer, vergeistigter, symbolisch darstellender Form nur noch einmal."

Bei Kafka lesen wir im Brief an den Freund Max Brod vom 5. Juli 1922, aus derselben Zeit, in der der Schloß-Roman entstand: „Als ich heute in der schlaflosen Nacht alles immer wieder hin- und hergehen ließ, zwischen den schmerzenden Schläfen, wurde mir wieder bewußt, auf was für einem schwachen oder gar nicht vorhandenen Boden ich lebe, über einem Dunkel, aus dem die dunkle Gewalt nach ihrem Willen hervorkommt, und ohne sich an mein Stottern zu kehren, mein Leben zerstört. Das Schreiben erhält mich ... ein nicht schreibender Schriftsteller ist allerdings ein den Irrsinn herausforderndes Unding. Aber wie ist es mit dem Schriftstellersein selbst? Das Schreiben ist ein süßer wunderbarer Lohn, aber wofür? In der Nacht war es mir mit der Deutlichkeit kindlichen Anschauungsunterrichtes klar, daß es der Lohn für Teufelsdienst ist. Dieses Hinabgehen zu den dunklen Mächten, diese Entfesselung von Natur aus gebundener Geister, fragwürdige Umarmungen und was alles noch unten vor sich gehen mag, von dem man oben nichts mehr weiß, wenn man im Sonnenlicht Geschichten schreibt."

Das Unbewußte hat hier eine ganz andere selbstzerstörende, von unteren Dunkelmächten genährte Gewalt. Was muß daraus entstehen, wenn das Dichterische einzig sich selbst überlassen ist, durch keine Umweltverflechtung, keinen Sinn für die „Polis", keinen Vätergeist mehr gebunden? Der Hauptherold der Kafka-Kunst im Westen, Wilhelm Emrich, kommt 1960 zu der Formulierung: Kafka zeige „die wahre Struktur der Dinge selbst", „die Strukturen der heutigen Entfremdungsvorgänge mit möglichster Vollständigkeit und mit allen Konsequenzen". Insofern habe er den wahren „Mythos des 20. Jahrhunderts" geschrieben, als „negativen Mythos", der „seine eigne Vernichtung intendiere", seine „Überwindung durch Erkenntnis", die sich „wieder in mythischen Bildern niederschlage". Emrich stellt selber den Vergleich mit der Goetheschen Symbolik her: „Während bei Goethe poetisches Anschauen und Symbolisieren das wahre Wesen der Dinge enthüllt, das universelle Urphänomen offenbart, zerstört gerade bei Kafka die Anschauung und Poetisierung die Wahrheit, ja, die Wirklichkeit von Mensch und Ding. Man kann daher bei Kafka nicht mehr von Symbolen reden. Seine Dichtung ist weder allegorisch noch symbolisch. Sie besitzt vielmehr einen Gleichnischarakter, für den die seitherige Ästhetik und Poetik noch keinen Namen bereitgestellt hat, weil eine derartige Gleichniswelt vor ihm noch nicht in Erscheinung getreten ist. Kafkas Gleichnis- und Bilderwelt leitet eine neue Epoche der Dichtung ein."

Hier besteht die Gefahr, die Welt einzig mit Kafka-Augen zu sehn. Nur die Betrachtung des Kafkaschen Werks selbst auf seinen dichterischen Kosmos hin kann uns weiterführen. Eine Schwierigkeit liegt von vornherein darin, daß Kafka selbst nur solche Werke als gültig anerkannte, die die Straffung zur Kurzgeschichte oder zur kurzen Parabel in sich haben. („Das Urteil", „Der Heizer", „Die Verwandlung", „Die Strafkolonie", „Der Landarzt", „Der Hungerkünstler"). Dagegen verwarf Kafka seine drei Romane und wollte, daß sie vernichtet würden. Alle drei sind nur als Fragmente überliefert. Der erste Roman „Der Verschollene" (Eingangskapitel „Der Heizer" 1913) zuerst 1927 erschienen unter dem Titel „Amerika", in der Einfachheit der Fabel von Dickens angeregt und als Konfrontation mit dem kalten Geschäftsgeist Amerikas geplant, enthält die größten Lücken und das fragmentarischste Schlußkapitel. Der zweite Roman „Der Prozeß", zuerst 1925 veröffentlicht, leidet unter der willkürlichen Zusammenstellung der Kapitel durch Max Brod und ist durch die umstrittene Neuordnung von Hermann Uyttersprot 1957 noch nicht zur allgemein anerkannten Gesamtform gereift, trotz des überaus wirksamen Schlußkapitels. Dann folgt in den letzten Lebensjahren Kafkas die Arbeit am „Schloß" 1922 mit der breitesten epischen Darstellung von Welt. Der Roman enthält keine Lücken, allerdings ist das Ende offen. Aber Rudolf Kassner vertritt den Standpunkt: der Roman dürfe gar kein Ende haben. Er spricht von einer nie endenden Grenzsituation, in der „Mensch und Chimäre eins geworden", vergleichbar dem „gekrümmten Raum Einsteins". Jedenfalls bietet sich der Schloßroman als die Romanform Kafkas dar, an der sich am ersten ein Kafkascher Kosmos entwickeln läßt. Der Roman erschien aus dem Nachlaß zuerst 1926. Der ersten Gesamtausgabe im zionistischen Schocken-Verlag durch Max Brod 1935 (Das Schloß Band IV) folgte nach dem Zweiten Weltkrieg erst der Aufstieg Kafkas in die Weltliteratur. Die dritte Auflage des „Schlosses" gab Brod 1946 heraus.

Der Eingangssatz enthält im Keim bereits die Gesamtanlage: „Es war spät abends, als K. ankam. Das Dorf lag in tiefem Schnee. Vom Schloßberg war nichts zu sehen, Nebel und Finsternis umgaben ihn, auch nicht der schwächste Lichtschein deutete das große Schloß an. Lange stand K. auf der Holzbrücke, die von der Landstraße zum Dorf führte, und blickte in die scheinbare Leere empor."

Kafka führt seinen Romanhelden ein als eine Art abstrakte Modellfigur mit der Chiffre K. (Im Prozeßroman hatte er noch „Josef K." geheißen). Von der Chiffre X, als der Unbekannten in der Mathematik, unterscheidet ihn nur noch, daß er den Anfangsbuchstaben des Namens „Kafka" trägt, also dem besonderen Unbekannten angenähert, der vom eignen dunklen Unbewußten übermocht wird „im Teufelsdienst". Kafka schreibt das Fragment nieder 1922, mit 39 Jahren. Was ihn vom Dichter des Buddenbrooks-Roman trennt, der 8 Jahre älter war, ist nicht nur die Erfahrung des Ersten Weltkrieges, in dem Österreich auseinanderbrach, auch, was das Unbewußte anbetrifft, die genaue Kenntnis des Entdeckers der Psychoanalyse Sigmund Freud in Wien. Kafka hat bereits 1912 Freud gelesen, vermutlich die neuste und aufregendste Schrift: „Das Tabu und die Ambivalenz der Gefühlsregungen". Wenn Thomas Mann in den „Buddenbrooks" nur hellsichtig die Witterung für lähmende Bewußtseinsspaltungen vorausgestaltet hat, bringt Kafka für seine dichterischen Visionen die genaue Kenntnis der Psychoanalyse mit. Im Eingangssatz deutet nur eins auf tiefere Bewegungen in der Seele des Romanhelden hin: „Lange stand K. auf der Holzbrücke." K. kommt spät am Abend an, er sieht sich von Nebel und Finsternis umgeben. Vor ihm im tiefen Schnee ist nur das Dorf im Umriß zu erkennen. Sonst nichts. Offenbar aber nimmt der Erzähler an, daß K. um die Existenz eines Schloßberges und eines großen Schlosses weiß, von denen „nicht der schwächste Lichtschein" Kunde gibt. Wollten wir dem Erzähler von vornherein symbolische Darstellungsabsichten zumuten, würde die ausdrückliche Verneinung jeder Lichtsymbolsprache auffallen müssen. Sein Romanheld K. bleibt lange im Nebel und in der Finsternis auf der Holzbrücke stehen. Welche Gedanken werden in ihm zwischen Dorf und Schloß umgehen? Was kann ihn veranlassen, in die Finsternis hinein das Bewußtsein einer „scheinbaren Leere" vorauszuwerfen? Will der Dichter bereits etwas von der Gemütsstimmung andeuten, die den kritischen Geist seines Helden erfüllt?

Die erste Szene ist die Wirtshausszene im Brückenhof, wo K. Quartier findet und ein Telefongespräch mit dem Schloß erlebt. Es vermittelt ihm „den Alptraum einer totalitären Welt". Das Dorf ist „Besitz des Schlosses", jedes Übernachten bedarf der Erlaubnis des Schloßherrn, des „Grafen Westwest". Der Dichter konfrontiert uns sofort mit mehreren Tiefenschichten in seinem Helden K. Aus dem Schlaf geweckt, fragt er: „In welches Dorf habe ich mich verirrt? Ist denn hier ein Schloß?" Dann aber klärt er den Wirt darüber auf: „Lassen Sie es sich gesagt sein, daß ich der Landvermesser bin, den der Graf hat kommen lassen." Das bestätigende Telefongespräch bezeugt sogleich jenen meisterhaften Detail-Realismus, den Lukacs hervorhebt. Zugleich werden wir Zeuge einer spontan arbeitenden Dialektik im unruhigen Geiste K.s:

„K. horchte auf. Das Schloß hatte ihn also zum Landvermesser ernannt. Das war einerseits ungünstig für ihn, denn es zeigte, daß man im Schloß alles Nötige über ihn wußte, die Kräfteverhältnisse abgewogen hatte und den Kampf lächelnd aufnahm. Es war aber andererseits auch günstig, denn es bewies, seiner Meinung nach, daß man ihn unterschätzte und daß er mehr Freiheit haben würde, als er hätte von vornherein hoffen dürfen. Und wenn man glaubte, durch diese geistig gewiß überlegene Anerkennung seiner Landvermesserschaft ihn dauernd in Schrecken halten zu können, so täuschte man sich; es überschauerte ihn leicht, das war aber alles."

Mit diesem Satzgefüge sind wir bereits in der Mitte einer höchst eigenwilligen Kafka-Welt, die sich im Geist des Helden als dialektisch geschulte, das Schicksal herausfordernde Mutprobe darstellt, gegen jede Art totalitäre Welt. Auf der einen Seite die „Freiheit", auf der andern der „Schrecken". Und die Witterung dafür, daß es einen „überschauern" kann, wenn man die Folgen vorausdenkt. Als er hinterher im Gespräch mit dem Wirt sagt: „Ich will immer frei sein", muß er die leise Antwort hören: „Du kennst das Schloß nicht."

Damit ist der Romanhandlung ihr Ziel gestellt. Als K. am andern Morgen den Versuch macht, dem Schloß zuzuwandern, fällt ihm der Turm auf, der weithin sichtbar wird. Der Dichter macht eine eigenwillige symbolische Chiffre daraus:

„Der Turm hier oben ... vielleicht des Hauptschlosses, war ein einförmiger Rundbau, zum Teil gnädig mit Efeu verdeckt, mit kleinen Fenstern, die jetzt in der Sonne aufstrahlten — etwas Irrsinniges hatte das — und einem söllerartigen Abschluß, dessen Mauerzinnen unsicher, unregelmäßig, brüchig, wie von ängstlicher oder nachlässiger Kinderhand gezeichnet, sich in den blauen Himmel zackten. Es war, wie wenn ein trübseliger Hausbewohner, der gerechterweise im entlegensten Zimmer des Hauses sich hätte eingesperrt halten sollen, das Dach durchbrochen und sich erhoben hätte, um sich der Welt zu zeigen."

Die symbolische Chiffre verbindet den Turm und seinen zackigen Turmrand mit der Gleichnisvorstellung, als habe ein Mensch, der eingesperrt gehört, im Geltungsdrang das Dach durchbrochen; ebenso irrsinnig wie der grelle Widerschein der Sonne in den kleinen Fenstern spiegelt.

Es ist die Vorausdeutung des künftigen Geschehens. Der Landvermesser K. wird irrsinnige Durchbrüche versuchen, die totalitäre Schloßwelt zu durchstoßen. Das Irrsinnige aber liegt darin, daß er nicht nach oben durchstößt, sondern nach unten. Bis es der Übermacht des totalitären Apparates gelungen ist, nicht nur ihn selbst in seiner Menschenwürde einzuebnen, sondern jedes dem Schloß widerstehende Wertgefüge überhaupt. Das vollzieht sich in sieben Tagen. Ist das der Kafkasche Gesamt-Sinn: daß der Mensch eine Fehlkonstruktion ist in seiner Kontaktarmut, in seinen ihn lähmenden inneren Zwiespälten, seinen jeden Wert zergliedernden und auflösenden Reflexionen? Welche Leistungen fallen hier dem symbolischen Vermögen zu?

Der Roman erhält seine bestimmende Mitte durch die Gestalt des Landvermessers, der von auswärts angereist kommt als ein Fremder, dem es weder gelingt, seine Tätigkeit als Landvermesser auszuüben noch sich im Dorf einzuwurzeln noch ins Schloß vorzudringen. Insofern muß man Wilhelm Emrich zustimmen, daß Kafka „die Strukturen der heutigen Entfremdungsvorgänge mit allen Konsequenzen" darstellt. Nur erhebt sich die Frage, wie weit der Landvermesser K. als Widerspiegelung einer typischen Kafka-Situation den Menschen unsrer Gegenwart repräsentieren kann.

Kafka erreicht von vornherein für seine Schloßwelt einen gespenstig grotesken, alptraumartigen Hintergrund. Es beginnt mit kleinen Einzelzügen. Als K. auf seinem Gang durchs Dorf den Lehrer fragt, ob er den Grafen kenne, erfährt er die Antwort: „Nehmen Sie Rücksicht auf die Anwesenheit unschuldiger Kinder." Als wäre der Graf ein solcher Inbegriff der Korruptheit, daß schon ihn zu nennen, die Kinderunschuld gefährde. Oder als wäre es eine Art Majestätsverbrechen, das Tabu des Namens anzutasten.

Als K. aufs Schloß zugeht, muß er erfahren, daß der Weg ihn dem Schloß nicht näher zuführt, er biegt immer wieder ab. Als er vom Schneestapfen ermüdet in einem Bauernhaus einen Augenblick Ruhe sucht, muß er hören: „Gastfreundschaft ist bei uns nicht Sitte. Wir brauchen keine Gäste." Als er unbekümmert die Bauersfrau, die im Lehnstuhl, wie in Seide gekleidet, sich heraushebt, befragt, wer sie sei, antwortet sie: „Ein Mädchen aus dem Schloß!"; schon haben die Männer den Zudringlichen vor die Tür gesetzt. Rätsel über Rätsel.

Das seltsamste Rätsel aber erwartet ihn, als er ins Wirtshaus zurückgekehrt ist: da stehen zwei junge Leute für ihn bereit, fast wie Zwillinge sich ähnlich, mit Spitzbärten. Sie geben sich als seine „Gehilfen" aus. „Wie, Ihr seid meine alten Gehilfen, die ich nachkommen ließ, die ich erwarte?" Der Landvermesser, der sie doch entweder wiedererkennen müßte oder feststellen, daß sie fremde Gehilfen sind, sagt nach einem Weilchen: „Es ist gut, daß ihr gekommen seid." Dabei muß er erfahren, daß sie weder die Apparate mitgebracht haben, die er braucht, noch daß sie überhaupt etwas vom Landvermessen verstehen. Trotzdem nimmt er sie als seine Gehilfen auf. Es sind Boten aus dem Schloß, ihm als Spione beigegeben. Sie werden mit aufdringlicher Neugier ihn nie verlassen, immer um ihn herum als Grotesk-Figuren schwirren, ihm dauernd auf die Nerven gehen. Damit hat Kafka den einfachsten Sprung in eine Alptraumwelt getan, die sich jeder Logik entzieht.

Schon erscheint ein Bote aus dem Schloß namens Barnabas, der einen Brief für ihn abgibt: „Sie sind, wie Sie wissen, in die herrschaftlichen Dienste aufgenommen." Erst später wird er erfahren, daß dies kein juristisches Dokument ist, nur die Bestätigung dessen, was er vom Telefon her weiß. Als sein nächster Vorgesetzter wird der Dorfvorsteher bezeichnet. Unterschrift: „Der Vorstand der X. Kanzlei." Den unleserlichen Namen bezeichnet ihm Barnabas als „Herrn Klamm". Damit beginnt ein gespenstiger Realismus, voller Detail-Genauigkeiten, der sich vereinfachend vorerst zusammenziehen läßt als die Umklammerung des Landvermessers durch Herrn Klamm.

Der Spannungsraum, der sich jetzt auftut zwischen dem präzisen Detail-Vordergrund und dem hintersinnigen Kampf von Freiheit und Schloßallmacht ist nicht von einer Haltung des Humors oder der Ironie bestimmt, wie bei Raabe, Fontane, Thomas Mann, sondern aus dem Abstand einer „kalten Groteske", die aber von Schreckschauern immer wieder begleitet ist.

Das erste Großerlebnis erwartet den Landvermesser im Herrenhof, wo die Schloßvertreter zu übernachten pflegen. Das erste, was er erfährt, ist, daß er selbst nicht übernachten darf. Würde es entdeckt, sagt der Wirt, „wäre nicht nur ich verloren, sondern auch Sie selbst. Es klingt lächerlich, aber es ist wahr". Das ist der erste Schauer, der die Groteske dieser Darstellung durchweht. In dem Augenblick, wo K. hört, daß sein Vorgesetzter im Schloß, Klamm, gegenwärtig im Herrenhof übernachtet, entdeckt er in sich „die gefürchteten Folgen des Untergeordnetseins". Er fühlt sich gehemmt: „von Klamm hier ertappt zu werden", wäre ihm eine peinliche Unzukömmlichkeit. Der Freiheitskämpfer verspürt in der eignen Gehemmtheit die Ausstrahlung der totalitären Macht. Eben jetzt lernt er das Mädchen kennen, das zum Bierausschenken bestimmt ist. Sie heißt Frieda und überrascht ihn durch ihren überlegenen Blick. Sie überrascht ihn noch mehr durch ihre Frage: „Wollen Sie Herrn Klamm sehen?" Durch ein Guckloch zeigt sie ihm den geheimnisvollen Mächtigen aus dem Schloß. Was er sieht, ist grotesk: ein Bier-trinkender Biedermann, mittelgroß, schwerfällig, mit einem Zwicker, der die Augen verdeckt. Später hört er, es war die „Schlafhaltung" Klamms. Dann erfährt er von Frieda, daß sie Klamms Geliebte sei. Das beeindruckt ihn ungeheuer. Und er ruht nicht, bis sie selber seine eigene Geliebte geworden ist.

Dem Dichter ist daran gelegen, die Szene grotesk zu gestalten. Vorerst zeigt sich Frieda als Vertreterin Klamms. Mit einer Peitsche treibt sie Klamms Dienerschar aus dem Ausschank heraus: „Im Namen Klamms! Alle in den Stall." Als dann der Wirt zurückkommt, versteckt sich K. unter den Tisch des Ausschankpults. Frieda spielt dem strengen Wirt die leichtsinnigste Rolle vor. „Vielleicht ist er hier unten versteckt!" ruft sie, bückt sich herunter, wobei sie K. küßt. „Nein, er ist nicht hier!" Nachher dreht sie das Licht aus und reißt K. in ihre Umarmung hinein, in der sich beide auf dem Boden, zwischen Bierpfützen, wälzen.

Was in K. vorgeht, der sich so überraschend aus seiner Klamm-Gelähmtheit befreit findet, faßt der Dichter abermals in die Stilisierung eines grotesken Zustands zusammen:

„Dort vergingen Stunden, Stunden gemeinsamen Atems, gemeinsamen Herzschlags, Stunden, in denen K. immerfort das Gefühl hatte, er verirre sich oder er sei so weit in der Fremde, wie vor ihm noch kein Mensch, eine Fremde, in der selbst die Luft keinen Bestandteil der Heimatluft habe, in der man vor Fremdheit ersticken müsse und in deren unsinnigen Verlockungen man doch nichts tun könne als weiter gehen, weiter sich verirren."

Grotesk ist es, wie hier der Fremdling, der zum Freiheitskampf gegen das Schloß hatte antreten wollen, in eine viel elementarere Fremdheit hineingeraten ist unter dem entfesselten Chaos der Sinne. Von dem Ausmaß der Fremdheit geht geradezu ein Schauer aus, der die Zukunft verdüstert. Tatsächlich beginnt damit des Landvermessers Untergang. Der Dichter hat die Stationen durch Tiermetaphern bezeichnet. Sie helfen vom Bildvermögen her das Ganze gliedern. Das Erste, was das Liebespaar erfährt, ist die „tiefe, befehlend gleichgültige Stimme Klamms", der Frieda ruft. Vielleicht ist alles, was K. eben jetzt mit Frieda erlebt hat, nicht ohne die unsichtbare Bewirkung durch Klamm zu denken.

Grotesk vorerst ist wiederum das Verhalten des Liebespaars. Beide sind tief ambivalent. Frieda will gehorsam aufspringen, dann rebelliert sie. K. will sie drängen, zu Klamm zu gehen, er sucht schon ihre Bluse zusammen. Aber dann scheint ihm: wenn sie ihn verläßt, verläßt ihn alles. Inzwischen ruft Frieda laut: „Ich bin beim Landvermesser!" K. aber durchfährt es: „Wo waren seine Hoffnungen!" Er ist entsetzt. „Wir beide sind verloren!" Frieda tröstet ihn: „Nur ich bin verloren, aber ich habe dich gewonnen." Das Gelächter der zuschauenden Gehilfen verschärft ihm das Groteske seiner Lage. Er und Frieda müssen den Herrenhof verlassen. Frieda hat die Führung übernommen, es zeigt sich, daß die Wirtin des Brückenhofs ihre besondre Beschützerin ist. Aber jetzt bereits bringt die sinnliche Vereinigung keinen Trost mehr. Sie bekommt etwas Krampfhaft-Verzweifeltes. Dafür stellt sich die erste Tiermetapher ein: „wie Hunde verzweifelt im Boden scharren, scharrten sie an ihren Körpern, und hilflos, enttäuscht, um noch letztes Glück zu holen, fuhren manchmal ihre Zungen breit über des anderen Gesicht." Ist es Klamm, dem sie solche Verwandlung ins Hündische verdanken?

Das Streitgespräch mit der Wirtin vertieft die Wirrnisse. Soll K. Frieda heiraten, die ihre Stelle verloren hat? Daß er bei seiner Ankunft von „Frau und Kind" gesprochen hatte, scheint seinem Gedächtnis entschwunden. Eines wird ihm von beiden Frauen klargemacht, daß es aussichtslos ist, Klamm zu einem Gespräch zu bringen. Die Wirtin faßt ihren Schrecken in zwei Tierbilder zusammen, die mit grotesker Schärfe nur zu genau die Wahrheit treffen: „daß meine liebste Kleine gewissermaßen den Adler verlassen hat, um sich der Blindschleiche zu verbinden." Unmittelbar danach wird der Dorfvorsteher K. aufklären, daß das Dorf keinen Landvermesser braucht, weil alles vermessen ist, und daß es sich um ein groteskes Akten-Mißverständnis handelt. Und er wird gezwungen sein um Friedas willen die Stelle des Schuldieners anzunehmen, den Launen des Lehrers ausgesetzt.

Welche Macht aber von Klamm immerwährend ausgeht, das wird K. im Streitgespräch mit der Wirtin zugleich auf groteske und erschreckende Weise bewußt gemacht. Sie weiht ihn in ihre Vergangenheit ein. Auch sie war einmal die Geliebte Klamms, dreimal hat er sie zu sich gerufen. Allerdings vor zwanzig Jahren. Unverändert ist ihre Verherrlichung Klamms. Unverändert erscheint er im grotesken Licht: „Wen er nicht mehr rufen läßt, vergißt er völlig. Den hat er nicht nur für die Vergangenheit völlig vergessen, sondern förmlich auch für alle Zukunft." Aus Verzweiflung hat sie geheiratet, sie hat das Wirtshaus hochgearbeitet, doch niemals Klamm vergessen.

Die Macht, die von Klamm, dem Adler ausgeht, spürt K. an sich selbst. Wohl verarbeitet er im Gespräch mit der Wirtin deren Vergangenheit mit einer Art hohnvoller Dialektik. Er steigert sich in die Vorstellung, was die Wirtin alles Klamm verdankt. „Zunächst ist Klamm offenbar die Veranlassung der Heirat. Ohne Klamm wären Sie nicht unglücklich gewesen ... hätten also nicht Hans geheiratet. Nun, in dem allen ist doch schon genug Klamm, sollte ich meinen. Es geht aber noch weiter. Hätten Sie nicht Vergessen gesucht, hätten Sie gewiß nicht so rücksichtslos gegen sich selbst gearbeitet und die Wirtschaft nicht so hoch gebracht. Also auch hier Klamm ..." ... „Bleibt nur noch die Frage, was Hansens Verwandte so sehr an der Heirat lockte. Sie selbst erwähnen einmal, daß Klamms Geliebte zu sein eine unverlierbare Rangerhöhung bedeutet: nun so mag sie also dies gelockt haben. Außerdem aber glaube ich die Hoffnung, daß der gute Stern, der Sie zu Klamm geführt hat — vorausgesetzt daß es ein guter Stern war — zu Ihnen gehöre, also bei Ihnen bleiben müsse und Sie nicht etwa so schnell und plötzlich verlassen werde, wie Klamm es getan hat."

Man kann K.s Dialektik, die hier mit zwölfmal „Klamm" unterschwelligen Hohn nicht unterdrücken kann, wohl eine Art Blindschleichendialektik nennen: Sie erreicht genau das Gegenteil, so verblendet ist sie. Die Wirtin, empört, daß er sie und Klamm nicht ernst genug genommen, kündigt ihm die Wohnung, und so sieht er sich gezwungen, in der Schulstube, mit Turngeräten im Hintergrund, ein groteskes Nachtlager mit Frieda zu beziehen. Wenig später dann, in der Protokollszene mit dem Dorfsekretär, in Gegenwart der Wirtin, erfährt K. in sich selbst die Allmacht Klamms auf bestürzende Weise. K. erlebt einen inneren Umschlag, der in blinde Verherrlichung Klamms übergeht:

„Einmal hatte die Wirtin Klamm mit einem Adler verglichen und das war K. lächerlich erschienen, jetzt aber nicht mehr. Er dachte an seine Ferne, an seine uneinnehmbare Wohnung, an seine, nur vielleicht von Schreien, wie sie K. noch nie gehört hatte, unterbrochene Stummheit, an seinen herabdringenden Blick, der sich niemals nachweisen, niemals widerlegen ließ, an seine von K.s Tiefe her unzerstörbaren Kreise, die er oben nach unverständlichen Gesetzen zog, nur für Augenblicke sichtbar: das alles war Klamm und dem Adler gemeinsam." Hier herrscht wahrhaft die Unterwürfigkeit der Blindschleiche, ein unwahrscheinlich-würdeloser Blindschleichenkomplex, der dem Freiheit erkämpfenden Landvermesser schlecht ansteht. Kafka, der Dichter, hat hier selbst bereits hohnvollen Abstand von seinem Helden K. genommen.

So sieht die zweite Station im Untergang des kühnen Landvermessers aus.

Die dritte Station ist unmittelbar durch den Zufall bestimmt. K. erfährt, daß Klamm im Begriff sein soll, ins Schloß zu fahren und daß der Kutschwagen im Hof stehen soll. Blindlings stürzt K. sich in diesen Zufall hinein. Er schleicht sich vorsichtig nahe der Mauer dem Schlitten zu. Da fällt die dritte Tiermetapher: „Der Kutscher hatte ihn teilnahmslos herankommen sehen, so wie man etwa den Weg einer Katze verfolgt." Man könnte das rein optisch nehmen, als Ausdruck der völligen Belanglosigkeit des anschleichenden Mannes im Blickfeld des Kutschers. Aber bereits aus den ersten

Worten des Kutschers müssen wir entnehmen, daß er sehr genau über den Landvermesser Bescheid weiß. „Das kann noch sehr lange dauern" spricht der Kutscher in die Finsternis hinein mit rauhem Ton und fährt auf K.s Frage fort: „Ehe Sie weggehen werden." Der Kutscher spricht aus dem Abstand der Leute, die zum Schloßgesinde gehören, und weiß, daß der neue Landvermesser vergebens warten wird. Dadurch bekommt wohl auch das Bild der Katze seine besondere Kontur. Im Kafkaschen Bildapparat verknüpft sich in der Parabel „Die Kreuzung" die krallenharte Katze mit der Lammsgeduld des mütterlichen Blutes. Die Katzenkrallen gehen auf die Kafkas zurück. Die Schleichwege, wie sie K. hier angetreten hat, wollen das Blindschleichenhafte mit Kafka-Krallen durchführen. Vielleicht enthält die Kutscher-Episode noch andere Grundzüge, die den Eindruck verstärken können, daß Kafka hier hintergründig arbeitet. Die Erlebnisse, die für K. mit dem Kognak im Schlitten zusammenhängen, bringen ihn in eine so würdelose Lage, daß er selber denkt: „Sich so zu benehmen, wie er es getan, hätten auch die Gehilfen verstanden." Der Landvermesser, der bislang stets Abstand von den lästigen, neugierigen, sich schlangenhaft anschmiegenden Gehilfen genommen, fühlt sich auf ihre Stufe hinabgesunken. Kafkas berühmter Detailblick findet dafür im Stil der kalten Groteske ein wirksames Zeichen: der K.s überraschten Händen entglittene Kognak, der in die Pelze und auf das Trittbrett hinuntertropft. Zeichen zugleich für die blinde Sinnlichkeit, mit der K. Geruch und Geschmack des Kognaks hörig war.

Die Überraschung ging für K. davon aus, daß das elektrische Licht aufglänzte und er annahm, nun würde Klamm kommen. Es kommt aber nicht Klamm, sondern sein Dorfsekretär. Der macht nach kurzem Gespräch K.s Warten ein Ende, indem er Befehl gibt, die Pferde auszuspannen. Als das Licht damit wieder erlischt, fügt der Erzähler hinzu: „Wem hätte es leuchten sollen?" Die Antwort gibt K. selbst, aus einer abgründigen Tiefe der Verzweiflung herauf, die aus jenem Bodenlosen zu kommen scheint, wo sich für Kafka der Teufelsdienst ankündigt:

„Da schien es K., als habe man nun alle Verbindung mit ihm abgebrochen und als sei er nun freilich freier als jemals und könne hier auf dem ihm sonst verbotenen Ort warten, solange er wolle, und habe sich diese Freiheit erkämpft, wie kaum ein anderer es könnte, und niemand dürfe ihn anrühren oder vertreiben, ja, kaum ansprechen; aber — diese Überzeugung war zumindest ebenso stark — als gäbe es gleichzeitig nichts Sinnloseres, nichts Verzweifelteres als diese Freiheit, dieses Warten, diese Unverletzlichkeit."

Es ist die Verzweiflung des Vogelfreien, dem sich keine Verbindung hergestellt hat, und den in seiner leeren Freiheit der Urschrecken überkommt, von nichts mitgetragen zu sein: „Nichts Sinnloser als diese Freiheit." Was anders kann hier Kafka bewirken als ein Gericht an seinem Helden K., weniger dramatisch wie im „Prozeß", doch nicht weniger erbarmungslos. „Wem hätte das Licht leuchten sollen?" Hat Kafka in der Chiffre der Katzen-Krallen auch an sich selbst das Gericht vollzogen? Als dem Tief-Gespaltenen, von nichts Getragenen?

Noch bleibt die vierte Tiermetapher. Sie versetzt uns bereits ans Ende der Landvermesser-Laufbahn. Wirt und Wirtin vom Herrenhof holen ihn heraus aus dem Gang zwischen den Zimmern der Sekretäre, der allen streng verboten ist:

„Sucht nicht selbst die Nachtmotte, das arme Tier, wenn der Tag kommt, einen stillen Winkel auf, macht sich platt, möchte am liebsten verschwinden und ist unglücklich darüber, daß sie es nicht kann? K. dagegen stellt sich dorthin, wo er am sichtbarsten ist, und könnte er dadurch das Heraufkommen des Tages verhindern, würde er es tun."

Die Nachtmotte steht hier für alle winzigen Insekten, die von der Schöpfungsordnung mit einem wunderbaren Tierinstinkt ausgestattet sind, um sich anzupassen, einzuordnen und zu überstehen. Sie sind alle mitgetragen von dem, was man die Weisheit der Schöpfung nennen kann. Und so wandlungsfähig, daß sie sich, wenn es sein muß, platt machen können. Dagegen nun der Landvermesser, ihn sondert eine gradezu hybrishafte Anmaßung und Vermessenheit aus, auf groteske Weise konträr zu jedem Schöpfungsplan. Er würde „das Heraufkommen des Tages verhindern, wenn er könnte". Aber weil er nicht einmal so klug wie eine Nachtmotte ist, zeigt sich, daß ihm alles, was er als Landvermesser gegen das Schloß unternommen hat, mißlungen und fehlgeschlagen ist. Die Eroberung Friedas hat ihm keinen Schritt auf Klamm zu geholfen. Frieda hat ihn vielmehr verlassen, weil er zu zielbewußt hatte sein wollen, sie hat den einen Gehilfen, ihren Jugendfreund, sich als Abgesandten Klamms aufgewertet und ist mit ihm davon, wieder als Ausschankmädchen zu Klamm zurück.

Eine Botschaft noch hatte Barnabas dem Landvermesser zugetragen. Sie bestand darin, daß ein Untersekretär Klamms ihn zum Verhör bestellt hat. Aber was er ihm zu sagen hat, ist für K. von niederschmetternder Trivialität: er solle sogleich Frieda wieder dem Ausschank zurückgeben. Wenn er sich darin bewähre, würde es seinem Fortkommen gelegentlich günstig sein. Kafka gibt seinem Helden K. einen erschreckten Gedankengang ein, der jedenfalls die Lebenssicherheit der Nachtmotte vermissen läßt:

„Über ihn hinweg gingen die Befehle, die ungünstigen und die günstigen, und auch die günstigen hatten wohl einen letzten ungünstigen Kern, jedenfalls gingen alle über ihn hinweg, und er war viel zu tief gestellt, um in sie einzugreifen oder gar sie verstummen zu machen und für seine Stimme Gehör zu bekommen."

Das ist das Ende aller Landvermesser-Hybris, des Mannes, der als Fremder kam, der die Schloßherrschaft erschüttern wollte, und dem alles gefehlt hat, was selbst der Nachtmotte an Anpassungsinstinkten zur Verfügung steht. Er kam aus dem Bodenlosen und wird ins Bodenlose verschwinden. Noch eine letzte hohnvolle Tiermetapher hat Kafka ihm aufgespart: im selben Ausschankraum des Herrenhofs, wo er einst mit Frieda begonnen hatte, erfährt er durch Friedas Nachfolgerin, die inzwischen bereits wieder entlassen ist, weil Frieda zurückkehren wird, daß Frieda dort einst gesessen hat „wie die Spinne im Netz", daß sie ihn sich eingefangen, weil sie den Skandal mit dem Landvermesser brauchte, um sich wieder in Szene zu setzen. Dieselbe „Spinne", die nun wieder Klamm bearbeitet. Und wohin führt für K. der letzte Weg? Friedas Nachfolgerin, nun wieder einfaches Zimmermädchen, lädt ihn ein, mit ihr und zwei andern Zimmermädchen zusammenzuwohnen, sich auf solche Weise unsichtbar zu machen bis zum Frühjahr. Ein anonymes Kollektiv-Leben zu Dritt, für das Kafka das Tierbild ausgespart hat. Ganz an den Schluß stellt er ein Wort der Herrenhof-Wirtin, die ihm ihre vornehmen Kleider zeigt: „Du bist entweder ein Narr oder ein Kind, oder ein sehr böser, gefährlicher Mensch." Ein neues Spannungsfeld, das im Romanfragment nicht mehr zur Ausgestaltung gekommen ist.

Worauf nun stützt sich über einer so dürftigen Romanhandlung das Weltbild, das nun einmal zum Roman gehört, der dichterische Kosmos, der sich ins Symbolische oder Allegorische auszuweiten vermag? Auch hier gehen wir von den Bildkräften aus, und wir stoßen auf die Schloß-Vision, die in der Mitte als eine Art Zentralsymbol ausstrahlt. Wolfgang Rothe („Schriftsteller und totalitäre Welt" 1966) hat dafür den „Alptraum einer totalitären Welt" geprägt. Heinz Politzer 1965 sieht im Schloß das Zentralsymbol des „Labyrinths". Schon G. R. Hocke hatte in seinem Lehrbuch des Manierismus mit dem Titel „Die Welt als Labyrinth" bei Kafka von „Epen des Labyrinthischen" gesprochen. Auch Emrichs Kafkabuch wird auf den Begriff des Labyrinthischen geführt, und die subtile Stiluntersuchung Fritz Martinis über die Kutscherepisode im „Schloß" (Wagnis der Sprache 1954) entdeckt labyrinthische Stilelemente.

Kafka selbst allerdings hat weder den Begriff des Labyrinths gebraucht noch den Begriff „Alptraum einer totalitären Welt" oder auch Emrichs Begriff vom „negativen Mythos". Wir stehen vor der Kafkaschen „Vieldeutigkeit", die wir aber nicht mit Ratlosigkeit verwechseln wollen. Alle Hinweise, die auf einen zentralen Sinn hinzielen, sollen ausgedeutet werden.

Von Anbeginn nun zielt die Spannung zwischen dem Landvermesser und dem Schloß, auf das er sich zubewegen will, auf eine im Detail präzise, im Zugriff sich gespenstig oder traumhaft entrückende Ferne. Da gewinnt Wolfgang Rothes Begriff vom „Alptraum einer totalitären Welt" besondere Überzeugungskraft, weil sie zugleich eine totale sexuelle Hörigkeit einschließt. Die Herrschaft wird so total ausgeübt, daß sie auf jeden physischen Zwang verzichten kann. Dabei stoßen wir auf eine vordergründige Schloßbürokratie, für die Politzer insbesondre den Begriff des Labyrinths und des Labyrinthischen anwendet. Die Stilform der Groteske wandelt sich vielfältig ab in der Darstellung der Akten-Labyrinthe, bis zur Unmenschlichkeit der kalten Groteske. Dem begegnet K. mit seiner Begabung zur nie versiegenden dialektischen Reflexion, deren Angriffsgeist erst allmählich sich mit Verzweiflung füllt. Für das zentrale Bildvermögen aber tritt nun inmitten des Labyrinthischen der Schloßwelt eine Gestalt bestimmend hervor: niemand anders als Klamm, Emrich spricht vereinfachend von der Umklammerung K.s durch Klamm. Für Klamm selbst gebraucht Emrich den Begriff des „Proteus". Sokel steigert seine Faszination zur „Liebe Jupiters", oder des „Sonnenkönigs". Erich Heller faßt ihn als Mitte der das Schloß durchwaltenden „gnostischen Dämonen". Politzer erinnert an die Hieroglyphe des Kafka-Vaters. Er rückt das geheimnisvolle „X" nach vorn: „Der Vorstand der X. Kanzlei." Und Kafka selbst sorgt für die würdigste Steigerung im Text, wenn

Klamm mit dem Adler verglichen wird und wenn K. selber ihn als Adler schlechthin verherrlicht.

Was will Kafka mit solcher vielstrahligen Gestalt im Zentrum des Labyrinth-Symbols wohl zum bestimmenden Ausdruck bringen?

Es gibt nun neben dem manieristischen Begriff vom Labyrinth, wie ihn G. R. Hocke besonders klar ausgeprägt hat als Inbegriff nicht-klassischer Stilformen einen mythischen Begriff: die Mythe vom absurden Monstrum Minotaurus, den die Gattin des Königs Minos zur Welt brachte, vom Eros geschlagen, und den Minos im Labyrinth vor der Außenwelt verbarg. Diesem absurden Monstrum, diesem Monstrum des Absurden, mußten jährlich eine Anzahl Jungfrauen geopfert werden. Bis der Held Theseus erschien und die Mißgeburt des Absurden erschlug. Theseus fand aus dem Labyrinth zurück durch den Ariadne-Faden, den ihm die Tochter des Minos mitgegeben. Zweierlei konnte Kafka daran anziehen. Einmal die Mythe als solche, als Kampf gegen das Absurde. Das Zentralsymbol des Labyrinths bekam dadurch eine innere Bewegtheit, die der Romanhandlung zugute kommen mußte. Während Kafkas Schreckträume aus Schreckmetaphern hervorzugehen pflegten, wie zum Beispiel Gregor Samsas Verwandlung ins Ungeziefer aus der Metapher „alter Mistkäfer", fand sich hier eine objektive Mythe, um ein Schloßlabyrinth herum gebaut. Zum andern bot sich die Gestalt eines absurden Ungeheuers, dem Frauenopfer darzubringen waren. Welche wunderbare Parodie des alten Mythos, wenn an die Stelle der Frauenopfer eine Schar freiwilliger Schankmädchen traten, die zugleich die sexuelle Hörigkeit in einem totalitären System versinnbilden. Auf solche Weise konnte Klamm zum Minotaurus werden, als eine einzige Parodie des Mythos. Man brauchte nur an den im Guckloch erkennbaren Bier-trinkenden Biedermann zu denken. Insbesondre bot sich ein moderner Theseus, in der abstrakten Modellfigur K., der sich als die Parodie eines Siegers darstellen ließ. Zugleich ließ sich die Parodie auf den Ariadne-Faden einbringen in der Gestalt des wunderbaren Landmädchens Amalia, von dem K. sagen wird: „Ich habe ein Landmädchen wie Dich noch nicht gesehen." Die unerschöpflichen Akten-Labyrinthe als Widerstände gegen K. boten Sinnbilder der Schloßbürokratie.

So betrachtet verliert das Ungewöhnliche der Minotaurus-Mythe sein Ungewöhnliches. Der Alptraum einer totalitären Herrschaft bekommt als Zukunftsvision des von Schreckträumen heimgesuchten Kafka die Würde einer Voraussicht der Stalin-Ära, als ein Blutopfer forderndes Ungeheuer. Das Absurde solcher Blutopfer setzt sich in den abstrakten Inbegriff des „Absurden" um, der durch nichts verwegener zur Darstellung kommen kann als durch die im totalen System angelegte sexuelle Hörigkeit, die zugleich für jedes masochistische Gefühl des „Untergeordnetseins" auch im Manne zu stehen vermag. In Sokels Kafka-Buch ist der Begriff des Labyrinths vollkommen durch den Begriff des „Absurden" ersetzt. Was kann moderner sein als der Kampf gegen das Absurde in jeder Gestalt? Ziehen wir Kafkas eingeborne Anlage zur „kalten und unmenschlichen Groteske" mitheran, wie sie Wolfgang Kayser an Kafkas „Verwandlung" entwickelt hat, dann ist bereits das ganze Spannungsfeld gegeben, aus dem sich der Schloßroman als ein vergeblicher Kampf gegen das Absurde entwickeln läßt, gegen den Hintergrund eines alptraumhaften totalitären Herrschaftssystems.

Schließlich faßt der Begriff der Mythe in ihrer komplexen Tiefe das polare Wechselspiel der Schöpfung zwischen hellen und dunklen Mächten in sich ein. Auch Kafkas Schreckvisionen suchen das Licht, das sie vernichten. Welche Rolle wird es im Weltbild des Schloßromans spielen?

Im Gesamtaufbau des Romans erwächst dem Landvermesser K., der sein Ziel nicht erreicht, eine weibliche Gegengestalt, Amalia, Schwester des Boten Barnabas, Tochter eines Schustermeisters. Als K. ihr begegnet, ist Frieda, die Ausschankkellnerin, Klamms Geliebte, seine Braut. Das liegt als befremdender Schatten zwischen ihnen. Was K. sofort begreift, ist die Lebenskraft, mit der Amalia ihre eigne Welt um sich baut. Ihr Blick, der ein „Verlangen nach Einsamkeit" verfestigt, ihr seltenes Lächeln, das sich um so nachhaltiger einprägt:

„Amalia lächelte, und dieses Lächeln, obwohl es traurig war, erhellte das düster zusammengezogene Gesicht, machte die Stummheit sprechend, machte die Fremdheit vertraut, war die Preisgabe eines Geheimnisses, die Preisgabe eines bisher gehüteten Besitzes, der zwar wieder zurückgenommen werden konnte, aber niemals mehr ganz." Auch die radikale Feindschaft, die Frieda ihr entgegenbringt, weiß sie mit zwei Worten abzutun: „Es ist keine Feindschaft, ein so großes Ding ist es nicht, es ist bloß ein Nachbeten der allgemeinen Meinung." Eben hier aber tut sich ein Rätsel auf, das unmittelbar in die Mitte des labyrinthischen Romanproblems führt.

K. erfährt vom besonderen Schicksal Amalias nur durch den langen Bericht, mit dem Amalias Schwester Olga das 15. Kapitel füllt, mit über 80 Seiten das längste Kapitel des Romans. Auch Amalias Schicksalsaugenblick hängt mit dem Schloß zusammen, wie alles im Dorf blindlings aufs Schloß bezogen ist. Diesmal ist es aber nicht Klamm, sondern ein andrer Schloßvertreter, namens Sortini. Die Hydra hat viele Köpfe. Um Sortini, einen Sonderling, ist Absurderes gehäuft als um die Verwandlungen Klamms. Bei einem Feuerwehrfest vertritt Sortini das Schloß, das eine Feuerspritze gestiftet hat. Sein Blick trifft auf Amalia, die sich festlich mit einem Spitzenkleid und einem Granatenhalsband darbot. Er muß zu ihr aufschauen, „denn sie war viel größer als er". Seine betonte Würde besteht in einem dauernden Schweigen, mit dem er alle in Abstand hält. Auch Amalia ist schweigsamer als sonst. So daß von ihr gesagt wird: „Sie hat sich ja toll und voll in Sortini verliebt." Jedenfalls ist es eine Blick-Begegnung, die allen aufgefallen ist. Andern Morgens erhielt Amalia einen Brief Sortinis aus dem Herrenhof. Er bestellte sie dorthin, sofort, und zwar war der Brief „in den gemeinsten Ausdrücken gehalten". Welcher Art sie waren, erfahren wir nicht. Denn Amalia zerreißt den Brief und gibt die Fetzen dem Boten mit. Nach Olgas Meinung war Sortini empört, daß er Amalia nicht hatte vergessen können. Das drückte sich im Briefe aus. K. stellt sich ganz auf Amalias Seite. Er findet, nur Sortini habe sich bloßgestellt. K. ist empört über solchen „Mißbrauch der Macht".

Das aber ist nun drei Jahre her. Inzwischen hat sich das Dorf mit aller Entschiedenheit auf die Seite des Schloßbeamten und gegen Amalias Unbotmäßigkeit gestellt. Das Dorf hat die ganze Familie geächtet. Sogar sein Geschäft hat der Vater nicht halten können und ist verarmt. Friedas Feindschaft ist nur das „Nachbeten der allgemeinen Meinung".

K. steht immer noch unter dem Eindruck von Amalias Mut. „Heldenhaft" nennt Olga die Schwester. Sie vertieft die Grundfrage durch einen Vergleich zwischen Amalia und Frieda. Es kommt zu einem Streitgespräch zwischen Olga und K., das in die Werte-Absurditäten im totalitären Staat hineinleuchtet. Dabei werden Klamm und Sortini nah zusammengerückt. Auch Klamm „sagt plötzlich derartige Grobheiten, daß es einen schaudert". Klamm ist ein „Kommandant über den Frauen", der bald dieser, bald jener befiehlt, zu ihm zu kommen. Und wie verhalten sich die Frauen? Olga spricht nur die allgemeine Meinung aus, wenn sie sagt: „Wir aber wissen, daß Frauen nicht anders können als Beamte lieben, wenn sich diese ihnen einmal zuwenden." Olga geht sogar so weit, in die Dialektik zwischen Bewußt und Unbewußt den Freudschen Keil zu treiben: „Vielleicht hat Amalia Sortini doch geliebt, wer kann das entscheiden? Nicht einmal sie selbst. Wie kann sie glauben, ihn nicht geliebt zu haben, wenn sie ihn so kräftig abgewiesen hat, wie wahrscheinlich noch niemals ein Beamter abgewiesen worden ist?"

K. macht sich zum Anwalt seiner Braut. Schon hat sich ihm Amalias Mut relativiert: „Amalias Tat ist merkwürdig, aber je mehr du von dieser Tat erzählst, desto weniger läßt es sich entscheiden, ob sie groß oder klein, klug oder töricht, heldenhaft oder feig gewesen ist." Weil er seinerseits glaubt, alles, was er gegenwärtig bedeutet, Frieda zu verdanken, kommt er zu dem Urteil, das wahrhaft grotesk alle Werte auf den Kopf stellt: „Und doch scheint es nach dem allen, daß Frieda in ihrer Unschuld mehr getan hat als Amalia in allem ihrem Hochmut." Das allerdings treibt Olga wieder auf die andere Seite. Wir erfahren, daß es Frieda war, die die Briefgeschichte unter die Leute gebracht hat, nicht wie Olga betont „aus Feindseligkeit", sondern „einfach aus Pflicht", nur um „die Gemeinde darauf aufmerksam zu machen, daß hier etwas geschehen war, von dem man sich auf das sorgfältigste fernzuhalten hatte". Dagegen rühmt jetzt Olga ihre Schwester: „Amalia trug nicht nur das Leid, sondern hatte auch den Verstand, es zu durchschauen, wir sahen nur die Folgen, sie sah in den Grund, wir hofften auf irgendwelche kleine Mittel, sie wußte, daß alles entschieden war, wir hatten zu flüstern, sie hatte nur zu schweigen, Aug in Aug mit der Wahrheit stand sie und lebte und ertrug dieses Leben damals wie heute."

Es ist zum einzigen Mal, daß in diesem Roman ein Mensch „Aug in Aug mit der Wahrheit steht". Was hat das bei Kafka zu bedeuten? Es gibt einen Kafka-Aphorismus, der sich mit dem Wesen der Wahrheit befaßt: „Unsere Kunst ist ein von der Wahrheit Geblendetsein: das Licht auf dem zurückweichenden Fratzengesicht ist wahr, sonst nichts." Nur der Urschreck des Wahren, hinter dem die Fratze des Absurden zurückweicht, hält das Licht fest, auf das es allein ankommt. Wie stellt sich solche Einsicht inmitten des Schloßromans dar? Wir haben noch eine Begegnung zwischen Amalia und K. im Verlauf des Streitgesprächs mit der Schwester Olga. Amalia tritt unvermerkt hinzu, als Olga vom Einfluß des Schlosses spricht. „Schloßgeschichten werden erzählt? ... Es gibt Leute, die sich von solchen Geschichten nähren, du scheinst mir aber nicht zu diesen Leuten zu gehören", sagt sie zu K. Der antwortet streitsüchtig: „Doch, ich gehöre genau zu ihnen; dagegen machen Leute, die sich um solche Geschichten nicht bekümmern, und nur andere sich bekümmern lassen, nicht viel Eindruck auf mich."

Amalia wählt zur Antwort auf diese Herausforderung ein Beispiel, das nicht nur die Schloßwelt, ebenso auch K.s Landvermesserwelt verhöhnt, auf eine knappe, in die Mitte treffende Weise, in der sich Kafkas eigne Diktion verrät:

„Nun ja, aber das Interesse der Leute ist ja sehr verschiedenartig, ich hörte einmal von einem jungen Mann, der beschäftigte sich mit den Gedanken an das Schloß bei Tag und Nacht, alles andere vernachlässigte er, man fürchtete für seinen Alltagsverstand, weil sein ganzer Verstand oben im Schloß war. Schließlich aber stellte es sich heraus, daß er nicht eigentlich das Schloß, sondern nur die Tochter einer Aufwaschfrau in den Kanzleien gemeint hatte, die bekam er nun allerdings, und dann war alles wieder gut." K.s Antwort läßt erkennen, daß er sich selber in dem Manne wiederfindet: „Der Mann würde mir gefallen, glaube ich." Abermals erhebt sich Amalia, mit der an ihr schon einmal gerühmten „Hoheit", spielend über das Ganze: „Daß dir der Mann gefallen würde, bezweifle ich, aber vielleicht seine Frau." Sie deutet an, daß sie mehr von K. hält, als er verdient. Zugleich trifft sie den K., der sich an Frieda verloren hat, mit grimmigem Humor.

Damit sind wir unvermerkt im Wahrheitskern des Schloßromans. Der Stil der kalten Groteske, der über allen diesen Schloßgeschichten liegt, zieht sich hier zusammen zu einem Gericht. Wie Amalia „Aug in Aug mit der Wahrheit" als einzige sich dem totalen Herrschaftsanspruch des Schlosses entgegengestellt hat, so findet sie hier einen vernichtenden Hohn für alle im Dorf, die von Schloßgeschichten leben.

Was konnte den Dichter veranlassen, mit solchem langen 15. Kapitel die Symmetrie des Aufbaus zu sprengen und in der Gestalt Amalias die große Gegengestalt zum Helden K. zu schaffen? Im selben 15. Kapitel hat Olga mit K. über ihren Bruder Barnabas gesprochen, den Boten zum Schloß, und sie hat eine überaus groteske Beschreibung der Schloßkanzleien mit ihren Barrieren und Hindernissen gegeben, durch die sich Barnabas immer wieder hindurchfinden muß. Eine wahrhaft labyrinthische Welt. Da tritt K. sozusagen als Lehrmeister auf, der Barnabas als zu jung für diese riesige Aufgabe erklärt. K. findet ein Bild, das alle Schuld in Barnabas selbst hineinverlegt: „Du kannst jemanden, der die Augen verbunden hat, noch so sehr aufmuntern, durch das Tuch zu starren, er wird doch niemals etwas sehen; erst wenn man ihm das Tuch abnimmt, kann er sehen." Es gehört zur Schärfe der kalten Groteske, daß K. hier sich selbst sein Urteil spricht. Er selbst ist so verblendet, er selbst starrt durch ein Tuch, man könnte es sein Tuch-Labyrinth nennen, das ihn nirgends durchdringen läßt zum Aug-in-Aug mit der Wahrheit. Amalia könnte ihm das Tuch wegnehmen. Aber er glaubt über ihr zu stehen.

Kafka zwingt uns damit, den Zwiespalt, der mitten durch den Schloßroman geht, durch den „Alptraum einer totalitären Welt", in die Urkonzeption zu verlegen, und damit in Kafka selbst. Was in der Kafka-Forschung als Kafkas „tragische Ambivalenz" aufgenommen worden ist, stellt sich hier dar als ein Zwischen-zwei-Welten, zwischen dem Fluch des In-der-Welt-Seins, als eine schlechthin labyrinthische Welt, in die sowohl das Schloß mit seinen Irrgängen hineingehört wie der Held K. mit seinen Irrungen und Wirrungen, und zwischen dem, was in Einzelseelen aufzublitzen vermag als das Licht der Wahrheit, das „in den Grund schaut", „Aug in Aug" mit ihr. Aber dies Licht blitzt nur auf, um sogleich zugedeckt zu werden von der Verachtung, die vom Schloß herweht, von der Verfremdung, mit der das Dorf die abstößt, die das Schloß verachtet; vom groben Mißverständnis derer, die wie der Landvermesser den Dorfdurchschnitt überragen und die doch selber mit ihren eignen Irrtümern geschlagen sind, so daß wir von K. selbst den Ausspruch hören können: „daß Frieda in ihrer Unschuld mehr getan hat als Amalia in allem ihrem Hochmut." Das ist ein Inbegriff kalt grotesker Werteverwirrung, die den Schloßroman selbst in ein Labyrinth verwandelt, aus dem uns kein Ariadne-Faden führt.

Bei Heinz Politzer wird Amalia „nur als eine Episode am Rande" betrachtet, sie selbst als eine „Nonne des Nichts". Damit ist ausgedrückt, daß sie wie alle Kafka-Gestalten leer im Raum steht, weder einer Überwelt noch der Umwelt wirklich verbunden. Wohl lebt sie zwischen Vater, Mutter, Bruder, Schwester im Dorf dahin, wie alle. Aber der eine Ausnahmefall genügte, um die Rebellin gegen das Schloß allen zu entfremden. Dennoch wird sie zum Angelpunkt, von dem aus der Dichter die ganze Schloßwelt mit allen Schloßgeschichten im Dorf in Frage stellt, als eine Welt des Absurden, die sich hinter den grotesken Akten-Labyrinthen verbirgt. Und so stoßen wir überall da, wo Amalias klare einfache Moral sich gegen das Schloß behauptet, als das Wahrheitslicht, das am zurückweichenden Fratzengesicht der Zeit aufleuchtet, auf Verwandlungen ins Absurde: in der Art wie das ganze Dorf Amalia und ihre Familie ächtet, wie Amalias Vater sich zu unermüdlichen Bittgängen ins Schloß entwürdigt, wie ihre Schwester Olga in unbegreiflicher Aufopferungslust sich zum Hurendienst bei der Dienermeute erniedrigt, nur um Gegengewichte zu schaffen, die Illusion sind, und schließlich wie Barnabas sich zu seinen leerlaufenden Botengängen drängt, aus Geltungssucht, der Verfemung der Familie entgegenzuwirken. So breitet sich ein Niemandsland des Absurden aus, eine vielköpfige Hydra, die immer wieder nachwächst, und die den Hauptkämpfer für die Freiheit, den Landvermesser, durch alle Stationen seiner in Tiermetaphern verbildlichten Verfremdungen bis zum untersten Absurden einer Kollektiv-Liebe treibt. Das wäre dann in Rudolf Kassners Sicht „der gekrümmte Raum Einsteins", der auch den Helden K. ins Absurde krümmt.

Spuren einer Gegenwirkung des Lichts finden sich nun auch um die Gestalt des Helden K. eingebaut. Schon der Eingangssatz hatte aufgenommen, daß „auch nicht der schwächste Lichtschein" aufs Schloß deute. Mit betonter Absicht ruft Kafka im Helden K. Erinnerungsbilder seiner Heimat herauf. Neben den Schloßturm stellt sich im inneren Bild der Kirchturm des Heimatdorfs: „ohne Zögern gradewegs nach oben sich verjüngend", als brächte sich die christliche Ordnung selbst in Erinnerung, die nach oben ins Himmelslicht reicht. Dann weckt die helle Erscheinung des Schloßboten Barnabas, „fast weiß gekleidet", mit dem Brief, den er bringt, eine Jugenderinnerung: die vom Licht überflutete glatte Mauer des Kirchhofs, die zu erklettern K. gelang, eine kleine Fahne zwischen den Zähnen und mit einem „Gefühl des Sieges", das „für ein langes Leben Halt zu geben schien". Allerdings beim Absprung, auf Befehl des Lehrers, verletzte er sich das Knie. Und unter der seidenglänzenden Jacke des Boten entdeckte K. „ein grobes, grauschmutziges, viel geflicktes Hemd".

Kafka will ein breiteres Weltbild aufschließen, als es sich dem monotonen Blick der kalten Groteske bietet. So begegnet dem Landvermesser beim ersten Gang durchs Dorf in der Bauernstube im „bleichen Schneelicht" die Frau im Lehnstuhl, als läge über ihrem Kleid ein „Schein von Seide", „ein schönes trauriges Bild". Sie begrüßt ihn bereits als den Landvermesser, und er ist so angerührt, daß er sie fragt: „Wer bist du?“ Und er erhält die Antwort: „Ein Mädchen aus dem Schloß.“ Dies Motiv wird später nochmals aufgegriffen. Da klopft ein Schuljunge an die Tür des Schulzimmers, in dem K. mit Frieda die provisorische Lagerstatt teilt. Der Junge steht da mit „großen braunen ruhigen Augen“, und er fragt: „Kann ich dir helfen?“ Eine Art Märchenfrage.

Je zwiespältiger ein Weltbild, um so tieferes Bedürfnis besteht nach Gestalten, die aus der Kinderzeit einen Hauch des Paradieses mitbringen. Thomas Mann hat solche Kindereinfalt mit größter Liebe in seine Romane hineingeholt, sowohl bei Hanno in den „Buddenbrooks“ wie beim kleinen Echo im „Doktor Faustus“. So dürfen wir annehmen, daß auch Kafka einem Bedürfnis seiner weithin reflektierenden Epik folgt, wenn er den Schuljungen Hans Brunswick, Sohn des Schustermeisters Brunswick, einführt. Hans möchte helfen, weil die Katze der Lehrerin K.s Hand blutig gekratzt hatte. Ein Akt spontaner kindlicher Hilfsbereitschaft, um K. die Schuldienerarbeiten zu erleichtern. Hans nun ist der Sohn jenes „Mädchens aus dem Schloß“, dem K. im Dorf begegnet war. Wir können also erwarten, daß sich der Romanhandlung neue Fäden verknüpfen, die das Grundgewebe ergänzen werden.

Das aber geschieht nur soweit, als am Schluß des Gesprächs K. sich mit Hans dahin verständigt, daß K. der erkrankten Mutter einen Besuch abstatten wird, um ihr seine besonderen Heilkräfte anzubieten, Ergebnisse medizinischer Studien, die ihm den Beinamen „Das bittere Kraut“ eingetragen haben. Aber darüber hinaus hat Kafka das Motiv nicht fortgeführt. Es ist blind geblieben. Auch die Darstellung der Szene mit dem Jungen bleibt sozusagen blind: es wird nur episch berichtet, kaum im Dialog dargestellt. Es zeigt sich, daß Hans sehr zurückhaltend ist, ebenso wie die Mutter, über die er berichtet. Wohl tut er einen überraschenden Ausspruch, der weiterführen könnte: „Er wolle ein Mann werden wie K.“, der „in Zukunft alle übertreffen“ werde. So also sieht ein Kind den Landvermesser. Damit aber ist auch die Szene zu Ende, aus ihr ist nichts herausgeholt, was im Motiv kindlicher Einfalt liegen könnte. Vielmehr zeigt sich, daß die Szene im Romanzusammenhang einen ganz entgegengesetzten Auftrag zu erfüllen hat: Frieda wird daran bewußt, in welchem Ausmaß K. alles seinem Ziel, zum Schloß vorzudringen, unterordnet. Wie hier über Hans und Frau Brunswick zum Schloß, ebenso auch ist ihm Frieda nur Mittel gewesen, zum Schloß vorzudringen. Daran erkaltet Friedas Zuneigung. Gerade

K.s Heilkräfte, wie sie im Beinamen „Das bittere Kraut" ihre vertieften Möglichkeiten andeuten, werden durch Friedas rationale Überlegungen erstickt.

Je mehr dann der Held K. absinkt, um so weniger entrinnt er der Monotonie. „Wem hätte das Licht leuchten sollen?" diese Frage stellt sich für die ganze weitere Zukunft K.s. Er verschwindet im Labyrinth. Für den Ausbau des Romans aber bildet dann die vordergründige Seite der Schloßbürokratie mit ihren Akten-Labyrinthen eine unerschöpfliche Quelle für Groteskdarstellungen, wie sie Kafkas eigner Arbeitswelt in der Versicherungsanstalt zu entnehmen waren. Hier walten virtuos gehandhabte Stilformen eines manieristisch gesehenen Labyrinths. Wir beschränken uns auf wenige markante Beispiele:

„Sordinis Zimmer ist mir so geschildert worden, daß alle Wände mit Säulen von großen aufeinandergestapelten Aktenbündeln verdeckt sind, es sind dies nur die Akten, die Sordini gerade in Arbeit hatte, und da immerfort den Bündeln Akten entnommen und eingefügt werden, und alles in großer Eile geschieht, stürzen diese Säulen immerfort zusammen, und gerade dieses fortwährende, kurz aufeinanderfolgende Krachen ist für Sordinis Arbeitszimmer bezeichnend geworden." Hier könnte man beinah von Humor sprechen, wenn sich nicht K. selbst dahin einmischte zu sagen: „Das lächerliche Gewirre, das unter Umständen über die Existenz eines Menschen entscheidet." Zur Freiheit des Humors kann es in der lichtlosen Nacht des Schloßlabyrinths nicht kommen.

Als Gipfel der Kafkaschen Grotesk-Kunst läßt sich dann die nächtliche Bürgelszene betrachten. Zum ersten Schloßsekretär befohlen, wird K. irrtümlich in ein anderes Zimmer verschlagen. Hier waltet der Verbindungssekretär Bürgel, in einem großen Bett. Der Name „Bürgel" soll wohl die Parodie für einen echten „Bürgen" sein. Als K. in dieses Bettgemach hineingerät, ist er bereits so müde, daß das Bett geradezu magisch einschläfernd auf ihn wirkt und er über der Redeflut Bürgels einfach einschläft. Was ihm Bürgel in seinem gewaltigen Redeschwall anzubieten hat, wäre für ihn von größtem Belang, wenn er es nicht verschlafen hätte. Bürgel notiert sogleich, daß hier ein Landvermesser ohne Arbeit ist. Er spricht von „Gelegenheiten, bei welchen durch ein Wort, durch einen Blick, durch ein Zeichen des Vertrauens mehr erreicht werden kann als durch lebenslange auszehrende Bemühungen". Er spricht vom Vorteil der Nachtverhöre, in denen sich die Schranken lockern zugunsten der Parteien. Er spricht von Ausnahmefällen, wo ein Sekretär seine Zuständigkeit für einen bestimmten Fall entdeckt, wo es gelingt, „ein ganz bestimmt geformtes, kleines und geschicktes Körnchen durch das unübertreffliche Sieb hindurchgleiten" zu lassen. Er spricht von der „schweren Stunde des Beamten", wo er blindlings sozusagen vorgebrachte Bitten einfach erfüllt. K.s eignes Absinken in den Schlaf vollzieht sich durch eine Art Vor-Unbewußtes hindurch, in das noch die Reflexe der Bürgelschen Tiraden nachklingen. So formt sich für K. die unbedeckte Brust des Verbindungssekretärs in die „Statue eines griechischen Gottes" um und ihm ist, wie ehedem beim Ersteigen der Kirchhofsmauer als Kind, als hätte er einen großen Sieg errungen, während der griechische Gott „piepste wie ein Mädchen, das gekitzelt wird". Später durchfährt ihn unter den Dauerreden: „Klappre, Mühle, klappere. Du klapperst nur für mich." Dann ist er entschlafen.

Hier wird der Humor, der darin liegt, daß K. sich um seine letzte Chance selber bringt, zum grotesken Hohn verschärft dadurch, daß mit den liberalisierenden Vorschlägen Bürgels jedes echte Ordnungssystem sich aufhebt, daß also hier die Wahrheit endgültig vernebelt wird. So ist das, was hier K. durchlebt, sozusagen der Gegenpol zum „Aug in Aug mit der Wahrheit", aus dem Amalia lebt. Die Nacht der Nachtverhöre wird zum Inbegriff labyrinthischer Schloßirrgänge.

Noch eine Szene schließt sich unmittelbar an, grotesk und labyrinthisch zugleich: die Szene der Diener, die mit Wägelchen den Gang durchfahren, um Akten zu verteilen. K. erlebt es mit, wie ein Diener das letzte Zettelchen still vernichtet, während es K. durch den Kopf geht: „Das könnte recht gut mein Akt sein." Hier sammelt sich der nahezu geräuschlose Hohn, der durch K.s Beobachtungen geht, wie zum grotesken Paukenschlag: daß hier im Verriß des Zettelchens wahrhaft K.s Schicksal entschieden ist im absoluten Nullpunkt eines solchen labyrinthischen Verfalls. Wirt und Wirtin aber treiben K. aus dem Gang heraus, der ihm streng verboten ist, um zu verhindern, daß Unbefugte die Verteilung der Akten mitansehen oder kontrollieren.

Nehmen wir nun alles in eins; was sich für Kafka im Zentralsymbol des Schloß-Labyrinths zusammenzieht, so ergibt sich für die berühmte Kafkasche Vieldeutigkeit in diesem Roman ein einheitlicher Schlüssel: der Kampf mit der vielköpfigen Hydra des Absurden. Damit trifft Kafka in ein Zeitalter, das, in sich bis zur

Schizophrenie zerspalten, sich dem Absurden ausgeliefert hat. Martin Buber, überzeugt vom „gültigen Gleichnis" des Schloßromans, spricht von den „dicken Nebelschwaden der Absurdität", als der Beamtenhierarchie des Schlosses: „Gott ist in die undurchdringliche Finsternis entrückt."

Auch die Stimme des Katholizismus, der französisch schreibende Russe Wladimir Weidlé, sieht Kafkas große Leistung darin, daß er „die echte Nacht dem Tage vorzog, der kein wahrer Tag war". Was ihm dabei entstand, war für Weidlé eine besondre Kafka-Allegorie, in einer Verfallszeit, die sich von „ihrem Ursprung, dem in sich verwobenen Lebensganzen" gelöst hat. „Insofern die Allegorie den Abstand wahrt, gewinnt sie die Möglichkeit, den Bedeutungsgegenstand zu verschleiern, ja sogar ihn undeutlich oder vielzählig werden zu lassen, während dem Zeichen als solchen seine Einheit und Prägnanz erhalten bleibt." Weidlé glaubt, daß man das Wertvollste zerstöre, wenn man die Vieldeutigkeit ins Eindeutige zusammenziehe. Weidlé stellt die Frage: „Jenes verzweifelt ausgesetzte Menschenwesen, das er uns in seiner Vereinzelung und Preisgegebenheit in jedem seiner Werke sehen läßt: ist es der Jude unter Ungläubigen? Ist es der Sohn im Angesicht des unerforschlichen Vaterwillens? Ist es der konsternierte Bürger im Angesicht des allmächtigen Staats? Oder ist es der Mensch, der betäubt im Antlitz der unergründlichen Sinnlosigkeit von Leben und Tod steht?"

Im Schloßroman sammelt sich der Sinn über den Typus K. hinweg auf einen objektiven Mythos: das im Labyrinth unsrer Zeit eingehauste Absurde als ein Ungeheuer des Sinnlosen, Wertezerstörenden, das mit dem Ausgriff der totalitären Herrschaft im Hintergrund jeden vor die Existenzfrage stellt. So vieldeutig die Zwischenschichten der Aktenlabyrinthe bleiben, erreicht Kafkas Alptraum vom Schloß doch die klare Polarität zweier Standpunkte: die Vermessenheit männlicher Hybris, die, in sich zerspalten und wurzellos, zur Fehlleistung Mensch werden muß, der sich selber ins Absurde hinein zerstört; und der Triumph weiblicher Herzensentscheidung, Aug in Aug mit der Wahrheit, die in absurder Zeit nur als klare einfache Moral die soziale Werteordnung wiederherstellen kann. Sie nimmt es auf sich, von der immer nachwachsenden vielköpfigen Hydra des Absurden überwachsen zu werden.

Heinz Politzer, der zuerst das Zentralsymbol des Labyrinths auf Kafkas „Schloß" angewendet hat, weitet zuletzt sein Bild auf das

Gesamtereignis Kafka aus: „Kafka vertritt den Fall des Menschen gegenüber einem absurden Universum." Das besagt, daß Kafka über den Schloßroman hinaus zum „Dichter des Labyrinthes" wird. Sein dichterischer Kosmos umfaßt ein „absurdes Universum", in dem der Kampf zwischen hellen und dunklen Mächten immer fortgeht. Dabei empfängt Kafkas Schreck-Vision der Zukunft die Dauerfaszination des Labyrinthisch-Absurden, dem der Held K. ausgeliefert wird und dem nur der winzige Augenblick, wo einer Aug in Aug mit der Wahrheit steht, einen Lichtstrahl wirft. Amalias Erscheinen ist wie im Prozeßroman der „Glanz, der unverlöschlich aus dem Tor des Gesetzes bricht", nur für den Mann vor der Tür zu spät, oder wie beim Jäger Gracchus „ein Leuchten oben", das den Tod ins Tor stellt, während Gracchus verdammt ist, nicht sterben zu können.

Wir hatten die Lichtsymbolsprache vom Simplicissimus her verfolgt. Im späten Realismus, bei Raabe, Fontane, Thomas Mann hatte sie sich in Humor umgesetzt. Jetzt, im Labyrinthischen der Kafka-Welt, dringt sie wieder von unten herauf, und bezeugt sich damit als das Urphänomen, das sie ist.

Solche Deutung hat den Vorzug, daß Kafka sowohl der einseitigen Ost-Deutung enthoben wird wie der einseitigen West-Deutung. Bei Georg Lukacs hatten wir die Formel der Ost-Deutung gefunden: „Der Realismus des Details schlägt in ein Leugnen der Realität dieser Welt um." Damit fällt für Lukacs alles heraus, was den sozialistischen Realismus des Ostens bewegt. Eben damit hat Lukacs zugleich alles ausgeklammert, was Wolfgang Rothe als den „Alptraum einer totalitären Welt" zusammenfaßt, und, fügen wir hinzu: jenen verzweifelten Kampf gegen das Absurde, dem so vieles zum Opfer fällt.

Dagegen nun wendet sich die ostdeutsche Forschung mit ihrer sozialistischen Perspektive scharf gegen eine „standortlose Wissenschaft", wie sie Friedrich Beißner in eignen Schriften und einer ganzen Serie von Dissertationen vertritt. Der einfache Einwand der Sozialisten ist der, daß sich niemand ganz von der äußeren Welt abwenden kann, auch Kafka nicht. „Auch das Innenleben ist Widerspiegelung der Außenwelt und der Auseinandersetzung mit ihr." Insbesondre die Verselbständigung der künstlerischen Technik, die Abkehr von allen „Inhalten" im Westen wird vom Osten als formalistisch abgelehnt. Für Beißner und seine Schule gibt es nur die „Verwandlung in ein lückenlos strukturiertes Kunstgebilde der

Sprache". „Die Einsinnigkeit, in der der Erzähler nirgends dem Erzählten voraus ist." Was den Schloßroman betrifft, so geht in solche Formstruktur die Spannung nicht ein, zwischen dem Stil der Groteske, der dialektischen Reflexionen des Helden K. auf der einen Seite und der Schrecktraumtiefe, aus der Kafka dichtet, aus der die Bilder steigen, die den Helden K. richten. Und ganz abwegig müßte es sein, wenn von solcher Formstruktur her die Unterschiede verwischt würden, die zwischen Stifters „Witiko" als einem Epos in ungebundner Rede und dem Schloßroman bestehen. Im „Witiko" ist alles vom Weltgeschichtlichen mitbewegt, auch der Held selber, wenn er „wie der Wald denkt". Kafka sucht die dichterischen Parallelfälle zu dem, was er im eignen Lebensbewußtsein auszutragen hat, in abstrakten Modellfiguren, die leer im Raum stehen, die von den Windstürmen der Gegenwart erfaßt und zugrundegerichtet werden.

Eine jüngste Deutung schiebt sich zwischen Ost und West und sei darum noch an den Schluß gestellt. Werner Kraft „Kafka" 1968 betrachtet den Schloßroman als Inbegriff der „Unendlichkeit der Deutungsmöglichkeiten", wobei „jeder positiven auch eine negative und jeder negativen auch eine positive Aussage innewohne". Kraft sucht als einzigen Haltepunkt die „Briefe" im Roman auf, sie seien „endlos deutbar", weil „eine Deutung, die dem Schriftcharakter entspräche", von den Romanfiguren nicht gefunden wird. Kafka stelle auf solche Weise der „Hoheit des Schlosses" eine Kritik entgegen, die „für menschliche Vernunft nicht erreichbar sei". Es ergäbe sich der „Wirbel eines Urteilswahnsinns", dessen Unendlichkeit nicht darstellbar sei. „Der Schriftcharakter der Entscheidungen des Schlosses sei undurchdringbar." Es müsse sich um eine „Sprache höheren Grades" handeln, „welche die Wahrheit zugleich ausstrahlt und unterdrückt".

Damit wären wir in der symbolischen Dimension, wie sie zugleich als besondre Kafka-Allegorie angesprochen worden ist. Krafts Methode geht nun dahin, daß er immer wieder reflektierende Fragmentstücke heranzieht, die Kafka ausgeschieden hat. Dagegen kümmert er sich nicht um die Bildsprache, die das Gesamtgefüge gliedert, so wie es Kafka gerade nicht ausgeschieden hat. So entdeckt er wohl, daß Klamm die von innerer Kälte verklammte „Ananke" darstelle, und daß der Held K. ursprünglich als „Erlöser" angelegt war. Warum aber blieb das Beiwort „das bittere Kraut" ein blindes Motiv? Warum muß der Erlöser scheitern? Hier entscheidet Kafkas Bildsprache: von dem ans Hündische verfallnen Sexus über die Blindschleichen-Dialektik, das katzenhafte Anschnüren bis zum Vergleich mit der Nachtmotte, die an Lebensinstinkten K. so weit überlegen ist, und schließlich bis zum Insekt im Spinnennetze Friedas. Der Abstand, den Kafka von seinem Helden nimmt, tritt aus der lähmenden Unentschiedenheit heraus. Er vollzieht im Alptraum des Schloßlabyrinths ein Gericht am totalitären Absurden der Zeit, dem der Held K. geopfert wird, im Stil derselben kalten Groteske wie Gregor Samsa oder Josef K. im „Prozeß". Werner Kraft zitiert noch das Wort eines Kafka-Bewunderers: „Tiefe ist, bis wohin das Licht reicht". Diese Tiefe hat er nicht ausgelotet. Es hätte ihn zu Amalias Lächeln hingeführt, die das hellste Licht ausstrahlt, weil sie „Aug in Aug mit der Wahrheit steht". Der Held K. aber starrt immer wie durch ein Tuch. Seine Durchbrüche zielen nach unten, so erstickt er selber die Lichtquellen, die auch ihm bereit liegen. „Wem hätte das Licht leuchten sollen?"

Thomas Mann „Doktor Faustus"

Fast ein halbes Jahrhundert trennt die „Buddenbrooks" vom „Doktor Faustus", das Lübeck der Handelsfirma Buddenbrook vom Kaiseraschern des Musikers Leverkühn. Zwischen beiden liegen zwei Weltkriege, zwei Weltkatastrophen für Deutschland. Um eine symbolische Mitte zu finden, greift Thomas Mann auf eine Schlüsselfigur des deutschen Wesens überhaupt zurück, auf die Faustgestalt, wie sie zuerst im deutschen Volksbuch von 1587, dann im großen Faustgedicht Goethes von 1832 ihren Weltausdruck gefunden hat. Der Pakt mit dem Teufel ist hier das Weltthema, das von Thomas Mann mit großer unkonventioneller Kühnheit in unsre unmittelbare Gegenwart hineingearbeitet wird. Und Thomas Mann erhebt den Anspruch, mit seinem Titel „Doktor Faustus" eben diese gewaltige Gestalt der deutschen Vergangenheit in einem Prosaepos unsrer Zeit zu neuem Leben zu erwecken. Welche Kluft zu überbrücken war, mögen zwei Stimmen von heute dartun. „Faust ist tot" erklärt Günter Anders 1956, „Die Figur Fausts ist heute schon beinah unnachvollziehbar geworden." Und Hans Schwerte „Faust und das Faustische" 1962 trennt von Goethes Faustgedicht das „Faustische" ab und zeigt den Mißbrauch auf, der mit der Überforderung des Faustischen getrieben worden sei. Er behauptet:

„Nach Thomas Manns Faustus-Roman ... ist der faustische Deutsche aus Dichtung und Geschichte als Leitbild ausgeschieden." Das würde besagen, Thomas Mann hat ein Gericht am faustischen Menschen vollzogen, derart, daß er wie im Volksbuch zur Hölle fährt. Inwiefern ist der zur Hölle fahrende Faust Ausdruck gerade wieder unsrer Zeit?

Bereits daraus läßt sich erkennen, daß sich Thomas Mann Außerordentliches vorgenommen hat. Er hat eine Begleitschrift zu seinem Prosaroman verfaßt „Die Entstehung des Doktor Faustus" 1949, nachdem der Roman 1947—48 erschienen war. Da heißt es: „Ein Werk, das, Bekenntnis und Lebensopfer durch und durch, keine Rücksichten kennt und, indem es als gebundenste Kunst sich darstellt, zugleich aus der Kunst tritt und Wirklichkeit ist." Hier scheint es, als spielte in diesem Roman vom Teufelspakt das sogenannte Ästhetische nur noch eine nebengeordnete Rolle, als wäre die Wahrheit, um die es geht, so radikal, daß ihr sich alles andre unterordnen muß. Als ginge es um einen solchen Einbruch des Wirklich-Bösen, daß darüber die Traditions-Gesetze des Prosaromans zurücktreten haben. Wenn man mitheranzieht, daß es zugleich um die Katastrophe Deutschlands geht, die Katastrophe Hitlers als des Urbösen, dann hat es doch den Anschein, als wenn Thomas Mann, dessen Frühwerk mit ironischem Abstand den Verfall einer Familienfirma zur Darstellung brachte, eben jetzt so mächtig mitbewegt wird vom Gesamtschicksal der Deutschen, daß sich ganz neue Maßstäbe der Epik setzen müssen. Dafür scheint der Hinweis von größtem Gewicht, daß Thomas Mann, um seine Kräfte für die große Aufgabe zu „baden", Jeremias Gotthelf gelesen hat, und zwar neben den Uli-Romanen, den „homerischen", die gewaltige Erzählung vom Teufelspakt: „Die schwarze Spinne". Von ihr heißt es ausdrücklich, daß Thomas Mann sie „bewunderte wie kaum ein zweites Stück Weltliteratur". Was an Gotthelfs Vorbild im Hinblick auf Thomas Manns Aufgabe unmittelbar erinnern kann, ist die Wucht des Gerichtes, von der es heißt: „als nahe sich eine Buße gewaltig und schwer aus Gottes selbsteigner Hand." Man meint Gotthelfs Nähe zu spüren, wenn in der „Entstehung" zu lesen ist: „Ein schweres Kunstwerk bringt, wie etwa Schlacht, Seenot, Lebensgefahr Gott am nächsten, indem es den frommen Aufblick nach Segen, Hilfe, Gnade, eine religiöse Seelenstimmung erzeugt." Um das Gewicht dieser Bemerkung zu verstärken, möchte man aus den Erinnerungen des Sohnes Golo Mann an seinen Vater (1967) die Stelle heranziehen: „Er war nichts weniger als das, was man einen Ästheten nennt. Irgendwo in einem vergessenen kleinen Aufsatz fragt er einmal, warum er eigentlich Bücher schreibe, und antwortet: „Aus Todesfurcht und aus Gottesfurcht."

Hier mag man sich des Briefworts Kafkas erinnern, aus der Zeit, wo „Das Schloß" entstand 1922: „Das Schreiben ... ist ein Lohn für Teufelsdienst. Dieses Hinabgehen zu den dunklen Mächten, diese Entfesselung von Natur aus gebundener Geister, fragwürdige Umarmungen und was alles noch unten vor sich gehen mag ..." Kafka, der zwei Jahre später starb, mit 41 Jahren, ungegründet im „Bodenlosen", findet sich hier überragt von dem Siebzigjährigen, der sein Prosaepos vom deutschen Schicksal unter ein Gottesgericht stellt. Eben darum wagt er sich an den Teufelspakt des alten Volksbuchs vom Faust und fürchtet den Riesenschatten des Goetheschen Faustmysteriums nicht.

Daß der Teufelspakt inmitten steht, versteht sich von selbst. Wir werden ein Zwiegespräch erleben, das Satan selbst mit Adrian Leverkühn führt, eine Halluzination Leverkühns wie die berühmte Teufels-Halluzination Iwan Karamasoffs. Thomas Mann rühmt sich seiner „Montage-Technik". Er weiß, daß er jedes Plagiat begehen darf, weil es nur dazu dienen kann, eine Verfallszeit widerzuspiegeln, in der der Teufel doppelt aufdringlich umgeht. Er weiß zudem, daß durch alle Teufelsplagiate einer immer durchschimmert: der Böse selbst. Es geht nur darum, die richtige Einbruchsstelle Satans zu erkennen für unsre Zeit. Einen Schlüssel dazu bietet die „Entstehung" an: da spricht er vom Motiv der „Kälte", wie es besonders in Leverkühns Lachen durchzuspüren ist, und fährt fort: „Schon in diesem Lachen ist der Teufel als hintergründiger Held des Buches gestaltlos anwesend, wie auch in den ‚Versuchen' Vater Leverkühns, und meine Aufgabe war nun, den von Anfang an Geahnten langsam Umrisse gewinnen zu lassen."

Wie war ein Roman anzulegen, in dem der Teufel als hintergründiger Held immer gestaltlos anwesend ist? Das war gewiß nicht möglich, ohne daß man sich vorher an Gotthelf gebadet hatte, sich hatte durchdringen lassen von jener „Buße gewaltig und schwer aus Gottes selbsteigner Hand", Allerdings nicht auf Gotthelfsche, sondern auf Thomas Mannsche Weise. Und so lesen wir in der „Entstehung": „Ich kenne im Stilistischen eigentlich nur noch die Parodie." Die Parodie entspringt einem Überlegenheitsgefühl. Thomas Mann fügt hinzu: „Darin nahe bei Joyce." Die Parodie des Odysseus und seiner homerischen Irrfahrten durch Joyce im „Ulysses" vollzieht sich unter solchem Eigenaufwand von Sprachparodie eines Massenzeitalters, daß das homerische Vorbild selbst nichts an Glanz einzubüßen braucht. Die Mittel, zu denen die Parodie greift, sind dabei unübersehbar. Die Einbildungskraft steht nicht zurück hinter der Einbildungskraft des Humors. Sie stellt sich als ein Gegenpol dar zu den Schreckträumen Kafkas, vom Unbewußten aufgezwungen im Teufelsdienst.

Abermals hat Thomas Mann der „Entstehung" das Generalmittel anvertraut: die Erfindung eines Erzähl-Mediums, um „das Dämonische durch ein exemplarisch undämonisches Mittel gehen zu lassen". Es ist die einmalige Gestalt des Durchschnittsbürgers und Schulmeisters Serenus Zeitblom, „eine humanistisch fromme und schlichte, liebend verschreckte Seele". Thomas Mann nennt es „an sich eine komische Idee": im Dauerkontrast einer vom Satan heimgesuchten Zeit zum naiven Erzähler, der nie eine Neigung verspürt hat, „sich mit den unteren Mächten verwegen einzulassen". Eine Brechung ins „Indirekte", die dem Dichter gestattet, das Teuflische unsres gegenwärtigen Zeitgeschehens „im Händezittern einer bangen Seele travestierend sich malen zu lassen", unbewußt travestierend natürlich.

In mehrfacher Brechung vollzieht sich infolgedessen das Geschehen: einmal im durchaus hintergründigen Verhalten des Dichters selbst, der sich zum Helden den Erzählerfreund hinzuerschafft, dann im Medium Zeitbloms als dem Dauerchronisten, zuletzt im Künstlergenie Adrian Leverkühns, einsam, unberechenbar, oftmals für Zeitblom „unmenschlich" in seiner Kälte und Wesensfremdheit, seltsam anziehend-abstoßend inmitten, während er selbst sich jeder gesellschaftlichen Mitte entzieht. Und schließlich der immer gegenwärtige unsichtbare Satan, als die finsterste Ausgeburt der Zeit. Es erfordert besondere Deutungskunst, sich durch die vielfachen Schichten an das Urphänomen heranzuarbeiten, das im Titel „Doktor Faustus" sich verfestigt.

Zeitblom zugleich macht es dem Dichter möglich, seinen Chronikbericht „auf doppelter Zeitebene spielen zu lassen": Er beginnt mit der Niederschrift am 27. Mai 1943, zur selben Zeit mit Thomas Mann selbst in Amerika, zwei Jahre nachdem Leverkühn im Wahnsinn verstorben ist. Er überschaut das Leben seines Schulfreundes, das er von Kind auf kennt und bis zum Ausbruch des Wahnsinns 1930 begleitet hat, und er durchlebt gleichzeitig, was ihm selbst im Dritten Reich und im Zweiten Weltkrieg bis zu seinem Schrekkensende 1945 widerfahren ist. So vollzieht sich eine Zusammensicht der Tragödie Leverkühns und der Tragödie des deutschen Volkes, im Geiste Thomas Manns, der durch sein Medium spricht.

Die Frage nach dem symbolischen Kosmos der Dichtung, die wir seit dem „Simplicissimus" erhoben haben, zieht sich hier zu der konkreteren Frage zusammen: Bleiben wir in Thomas Manns „Doktor Faustus" im Stil der Parodie, wie er im parodierten Zeitblomstil das Ganze überspannt, oder triumphiert im Schicksal Leverkühns, das über den Horizont Zeitbloms weit hinausreicht, ein tieferes symbolisches Vermögen?

Die Frage berechtigt uns, der Deutung des Werks voraus auch hier die Ost-West-Spaltung fruchtbar zu machen. Die eindrucksvollste Darstellung gibt wiederum Lukacs, der 1949 Thomas Manns „Doktor Faustus" eine besondere Arbeit gewidmet hat. Was ihn anzieht, ist die genaue Darstellung eines Zeitalters spätkapitalistischer Dekadenz. Lukacs arbeitet jetzt mit der vereinfachenden Dialektik: große Welt — kleine Welt. Weil Deutschland 1848 den Durchbruch der Revolution in die große Welt versäumt habe, sei es zur kleinen Welt verdammt worden. Die Studierstube des isolierten, weltscheuen Künstlers Leverkühn sei solche kleine Welt. Dahinter stehe die Tragik einer Gesellschaft, die in Einzelne zerfällt, sich durch den Einzelnen selbst zerstört. Der Teufel arbeitet dadurch mit, daß er jede innere Hemmung beseitige. Um die „Sterilität" der Kunstformen zu durchbrechen, übergebe der Teufel den Künstler der „Barbarisierung" der Kunstmittel. Dem entspricht dann in der Politik der Rückfall in die Barbarei. Was Thomas Mann entlarve mit seiner Kritik an der Dekadenz, sei zugleich Entlarvung des Teufels im Kapitalismus. Lukacs führt ein Wort Adrian Leverkühns an, das geradezu auf Marx hindeute: „Statt klug zu sorgen, was vonnöten, auf Erden, damit es dort besser werde, und besonnen dazu zu tun, daß unter den Menschen solche Ordnung sich herstelle, die dem schönen Werk wieder Lebensgrund und ein redlich Hineinpassen bereiten, läuft wohl der Mensch hinter die Schul und bricht aus in höllische Trunkenheit." Lukacs fügt hinzu: „Der tragische Held hat hier den Weg, der zu Marx führt, gefunden . . . den Weg zu einer neuen großen Welt."

Besonders erhellend ist hier die Argumentierung von Lukacs. Im Westen gibt Anna Hellersberg-Wendriner den Versuch, Thomas Mann im Ganzen zu sehen unter der „Mystik der Gottesferne"

(1960). Darunter wird verstanden der Mangel einer „Partizipation mit dem göttlichen Urgrund". Für Lukacs tritt an die Stelle der Partizipation mit dem göttlichen Urgrund: der „dialektische Sprung". Im Buch „Wider den mißverstandenen Realismus" 1958 spricht er vom „dialektischen Sprung, der gerade aus der echtesten Tiefe der Innerlichkeit des subjektiven Wesens auf das objektive Wesen der gesellschaftlich-geschichtlichen Wirklichkeit auftrifft". Diesen Sprung sieht er vom Hintergrund eines „dialektischen Entfaltungsprozesses", der mit sozialistischen Perspektiven arbeitet. Dabei nennt er dann im „Doktor-Faustus"-Essay von 1949 die „kleine Welt" Leverkühns die „Raabe-Atmosphäre" und zieht eine Verbindungslinie von der „immer barbarischer werdenden Philisterhaftigkeit" der Raabe-Atmosphäre bis zu Adrians Studierstube, wo die atonale Musik den Durchbruch in die Barbarei vollzieht. Das nennt Lukacs „imperialistisch abgewandelte Raabe-Atmosphäre" als die „Raabisch-kaiserascherische Tragödie" der modernen Kunst und Geistigkeit.

Durch das Hereinziehen Raabes wird deutlich, über welche Grundkräfte Lukacs seinen dialektischen Sprung ansetzt: Raabes Grundwesen ist, wie es sich aus der Darstellung des Stopfkuchen-Romans ergab, der Gegenpol zu allem Dialektischen, weil er im mitmenschlichen Herzen und im mitmenschlichen Gespräch ein Urvertrauen in den gewachsenen Zusammenhang der Dinge bekundet, das der „Partizipation mit dem göttlichen Urgrund" nahestehen muß.

Noch 1939 hatte Lukacs im Buch „Deutsche Realisten" Raabe eine besondere „Volkstümlichkeit" zugesprochen: „Selbstbejahung der guten, menschlich moralischen Eigenschaften des deutschen Volks." Der Haß gegen Hitlerdeutschland hat dann 1949 Lukacs den Blick verengt. Jetzt entdeckt er in Zeitblom eine Raabegestalt, und er macht ihn verantwortlich für die „Wehrlosigkeit des Widerstandes" im besten deutschen Bürgertum der kapitalistischen Spätzeit. Er erinnert an die „Widerstandsunfähigkeit der Raabe-Gestalten" gegenüber der „heraufziehenden und etablierten Bismarck-Periode". Zeitblom fehle der „archimedische Punkt" außerhalb des geistigen Lebens im Hitlerdeutschland, das der Barbarei zudrängte.

Deutlich verrät gerade solcher Raabe-Exkurs, wie gewaltsam Lukacs seine Dialektik handhabt: gerade Raabes echte Gestalten haben alle den archimedischen Punkt außerhalb des „Säkulums", der „Gesellschaft", des „Man", der „Zeitlichkeit". Eben daraus kommt ihnen die Kraft „frei durchzugehen" mit dem untrüglichen Instinkt für das „Richtige". Die Raabe-Gestalten haben eine weltliche Unbekümmertheit, eine fromme Treuherzigkeit im Vertrauen in den Zusammenhang der Dinge, die zum untrüglichen inneren Wertemaß wird, wo es gilt, im Jetzt und Hier sich für das „Richtige" zu entscheiden. So wandelt sich Raabe sofort zum „allergrimmigsten Reichshistoriographen", als er sieht, daß die Mängel der Kleinstaaterei im Bismarck-Reich ins Böse auszuarten beginnen.

Der dialektische Sprung bei Lukacs geht also grade über die Grundwerte weg, die für Raabe in der Freiheit des Einzelnen gegründet sind.

Wo steht nun Thomas Mann und sein „Doktor Faustus" im Rahmen der Lukacsschen Dialektik: Große Welt — kleine Welt? Auch Thomas Mann prägt in der „Entstehung" als Einbruchsstelle Satans in die erkrankte Zeit die Formel: „die Nähe der Sterilität, die eingeborene und zum Teufelspakt prädisponierende Verzweiflung". Als Thomas Mann 1943 zum ersten Mal über seinen Plan sprach, erweiterte er die Sicht: „Die Flucht aus den Schwierigkeiten der Kulturkrise in den Teufelspakt, der Durst eines stolzen und von Sterilität bedrohten Geistes nach Enthemmung um jeden Preis und die Parallelisierung verderblicher, in den Collaps mündender Euphorie mit dem faschistischen Völkerrausch."

Schon der Dreizeilenplan von 1901, vierzig Jahre vorher, enthielt „die diabolische und verderbliche Enthemmung eines Künstlers durch Intoxikation". Enthemmung, die bereits die Bedrohung durch Sterilität voraussetzt. Was das zu bedeuten hat, wird sowohl durch Zeitblom wie durch Leverkühn selbst und dann durch Satan in Person erläutert.

Zeitblom, der in epischer Ausführlichkeit, weit über die Ansätze des Volksbuchs hinaus, den Lebensweg seines Doktor Faustus von der Kindheit an, von Vater und Mutter her, seit der Geburt 1885 darstellt, keineswegs unter der Dialektik: Große Welt — kleine Welt, sondern aus ländlich-bürgerlicher gewachsener Lebensfülle, verfolgt Leverkühns beginnende Künstlerversuche des Musikers vom Standpunkt der Künstlerpsychologie: „In Wahrheit war hier das Parodische die stolze Auskunft vor der Sterilität, mit welcher Skepsis und geistigen Schamhaftigkeit, der Sinn für die tödliche Ausdehnung des Bereichs des Banalen eine große Begabung bedrohen." Parodie also als Ausweg vor dem tödlich Banalen.

Leverkühn selbst sucht „einen Schulmeister des Objektiven, genial genug, das Archaische mit dem Revolutionären zu verbinden". Er verknüpft das mit einer Kritik der Zeitlage, erweitert also Zeitbloms Perspektive ins Soziologische. „Es könnte etwas zeitlich Notwendiges ausdrücken, etwas Remedur-Verheißendes in einer Zeit der zerstörten Konventionen, und der Auflösung aller objektiven Verbindlichkeiten, kurzum einer Freiheit, die anfängt, sich als Meltau auf das Talent zu legen und Züge der Sterilität zu zeigen." Adrian spürt sie als Gefahr der Freiheit, die man nicht mehr erträgt. Zeitblom, erschrocken, ringt um eine positive Würdigung des Leverkühnschen Ausspruchs: „Dies rührt daher, daß in seiner Nähe Sterilität, drohende Lähmung und Unterbindung der Produktivität nur als etwas beinahe Positives, und Stolzes, nur zusammen mit hoher und reiner Geistigkeit zu denken war." Damit kompliziert sich bereits die Fragestellung: Sterilität, ein Negativum, bekommt im Genie Leverkühns positive Züge. Adrian selbst spürt ein Verantwortungsgefühl: „etwas Remedur-Verheißendes" Möglichkeiten weltverändernder Art in einer die Konventionen auflösenden Zeit.

Wir erhalten hier bereits einen Begriff von der geistigen Höhenlage, die Thomas Mann in den Zwiegesprächen der beiden Freunde erreicht.

Es sind die geistigen Probleme der Zeit, die in beiden umgehen und die Auseinandersetzung weitertreiben. So stoßen wir auf ein kühnes Zwiegespräch der beiden, das zur Klärung des Freiheitsbegriffs führen soll, der im Schatten drohender Sterilität steht. Leverkühn braucht hier den Begriff des „dialektischen Umschlags": „Freiheit ist ja ein anderes Wort für Subjektivität, und eines Tages hält die es nicht mehr mit sich aus, irgendwann verzweifelt sie an der Möglichkeit, von sich aus schöpferisch zu sein, und sucht Schutz und Sicherheit beim Objektiven. Die Freiheit neigt immer zum dialektischen Umschlag. Sie erkennt sich selbst sehr bald in der Gebundenheit, erfüllt sich in der Unterordnung unter Gesetz, Regel, Zwang, System — und erfüllt sich darin, das will sagen: hört nicht auf, Freiheit zu sein." Als ihm Zeitblom antwortet, daß in jeder Diktatur die Freiheit aufhöre, zieht sich Adrian aus dem Politischen ausdrücklich in die Kunst zurück: „In der Kunst verschränken sich das Subjektive und Objektive bis zur Ununterscheidbarkeit, eines geht aus dem andern hervor und nimmt den Charakter des andern an, das Subjektive schlägt sich als Objektives nieder und wird durch das Genie wieder zur Spontaneität erweckt."

Tatsächlich wird Zeitblom am Ende der Künstlerlaufbahn seines Freundes beim letzten Werk einen umgekehrten „dialektischen Prozeß" feststellen: „den Umschlag von strengster Gebundenheit zur freien Sprache des Affekts", aus kalkulatorischer Kälte in den expressiven Seelenlaut.

Vielleicht sind wir mit solcher Dialektik der Umschläge bereits unversehens in die Satansdialektik geraten, deren Meistervorbild Mephistos Dialektik im „Faust" war? Was sie in Leverkühns Konstitution vorbereitet, wird aus zwei Stellen deutlich. Vorerst ist es Leverkühn selbst, der im Brief an seinen Musiklehrer einen Blick in sein Inneres tun läßt. Er begründet, warum er Theologe, nicht Musiker werden will. Er wähle die Theologie, weil er sich selbst „disziplinieren muß", „den Dünkel der Kälte zu strafen" durch Askese, Zucht, Zwang zur Demut. Er wirft sich selbst „Weltscheu" vor, „Mangel an Wärme, an Sympathie, an Liebe". Auch Mangel an „robuster Naivität". Statt dessen besitze er eine „rasch gesättigte Intelligenz". „Warum müssen mir fast alle Dinge als ihre eigne Parodie vorkommen?"

Hier geht es bereits um mehr als artistische Probleme. Leverkühn rührt den Existenzgrund an im Verhältnis zum Mitmenschen. Weil er seine Kälte als Mangel spürt, will er zur Theologie. Die Ergänzung dazu, die Zeitblom gibt, bleibt im Psychologischen, aber sie greift tief: „Naturen wie Adrian haben nicht viel Seele." So fehle ihm zwischen Geist und Trieb das vermittelnde Element, die „ganz eigentlich sentimentale Lebenschicht". Darum stehe in Adrian „die stolzeste Geistigkeit dem Tierischen, dem nackten Trieb am allerunvermittelsten gegenüber". Zeitblom deckt einen Widerstreit des Bewußten und Unbewußten auf, der zu elementaren Freudschen Komplexen und Ambivalenzen führen muß.

Das große Satanszwiegespräch mit Leverkühn, das im Mittelpunkt des Ganzen steht (Kapitel XXV 351—397), klärt sehr bald darüber auf, wie tief eben mit solcher Konstitution, solchem Verlangen nach Seele Leverkühn Satan ausgeliefert ist. Einen besonderen Teufelspakt wie im Volksbuch und in Goethes Faustmysterium braucht der moderne Satan nicht. Längst ist Leverkühn ihm verfallen, seit sein Gehirn nach dem Gift lüstern war, das ihm im Geschlechtsverkehr bereitet ist: „Es wird getan, es geschieht, und zwar ohne vom Wort zur Rechenschaft gezogen zu werden, im schalldichten Keller tief unter Gottes Gehör, und zwar in Ewigkeit."

Wie sollen wir uns eine so tiefe Aufspaltung vorstellen, die sich selbst der Sprache entzieht? Satan braucht mehrere Bilder, sie werfen alles Geschehen in die „Zweideutigkeit“, in die „Ambivalenz“. Einmal erinnert Satan an Adrians Vater den „Spekulierer“, an seine „Ambivalenz“, seine Experimente mit „osmotischen Gewächsen“, die als Scheingebilde zwischen unbelebter und belebter Natur entstehen. Satan vergleicht das mit den Vorgängen in Adrians Gehirn, wenn das Gift sich „als Liebhaber der zelebralen Sphäre“ bewährt und die „Kleinen“ ins Innere treibt. „Es kommt alles von der Osmose.“ Wenn Satan einmal vom „Virus nerveux“ spricht, wird man an die unheimliche geheime Intelligenz erinnert, wie sie bei Adolf Portmann dem Tollwut-Virus zugesprochen wird. Was hier Satan als „Engel des Gifts“ unternimmt, hat spaltende Kraft. Satan faßt das in den Satz: „Wahre Leidenschaft gibt es nur im Ambiguosen und als Ironie.“

Ambiguos kommt von „ambi-agere“, eine Sache nach zwei Seiten treiben, bis sie zweifelhaft wird und der Sprecher auch. Satan treibt dann die Zweideutigkeit vor bis zur Ineinssetzung von Krankheit und Genie: „Und ich wills meinen, daß schöpferische, Genie spendende Krankheit, Krankheit, die hoch zu Roß die Hindernisse nimmt, tausendmal dem Leben lieber ist als die zu Fuße latschende Gesundheit.“ Wer kennt hier noch Grenzen zwischen „toller Gesundheit“, „normaler Tollheit?“ Was anders ist der Künstler als der „Bruder des Verbrechers und des Verrückten?“ So führt dann die „Osmose“ zum Durchbruch aus dem Bann der Sterilität in die „Enthemmung durch Intoxikation“.

Satan braucht noch ein zweites Bild: die Schmerzen, die die Seejungfrau in Andersens Märchen durchleiden muß, als sie ihren Teufelspakt schloß mit der Meerhexe, um eine unsterbliche Menschenseele zu gewinnen. Schmerzen „wie von schneidenden Messern“. Satan macht hier die Kluft offenbar, die das moderne Genie von dem Goethes trennt. Goethe konnte noch singen: „Alles geben die Götter, die unendlichen, ihren Lieblingen ganz: alle Freuden, die unendlichen, alle Schmerzen, die unendlichen, ganz.“ Adrian muß wie die Seejungfrau die „Illumination“ im Gehirn an Satan mit Schmerzen zahlen. Eines hat dabei Satan verschwiegen: daß die Seejungfrau die Stimme opfern muß, daß ihr die Zunge herausgeschnitten wird. So muß sie stumm bleiben, als ihr Prinz sie nicht als Retterin erkennt und die falsche zur Prinzessin wählt. Die Seejungfrau fällt ans Element zurück, ohne die unsterbliche Seele zu erlangen.

Satans Paktbedingung lautet bei Adrian: „Du darfst nicht lieben!" „Liebe ist dir verboten, sofern sie wärmt." Auch das gehört in den Bereich der Osmose. So tief hat Satan das junge Genie gespalten, daß ihm sich Gespräche der Liebe, des Miteinander als mitmenschliches Lebenselixier nicht entfalten können. Die Spaltung dringt bis in den Sprachgrund; bis auf den Grund jener Totalität, aus der Goethe noch Freuden und Schmerzen polar umspannte.

Satan prägt eine ganze Poetik aus, eine Satanspoetik für die vom Satanismus heimgesuchte Zeit. Ihr wichtigstes Gebot scheint mit Absicht Goethes Symbollehre genau umzukehren: „Gewisse Dinge sind nicht mehr möglich ... Die Subsumtion des Ausdrucks unters versöhnlich Allgemeine ist das innerste Prinzip des musikalischen Scheins. Es ist aus damit! Der Anspruch, das Allgemeine als im Besonderen harmonisch enthalten zu denken, dementiert sich selbst ... Wahre Leidenschaft gibt es nur im Ambiguosen und als Ironie." Ziehen wir hier nochmals Goethes Maxime zur „wahren Symbolik" heran, wird der dialektische Kurzschluß Satans deutlich. „Das ist die wahre Symbolik, wo das Besondere das Allgemeinere repräsentiert, nicht als Traum und Schatten, sondern als lebendig-augenblickliche Offenbarung des Unerforschlichen."

Goethe läßt ein dialektisches Gegeneinander: Das Besondre — das Allgemeine gar nicht aufkommen. Er erschließt vielmehr im Komparativ die Richtung vom Besonderen zum Allgemeineren als Aufgabe der dichterischen Sprache. Und er gibt dem Menschen zwischen Traum und Schatten, zwischen Phantasie und Abstraktion die einmalige Erfahrung im Jetzt und Hier des lebendigen Augenblicks, als dem Kairos, in dem sich das Unerforschliche offenbart. Statt dialektischer Gegensätze die persönliche begegnende Zwiesprache von Charakter und Schicksal, die durchaus nicht die Anwartschaft auf ein „versöhnlich Allgemeines" in sich trägt, sondern dem Unerforschlichen mit allen Risiken immer offen bleibt. Nur eines allerdings schließt Goethes Formel aus: die Zweideutigkeit, das „Ambiguose" oder die „Ambivalenz".

Damit ist der entscheidende Punkt berührt, um den es in der Aussprache zwischen Satan und Leverkühn geht: Satan spaltet die Seele, wirft sie in lähmende Ambivalenzen, damit sie nicht jenen lebendigen Augenblick ergreift und von ihm ergriffen werden kann, in dem sich das Unerforschliche in der persönlichsten Entscheidung kund gibt. Damit aber wären wir bereits in der Zone der unpersönlichen dialektischen Umschläge, von der Freiheit in die strengste Gebundenheit, von der strengsten Gebundenheit in die Freiheit, wie sie das von Satan inspirierte Genie durchläuft.

In Adrians Umgebung aber hat Satan dafür gesorgt, daß die Zwielichter des Zweideutigen sich verstärken. Da ist der Privatdozent Dr. Eberhard Schleppfuß in seiner „integrierenden Zweideutigkeit", bei dem die theologische Dialektik zur „Dämonologie" wird, als „dialektische Einheit von Gut und Böse". Wenn Adrian später vom „theologischen Virus" spricht, mag er die Spuren solcher negativen Dialektik des Theologen Schleppfuß mit im Sinn haben.

Versteckter sind die Satanszüge in einem späteren Freund und Begleiter Adrians, Rüdiger Schildknapp, dessen Porträt Zeitblom mit fast eifersüchtiger Genauigkeit entwirft. Zeitblom nennt ihn den „Roué des Potentiellen". Man kann das nur mit „Wüstling des Möglichen" übersetzen, eine Prägung, die für den Typus des Ästheten Peter Härlin zu verdanken ist. „Das Potentielle war seine Domäne." „Es war als scheute er sich vor jeder Bindung ans Wirkliche zurück, weil er einen Raub am Potentiellen darin sah." Sein Grundmerkmal wird die „Entschlußlosigkeit". An einer Stelle läßt Thomas Mann Satan selbst einen Charakterzug hinzufügen: „Wer's von Natur mit dem Versucher zu tun hat, steht immer mit den Gefühlen der Leute auf konträrem Fuß, ist immer versucht, zu lachen, wenn sie weinen." Gerade das ist es, was Adrian an Schildknapp anzieht. Es entspricht Adrians Anlage, komisch zu finden, wenn andere weinen, ja, in wahres Höllengelächter auszubrechen, zum Erschrecken Zeitbloms.

Thomas Mann durchstimmt hier nicht nur unmerklich seinen Stil der Parodie mit der unsichtbaren Gegenwart Satans, er erreicht zugleich einen Zeittypus, in dem sich die Ambivalenz unsrer Zeit geradezu repräsentativ zusammenzieht: den „Mann ohne Eigenschaften", wie ihn Robert Musil in seinem Roman gleichen Titels berühmt gemacht hat. Als „Wüstling des Möglichen" ist er bei Thomas Mann von vornherein meisterlich persifliert. Musils Held weiß ebenfalls „in jeder Lage warum man sich nicht zu binden braucht, und man weiß niemals, wovon man sich binden lassen möchte". Musils Held prägt dann die Formel: „die moralische Ambivalenz sei die Anlage seiner Generation oder auch ihr Schicksal." Musil läßt das seinen Helden 1913 im Wien Sigmund Freuds sprechen. Dort hatte eben erst Freud 1912 die Ambivalenz als „fundamentales

Phänomen unseres Gefühlslebens" eingeführt. Thomas Mann weiß, was er seinem Roman schuldig ist, den er „den Roman seiner Epoche" nennt.

Zugleich seinem Hauptthelden Adrian Leverkühn, von dem er ausdrücklich in der „Entstehung" sagt: „ein Mensch, der das Leid der Epoche trägt" und den er von allen seinen Romanhelden am meisten geliebt habe. Leverkühn erhebt sich als Musiker-Genie über den Durchschnitt, auch über den des Zeittypus, der als „Roué des Potentiellen" ausgezeichnet ist. Wenn ihm die „Angst vor der Sterilität" anhaftet, als Zeitsymptom, so durchbricht er sie mit Hilfe Satans. Satans Zuruf trifft ihn: „Du wirst führen, du wirst der Zukunft den Marsch blasen! ... Nicht genug, daß du die lähmenden Schwierigkeiten der Zeit durchbrechen wirst — die Zeit selber, die Kulturepoche, will sagen, die Epoche der Kultur und ihres Kultus wirst du durchbrechen und dich der Barbarei erdreisten."

Damit rückt der Begriff des „Durchbruchs" in die Mitte. Er durchzieht den Roman wie ein roter Faden, er beherrscht die Gespräche mit Zeitblom nach dem Satansgespräch. Zeitblom zuerst untersucht nach dem Kriegsausbruch 1914 die „Psychologie des Durchbruchs". Er glaubt im deutschen Durchbruch zur Weltmacht „den tieferen Durst nach Vereinigung" zu erkennen, um die „Einsamkeit" zu überwinden. Leverkühn vertieft das Thema generell: „Wie sprengt man die Puppe und wird zum Schmetterling?" Er bezieht Kleists Marionettenaufsatz ein, den „vortrefflichen Aufsatz". Da geht es um den Durchbruch: daß die Reflexion durch ein Unendliches gegangen sein muß, um zur Unschuld der Grazie zurückzufinden. Zeitblom nimmt das begeistert in seine „Idee des Durchbruchs" auf. Jetzt gibt er der deutschen „Durchbruchsbegierde aus der Gebundenheit" einen Ursprungsimpuls, der alle Gefährdungen deutschen Wesens in sich vereinigt. Die Stelle ist darum so aufschlußreich, weil hier Zeitblom so viele zwielichtige Merkmale häuft, als wenn Satan selbst auch ihn inspiriert hätte: „Ein Seelentum, bedroht von Versponnenheit, Einsamkeitsgift, provinzlerischer Eckensteherei, neurotischer Verstrickung, stillem Satanismus." Wir gehen wohl nicht fehl, wenn Thomas Mann hier mit parodistischer Absicht zum Ausdruck bringen will, daß die porös gewordene Bildungsschicht, wie sie Zeitblom vertritt, den Satanismus der Zeit ganz in sich aufgenommen hat.

Die unsichtbare Gegenwart Satans durch den ganzen Roman läßt sich greifbar erhellen. Was nun Leverkühn betrifft, so hebt ihn Thomas Mann eben an dieser Stelle deutlich von Zeitblom ab. Wohl hat auch Leverkühn eben erst im Gespräch den Durchbruchsgedanken auf die robusteste Weise ins Barbarische gewendet: „Deutschland hat breite Schultern, und wer leugnet denn, daß so ein rechter Durchbruch das schon wert ist, was die zahme Welt ein Verbrechen nennt." Aber in dem Augenblick, wo Zeitblom jene Worte vom „Satanismus" im deutschen Seelentum ausgesprochen hat, trifft ihn der kälteste Blick des Freundes. Leverkühn antwortet nicht, sondern nimmt sich in eine stumme Gebärde zurück. Er steht auf und schiebt in der Fensternische ein Heiligenbild zurecht. Thomas Mann drückt damit aus, daß Leverkühn als das Genie in ambivalenter Zeit noch über eine tiefere Dimension verfügt, die religiöse Dimension. Dieselbe absichtsvolle Distanz hatte Thomas Mann bereits in einem früheren Schicksalsaugenblick seinem Helden gegeben. Als er zum ersten Mal Esmeralda begegnet, schlägt er auf dem Klavier in der „Lusthölle" ein paar Akkorde an. Sie stammen aus der Oper „Der Freischütz", die auch einen Teufelspakt enthält. Es sind Akkorde aus dem Gebet des Eremiten. So ruft Leverkühn sich unwillkürlich im Anhauch der Hölle die Gnade des Himmels heran. Der religiöse Raum, der hier unmerklich um den Helden ausgebreitet wird, deutet darauf, daß die Zwiesprache mit dem Göttlichen auch inmitten der raffiniertesten Satansdialektik nicht ganz aus Adrians Leben herausgedrängt ist.

Um so entscheidender muß es sein, wie Leverkühn als Musiker selbst zum „Durchbruch" Stellung nimmt. Er gibt der Diskussion eine neue Wendung. Äußerst paradoxe Kontraste hatte er in seiner „genialen Puppen-Groteske" aus Fabeln der „Gesta Romanorum" gehäuft: „das harmonisch Herrischste, rhythmisch Labyrinthischste" angewendet auf „das Einfältigste". So hatte das Wiedersehen Papst Gregors mit seiner Mutter, die ihm vom Verhängnis zur Frau gegeben worden war, in den Zuhörern „Gelächter bis zu Thränen" hervorgerufen, mit „phantastischer Ergriffenheit" gemischt. Aus dem Kontrast zu solcher Paradoxie kommt Adrians Ausspruch: „Was wir die Läuterung des Komplizierten zum Einfachen nannten, ist im Grunde dasselbe wie die Wiedergewinnung des Vitalen und der Gefühlskraft. Wem der Durchbruch gelänge aus geistiger Kälte in eine Wagniswelt neuen Gefühls, ihn sollte man wohl den Erlöser der Kunst nennen ... Ist es nicht komisch, daß die Musik sich eine Zeitlang als ein Erlösungsmittel empfand, während sie doch selbst, wie alle Kunst, der Erlösung bedarf, nämlich aus einer feierlichen

Isolierung, aus dem Alleinsein mit einer Bildungselite, „Publikum" genannt ... zum Volk, zu den Menschen ... Wir stellen es uns nur mit Mühe vor, und doch wird es das geben, und wird das Natürliche sein: eine Kunst ohne Leiden, seelisch gesund, unfeierlich, untraurig-zutraulich, eine Kunst mit der Menschheit auf Du und Du."

Das Großzügige dieses Durchbruchs erhält erst seine besondere Beleuchtung dadurch, daß Zeitblom gar nicht einverstanden ist: „Eine Kunst, die ins Volk geht, gerät ins Elend." Vielleicht hat auf Leverkühn noch Kleists Aufsatz nachgewirkt, Durchbruch durch die Reflexion, die die Grazie tötet, in jenen Stand der Unschuld, wo sich Grazie wieder einstellt. Ein innerstes Wunschbild des mit Kälte geschlagenen Genies, das spürt, nur der Durchbruch durch die Reflexion kann zur Zwiesprache mit der Menschheit auf Du und Du führen. Eine Art Rebellion gegen Satan, selber doch verstrickt in den Satanismus der Zeit.

Noch einmal kommt Leverkühn in seinem verzweifelten Schlußwort vor der Katastrophe auf den „Durchbruch" zurück, zugleich mit einem vernichtenden Überblick über die erkrankte Zeit.

„Es ist die Zeit, wo auf fromme, nüchterne Weise, mit rechten Dingen kein Werk mehr zu tun ist und die Kunst unmöglich geworden ist ohne Teufelshilf und höllisch Feuer unter dem Kessel ... Ja und ja, liebe Gesellen, daß die Kunst stockt und zu schwer worden ist, und sich selbsten verhöhnt, daß alles zu schwer worden ist und Gottes armer Mensch nicht mehr aus und ein weiß in seiner Not, das ist wohl Schuld der Zeit. Lädt aber einer den Teufel zu Gast, um darüber hinweg und zum Durchbruch zu kommen, der zeiht seine Seel und nimmt die Schuld der Zeit auf den eigenen Hals, daß er verdammt ist."

Zeitblom müht sich, an den letzten Musikwerken Adrians die Stilfragen zu klären, die durch Satans Eingriff entstehen. Es sind Paradoxien schlechthin, um deren Sinn Zeitblom ringt. Er verteidigt Adrian gegen „Vorwürfe des blutigen Barbarismus wie der blutlosen Intellektualität". Zeitblom selbst macht sich Satans Einsichten zu eigen, daß Genie aus der Krankheit schöpft und durch sie schöpferisch wird. Er erspürt hinter dem, was als barbarisch empfunden wird, ein verzweifeltes „Verlangen nach Seele", wie bei der stummen Seejungfrau, die er ausdrücklich heranzieht. Er umfaßt die durchdringende Paradoxie in Adrians „Apokalypse" mit der Stilformel: „daß die Dissonanz für den Ausdruck alles Hohen, Ernsten, Frommen, Geistigen steht; während das Harmonische und Tonale der Welt der Hölle, in diesem Zusammenhang also einer Welt der Banalität und des Gemeinplatzes vorbehalten sei."

Nichts kann Satans „Ambiguoses", die Grundzweideutigkeit, in die er alle Werte wirft, besser verdeutlichen. Die Angst vor der Sterilität treibt das Banale ins Höllenhafte, die Enthemmung wirft ins Paradoxe der Dissonanzen. Es ist die Umkehrung dessen, was Leverkühn selbst meint, wenn er an ein Werk denkt, in dem alles „mit rechten Dingen" zugeht.

Thomas Mann hat aber im Aufbau des Romans seinem Helden vor dem letzten „Durchbruch" noch eine echte Schicksalsbegegnung gegeben: mit Adrians Neffen, dem „Elfenkind", Echo genannt, (Widerhall einer andern Welt?). Er nennt das die „dichterischste Episode" des Romans. In Echos Kindersprache greift der Dichter ins Mittelhochdeutsche zurück, auf Verse aus Freidanks „Bescheidenheit", auf Gebete in einfältigster Zwiesprache mit Gott, voll Liebe zum Mitmenschen:

„Merkt, swer für den andern bitt,
Sich selber löset er damit.
Echo bitt für die ganze Welt,
Daß Gott auch ihn in Armen hält. Amen."

Es ist sozusagen die pure Gegenwelt zu Satan. Unwillkürlich drückt sich das auch in Echos Gebet aus:

„Die Sonne schint den Tüfel an
Und scheidet reine doch hindan.
Halt du mich rein im Erdentale,
Biß daß ich Todesschuld bezahle. Amen."

Darin steckt Einfalt-Weisheit: die Sonne scheint auch den Teufel an, ohne ihr Licht zu verunreinigen. Ebenso bewahrt Einfalt ihren Lichtkern „rein" durchs Erdenleben, um mit dem Tod die Menschenschuld zu bezahlen.

Leverkühn spürt die Gnadenerfahrung, die ihm hier zuteil wird. Allerdings bleiben wir weithin für die Darstellung der Begegnung auf Zeitblom, den Chronisten angewiesen, der gar kein Gesprächsverhältnis zu kleinen Kindern hat. Alles, was er als Pädagog bei Echo versucht, macht ihn lächerlich. Von Leverkühn weiß er hauptsächlich zu berichten, daß er mit Echo Hand in Hand gewandert ist, „in einträchtigem Schweigen". Der Teufel aber wird nicht müßig bleiben. Er erzwingt eine Hirnhautentzündung, die dem Mann der Kälte, der nicht lieben darf, sein geliebtes Neffenkind erbarmungslos in den qualvollsten Tod treibt. Und Leverkühn begreift, daß es seine eigene vergiftete Sphäre sein muß, die den Tod verschuldet. Das Gericht trifft ihn ins Herz. Er erleidet alle schneidenden Schmerzen der Seejungfrau. Jede Sprache des Miteinander verstummt. Ihm bleibt nur „Doktor Fausti Weheklag".

Was aber in Leverkühn umgeht, dafür hat ihm Thomas Mann doch einen Verzweiflungsschrei über dem sterbenden Kind gegeben, der an die Urverzweiflung im „Urfaust" in der Szene „Trüber Tag" erinnert. Thomas Mann, der sonst in seiner Montage-Technik Goethes Faustmysterium ganz herausgespart hat, aus Ehrfurcht, sucht offenbar Anklänge jetzt an Fausts Prosafassung aus dem „Urfaust": Bei Goethe rast Faust gegen Mephisto: „Hund! abscheuliches Untier! — Wandle ihn, du unendlicher Geist! wandle den Wurm wieder in seine Hundsgestalt!" Ebenso wendet sich Leverkühn gegen den imaginären Satan, der ihm seinen Liebling entreißt: „Nimm ihn, Scheusal! Nimm ihn, Hundsfott! ... Nimm seinen Leib, über den du Gewalt hast! Wirst mir seine süße Seele doch hübsch zufrieden lassen müssen ... Mögen auch Ewigkeiten gewälzt sein zwischen meinen Ort und seinen, ich werde doch wissen, daß er ist, von wo du hinausgeworfen wurdest, Dreckskerl!"

Faustische Rebellion ist noch im Spätling Leverkühn, der demselben Satan begegnet ist. Und fehlt ihm auch der unmittelbare Aufruf „Unendlicher Geist!" wie in Goethes Mysterienspiel, so ist ihm in seiner Verzweiflung der Hundsfott so gegenwärtig wie Faust. Und aus den Urbildern der christlichen Tradition holt er sich die Gewißheit, daß die Unschuld, wie sie ihm hier auf Erden begegnet ist, unzerstörbar ist.

Welche Art „Durchbruch" wird es sein, der Leverkühn im letzten Werk „Doktor Fausti Weheklag" gelingt? Enttäuschend ist hier für uns Zeitbloms Versuch, den Stil des Musikwerks zu fassen. Er spricht vom „dialektischen Prozeß", durch den der „Umschlag" von strengster Gebundenheit zur freien Sprache des Affekts sich vollzieht, „Umschlag kalkulatorischer Kälte in den expressiven Seelenlaut". Er spricht vom „Monstre-Werk der Klage", das im Text dem Sterben des Volksbuchfausts folgt. Mit dem Generalthema: „Denn ich sterbe als ein böser und guter Christ." Als Identität „zwischen dem kristallenen Engelchor und dem Höllengejohle der Apokalypse!" Fausts Höllenfahrt als überwältigender Klage-Ausbruch nach einer Orgie infernalischer Lustigkeit. Zeitbloms musikalische Paradoxien führen uns in eine abgründige Zweideutigkeit.

Solche Zweideutigkeit verfolgt uns bis in die letzten Spekulationen, die Leverkühn im Hinblick auf Gottes Gnade anstellt. Wir hören dazu vorweg ein Satanswort, das sich als düstrer Schatten über alles zu legen scheint, was noch in Leverkühns Seele vorgeht: „Dein theologischer Typ, so ein abgefeimter Erzvogel, der auf Spekulationen spekuliert, weil er das Spekulieren schon von Vaters Seite im Blut hat — das müßte mit Kräutern zugehen, wenn der nicht des Teufels wäre."

Jetzt hören wir Leverkühns letzte Spekulation im Wortlaut:

> „Meine Sünde ist größer, denn daß sie mir könnte verziehen werden, und ich habe sie aufs Höhest getrieben dadurch, daß mein Kopf spekulierte, der zerknirschte Unglaube an die Möglichkeit der Gnade und Verzeihung möchte das allerreizendste sein für die ewige Güte, wo ich doch einsehe, daß solche freche Berechnung das Erbarmen vollends unmöglich macht. Darauf aber fußend, ging ich weiter im Spekulieren und rechnete aus, daß diese letzte Verworfenheit der äußerste Ansporn sein müsse für die Güte, ihre Unendlichkeit zu beweisen. Und so immer fort, also, daß ich einen verruchten Wettstreit trieb mit der Güte droben, was unausschöpflicher sei, die oder mein Spekulieren, — da seht ihr, daß ich verdammt bin, und ist kein Erbarmen für mich, weil ich ein jedes im voraus zerstöre durch Spekulation."

Die Allmacht Satans wirkt hier so weit, daß Leverkühn den Grundbegriff des „Ambiguosen" auf Gott selbst überträgt, als wäre Gott selber ambiguos gegenüber den Reizen der Sünde, wodurch man ihn berechnen könnte mit Hilfe der Spekulation. Aber was nun Leverkühn ganz und gar und echt durchbruchhaft von Satan trennt, ist das Wissen um die „Verruchtheit" solchen Spekulierens.

Damit bricht etwas durch, was nichts mehr mit Zeitbloms „dialektischem Prozeß" zu tun hat! überhaupt nichts mehr mit dem spürenden Zeitblomstil, der das Ganze berichtend zusammenfaßt. Thomas Mann hat schon von lang her dafür gesorgt, daß wir Zeitblom in seinen Grenzen sehen müssen.

Wir hatten schon Stellen hervorgehoben, in denen deutlich wird, wie unaufdringlich der Satanismus der Epoche Zeitbloms skeptisch poröse Bildungsschicht durchdringt. Auch die Ausweitung der Ambivalenz ins Amoralische gehört zu Zeitbloms Kunststücken des modernen Lebensstils. So beruhigt er als Vertrauter der Ines Institoris, eine der Fassadenfiguren der Münchener Dekadenz, als sie ihm ihre Ehebrüche anvertraut hat, mit dem Trost: „Gott senkt die Strafe schon in das Vergehen hinein und tränkt es ganz mit ihr, so daß das eine nicht vom andern zu unterscheiden ist und Glück und Strafe dasselbe sind." Das ist derselbe Mann, der als Freundfeind Leverkühns die ganze „Montagetechnik" um das erkrankte Genie und das neurotische Deutschland der Hitlerzeit zu verantworten hat. Von ihm stammen neurotische Vokabeln wie „Hysterie des Mittelalters", „altertümlich-neurotische Unterteuftheit und seelische Geheim-Disposition" der Heimatstadt, von ihm stammt das verzerrte Deutschlandbild: „ein Seelentum, bedroht von Versponnenheit, Einsamkeitsgift, provinzlerischer Eckensteherei, neurotischer Verstrickung, stillem Satanismus". Als Leverkühn sein Wunschbild formuliert: „Kunst mit der Menschheit auf Du und Du" rückt Zeitblom empört davon ab: „Eine Kunst, die ins Volk geht, gerät ins Elend."

Thomas Mann hat also Zeitblom als ein „exemplarisch undämonisches Mittel" zwischengeschoben, um selber Abstand zu nehmen. Das war für den gesamten Roman-Aufbau ein riskantes Experiment. Die Monotonie eines Durchschnitts-Intellekts als Erzähl-Medium. Um so wichtiger wird die Frage: wo steht Thomas Mann selbst? Im Gegensatz zu Hermann Hesses „Glasperlenspiel", das 1943 erschien, bezeichnet Thomas Mann seinen Roman als „zugespitzter, schärfer, brennender, dramatischer, zeitnäher, unmittelbarer ergriffen". Diese Schärfe kommt hinein durch die Gegenwart Satans. Thomas Mann wagt es, sowohl den Satanismus der Epoche rücksichtslos herauszuarbeiten bis in die Monotonie Zeitbloms, als auch selber, inmitten dieser satanischen Epoche, die Grenzen Satans scharf zu ziehen. Wie ist das gelungen? Ist es überhaupt gelungen? Es betrifft die Grundfragen nach dem Stil, nach dem symbolischen Kosmos dieser Dichtung.

Zunächst läßt Thomas Mann Satan selbst zu Wort kommen, er zwingt ihn zugleich, seine Grenzen selbst zu setzen. Nicht ohne Bosheit stellt Satan sie fest, drückt den Grad der unmerklichen Anpassung an die Dekadenz der Zeit unnachahmlich aus:

„Wir schaffen nichts Neues — das ist andrer Leute Sache. Wir entbinden nur und setzen frei. Wir lassen die Lahm- und Schüchternheit, die keuschen Skrupel und Zweifel zum Teufel gehen. Wir pulvern auf und räumen, bloß durch ein bißchen Reiz-Hyperämie, die Müdigkeit hinweg — die kleine und die große, die private und die der Zeit."

Hier haben wir den Schlüssel zu allem, was im Roman als Zeitgericht durchscheint. Erich Heller in seinem Thomas-Mann-Buch „Der ironische Deutsche" hat Zeitbloms ganze Montagetechnik, die mit so vielen Zitaten arbeitet, dahin gedeutet, daß Thomas Mann eben damit „den Erschöpfungszustand der Kunst und die Überholtheit der Erfindungsgabe demonstrieren wollte". Darüber triumphiert dann allerdings der Thomas Mannsche Grundsatz aus der „Entstehung": „Ich kenne im Stilistischen eigentlich nur noch die Parodie." Thomas Mann kommt zu diesem Ausspruch, als er Bruno Frank öffentlich vortragen hörte. Ihm fiel auf, daß Bruno Frank den humanistischen Erzähl-Stil Zeitbloms vollkommen ernst als seinen eignen vortrug. Nur dadurch, daß Thomas Mann den Zeitblom-Stil dauernd parodiert hat, machte er ihn zu einem symbolischen Stilelement seines Weltbilds im „Doktor Faustus". Wir werden darum den Zeitblomstil nur richtig lesen, wenn wir überall den dialektischen Griff Satans dahinter spüren. Dann wird die Zeitblom-Monotonie zum Zeitsymptom.

Entscheidender aber für Satan ist nun nicht Zeitblom, sondern Adrian Leverkühn, das Genie. Satan bringt sein Satanstriumphwort: „Wir schaffen nichts Neues!" auch bei Leverkühn besonders an: „Die Kleinen machen nichts Neues und Fremdes aus dir, sie verstärken und übertreiben nur sinnreich alles, was du bist. Ist etwa die Kälte bei dir nicht vorgebildet, so gut wie das väterliche Hauptweh?" Damit ist schon berührt, was solche Herzenskälte im Gefolge hat: die kalte Unbeteiligtheit am Mitmenschen zerstört die schöpferischen Begegnungen, das lebendige Miteinander, das Gespräch, die dichterische Vision. Darum entsteht zwar viel Paradoxes, viel Krampf, aber nichts eigentlich Neues, das die Schöpfung weiterträgt, weil es von ihren Ursprungsimpulsen mitbewegt und vorwärts getragen würde. Satan drückt das in seiner Weise positiv aus: „ein unerbittlicher Imperativ der Dichtigkeit, der das Überflüssige verpönt, die Phrase negiert, das Ornament zerschlägt". Was damit getroffen wird, ist der eigentliche Spielcharakter des Werks:

„Die Kritik erträgt Schein und Spiel nicht mehr, die Fiktion, die Selbstherrlichkeit der Form, die die Leidenschaften, das Menschenleid zensuriert, in Rollen aufteilt, in Bilder überträgt. Zulässig ist allein noch der nicht fiktive, der nicht verspielte, der unverstellte und unverklärte Ausdruck des Leides in seinem realen Augenblick.

Seine Ohnmacht und Not sind so angewachsen, daß kein scheinhaftes Spiel damit mehr erlaubt ist."

Das ist eine Art Höhepunkt, oder wenn man will, ein Tiefpunkt der Satans-Poetik, die mit ihren scharf pointierten Aussprüchen bereits mehrfach unsere Darstellung durchzogen hat. Thomas Mann läßt hier seine Parodie walten. Adrian Leverkühn, der Mann der kalten Distanz, geht hier so weit aus sich heraus, daß er von „Teufelsfürzen" spricht. Im Angriff gegen die Geschlossenheit des Kunstwerks, gegen die Spielfreiheit der Kunst, sieht er die gefährlichste Aufspaltung Satans. Nichts ist in allen Niedergangszeiten verführerischer für die Jünger Satans, als der Ruf nach radikalen Wahrheiten, die dabei die Nacktheit des Menschenleids ins Spiel bringen, um den Triumph des Chaos vorzubereiten. Leverkühn hatte dagegen den dialektischen Umschlag in die strikte Gebundenheit und den strengen Stil gesetzt.

Thomas Mann aber geht es darum, Satan nicht nur dialektisch im Streitgespräch zu begegnen, es ist ihm ernst damit, einen Helden in die Mitte zu rücken, der wirklich „das Leid der Epoche trägt". Dazu muß Thomas Mann sich selbst auf seine komplexe Tiefe besinnen. Auch für ihn gilt es als ausgemacht, daß Satans Schatten weit in sein eignes Schaffen reicht. „Wir schaffen nichts Neues!" Auch Thomas Mann stellt in sich eine starke Neigung fest: „alles Leben als Kulturprodukt und in Gestalt mythischer Klischees zu sehen, das Zitat der selbständigen Erfindung vorzuziehen". Aber es gibt noch einen anderen Thomas Mann. Eben erst hatte er in seinem großen Joseph-Roman, im IV. Band der Tetralogie, einem Weisen ein Stück Poetik in den Mund gelegt, das man geradezu als strikten Gegenentwurf zur Satanspoetik im „Doktor Faustus" ansehen kann: „Es gibt, so viel ich sehe, zwei Arten der Poesie: eine aus Volkseinfalt, und eine aus dem Geiste des Schreibtums. Diese ist unzweideutig die höhere, aber es ist meine Meinung, daß sie nicht ohne freundlichen Zusammenhalt mit jener bestehen kann und sie als Fruchtboden braucht." Der Begriff der „Volkseinfalt" ist für Thomas Mann ein überraschender Begriff. Herder hatte ihn zuerst geprägt, er verwendet ihn, nach Grimms Wörterbuch, zu dem Satz: „In Volkseinfalt war das Christentum entstanden." So bringt das Wort unversehens seinen lebendigen Gegensatz zu allen Spalttendenzen des Teufels mit. Von früh an hatte Thomas Mann eine Vorliebe für die Fruchtbarkeit der Schillerschen Polaritäten: des Naiven und Sentimentalischen. Daß Leverkühn nicht zu den Naiven gehört, hat Thomas Mann ihn selbst mehr als einmal aussprechen lassen. „Was uns abgeht, ist Naivität, die robuste Naivität, die zum Künstlertum gehört." Aber die Liebe dazu ist ihm ebenso eingeboren. Darum bedeutet ihm die Begegnung mit dem geliebten Echo, dem Elfenkind, dem kleinen Neffen so viel. Und nun tritt ihm Satan entgegen: „Du darfst nicht lieben!" Und er muß erleben, daß ihm Echo, wahrhaft der Widerhall unbegriffner Welten, auf die brutalste Weise in einem schrecklichen Tod zugrundegerichtet wird. Hat der Dichter ihn eben damit nicht seines „Fruchtbodens" beraubt? Hat er nicht am „Geist des Schreibtums" im Musikergenie ein Gericht vollzogen, das ihn selber, den Romanschreiber, am empfindlichsten mittreffen muß? Eine Art Selbstgericht?

So erleben wir denn, daß Thomas Mann seinen Helden nicht einfach Satan ausliefert. Er hat ihm starke innere Gegenkräfte gegeben. Das greift weit zurück. Zeitblom beschließt das 23. Kapitel mit einem Brief Leverkühns von 1910, der junge Musiker fühlt sich nicht wohl in München und sucht einen ruhigen Ort zum Schaffen: „Ich frage innerlich in der Welt herum und lausche auf Weisung nach einem Ort, wo ich mich recht vor der Welt vergraben und ungestört mit meinem Leben, meinem Schicksal Zwiesprache halten könnte." Den Hintergrund für solche „Zwiesprache" findet dann Leverkühn im Gutshaus der Frau Schweigestill in Pfeiffering, die durch „ruhiges Verständnis" von Mensch zu Mensch gekennzeichnet ist. „Verständnis", sagt sie bei Adrians erstem Besuch, „sei im Leben das allerbeste und wichtigste." Aus solchem Wunsch nach echter Zwiesprache erwächst Leverkühns Wunschbild von einer „Wagniswelt neuen Gefühls", zielend auf eine „Kunst mit der Menschheit auf Du und Du", Kunst, die wieder den Weg findet „zum Volk, zu dem Menschen". Und ebenso stellt sich in Leverkühns letztem Bekenntnis jenes Wort ein, das Georg Lukacs auf Marx bezieht: „statt klug zu sorgen, was vonnöten auf Erden, damit es dort besser werde, und besonnen dazu zu tun, daß unter den Menschen solche Ordnung sich herstelle, die dem schönen Werk wieder Lebensgrund und ein redlich Hineinpassen bereiten, läuft wohl ein Mensch hinter die Schul und bricht aus in höllische Trunkenheit: so gibt er seine Seel daran und kommt auf den Schindwasen!"

Um die „Ordnung" geht es Leverkühn, und das ist bei ihm kein marxistischer, sondern ein religiöser Begriff. Dazu reicht Zeitbloms Chronik weit bis in die gemeinsame Schulzeit zurück. Zeitblom bewundert an Adrian seine ursprüngliche Begabung zur Mathematik. Adrian versucht auch Zeitblom dafür zu gewinnen: „Du bist ein Bärenheuter, das nicht zu mögen." „Ordnungsbeziehungen anzuschauen ist doch schließlich das beste. Die Odrnung ist alles." Römer 13: „Was von Gott ist, ist geordnet." (Wörtlich: „Was aber Obrigkeit ist, die ist von Gott verordnet"). Zeitblom stellt fest, daß Adrian bei solcher Umschrift der Bibel „errötet ist". Und daran wird ihm klar, daß Adrian „religiös war".

Wir sind noch anderen Spuren bei Adrian begegnet, daß ihm eine Art Gottesordnung eingeboren ist, auf die er unbewußt zurückgreift in entscheidenden Augenblicken. Solche Gottesordnung steht auch hinter Adrians letztem Bekenntnis nach dem, was auf Erden vonnöten wäre. „Solche Ordnung unter Menschen, die dem schönen Werk wieder Lebensgrund bereite." Wir nähern uns Thomas Manns „Fruchtboden" der Volkseinfalt. Das hat nichts mit Marxismus zu tun.

Die „Zwiesprache", um die es Leverkühn geht, Zwiesprache mit dem Schicksal, auf die Erinnerung an eine Gottesordnung gegründet, erscheint als extreme Gegenwendung der Seele zu allem, was Satan an Spaltprozessen in Gang zu bringen sucht bis zu den dialektischen Prozessen und Umschlägen in den Gesprächen der Freunde, ob es nun Umschlag aus der Freiheit in die Gebundenheit oder aus der Gebundenheit in die Freiheit betrifft.

Wäre es Leverkühn vergönnt, statt seiner „Weheklag" nach dem Volksbuch eine Zukunftsvision in Musik zu setzen, würde sie jener landesväterlichen Fürsorge beim hundertjährigen Faust in Goethes Mysterienspiel eher entsprechen als einer marxistischen Utopie. Aber nachdem Leverkühn in die Fänge Satans geraten war, nachdem die Spalt-Viren sein Gehirn ins Verkrampft-Genialische getrieben, wo Genie und Krankheit aus demselben Judasholz gewachsen sind, bleibt ihm nur die Gewalt der Buße und Reue, mit der er sich verzweifelt an die Brust schlägt und vor aller Welt sündig bekennt.

Wenn Leverkühns Bußpredigt sich gegen den „verruchten Wettstreit" wendet, zu dem ihn Satan verführt hat mit seiner Spekuliersucht, als spekulierenden Wettstreit mit Gottes Güte, dann übersteigt sein Verzweiflungsschrei bei weitem das Vokabular des Volksbuchs. Wir erleben hier den letzten echten „Durchbruch" Leverkühns, und wir erleben ihn als Durchbruch in die religiöse Dimension. Durchbruch, der auf unmittelbare Zwiesprache mit dem Gott der Güte zielt. Und wenn Thomas Mann Leverkühn dabei in ein altertümliches Lutherdeutsch verfallen läßt, so gewiß nicht als Imitation des Volksbuchdeutsch, sondern als Durchbruch aus der modernen Banalität in einen volksreligiösen Einfaltgrund. Das war für Thomas Mann selber ein Experiment, das sich losrang aus den Durchschnittsreflexionen Zeitbloms und seines Chronikstils. Es war der Versuch, Leverkühns Buße jedes falsche Pathos zu nehmen, in dem leichten Zwielichthauch, der den archaischen Sprachton begleitet, den echten Bußton zu verfestigen, zu vernüchtern. Der Grundton lag dabei auf dem „voll, mitmenschlich Geständnis", darauf, daß „Gottes armer Mensch nicht mehr aus noch ein weiß in seiner Not", als die „Schuld der Zeit". Auf der Zutraulichkeit, mit der sich Leverkühn an alle wendet, um bis auf den Grund seiner Seele aufrichtig zu sein.

Leverkühns „schnell gesättigte Intelligenz" mit ihrer Lust zur Parodie ist durchbrochen, damit alle Schein-Heilmittel in den Paradoxien des modernen Musik-Stils. Im Verzweiflungsschrei der armen Seele, die sich vom Teufel fort zu Gott hinwendet, macht sich Thomas Mann selber klar, daß die Katastrophenzeit, die er mitdurchlebte, nicht mehr mit Ironie und Parodie zu bewältigen war, daß es echterer religiöser Durchbrüche bedarf. Damit aber hat Thomas Mann hier etwas von dem großen Vorbild erreicht, das ihm vorgeschwebt hatte, etwas von Gotthelfs Buße „aus Gottes selbsteigner Hand". Und er hat damit auch ein Selbstgericht vollzogen.

Thomas Mann hat dem Satanismus der Zeit, den er mit der ganzen Breite seines Romans aufgenommen hatte, zugleich seine Grenzen gesetzt. Er hat den spaltenden Ambivalenzen, Satans Einbruchsstelle in unsre Gegenwart, einen Gegenhalt entgegengeworfen: daß es im Widerstreit des Bewußten und Unbewußten tiefere Ordnungen gibt als Komplexe zwischen Geist und Trieb, als lähmende Ambivalenzen zwischen Stagnation und Enthemmung, daß es einen mitmenschlichen Zusammenhang der Dinge gibt, in dem polare Weltkräfte, helle und finstere, um den Ausgleich ringen. Thomas Mann hat damit eine Frage Satans an Leverkühn beantwortet, die lautete: „Und woher will deinesgleichen die Einfalt nehmen, die naive Rückhaltlosigkeit der Verzweiflung?" Eben hier hat Thomas Mann mit dem Einfalt-Begriff ernst gemacht, der ihm im Begriff der „Volkseinfalt" vorgegeben war. Die naive Rückhaltlosigkeit der Verzweiflung schließt jene Totalität mit ein, die Satan dialektisch aufzuspalten suchte und die in der Zwiesprache mit dem Göttlichen wiederhergestellt werden kann. Darum gibt es unterhalb aller „dialektischen Prozesse" mit ihren „Umschlägen" die Fürsorge für eine „Ordnung unter den Menschen", die in Leverkühns Seele aufleuchtet, ehe der Wahnsinn ihn ergreift.

An den Schluß stellt Thomas Mann darum das Wort der Mutter Schweigestill: „Macht's daß weiter kommt's alle miteinand! Ihr habt's ja ka Verständnis net, ihr Stadtleut, und da k'hert a Verständnis her! Viel hat er von der ewigen Gnade g'ret, der arme Mann, und i weiß net, ob die langt. Aber a recht's a menschlich's Verständnis, glaubt's es mir, des langt für all's."

Was sich hier in der bayrischen Mundart zu Wort meldet gegen die Stadtleut, ist nichts anderes als was Thomas Mann unter „Volkseinfalt" verstanden wissen will. Sie bezeugt sich unmittelbar im Gespräch. Mitmenschliches Verstehen tritt der göttlichen Gnade an die Seite. Es sind Gegenwelten zu Parodie und Ironie.

Aber Leverkühn wird wahnsinnig, und in seine Höllenfahrt ist die Höllenfahrt Deutschlands, die Hitler-Katastrophe 1945 noch einmontiert in der Zeitblom-Chronik. Der Abstand, den Thomas Mann selbst genommen hat hinter seinen Medien: Zeitblom, Leverkühn und Satan, fordert seine abschließende Betrachtung.

Leverkühn, der Held, der „das Leid der Epoche trägt", bekommt zuletzt im alternden Gesicht christushafte Züge. Durch die spekulierende Dialektik des Bußgebets schlägt die Qual echter Reue, echter Buße. Sein Leiden ist das Leiden am Satanismus der Zeit. Das Strafgericht, das Leverkühn zwingt, den qualvollen Tod des kleinen Echo mit zu durchleben, und seine eigne vergiftete Sphäre als Schuld zu fühlen, wirft einen finsteren symbolischen Schein auf den ganzen Satanismus der deutschen Zeit, die alle Keime der Unschuld vergiftet und die qualvollsten Tode mit heraufgerufen hat. In dem Begriff der „Volkseinfalt" aber, wie er in Echos Sprüchen aufklingt, hat Thomas Mann sich selbst mitgetroffen, sich selbst für das Bild vom „Fruchtboden" mitverantwortlich gemacht, ohne den er als Romanschreiber nicht bestehen kann.

Und nun kommt ihm ungewollt eine neue gewaltige Aufgabe zu. Der berühmte ironische Deutsche, anerkannter Meister eines nie versagenden, treffsicheren parodistischen Stils findet sich aus seinem Volk ausgestoßen, des Fruchtbodens gewaltsam beraubt. Zugleich erfährt er im Ausland den Untergang des Hitlerreiches als Höllenfahrt, Schauer eines Weltgerichts. An der Aufgabe, beides zusammenzusehen, Leverkühns Untergang, Deutschlands Untergang, wächst ihm sein Roman über den parodistischen Stil hinaus in ein Zeitgericht, in ein Selbstgericht. Goethes totales symbolisches Vermögen ersteht in ihm neu, den Satanismus der Gegenwart, den Satansfluch, die Stelle, wo Satan in die erkrankte Zeit eingebrochen ist, darzustellen und zugleich einen Schutzwall gegen ihn zu errichten. Im deutschen Musiker-Genie Adrian Leverkühn grenzt er aus, was sich der Dialektik Satans ausgeliefert hat: alle Stilformen in den Zonen der Zweideutigkeit, Ambiguität, Ambivalenz, sich auswirkend als Paradoxie der Dissonanzen, als Enthemmung, Durchbruch in die Barbarei, grotesk, skurril, absurd. Alle im Zerrspiegel Zeitbloms und seiner Montagetechnik aufgefangenen Stilelemente, die ein „Aquarium der Endzeit" spiegeln, die Ausartungen des „Manns ohne Eigenschaften", auch der Wüstling des Möglichen genannt.

So wächst schließlich Leverkühn heran zum repräsentativen leidenden Deutschen, mit seiner Höllenfahrt. Doch in Leverkühns Buße und Reue wird der Spekulierer Satan als „verrucht" entlarvt. Während Leverkühn im Wahn, verflucht zu sein, alle Stilformen Satans mit in den Höllengrund begräbt, zeigt sich für Zeitblom, den Chronisten, der Abglanz eines Hoffnungslichts. Natürlich ist vom Lichterglanz um Goethes Faust nichts übrig geblieben, Thomas Mann weiß, was er einer satanischen Zeit schuldig ist. Er kann sie nicht fälschen. Er überläßt es seinem Medium Zeitblom, zwei Lichtmetaphern einzufügen. Einmal bei Zeitbloms Betrachtung von „Doktor Fausti Weheklag": da ist es einzig das Nachklingen des letzten Klagetons, was ihm die Metapher eingibt: „steht als ein Licht in der Nacht." Als dann Zeitblom seinen Epilog abschließt, nach Leverkühns Tod, endet er in der Frage: „Wann wird aus letzter Hoffnungslosigkeit ein Wunder, das über den Glauben geht, das Licht der Hoffnung tagen?", während Adrian selbst durchaus lichtlos untergeht.

Dennoch ist unsre Romanbetrachtung damit nicht zu Ende. Es bleibt der Abstand, den Thomas Mann selbst überall von seinem Medium Zeitblom genommen hat. Auch hinter Zeitbloms Lichtmetaphern ist Thomas Manns Abstand auszumessen. Es geht Thomas Mann selbst nicht um Lichtmetaphern. Es geht um die Symbolkraft der Gestalten, die hier mit Satan ringen, an Satan zugrundegehen, dennoch nicht der Satansdialektik verfallen. Dadurch, daß Thomas Mann die radikale Härte besitzt, durchzustoßen bis zum unbarmherzigen Selbstgericht auf dem chaotischen Untergrund der Zeit, wo sich Satan als das, was er ist, als das zerstörerische

Weltprinzip schlechthin entlarvt, gewinnt er als Romanschreiber einen Abstand besondrer Art.

Aus dem Zwiegespräch Leverkühns mit Satan läßt sich folgendes kurzes Gesprächsstück heraussondern:

Leverkühn: „Man könnte das Spiel potenzieren, indem man mit Formen spielte, aus denen, wie man weiß, das Leben geschwunden ist."

Satan: „Ich weiß, ich weiß. Die Parodie. Sie könnte lustig sein, wenn sie nicht gar so trübselig wäre in ihrem aristokratischen Nihilismus. Würdest du dir viel Glück und Größe von solchen Schlichen versprechen?"

Leverkühn: „Nein!"

Thomas Mann selbst hat begriffen, daß angesichts der deutschen Katastrophe der parodistische Stil, Stil eines aristokratischen Nihilismus nicht ausreicht. Im Durchbruch durch jene Parodie, mit der die Zeitblomgestalt bis zuletzt gesehen ist, erreicht Thomas Mann im Verzweiflungsausbruch seines wahnbedrohten Künstlers die religiöse Dimension. Vom Ende her gewinnt er symbolische Wirkungen in zwei Richtungen. Einmal kennzeichnet Thomas Mann das ganze System der Ausdrucksformen, wie es in Zeitbloms Spiegel aus Leverkühns Tonwerken abgezogen wird, als satanisch. Die Ursprünge kommen aus der Angst vor der Sterilität. Sie entfalten sich als Lust an der Enthemmung und Entstellung ins Groteske, Paradoxe, Absurde und ins radikal Negative. Es ist ein Zeitgericht an allen Formen des modernen Manierismus, wie es sich nicht besser und allgemeinverständlicher ausdrücken läßt als mit dem Wort der Satan-Poetik: „Wir schaffen nichts Neues!"

Zum andern gewinnt Thomas Mann mit dem Ende seines „Doktor Faustus" die komplexe Tiefe zurück, die über das Volksbuch hinaus im Goetheschen Faustmythos für das Abendland hinzugewonnen war. Nicht von ungefähr berührt sich der Verzweiflungsschrei Leverkühns über dem sterbenden Kind mit den Wutausbrüchen Fausts, deren rauhe Prosa dem Vers des Mysterienspiels bis zuletzt widerstanden hat. Die Sorge, die den hundertjährigen Faust anweht, die ihm den geistigen Tod des Hypochonders vor Augen stellt, entwirft Spaltprozesse in der Seele, die jedem modernen Psychiater vertraut sind:

> Soll er gehen, soll er kommen.
> Der Entschluß ist ihm genommen,
> Auf gebahnten Weges Mitte

Wankt er tastend halbe Schritte.
Er verliert sich immer tiefer,
Siehet alle Dinge schiefer,
Sich und andre lästig drückend,
Atem holend und erstickend,
Nicht erstickt und ohne Leben,
Nicht verzweifelnd, nicht ergeben.
So ein unaufhaltsam Rollen,
Schmerzlich Lassen, widrig Sollen,
Bald Befreien, bald Erdrücken,
Halber Schlaf und schlecht Erquicken
Heftet ihn an seine Stelle
Und bereitet ihn zur Hölle.

Es gehört zur komplexen Tiefe der Faustgestalt, daß in Goethes Mysterienspiel die Sorge als Gottesbote mit dem Schreckgespenst eines verteufelten Faust sein Gewissen anruft, und daß der vom Anhauch der Sorge Erblindete den Trost eines inneren Lichts erfährt. Der Schatten des verteufelten Faust reicht bis in den Roman des Doktor Faustus. Goethes Verse geistern durch alle Reflexionen Zeitbloms, Leverkühns und Satans. Wenn Thomas Mann darauf aus ist, Satan immer unsichtbar gegenwärtig zu halten, dann braucht er Goethes Verse nur in die Prosa der dialektischen Umschläge zu übersetzen. Insofern lebt der Faustmythos Goethes unvermindert fort.

Aber zugleich wirkt die komplexe Tiefe des inneren Lichts: Thomas Mann gibt ihm Raum im Gespür der Gegenkräfte, die sich in Leverkühns Wunschträume drängen; jene „Wagniswelt neuen Gefühls", „Kunst mit der Menschheit auf Du und Du", Ruf nach der Zwiesprache mit dem Schicksal, über den gemordeten Lichtschein, den das Kind Echo für Leverkühn bedeutete. Das „Verlangen nach Seele", das hier durchbricht, ist ein Urelement des Schöpferischen, und nur Zeitblom spricht von einer „sentimentalen Lebensschicht".

Gewiß geht Leverkühn lichtlos zugrund. Aber Thomas Mann läßt sich selber weitertragen vom komplexen Geist der Faustgestalt. Wenn er seinen Meisterstil der Parodie aufgibt an die Gewalt eines Gottesgerichts, das auch ihn selber trifft und eben damit an Gotthelf erinnert, dann ist er von denselben Grundkräften mitbewegt, die sich ehedem im Faustmythos zusammenschlossen. Nur daß er begriffen hat, daß Buße und Reue, die in Goethes Mysterienspiel allzu lichterglanztrunken in den Erlösungsgesang aufgehoben sind, in unsre schrecklichere Katastrophenzeit wieder ganz anders hereingeholt werden müssen, aus der archaischen Welt des Volksbuchs in unsre verfinsterte Gegenwart. An dieser Aufgabe grade ist Thomas Manns Faust-Roman erst zu der Weltbedeutung gekommen, die ihm von der Spiegelung einer Untergangszeit allein nicht zugefallen wäre. Was er selber als „Aquarium einer Endzeit" bezeichnet hat, bliebe sonst im Fassadenhaften stecken, grade weil ihm das „Verlangen nach Seele" abhanden gekommen ist.

Hier eben gründet die letzte Frage für den symbolischen Kosmos der Dichtung: wie weit wird Leverkühn symbolisch? Welche Wirklichkeit des Bösen kommt Satan zu, der den Satanismus der Epoche bestimmt? Wieder tun sich die Abgründe auf zwischen Ost und West.

Für den marxistischen Osten geht es einfach um den Teufel des Kapitalismus, und das ist insofern ganz real, als es zum Weltprogramm des Kommunismus gehört, ihn auszurotten. Zugleich betrachtet die sozialistische Perspektive des Ostens die ganze Bohême-Gesellschaft im Roman, in der sich der Satanismus der Dekadenz widerspiegelt, als die künstlerisch schwächsten Partien des Romans.

Wenn das Vereinfachungen sind, so wird dafür im Westen alles kompliziert. Eine ganze Skala von Meinungen fächert sich auf. Nicht zu widersprechen ist der Feststellung Bengt Algot Sörensens im „Orbis litterarum 1958": „Ohne das Gift des Teufels hätte Leverkühn sein großes Faust-Werk ... nicht schaffen können, ohne das Gift des Nationalsozialismus wäre aber Thomas Manns Faust-Werk auch nicht entstanden. Beide Werke verdanken ihre Entstehung der befruchtenden Berührung mit den dämonischen Mächten des Bösen." Auch hier ist der Teufel real: in Leverkühns Genie wie im Barbarismus der Deutschen. Thomas Mann faßt beides zusammen, in der Brechung seiner Medien, indem er Satan unsichtbar gegenwärtig macht durch den ganzen Roman. Für Erich Heller wird Leverkühn „in die Labyrinthe der prästabilisierten Absurdität" versetzt (im Gegensatz zur prästabilisierten Harmonie der Klassik). Heller vereinfacht das zu der geistigen Situation, in der man im Dauer-Verdacht lebt, daß Denken und Sprache nur „die absurdesten Beziehungen unterhalten zu dem, was wirklich ist". Damit wären wir zugleich im Absurden des Kafkaschen Schloßbereichs. Leverkühn wird auf solche Weise symbolisch nicht nur für atonale Musik, sondern für Künstlerexistenz schlechthin, in der Gegenwart, d. h. unter Satans Vorzeichen. Ebenso entzieht sich ein Versuch, Leverkühns Künstlerexistenz von Nietzsche her aufzubauen (H. P. Pütz

1963), aller Eindeutigkeit. Am sinnfälligsten tritt das beim kleinen Echo zu Tage. Er ist nicht als reine „Verkörperung des Heils" aufgefaßt, als „göttliches Kind", sondern im Gesamtgeflecht der Beziehungen vielmehr als umschattet von Vergänglichkeit, „Echo" nicht als Widerhall höherer Sphären, sondern als „Widerklang einer gepeinigten und klagenden Menschheit im vermeintlich Natürlichen". Auch die Auffassung des Teufels „als komplexe Erscheinung ästhetischer Mehrdeutigkeit" nähert sich dem Absurden. Alle „Durchbrüche" enden unter Satans Impuls im absurden „Glissando" der Extreme. Aber der Westen bringt auch das Gegenbild hervor. Anna Hellersberg-Wendriner in ihrem Buch „Mystik der Gottesferne" 1960 behält stets im Blick die „Partizipation mit dem göttlichen Urgrund". Leverkühns Leid ist die Sünde der Vereinzelung, der Abspaltung von eben diesem Urgrund. Seine faustische Abwandlung ist die „Suche nach neuen Bindungen", also das Gegenteil des Goetheschen Faust. Er geht zugrunde am „Mißverhältnis zwischen ersehnter Ordnung und dem Unvermögen, sie zu finden". Sein Weg ist der des Künstlers, der sich ins Werk stürzt, auf neue Ordnungen zu, während Satan gerade ihn in Spaltungen hineintreibt, in denen die Kunst im „Leid des weltlosen Schaffens" sich selbst zerstört.

Schon Thomas Manns eigne Aufspaltung zwischen Zeitblom und Leverkühn, dem Mann der bürgerlichen Ordnung und dem Genie, „verewigt den Mangel an Integration". In den Durchbrüchen Leverkühns unter Satans Vorzeichen bekämpft Thomas Mann die eigne „Stagnation". Daher „die ungeheure Erregung" des Dichters während der Arbeit am Faust-Roman. Er bekämpft den „Vernichter des Gottesbewußtseins" im eignen Selbst. Auch hier wird die Begegnung mit Echo, dem Kinde, zum Prüfstein. Aus Thomas Manns eignem Enkelkind wird Leverkühns kleiner Neffe Niko, genannt Echo. Der „Rückgriff in die Urfrühe" entspricht dem „Verlangen nach Seele", sich aus den Ursprüngen zu erneuern. Aber es führt zur „Überbewertung" der archaischen Kind-Form, wobei „das Späte in der Hinwendung zur Frühe sich selber aufgibt". Dennoch fällt „ein Lichtstrahl gottbeschützter Unschuld in die hereinbrechende Nacht des Wahnsinns". Den Tod Nikos kann er nicht aufhalten. Gleichnis für den „krankhaften Versuch, eine Krankheit zu heilen". Es wird zum erweiterten Gleichnis für des Dichters unfruchtbare Liebe zur Romantik, für die „Pathologie" des Deutschen generell in dieser Zeit.

Was in dieser großzügigen Schau nicht mitberücksichtigt ist, ist sowohl Thomas Manns generelle Besinnung auf den „Fruchtboden der Volkseinfalt" wie seine besondre Verehrung Gotthelfs, dessen „Schwarze Spinne" er für die innere Bewältigung der Roman-Aufgabe heranzog. Nehmen wir beides zusammen, dann erscheint der schöpferische Abstand, den Thomas Mann von Zeitblom als Chronisten wie vom Musikergenie im Romangeschehen nimmt, größer als ihn Anna Hellersberg-Wendriner angesetzt hat. Eben das bringt sich darin zum Ausdruck, daß ihn die Vereinsamung des modernen Künstlers und seine besondre Vereinsamung in der Emigration nicht hat hindern können, sich auf die gemeinsamen Ursprünge der Deutschen zu besinnen, und insbesondre im Rückgriff auf das Volksbuch keineswegs Goethes Faust „zurückzunehmen", sondern im tragischen Untergang Leverkühns alle Kräfte der unzerstörbaren Faustmythe in sich so tief mitzubewegen, daß ihm daraus der Mut zugewachsen ist, dem Gottesgericht über die Deutschen standzuhalten und sich selbst mit unter das Gericht zu stellen. Eben dadurch erreichte er, was Goethe als Ziel aller wahren Symbolik aufgerichtet hat: die lebendig augenblickliche Offenbarung des Unerforschlichen.

Wie bleibt nun noch abschließend Thomas Manns „Doktor Faustus" in die geschichtliche Romanfolge einzureihen, die hier zur Darstellung gekommen ist? Wenn Thomas Mann mit seinem Helden Leverkühn die „rasch gesättigte Intelligenz" teilen sollte, die Leverkühn zum Verhängnis wurde, so hat er selber doch als Autor sich unmittelbare Erzähler-Genien aufgerufen, die aus dem Lebensbrunnen der Erzählkunst entsprungen sind: Jeremias Gotthelf und „Simplicissimus". Beide sind Bürgen dafür, daß das Wort von der Volkseinfalt für Thomas Mann ein Grundwort ist, das ebenso zu ihm gehört wie seine stets wache Intelligenz. So hat er es erreicht, als einziger unter den Geistdichtern dieser Epoche, sich im „Doktor Faustus" vom deutschen Schicksal selbst so mitbewegen zu lassen, daß er im einsamen Musiker-Genie die Symbolfigur des sich selbst zerstörenden Künstlers schuf, und daß er alle Zerstörungselemente der Zeit in die Gestalt Satans hinein zusammenschmolz. So bekam der alte Teufelspakt der Faustmythe neuen, ganz originalen Sinn und konnte ausgreifen auf die Hybris des deutschen Schicksals, wie es sich in der Katastrophe 1945 erfüllte.

Ein ganz und gar vom Geist durchtränktes Buch wurde zum Schicksalsbuch: es entlarvte den Rückfall in die Barbarei aus denselben Gesetzen, die sich als Satanspoetik zum richterlichen Führer durch alle Selbstzerstörungskünste des modernen Manierismus auszuwirken vermögen. Die Unkenrufe über das Ende des Romans (an denen Thomas Mann sich selber beteiligt hatte, noch 1942), werden damit demselben Satansspott preisgegeben, mit dem Leverkühns atonale Musik die Selbstzersetzung der Kultur betrieb.

Ein faustischer Impetus in Thomas Mann, aus dem unzerstörbaren Schöpfungsuntergrund der alten Faustmythe, treibt die zur Sterilität verdammten Experimente des modernen Romans bis zu Musil, Broch und Kafka dahin, wohin Satan sie ortet: in die „Labyrinthe der prästabilierten Absurdität". Und die Bahn wird frei für eine neue Romankunst, die sich mit Thomas Mann wieder auf Gotthelf und den Simplicissimus berufen kann.

Der zukünftige Roman

Wenn wir Thomas Mann vorausschicken mit seinem Wort zur Poetik aus dem Josephroman, so weil darin eine polare Spannweite zum Ausdruck kommt, hinter der ein großes Schriftstellerleben steht. So dürfen wir annehmen, daß dieses Wort und seine Einsicht weit über den Tag hinausgedacht ist:

„Es gibt, so viel ich sehe, zwei Arten der Poesie: eine aus Volkseinfalt, und eine aus dem Geiste des Schreibtums. Diese ist unzweideutig die höhere, aber es ist meine Meinung, daß sie nicht ohne freundlichen Zusammenhalt mit jener bestehen kann und sie als Fruchtboden braucht."

Thomas Manns betonter Rückgriff auf Jeremias Gotthelf für die Entstehung seines „Doktor Faustus" läßt erkennen, daß er selbst Ergänzungen aus dem Weltbereich der Volkseinfalt braucht. Was nun gerade Gotthelf zur mächtigsten Gegengestalt des Adrian Leverkühn macht, hat Walter Nigg 1966 am klarsten ausgedrückt:

> „Gewöhnlich haben Dichter und Künstler mit ihrem Blick in die Abgründigkeit des Daseins einen pathologischen Einschlag. Das Krankhafte ist der Preis, den sie für ihren Blick ins Unterschwellige bezahlen müssen. Bei Gotthelf dagegen liegt eine ganz andere Situation vor. Er ist kein Gescheiterter, Zerrissener, er wandelt nicht auf gespaltenen Pfaden, bei ihm klaffen nicht Sein und Schein hoffnungslos auseinander. Gotthelf ist viel mehr der Gesunde . . . er war ein überaus genial veranlagter Mann und im Denken durch und durch gesund. Dieses Zusammentreffen von

Gesundheit und Genialität ist in der Geistesgeschichte beinahe zur Ausnahme geworden... Nicht die kleinste Pathologie ist bei Gotthelf wahrzunehmen, er mußte keine bürgerliche Schwäche mit kraftloser Ironie und unfruchtbarem Pessimismus abreagieren. Gotthelf verkörpert das Gesunde, das Natürliche, das Lebenbejahende und das Ursprüngliche, er ist der in der Nähe Gottes genesene Mensch."

Wir lassen Walter Nigg so ausführlich zu Wort, weil in ihm sich am überzeugendsten rechtfertigt, warum Thomas Mann die Gegenwelt so eindeutig Satan zuspricht, mit dem Verkoppeln von Genie und Krankheit, mit dem Verhöhnen des Gesunden als des Banalen, mit der Aufspaltung ins „Ambiguose" und „Ambivalente" als dem eigentlichen Virusgift der Zeit. Satans Ruf: „Wir schaffen nichts Neues!", die Zwangsvorstellung vom Durchbruch ins Absurde, um der Sterilität zu entrinnen, faßt alles zusammen, was der moderne Manierismus im Rückgriff auf den Manierismus des 17. Jahrhunderts zu seiner Rechtfertigung anführt, um sich zum Stil der Moderne schlechthin zu erklären.

Die Schriften über die Krise des modernen Romans sind zahlreich. Wir gehen von einer jüngsten deutschen Stimme aus 1968: „Der ratlos bewundernde Blick auf westeuropäische Erzähl-Endleistungen von Musil oder Kafka oder Joyce hat uns offenbar lange abgelenkt. In ihren Büchern war jeweils schon an ein Ende gebracht, was sich, wie nun Beckett unendlich beweist, nicht mehr fortsetzen läßt: die Geschichte als Leistung eines individuellen Bewußtseins, das aus eigener Imagination stellvertretende Welt, also Figuren, Handlung und ‚Moral' entwirft."

Hier wird die Tatsache, daß Dichter wie Musil, Kafka, Joyce, Beckett „Erzähl-Endleistungen" darstellen, den Musik-Kompositionen Leverkühns vergleichbar, ausgeweitet zu der radikalen Folgerung, daß überhaupt jede individuelle Vision, die Modelfälle eigner Moral entwirft und als Roman erzählt, überfällig geworden sei. Für diesen Kritiker, der zugleich selbst als Schriftsteller auftritt, Reinhard Baumgart, Jahrgang 1929, gibt es nur noch den „dokumentarischen Roman", oder besser „das Programm einer dokumentarischen Schule". Denn „individuelle Erfahrung wird ratlos in der von Informationen verdeckten Welt". „Das heute verfügbare Wissen ist individueller Erfahrung längst entlaufen." Was er aber anzuführen hat, sind bisher nur Experimente, die auf eine Objektivität zielen, die „wortwörtlich, nicht symbolisch" sei!

Als Gegenstimme läßt sich ein andrer Schriftsteller heranziehen, Heinrich Schirmbeck, Jahrgang 1915, mit der Akademierede in Mainz Herbst 1967: „Vom Elend der Literatur im Zeitalter der Wissenschaft." Er sieht das Elend darin, daß eine „neue Ästhetik" fehle, „die der Bewußtseinshöhe der wissenschaftlich-technischen Industriegesellschaft entspricht". Er sieht die Schuld in den Schriftstellern selbst: „Die Mehrzahl der heutigen Schriftsteller sind Ignoranten in der Welt der Wissenschaft... Mit ihrer raffinierten Handhabung formaler Prinzipien suchen sie den Anschein zu erwecken, selber Wissenschaftler zu sein. Die Überschätzung des Formalen auf Kosten seines Erkenntnisgehalts ist die wahre Ursache der Belanglosigkeit der Literatur im wissenschaftlichen Zeitalter."

Befreiend wirkt hier der Angriff gegen die Schriftsteller selbst und damit gegen die Anmaßung, als wäre der Roman der früheren Jahrhunderte am Ende, weil diese Schriftstellergeneration nicht imstande ist, das Leben in seiner modernen komplexen Totalität so zu verkraften und geistig zu bewältigen, daß sie seine Wahrheit darzustellen vermöchten.

Eine ältere Stimme von 1953, (Jahrgang 1885) Erich von Kahler in seinem berühmt gewordenen Aufsatz: „Untergang und Übergang der epischen Kunstform" (Neue Rundschau 1953) geht von einer Erfahrung aus, die unsere eigne ganze Untersuchung getragen hat und die den Weitblick der älteren Generation verrät: „Ich meine die Erfahrung vom dynamischen Charakter unseres Lebensgrundes und unseres Lebensumkreises in seinem weitesten Begriff. Es gibt nichts mehr, das wir als restlos stabil annehmen dürfen." Kahler hat dabei die umstürzenden Erkenntnisse der modernen Naturwissenschaften im Sinn. „Die Realität, mit der wir es zu tun haben, ist in Tiefe und Tragweite unmeßbar über jene vordergründliche Sphäre hinausgerückt, die das Substrat des ‚Realismus' im Verstande des 19. Jahrhunderts gewesen ist." „Die moderne Physik hat uns gelehrt, daß ein Stein, unser letzter Anhalt an Festigkeit und Stabilität, nur eine Erscheinungsform, ein Phänomen unsrer praktischen Menschensinne und daß unter dieser Stabilität nichts als Bewegung und Verwandlung vor sich geht. Ebenso ist in der sozialen Sphäre das wesentliche Geschehen unsrer Tage aus dem Bereich individueller Handlungen und Schicksale in den Bereich kollektiver Prozesse und Entwicklungen übergerückt, die uns unmittelbar nicht mehr faßbar sind. Die Tiefenpsychologie hat uns unauslotbare transpersonale Gründe und Abgründe der Seele aufgetan." Für Kahler nun ist die Epik bevorzugt: „in alle neuaufgetanen Dimensionen sich auszubreiten." Bereits seit Tolstois „Krieg und Frieden" bewältigt sie exemplarisch dargestellte Massengeschicke. Der Tiefenpsychologie verdankt sich eine neue „Sensibilität ... eine geistige Mikroskopie". Hier tritt dann zugleich die Gefahr einer „tragischen Entfremdung" des Künstlers auf, für die Leverkühns Schicksal bei Thomas Mann symptomatisch ist, die aber schon bei Ibsen vorbereitet ist (z. B. Hedda Gabler: „früher menschliches Leiden, heute Pathologie"). Kahlers Folgerung: „Der Roman wandelt sich zur Parabel", wird mehrschichtig, hat mehrere Symbolschichten. Auch hier behält Kahler, über Kafkas Parabel zurück, den Blickzusammenhang mit Dostojewskis „Brüdern Karamasoff", „eine fast schon parabolische Konzeption". Wohl zielt auch Kahlers Folgerung 1953 dahin, daß die Epik gezwungen sei, den Roman im konventionellen Sinn, die „erfundene individuelle Geschichte" aufzugeben. Er glaubt an ein Sich-Aufeinanderzu-Bewegen von Kunst und Wissenschaft. Aber er läßt alles offen. Letztes Ziel bleibt: „unsere Welt wieder zu einer Ganzheit und Einheit zusammenzufassen."

Gerade die letzte Forderung macht nachdrücklich klar, daß der „dynamische Charakter unseres Lebensgrundes" nicht notwendig zur Bewußtseinsspaltung führen muß, sondern daß die Anlage auf „Ganzheit und Einheit" hin tief im Menschen als Ebenbild Gottes vorhanden ist, auch wenn die moderne Physik mit ihren Formeln alles vermeintlich Stabile in Bewegung umgesetzt hat. Es gab immer und gibt weiterhin eine Schöpfungsbewegung, die alles umgreift, und in die wir nicht nur mit der Ratio, sondern ebenso stark mit unseren Herzensbewegungen eingepaßt sind. Kein Dichter kann das überzeugender machen als Jeremias Gotthelf, für den die Sprache weithin bestimmt ist durch Visionen eines sich immer ins Mitmenschliche vertiefenden Bildvermögens, immer von Schöpfungsbewegungen getragen, immer im Dialog von Mensch zu Mensch bewegt. Wenn irgendwo, dann hat der Begriff der „Volkseinfalt", wie ihn Thomas Mann sich zum Wunschbild formt, hier einen tief dynamischen Sinn. Den philosophischen Ausdruck dafür hat die unsere Gegenwart erfüllende Lehre Teilhard de Chardins gefunden, als der unbesiegliche Glaube, daß nichts verharrt, daß alles in fortschreitender Bewegung, Vorwärtsbewegung, Evolution ist, die ihre Zeitmaße durch Jahrhunderte nimmt. Mit solchem Geist der fortschreitenden Bewegung untergreift Teilhard auch die Spaltungen zwischen West und Ost. Er tritt dem Marxismus entgegen, den er ein „Universum ohne Herz" nennt, und er prägt für die Forderung der christlichen Nächstenliebe eine eigene Teilhardformel aus: „Liebet einander, indem ihr in der Tiefe eines jeden von euch das Werden desselben Gottes erkennt." Teilhard stellt damit die Schöpfungsbewegung dem „Werden Gottes" in uns gleich. Was daran Utopie sein mag, und Teilhard hat ja Gegner gefunden, insbesondre bei seinem eignen Jesuitenorden, tritt zurück vor der elementaren Wirkung, mit der Teilhards Evolutionslehre der Woge des Skeptizismus unsrer Gegenwart entgegentritt und vor der Trennung von Kopf und Herz warnt.

Wenden wir uns damit den Aussichten zu, die wir dem künftigen Roman stellen dürfen. Gerade weil der Roman befugt ist, in der Formel Erich von Kahlers: „in alle neuaufgetanen Dimensionen sich auszubreiten", können wir hier die Voraussicht wagen, die uns bei der Ballade sich überzeugend dargestellt hat, die uns vermutlich beim Drama sehr viel schwerer fallen wird.

Allerdings müssen wir hier über die westdeutschen Grenzen hinausgreifen. Allzu lähmend hat die Spaltung Deutschlands in zwei Hälften nachgewirkt. Der westliche Teil begann in seiner Kunst „artistisch zu wuchern", wie es Schirmbeck ausdrückt. „Die Artistik blüht auf allen Gebieten, aber die Kunst ist tot", und zwar weil ihr die Wahrheit verloren gegangen ist. Ostdeutschland aber hat sich dem Übergewicht des von den Russen vorgetriebenen sozialistischen Realismus gebeugt. Schon unsre eigne Darstellung: „Dichtung im gespaltenen Deutschland" 1966 sah sich gezwungen, davon auszugehen, daß der Roman-Anspruch auf ein Total-Weltbild für beide Teile nahezu unmöglich geworden ist. Alle Versuche, die West-Ost-Spaltung darzustellen, mußten daran scheitern. Am eindeutigsten hat sich das im Roman von Uwe Johnson „Mutmaßungen über Jakob" 1959 (zwei Jahre vor der Mauer) gezeigt. Der Roman ist exemplarisch geworden durch seine Technik der Gesprächs-Zertrümmerungen, unter dem Terror der Spionage-Abwehr, die alles überwacht. Alle Figuren sind dadurch in ein Zwielicht geworfen. Alle Ansätze zum Symbol werden in „Mutmaßungen" erstickt.

Wir können mit einem Glücksfall beginnen, der sich aber auf natürliche Grundgesetze der Schöpfung zurückführen läßt. So wie einstmals der Manierismus der Ritterromane abgelöst wurde durch den Humor des Cervantes im „Don Quichote" und durch das Heraufkommen des pikarischen Romans, mit dem Blick des Pikaro, des naiven Gauners, mit dem frischen Blick von unten, dem sich alles wie neu darstellt, so entstand in der k. k. Monarchie des Ersten Weltkriegs eine Art Volksbuch: „Die Abenteuer des braven Soldaten Schwejk." Sie sind aus den Erlebnissen eines Tschechen erwachsen, der zur Völkergemeinschaft der k. k. Monarchie gehörte. Sie konnten überhaupt nur entstehen unter diesem wunderlichen Völkergemisch, dessen Heeresorganisation die seltsamste Einheit von Disziplin und Humanität darstellte, wobei die Zügel zugleich gestraft und gelockert wurden. Das Original ist in tschechischer Sprache geschrieben, durch den Tschechen Jaroslav Hasek (1883 bis 1923). Hasek starb darüber, ließ sein Werk als Fragment zurück. Der Schluß wurde durch den Tschechen K. Vanek notdürftig ergänzt. Das Volksbuch erschien 1926 in deutscher Sprache, wurde 1928 durch Piscator (mit Brechts Hilfe) dramatisiert und in Berlin aufgeführt. 1943 hat Brecht es in Amerika als Emigrant nochmals aufgegriffen, um es zum Instrument seines Hitler-Hasses zu machen. Er verlegte sein Drama in den Zweiten Weltkrieg, in ein von den Nazis besetztes Prag. Es bezeugt die Durchschlagskraft der Figur. Die Originalausgabe des Volksbuchs ist 1962 in Deutsch neu erschienen und vom Rowohltverlag als Volksbuch auf solche Weise eingedeutscht. Das Lebensklima der k. k. Monarchie gibt von vornherein den deutschen Volksgrund. (Die Zirkusfarce „August, August, August" des Tschechen Pavel Kohout 1967 wird gegenwärtig als ein „Schwejk in der Manege" auf deutschen Bühnen gespielt.)

Josef Schwejk wird eingeführt als ein Mann, der vor Jahren den Militärdienst quittiert hat, amtlich von der „Superarbitrierungskommission" als „notorischer Idiot" erklärt. Er ist ein gewitzter Hundefänger; das ist sein Lebensberuf, der ihn ernährt. Er ist keineswegs so blöd, wie er sich stellt, um die Menschen für dumm zu halten. Es ist vielmehr sein Mittel, einen verschmitzten Widerstand zu organisieren, nachdem der Krieg ausgebrochen ist. Unterhalb der getarnten Einfältigkeit, die sich als Blödheit gibt, hat er sich, wie Sancho Pansa, einen ganz gesunden Grundverstand, ein Stück echte Volkseinfalt, bewahrt. Dadurch bringt er es fertig, sich in jede Situation einzupassen, ja, dem Geschehen immer einen Schritt vorauszusein, um aufzufangen, was auf ihn zukommt, alles zu unterlaufen in blitzgeschwinder Tarnung und Wortgeduld. So erwächst durch alle Spannungen die Freiheit des Humors: daß das Kleinste über das Größte, den Krieg, triumphiert. Immer aus dem Kern eines unteilbaren, d. h. „individuellen" Bewußtseins. Weil Schwejks Einfalt leicht unterschätzt wird als Blödheit, auch aus der Empörung aller, die einst die k. k. Monarchie als ein ruhmreiches Ganzes erlebt haben und auch heute noch geschichtlich gesehen ansprechen, wird es notwendig, um dem Volksbuch gerecht zu werden, ausführlicher darauf einzugehen. Es geht um elementare Werte, auch wenn Schwejk gar nichts von der Würde Don Quichotes, oder auch Sancho Pansas hat, sondern schlechthin durch Unwürde wirkt. Trotzdem stellt sich wirklicher Humor ein. Wie kann das geschehen?

Wir gehen von folgendem Beispiel aus. Als der betrunkne Feldkurat die Gefangenen mit einer Predigt traktiert, die ebensogut die Parodie einer Predigt ist, bricht Schwejk in Schluchzen aus. In der Sakristei hinterher setzt der Feldkurat ihm zu: „Gesteh, du Lump, daß du nur hetzhalber geweint hast!" Der Volksbuchdichter fügt an dieser Stelle hinzu:

„Von der gegenüberliegenden Seite blickte Schwejk ein Märtyrer verstört an, der grade die Zähne einer Säge im Hintern hatte, mit der die bekannten römischen Soldaten an ihm sägten. Dem Antlitz des Märtyrers merkte man dabei keine Qualen, aber auch keine Freuden oder die Verklärtheit des Märtyrers an. Er sah verstört aus, als wollte er sagen: Wie bin ich eigentlich dazu gekommen? Was macht ihr denn da mit mir, meine Herren?"

> „Melde gehorsamst, Herr Feldkurat", sagte Schweijk, ernsthaft, alles auf eine Karte setzend, „ich beichte dem allmächtigen Gott und Ihnen, Hochwürdiger Vater, der Sie an Gottes Stelle sind, daß ich wirklich nur hetzhalber geweint habe. Ich hab gesehen, daß zu Ihrer Predigt ein gebesserter Sünder fehlt, den Sie vergeblich in Ihrer Predigt gesucht ham. So hab ich Ihnen die Freude machen wolln, damit Sie nicht denken, daß es keine ehrlichen Menschen mehr gibt, und mir selbst wollt ich einen Jux machen, damit mirs leichter ums Herz wird."

Die Parallele zum Märtyrer hat Hasek offenbar sorgsam abgewogen. Schwejk drückt es hinterher so aus: „für mich wird immer das Schlechteste draus, wie bei diesem Märtyrer auf dem Bild." Wir begreifen zugleich die Verschmitztheit, mit der er dem Feldkurat zu verstehen gibt, daß er nicht so einfältig ist, wie er aussieht, daß er wohl imstande ist, mit den Witzen des Feldkurat mitzugehen, sich einzupassen, sich wie er einen Jux zu machen. Tatsächlich wird das erste Wort des Feldkurat sein: „Sie fangen an, mir zu gefallen!" Zugleich doch bleibt das Märtyrerbild im Hintergrund, mit der

Frage: „Was macht ihr denn da mit mir, meine Herren!" Und Schwejk erreicht, was er will: der Feldkurat wird ihn zum Burschen nehmen, ihn dem Martyrium des Garnisonsarrests entziehen.

Wir erkennen Ansätze zur symbolischen Vertiefung der Gestalt. Schwejks Burschenlaufbahn kann beginnen, im Lichtschein der bekannten römischen Soldaten, die ihm die Säge durch den Hintern ziehen. Der Feldkurat wird seinen neuen Burschen alsbald beim Spiel für 100 Kronen einsetzen. Er verliert das Spiel, und so gerät Schwejk als Bursche an den Oberleutnant Lukasch, mit dem er in den Krieg ziehen wird. Wenn es in der Bibel heißt, daß sie um die Gewänder des Herrn würfelten, so wird Schwejk als Ganzes verspielt.

Man darf es aber als besonderen Takt Haseks ansprechen, daß er Schwejk sich weder auf den großen Hussitenreformator Hus berufen läßt noch auf den Feldherrn Ziska, obgleich er als Tscheche sich wohl daran hätte aufrichten können. Hasek bleibt sich der Grenzen Schwejks bewußt.

Schwejks Späße im Dialog, hundertfältiger Anlaß zum freiwilligen und unfreiwilligen Humor, werden ergänzt durch den Einfallsreichtum, mit dem ihm beispielhafte Geschichten einfallen, die ihm unermüdlich zur Verfügung stehen, wenn es gilt, Katastrophenaugenblicke aufzufangen oder von bevorstehenden abzulenken. Es ist das besondre Stilelement Schwejks, mit dem er sein unerschütterliches Seinsgewicht verstärkt und zugleich die Schwejkburlesken auf die Romanbreite bringt. Immer ist es der Blick von unten, der pikareske Blick, der ihm die Stoffe liefert, aus unbegrenzter Lebensnähe. Serien von Beispielen. Gleich der Eingang des Romans stimmt uns darauf ein:

„Also sie ham uns den Ferdinand erschlagen" sagte die Bedienerin . . . „Was für einen Ferdinand, Frau Müller? fragte Schwejk. Ich kenn zwei Ferdinande. Einen, der is Diener beim Drogisten Pruscha und hat dort mal aus Versehn eine Flasche mit irgendeiner Haartinktur ausgetrunken, und dann kenn ich noch den Ferdinand Koboschka, der was den Hundedreck sammelt. Um beide is kein Schad."

So wird von vornherein der Mord von Sarajewo, der den Weltkrieg hervorrief, eingeebnet . . . Es ist das Grundmittel zu dem radikalen Entlarvungsprozeß, mit dem der stolze Überbau der k. k. Monarchie abgebaut wird. In Schwejks Zeit beim Feldkurat ist es die kirchliche Tradition, in der Zeit beim Oberleutnant Lukasch sind es alle Formen der Militärgewalt, hinter denen sich Abgründe eines zerfallenden Systems auftun. Für das lebendige Miteinander, aus dem Schwejk seine Kräfte zieht, ist es dabei von Belang, daß Oberleutnant Lukasch ein Mensch mit Herz ist, bei allem grenzenlosen Leichtsinn. „Wir sind eine Hand" sagt Schwejk. „Eine Hand wäscht die andre. Wir ham schon viel zusamm mitgemacht." Tatsächlich findet ein seltsamer Ausgleich statt. Schwejks Ruhe, Geduld, unbefangne Heiterkeit in jedem Augenblick wirkt unwillkürlich auf den Oberleutnant zurück, wirkt sänftigend auf seinen Zorn, und hilft ihm selber menschlicher zu werden. Zu einer symbolischen Steigerung dieses Verhältnisses am Schluß ist es allerdings nicht mehr gekommen. Hasek starb darüber im Januar 1923, mit 40 Jahren.

Wohl kann man von Steigerungen im Aufbau sprechen. Es gibt Dauertypen, die Schwejk flankieren und ergänzen. So sein Nachfolger als Bursche beim Oberleutnant, mit dem Namen „Baloun". Er ist der Gefräßige schlechthin, der mit rabelaischer Freßphantasie das Unwahrscheinlichste an unmilitärischen Freß-Übergriffen verübt. Wenn Schwejk Don Quichote-Augenblicke hat, dann ist Baloun sein Sancho Pansa. Dazu tritt der okkultistische Koch, der Schwejk in die Seelenwanderungslehre einführt. Das bringt folgenden Ausspruch Schwejks ans Licht, der uns zugleich zum Beispiel Schwejkschen Humors dienen kann:

> „Ich bin mal in die Museumsbibliothek gegangen und hab mir so ein Buch über Seelenwanderung ausgeborgt, und dort hab ich gelesen, daß ein indischer Kaiser sich nachm Tod in ein Schwein verwandelt hat und daß er sich, wie man das Schwein abgestochen hat, in einen Affen verwandelt hat, daß er ausm Affen ein Dachshund geworn is und ausn Dachshund ein Minister. Beim Militär hab ich mich dann überzeugt, daß etwas Wahres dran sein muß, denn jeder, der ein Sterndl gehabt hat, hat die Soldaten entweder Meerschwein oder überhaupt mit einem Tiernamen beschimpft, und demnach sollte man meinen, daß die gemeinen Soldaten vor tausend Jahren irgendwelche berühmte Heerführer waren. Aber wenn Krieg is, is so eine Seelenwanderung eine sehr dumme Sache. Der Teufel weiß, wieviel Verwandlungen der Mensch durchmacht, bevor er, sagen wir, Telefonist, Koch oder Infanterist wird, und auf einmal zerreißt ihn eine Granate, und seine Seele fährt in ein Pferd bei der Artillerie, und in die ganze Batterie platzt eine neue Granate . . ."

Als Schwejk also philosophiert, ist er selber Telefonist und hat offenbar sein Beobachtungsfeld erheblich erweitert an den Telefongesprächen, die er zu vermitteln hat. Die Seelenwanderung wird zum grotesken Schlüssel für das, was Erich von Kahler „den dynamischen Charakter unseres Lebensgrundes" genannt hatte.

Die Steigerung der Handlung zieht sich dahin zusammen, daß Schwejk mit seinem Oberleutnant im Marschbataillon 11 dem Frontkrieg entgegenfährt. Schwejks Beispiele werden immer ausführlicher, die Offiziersumrisse immer grotesker. Sie werden bei Schwejk jetzt kurzerhand „Furzer" genannt, der besonders gehaßte Leutnant Dubs „Halbfurzer". Als Leutnant Dubs einmal seinem Burschen eine Ohrfeige gibt, bringt Schwejk das zum „Rapport", sogar gegen den Willen des Geohrfeigten, der zu feige ist, und Schwejk erzwingt beim Hauptmann, daß dem Leutnant der Bursche abgelöst wird, Zeichen dafür daß Schwejk selber gewachsen ist, am Kopf wie am Herzen.

Schließlich gerät Schwejk noch dicht am Kriegsgericht und Strang vorbei. Als ihn die Neugier treibt, eine Russenuniform anzuziehen, die er beim Baden findet (von einem Russen-Gefangenen), wird er als Spion festgenommen. Jetzt muß er die Probe ablegen, bis zu welchem Grad er sich blöd stellen kann, um die österreichische Gendarmerie und das Kriegsgericht zu unterlaufen.

Was Hasek neu in die Literatur wieder eingeführt hat, ist die unmittelbare Frische des Blicks von unten her, der pikareske Blick. Man kann sagen, er ist dem kafkaesken Blick genau entgegengesetzt. Was die Nachfolger Kafkas bringen, ist Lust am Verfall, am labyrinthischen Nichts. Schwejk erreicht immer die Unmittelbarkeit des Lebens, aus einer Einfalt, die sich zur Stimme aller Unterdrückten, Wortgehemmten, Leidbeladenen macht. Das Kleinste wird zum Wert, indem es sich am Größten, am Kriegsgeschehen mißt. Daraus entspringt der Humor. Sein Realismus nährt sich aus den Verfallssymptomen der k. k. Monarchie. Aber er hält sich nicht dabei auf, er unterläuft alles und überlebt. Weder als Individualist noch als Marxist, einzig als soziale Unterstenschicht, von der einmal John Steinbeck in den „Früchten des Zorns" gesagt hat: „Leute wie wir werden weiterleben, wenn alle andern dahin sind." Kann sich aus solchen Prämissen wieder einmal ein symbolischer Kosmos der Dichtung auferbaun?

Einen Versuch hat Alfred Döblin mit dem Roman „Berlin Alexanderplatz" 1929 gemacht. Als Armenarzt am Alexanderplatz kennt er den Jargon der einfachen Leute. Und er kennt den Rhythmus der Großstadt, wie ihn eben erst James Joyce und Dos Passos in Großstadtromanen eingefangen haben. Aber sein Held Franz

Biberkopf ist der äußerste Gegensatz zu Schwejk. Als aus dem Zuchthaus entlassener Mörder ist er zwar entschlossen, kein Ding mehr zu drehen. Aber er lebt aus einem wüsten chaotischen Unbewußten. Außerdem will er grundsätzlich nichts arbeiten. Auch Sozialist oder Marxist ist er nicht. Man kann auf ihn die Formel beziehen, die Martin Buber für den asozialen Menschen unsrer Zeit geschaffen hat: „Nicht zwischen Mensch und Mensch allein, sondern zwischen dem Wesen Mensch und dem Urgrund des Seins ist die Unmittelbarkeit verletzt worden." So bringt Döblin zwar einen Dauer-Rummel zustande, durch den Biberkopf hindurchgedreht wird, und er entwickelt einen manieristischen Großstadtstil, der jede Art Montage einblendet. Walter Muschg hat sie aufgezählt: „Ausschnitte aus Börsenberichten, amtliche Publikationen, Text- und Annoncenseiten von Zeitungen, Geschäftsreklamen, Plakatwänden, Firmenprospekten, Briefen von Sträflingen, Schlachthausstatistiken, Lokalnachrichten, Lexikonartikeln, Operettenschlagern, Gassenhauern und Soldatenliedern, Wetterberichten, Berliner Bevölkerungs- und Gesundheitstabellen, Nachrichten über sensationelle Zeitereignisse, Polizeirapporte, Gerichtsverhandlungen, behördliche Formulare, usw." So öffnet sich Döblin zwar einer chaotischen Tiefenbewegung, aber es ist niemand da, der einen Gegenhalt bietet. Was wir miterleben, mit Biberkopf, ist das Verbrecherzwielicht, das ihn wieder in seine Strudel zieht. Damit, daß Döblin zuletzt auch Hiob-Zitate hereinnimmt, neben Kirchenliedversen, Volksliedversen, wird aus seinem Kaschemmen-Helden noch kein Hiob, der für das Leid der Welt symbolisch werden könnte. Beziehen wir uns auf die Schwejkgestalt zurück, und was sie von Döblins Massenmensch grundsätzlich scheidet, dann ist es jener einfältige Kern, der im Umgang von Mensch zu Mensch immer lebendig bleibt und ein Herz verrät. Es ist gewiß nicht viel. Aber es reicht aus, jenes Kleinste zu repräsentieren, an dem das Größte, der Krieg, gemessen wird, und das einen Humor entwickelt, der aus Schwejk einen Volksbuchhelden macht. Döblins Roman dagegen ist bereits in die Fachwissenschaft abgesunken.

Unter dem Paukenschlag des Hitlereinbruchs 1933 entstand ein andrer Roman, vielmehr ein Romanfragment. Hermann Broch, acht Jahre jünger als Döblin, der sogleich emigrieren mußte, war als Österreicher in der glücklicheren Lage, sich umstellen zu können. Erst in Wien, dann auf dem Land in Tirol, ergriff ihn ein Ruf zu metaphysischer Pflicht: mit einem „religiösen Roman" dem Dämon entgegenzuwirken. Als Schriftsteller hatte er seinen Beruf sehr ernst genommen. „Dichten heißt: Erkenntnis durch die Form gewinnen wollen." So schrieb er 1932. Joyce hatte ihn gelehrt, daß „der Umbruch der Welt auch einen Umbruch des Dichterischen" fordert, auf eine „neue Art der Totalität" hin. Bisher hatte er diese Totalität im totalen Werte-Zerfall gesucht. So war die Trilogie „Die Schlafwandler" entstanden. Jetzt erfuhr er die Umkehr zu einer neuen Einfalt:

> „Wahrscheinlich ist es das schlichteste, einfältigste, kleinste Leben, dem wir zustreben müssen: eine Zernichtung im Ekkehartschen Herzensgrund, eine Reduktion auf das Nichts ... das nur mehr dem Individuellen angehört und doch den Keim zu neuer Soziabilität in sich trägt, weil jene Einfalt und Einfachheit auch die Liebe ist." (Brief vom Oktober 1934).

Brochs „Bergroman" (vom späteren Herausgeber nach Brochs Tod „Der Versucher" genannt, von Broch auch „Der Wanderer" bezeichnet) ist Fragment geblieben. Der „Einsatz aller Lebensenergien", von dem er in Briefen sprach, hat nicht ausgereicht, die Widersprüche zur symbolischen Totalität zu binden. Aber Brochs Weg ist aufschlußreich. Er wollte zweierlei: einmal die teuflische Struktur des Nationalsozialismus so stilisieren, daß sie künstlerisch darstellbar wurde. Zugleich galt es das Gegengewicht zu schaffen: im äußersten Gegensatz zu Döblins „Alexanderplatz" sich aus dem verwirrenden großstädtischen Chaos in eine „ländliche Ordnung" zurückzufinden, weil sie „ein anderes Verhältnis zur Unendlichkeit hat". Es ist das Verhältnis von unten her, vom Boden her, vom einfachsten Mitmenschen her. Darum wählte Broch sich als Chronisten den Typus eines älteren Landarztes, den seine täglichen Wanderwege zu den ganz einfachen Menschen führen. Er hat bewußt der Großstadt den Rücken gekehrt. In Briefen kommen die Stationen zum Ausdruck: Abkehr von jeder Art „Kunstgewerbe". Hinwendung zum „homerischen mythischen Werk", zur „Hirtenschlichtheit". Abkehr von jeder Art Krampf. Auch vom Joyce-Krampf. Dagegen sucht er „eine unerschütterliche Gesinnung zur Herzensreinheit".

Was den Landarzt, mit dem sich Broch weithin einig weiß und der auch wohl als der „Wanderer" im Mittelpunkt stehen sollte, ins Tiroler Bergdorf geführt hat, ist ein Erlebnis, mit dem Broch auf die elementarste Spaltung unsrer Gegenwart zurückgreift: die Frau, der sein Herz gehörte, eine Arzthelferin in der Großstadt, war überzeugte Kommunistin. Nachdem sie sich bereits für ihn entschieden hatte und ein Kind von ihm erwartete, wurde sie von der Partei nochmals zu einem Putsch angesetzt. Als der Putsch mißglückte, gab sie sich befehlsgemäß den Tod. Der Schock, unter dem er Weib und Kind verlor, trieb ihn aufs Land. Er wurde Landarzt in Tirol im Bergdorf, seine Seele begab sich auf die Wanderschaft nach der „Seinsganzheit".

Den unmittelbarsten symbolischen Ausdruck dafür hat Broch darin gefunden, daß er den Hund Trapp einführt, der den Landarzt auf allen Wegen begleitet und mit dem er Gespräche führt. Er spürt die „wundersame Teilhaberschaft des Hundes, die so unergründlich ist wie der Schimmer der Unendlichkeit in ihr". „Wir lieben den Hund als unser Ebenbild ... wir lieben seine Verzückung und seine Trauer, mehr noch, sein Dasein ist uns ... ein Gleichnis; zwar ein bloß domestiziertes und simplifiziertes, nichtsdestoweniger vollgültig als Gleichnis der Einfalt, die die Vielfalt überwindet." Die sentimentalische Haltung wird offenbar. Was sie sich an der Einfalt aufschließt, ist hier das Mitkreatürliche als ein Stück Schöpfungs-Mitbewegung, das im enttäuschten Großstädter wieder den Glauben an die „Seinsganzheit" verstärkt. Der Blick ins Auge des Hundes erweckt im Landarzt „ein Suchen und Erkennen und Wiedererkennen, so endlos wie alle Spiele jener einfachen Geschöpfe, zu denen die Hunde und die Kinder gehören und deren Einfalt sich im Beharren kundtut".

Broch führt seinen Landarzt durch ein ganzes Kapitel, das er „Die Einfalt" überschreibt. Darin begegnet er nur ganz einfältigen Menschen; so einem Beerensammler, der sich auch auf Pilze versteht, und dessen Anblick ihm einen „Atem der Ewigkeit" gewährt, die Mahnung: „daß wir einfältig bleiben müssen, weil uns sonst die Angst übermannt." Und dann trifft er auf den Kleinbauern mit der Tochter Agate, die mit sechzehn Jahren, für den Landarzt ganz überraschend, ein Kind erwartet. Auf das Kind freut sie sich ungeheuer, aber mit dem jungen Vater will sie nichts mehr zu tun haben. Denn es ist der Wirtssohn im Dorf, der sich gegen den Einspruch der Eltern nicht durchzusetzen weiß. Den Landarzt beglückt das Verhalten Agates, ihr kindliches in ihrem Zustand-Verfangensein. Er spürt es als ein „inneres Leuchten", das ihm entgegenschimmert. Und es beglückt ihn, daß hier Vater und Tochter ganz einig gehen. Das Kind-Wunder der Schöpfung erhebt sie über jede rationale

Schicht. Und der Landarzt fühlt sich im erschütterten Lebensmut aufgerichtet.

Wir haben solche Signale der „Einfalt" vorweg herausgehoben, sie deuten an, was Broch vorgeschwebt hat, was er als Gegengewicht zur Roman-Handlung unbedingt zu brauchen glaubt. Agate mit ihrem Kind wird durch den ganzen Roman hindurchgehen. Am Schluß wird der Landarzt dieser Maria mit dem Kind wie ein zweiter Josef zur Seite stehen.

Sinn der Romanhandlung ist es nun, daß gerade mitten in die Stille des Bergdorfs sich der tödlichste Zwiespalt der Zeit einnisten wird: in Gestalt des Massenverführers Ratti, der alle seine Energien aus dem Haß bezieht. Auf seine Gestalt, die das ganze Dorf fanatisieren wird, wie eine Hitler-Chiffre, gehen wir nicht ein. An dem durch drei Fassungen hindurchgetriebenen Fragment soll uns hier nur das dienlich sein, was den Landarzt in der Suche nach der „Seinsganzheit" bekräftigt. Da dem Fragment die Gesamtgestalt versagt geblieben ist, läßt sich nicht voll beurteilen, wie die Bewältigung des Nazismus hätte gelingen sollen.

Unvergeßlich dagegen ist die Frauengestalt, die dem Fanatiker Ratti das Gegengewicht geben sollte. Es ist „Mutter Gisson". Ihr Name ist aus der Umstellung von „Gnosis" gebildet. Das besagt schon, was Broch im Sinne lag, was dem symbolischen Kosmos dieser Dichtung seine Weiträumigkeit sichern sollte. Die Freundschaft des Landarztes mit der Herrin eines Bauerngeschlechts ist dauernd und immer wieder spontan. Er bewundert als Arzt ihren „diagnostischen Instinkt". Eines ihrer Grundworte begleitet die Romanhandlung: „Wenn die Zeit reif ist, ist die Demut heilsam, und es soll der Mensch ihrer froh sein." Ihre Kraft zu solcher Demut wird auf die höchste Probe gestellt, als Ratti, der Bauernknecht, die Enkelin der Mutter Gisson, das Ebenbild der Großmutter, in eine Art hysterisches Selbstopfer treibt. Vorher hatte Mutter Gisson den großen Hasser gestellt, der die „Weiberzeit" ... durch die „Männerzeit" ersetzen will. „Die Weiber wissen, daß der Mensch glücklich sein muß, damit er leben kann." „Das Glück gibts nur dort, wo ein Baum ein Baum ist, und die Erden die Erde, und ein Mensch ein Mensch." ... „Wo alles so einfach und wirklich ist, wie es ist." Das sind grundeinfache Worte. Mutterworte sozusagen, die der Hybris der neu heraufgekommenen Mannswelt das echte Mutterbild der Zeit entgegenstellen will.

Auch die Formeln, mit denen Mutter Gisson Ratti selbst benennt, der die ganze Jugend des Dorfs hypnotisiert, sind einfach. Ihr Urteil gegen Ratti: „Du gehst in den Haß, als ob du kein Mann wärst!" Zugleich ihr Urteil gegen die Zeit: „Weil der Haß keinen Ausweg mehr hat, ist seine Zeit gekommen. Sie müssen dem nachlaufen, der haßt. Seine Stärke ist das Nichts!"

Wir können nur bedauern, daß Broch mit diesem Roman nicht mehr zurande gekommen ist, obgleich er kurz vor dem Tod nochmals darangegangen war. Die Absicht, die ihm vorschwebte, sollte im Vermächtnis der sterbenden Mutter Gisson liegen, in der Zwiesprache mit der toten Enkelin: „Nichts an dir ist vernichtet." Der Landarzt hält sich an ihr Wort: „Die Mitte ist da, wo das Herz ist."

Um noch das Ausmaß der Widersprüche anzudeuten, an die sich Brochs Roman herangewagt hat, seien die Formeln herausgehoben, mit denen Ratti die Jugend verzaubert: durch radikale Abstraktionen: Forderung nach Gerechtigkeit, Keuschheit, Härte, Verachtung des Weibervolks, Verachtung der Maschine, des Rundfunks. Der Landarzt erwittert an ihm den Menschen ohne Blick, wie hinter einer Maske. Er erscheint ihm als ein Irrer: „für ewig in Engelsblick und Tierblick gespalten."

Brochs Versuch erhält besondre Bedeutung, weil er aus dem Manierismus gekommen ist. Die Trilogie „Die Schlafwandler" 1931 suchte mit den Mitteln des Joyce-Stils das zerspaltene Deutschland von 1888—1918 zu spiegeln, bis zu Romanzersprengenden Exkursen über den „Zerfall der Werte". Was am Bergroman auffällt, ist die Annäherung an den Stifterstil. Der Wille, dem Hitler-Schock den religiösen Roman entgegenzustellen, der zum Einklang mit der Schöpfungsbewegung selbst zurückzuführen vermag. Mutter Gisson als Gnosis einer neuen Zeit. Mutterbild als Symbol des Urmütterlichen, dem Chaos, das die Männer angerichtet haben, entgegen.

Zur selben Zeit, in der Broch sich zu einem „religiösen Roman" rüstete, um dem Hitler-Terror zu begegnen, erschloß sich Edzard Schaper die Einfalt griechisch-katholischer Frömmigkeit in Estland, die den Bolschewisten-Terror unterläuft („Die sterbende Kirche" 1935). Darnach sammelte sich seine außerordentliche Erzähl-Begabung zum epischen Hauptwerk, dem Roman: „Der Henker" 1940. Als Leitwort stellt er Sätze aus der Livländischen Chronik Heinrich von Lettlands voraus (1225/26): „Dieses haben wir nicht um Schmeichelei oder zeitlichen Gewinstes willen aufgeschrieben, sondern vielmehr zur Vergebung unserer Sünden, zum Lobe dieses unseres Herrn Jesu Christi." Er selbst wählt nicht den Rückgriff in die Geschichte, sondern die Revolutionszeit 1905 in Estland-Livland, unter zaristischer Herrschaft. Was er dem drohenden Unmenschlichen in Deutschland entgegendichtet, zieht sich im Titel „Der Henker" zu paradoxer Sinntiefe zusammen: der Name heftet sich an den Rittmeister aus russifiziertem baltischen Adel, der Aufständische nach zaristischem Kriegsrecht zum Tod verurteilen muß. Als er durch Erbschaft zum Gutsherrn wird, Mitglied der baltischen Ritterschaft, tritt ihm in dem Namen „Der Henker" der Haß der unterdrückten Esten und Letten entgegen. Die Aufgabe des Romans aber wird es sein, das Wort aus der Livländischen Chronik ernst zu nehmen: überschattet vom „Mythos des Henkers", den er zeitlebens nicht mehr los wird, reift in Schapers Helden ein Charakter heran, den sein Gewissen zwingt, Unrecht zu sühnen, soweit es noch zu sühnen ist. Obgleich ihm Esten aus dem Hinterhalt die Braut erschossen haben, mit Schüssen, die ihm selber galten, wagt er zuletzt den Ritt zu seinem Todfeind, dem alten estnischen Bauern, dem er zwei Söhne hat hinrichten lassen müssen, und er söhnt sich mit dem Sterbenden aus. Um diese Mitte einer wahrhaft paradoxen „Henkertragik", die sich von innen her durchlichtet, ist der Roman zum Gesamtbild der drohenden Baltentragödie geworden, mit ihrem volksrevolutionären Untergrund, der Balten-Ritterschaft zwischen Russifizierung und Angleichung an die Bauern. Schon Ende 1939 wird der Stalin-Hitlerpakt alle baltischen Staaten dem Bolschewisten-Zugriff preisgeben. Schaper hat noch einmal Würde und Noblesse einer Feudalgesellschaft, Träger einer alten großen Kultur, eines christlich gegründeten Idealismus ins Licht gehoben, mit einer Darstellungskunst, die sich die großen Russen zum Muster genommen hat.

Als Schaper der 3. Auflage 1956 den veränderten Titel gab: „Sie mähten gewappnet die Saaten", verlegt er das Schwergewicht vom Titelhelden, seinem paradoxen Henkertum, das den Henkern des Dritten Reichs entgegengerichtet war, auf das Gesamt der Baltentragödie zurück bis zu den Ordensrittern im 13. Jahrhundert. Immer mußten sie gewappnet sein, wenn sie Bauernland unter den Pflug nahmen. Beide Romantitel übergreift des Dichters Lichtsymbolik, durch die noch einmal das Wagnis unternommen ist, in eine grundverweltlichte Zeit die von Zweifeln überschattete Gegenwart aus der Tiefe des christlichen Urlichts zu durchhellen, wie es im Mikrokosmos der von „düstrer Glorie" umflorten Seele des

Gutsherrn durchbricht. Was ihm „die Hoheit des Gewissens" stärkt, ist die Adelsbindung an Jahrhunderte Baltentum. Hier wird alles symbolisch im durchgestalteten mitbewegten Lebensgrund. Die Widerspiegelung im Dauergeflecht des meisterlichen Sprachstils, der hundert Figuren ins Leben ruft, vom chaotischen Aufruhr verwirrte wie von Offizierspflicht und Kriegsrecht geprägte, bis in die spätere Gutsherrnzeit, mit den Blutlachen vom Grab der Hingerichteten, dem stets bedrohten Gutsleben, der zwielichtigen Ritterschaft, die ihm die Henker-Legende anlastet, mit „Henkerszeit-Blutzeit" durchs ganze Land, mit Waldbränden, Mord, mit der Ermordung der Braut, und dem nächtlichen Auftauchen des alten Bauern wie ein Bär im Wald — dies ganze Dauergeflecht erfährt sein innerstes Leben von der Lichtsymbolsprache. Schapers Held hat eine Lichtvision im Augenblick, wo ihm seine Tragik bewußt wird: allein gelassen in einem Kampf auf Leben und Tod, Gutsherr mit dem Henker-Makel, gehaßt vom Esten- und Lettenvolk, preisgegeben vom russischen Staat ebenso wie von der Balten-Ritterschaft. Nur er selbst im Dienst. Dafür sucht sein Innerstes ein Bild: „Ein lichtes Kreuz glitt durch die Finsternis." Etwas wie eine Engelsgestalt beruhigt ihn: „Aus der Mitte des Lichts legte sich der Engel zu ihm in seinen Tod und daraus ging sein Leben hervor." Als ihm dann die Braut begegnet, drängt sich ein anderes Bild auf: „das kristallene Herz", das alles in Klarheit Geschaute „in Einfalt eint". Er erkennt sie als den Engel, im Augenblick, wo sie an seiner statt erschossen wird. Einmal noch erscheint ihm ihre Engelsgestalt, ihr „kristallenes Herz": als er sich entschließt, den Alten zu versöhnen, ihm den dritten Sohn aus Sibirien zurückzufordern. So überwindet er „das Herz der Finsternis".

Man spürt, wie solch Wagnis einer Christusnachfolge heute nicht mehr ohne Übersteigerung bewältigt wird, man mag an ein Nachwirken der Neuromantik oder des Jugendstils erinnert sein. Aber zugleich bleibt das harte realistische Gesamtgeflecht der Balten-Tragödie, ein westlicher kühner Versuch durchaus im Sinn des sozialistischen Realismus, wie ihn der Osten für sich in Anspruch nimmt. Nur eben bereichert um die religiöse Dimension. Welch krasser Kontrast solcher religiösen Einfalt zum modernen manieristischen Romanstil.

Schapers Bedeutung greift aber über den Henker-Roman hinaus. Sein innerstes Anliegen zieht sich um die religiöse Betroffenheit zusammen, die in einfältigen Gemütern Wunderkräfte zu entfalten vermag. Es ist Schapers Überzeugung, daß sich unter dem bolschewistischen Druck die stärksten Urelemente des Glaubens erhalten haben. Nur sind sie schwer aufzudecken, sozusagen nur für Augenblicke zu beleuchten. Daran wohl liegt es, daß Schaper den großen religiösen Roman noch vor sich hat, der mit Überzeugungskraft Urschichten im russischen Volk ins Leben hätte rufen können. Unermüdlich aber sind Schapers Versuche, Begegnungen zu schaffen, die das „Unbegreifliche" der „göttlichen Logik" blitzhaft erhellen, in Altgläubigen-Gemütern wie dem Zimmermann und Modelltischler Agafonow, oder in der Legende vom „vierten König", der dem Stern gefolgt ist, aber Christus nicht in der Krippe findet, sondern erst nach dreißig Jahren am Kreuz. Der durch den Blick Christi Verwandelte ist alterslos geworden, als Archetypus gegenwärtig im Zweiten Weltkrieg, wo ihm der Erzähler begegnet, „in wahrhaft archaischer Unbewegtheit", „hoheitsvoll wie das Bildnis einer alten, verschollenen Gottheit", „unverweslich". Wie „der Einbruch der Ewigkeit in die Zeit". Man könnte an Jungs archetypisches Modell denken, Modell des „Lichtbringers" in anarchischer Zeit, deren Dunkelheit er erhellt. Begreiflich, daß solche Vorstellungen nur zur „Legende" führen, in die Schaper Umrisse des Satanismus der Gegenwart einblendet: Einbruch der SS-Zivilverwaltung, die das Kloster dezimiert, bis auf den vierten König, der spurlos entschwindet.

Hintergrund bleibt Rußland, wo „Christus wie gestern geboren ist", wo „Judas jeden Tag unter jedem Baum hängt". Wo tschechische Marxisten Bücher schreiben: „Gott ist nicht ganz tot", wo der „Atheismus" wieder eine „Metaphysik" versucht. Alles bleibt hier offen, wenn nicht auf deutsche, so auf künftige Russen-Romane hingewendet. Schaper jedenfalls hat im West-Ost-Konflikt als einziger deutscher Dichter die Offensive in den Osten hineingetragen.

Als Günter Grass 1959 mit seinem Roman „Die Blechtrommel" einen Bestsellererfolg errang, der weit ins Ausland ausstrahlte, fand ein Ausländer den Vergleich mit Grimmelshausens „Simplicissimus" angebracht. Wie dort der Hintergrund des Dreißigjährigen Kriegs, so hier die Zeit von 1933—45, Nazismus, Weltkrieg und Katastrophe. Wohl ist das Gemeinsame der picarische Blick, der Typus des Schelmenromans. Aber damit hört die Gemeinsamkeit auf. Wir hatten beim „Simplicissimus" den Vers vorausgestellt, mit dem der Einsiedler auf der Insel seinen Blick auf Gott richtet:

„Ach, allerhöchstes Gut, du wohnest so im Finstern Licht,
daß man vor Klarheit groß den großen Glanz kann sehen nicht."

Lichtsymbolsprache, mit der Paradoxie vom „finstern Licht", die dies ganze paradoxe barocke Leben umschließt.

Auch Grass greift zur Lichtsymbolsprache:

„Ich erblickte das Licht dieser Welt in Gestalt zweier Sechzig-Watt-Glühbirnen. Noch heute kommt mir deshalb der Bibeltext: ‚Es werde Licht und es war Licht' — wie der gelungenste Werbeslogan der Firma Osram vor."

Mit unkonventioneller Kühnheit ist hier jede Art Lichtsymbolsprache auf den Kopf gestellt. Der Zynismus, der die elektrischen Glühbirnen mit dem Bibelwort konfrontiert, bestimmt das ganze Grundverhältnis des Blechtrommlers zur Welt. Aus Haß gegen die Erwachsenenwelt hört er mit drei Jahren zu wachsen auf. Durch einen gewollten Sturz von der Kellertreppe führt er es herbei. Er durchlebt die moderne Welt als dreijähriger Zwerg. Sein Blick von unten ist ein künstlich verzerrter Blick, der zu grotesken Zerrbildern des umgebenden Lebens führt. So wird er das Gegenteil eines „Simplicius", der vorerst mit den Augen des frommen Einsiedlers die Welt erfährt. Was im Blechtrommler revoltiert, nennt er selber „den Satan in sich". Als Zerrmischung von Kind und Teufel wird er zum Zerrspiegel der von Satan heimgesuchten Zeit. Die Blechtrommel, geschenkt zum dritten Geburtstag, übertrommelt alles, „ertrommelt sich die gewünschte Distanz" zu den Erwachsenen. Und wenn man sie dem kleinen Satan nehmen will, schreit er mit einem so diamantenen Schrei, daß er jedes beliebige Glas, das auf derselben Wellenlänge liegt, zum Zerspringen bringt. Eben diese beiden künstlichen Kontaktmittel zur Umwelt, das Zertrommeln jedes Gesprächs, die Lust an der Zerstörung im Schrei, schaffen zwar groteske Szenen, aber sie heben den „Giftzwerg" aus dem natürlichen Lebenszusammenhang heraus. Das trennt ihn vom Simplicissimus grundsätzlich. Es gibt nichts Gemeinsames. So triumphiert denn auch, was die Kritik die „Lust an der Entstellung" nennt. Es entsteht ein entstelltes Bild Deutschlands, nirgends aus dem Mit-Leben mit Grundkräften bewegt. Das Schwergewicht liegt auf der kalten Groteske, auf der schonungslosen Satire. Ein böswilliger Infantilismus berechtigt zur gänzlich unmoralischen Spiegelung aus dem Kinderblick, von ganz unten, bis unter die Kleider der Erwachsenen, immer grausam, zynisch, insbesondere was die erotischen und fäkalischen Möglichkeiten betrifft. Zeitsatire gelingt, wenn der Trommler unter der Sporttribüne versteckt, die Naziveranstaltung sprengt, allein dadurch, daß er den Musikzügen seinen Rhythmus aufzwingt, von der „Blauen Donau" zum Charleston: „Jimmy the Tiger". Da erwächst am Kontrast zum hohlen Pathos der Fanfaren etwas vom Schwejkschen Triumph des Kleinsten über das Größt-Pathetische. Ganz unergiebig wird die Monotonie der Schreie mit ihrer Lust zur Zerstörung. Glühbirnen werden zerschrien, um im Dunkeln erotische Entgleisungen zu beobachten. Schaufenster werden zerschrien, um Diebsgelüste zu wecken. Eine witzlose Blasphemie ist es, wenn der kleine Satan in der Kirche sich als Jesus ausgibt, der Wunder tut, indem er Glas zerschreit. Hier fehlt überall der wirkliche Ernst der Zeitsatire. Das Böse, das auf solche Weise nichts bewirkt, fällt schließlich ins Nichts zurück. Was sich mit dem Blick von unten erobern läßt, hat sich im Zwielicht des bösen Blicks um die mitmenschlichen Begegnungen gebracht. Keine Erzähldynamik mit manieristischer Bravour täuscht darüber fort. So bleibt es beim „Wechselbalg aus realistischen und phantastischen Elementen" (Holthusen), Zerrspiegel einer bereits abgesunkenen Übergangszeit.

Fast zur selben Zeit, als Grass den Ausländern ein erwünschtes verzerrtes Deutschlandbild bot, erschien ein amerikanischer Bestseller in der vortrefflichen deutschen Übersetzung von Heinrich Böll: Jerome D. Salinger „The Catcher on the Rye" = „Der Fänger im Roggen". 1962. Holden Coulfield ist ein Simplicius ganz besonderer Art. Ein Sechzehnjähriger, in der Entwicklungsstufe des Halbstarken, der eine Art schizophrenen Zwischenzustand durchläuft, eine Art naive Schizophrenie, noch durchaus infantil, vom ersten Sexus überrascht, in der Abkehr von Schule und Erwachsenen sozusagen wertefrei, von nichts im Bildungsleben angezogen, mit einem sichern Gefühl für alles „Verlogene" revolutionär, doch unaktiv, und von Dauerverstimmung bis zur totalen Depression heimgesucht. Er stammt aus der reichen Schicht, wird soeben zum dritten Mal aus einem Internat hinausgeworfen, weil er nicht mitarbeitet. Plötzlich nachts gegen ein Uhr entschließt er sich abzuhauen, geht zu Fuß zum Bahnhof, fährt nach New York, wo er drei Tage herumwirtschaftet, mit dem von der Großmutter geschickten Geld. Diese Zeit schildert er, mit jungenhaften Ausdrücken, aber als ein Unverdorbener. „Das hat mich umgeschmissen", „Frauen bringen mich um", „Das warf mich um", „Das wirft mich jedesmal um." „Ihre

Lippen bewegten sich in fünfzig Richtungen gleichzeitig. Das wirft mich um." „Es ist so nett, daß es einen umwerfen kann." „Kinder sind immer verabredet, das wirft mich jedesmal um." Und so erlebt er als letzte Steigerung, wie seine kleine zehnjährige Schwester ihn „umwirft": Sie bringt es fertig, als er in einen imaginären Westen türmen will, sich ihm einfach anzuschließen, und ihn dahin umzuwerfen, daß er mit ihr nach Hause geht, dem Strafgericht der Eltern entgegen.

Weil Holden im Bodenlosen seines Wachstums steht, wirft ihn alles um. Nichts ist ihm wichtig. Aber blindlings häuft er alle Selbstbeschuldigungen auf sich, nennt sich einen „gottverfluchten Idioten", weil ihm die sprunghaften Widersprüche der eignen Natur als Anzeichen der Verrücktheit vorkommen und ihn erschrecken. „Gott sei's geklagt, ich bin verrückt." „Das Schreckliche an der Sache ist, daß ich es wirklich meine . . . ich bin wahnsinnig." Dies Sprunghaft-Verrückte empfinden Schulfreunde als „typisch Coulfield". In Wirklichkeit ist er im Umbruch. Er ist unausgereift, in den Organen des Miteinander noch unentwickelt, darum kommt er sich einsam vor, darum so schnell erschüttert. Dennoch immer auf dem Wege, auch in den beispielhaften Geschichten, die an Schwejk erinnern können. So ist er genau das Gegenteil des bösen Giftzwergs, der jedes Gespräch zertrommelt. Holden Coulfields infantile Schizophrenie kennt keine Tabus. Er quatscht alles heraus, was durch ihn hindurchgeht. In der Hemmungslosigkeit liegt die Faszination für Amerika, mit durchschlagender Wahrheit wird das Weltbild des Halbstarken offenbar. So naiv im Schizophrenen, daß genau der schwarze Humor entsteht, den die Amerikaner lieben. „Christus und so habe ich wohl gern, aber aus dem übrigen Zeug in der Bibel mache ich mir nicht viel. Zum Beispiel: diese Jünger: die ärgern mich wahnsinnig . . . Solange Christus noch lebte, nützten sie ihm ungefähr ebensoviel wie ein Loch im Kopf. Sie ließen ihn immer im Stich . . ."

Alle Werte schwanken, alle Erwachsenen sind Heuchler, die ganze Kultur ist Zerfall. Dennoch ist ein Simplicius-Kern innen drin. Salinger arbeitet ihn erst gegen Schluß richtig heraus, als Holden mit seiner zehnjährigen Schwester zusammentrifft. Die Schwester-Gespräche verwandeln Holden selber wieder in ein Kind. Als sie ihm ihr Weihnachtsgeld gibt, fängt er an zu heulen, aber er braucht es. Ihr erzählt er auch, was er sich bei dem Volkslied von Robert Burns denkt: „Wenn einer einen andern fängt, der durch den Roggen läuft." Es ist Holdens kindliches Wunschbild: wenn Kinder im Roggen spielen dicht am Klippenrand, dann will er da stehen und sie fangen, damit sie nicht abstürzen können. „Ich wäre einfach der Fänger im Roggen ... Ich weiß natürlich, daß das verrückt ist." So hat der Dichter hier an der intimsten Stelle, zwischen Schwester und Bruder, das Symbol für Holdens tiefstes Unbewußtes angebracht. Das Symbol für das ganze Buch. Was Holden davor bewahrt, so anarchisch zu sein, wie gegenwärtig die Jugend bei uns, ist sein Schwesterverhältnis; schutzengelhaft ist es in ihm wirksam, als Wunschbild, andern Kindern zu helfen. Daß die kleine Schwester den Heilsnamen „Phöbe" hat wie jene Phöbe der Bibel, die einen Brief des Apostels Paulus von Korinth nach Rom trug, kann uns dabei auch in die Erinnerung geraten. (An Raabes „Phöbe" in den „Unruhigen Gästen" wird natürlich niemand mehr denken.) Ein weiterer Schutzgeist ist der Bruder Allie, der verstorbene, mit dem er Zwiesprache hält.

William Faulkner, Nobelpreisträger von 1950, rühmt Salingers Roman als das Buch, das er in der gegenwärtigen Generation für das beste halte. Er findet sich an Huck Finn, Mark Twains Simplizius vom Mississippi, erinnert. Faulkner selbst ist der erste, der um einen Simplicius-Kern wieder den symbolischen Kosmos einer Dichtung geschaffen hat. Der Roman „Go down, Moses" (1942) führt in der deutschen Übersetzung von 1953 den Titel: „Das verworfene Erbe". Damit ist der moralische Erziehungskern glücklich nach vorn gespielt. Es handelt sich um Isaak McCaslin. Erbe des Carotherbluts und -besitzes, der mit 21 Jahren, großjährig geworden, den Anspruch auf sein Erbe verwirft, um dadurch zu sühnen, was Väter und Großväter an Indianern und Negern gesündigt haben. Wir beschränken uns dabei auf die beiden Mittelstücke des Gesamtromans: „Altes Volk" und „Der Bär". Hier sind die Elementarerlebnisse zusammengekommen, die in Isaaks Seele den Entschluß zur Sühne vorbereiten, erst im zehnten Jahr, zuletzt im 16. Jahr.

Eine seltsame Parallele zum deutschen „Simplicissimus" besteht insofern, als auch bei Faulkner ein Erzieher erscheint. Es ist ein alter Indianer, Mischung von Häuptlingsblut und Negerblut. Sam Fathers läßt im Ernst und der Würde des Sechzigjährigen nicht erkennen, daß er von der Mutter her Negerblut hat, und so „sein eignes Schlachtfeld ist". Er fühlt sich als Geist seines Indianerstamms, den er „das alte Volk" nennt. Dem jungen Herrensohn bringt er alles bei, was zum Jagen und zum Erkennen der Waldwelt gehört. Er bereitet ihn dadurch vor, daß er ihm von den indianischen Vorfahren Sams erzählt. Er macht sie ihm so gegenwärtig, als wären sie noch lebendige Wesen, die eigentlichen Herren der Wildnis, nicht die Weißen. Wir erheben das alles aus dem Mit-Erleben Isaaks. Wie Simplicius beim frommen Einsiedler aus der Bibel die Ehrfurcht vor Gott lernt, so erzieht Sam Fathers Isaak zur Ehrfurcht vor der Reinheit der Wildnis, vor der Größe und Erhabenheit des Großwilds. Als Isaak zehn Jahre geworden ist, darf er seinen ersten Hirsch schießen. Er bewährt alles, was er gelernt hat und trifft den Hirsch ins Herz. Sam streift ihm das Herzblut des Hirsches quer durchs Gesicht und weiht ihn auf solche Weise. Damit „hörte Isaak auf, ein Kind zu sein, und wurde ein Jäger und ein Mann". Er wurde „für immer einig mit der Wildnis".

Die Einverwandlung in den symbolischen Kosmos vollzieht Faulkner mit der ihm eignen mythischen Kraft. Was Isaak durchs Herz fährt beim Erscheinen des Hirsches, dafür braucht Faulkner die mythischen Vokabeln der Lichtsymbolsprache:

> „Und dann war der Hirsch plötzlich da. Er kam nicht in Sicht; er war einfach da, und sah aus, nicht wie ein Gespenst, sondern als hätte sich in ihm alle Helligkeit versammelt und als sei er die Quelle des Lichts, in dem er sich nicht nur bewegte, sondern das er aussandte . . ."

Wozu aber Sam den Jungen geweiht hat, das drückt er in einem Doppelbegriff aus: zur Steigerung des Lebensgefühls „voll Selbstverleugnung und voller Stolz zugleich". Faulkner wird eben diese Doppelung noch siebenmal wiederholen in immer anderen Situationen als Einheit von „Demut und Stolz". Der Gesamtaufbau dieses Buches darf uns daran erinnern, daß Goethe bei Betrachtung des allumfassenden Symbols zugleich darin die „höchste Anmaßung und die höchste Bescheidung" des Menschlichen erkennt. Es sind die gleichen polaren Spannungen, die hier angesprochen werden.

Sam wird Isaak noch zu einem zweiten Groß-Erlebnis führen: Begegnung mit einem andern Hirsch, dessen Fährte nur Sam kennt. Faulkner hat auch hier seinen mythischen Raum gespannt:

> „Er hielt den Atem an; da war nur noch sein Herz, sein Blut, und in dem drauf einsetzenden Schweigen hörte auch die Wildnis auf zu atmen, und sie beugte sich, neigte sich über ihnen mit angehaltenem Atem, ungeheuerlich und unzugänglich, und wartend. Dann hörte auch das Beben auf . . ."

In diesen Raum tritt der Hirsch, er geht an ihnen vorüber, keine sieben Meter entfernt, „einfach, groß und wild und furchtlos". Sam aber sagt zum Hirsch: „Oleh, Häuptling, Großvater!" Das ist es, was er Isaak vermitteln will, daß der erhabene Hauch, der ihn streift, aus den Urbildern kommt, aus dem Ursprung, wo der Ahn mit dem Tier eins war. Erst hinterher wird es Isaak bewußt, daß es der Geist des großen Hirschen war, den er selbst, der junge Jäger, als seinen ersten Hirsch erschossen hatte. Sam Fathers aber hält noch mehr im Erziehungsplan bereit. Es wird die Begegnung mit „Old Ben" sein, dem riesigen alten Bären, den Faulkner gleich eingangs „die Gottheit des alten wilden Lebens" nennt. (So wie Melville seinen Moby Dick, den Weißen Wal, zum „Gott" erhöht.) Das Kapitel „Der Bär" umfaßt im Gesamtroman runde 60 Seiten. Solche Eigenwelt wird mit Old Ben ins Leben gerufen.

Auch hier ist Faulkner auf Steigerungen bedacht. Weil alles hier im Pionier-Amerika dem eingeschrumpften Europa neue Maße zu setzen vermag, seien die Einzelstationen genau vermerkt. Im selben Jahr, als Isaak den ersten Hirsch schießen darf, also im zehnten Jahr, wird Isaak sein erstes Old-Ben-Erlebnis haben. Sam sagt es ihm voraus: „Wenn er gestellt wird von allen Seiten und muß sich einen raussuchen, den er überrennen kann, dann wirst du es sein." Das vollzieht sich dann so turbulent, daß Isaak den Bär gar nicht gewahrt. Nur vorher hatte er den Eindruck, der Bär beobachtete ihn, ohne daß er selber ihn zu Gesicht bekam.

Ein Jahr später, in Isaaks elftem Jahr, mutet ihm Sam etwas Außerordentliches zu: solange er eine Flinte trage, werde er nie den Bär zu sehen bekommen. Also entschließt sich Isaak, allein ins Innre der Wildnis vorzudringen, ohne Flinte, nur mit dem Kompaß. Und selbst Kompaß und Uhr hängt er noch an einem Baum auf, weil er „ganz rein" sein will. Und da wird ihm Old Ben in seiner ganzen Würde zuteil:

> „Dann sah er den Bären. Er trat nicht heraus, in Erscheinung. Er war einfach da, unbeweglich, gebannt unter der grünen und sonnenfleckigen heißen Windstille des Mittags, nicht so groß, wie er ihn erwartet hatte, größer noch, unabschätzbar, vor dem fleckigen Schattendunkel, und sah ihn an. Dann regte er sich. Er kreuzte ohne Eile die Lichtung, schritt für einen Augenblick ins grelle Sonnenlicht und wieder hinaus, und hielt noch einmal an und blickte über die Schulter zurück nach ihm. Dann war er verschwunden."

Abermals zwei Jahre später, mit 13 Jahren, hat Isaak sich zu einer Handlung vorgewagt, die selbst Sam überrascht. Neuerdings ist unter den Hetzhunden ein kleiner Rattenfänger, der sich durch blinde Tollkühnheit auszeichnet. Isaak beobachtet, wie Old Ben die Hunde annimmt, sich am Stamm einer großen Zypresse aufrichtend. „Dem Knaben schien es, als wollte das Aufrichten gar kein Ende nehmen." Da wirft Isaak die Flinte weg, rennt dem irrsinnig kläffenden Hündchen nach und fängt es ein, dicht unter den Pranken des Bären. Bis er ihn riechen kann, der drohend über ihm hing „wie eine Gewitterwolke". „Es kam ihm ganz bekannt vor, bis ihm einfiel: in seinen Träumen hatte er das immer so gesehen." Als dann der Bär verschwunden ist, sagt Sam nur zu Isaak: „Diesmal hättest du ihn nicht verfehlen können." Isaak antwortet: „Du hattest die Flinte. Warum hast du nicht geschossen?" Beiden wäre es ein Verbrechen erschienen, den Gott der Wildnis mit der Flinte zu erschießen.

Die letzte Begegnung hat Isaak in seinem 16. Jahr. Faulkner hat seine ganze Erzählkunst aufgeboten, Old Bens Ende darzustellen. Das Überraschendste ist wohl, daß weder Sam noch Isaak selber unmittelbar beteiligt sind. Sam hat wohl vor drei Jahren einen riesigen Wildhund eingefangen, ihn mit großer Mühsal und Geduld abgerichtet. Jetzt geht die Verfolgung an, zuletzt über den Strom. Der Endkampf vollzieht sich zwischen Old Ben und dem Riesenhund. Der Bär reißt ihm die Därme heraus, während der Hund sich in der Kehle festbeißt. Den Stich ins Bärenherz verübt ein Diener Sams, Boon, auch ein Indianer-Abkömmling mit etwas weißem Blut. Im selben Augenblick, wo Ben verendet, bricht Sam an einem Herzinfarkt zusammen. Isaak ertrotzt sich noch die Erlaubnis, beim Sterben Sams zugegen sein zu dürfen, während die andern schon abgereist sind. Über Sams Sterben erfahren wir nichts Genaues mehr. Es scheint, auf seinen Wunsch hat ihm Boon den Todesstoß gegeben. Isaak war dazu noch zu klein.

Warum hat Faulkner solchen Aufwand um Isaaks Erziehung getrieben? Es geht ihm darum zu zeigen, wie man durch das Dasein selbst erzogen wird. Sam hat Isaak vor die Erhabenheit der Wildnis und die Reinheit der Großwildwelt gestellt. Ehrfurcht vor dem Adel, vor der Größe ist es, die ihm Sam beibringt, ganz ohne Worte. Ehrfurcht vor denen, die Sam als „Oleh, Häuptling, Großvater" angesprochen hat. Die Folgerungen, die Isaak zieht, kommen erst lange nach Sams Tod an den Tag. Abrupt führt sie uns Faulkner vor Augen in dem Gespräch, das Isaak mit dem älteren Vetter führt. Es ist ein langes Gespräch, in dem Isaak begründet, warum er auf sein Erbe verzichten will, an dem die Schuld der Weißen hängt, gegen die Indianer, denen sie ihr Land abgelistet haben, gegen die Neger, die als Sklaven arbeiten oder wenigstens ausgebeutet werden. Isaak, der Simplicius Amerikas, will sühnen, und es zeigt sich, daß er die Bibel ebenso ernst nimmt wie einst der wirkliche Simplicius. „Gott hat die Bibel nur schreiben lassen für die, die mit dem Herzen lesen, und nicht für die Klugen der Erde." Isaak läßt sich nicht davon abbringen, daß „Greuel und Schande zuerst und nichts anderes sind als Greuel und Schande". Da wirkt die stille Würde nach, die Sam, der Indianer, in Isaaks Herz gepflanzt. Von ihm lernt er „Demut und Stolz", das ist seine neue Einfalt. Faulkner läßt Isaak seine Anklage generell gegen den Hochmut Amerikas erheben. Seine Simplicius-Tat des Verzichts soll ein Symbol sein für den ganzen schuldbeladenen Kontinent.

Als Faulkner seine „Gespräche" mit Studenten veröffentlichte, 1959, drei Jahre vor seinem Tod (dt. 1961), setzte er vorneweg das Wort Sam Fathers: „Oleh, Chief, Grandfather". So bedeutsam ist ihm das archaische Vorbild. Kein Buch wird in den Gesprächen öfter erwähnt als „Der Bär". Der fruchtbarste ergänzende Gedanke ist der, daß Isaak auf sein Erbe zwar verzichtet, daß es aber wichtiger wäre, wenn Leute aufständen, die sagen: Wir wollen etwas dagegen tun! Das erst hieße, sich mitbewegen lassen, indem man selber bewegt. Faulkner hat das in dem einzigen Drama, das er versucht hat, vorgetrieben: sein berühmtes „Requiem für eine Nonne". Hier tritt der entgleisten reichen Vertreterin eines versnobten Amerika in Nancy, der Negerin, eine einfältige Urkraft entgegen, die als einzige so viel Würde hat, obgleich sie eine entwürdigte Prostituierte war, daß sie die Welt verändert. Aus der unmittelbaren Zwiesprache mit dem Absoluten nimmt sie die Kraft, dem Absurden ihrer Herrin entgegenzuwirken, indem sie selber das Absurdeste tut. So allein treibt sie aus dem am Leben verzweifelnden Herzen der Amerikanerin das Absurde aus. Auch Nancys Entschluß kommt aus der Tiefe einer Mitbewegung, über der die Worte Sam Fathers stehen könnten: „Oleh, Chief, Grandfather!" Es ist die Stimme der Einfalt als des Gerichts.

Der Begriff der Volkseinfalt ist bei Faulkner mythisch vertieft. Über seinen Tod hinaus ist das riesige Reservoir an Urkräften einer alten Pioniernation lebendig geblieben. Wir finden es fortwirken bis in die brüskierenden Tagesforderungen des jüngsten „wild man of American literary criticism." Prof. Leslie A. Fiedler, der in einer Freiburger Rede Juni 1968 die ganze deutsche Avantgarde aufschreckte mit dem Neusten, was Amerika bewegt. Er griff zurück auf den tschechischen einfältigen Schwejk, und er verabschiedete zugleich das gesamte dekadente Zeitalter Manns, Prousts, Joyces und Kafkas. Das überraschendste Neue, das er anzubieten hat, betrifft ein Wiedererwecken des Indianermythos, als ein weltverändernder Akt: an die Stelle des ausgekälteten bürgerlichen Familienidylls soll treten „die tiefe Sehnsucht nach dem Stamm", aus dessen Kraftmitte die künftigen Revolutionäre des Guerilla-Kriegs hervorgehen sollen. Dem westlichen Rationalismus wird Kampf angesagt, im Zeichen jener uralten Ordnung, die Sam Fathers Geist heraufruft: „Oleh, Chief, Grandfather".

Wenden wir uns nach solchen Umwegen wieder Westdeutschland zu, so stoßen wir hier auf eine Generation, die mit allen Werten der alten Generation tabula rasa macht. Man hat sie darum die „Tabula-Rasa-Generation" genannt. Ihr macht es darum keine Mühe, mit Professor Fiedler das Zeitalter Thomas Manns, Eliots, Prousts, Kafkas, Becketts als überlebt zu bezeichnen. Wir wählen eine Stimme, die ihren Tabula-Rasa-Stil am markantesten zum Ausdruck bringt. Helmut Heißenbüttel, der 1963 Vorlesungen über Poetik in Frankfurt hielt, veröffentlichte diese in einem Sammelwerk eigner Aufsätze „Über Literatur" 1966. Da heißt es: „Einheitlich zeigen alle diese Beispiele, daß kein Interesse mehr besteht an dem Schema: Exposition, Katastrophe, Lösung, daß kein Interesse mehr besteht an einfühlender Anteilnahme mit intimen Herzensangelegenheiten, daß kein Interesse mehr vorhanden ist an der Erfindung illusionistischer Spiel- und Spiegelwelten; daß die Einsicht zugenommen hat, die besagt: der Schreibende könne nicht mehr wissen, als was sich in der unmittelbaren, unvermittelten Einheit von sprachlicher Formulierung und gerichteter Erfahrung erfassen läßt."

Was noch übrig bleibt, faßt sich in die Formel: „Entlarvung". Entlarvung der subjektiven Phänomenologie als einer Fiktion, oder: Entlarvung der Einheit des subjektiven Selbstbewußtseins als eine Fiktion. Für Helmut Heißenbüttel gibt es nur noch einen „strategischen Sprach-Purismus". Heißenbüttel hat sechs Textbücher (1960—67) veröffentlicht. Sie zielen auf „Abbreviaturen", die sich nicht mehr auf subjektive Innerlichkeit beziehen, sondern auf die soziale Äußerlichkeit des Menschen, um zu zeigen, wie beschreibend der Mensch neu definiert wird „in den Bezugsfeldern seiner sozialen Erfaßbarkeit". „Der Aufklärungsprozeß, dem die Literatur ihre Progression verdankt, dringt in das Gefüge der Sprachbildung selbst ein." Die Sprache schafft sich neue Sprachfelder. Das setzt kein Genie mehr voraus; jeder kann in die Methode einspringen.

Wir haben hier einen Sprach-Simplicius, der offenbar ernstlich glaubt, von der Theorie des strategischen Sprach-Purismus her und vom Beispiel seiner „Textbücher" her den künftigen Roman vorzubereiten. Das Urteil eines gleichaltrigen Schriftstellers mag genügen: „Das ist nun wirklich nichts anderes als intellektuelle Pop-Art; statt leerer Konservendosen werden Vokabeln geklebt."

Auch der brave Soldat Schwejk ist tief durchdrungen davon, daß der Krieg den Menschen entlarvt, daß er jedes Selbstbewußtsein vernichtet. Wir zitieren Schwejk selbst: „Hier wird nachm Krieg eine sehr gute Ernte sein. Man wird hier nicht Knochenmehl kaufen müssen, es ist sehr vorteilhaft für die Bauern, wenn ihnen aufs Feld ein ganzes Regiment verwest . . . Mütterchen Erde wird euch zerfasern und samtn Stiefeln auffressen. In der Welt kann sich nichts verlieren. Aus euch Soldaten wird wieder neues Getreide auf Kommißbrot für neue Soldaten wachsen."

Totalere Vernichtungsformen lassen sich nicht denken. Schwejks Simplizität aber flüchtet in keinen puritanischen Sprach-Purismus, er bewahrt sich inmitten aller Schrecken eine lebendige Einbildungskraft, die im neuen Typus des unverlierbaren und alles unterlaufenden Schwejk die „Progressionskraft" des Romans über alle Krisen hinwegträgt. Allerdings aus der Mitlebenskraft mit allem, was ihm begegnet. Eben das scheint den Sprach-Puristen abhandengekommen zu sein. Sie scheinen vergleichbar einem Künstler wie Leverkühn, dem nur noch der „Durchbruch" ins Absurde und Groteske bleibt. Hier ist es das Absurde der puren Sprachbewegung. Heißenbüttel nennt es die „Demonstration des Nicht-Symbolischen". Doch spricht er auch von der „Halluzinatorik multipler Welten". Damit meint er Grotesk-Schriftsteller wie Arno Schmidt, der mit seiner Mond-Utopie „Kaff" Romanbreite beansprucht (1960). Kaff als Kafferndorf auf dem Mond gibt den utopischen Hintergrund für einige Resteuropäer, die aus Genie-Einfällen leben, auf Sprach-Einfälle spezialisiert. Über verkrampfte Clownerien kommt es nirgends hinaus.

Damit sind wir bereits wieder bei der Orgie des Westens, „artistisch zu wuchern" (Schirmbeck). Das führt notfalls zu preisgekrönten Bestsellern wie Max Frischs „Mein Name sei Gantenbein" 1964 oder Wolfgang Hildesheimer „Tynset" 1965, aber nicht weiter. Wir erinnern Faulkners Wort in seinen Gesprächen: es genügte nicht, daß Isaak verzichtete auf sein schuldbefleckte Erbe, daß es nötig würde, wenn Leute aufständen, die Welt zu verändern.

Blicken wir uns in der Gegenwart um, dann ergeben sich zwei Möglichkeiten für den künftigen Roman. Einmal die marxistische Welt, jenseits der Spaltung, die vielleicht unterhalb des Terrordrucks der Funktionärsklasse eine unversehrte Lebensschicht der Untersten sich bewahrt hat, in der etwas von der Schwejkschen Simplicitas fortlebt, wenn auch eingepaßt und auf den ersten Blick unkenntlich. Zum andern die moderne technische Welt der Industriegesellschaft, die mit ihren Techniken sowohl im Westen wie im Osten im Begriff ist, sozusagen den Mond zu erobern. Sind hier nicht neue Aufgaben des zukünftigen Romans?

Es liegt im Hochmut der westlichen Intelligenz, daß in Heißenbüttels Vorlesungen zur Literatur der Osten keine Rolle spielt. Die Abkehr der Puristen von allen Inhalten ist so radikal, daß Dichter der DDR gar nicht in den Gesichtskreis treten. Was aber ebenso eindeutig ist, sind die inneren Zusammenhänge des sogenannten „sozialistischen Realismus" mit dem, was Thomas Mann unter dem „Fruchtboden der Volkseinfalt" versteht. Wenn 1965 Michael Scholochow für seinen vierbändigen Kosakenroman „Der stille Don" den Nobelpreis erhielt, wurde damit ein Werk geehrt, wie es im Westen überhaupt nicht mehr entstehen könnte. Der Lebenskampf eines ganzen Volkes, der Don-Kosaken, vom Dorfidyll am Don vor dem Ersten Weltkrieg bis zur Revolution 1917 und in die Kämpfe zwischen Weiß und Rot hinein ist als Epos nur Tolstois „Krieg und Frieden" vergleichbar. Epischer Urstoff ist hier bemeistert. Zusammenleben als Mitbewegtsein eines ganzen Dorfs mit den großen Schicksalsschlägen, die vom Weltkrieg, von der Revolution, von dem lebendigen Widerstreit eines Volksorganismus mit den Zentralinstanzen ausgehen. Zwischen 1925—1940 geschrieben, hat dies Epos so viel Volksleben in sich aufgenommen, daß auch die vom Bolschewismus Stalins erzwungene Umarbeitung 1948—53 nicht den Volkswert vermindern konnte.

Gegen solch großartigen Hintergrund ist das heranwachsende Schrifttum der DDR zu sehen. Es entsteht vorerst in der Emigration nach 1933: Anna Seghers gibt im Roman „Kopflohn" das Erstarken der Nazibewegung im Lebensgewimmel eines rheinhessischen Dorfs. Der Kopflohn, auf einen jungen Roten ausgesetzt, der einen erstochen hat, zieht novellistisch-symbolisch zusammen. Das nächste Werk „Der Weg durch den Februar" 1935 verdichtet sich zum Arbeiteraufstand in Wien vom 11.—16. Februar 1934 unter der Dollfuß-Diktatur. Sozis und Kommunisten erliegen Polizei und Militär. Was gefehlt hat, sind die Kräfte, die inzwischen Rußland entwickelt hat.

Der nächste Roman „Die Rettung" 1937 spiegelt in Bergmannsverhältnissen den monotonen Druck der Krisenjahre 1929—33, Arbeitslosigkeit bei stillgelegter Zeche und das Heraufkommen der Naziherrschaft. Symbolträger wird hier ein Bergmann, eingangs verschüttet und gerettet, zuletzt zum Kommunisten herangereift als Charakter, dem 1933 die Flucht in den Osten als „Rettung" bleibt. Gipfel der Exilproduktion wird 1940 „Das siebente Kreuz"; Ausbruch von sieben Häftlingen aus dem KZ Westhofen in Rheinhessen. Dem Zugriff der Staatsmacht fallen sechs zum Opfer. Dem siebten als dem eigentlichen Helden, gelingt nach unsäglichen Abenteuern die Flucht mit falschem Paß nach Holland. Es entsteht ein Gesamtbild der Jahre vor dem Zweiten Weltkrieg zwischen Terror und Hilfestellungen, mit allen Schattierungen seelischer Zwiespälte, in die jeder einzelne damals geworfen wurde. Dieser Roman, zuerst englisch 1942, deutsch 1946 erschienen, hat den Weltruhm der Dichterin begründet, die sich zugleich durch sprachdichte Erzählungen einen Namen gemacht hat. Als sie 1940 Paris verlassen mußte, ging sie 1940—47 nach Mexiko, gewann Abstand zu kühneren Stilexperimenten: „Transit" 1953 ist eine Art Flüchtlingsreportage, die den Kampf um Visa und Transitscheine in Marseille ins Absurde treibt.

Was allen diesen Werken der Emigrantin als epische Leistung zuzusprechen ist, ist genau das, was dem artistischen Westen verloren ging: die Verantwortung für das mitdurchgelebte Zeitgeschehen, das immer wieder hart an der Wirklichkeit festgehalten wird. Immer sind es die Unterdrückten, unter dem wachsenden Terror, für die die Erzählerin als „Genossin" ihr Herz entdeckt hat. Immer zugleich ist es der symbolische Blick, der Einzelfälle ins Typische erhebt und daran die ganze Zeit zu erhellen vermag. Eine geborene Erzählerin scheut keine Mühe, sich ins Herz der Gejagten zu versetzen und ihre Schicksale so genau wie möglich aus ihrer Wirklichkeit und der Umwelt, die dazu gehört, gegenwärtig zu machen. Die Frage, was „Inhalt", was „Form" stellt sich gar nicht, weil beides mit gleichem Anteil des Herzens und Verstandes in eins gearbeitet ist. Daß es immer Einzelne sind, die als Gejagte durch die Zeit getrieben werden, daß es nicht wie im „Stillen Don" Kampf eines Volkes sein kann, liegt in der Natur der Sache. Der Mut, sieben Schicksale als Ausgebrochne aus dem gleichen KZ darzustellen, bedeutet einen ersten Höhepunkt. Wenn keiner dieser vielen Romane aus dem Emigrantenwinkel jene Totalität erreicht, die wir im „symbolischen Kosmos der Dichtung" verfolgt haben, dann beruht das mehr auf der Not der gespaltenen Zeit als auf einem Mangel an symbolischem Vermögen. Es sind „Splitter-Existenzen", bis zu dem Punkt verfolgt, wo das Innerste „unangreifbar und unverletzbar" war.

Das Bild ändert sich allerdings in dem Augenblick, wo Anna Seghers 1947 nach Ostberlin zurückkehrt und sich dem Ulbricht-Staat verschreibt. Vorher war die Welt offen für die Schreie der Gejagten. Hilfestellungen wurden gegeben nicht aus einer Parteidoktrin, sondern aus Menschlichkeit. Es ging um die große Bewegung im Geist der Gerechtigkeit. Die neuen Romane von Anna Seghers beziehen feste Positionen, es sind die des Ulbricht-Staates. Anna Seghers Roman „Entscheidung" 1960 ist die klare Antwort auf die Frage, warum es im so tief gespaltenen Deutschland auch im Osten keinen symbolischen Kosmos der Dichtung mehr geben kann. Im vorhinein ist die Entscheidung für die Kollektivwerte des Ostens gefallen. Der Romanaufbau ist sehr geschickt auf ein Grundmotiv zurückgeführt, das Ost und West umspannt: die Stahlwerke der Firma Bentheim. Sie werden nach 1945 im Westen neuaufgebaut als Bentheim AG, in Mitteldeutschland als volkseigne Kossin-Werke. Nebeneinanderher wird der Aufbau in beiden Teilen Deutschlands verfolgt, mit einem Masseneinsatz von Figuren. Die Tragik des Nicht-mehr-Verstehens wird offenbar: „Was bei uns wächst, wächst nicht bei euch; was bei euch wächst, wächst nicht bei uns ... Ihr freut euch über ganz andre Sachen als wir; ihr seid über etwas andres verzweifelt. Euch tröstet etwas ganz anderes." Das sind Verzweiflungstöne, und sie gellen 1968 vielleicht noch schriller als 1960. Aber das Weltbild, das die Genossin Seghers darüber aufbaut, ist gnadenloses Bekenntnis zum Kollektiv des Ostens. Der Westen ist an den kapitalistischen Unternehmergeist entartet. Was aber bietet der Osten dem neuen Menschen an? Nichts als ein fanatisches Arbeitsethos mit dem Wettkampf der Brigaden.

Der Arbeiter Robert Lohse, am Aufbau der Kossin-Werke beteiligt, wird jeden anzeigen, der in den Westen will oder Mittlerdienste leistet. Selbst Vertrauen zwischen Seele und Seele, wie es Liebe gibt, darf hier nicht gelten. Die Partei darf jedes Opfer fordern. Was so entsteht, sind Schrumpfformen des Menschlichen. Die ver-nüchterte sachliche Sprache spiegelt arbeits-fanatische Ameisen, keine Menschen. Die Welt wird aber nicht stehen bleiben, sich in zwei Blöcke zu spalten und zu Schrumpfformen zu entarten, im Osten zu Arbeitsfanatikern, und zu Romanen, die nichts anderes mehr spiegeln, und im Westen zu jenen Ausartungen des Manierismus und des Sprachpurismus, die ihre „Progressionen" bis zur Selbstzerstörung führen.

Wenn uns der Ruf zur „Volkseinfalt" zur Wiederkehr des Simplicius als braver Soldat Schwejk geleitet hat und zu Parallelfiguren bis zu Faulkners Isaak, der sein Erbe verwirft aus elementarem Zwang zum Absoluten, dann werden wir damit auf Weltbewegungen hingedrängt, die sich zu Menschen steigern, die nicht nur auf ein Erbe „verzichten", sondern Welt verändern. Die ungeheuren Unternehmer-Energien, die die ganze sogenannte kapitalistische Welt durchwirken, können nicht mit den törichten Vokabeln abgetan sein, mit denen der Osten seine Angriffsschablonen ins Werk setzt. Hier ergeben sich Aufgaben gerade für den Dichter, wieder mit der Wucht eines neuen Simplicius auf Gestalten zu dringen, die in die Mitte der modernen Industriegesellschaft führen. Amerika hat hier Umrisse eines durch alle Branchen hindurchgetriebenen Unternehmerromans bereits ins Werk gesetzt, die die Grenzen des Unterhaltungsromans nach dem Fachlichen wie nach dem Dichterischen erweitern. Vermutlich sind das die elementarsten modernen Indianerfiguren, die sich des Urerbes bewußt werden, um es in die Partisanenkämpfe des Industriedschungels zu werfen. Wenn Theodore Dreiser seinem Titan den Ruf der Hexen aus dem „Macbeth" mit auf den Weg gab: „Heil dir, Frank Cowperwood", dann machte er die Dimensionen bewußt, die in diesem Typus lagen. Von Janet Taylor Caldwell führt der Weg (über Cameron Hawley, Harvey Howells, Arthur Hailey, Charles Wertenbacker, Harold Robbins) zum neuen Nobelpreisträger Asturias (Bananen-Trilogie). Wir müssen offen lassen, was sich hier herauskristallisieren wird. Für die junge deutsche Generation gilt das Wort Schirmbecks „Die Mehrzahl der heutigen Schriftsteller sind Ignoranten in der Welt der Wissenschaft." Wer wird sich schon Jahre in den Industrie-Dschungel stürzen, um ihn darzustellen? Da ist es einfacher, „strategischer Sprach-Purist" zu sein.

Für den Osten kann die Haltung von Anna Seghers nicht ausreichen. Der Ulbricht-Staat ist nicht die Welt. Und die marxistische Progression, die längst zum dogmatischen Terror erstarrt ist, bedarf der wirklich neuen Schöpfungsbewegung, wie sie bei den Tschechoslowaken ein ganzes Volk ergriffen hat, ohne daß sie unter dem Zugriff der Sowjetgewalt bisher diese Volksbewegung haben darstellen können. Aber was sich hier andeutet, sind unterschwellige Groß-Erdbeben, die wieder Epen in ungebundener Rede fordern werden.

Das sicherlich nicht unbewegliche Schrifttum der DDR, das in den letzten Jahren manchen Roman hervorgebracht hat, der auch den Weg in den Westen fand, reicht für solche sich ankündigende Groß-Erdbeben nicht aus. Wir ziehen zwei Romane aus dem russischen Riesenraum heran, die wenigstens in der „Abbreviatur" neue Grundlinien ziehen. Eine Abwandlung des russischen Schwejk stellt dar Alexander Solschenizyn „Ein Tag im Leben des Iwan Denissowitsch" 1962. Der Tag spielt sich ab in Iwans achtem Sträflingsjahr, im Zwangsarbeitslager unter dem Stalinismus. Für Schwejks Humor ist hier kein Raum. Statt dessen waltet eine ungeheuerliche Lebensgeduld, die noch unter dem Gefrierpunkt auszudauern vermag. Dadurch daß der russische Jedermann, seines Zeichens Zimmermann, alles, was der Tag an ihn heranträgt, unmittelbar und unreflektiert in sich aufnimmt, entsteht ein Bild von unabdingbar echter Wirklichkeit, die symbolisch wird für das alles durchdringende Stalin-Grauen. Stilisierungsmittel wird die Tiersymbolsprache. Sie macht die Sträflinge zu „streunenden Hunden". Die wirklichen Wachhunde „blecken die Zähne, als wollten sie die Gefangenen auslachen". So sehr sind sie ins Untermenschliche hinabgedrückt. Dennoch ist in Iwan ein tiergleicher Wille zu überleben. Eine Virtuosität der Anpassung an jeden täglichen Arbeitsdruck, an jede dem Augenblick abzuringende Schaffensfreude, die etwas vom Unzerstörbaren der Menschenseele heraufarbeitet. Denn: „Selbstachtung braucht man zum Überleben." Hier spüren wir den russischen Schwejk.

Was ihn über den tschechischen Schwejk erhebt, ist mit der alles durchdringenden Leidenskraft zugleich die Öffnung in die religiöse Dimension. An den Schluß hat Solschenizyn ein Gespräch eingeführt zwischen Iwan und seinem Leidensgenossen Aljoscha, der an den Aljoscha Dostojewskis erinnern kann:

> „Aljoscha hörte, wie Schuchow Gott dankte und drehte sich um: ‚Iwan Denissowitsch, Ihre Seele möchte zu Gott beten. Warum lassen Sie sie nicht?‘ Schuchow schaute Aljoscha mit schmalen Augen an. Ein Licht wie von zwei Kerzen war in ihnen. Er seufzte. ‚Ich will's dir sagen, warum, Aljoscha: weil all diese Gebete wie die Einlagen sind, die wir an die großen Tiere richten. Entweder sie kommen nicht an, oder sie kommen zurück mit dem Vermerk: ‚Abgelehnt!‘“

Solschenizyn ist an keiner Stelle sentimental, und wenn er eine Gestalt wie Aljoscha einführt, der nachts im Neuen Testament liest, will er die verborgnen Kräfte gegenwärtig halten, die im russischen Volk fortleben und erst den stillen Widerstand erklären, aus dem auch Iwan lebt und seinen Leidenstag überdauert. Das Licht, das in Iwans Augen „wie von zwei Kerzen“ aufleuchtet, kann wohl an jenes „finstere Licht“ erinnern, dem der Simplicius der Barockzeit Verse in die Bäume schnitt. Urschichten sind hier angerührt. Schon Rilke auf seinen Rußlandreisen ging der Gedanke auf: „Vielleicht ist der Russe gemacht, die Menschen-Geschichte vorbeigehen zu lassen, um später in die Harmonie der Dinge einzufallen mit seinem singenden Herzen.“ Wie Solschenizyn mit seinen späteren großen Romanen („Die Krebsbaracke“ 2 Bde., „Der erste Kreis der Hölle“ dt. 1968) harmonie-sprengend in die unmittelbare Gegenwart eingefallen ist, mag hier nur angezeigt sein für die künftigen Zusammenwürfe des Widersprüchlichen, die „Offenbarungscharakter“ haben. So setzt sich der russische Schwejk mit „Himmel und Hölle“ auseinander.

Das andre Beispiel zeigt uns den Typus des russischen Unternehmers, innerhalb des Systems der Funktionäre: Danijl Granin, „Die Zähmung des Himmels“ 1962. Ziel ist die Erforschung der Atmosphäre. Wie kann man die elektrischen Energien messen, die sich im Gewitter entladen? Aufgabe des Helden Krylow wird es sein, mitten ins Gewitter hineinzufliegen, mit einer Transportmaschine, die ein Wissenschaftler-Team mit sich führt, um alle Stadien des Flugs zu messen. Das ist „das Unternehmen“. Es übersteigt an Kühnheit die Geldgewinn-Ziele westlicher Unternehmer. Die Forscher-Energie erfährt ihre Würde dadurch, daß alles den Staatsfunktionären abgerungen werden muß. Sie geben die Erlaubnis nur, wenn ein Spion mitfliegt, der allzu kühnes ins Gewitter-

Fliegen verhindern soll. Die aufregendste Partie des Romans ist die Darstellung des Flugs. Krylow hat ein Meßinstrument erfunden, einen genau arbeitenden Gewitter-Anzeiger. Auf dessen Messungen sind alle Hoffnungen gesetzt. Dann werden sie plötzlich vom Gewitter überrascht und müssen hindurch. Der Spion schaltet die Stromleitungen zum Gewitteranzeiger ab. Dem Flugzeugführer geht die Orientierung verloren, er kann nur durchhalten, bis alle im Fallschirm abgesprungen sind. Dann stürzt das Flugzeug ab. Der Spion verschweigt, was er getan hat. Niemand kann das Rätsel lösen. Die Flüge werden verboten. Einzig Krylow ist nicht zu erschüttern. Seine Energie des Denkens erzwingt mit Neu-Berechnungen die Erlaubnis zum neuen Flug. Die Symbolik des Schurkenstreichs aber wirft echten tragischen Schatten. Es ist die Unzulänglichkeit des Durchschnitts, die den Genialen um den Erfolg bringen will. Doch hält sich Krylow bei keinem Ressentiment auf. Sein innerer Eifer besiegt den Widerstand.

Hier haben wir wieder den positiven Helden. Inmitten der modernsten technischen Welt, die darstellerisch zu bewältigen eine Leistung ist. Und dabei zeichnet sich bereits im Umriß ein neuer symbolischer Kosmos der Dichtung ab. Wir meinen das so, daß Figuren wie der russische Schwejk, der Sträfling Iwan Denissowitsch, mit seinem einzigen durchlittenen Sträflingstag die Zeit überdauern wird, und daß ebenso Figuren wie der Flieger-Ingenieur Krylow als Repräsentant einer neuen technischen Ära mit seinem enorm kühnen Gewitterflug wohl Spuren hinterlassen wird. Wir haben beide Romane einbezogen, um anzudeuten, daß die westliche Lehre von der Dauerkrise des Romans nur eine pathologische Erscheinung ist. Vielleicht wird es die fruchtbarste Leistung des Ostens sein, daß er unter dem ungeheuren Leidensdruck wieder auf die unzerstörbaren Kräfte sich zu besinnen vermag, die im Fruchtboden der Volkseinfalt bereit liegen. Aber auch im Westen sind Spuren zu finden, daß die alte faustische Dynamik nicht erloschen ist.

Auch hier bieten sich zwei Werke an, in denen eine vergleichbare Spannweite erreicht ist, und die es verdienen, aus dem Bücherlabyrinth der Zeit herausgehoben zu werden, als Würfe in die Zukunft. Siegfried Lenz, ursprüngliche ostpreußische Erzählbegabung, erreicht mit dem Roman „Deutschstunde" 1968 vorerst den Gipfel seiner Kunst. Was Siggi Jepsen in der Strafzelle eines Internats für schwererziehbare Kinder durch Monate zusammenschreibt zum Thema „Die Freuden der Pflicht", ist ein Gericht am Hitlerdeutschland, ähnlich dem, das Solschenizyn am Rußland Stalins vollzieht, nur mit völlig anderen Mitteln.

Es gilt, das Paradoxe eines Schulthemas mit jugendlicher Rebellion auszuweiten zur ganzen Paradoxie der Zeit, die ihr Untertanentum zur ameisenhaften Freude an der Pflicht entwertet hat. Siggi schreibt auf, was er als Junge in den Nazijahren 1943—44 erlebt hat, zwischen dem Vater, dem Polizeiwachtmeister, und dem Maler-Genie, dem das Malen verboten wird. Siggi schreibt es im Rückblick seiner zwanzig Jahre. Es gehört zur Paradoxie, daß Vater Jepsen dem Maler sein Leben verdankt. Der Maler hat ihn in der gemeinsamen Kinderzeit einmal vor dem Ertrinken gerettet. Nur um so pedantisch-grausamer wird der Polizist den Nazi-Auftrag ausführen, den Maler zu überwachen. Siggi aber verdankt alles, was ihm als Lebensstaunen bewußt geworden ist, dem Maler, dem Freund-Erzieher, der ihn „Wit-Wit" nennt, und in solchem Ruf des Strandläufers Siggis Simplicius-Charakter betont. Siggi darf als einziger dabei sein, wenn der Maler seine wundersamen Bilder malt. Siggi lernt mit den Augen des Malers die Welt sehen, der im Ausland als der große „Dramatiker des Lichts" berühmt geworden ist.

Als Siggi begriffen hat, was in seinem Schulthema steckt und als er angefangen hat, drauf los zu schreiben, trifft er die Wirklichkeit genau so dicht wie der Maler mit seinen Farben. Es entsteht eine Bildfarbigkeit, eine Plastik der Figuren, ein Weltpanorama, das den kleinbürgerlichen Detail-Manierismus der Durchschnitts-Schriftsteller heute weit hinter sich läßt. Lenz macht sozusagen Siggis Strafzelle zur Robinson-Insel des Simplicissimus vor 300 Jahren. Auch ihm geht es um das „finstere Licht". An des Malers Bildern kommt ihm „das Licht wie ein einziges Loblied vor". Zugleich verfinstert sich in den „Dunkelkammern" des polizeilichen Gehirns alles auf schrecklich bornierte Weise. Der Vater möchte den Sohn als Spion abrichten. Siggi aber wird die Bilder, die der Vater aufspüren und verschicken will, verstecken. Es dramatisiert sich dadurch, daß der Vater mit der Gabe geschlagen ist, Untergänge vorauszusehen, mit dem „zweiten Gesicht". Im Sohn setzt sich das in Schreckbilder um; wenn er Bilder des Malers betrachtet, sieht er Flammen züngeln. Dann rettet er die Bilder ins Versteck. Schließlich wird ihn der Vater wegen Bilderdiebstahls anzeigen und ins Internat bringen.

Siggis Chronik wird zum Gesamtweltbild Deutschlands, nicht nur durch die genauste Wirklichkeitsbeschreibung, immer mit Simplex-Augen, auch durch einen Wechsel der Spiegelungen. Breiten Raum nimmt die Internatsleitung ein, die Siggi überwacht und ein Heer von Psychologen auf die Schwer-Erziehbaren losläßt. Grotesk-Sichten in den Intellektualismus der Zeit. Insbesondre bemüht sich ein junger Psychiater seine Diplomarbeit über Siggi zu schreiben, den Begriff der „Jepsenphobie" in die Wissenschaft zu bringen. Siggi macht deutlich, daß alle solche Mechanisierungen an der Wirklichkeit vorbeigehen, daß alles viel einfacher und zugleich totaler ist. Zuletzt wird auch ein anarchischer Künstler eingeführt, um des Malers „Urzuständliches" zu verhöhnen, als „kosmische Dekorationen". Für den Dichter aber ist (ebenso wie für Siggi) der „Verächter der Städte" der Maler, Inbegriff der Werte, um die es im Roman geht. Das Telegramm, an die Berliner Reichsspitze, trifft den schwarzen Humor der Zeit: „Dank für ehrenvolle Berufung. Leide an Farb-Allergie. Braun als auslösende Ursache erkannt. Mit Bedauern in Ergebenheit!" Ein Humor, für den der Maler mit dem Malverbot büßen muß. Er prägt das Wort von den „Opfern der Pflicht!" Dazu gehört es, daß man „etwas tun muß, das gegen die Pflicht verstößt", wenn sie so auftritt wie in jener Zeit. So malt der Maler unentwegt fort. Aber als der Umschwung eingetreten ist, als die amerikanische Besatzungsmacht ihm Ruhm und Ansehen zurückgegeben hat, da vermag er seinen alten Schulfreund, den Polizisten, zu entschuldigen: „Welche Möglichkeiten hat denn einer, der nur seine Pflicht tun möchte und nichts anderes von sich erwartet." Solche ausstrahlende Menschlichkeit ist es, die als Seelenlicht über Siggis Jugend aufgegangen ist.

So steht die machtvolle Gestalt des Malers über dem Ganzen. Und seine Bilder durchgeistern den Lebensraum der norddeutschen Landschaft, leben in Siggis staunenden Augen auf. Es sind nicht nur Loblieder des Lichts. Siggi erfährt auch Bilder „grünweiß geflammter Furcht". Da ist ein Bild, das zeigt einen Mann mit rotem Mantel, der auf dem Kopf tanzt vor Siggis entsetztem Bruder, der selber sich als Deserteur beim Maler hat versteckt halten müssen. Und da ist ein Fragment vom „Selbstbildnis" des Malers: die eine Gesichtshälfte rotgrau, die andere grüngelb. Der Maler selbst sagt davon: „Es fehlt zu viel!" Es fehlen „die Möglichkeiten". „Sehen heißt Vermehren!" Das eben ist im Bild nicht drin. Dem Maler wird noch eine Hamburger Ausstellung zuteil, die seinen Ruhm verkündet. Siggi staunt vor dem Bild „Garten mit Masken", die halbseitig glühen. Während er dies Rätselbild betrachtet, spürt er hinter sich die maskenhaften Figuren, die ihn, Siggi, wegen seiner Bilderdiebstähle verhaften werden. So schreckhaft erlebt Siggi das „finstere Licht" der Zeit. Sein Vater hat die Katastrophe nach kurzer Absetzung überstanden, er ist schon wieder als Polizist eingesetzt, in sein Amt zurückgekehrt, von der Zwangsneurose besessen, dem Maler weiterzuzeigen, daß „Verbote für alle gemacht sind". Da heißt es dann: „Alle bekommen einen Tick, die nichts tun wollen als ihre Pflicht." Der Dichter läßt zuletzt den Vater Siggis schattenhaft verschwinden, nachdem er sich mit seinen Kindern überworfen hat. Siggis Mutter geht nur als Schreckgespenst einer Schablonenfigur durch die Szene. Siggi aber hat sich mit seiner Strafarbeit freigeschrieben. Das Leben steht ihm offen.

Was den Roman von Siegfried Lenz auszeichnet vor der Bücherflut der Zeit, ist der Mut wieder zum großen Gegenstand, wie er sich einem Simplicius darstellt, der zwar nicht mehr dem christlichen Gott des Barockjahrhunderts begegnet, nur einem Maler-Genie des Expressionismus. Dennoch erfährt Siggi durch ihn und seine Bilder die „lebendig augenblickliche Offenbarung des Unerforschlichen". Man kann sagen, wie Siggi sich in seinem Bericht fürs Leben freigeschrieben hat, so hat Siegfried Lenz selbst sich mit seinem Siggi-Bericht freigeschrieben: zu seiner ursprünglichen epischen Begabung zurück, nachdem er durch Jahre der Gruppe 47 und ihren Vorführungen zum Manierismus des Absurden verfallen war. Wie verfremdend war im Roman „Stadtgespräch" 1963 die großzügige politische Vision eines Widerstandskämpfers in Norwegen durch den Rätselbericht eines Dritten ins Zwielicht Johnsonscher „Mutmaßungen" gerückt worden. Jetzt ist es ein echter Simplicius, der im Jungenerlebnis Siggis die Feder führt. In Siggi erkennen wir Siegfried Lenz selbst wieder.

Wie ein bewußtes Gegenstück zu Lenzens „Deutschstunde" nimmt sich das Jahre früher geschriebene Romanwerk Heinrich Schirmbecks aus: „Ärgert dich dein rechtes Auge" 1957. Was ihn auszeichnet, ist sowohl die Kühnheit der technischen Probleme, die in Angriff genommen sind, als die phantasiegeladne bildstarke Sprache, die die widersprüchlichen Zonen der modernen Naturwissenschaften wie der Tiefseelenforschung auf ihre Analogien zu durchmessen vermag. Schon die Überschrift nimmt Hermann Brochs Forderung nach dem religiösen Roman auf. Sie beruft die Stelle aus dem Matthäus-Evangelium im 5. Kapitel: „Ärgert dich aber dein rechtes Auge, so reiß es aus und wirf es von dir. Es ist besser, daß eines deiner Glieder verderbe und nicht der ganze Leib in die Hölle geworfen werde.“ Auch damit sind wir im Bereich der großen Gegenstände.

In der Romanmitte begegnen wir einem Nachfahren des frühchristlichen Ketzers Marcion, der die Lehre vom göttlichen Urlicht predigte, dem das menschliche Auge als Organ des Lichts bereits Verlockung zur Sünde bedeutet. Wenn wir bedenken, wie trügerisch Fausts Ausruf: „Am farbigen Abglanz haben wir das Leben“ ist, wie sehr hier die moderne Film- und Fernsehkultur vorausgesehen ist, dann läßt sich ermessen, was dieser religiöse Roman will: der Querschnitt durch das Sybaris der Gegenwart, Paris, um 1950 soll allen Krisenerscheinungen auf den Grund gehen, die das Zeitalter der Kernspaltung und der Gehirnschnitte stellt.

Schirmbeck wagt sich daran, den Verfasser von „Licht und Materie“, den genialen Physiker Prinz de Broglie, in der Gestalt eines Prinzen de Bary in die Mitte einer verwegenen Kriminalhandlung zu rücken: eine undurchsichtige politische Militärclique versucht den Fürsten durch Gehirnschnitte im bewußtlosen Zustand seiner Widerstandszentren zu berauben, um seine Physik-Forschungen sich zuzueignen. Ein Versuch, der durch ebenso kühne Gegenmaßnahmen vereitelt werden wird.

Schirmbecks Gegenwurf zu Lenzens Roman besteht nun schon in der Grundanlage darin, daß hier der Chronist kein Simplicius ist, sondern das Gegenteil. Als Assistent am kybernetischen Institut des Prinzen verfügt Thomas Grey über den scharfsinnigsten Intellekt. Auch er schreibt in einer Strafzelle, im Gefängnis, weil er unter dem Verdacht steht, mathematische Formeln habe verschwinden zu lassen. Sein Chef, der Prinz, nennt ihn einen „verhinderten Dichter“, der seine Zuflucht in die Physik genommen habe. Die symbolischen Strukturen der Physik seien für ihn „die abstrakte Poesie des geistigen Abenteurers“. „Die luziferischen Poeten, ein Byron, ein Lermontow, ein Lautréamont und ein Rimbaud sind heute in unsern Labors. Sie handeln nicht mehr mit Waffen (wie Rimbaud), sie schauen der Materie in den Rachen und reißen das Licht der Apokalypse aus ihren Kiefern.“ Das ist ebensosehr Stil des großen Physikers wie des Chronisten selbst, der sich dem Typus nähert, den Schirmbeck selbst in anderen Werken als „Seelenkriminalisten“

bezeichnet. Aber auf den Spuren zugleich dessen, was ihm fehlt: auf den Spuren des Einfachen.

Das führt in die innere Handlung: Schirmbeck denkt immer polar, und so erfindet er die Gestalt einer weiblichen Einfalt, die als „Blinde" durch die Romanbewegung geht: Giselle van Beck, Tochter des Sektierers, der Marcions Urlicht sucht und den „Sündenfall des Lichts" verfolgt. Giselle, für den Chronisten immer „eins mit den Dingen", wird mit ihrem Schicksal als Opfer der finsteren Zeit offenbar gemacht. So könnte wohl auch über Schirmbecks Roman Grimmelshausens Vers stehen, den Simplicius in die Bäume schneidet:

> „Ach allerhöchstes Gut! Du wandelst so im finstern Licht,
> daß man vor Klarheit groß den großen Glanz kann sehen nicht!"

Das erscheint nun bei Schirmbeck in moderner Verzerrung: Giselles Blindheit ist Hysterie. Hysterische Abwehr. („Die Magie der Abbilder zerstört die echten Bilder der Seele.") Erst auf den letzten Seiten des Romans wagt sich die Wahrheit hervor: daß in der sektiererhaften Paradoxie zwischen Urlicht und Sündenfall des Lichts sich Giselles Vater an der eignen Tochter vergangen hat und daß die Übermochte es zwischen Grauen und Wollust durchlitten hat. Darum hat es sie mit plötzlicher Blindheit geschlagen. Ihr Innerstes hat rebelliert. Schirmbeck hat sich ein Schrecksymbol der Zeit herausgesucht, an dem der ganze Widersinn menschlicher Paradoxien offenbar werden soll. Der Chronist verstärkt das durch ein Bekenntnis, das auch erst den letzten Seiten anvertraut wird: „Ich weiß, daß mir das Einfache nicht liegt, weder im Leben noch in der Literatur. Und ich werde immer dem Komplexen verhaftet bleiben, dem Zwielichtigen und Polaren." So wird Thomas Grey, der Chronist, der Giselle dauernd umworben hat, sich selbst darüber aufklären, warum er sie nie gewinnen kann.

Schirmbecks Chronist übernimmt die Aufgabe, Sprachspiegel einer schizophrenen Zeit zu sein, einer Sybaris-Welt, die den Entdeckungen der Kernspaltung, der Energieentfesselung menschlich moralisch nicht gewachsen ist. Während der Prinz sich als unbeirrbarer Charakter darstellt, der seine geistigen Entdeckungen vor den Übergriffen der Militaristenkaste bewahrt, und auch Helfer dafür findet, wird Grey selber zwielichtig. Schirmbeck treibt die Brillanz des manieristischen Stils in grandiosen Einfällen bis zu Greys Jugend zurück, die sich im Milieu eines reichen Seidenhändlerssohns in Lyon entfaltet. Zugleich doch spüren wir in Greys Anlagen den

Dichter, der hinter dem finsteren Licht den großen Glanz sucht. Das treibt ihn, nach dem Tod von Giselles Vater, der sich im Gefängnis entleibt, nach Hilfen Ausschau zu halten, die Giselles hysterische Blindheit heilen sollen. Während der Arzt nur Tiefenanalysen durchführen kann, deckt Schirmbeck die Heilkräfte einzig im wirklichen Dichter auf. Greys Freund Maxim, der ihm in Sybaris begegnet ist, wird zur schöpferischen Kontrastgestalt. Selber Sohn einer maskulinen Mutter, deren politischer Ehrgeiz Vater und Gatten in den Selbsttod getrieben hat und sich selber auch, entwickelt er in sich den leidenschaftlichsten Opfersinn. Er erschreckt das skandalsüchtige Sybaris durch eine neue Art Heldendichtung: weil im „schizoiden Zeitalter Helden nur noch als Verräter aufzutreten vermögen", verherrlicht er im Gedicht vom elektrischen Stuhl ein Ehepaar, das amerikanische Atomgeheimnisse an die Russen verriet, um das Gleichgewicht im Spannungsfeld der Vernichtung wiederherzustellen. Dafür mußten sie auf dem elektrischen Stuhl büßen. Maxims Gedicht aber, das Leid und Qual der modernen Welt auszusingen sucht, trifft Giselle ins Herz und bewirkt ihre Heilung. Der Chronist erlebt mit Giselle und Maxim den glücklichsten Tag ihres Lebens: etwas „Helles, Strahlendes", Hauch eines „Göttlichen" geht von ihr aus. Aber nur für einen einzigen Tag. Als Maxim „der einzige, der ein reines Gesicht hat" verhaftet wird, und Giselle sich nur noch Gesichtern „wie ausgebrannte Krater" gegenübersieht, fällt sie in ihre Blindheit zurück. Auch der Chronist wird verhaftet. Im Gefängnis entsteht sein Bericht.

Schirmbecks Roman kann den Vergleich mit Musils Roman „Der Mann ohne Eigenschaften" heranrufen. Musil gab das Wien von 1913, gelähmt von den Ambivalenzen der Zeit. Schirmbeck gibt das Paris von 1950, überschattet von Atombombe und Kernspaltung, schizophren zerklüftet, aber ergriffen von der Sehnsucht, die wieder absolute Maßstäbe sucht. Daher die Lehre Marcions vom „Urlicht", die Gestalt einer weiblichen Einfalt, die mit ihrem Schicksal das innere Handlungsgefüge bestimmt. Schirmbecks Revolte gegen das Absurde der Zeit bleibt dabei selber noch weithin einem absurden Manierismus verhaftet. Im Essayband „Die Formel und die Sinnlichkeit" 1964 erhebt er sich über die physikalische „Formel" und den bankerotten Dichtungsspiegel moderner „Sinnlichkeit" zu der Forderung nach einem „Teilhard der Dichtung". Er meint Teilhard de Chardin, den Philosophen der ewigen „Evolution", der dem marxistischen „Universum ohne Herz" einen werdenden Christus in die Herzen hinein entgegenruft. So soll der zukünftige Dichter sein, der wieder das Ganze im Blick hat.

Was uns berechtigt hat, Spuren des zukünftigen Romans aufzusuchen, war die Rückwendung zum Einfachen, dem wir in allen Variationen begegnet sind, zur unverkünstelten Natur, aus der wieder elementare Entscheidungen hervorgehen. Wir können uns dabei an Grimmelshausens „Zugab" von 1670 erinnern: „der wie Quecksilber verschwindende und dennoch getreue Vagant Simplicius Simplicissimus."

Was westliche Kritik einem „Teilhard der Dichtung" entgegenzustellen hätte, faßt Karl August Horst, einstiger Schüler von Ernst Robert Curtius, von den Vorbildern der Romanistik her und aus der betont neutralen Sicht vergleichender Literaturwissenschaft unter dem Begriff: „Das Spektrum des modernen Romans" (1964) zusammen. Dies Spektrum ist für ihn nicht mehr ein Zusammenfall von Bild-Mitte und Sinn-Mitte, eine Zuordnung von Metapher und Symbol, sondern eine leere Stelle. Die Stelle, wo im modernen Roman: „der Komplex, die Angstneurose, die Zwangsvorstellung und ihre Derivate im Vordergrund stehen." Die Stelle, wo man „der leeren Unendlichkeit des eigenen Bewußtseins nicht mehr entkommt". Wo man sich vor der Schöpfungsbewegung, statt sich von ihr vorwärtstragen zu lassen, „wie bei einer Überschwemmung auf den Dachboden des Hauses zurückzieht und eine am Vorabend begonnene Handarbeit fertig macht". Ein groteskes Bild für westliches L'art pour l'art.

Dennoch wird auf dies Spektrum hin eine Romanpoetik entwickelt. Die große geistige Gestalt ist Paul Valéry. Wir sind ihm eingangs begegnet mit dem Begriff eines „dichterischen Kosmos". Hier erscheint er mit der „Mechanik eines optischen Kosmos"; geheimnisvoller immer noch als ein „deduktiver Kosmos". Das „Universum" ist geschrumpft zur Bewußtseins-„Universalität". Darin findet sich das Kunstwerk „als ein Gemachtes praktisch begrenzt", gegenüber dem unendlichen Andrang der Dinge. Da gilt es den Begriff der „Reinheit" zu entwickeln, der „poésie pure". Es gilt den Geist „rein aus dem Geist abzubilden" mit Hilfe eines „Bildkosmos", der einer andern Mechanik gehorcht als der „logische Kosmos". Nur „Analogie" kann statt der Welt-Ganzheit (von der Reinheit her) eine Art „Katholizität" erschließen. Nur die Suche nach dem „verlornen Ganzen" bleibt (wie Prousts Suche nach der verlornen Zeit, Kafkas Suche nach dem Schloß). Die Stil-Technik zielt auf ein

„Arrangement". Dabei tritt an die Stelle der „Spannung" als Intensitätsgrad der Logik die „Faszination" der „Bild- oder Gefühlslogik". Während die „schwarze Faszination die Welt entleert", erschließt sich (bei Henry James) eine „weiße Faszination", die „die Welt in ein lückenlos geschlossenes Ganzes verwandelt"; „Erleuchtung des Bewußtseins" „im Gewand der Fiktion".

Nur eines scheint allen Vertretern des modernen Romans bei Horst zu fehlen, die Faszination des „sym". Dem „Schematismus des marionettenhaften Ich" entzieht sich die lebendig augenblickliche Offenbarung des Unerforschlichen.

Überboten wird Horsts „Spektrum" noch durch den Radikalismus des französischen „Nouveau Roman", dem Ludovic Janvier die Poetik geschrieben hat: „Une parole exigeante" („Literatur als Herausforderung" 1967). Der Radikalismus gilt jeder Art Roman-„Konvention". Sein durchdringender Kunst-Trick ist es, den Menschen als lebendige individuelle Mitte auszusparen. Es gibt nur den „Antiheld" ohne Gesicht, ohne Namen, ohne Eigenschaften, die „aufgelöste Persönlichkeit"; den Menschen „auf der Suche" als schattenhafte „Chaplinfigur". Notgedrungen bietet sich als Handlungsgefüge eine kriminelle Untat, zu der unbewußte Impulse zwingen. Oder ein lautlos im Kreise schleichender Eifersüchtiger, der Halluzinationen hat, im Schattenspiel der abgetasteten Dinge. Oder das Sich-Verirren in einem Labyrinth ohne Ariadne-Faden, ein Labyrinth, das sich zuletzt als Fiktion des Beschreibers enthüllt. Die Variationen solcher Kunst-Tricks sind offenbar groß. Vier Schriftsteller, Nathalie Sarraute, Claude Simons, Alain Robbe-Grillet, Michel Butor haben in wenigen Jahren rund 23 Romane hervorgebracht. Da der Mensch sekundär geworden ist, leben sie von der „Faszination der Dinge". Der Mensch selbst wird zum Ding reduziert. Gegen alptraumartige Hintergründe. Was hier zuletzt sichtbar wird, ist nur eins: „das Symbol menschlicher Bedeutungslosigkeit", der „Gang zum Nichts". Hier eben hebt der Sinn sich auf. Wer solche Überraschungen in der Romanproduktion als geschichtliche Entwicklung begreifen will, dem bietet sich die These an, die Ludwig Pesch 1962 als „romantische Rebellion" zusammengefaßt hat. Die romantische Revolte, ins Bodenlose getrieben, endet im „Abstrakten" oder im Roman ohne Menschengesicht, oder auch als „Ekstase tief unterhalb des Gefrierpunkts der Seele". Das Ende ist Beckets „personifizierte Langeweile". Das Ende einer Sackgasse für das „absolute Ich".

Das Drama

Schillers Wallenstein-Trilogie

Wie sich die Ballade als die „Grundstufe des Gesamtkunstwerks" erweisen ließ, aus der Totalität der zusammengefaßten lyrischen, epischen, dramatischen Anlagen, so führt das Drama mit der Orestes-Frage: „Was soll ich tun?" in Entscheidungsaugenblicke, in denen sich das Gesamtwesen Mensch aus der Vergangenheit und Gegenwart in die Zukunft hinein entscheiden muß. In solchem Entscheid gilt es, den Widersprüchen des Daseins Lösungen abzugewinnen, die kraft ihrer symbolischen Gewalt den gefährdeten Kosmos wiederherzustellen imstande sind. Wie die Ursprünge des Dramas im Kult-Tanz, in der erhabnen Begegnung der Chorstimmen mit der Einzelstimme den kosmischen Rahmen immer gegenwärtig halten, so lebt bis in unsre Gegenwart die Erinnerung an diese kühnste Widerspiegelung eines zerspaltenen und zurückgewonnenen Ganzen unmittelbar in Dramatikern heute fort. Arthur Miller, Tragödien-Dichter der Moderne, mit amerikanischer Unbekümmertheit, fordert vom modernen Drama, daß „die letzten Fragen zu Gericht stehen". „Das neue Drama wird griechisch sein, in dem Sinn, daß die Menschen wieder Teile eines Ganzen werden, der Sozietät eines Ganzen, das der Mensch bedeutet."

Wir setzen bei unsrer klassischen deutschen Großdichtung ein, zur gleichen Zeit als mit der Erneuerung der Kunstballade männliche Härte des alten Heldenlieds und weiblich aufgeschlossenes Fühlen des Volkslieds sich verschmelzen. Es ist die Zeit der Begegnung Goethes und Schillers; sie brachte beide Dichter zur höchsten ergänzenden Steigerung ihrer das Zeitalter bewältigenden Kunst. Während für Goethe sich die Wachstumsimpulse weit über Schillers Tod hinaus erst voll auswirken sollten, war es Schiller vergönnt, seine dramatischen Energien aus ihrer abstrakten und antithetischen Sphäre unmittelbar in einen Goethe-nahen komplexen Realismus zu verfestigen, mit der Schöpfung der Wallenstein-Tragödie,

die sich ihm zur Trilogie erweiterte 1797—1800 und die als der Gipfel seiner Dichtung angesehen wird.

Schillers elementare dramatische Begabung ist von Anbeginn auf revolutionäre Bewegungen gerichtet. Schon auf der Karlsschule hat ihn Shakespeare gegen die französischen Regeln revolutioniert. Den Weg von den „Räubern" zum „Carlos" verfolgen wir nicht. Wir halten nur den tragischen Augenblick fest, in dem Carlos sein letztes Gespräch mit der Königin hat, durch Posas Opfer gereift, der Leidenschaft zur Königin Herr geworden, im Begriff in die Niederlande abzugehen, um der Führer zur Freiheit zu werden: „Ein reines Feuer hat mein Wesen geläutert." Ein Lichtfanal der Revolution, ehe Philipp zuschlägt, den Sohn der Inquisition übergibt. Wir erinnern, daß es Kopernikus war, der den Begriff der Revolution zuerst geprägt hat: „De revolutionibus orbium celestium." Als symbolische Metapher ergreift Schiller den Kern der revolutionierenden Bewegung, ganz im Stil der Lichtsymbolsprache des Barock. Solche empörerische Kühnheit mochte Goethe im Sinn haben, als er den Tod des Freundes würdigte im „Epilog zu Schillers Glocke":

> „Er glänzt und vor, wie ein Komet entschwindend,
> Unendlich Licht mit seinem Licht verbindend."

Goethes Realismus will mehr als eine Schmuckmetapher geben, wenn er mit diesen Versen sein großes Strophengedicht beschließt. Er weiß um die Strahlkraft des Schillerschen Geistes, die nichts zur Materie erstarren läßt, die alles in dramatische Bewegung verwandelt, auf das hindurchbrechende Licht der Wahrheit zu. Der große „Naive" gibt dem Freund, der den Begriff des „Sentimentalischen" geprägt hat, die hohe Kraft, uns ins „Bewußtsein des Absoluten" zu steigern. Dies ist der beste Ausgangspunkt zum Verständnis der Wallenstein-Tragödie.

Vorausgegangen war die Leistung des Historikers, der 1791 bis 1793 die „Geschichte des Dreißigjährigen Kriegs" geschrieben hatte. Im IV. Buch behandelt er Wallensteins Rebellion gegen den Kaiser, nach Gustav Adolfs Tod. Der kaiserliche Generalissimus, dem unbeschränkte Gewalt über seine Truppen, das Heer des Kaisers, gegeben war, erscheint als finstre, zweideutige Größe, die mit Schweden, Sachsen, Franzosen verhandelt, sich in Böhmen festsetzt, Regensburg preisgibt, so lange den Kaiser reizt, bis er, der Verräter, selber verraten wird, und ehe ihn der Schwede in Eger befreien kann, einem Mörderdolch anheimfällt. Der Rohstoff enthielt bereits die Zusammenkunft der Kommandeure in Pilsen, im Januar 1634; auch bereits das Gastmahl mit dem Formular, das zur Unterschrift herumgeht, ohne die Klausel, die an den Kaiser bindet. Auch Wallensteins Verblendung, sich gerade dem General Piccolomini anzuvertrauen, der alles nach Wien berichtet, finden wir schon im Geschichtsbericht. Schiller vereinfacht das Geschehen zur „rächenden Nemesis". Im Schluß des Buches dann steigert sich der Historiker zu einer ersten komplexen Vision des Dichters vom Schreckens-Helden, der Geschichte um sich bewegt und selber vom aufgerührten Wirbel des Weltgeschehens in den Abgrund gerissen wird. „Die Tugenden des Herrschers und Helden, Klugheit, Gerechtigkeit, Festigkeit und Mut, ragen in seinem Charakter kolossalisch hervor; aber ihm fehlten die sanfteren Tugenden des Menschen, die den Helden zieren und dem Herrscher Liebe erwerben ... So fiel Wallenstein, nicht weil er Rebell war, sondern er rebellierte, weil er fiel. Ein Unglück für den Lebenden, daß er eine siegende Partei sich zum Feinde gemacht hatte, — ein Unglück für den Toten, daß ihn dieser Feind überlebte und seine Geschichte schrieb."

Ausdrücklich fügt Schiller hinzu: „Noch hat sich das Dokument nicht gefunden, das uns die geheimen Triebfedern seines Handelns mit historischer Zuverlässigkeit aufdeckte, und unter seinen öffentlichen, allgemein beglaubigten Taten ist keine, die nicht endlich aus einer unschuldigen Quelle könnte geflossen sein."

Hier hat der Historiker dem künftigen Dichter alles offen gelassen. In den Briefen an Goethe verfolgen wir die Schritte, in denen sich der Dramatiker auf die große Tragödie zubewegt. Das erste Briefwort vom 23. 10. 1796 lautet: „Zwar habe ich den Wallenstein vorgenommen, aber ich gehe noch immer darum herum und warte auf eine mächtige Hand, die mich ganz hineinwirft." Am 13. November 1796: „Je mehr ich meine Ideen über die Form des Stücks rektifiziere, desto ungeheurer erscheint mir die Masse, die zu beherrschen ist."

Die größte Hilfe, die ihm Goethe entgegenbringt, sieht Schiller darin, daß er gezwungen wird: „von einzelnen Fällen zu großen Gesetzen fortzugehen." „Es ist eine ganz andere Operation, das Realistische zu idealisieren, als das Ideale zu realisieren." Mit dem „Wallenstein" arbeitet sich Schiller dem Freund entgegen, dessen „Wilhelm Meister" ihn überall an Wirklichkeitsnähe übertrifft.

Wie aber war die „ungeheure Masse“ dichterisch zu bewältigen? Fast ein ganzes Jahr vergeht für Schiller in der Überlegung, wie er „eine poetische Fabel erfindet“, wie es ihm gelingen soll, „die poetische Ausführung des so schweren Plans“ zu bewirken. Zweifellos steht ihm immer Goethes poetische Kraft vor Augen, wie sie ihm am „Wilhelm Meister“ aufgegangen war: „Ich kann Ihnen nicht beschreiben, wie sehr mich die Wahrheit, das schöne Leben, die einfache Fülle dieses Werks bewegte.“ Als Goethe ihm im Juni 1797 das Faustfragment zusandte, stellte er die „Forderung an eine symbolische Bedeutsamkeit“. Und er selbst erinnert im Brief an Goethe vom 24. 8. 1798, „daß alle poetische Personen symbolische Wesen sind“. So weist Schiller selbst darauf hin, wie sehr das „Poetische“ das symbolische Vermögen heranrief.

An den Duz-Freund Körner wendet Schiller sich persönlich andringlicher und offenherziger als an den großen Dichter Goethe. So schreibt er am 28. Nov. 1796: „Der Stoff ist im höchsten Grade ungeschmeidig ... Es ist im Grund eine Staatsaktion und hat, in Rücksicht auf den poetischen Gebrauch, alle Unarten an sich, die eine politische Handlung nur haben kann, ein unsichtbares abstraktes Objekt, kleine und viele Mittel, zerstreute Handlungen, einen furchtsamen Schritt, eine (für den Vorteil des Poeten) viel zu kalte trockene Zweckmäßigkeit. ... Die Base, worauf Wallenstein seine Unternehmung gründet, ist die Armee, mithin für mich eine unendliche Fläche, die ich nicht vors Auge und nur mit unsäglicher Kunst vor die Phantasie bringen kann: ich kann also das Objekt, worauf er ruht, nicht zeigen, und ebenso wenig das, wodurch er fällt; das ist ebenfalls die Stimmung der Armee, der Hof, der Kaiser.“

Es ist nun erstaunlich zu verfolgen, wie Schiller sich an seine Aufgabe heranarbeitet. Am 4. April 1797 schreibt er Goethe, er habe Sophokles studiert: „Es ist mir aufgefallen, daß die Charaktere des griechischen Trauerspiels mehr oder weniger idealische Masken und keine eigentliche Individuen sind ... Man kommt mit solchen Charakteren in der Tragödie offenbar viel besser aus, sie exponieren sich geschwinder und ihre Züge sind permanenter und fester.“ Kurz danach geht er mit A. W. Schlegel Shakespeares „Julius Cäsar“ durch und stellt fest, wie er „das gemeine Volk mit einer ungemeinen Großheit behandelt“. „Hier, bei der Darstellung des Volkscharakters zwang ihn schon der Stoff, mehr ein poetisches Abstraktum als Individuen im Auge zu haben, und darum finde ich ihn den Griechen hier äußerst nah. ... Mit einem kühnen

Griff nimmt Shakespeare ein paar Figuren, ich möchte sagen, nur ein paar Stimmen aus der Masse heraus, läßt sie für das ganze Volk gelten, und sie gelten das wirklich, so glücklich hat er gewählt."

Das ist im April, und im Mai überrascht dann Schiller seinen Freund Goethe damit, daß er Balladen zu dichten begonnen hat und daß er den Wallenstein-Stoff durch ein Vorspiel in Knittelversen: „Wallensteins Lager" angegangen hat.

Was ist hier vorgegangen? Wir ziehen ein Briefwort vom 24. Januar 1797 heran: „Das seh ich jetzt klar, daß ich Ihnen nicht eher etwas zeigen kann, als bis ich über alles mit mir selbst im reinen bin. Mit mir selbst können Sie mich nicht einig machen, aber mein Selbst sollen Sie mir helfen mit dem Objekte übereinstimmend zu machen. Was ich Ihnen also vorlege, muß schon ein Ganzes sein, ich meine just nicht mein ganzes Stück, sondern meine ganze Idee davon. Der radikale Unterschied unserer Naturen, in Rücksicht auf die Art, läßt überhaupt keine andere, recht wohltätige Mitteilung zu, als wenn das Ganze sich dem Ganzen gegenüberstellt."

Was sich hier aus der Ganzheit der Idee überraschend für Goethe zur Darstellung bringt, ist die Vision des Dramatikers, radikal entgegengesetzt Goethes epischen Visionen im „Wilhelm Meister", in „Hermann und Dorothea" (Frühjahr 1797 vollendet). Eben im April 1797 formuliert Schiller den Unterschied: „Beide, der Epiker und der Dramatiker, stellen uns eine Handlung dar, nur daß diese bei dem letzteren der Zweck, bei ersterem bloß Mittel zu einem absoluten ästhetischen Zwecke ist. Aus diesem Grundsatz kann ich mir vollständig erklären, warum der tragische Dichter rascher und direkter fortschreiten muß, warum der epische bei einem zögernden Gange seine Rechnung besser findet."

Schiller hat jetzt als Dramatiker seinen Stoff aus dem Handlungs-Ganzen ergriffen, dazu bedurfte er, allen Einzelfiguren voraus, die bewegte Soldatenmasse als das Machtmittel des Feldherrn, das durch ihn bewegt wird, und dessen untergründige Bewegung zugleich den Feldherrn determiniert. Dazu erfand sich Schiller ein Spiel ganz eigner Art, für das es kein Vorbild gab. Er nutzte die Idee der idealischen Masken, er nutzte auch die Volksdarstellung Shakespeares im „Julius Cäsar". Er griff zurück ins bunte Leben des Dreißigjährigen Kriegs, wie ihn der „Simplicissimus" spiegelt. Und er entdeckte den Knittelvers des 16. Jahrhunderts, den Hans-Sachs-Vers, wie ihn damals bereits Goethe in „Hans Sachsens poetischer Sendung" 1776 neu durchseelt hatte. Schiller wird seinen ersten Vorspiel-Entwurf noch vielfältig erweitern, insbesondre durch Goethes Hinweis auf Abraham a Santa Clara zur Kapuzinerpredigt angeregt werden.

Entscheidend bleibt der Wurf des Ganzen. Schiller erreicht mit seinem Knittelvers eine elementare Volksschicht, die er äußerst vielfältig auszubreiten und zu variieren weiß. Goethe selbst hat die Aufführung im neueröffneten Weimarer Theater Oktober 1798 öffentlich angekündigt und kommentiert. Er hat den dramatischen Kern herausgehoben, der dem „Lust- und Lärmspiel" seinen Lebensnerv gibt:

„Der Hof will einen Teil von der Wallensteinischen Armee abtrennen und ihn nach den Niederlanden schicken. Der Soldat glaubt hier die Absicht zu sehen, die man hege, Wallensteins Ansehen und Gewalt allmählich zu untergraben. Durch Neigung, Dankbarkeit, Umstände, Vorurteil, Notwendigkeit an ihren Führer gekettet, halten die Regimenter, deren Repräsentation wir sehen, sich für berechtigt, gegen diese Ordre Vorstellung zu tun; sie sind entschlossen, bei ihrem General beisammen und zusammen zu bleiben, zwar für den Kaiser zu siegen oder zu sterben, doch unter Wallenstein. In dieser bedenklichen Lage endigt das Stück, und das Folgende ist vorbereitet. Nunmehr ist uns Wallensteins Element, auf welches er wirkt, sein Organ, wodurch er wirkt, bekannt. Man sah die Truppen zwischen Subordination und Insubordination schwanken. Wohin sich die Waage zuletzt neigen wird und auf welche nächste Veranlassung, ob die Regimenter und ihre Chefs, wenn Wallenstein sich dereinst vom Kaiser lossagt, bei ihm verharren, oder ob ihre Treue gegen den ersten und eigentlichen Souverän unerschütterlich sein werde, — das ist die Frage, die abgehandelt, deren Entscheidung dargestellt werden soll. Ein solcher Mensch steht und fällt nicht als ein einzelner Mensch; die Umgebung, die er sich geschaffen hat, trägt und hält ihn, solange sie beisammen bleibt, oder läßt ihn, indem sie sich trennt, zugrunde sinken."

Goethe hat hier das Neuartige des großen politischen Dramas mit selbstloser Anerkennung jenes kämpferischen Geistes, der wieder echtes Drama auf die Bühne zu bringen vermag, gewürdigt und in die Zeit gestellt.

Schiller selbst hat seinem Spiel später einen Prolog vorausgedichtet, der Oktober 1798 vom Schauspieler des Max Piccolomini gesprochen wurde. Da vereinfacht sich die Tragödie Wallensteins zu der berühmten Formel:

„Denn seine Macht ists, die sein Herz verführt,
Sein Lager nur erkläret sein Verbrechen."

Zugleich entwirft Schiller ein Charakterbild Wallensteins, das die ganze komplexe Größe eines aufrührerischen Geistes ins Weltgeschichtliche stellt.

Auf diesem finstern Zeitgrund malet sich
Ein Unternehmen kühnen Übermuts
Und ein verwegener Charakter ab.
Ihr kennet ihn — den Schöpfer kühner Heere,
Des Lagers Abgott und der Länder Geißel,
Die Stütze und den Schrecken seines Kaisers,
Des Glückes abenteuerlichen Sohn,
Der, von der Zeiten Gunst emporgetragen,
Der Ehre höchste Staffeln rasch erstieg,
Und ungesättigt immer weiter strebend
Der ungezähmten Ehrsucht Opfer fiel.
Von der Parteien Gunst und Haß verwirrt
Schwankt sein Charakterbild in der Geschichte;
Doch euren Augen soll ihn jetzt die Kunst,
Auch eurem Herzen menschlich näher bringen.
Denn jedes Äußerste führt sie, die alles
Begrenzt und bindet, zur Natur zurück,
Sie sieht den Menschen in des Lebens Drang
Und wälzt die größre Hälfte seiner Schuld
Den unglückseligen Gestirnen zu.

Selten erleben wir solche zusammengefaßte Durchhellung einer Tragödie im vorausgeworfenen Dichterspiegel. Der Prolog will soweit voraus-entspannen, daß alles, was wir als Drama miterleben, Kunst geworden ist, die „das düstre Bild der Wahrheit in das heitre Reich der Kunst hinüberspielt". Dennoch soll uns „der große Gegenstand" aufwühlen, sollen „der Menschheit große Gegenstände" den Widerstreit von Herrschaft und Freiheit ineinander verschlingen.

Hier waltet die Gewißheit, daß uns im symbolischen Zusammenwerfen des Widersprüchlichsten die Fundamente alles Geschichtlichen bewußt gemacht werden, als Kraftfelder derer, die Geschichte bewegen, und derer, die vom dämonischen Untergrund des geschichtlichen Geschehens mitergriffen und zugrundegerichtet werden.

So verstehen wir jetzt Schillers erstes Wort zum „Wallenstein": „Ich warte auf eine mächtige Hand, die mich ganz hineinwirft."

Es ist balladische Bewegung, die das Zusammenströmen der Friedland-Regimenter bei Pilsen Januar 1634 vom bunten Soldatenlager bis zum Reiterlied steigernd zur Darstellung bringt. Es scheint nur ein Zufalls-Auftakt, daß Schiller mit den Worten des Bauernknaben beginnt, der dem Vater abrät, sich unter die Soldaten zu mischen. Aber wofür steht der Bauer hier? Für das zerstörte Volksgefüge, über das nun schon mehr als ein Jahrzehnt der Krieg hinweggegangen ist. Es ist der Angstschrei eines Bauernkindes, Stimme des geängsteten verstummten Volksuntergrunds:

> Vater, es wird nicht gut ablaufen,
> Bleiben wir von dem Soldatenhaufen.

Das ist der Untergrund, von dem sich das Zeltlager der Soldaten abhebt, mit seinem ganzen tumultuösen Leben, wie es sich alsbald entfalten wird. Der Bauer aber ist schon so weit entwurzelt, daß er dem Sohn beibringt, wie man es machen muß, die Soldateska mit gefälschten Würfeln im Spiel zu überlisten. Andere Waffen hat der Bauer nicht mehr. Das eben ist Bürgerkrieg. Und davon gibt Schiller einen Begriff.

> Wie sie juchzen — daß Gott erbarm!
> Alles das geht von des Bauern Felle.
> Schon acht Monate legt sich der Schwarm
> Uns in die Betten und in die Ställe.
> Weit herum ist in der ganzen Aue
> Keine Feder mehr, keine Klaue,
> Daß wir für Hunger und Elend schier
> Nagen müssen die eignen Knochen . . .

So mag uns der Angstruf des Bauernjungen wohl in den Ohren dröhnen, wenn wir uns jetzt Wallensteins Lager zuwenden. Alles, was wie Zufall wirkt, hat symbolische Bedeutung. Die falschen Würfel, die der Bauer ausprobiert, mögen manch falsches Spiel vorausnehmen, was uns im Lauf des Wallenstein-Schicksals begegnen wird. Vorerst aber wird alles, was hier im Lager geschieht, zum magnetischen Kräftefeld werden, in dessen Mitte die widersprüchliche Gestalt des großen Feldherrn steht. So halten wir uns nicht bei den Einzelheiten auf, wie es dem Bauern bei seinem Falschspiel ergeht, wie der Kroat um gestohlenen Schmuck geprellt wird, wie der Bürgersohn verführt wird, sich als Rekrut zu melden und ein begeistertes Rekrutenlied singt. Die balladenhafte Bewegung des Ganzen ist es, der wir uns zu öffnen haben.

Da rühmt der Holksche Jäger den Geist, der durchs Ganze weht:

Da geht alles nach Kriegessitt',
Hat alles 'nen großen Schnitt.
Und der Geist, der im ganzen Korps tut leben,
Reißet gewaltig, wie Windesweben,
Auch den untersten Reiter mit.

Da treibt der andre Holksche Jäger Friedland-Magie:

Wer unter seinem Zeichen tut fechten,
Der steht unter besonderen Mächten.
Denn das weiß ja die ganze Welt,
Daß der Friedländer einen Teufel
Aus der Hölle im Solde hält.

Einen besonderen Haltepunkt bildet der Wachtmeister aus dem Regiment Terzky. Dem jungen Rekruten reißt er einen Welthorizont auf:

„Auf der Fortuna ihrem Schiff
Ist Er zu segeln im Begriff;
Die Weltkugel liegt vor Ihm offen ..."

Und als „Befehlsbuch" darauf aus, Exempel anzubringen, rühmt er den Aufstieg des Generals Buttler, mit dem er einst zusammen Gemeiner war. Und den Wunderaufstieg des Friedländers, der „der Kriegsgöttin sich vertraut". Sinnfällig für alle macht es der Wachtmeister, was ihnen droht, wenn Truppen vom Friedländer abgezogen werden: es ist, wie wenn der rechten Hand der kleine Finger abgehackt wird: die ganze Hand ist nicht mehr zu gebrauchen.

Die stärkste Gegenstimme, zugleich ins Burleske gerückt, ist die Schwadronage des Kapuziner-Paters, der mit lauter Kalauern arbeitet, zugleich gegen den Ketzer Wallenstein hetzt in wüsten Schimpfworten, bis ihm der Mund gestopft wird. Dennoch spricht er wirkungsvoll, aus alter volkstümlicher Tradition und mit den Reimen des Knittelverses, deren Zusammenklang die Hörer dazu verführt, als ob hier die Sprache aus der Wahrheit selber spricht. Barocke Großartigkeit schimmert oftmals hindurch:

„Es ist eine Zeit der Tränen und Not,
Am Himmel geschehen Zeichen und Wunder,
Und aus den Wolken, blutigrot,
Hängt der Herrgott den Kriegsmantel 'runter.

Den Kometen steckt er wie eine Rute
Drohend am Himmelsfenster aus,
Die ganze Welt ist ein Klagehaus,
Die Arche der Kirche schwimmt im Blute . . .

Auch in solcher Rhetorik ist alles auf weite, steigernde balladenhafte Bewegung gestellt. Wenn die Holkschen Jäger ihr Freiheitsideal in einem „Reich der Soldaten" sehen, den Friedländer als Revolutionär, „die Welt anzustecken und zu entzünden", dann kommt mit den Kürassieren, den Pappenheimern, die sich den jungen Piccolomini zum Oberst gewählt haben nach Pappenheims Tod bei Lützen, ein andrer Freiheitsbegriff herauf, der alle Tatkraft aus der Ehre zieht:

Sagt mir, was hat er an Gut und Wert,
Wenn der Soldat sich nicht selber ehrt?

Den Kürassieren geht es gegen die Ehre, daß der Kaiser sie verschicken will, wie „eine Herde Schafe". Darum wollen sie protestieren, aber mit Disziplin. Jedes Regiment soll den Protest unterschreiben:

„daß wir zusammen wollen bleiben,
da uns keine Gewalt noch List
Von dem Friedländer weg soll treiben,
Der ein Soldatenvater ist."

Hier ist aller Teufelslegende das schönste Gegenwort geboten: Wallenstein, der Feldherr, ein Soldatenvater, dem sich alle verpflichtet fühlen, weil er für sie sorgt wie ein Vater. Das ist der Geist, aus dem das Reiterlied gedichtet wird, aus dem Weltvertrauen in eine Soldaten-Freiheit, die alle Noblesse einschließt, eine revolutionierende „Freiheit, die sich gegen jede Art Knechtschaft wendet, jede Falschheit und Hinterlist", aus dem weltbewegenden Mut, der sich jederzeit zu riskieren bereit ist:

„Der dem Tod ins Angesicht schauen kann,
Der Soldat allein ist der rechte Mann."

Im Schlußgesang ist alles zusammengenommen, was die Soldaten-Regimenter unter der Fahne des Friedländers vereint:

„Und setzet ihr nicht das Leben ein,
Nie wird euch das Leben gewonnen sein."

Das ist sozusagen der balladische Schlußakkord, der die Bewegung, die durchs Ganze geht, adelt. Es ist zugleich die revolutionierende Kraft darin, die vom Friedländer ausgeht, wenn er sich in nichts vom Kaiser hereinreden läßt. Es ist nur ein anderer Stimmton, wenn der Holksche Jäger sagt:

Freiheit ist bei der Macht allein:
Ich leb' und sterb' bei dem Wallenstein.

Das magische Kräftefeld, das hier entfaltet wurde, faßt Freiheit und Macht als eine Art mystische Partizipation zwischen Heer und Feldherr. Dem Soldatenvater entspricht die Ehre, im einzelnen Mann, der blindlings für seinen Feldherrn eintritt. Nur vereinzelte Stimmen vom Regiment Tiefenbach haben einen warnenden Ton, wenn es ums Verhältnis zwischen Kaiser und Feldherr geht. Aber die Tiefenbacher weichen dem Streitgespräch aus. Alle übrigen stimmen ins Reiterlied ein. Und der Wachtmeister weist eine Münze vor, mit dem Bild Wallensteins drauf. „Schlägt er nicht Geld wie der Ferdinand"? Die Bewegung, die durch das Heer geht, läßt alle Fragen offen.

Goethe hat sogleich das Bedeutende am Entwurf des Vorspiels erkannt. Er schreibt am 28. Mai 1797 an Schiller, während er noch bei ihm in Jena verweilt: „der Aufwand wäre für ein einziges Drama zu groß." Er fordere „einen eignen Zyklus". Goethe hat gespürt, daß hier ein Geschehen in Bewegung gesetzt ist, das als allgemeiner Geschichtsgrund im Dreißigjährigen Krieg mehrere Dramen hervorrufen sollte. Damit hat er bereits vorausgesehen, daß Schiller den Wallensteinstoff jedenfalls auf zwei Dramen verteilen müsse, wie es dann auch später geschehen ist.

Während die Balladendichtung beider Dichter weitergeht, während Goethe inzwischen auf seiner Reise nach Frankfurt den „symbolischen Gegenstand" entdeckt, bereitet sich in Schiller die entscheidende Hinwendung zum Wallensteindrama dadurch vor, daß ihm die ersten Prosaversuche (im Stil des Goetheschen „Egmont") unzulänglich erscheinen und er vom Knittelvers des „Lagers" jetzt auf den Jambus übergreift. Am 4. November heißt es im Briefkalender: „Angefangen, den Wallenstein in Jamben zu machen." Die „poetisch-rhythmische Sprache" gibt ihm erst den letzten Aufschwung: „alle Charaktere und alle Situationen nach Einem Gesetz zu behandeln." Was er „die Atmosphäre für die poetische Schöpfung" nennt, ruft sich zugleich die größten Vorbilder heran: einmal ist es die „tragische Analysis" im „Oedipus Rex" des Sophokles, über die er am 2. Oktober 1797 an Goethe berichtet: „Alles ist schon da, und es wird nur herausentwickelt." „Die Furcht, daß etwas geschehen sein möchte, affiziert das Gemüt ganz anders als die Furcht, daß etwas geschehen möchte." Zum andern ist es Shakespeare, dessen „Richard III." er am 28. November 1797 für Goethe als „eine der erhabensten Tragödien" auseinanderlegt: „Eine hohe Nemesis wandelt durch das Stück, in allen Gestalten, man kommt nicht aus dieser Empfindung heraus vom Anfang bis zum Ende." Besonders rühmt er die Kunst, „Symbole zu gebrauchen, wo die Natur nicht kann dargestellt werden".

Bereits der I. Akt der „Piccolomini" zieht einen höchsten dramatischen Augenblick zusammen, mit dem Erscheinen des Kriegsrats von Questenberg als Kaiserbote und der Versammlung aller Heerführer Wallensteins. Wenn sich das Großformat des Shakespeareschen Verbrechers bereits in dem mächtigen Rahmen ankündigt, in den Wallenstein eintreten wird, so deutet sich die Nemesis schon in der ersten Szene an im Wort Buttlers an Illo: „Auf Gallas wartet nicht." Bereits hat sich der General Graf von Gallas mit seinen Regimentern dem Ruf Wallensteins entzogen. Buttler weiß zu berichten, daß Gallas ihn selbst hat abhalten wollen. Gegenströmungen sind im Gange. Und bald erfahren wir, daß Questenberg keinen besseren Zubringer hat als Wallensteins rechte Hand, den Generalleutnant Piccolomini.

Von zwei Ausbrüchen wird das Streitgespräch des I. Aktes beherrscht. Sie wirken wie die ins Bewußtsein vordringenden Grundstimmungen des Heeres, aus „Wallensteins Lager" als unterirdische Bewegungen uns vertraut. Oberst Buttler durchbricht jede Konvention im Ruhm Wallensteins. Buttlers elementarische Natur greift zu barocken Bildern, weiträumig angelegt und nicht ohne Pathos vorgetragen:

„Doch alle führt an gleich gewalt'gem Zügel
Ein Einziger, durch gleiche Lieb' und Furcht
Zu e i n e m Volke sie zusammen bindend.
Und wie des Blitzes Funke sicher, schnell,
Geleitet an der Wetterstange, läuft,
Herrscht sein Befehl vom letzten fernen Posten,
Der an die Dünen branden hört den Belt,

> Der in der Etsch fruchtbare Täler sieht,
> Bis zu der Wache, die ihr Schilderhaus
> Hat aufgerichtet an der Kaiserburg."

Das Bild vom Blitz versinnlicht die allbewegende Gewalt, die ein einziger Befehl Wallensteins auslöst vom Belt bis zur Kaiserburg in Wien. Nichts wohl kann Buttlers motorische Energie schärfer in die Gesprächsschablonen Questenbergs hineinfahren lassen als solches Bild. Zur Rede gestellt entfährt Buttler das brutale Geständnis:

> „Noch gar nicht war das Heer. Erschaffen erst
> Mußt es der Friedland, er e m p f i n g es nicht,
> Er g a b ' s dem Kaiser! Von dem Kaiser nicht
> Erhielten wir den Wallenstein zum Feldherrn.
> So ist es nicht, so nicht! Vom Wallenstein
> Erhielten wir den Kaiser erst zum Herrn,
> Er knüpft uns, er allein, an diese Fahnen!"

Das erst macht uns die Dynamik bewußt, aus der „Wallensteins Lager" lebt.

Dann trifft Max Piccolomini, der Wallensteins Gemahlin und Tochter nach Pilsen geleitet hat, mit Questenberg und Vater Piccolomini zusammen, Max hat auf der Reise den Frieden erlebt, und schon wendet er sich mit Jugendpathos gegen Questenberg, der Wallenstein hindre, seine Friedensmission in Europa zu vollziehn. Lang aufgestaute Revolte gegen die Wiener Bürokratie schafft sich Bahn:

> „Und hier gelob' ich's an, verspritzen will ich
> Für ihn, für diesen Wallenstein, mein Blut,
> Das letzte meines Herzens, tropfenweis, eh' daß
> Ihr über seinen Fall frohlocken sollt!"

Hier wendet sich nicht nur der Obrist in Wallensteins Dienst gegen kaiserliche Taktiken: der Geist der Pappenheimer aus „Wallensteins Lager" revoltiert gegen jeden Versuch, Wallensteins Macht zu vermindern. Auch der Sohn steht hier gegen den Vater auf. Geradheit der Unschuld gegen die virtuoseste Verstellungskunst. Alle Widersprüche vom „Lager" her spitzen sich zu dramatischen Gegensätzen zu.

Der II. Akt bringt die erste dramatische Entscheidung großen Stils. Voraus geht der kurze Auftritt des Astrologen Seni und das Wort, das er an die Bedienten verschwendet:

„Mein Sohn! Nichts in der Welt ist unbedeutend.
Das Erste aber und Hauptsächlichste
Bei allem ird'schen Ding ist Ort und Stunde."

Mag Senis „Gravität" hier etwas Forciertes haben, zu Wallenstein gehört die Rückbeziehung auf eine Überwelt, die unser Handeln mitbestimmt. Wer Welt bewegen und verändern will, braucht mehr als den eignen Willensentschluß, er braucht die Gunst von „Ort und Stunde". Was die Herzogin aus Wien mitbringt vom Kaiserhof, spricht gar nicht dafür: Mißgunst am Hof, drohende Absetzung. Wallenstein entfährt ein Wort, das jede Gunst von Ort und Stunde auszuschließen scheint: „O, sie zwingen mich, sie stoßen gewaltsam, wider meinen Willen, mich hinein!" Vom Schwager, dem Grafen Terzky, erfährt er, daß die Schweden ihm nicht trauen, so wenig wie die Sachsen. Was er dem Schwager jetzt zuspricht, scheint ehrlich gemeint: kein Stück deutsches Land an die Schweden! Eine Idee blitzt auf, die zweifellos Größe hat:

„Mich soll das Reich als seinen Schirmer ehren,
Reichsfürstlich mich erweisend, will ich würdig
Mich bei des Reiches Fürsten niedersetzen!"

Zugleich gibt er Blanko-Vollmacht, die Unterschrift aller Generale und Obristen beizuholen, die sie zu blindem Gehorsam gegen ihn verpflichten. Dann tritt er in deutlichen Abstand zu seinen Ratgebern. Er fühlt sich auserwählt vom Schicksal, von den Sternen her: Jupiter, dem „hellen Gott" zugeordnet. Darum in der Schwebe zwischen den Möglichkeiten, zwischen dem, der Welt bewegt als Revolutionär, und dem, der sich ergreifen läßt: „den Schicksalsmächten hoffend übergeben."

Das große politische Gespräch, das Wallenstein mit dem Kriegsrat von Questenberg führt in Gegenwart seiner Generäle, erfährt seine dramatische Steigerung im Ganzen erst, wenn wir es begreifen als Widerstreit des erstarrten Prinzips mit dem Allbewegenden in Wallensteins Geist. Wie vernichtend trifft Wallensteins lebendige Größe das schablonenhaft gemalte Geschichtsbild Questenbergs, das mit einem verlognen Lob Wallensteins beginnt, in dem einen Wort: „Ersparen Sie's uns, aus dem Zeitungsblatt zu melden, was wir schaudernd selbst erlebt." Erstarrte Historie wie im Zeitungsblatt. Wallenstein aber will lebendige Zeit. Und nun geht Questenberg in starrer Folge dazu über, Wallenstein sein Zögern zum Vorwurf zu machen, warum er „wie ein Besiegter nach Böhmen floh", warum er Regensburg preisgab, aus „altem Haß und Groll" gegen den Bayernherzog. Wallenstein zeigt sich so entrückt jener Zeitungsblatt-Historie, daß er Max befragt, von welcher Zeit die Rede sei. Max liefert sogleich das Gegenargument: es war die Zeit, in der sie Schweden und Sachsen aus Schlesien schlugen. Questenbergs Vorwürfe gehen weiter: Wallenstein habe zwar die Schweden besiegt, doch den Grafen Matthias Thurn, Österreichs Feind, nicht ausgeliefert nach Wien, sondern freigelassen. Und dann habe er in Böhmen Winterquartiere bezogen. Wallenstein hat es leicht, dem Kaiser die Schuld zuzuschieben: Ein Jahr schon fehlt der Sold. „Und sein Sold muß dem Soldaten werden, darnach heißt er."

Questenberg fällt nichts andres ein, als die Zeit zurückzurufen, vor neun Jahren, wo Wallenstein eine Armee aus eignem Reichtum schuf und besoldete. Das gibt Wallenstein sein Stichwort, um Bewegung in die erstarrten Fronten hineinzutreiben: was hat der Kaiser getan? Er hat Wallenstein den Fürsten geopfert, hat ihn auf dem Regensburger Fürstentag abgesetzt. Damit ist der Augenblick gekommen, wo Wallenstein vor seinen staunenden Generalen zum Angriff übergeht, die Kaiser-Revolte als Bewegungsmotor in ein fortreißendes Zukunftsbild verwandeln kann:

„Nein, Herr! Seitdem es mir so schlecht bekam,
Dem Thron zu dienen, auf des Reiches Kosten,
Hab ich vom Reich ganz anders denken lernen.
Vom Kaiser freilich hab ich diesen Stab,
Doch führ ich jetzt ihn als des Reiches Feldherr,
Zur Wohlfahrt aller, zu des Ganzen Heil,
Und nicht mehr zur Vergrößerung des e i n e n !"

Darnach wirken die starren Forderungen, die Questenberg im Auftrag des Kaisers stellt, geradezu grotesk, auch im Blickpunkt der Generale. So soll Wallenstein mitten im Winter die Winterquartiere in Böhmen räumen und Regensburg zurückerobern. Wallenstein läßt seine Generale die Antwort geben: Unmöglich. Als Questenberg auftrumpft, der Kaiser habe bereits einen Oberst nach Bayern beordert, läßt Wallenstein die Generale das Urteil sprechen: der Offizier, der Wallensteins Ordre entgegenhandelt, verdient den Tod. Noch grotesker wirkt die Anordnung, Wallenstein soll acht Regimenter der spanischen Armee beigeben, die in die Niederlande vorrücken soll. Die Paradoxie, daß grade der Rebell die Despotie unterstützen soll, fängt Wallenstein in die Formel auf, die zum geflügelten Wort geworden ist:

„Wär der Gedank' nicht so verwünscht gescheit,
Man wär versucht, ihn herzlich dumm zu nennen."

Wallenstein nimmt die Herausforderung an, deckt die „krummen Wege" des Kaisers auf, und nachdem er sein verbürgtes Recht für alle Generale nochmals betont hat, erklärt er seinen Rücktritt. Das ist der legitimste Abgang, und es ist der revoltierende Appell an alle Generale.

Mit dem III. Akt beginnen die Manipulationen Terzkys und Illos, die sich im Gastmahl bühnenwirksam darstellen, ohne Wallenstein selbst. Illos Berechnung zielt dahin, daß die abgelistete Unterschrift aller Generale Wallenstein zwingen wird, den Schritt in die Rebellion zu tun, die ihm nicht mehr verziehen werden kann. So sind die eignen Freunde dabei, ihn hineinzustoßen. Auch die Gräfin Terzky, Schwester Wallensteins, versucht sich am Intrigenspiel. Sie will Max Piccolomini fest an Wallenstein binden, durch Maxens Liebe zu Thekla, der Wallensteintochter.

Hier wächst Wallenstein in der eignen Tochter ein ebenbürtiger Charakter heran. Schiller findet noch im Dezember 1798 eine zusätzliche Szene, die er Goethe verdankt. Schiller, unzufrieden mit dem astrologischen Motiv, das er bisher nur als eine Art historische Konstellation, als „Fratze" behandelt hatte, fragt Goethe um Rat und erhält die Antwort: „Der astrologische Aberglaube ruht auf dem dunkeln Gefühl eines ungeheuren Weltganzen." Goethe öffnet Schiller erst den Blick für die Fruchtbarkeit des Motivs. Schiller ergreift es mit voller dramatischer Wucht. Er führt Thekla, die Wallensteintochter, in Senis Geheim-Gemach und läßt sie ihre Seele auftun für des Vaters Grundwesen:

„Ganz in der Mitte glänzte silberhell
Ein heitrer Mann, mit einer Königsstirn,
Das sei der Jupiter, des Vaters Stern,
Und Mond und Sonne standen ihm zur Seite."

Thekla erahnt den Zusammenhang zwischen des Vaters revolutionierenden Energien und der alles Menschliche übergreifenden Aura der Gestirnwelten, die hier mit der Kühnheit der Lichtsymbolsprache ans Absolute im Bewußtsein rühren. Auch Max an Theklas Seite wird zum höchsten Verständnis Wallensteins hingeführt:

„O! Nimmer will ich seinen Glauben schelten
An der Gestirne, an der Geister Macht!"

Maxens Liebe zu Thekla greift über auf einen Weltzusammenhang, der vielmehr von der Liebe als vom politischen Kampf vorwärtsgetrieben wird. Max sieht Jupiter und Venus zusammen. Er steigert sich den geliebten Feldherrn zum Friedensbringer Europas, der sich hinterher auf seine böhmischen Güter zurückziehn wird.

Schon aber bewährt Thekla den Wallenstein-Blick: „Trau ihnen nicht. Sie meinen's falsch!" Sie durchschaut die Terzky-Intrigen, sie schätzt auch den Vater anders ein. Max ist es, der allein ein Idealbild entwirft: Wallenstein, einzig imstande, „zu überraschen wie ein Gott". Sein weltverändernder Geist wird auch alle Konventionen durchbrechen und „das Seltne, Unverhoffte tun": Max und Thekla in ihrer Liebe segnen. Thekla bewährt dagegen das weibliche Erbe Wallensteins: das Sternhaft-Absolute ist ihr unmittelbar im Entscheid des Herzens gegeben. „Der Zug des Herzens ist des Schicksals Stimme." Sie tritt der Gräfin Terzky und deren Wallenstein-Ehrgeiz offen entgegen, bekennt sich zu Max, dem Geliebten. Und sie als erste begreift, was des Vaters Sternen-Ehrgeiz für tödliche Gefahren heraufbeschwört:

Es geht ein finstrer Geist durch unser Haus,
Und schleunig will das Schicksal mit uns enden.

Nach dem tumultuösen Gastmahl der Generale mit Illos Trunkenheit, die den Klausel-Trug verrät, und dem Krawall um Max, der nicht unterschreibt, weil er dazu Ruhe und Überlegung braucht, beschließt Schiller das Piccolomini-Zwischenspiel mit der Auseinandersetzung zwischen Vater und Sohn Piccolomini. Octavio hat begriffen, daß er Max nicht mehr herauslassen darf. Er sieht sich gezwungen, sein zwielichtiges Verstellungsspiel vor den entsetzten Augen des Sohns aufzuklären. Schonungslose Wahrheit ist das einzige, was ihm jetzt noch bleibt. Auch Wallensteins Bild muß wahr gesehen werden. Das sieht dann für Octavio so aus:

„Nichts will er, als dem Reich den Frieden schenken;
Und weil der Kaiser diesen Frieden haßt,
So will er ihn — er will ihn dazu zwingen!
Zufrieden stellen will er alle Teile
Und zum Ersatz für seine Mühe Böhmen,
Das er schon inne hat, für sich behalten."

Was aber damit droht, ist Bürgerkrieg. Wallenstein will sein Heer gegen den Kaiser führen. Die Zeugnisse, die Octavio heranruft, zwingen ihn dazu, sich selbst als das, was er ist, hinzustellen:

Spion des Kaisers, der jeden Schritt Wallensteins überwacht. Mit des Kaisers Ordre in Händen, die Wallensteins Absetzung verfügt und Octavio an seine Stelle rückt. Der Vater weiß auch Worte zu finden, die ans Herz des Sohnes rühren sollen:

„Was ich dabei zu wagen habe, weiß ich.
Ich stehe in der Allmacht Hand; sie wird
Das fromme Kaiserhaus mit ihrem Schilde
Bedecken und das Werk der Nacht zertrümmern."

Das Gespräch zwischen Vater und Sohn erfährt noch eine Steigerung. Wallensteins Zwischenhändler Sesin ist aufgefangen worden, mit Botschaften für Schweden. Allerdings kein Wort von Wallensteins Hand. Octavio glaubt den Sohn überzeugt zu haben. Aber Max geht seinen eignen Weg: er will zu Wallenstein selbst.

„Heut' noch werd' ich ihn
Auffordern, seinen Leumund vor der Welt
Zu retten, eure künstlichen Gewebe
Mit einem graden Schritte zu durchreißen!"

Hinter dem Widerstreit zwischen Vater und Sohn tut sich die Kluft der Weltgegensätze auf: das beharrende Prinzip der kaiserlichen Ordnung auf der einen Seite, mag sie noch so despotisch und bürokratisch zerrüttet sein. Und das revolutionierende Prinzip des großen Heerführers, der eine Welt verändern will, auf eine bewegliche Friedensordnung zu, die ihm selbst die Krone Böhmens einbringen soll. Wie tief Max im Innersten aufgewühlt ist, verrät die Bildvision, die sich ihm vor die Augen stellt; eine echte Barockvision:

„Denn dieser Königliche, wenn er fällt,
Wird eine Welt im Sturze mit sich reißen,
Und wie ein Schiff, das mitten auf dem Weltmeer
In Brand gerät, mit e i n em Mal und berstend
Auffliegt und alle Mannschaft, die es trug,
Ausschüttet plötzlich zwischen Meer und Himmel,
Wird es uns alle, die wir an sein Glück
Befestigt sind, in seinen Fall hinabziehn."

So wenig wie bei Buttler ist die Barockvision ein schmuckhaftes Bild. Was sich darin ausdrückt, ist Wallensteins Elementarnatur, die sich Max unauslöschlich eingeprägt hat, als das Führergenie, das er ist. Max hat ihn mit den Augen Theklas nur um so tiefer begriffen:

„Der Geist ist nicht zu fassen wie ein andrer.
Wie er sein Schicksal an die Sterne knüpft,
So gleicht er ihnen auch in wunderbarer,
Geheimer, ewig unbegriffner Bahn."

Der Eingangsauftritt zum III. Teil „Wallensteins Tod" ist ebenfalls erst späte Zutat vom Dezember 1798, unter Goethes Einfluß. Wallenstein fühlt sich wunderbar bestätigt vom Weltgeist selbst, der sich in der glücklichsten Konstellation ihm offenbart:

„Und beide Segenssterne, Jupiter
Und Venus, nehmen den verderblichen,
Den tück'schen Mars in ihre Mitte, zwingen
Den alten Schadenstifter, mir zu dienen."

Abermals greift Schiller in die hochbarocke Lichtsymbolsprache über. Er braucht die Gegenwart des Absoluten, in Wallensteins entschlossner Seele.

„Nicht Zeit ist's mehr zu brüten und zu sinnen,
Denn Jupiter, der glänzende, regiert
Und zieht das dunkel zubereitete Werk
Gewaltig in das Reich des Lichts — Jetzt muß
Gehandelt werden, schleunig, eh die Glücks-
Gestalt mir wieder wegflieht überm Haupt,
Denn stets in Wandlung ist der Himmelsbogen!"

Das letzte Geheimnis der Wallenstein-Tragödie ist angerührt. Es geht um „Ort und Stunde" eines Weltgesetzes, das selber in dauernder Bewegung ist. Wer kann es wagen, den Augenblick zu ergreifen, wo die Weltantriebe im bewegend-weltverändernden Geist Wallensteins glücklich mitbewegt sind vom Zeitgeist selbst? Wann hat die erstarrte Ordnung der kaiserlichen Majestät den Grad erreicht, wo der unterschwellige Freiheitsdrang der Völker dem Genie sich zuwendet, das die ihm anvertraute Heeresmacht kraft seiner vitalen und geistigen Überlegenheit gegen die Schablonen der Ordnungsmacht einsetzen darf? Wenn von Wallenstein jene magischen Kräfte ausgehen, wie sie Max gepriesen hat:

„Und eine Lust ist's, wie er alles weckt
Und stärkt und neu belebt um sich herum,
Wie jede Kraft sich ausspricht, jede Gabe
Gleich deutlicher sich wird in seiner Nähe."

Maxens Vater dagegen, unempfindlich für alles Geniale, setzt dem Sternenglauben Wallensteins den überlegten Verrat entgegen: „Er irret sich — er faßt sein bös geheimnisvolles Schicksal." — Der finstre Zufall, daß der Unterhändler von den abgefallnen Generalen aufgefangen ist in dem Augenblick, wo Wallenstein sich vom hellen Jupitergestirn getragen fühlt, wirft seine Schatten voraus über den ganzen künftigen Ablauf des Geschehens. Im Glücksgefühl der höchsten Freiheit, vom Absoluten bestätigt, findet er sich bereits der Freiheit beraubt, in die Tat des Verrats hineingestoßen.

Wallensteins berühmter Monolog zieht sich um eben diese Paradoxie zusammen. Die komplexe Strahlungskraft des Genies, wie wir sie durch alle Bewegungen des „Lagers" hindurchgespürt haben, wird jetzt von Schiller als Bewegung und Gegenbewegung der Gedanken — wie auf einer Innenbühne — bewußt gemacht, in einer sprunghaften Fülle, die genau gegensätzlich zu der nüchtern rationalen Verstellungstaktik Octavios steht. Wallenstein sieht sich der Freiheit, die ihn so reizte, der Schwebe über den Möglichkeiten, beraubt. Und er macht sich klar, daß dieser Schwebezustand gerade ihn zu Tollkühnheiten verführt hat, die ihn jetzt belasten. Was ehedem sich ausnahm als „der frommen Quelle reine Tat", das Ursprünglich-Revolutionäre aus dem „Überfluß des Herzens", das hat sich zusammengezogen zum furchtbaren „Ernst", hinter dem er sich des „Schauders" bewußt wird, der ihn zwingt, in die „Urne des Geschicks" zu greifen. Und nun ist nicht er es mehr, der die Welt verändernd bewegt, sondern er findet sich in Mächte verstrickt, die „tückisch" sind, die ihm fremd und unvertraulich begegnen.

Und damit erst wird ihm die Gegenmacht ganz bewußt: ihr furchtbares Doppelgesicht: das er bekämpft als „das ganz Gemeine, das ewig Gestrige", und das sich darbietet als die thronende kaiserliche Macht, in „verjährt geheiligtem Besitz bestätigt", eingewurzelt in „der Völker frommen Kinderglauben". „Sei im Besitze, und du wohnst im Recht." Wer sich dagegen wendet, muß die „Schwelle zum Verbrechen" überschreiten. Wallenstein bleibt nichts mehr übrig als mit dem Schweden zu paktieren.

Das politische Gespräch mit Oberst Wrangel schafft nüchterne Realität. Wallenstein erhält die Krone Böhmens, dafür überantwortet er sein Heer dem Landesfeind, als Rebell gegen den Kaiser. Eger räumt er den Schweden ein. Prag wird vorerst halb und halb geteilt. Wallenstein wird erst hinterher das Ausmaß seines Verrats bewußt. Die Gräfin, seine Schwester, muß in ihm das Ursprünglich-Revolutionäre wecken, das vor nichts zurückzuscheuen hat, was Männer wie Octavio als Verrat bezeichnen:

Entworfen bloß ist's ein gemeiner Frevel,
Vollführt ist's ein unsterblich Unternehmen;
Und wenn es glückt, so ist es auch verziehn,
Denn aller Ausgang ist ein Gottes Urtel.

Die Gräfin erinnert ihn an die Schmach der Absetzung von Regensburg, und wie sie hinterher ihn riefen in letzter Not. Nirgends dringen die Grundgegensätze elementarer in die überzeugende Sprachform vor, als bei Wallensteins heroischer Schwester:

„Denn lange, bis es nicht mehr kann, behilft
Sich dies Geschlecht mit feilen Sklavenseelen
Und mit den Drahtmaschinen seiner Kunst —
Doch wenn das Äußerste ihm nahe tritt,
Der hohle Schein es nicht mehr tut, da fällt
Es in die starken Hände der Natur,
Des Riesengeistes, der nur sich gehorcht,
Nichts von Verträgen weiß und nur auf i h r e
Bedingung, nicht auf s e i n e , mit ihm handelt."

„Denn Recht hat jeder eigene Charakter,
Der übereinstimmt mit sich selbst, es gibt
Kein andres Unrecht als den Widerspruch."

Hier ist das Erstarrende des „Sklaven"-Prinzips ins ebenso grelle Licht gerückt wie das Revolutionäre des Genies, als des Riesengeistes, der die Welt verändern muß und soll.

Noch eine Steigerung hält Schiller bereit, das Gespräch zwischen Wallenstein und Max. Beiden ist ein Absolutes ins Herz geschrieben. Max mißt den Landesverrat an einem gültigeren Wert als Octavio. Max unterscheidet zwischen Rebellion gegen den Kaiser und zwischen dem Pakt mit dem Feind.

Sei's denn! Behaupte dich in deinem Posten
Gewaltsam, widersetze dich dem Kaiser,
Wenn's sein muß, treib's zur offenen Empörung,
Nicht loben werd ich's, doch ich kann's verzeihn,
Will, was ich nicht gut heiße, mit dir teilen.
Nur — zum Verräter werde nicht!

Was hat Wallenstein dem entgegenzustellen?
Sein absolutes Maß heißt: Cäsar, der den Rubikon überschritt:

„Er führte wider Rom die Legionen,
Die Rom ihm zur Beschützung anvertraut."

Wohl muß er sich klar sein, daß er Maxens Vorwurf des Landesverrats damit nicht entkräftet. So stellt er dem Idealismus der Jugend den Realismus des Politikers entgegen. Der muß auch mit den „falschen Mächten" paktieren, die „unterm Tage schlimmgeartet hausen". Er muß aus „gröberem Stoffe" sein. Hier trennen sich die Wege.

Die kurze Szene, in der Wallenstein den ersten Schritt zur Kaiser-Revolte Octavio anvertraut, dem Verräter, leitet eine Selbst-Hemmung ein, die mit tragischer Ironie alle revolutionierende Bewegung zu schanden macht. Dabei hat Wallenstein Octavio einen Auftrag gegeben, der ein Höchstmaß von Verstellung voraussetzt: die spanischen Regimenter, ohne Aufhebens zu machen, herauszuhalten, zu neutralisieren. Die leidenschaftlichen Warnungen Terzkys und Illos vor Octavio, dem „Welschen", zwingen Wallenstein das Bekenntnis auf, was ihn an Octavio bindet. Es betrifft einen Augenblick, wo Wallenstein glaubt, dem Absoluten nahzusein:

> „Es gibt im Menschenleben Augenblicke,
> Wo er dem Weltgeist näher ist als sonst.
> Und eine Frage frei hat an das Schicksal."

Der herrische Weltbeweger stellt eine herrische Frage: „Gib mir ein Zeichen, Schicksal!" Als es Octavio ist, der ihn aus einem Schlachten-Angsttraum aufweckt und ihm rät, das Pferd für die Schlacht zu wechseln, da nimmt er diesen guten Rat des Kriegskameraden als einen Entscheid des Absoluten. Während aber Wallenstein jetzt seine Revolution in Gang bringt, erleben wir zur gleichen Zeit, wie Octavio mit klügster rationaler Berechnung die Bremsen setzt. Einen General nach dem andern führt er in die Kaiserpflicht zurück. Den leichtfertigen Graf Isolan setzt er mit der Ordre unter Druck, die Piccolomini zum Generalleutnant an Wallensteins Stelle ernannt hat. Der Schreck genügt. Bei Buttler ist es schwieriger. Da braucht es einen Seelenscharfblick, den nur der Wallenstein-Spion aufbringt: Octavio legt einen Brief vor, in dem Wallenstein selbst dem Hof in Wien den Rat gibt, Buttlers Dünkel zu züchtigen. Derselbe Wallenstein, der vorher Buttler veranlaßt hat, die Grafenwürde zu beantragen. Der gleiche Seelenmechanismus, mit dem Wallenstein Buttler an sich binden wollte durch den Kaiser-Haß, wird nun umgewendet zum furchtbaren Haß gegen Wallenstein. Buttler wird mit seinem Regiment sich an Wallensteins Ferse heften, um ihn nicht mehr entrinnen zu lassen.

Schiller erreicht hier einen unvergleichlichen Wendepunkt zur tragischen Nemesis, die sich als schreckliche Schicksalsbewegung des gesamten Bodens bemächtigt, auf dem Wallenstein zu stehen glaubt, um selber die Welt zu bewegen. Nur bei einem hat Octavio sich verrechnet, beim eignen Sohn. „Dein Weg ist krumm. Er ist der meine nicht!" Max wird nicht dem Vater folgen. Wohl war er nicht im ersten Impuls zu Wallenstein vorgedrungen, vor Octavios Verrat zu warnen. Nachdem dann Wallenstein bereits mit dem Schweden paktiert hatte, ist Maxens Auseinandersetzung mit dem, den er als seinen Gott verehrt, so leidenschaftlich geworden, daß der Sohn des Verräter-Vaters vergißt. Aber folgen wird er dem Vater nicht. Er wird die Entscheidung des Absoluten suchen in Theklas Herzen.

Als der Abfall der Truppen offensichtlich geworden und Wallenstein hat begreifen müssen, daß Octavio mit verräterischer Tücke ihm die halbe Armee aus der Hand gewunden hat, so daß ihm außer Terzky und Illo nur noch Buttler bleibt, tritt Max Piccolomini mit seinen Pappenheimern in die Mitte der dramatischen Bewegung ein.

Was Schiller im Brief die „Präzipitation" nennt, hat der dramatischen Handlung zu schrecklicher Wucht verholfen. Am 2. Oktober 1797 schreibt Schiller an Goethe: „Ich darf wohl sagen, der Stoff ist in eine reine tragische Fabel verwandelt. Der Moment der Handlung ist so prägnant, daß alles, was zur Vollständigkeit derselben gehört, natürlich, ja in gewissem Sinn notwendig darin liegt, daraus hervorgeht. Es bleibt nichts Blindes darin, nach allen Seiten ist es geöffnet. Zugleich gelang es mir, die Handlung gleich vom Anfang in eine solche Präzipitation und Neigung zu bringen, daß sie in stetiger und beschleunigter Bewegung zu ihrem Ende eilt. Da der Hauptcharakter eigentlich retardierend ist, so tun die Umstände eigentlich alles zur Krise, und dies wird, wie ich denke, den tragischen Eindruck sehr erhöhen."

Die Präzipitation weist im Bild eines chemischen Vorgangs darauf hin, daß Schiller wie ein Scheidekünstler aus der überkommnen Fabel in der ungeklärten Mischung von Charakter und Geschichte das Element herausfällen wird, das die Handlung ihrem tragischen Ende zutreibt. Eben so ist eine „tragische Fabel" entstanden. Wallenstein, aus genialer Anlage zum Motor der Revolte gegen die erstarrte Monarchie geworden, sieht sich gezwungen, in der tollkühnen Schwebe zwischen den widerstreitendsten Möglichkeiten sich des Absoluten im Sternenschicksal zu versichern. Im herrischen Griff nach den Sternen zwingt er selber sich als Stimme des Absoluten den Schicksalsfreund heran, der ihn verrät, der nach seiner klugen Verstellungskunst im kaiserlichen Dienst das Erstarrungsprinzip in sich selber darstellt, dem in Wallensteins genialer Anlage alles widersteht. So kommt es zur tragischen Fabel: daß der weltbewegende Geist, berufen, in die Zeit verändernd einzugreifen, sich selber die Hemmungen schafft, die alle Mächte des erstarrenden Prinzips gegen ihn vereinigt. Statt daß die Ausstrahlungen des Genies, die vom siegreichen Feldherrn ausgehn, überall die revoltierenden Energien wecken, werden vielmehr die Gegenkräfte zur bewegenden Macht, die sich auf die kaiserliche Majestät, ihre angestammte Ordnung in Staat und Kirche, ihre Legalität und auf den Untertanengeist berufen, der den geistigen Horizont jedes Einzelnen begrenzt.

Wallensteins Empörung über Octavios Verrat läßt mit eruptiver Gewalt das Untergründig-Geniale im ehrgeizigen Aufrührer hervorbrechen. Zum ersten Mal wird der Kern der tragischen Fabel bis ins Dokumentarische der Sprache sichtbar.

„Die Sterne lügen nicht, das aber ist
Geschehen wider Sternenlauf und Schicksal.
Die Kunst ist redlich, doch dies falsche Herz
Bringt Lug und Trug in den wahrhaft'gen Himmel.
Nur auf der Wahrheit ruht die Wahrsagung;
Wo die Natur aus ihren Grenzen wanket,
Da irret alle Wissenschaft. War es
Ein Aberglaube, menschliche Gestalt
Durch keinen solchen Argwohn zu entehren,
O nimmer schäm ich dieser Schwachheit mich!
Religion ist in der Tiere Trieb,
Es trinkt der Wilde selbst nicht mit dem Opfer,
Dem er das Schwert will in den Busen stoßen.
Das war kein Heldenstück, Octavio!
Nicht deine Klugheit siegte über meine,
Dein schlechtes Herz hat über mein gerades
den schändlichen Triumph davon getragen.
Kein Schild fing deinen Mordstreich auf, du führtest
Ihn ruchlos auf die unbeschützte Brust,
Ein Kind nur bin ich gegen solche Waffen!"

Über nichts in diesem Ausbruch Wallensteins darf hinweggelesen werden. Wer das Absolute in sich fühlt, kann so viel menschliche Verstellungskunst nicht begreifen. Wallenstein schämt sich nicht, daß er Octavio so viel Vertrauen entgegengebracht hat.

Es wäre ihm unmöglich, „menschliche Gestalt durch solchen Argwohn zu entehren". Das tragische Ausmaß der Gegensätze wird erst sichtbar, wenn man den ganzen geschichtlichen Hintergrund miteinbegreift: was Wallenstein wollte, war die Welt ein Stück vorwärtsbewegen, im Geist der Schöpfung selbst. Was ihm in Octavio entgegentritt und ihm den „Mordstreich" in die wehrlose Brust stößt, ist der Untertanengeist in seiner servilen Niedertracht, die nur aus Begriffsschablonen lebt. Nur so ist es begreiflich, daß Octavio Wallensteins Vertrauen durch Jahrzehnte unbewegt in sich aufgenommen und mit Schein-Freundschaft erwidert hat, bis sich die Gelegenheit anbot, als Kaiser-Spion Meisterdienste zu leisten.

Was sich mit erster „Prägnanz" aus der „Präzipitation" herausentwickelt, ist Wallensteins Zusammentreffen mit Buttler, als dem einzigen übrig gebliebenen Freund. Jedes Wort ist unheilvoll mit Doppelsinn geladen im Sinn der sich entfaltenden tragischen Fabel:

„Ich stützte mich auf ihn, wie ich
Auf deine treue Schulter jetzt mich stütze;
Und in dem Augenblick, da liebevoll
Vertrauend meine Brust an seiner schlägt,
Ersieht er sich den Vorteil, sticht das Messer
Mir listig lauernd langsam in das Herz."

Buttlers unbewegte Antwort: „Vergeßt den Falschen!" kann uns gegenwärtig machen, bis zu welchem Grade Haß das Menschliche in der Seele erstarren macht. Wallenstein ist wahrhaft zwischen Gegner wie zwischen Mauerwände geraten, die langsam sich auf ihn zuschieben und ihn erdrücken.

Buttler wird als Unheils-Bote auftreten, der jeden nächsten Schritt auf den Untergang zu ankündigt. Aber jetzt überrascht uns Wallenstein als der unerschütterliche Überlegene, der sich aufgefangen hat:

Es ist entschieden, nun ist's gut — und schnell
Bin ich geheilt von allen Zweifelsqualen,
Die Brust ist wieder frei, der Geist ist hell:
Nacht muß es sein, wo Friedlands Sterne strahlen.

Die Abwandlung der Lichtsymbolsprache in diesem berühmten Blankvers will besagen, daß Wallenstein die Verfinsterung durch Octavios Verrat nur noch zum Antrieb nimmt, sich um so heller seines eignen Geists bewußt zu werden. Er wird dies Selbstbewußtsein noch stärken zu dem ebenso berühmten Satz: „Es ist der Geist, der sich den Körper baut."

Dann gilt es für Wallenstein, diesen Geist zu erproben am Körper selbst, am lebendigen Körper des Heers, wie wir es aus „Wallensteins Lager" kennen. Die Abordnung der Pappenheimer Kürassiere stellt die vollkommenste Vertretung des Heeres dar. Und Wallenstein bewährt sich als der Feldherr, der jeden kennt, sofort zu jedem ein persönliches Verhältnis findet. In wunderbarer Prägnanz entfaltet sich die Kraft, aus der Wallenstein sein Heer bewegt und führt. Die Pappenheimer haben sich abgesetzt „vom großen Haufen", sie trauen keiner Schablone, die Wallenstein des Landesverrats bezichtigen will. Sie rufen sich ihr urtümliches Vertrauen zu ihrem obersten Heerführer auf. „Sprich Ja oder Nein, so sind wir schon zufrieden." Wallenstein dringt durch dies Entweder-Oder sofort zum Vertrauensmittelpunkt seiner Soldaten vor. Sie bestätigen ihm, daß er sie stets als freie Männer behandelt hat. Wallenstein greift das Wort vom Verrat auf, und entwirft ein Gesamtbild, das auch dem einfachen Mann klarmacht, worum es geht. Nicht er hat den Kaiser, der Kaiser hat ihn verraten. Er hat ihn ausgenutzt und will ihn nun entmachten:

„Östreich will keinen Frieden; darum eben
Weil ich den Frieden suche, muß ich fallen.
Was kümmert's Östreich, ob der lange Krieg
Die Heere aufreibt und die Welt verwüstet,
Es will nur wachsen stets und Land gewinnen."

Zu solchem Gesamtkampf um den Frieden reicht Wallensteins Armee nicht aus. Er braucht zum Schein die Hilfe der Schweden, um zuletzt, „beiden furchtbar, Europens Schicksal in den Händen zu tragen". Damit hat Wallenstein es fertig gebracht, den einfachen Soldaten verständlich zu machen, worum es wirklich geht: „Mir ists allein ums Ganze." „Der Jammer dieses deutschen Volks erbarmt mich."

„Seht! Fünfzehn Jahr schon brennt die Kriegesfackel
Und noch ist nirgends Stillstand. Schwed' und Deutscher!
Papist und Lutheraner! Keiner will
Den andern weichen! Jede Hand ist wider
Die andre! Alles ist Partei und nirgends
Kein Richter! Sagt, wo soll das enden? wer
Den Knäul entwirren, der, sich endlos selbst
Vermehrend wächst, — Er muß zerhauen werden.
Ich fühl's, daß ich der Mann des Schicksals bin,
Und hoff's mit eurer Hilfe zu vollführen!"

Der Seelenpunkt ist erreicht, aus dem alles in Bewegung zu setzen ist, die erstarrten Fronten zu verändern. Wallenstein hat das Gespräch selber zur Handlungsbewegung gemacht, aus der der gemeinsame Funke überspringen muß.

Eben jetzt wieder betritt Buttler die Bühne, um jede lebendige Bewegung zwischen Feldherr und Heer erstarren zu machen. Er meldet, daß die Terzky-Regimenter den kaiserlichen Adler von den Fahnen reißen. Die Pappenheimer marschieren ab. Dann aber steht plötzlich Max Piccolomini im Saal. Die Pappenheimer rücken an, ihren Obersten herauszuhauen. Max sucht Theklas Entscheidung, als das einzige Absolute des Herzens, dem er noch vertraut. Noch einmal kommt es zum entscheidenden Gespräch zwischen Wallenstein und Max.

Das Gespräch erfolgt, im Schatten von Octavios Verrat, in schärferer Tonart, zugleich dringt die Gesprächsbewegung aus komplexerer Tiefe herauf. In Wallenstein muß sich erst der Zorn über Octavios Verrat entladen:

Dein Vater ist zum Schelm an mir geworden,
Du bist mir nichts mehr als sein Sohn, sollst nicht
Umsonst in meine Macht gegeben sein.
Denk nicht, daß ich die alte Freundschaft ehren werde,
Die er so ruchlos hat verletzt. Die Zeiten
Der Liebe sind vorbei, der zarten Schonung,
Und Haß und Rache kommen an die Reihe.
Ich kann auch Unmensch sein, wie er.

Maxens Enttäuschung sucht den tieferen Ton:

Sieh! Alles — alles wollt ich dir verdanken,
Das Los der Seligen wollt ich empfangen
Aus deiner väterlichen Hand. Du hast's
Zerstört, doch daran liegt dir nichts. Gleichgültig
Trittst du das Glück der Deinen in den Staub.
Der Gott, dem du dienst, ist kein Gott der Gnade.
Wie das gemütlos blinde Element,
Das furchtbare, mit dem kein Bund zu schließen,
Folgst du des Herzens wildem Trieb allein ...

Wallenstein wendet Maxens Schärfe auf Octavio zurück:

Du schilderst deines Vaters Herz, Wie du's
Beschreibst, so ist's in seinem Eingeweide,
In dieses schwarzen Heuchlers Brust gestaltet.
O mich hat Höllenkunst getäuscht. Mir sandte
Der Abgrund den verstecktesten der Geister,

Den Lügekundigsten herauf und stellt ihn
Als Freund an meine Seite. Wer vermag
Der Hölle Macht zu widerstehn! . . .

Max schwingt sich über des Vaters Schatten hinweg:

Ich will den Vater nicht verteidigen.
Weh mir, daß ich's nicht kann!
Unglücklich schwere Taten sind geschehn,
Und eine Frevelhandlung faßt die andre
In enggeschloßner Kette grausend an.
Doch wie gerieten wir, die nichts verschuldet,
In diesen Kreis des Unglücks und Verbrechens? . . .

Wallenstein nimmt sogleich Maxens verzweifelten Herzenston auf, spricht wie ein Vater zum Sohn, beruft ihr gemeinsames „Naturgesetz":

Und wenn der Stern, auf dem du lebst und wohnst,
Aus seinem Gleise tritt, sich brennend wirft
Auf eine nächste Welt und sie entzündet,
Du kannst nicht wählen, ob du folgen willst,
Fort reißt er dich in seines Schwunges Kraft
Samt seinem Ring und allen seinen Monden.
Mit leichter Schuld gehst du in diesen Streit,
Dich wird die Welt nicht tadeln, sie wird's loben,
Daß dir der Freund das meiste hat gegolten.

Es ist Wallensteins letzter Appell an Max, mit der Weltbewegung mitzugehen, die Wallenstein entfachen muß.

Noch einmal hat Schiller der „Präzipitation" einen Gegenhalt geboten. Noch einmal macht er den Wirbel von Widersprüchen bewußt, in den Octavios Verrat den Feldherrn ebenso wie Octavios Sohn geworfen hat. Beide erheben sich darüber, ohne die Kluft zu überbrücken.

Inzwischen treibt die vorwärtsrückende dramatische Handlung beide weiter auseinander. Ehe zwischen Pappenheimern und Terzkys Regimentern ein Bürgerkrieg entbrennt, stellt sich Wallenstein der aufrührerischen Truppe. Einen kurzen Augenblick lang finden sich Max und Thekla zur Aussprache zusammen. Max, zwischen zwei Pflichten her- und hingerissen, ruft Theklas Entscheidung an. Thekla verweist ihn auf sein eignes Herz. „Geh und erfülle deine Pflicht." Die Wallenstein-Tochter enthebt sich dem Konflikt zwischen dem Vater und dem Geliebten ins Absolute. „Wie du dir selbst getreu bist, bist du's mir." Sie entscheidet wie von einem höhern Stern:

„Eile, deine gute Sache
Von unsrer unglückseligen zu trennen.
Auf unserm Haupte liegt der Fluch des Himmels,
Es ist dem Untergang geweiht."

Wallenstein, von der Truppe niedergeschrien, gibt Max für die Pappenheimer frei. Er ordnet den sofortigen Aufbruch nach der Festung Eger an. Max sieht sich von Thekla getrennt und von Wallenstein gemieden. Sein letztes Wort an Buttler, diktiert von Sorge um den Feldherrn, der in die Acht erklärt ist, steht unter der vollen Wucht der tragischen Ironie: „Versprecht mir, daß Ihr sein Leben beschützen, unverletzlich wollt bewahren."

Schiller gibt dem letzten Auftritt von Max Piccolomini, der sich seinen aufmarschierten Reitern zuwendet, einen Verzweiflungston, der sich Wallensteins Ruf zur Revolte steigernd zu eigen macht im Ruf zum alles mit sich reißenden Schlachtentod.

Überschauen wir den Ablauf der Handlung, so finden wir alles dramatisch zusammengedrängt in einen Tag, im Lager zu Pilsen. Was Schiller das „Retardierende" in Wallensteins Charakter nennt, ist vielmehr der Zustand einer kühnen Schwebe über revolutionierenden Möglichkeiten, die vorzeitig von den Gegenmächten eines erstarrten Systems ins Handeln hineingestoßen wird. Wallensteins Rücktritt will nicht retardieren, sondern das Heer revolutionieren. Wallensteins Ausgriff zu den Sternen, der ihn verblendet, sucht im Absoluten Heilshilfen, wie sie das Ausmaß seiner riesigen Aufgabe fordert. Ehe wir uns den letzten Ereignissen in der Festung Eger zuwenden, dem IV. und V. Akt, lassen wir noch zwei Aussprüche Wallensteins nachwirken, die erst im Hinblick auf diese letzte Stätte ihr Symbolgewicht gewinnen können.

In seinem berühmten Monolog entdeckt Wallenstein mit wahrem Entsetzen, daß ihm der freie Impuls zur revolutionären Tat verloren ist:

„Wohin denn seh ich plötzlich mich geführt?
Bahnlos liegt's hinter mir, und eine Mauer
Aus meinen eignen Werken baut sich auf,
Die mir die Umkehr türmend hemmt."

Die „Mauer" ist hier eine Metapher, eine rhetorische Macht. Unversehens ist die Metapher zur Wirklichkeit geworden in der Festung Eger, in die sich Wallenstein flüchten muß. Gräfin Terzky spricht es aus:

„Denn schwer ist mir das Herz in diesen Mauern,
Und wie ein Totenkeller haucht mich's an."

Auch Thekla schreckt der Ort:

„Nicht Ruhe find' ich, bis ich diesen Mauern
Entronnen bin — sie stürzen auf mich ein —"

Über diesen Mauern waltet Buttler, und er ruht nicht, mit entmenschtem Herzen, bis sie zur Totengruft Wallensteins geworden sind.

Noch ein zweites Wort Wallensteins wirft seine Schatten auf Eger voraus. Nach dem Pakt mit dem Schweden ist es gesprochen:

„Und ich erwart' es, daß der Rache Strahl
Auch schon für m e i n e Brust geschliffen ist.
Nicht hoffe, wer des Drachen Zähne säht,
Erfreuliches zu ernten. Jede Untat
Trägt ihren eignen Rache-Engel schon,
Die böse Hoffnung, unter ihrem Herzen."

Im so vielschichtigen Wesen Wallensteins ist auch dieser aufblitzende Gedanke gegenwärtig. Er beweist, wie tief auch in ihm das Wissen um die „Untat" ist, die sich mit Landesverrat verbindet. Symbolisches Gewicht bekommt der Ausspruch erst, wenn sich die Metapher vom geschliffnen Stahl unversehens ebenfalls in Eger zum wirklichen Mordstahl verwandelt hat, den Buttler seinen Schergen in die Hand drückt, um Wallenstein zu ermorden.

Solche Vorausdeutungen im Bild entsprechen dem, was Schiller die „Präzipitation" nennt, als in die tragische Fabel eingelagertes Element, das nur herausgefällt zu werden braucht, um „in stetiger und beschleunigter Bewegung" die Handlung zu ihrem Ende vorzutreiben. Was Schiller dabei als unerreichtes Vorbild vor Augen steht, ist der „Oedipus Rex" des Sophokles. „Alles ist schon da, und es wird nur herausentwickelt." Der Unterschied ist nur der, daß Ödipus wahrhaft unschuldig schuldig wird, aber als der König, der er ist, der gottverhängten Wahrheit auf den Grund geht, und nicht ruht, bis er die Sühne an sich selbst vollzogen hat.

Wallenstein wagt es bewußt, einer erstarrten Welt die revolutionären Eingriffe abzuzwingen, als der berufene Feldherr, der er ist, und er wagt es, schuldig zu werden an allem, was er für schablonenhafte Konventionen hält. Insofern ist auch hier alles schon da. Was sich aus ihm selber herausentwickelt, ist der Blick für die Mauern, die sich erstarrend auf ihn zubewegen, und das Wissen darum, daß er die Welt nicht ohne „Untaten" verändern kann.

Darum hat er seinen Haltepunkt in den Sternen gesucht, im Absoluten, das ihm „Ort und Stunde" gewährt. Er hat das Absolute heranzwingen wollen und sich den „Basilisken" am eignen Busen großgezogen. Er hat als der Feldherr eines Söldner-Heers, das der „Auswurf" aller Länder ist, mit Menschen wie mit Schachfiguren gespielt, frevelnd an den Seelen, und so hat er sich den Rachegeist herangezüchtet, der ihn in Eger erwarten wird.

Schiller hat dem Beginn des IV. Aktes den denkbar großartigsten Auftakt gegeben. Buttler hat das Wort, als Chef des Regiments, das die Festung Eger besetzt hält. Von Anbeginn hat Schiller ihn als Elementarnatur eingeführt, die sich durch eine bildkräftige Sprache heraushebt. Jetzt nimmt Buttler in seine Bildsprache ein Gesamtbild Wallensteins auf, das die Feldherrngröße mitsamt ihrem Sternengeheimnis anerkennt. Aber im Blickpunkt Buttlers erscheint das Großgeartete der Lichtsymbolsprache Schillers ebenfalls in die „Präzipitation" hineingefällt, die mit finsterer Gesetzlichkeit die Handlung zum Ende vortreibt. So entsteht ein mächtiges Bildgefüge im großbarocken Stil, das wie aus dem Geist des Ödipusdramas die Totalerschütterung vorbereitet, die die Griechen im Begriff der „Katharsis" zusammengefaßt haben:

„Bis hieher, Friedland, und nicht weiter! sagt
Die Schicksalsgöttin. Aus der böhmischen Erde
Erhub sich dein bewundert Meteor,
Weit durch den Himmel einen Glanzweg ziehend,
Und hier an Böhmens Grenze muß es sinken."

Es spricht für die Größe des Feldherrn, daß er noch mit solchen Licht-Dimensionen in Buttlers harte Bildersprache eingeht. Und so erstaunen wir nicht, daß der Festungskommandant Gordon, ein Jugendgefährte Wallensteins, ein wundersam verjüngtes Porträt des Herzogs Friedland entwirft:

Denn wahrlich! nicht als ein Geächteter,
Trat Herzog Friedland ein in diese Stadt.
Von seiner Stirne leuchtete wie sonst
Des Herrschers Majestät, Gehorsam fordernd,
Und ruhig, wie in Tagen guter Ordnung,
Nahm er des Amtes Rechenschaft mir ab.

Die Gestalt Gordons ist eine wichtige Neuschöpfung Schillers für den letzten Teil der Tragödie. Gordon ist von großer Einfalt des Herzens. Darum ist er aufgeschlossen für den Lichtglanz, der vom

Angesicht Wallensteins ausgeht in seiner unbeirrbaren Würde. Er rechtfertigt jene Lichtsymbolsprache, mit der Schiller seinen Helden begleitet hat. Zugleich aber ist Gordon der typische Untertan, zugehörig jenen „Sklavenseelen", denen die Gräfin Terzky ihre Verachtung zollt. So genügt es für Buttler, Gordon auf seine Pflicht hinzuweisen. Trotz aller gemeinsamen Jugenderinnerungen aus der Pagenzeit wird Gordon Wallenstein mit keinem Wort verraten, welche Mordgesinnung in der Festung Eger umgeht.

Eine ganze Szene dient dem Umgang Wallensteins mit dem Bürgermeister von Eger, der noch einmal bezeugen kann, wie unmittelbar Wallenstein sich den Zugang zu den Menschen bahnt. Solchen Eindruck weckt die kurze Audienz, daß Buttler mit Schrekken feststellt, die Bürgerschaft tritt mit schnell verteilten Waffen zum Schutze Wallensteins zusammen, den „Stifter neuer goldner Zeit".

Das Verhängnis aber, das auf Wallenstein zukommt, nimmt, wie alles an diesem genialen Leben, die überraschendsten Formen an. Starkes Schießen in der Nähe von Eger verrät unvermutete Kämpfe. Bald klärt es sich auf: es ist die rasende Reiterschlacht, mit der Max Piccolomini sein Regiment gegen die Schweden unter dem Rheingraf in den Tod gejagt hat. Der Bericht des schwedischen Offiziers erweckt noch einmal Theklas Parallelgestalt. Sie begreift, warum Max den Tod gesucht hat. Warum sich sein ganzes Regiment seiner Führung blindlings anvertraut, um der Ehre ihres Führers willen. Thekla bewährt den harten Charakter ihres Vaters, sie folgt dem Geliebten in seine Gruft, in den Tod. Schiller hat Thekla die Abschiedsklage auf den Weg gegeben. Sie greift zu Reim-Jamben, das Einmalige des unfaßbaren Augenblicks auszudrücken.

Du standest an dem Eingang in die Welt,
Die ich betrat mit klösterlichem Zagen,
Sie war von tausend Sonnen aufgehellt;
Ein guter Engel schienst du hingestellt,
Mich aus der Kindheit fabelhaften Tagen
Schnell auf des Lebens Gipfel hinzutragen.
Mein erst Empfinden war des Himmels Glück,
In dein Herz fiel mein erster Blick!

Da kommt das Schicksal — Roh und kalt
Faßt es des Freundes zärtliche Gestalt
Und wirft ihn unter den Hufschlag seiner Pferde —
Das ist das Los des Schönen auf der Erde!

Hier ist das Unüberbrückbare der Widersprüche begriffen, die Wallensteins Weltrevolte zwischen die beiden Liebenden geworfen hat. Es sind die absoluten Licht-Entscheidungen des Herzens, die sich in Maxens Schicksal vollzogen haben und deren schwarzer Schatten sein Regiment ebenso wie Theklas Leben blindlings nach sich ziehn. Der krasse Realismus, der den Schmerz ausdrückt und überdeckt, nimmt Abschied von der Welt, vom „Schönen" überhaupt. Solche Opfer bleiben am Wege der Wallensteinschen Weltzerstörung zurück. Wie aber wird Wallenstein selbst den Tod des von ihm abgefallenen Freundes sehen?

Wallenstein sieht ihn in der Glorie eines reinen Lichts, das fleckenlos das Menschliche abgestreift hat.

„Er ist der Glückliche. Er hat vollendet.
Für ihn ist keine Zukunft mehr, ihm spinnt
Das Schicksal keine Tücke mehr — sein Leben
Liegt faltenlos und leuchtend ausgebreitet,
Kein dunkler Flecken blieb darin zurück."

Es ist, als begriffe Wallenstein Maxens Tod als gesteigerte Revolte gegen die Schicksalstücke des Lebens. Ist darum seine Trauer so tief und rein? „Die Blume ist hinweg aus meinem Leben." Maxens Abfall dringt nicht mehr in ihn ein. Vielmehr begreift er Maxens freiwilligen Tod als letzten Freundschaftsdienst:

„Der Neid
Des Schicksals ist gesättigt, es nimmt Leben
Für Leben an, und abgeleitet ist
Auf das geliebte reine Haupt der Blitz,
Der mich zerschmetternd sollte niederschlagen."

Wallenstein zieht geradezu Kraft aus Maxens Untergang. So unzerstörbar spürt er seinen Auftrag. Was er dem gealterten Gordon gegenüber empfindet, drückt Verjüngungskräfte aus, als hätte er Maxens absolutes Herz mit all seinem verzweifelten Leidensaufwand in sich aufgenommen und sich zuverwandelt.

„Wer nennt das Glück noch falsch? Mir war es treu,
Hob aus der Menschen Reihen mich heraus
Mit Liebe, durch des Lebens Stufen mich
Mit kraftvoll leichten Götterarmen tragend.
Nichts ist gemein in meines Schicksals Wegen
Noch in den Furchen meiner Hand. Wer möchte
Mein Leben mir nach Menschenweise deuten?
Zwar jetzo schein ich tief herabgestürzt,
Doch werd ich wieder steigen, hohe Flut
Wird bald auf diese Ebbe schwellend folgen —"

Je unbeirrbarer aber Wallenstein alle sich häufenden Symptome warnender Unglücksstimmen von sich abstößt, die Träume der Schwester, die Ahnungen seines Astrologen, je hoffnungsvoller er der Ankunft der Schweden entgegensieht, ebenso wie es seine den Schwedensieg feiernden Generäle tun, um so starrer zieht sich in Buttler der Entschluß zusammen, Wallenstein zu ermorden, jede Kaiserrevolte im Keim zu ersticken. Die rohen Mörderszenen, in denen Buttler seine Kumpane mit allen Mitteln strenger Disziplin und niederm Ehrgeiz auf ihren Mordstoß drillt, bereiten nur den düstersten Bühnenkontrast zum Schreck-Geschehen hinter der Szene, wo der große Feldherr im heiligen Schlaf erschlagen wird.

Die bitterste Ironie hat Schiller sich für die Schlußaugenblicke aufbewahrt, als nicht die erwarteten Schweden, sondern die Kaiserlichen unter Octavio Piccolomini hereindringen. Octavio erscheint, um Buttlers Mord zu verfluchen, alle Verantwortung auf ihn zu werfen. Octavio gibt sich als der Bote der kaiserlichen Gnade, Gordon bleibt das letzte Wort, nicht ohne den Vorwurf dieses Einfältigen: „Dem Fürsten Piccolomini."

Goethes Eindruck vom 18. März 1799: „Der Fall ist wohl einzig, daß man, nachdem alles, was Furcht und Mitleid zu erregen fähig ist, erschöpft war, mit Schrecken schließen konnte." Der Schrecken geht auf die blitzhafte Einsicht zurück, daß die Rangerhöhung des Verräters ihn richtet. Wenn das unser Gefühl „verfremdet", steigert es zugleich die kathartische Wirkung.

Die Totalerschütterung des Tragischen, auf die die ganze Wallenstein-Trilogie angelegt ist, erreicht im Untergang Wallensteins in den letzten Akten eine „Prägnanz" der „Präzipitation", die ihresgleichen im deutschen Drama sucht. Die finstre Seite solcher Erschütterung hat am wirkungsvollsten Hegel zum Ausdruck gebracht:

„Der unmittelbare Eindruck nach der Lesung Wallensteins ist ein trauriges Verstummen über den Fall eines mächtigen Menschen, unter einem schweigenden und tauben Schicksal. Wenn das Stück endigt, so ist Alles aus, das Reich des Nichts, des Todes hat den Sieg behalten, es endigt nicht als eine Theodizee ... Es steht nur Tod gegen Leben auf; und unglaublich! abscheulich! der Tod siegt über das Leben! Dies ist nicht tragisch, sondern entsetzlich! Dies zerreißt das Gemüt, daraus kann man nicht mit erleichterter Brust springen."

Das entspricht durchaus dem Schrecken, der uns erfaßt, wenn Wallenstein hinter der Szene ermordet wird, wenn alle um ihn, Terzky, Illo mitermordet sind, wenn Wallensteins Schwester, die stolze Gräfin, Gift genommen hat, wenn Max von den Pferden zerstampft ist und Thekla seine Gruft aufsucht, um sich neben ihn zu betten. Auch der gefürstete Octavio, der den Sohn verloren hat, damit den Lebenssinn, den ihm sein Ehrgeiz vorgespiegelt hat, findet sich in der Art, wie die kaiserliche Majestät seine Spionendienste belohnt, entwürdigt, gerichtet.

Aber eben solche Totalwirkung des Schreckens stellt im komplexen Urphänomen des Tragischen nur den einen Pol der aufgewühlten Gefühle dar. Hegel selbst spricht in der Praxis seiner Ästhetik von Schillers „tragischen Figuren". Er erkennt Wallensteins Tragik durchaus real: „er geht an der Festigkeit der kaiserlichen Gewalt zugrunde." „Er wirft sich an der Spitze seines Heeres zum Regulator der politischen Verhältnisse auf." Aber eben dieses Heer zerbricht, wo es ernst wird. Damit anerkennt Hegel zugleich die ungeheure Kraft der dramatischen Vision, die den tragischen Helden in politische Konflikte wirft, die die Grenzen auch des genialen Einzelnen übersteigen. „Dergleichen allgemeine Weltzwecke lassen sich überhaupt nicht durch e i n Individuum in der Art durchführen, daß die andern zu gehorsamen Instrumenten werden, sondern sie setzen sich selber teils mit dem Willen vieler, teils gegen und ohne ihr Bewußtsein durch."

Damit wird ein Ausmaß menschlicher Größe aufgerufen und ein Übermaß von allgemeinen Mächten, die den Einzelnen übergreifen, daß wir mit dem Untergang des tragischen Helden zugleich Bewunderung, Stolz, mächtiges Mit-Erleiden und ebenso mächtiges Mitergriffensein von Urkonflikten alles Menschlichen durchleben. Und so ist es zugleich mit der „Prägnanz" der „Präzipitation" das erlauchte Bild des unerschütterlichen Wallenstein, das uns emporhebt über die wüste Mordszenerie in die tragische Größe schlechthin, in der wir uns der menschlichen Möglichkeiten bewußt werden, die in der Schöpfung von Tragödien gipfeln. Formelhaft ausgedrückt: Die zusammenziehende Kraft des Symbols ist hier von der aufschließenden Kraft übergriffen worden.

Hier nun kann uns Schiller auch heute noch ebenso unmittelbar im tragischen Nerv der Welt berühren, wie zur Goethezeit. Wir müssen nur den Blick schärfen für den wahren tragischen Konflikt. Wir erkennen hinter der „Festigkeit der kaiserlichen Gewalt" eine in den Schablonen der monarchischen Konventionen erstarrte Welt. Und wir entdecken in dem, was Wallenstein selbst „der frommen Quelle reine Tat“ nennt, inmitten seines Monologs, der inmitten des Ganzen steht, die Kühnheit des revolutionierenden Geistes, der sich gegen alles Erstarrte und Konventionelle wendet, und der als der kühne Weltbeweger, gestützt allein auf ein Heer, das in sich selber in dauernder Wechselbewegung ist, auf ein Absolutes sinnt, das ihm unverrückbare Haltepunkte gibt. Das findet Schiller, glücklich durch Goethes Genius ergänzt, im astrologischen Motiv. Und so nimmt Schiller im Prolog folgende Aufgabe seiner Kunst vorweg:

> „Sie sieht den Menschen in des Lebens Drang
> Und wälzt die größre Hälfte seiner Schuld
> Den unglückseligen Gestirnen zu.“

Damit ist zugleich schon ausgedrückt, daß jeder große Einzelne, der sich wie Wallenstein an Weltzwecke wagt, schuldig wird, und daß der Griff nach den Sterngesetzen seine eigne Hybris hat. Damit ist dann der mächtige Rahmen für eine Tragödie ausgespannt, die Goethe, unmittelbar nach der Vollendung am 18. März 1799 „ein unschätzbares Geschenk für die deutsche Bühne nennt“: „man muß sie durch lange Jahre aufführen.“

Werfen wir nun den Blick auf die symbolische Gestalt, mit der uns Schiller den historischen Wallenstein, der zum Scheitern verdammt ist, in die Würde des tragischen Helden verwandelt, an dem wir nicht nur das gespaltene Deutschland des Dreißigjährigen Kriegs erleben, sondern alle Zwiespälte zwischen Menschen überhaupt, hineingeworfen zwischen Erstarrung und Bewegung, wobei der Weltbeweger, ohne es selber bewirken zu können, von Mächten mitbewegt wird, die ihn vorwärts oder in den Untergang treiben. Da vollzieht sich dann, in Hegels Worten, daß die Weltzwecke sich durchsetzen, teils mit den Willen der vom Genie gelenkten Vielen, teils gegen ihren Willen und teils auch jenseits des Bewußtseins, das hier aufzurufen wäre.

Welches sind Schillers Mittel zum symbolischen Kosmos der Wallenstein-Dichtung? Wir haben die Lichtsymbolsprache bereits durch das gesamte Drama durchverfolgt und brauchen nur ihr Zusammenwirken zu verdeutlichen. Vom „finstern Zeitgrund“ spricht uns der Prolog und bereitet uns darauf vor, daß über dem Heerlager der Soldaten nur die „Feuerflammen“, die in die Häuser fahren, Licht verbreiten. Oder in der Barock-Sprache des Kapuziners

„blutigrote Zeichen am Himmel", wo aus den Wolken „der Herrgott den Kriegsmantel herunterhängt". Im selben Bildraum bewegt sich Buttler, wenn er die Befehle, die von Wallenstein ausgehen, Funken des Blitzes vergleicht.

Wallenstein selbst erst erweitert den Himmelsraum. Er spricht von Jupiter, dem „hellen Gott", von „hellgebornen, heitern Joviskindern", denen sich „Geisterleitern zur Sternenwelt auftun". Thekla erkennt im silberhell erglänzenden Jupiter „des Vaters Stern". Max an ihrer Seite erhöht sich Wallenstein zum „Gott".

Das sind die einfachsten Formeln, wie sie zur Aufbereitung einer Dimension auf das Absolute zu dienen. Die erste Steigerung bringt Schiller in Theklas Kassandra-Vision. Thekla als die Wallenstein-Tochter tiefer mit dem Vater eins, nur auf weibliche Art, durch die Gräfin Terzky mit den Ehrgeizplänen des Vaters bekannt gemacht, die ihrer Liebe zu Max entgegenstehen, trifft sogleich ihre absolute Entscheidung. Am reinen Lichtglanz ihrer Liebe gemessen, die sich ihr zur „göttlichen Gewalt" erhöht, fängt sie das drohende Unheil in einer düstersten Bildvision auf:

„O, wenn ein Haus im Feuer soll vergehn,
Dann treibt der Himmel sein Gewölk zusammen,
Es schießt der Blitz herab aus heitern Höhn.
Aus unterird'schen Schlünden fahren Flammen,
Blindwütend schleudert selbst der Gott der Freude
den Pechkranz in das brennende Gebäude!"

Was in dieser Kassandra-Vision die Wallenstein-Tochter verrät, ist die kühne Vielschichtigkeit der Bilddimensionen: der Himmel, verfinstert zum Gewölk, aus dem Blitze schießen, zugleich aus unterirdischen Schlünden auffahrende Flammen, als wäre Theklas Blick das Unbewußte in den Menschen durchsichtig geworden; selbst der „Gott der Freude", Freund aller Liebenden, hat sich verwandelt ins Furienhafte. Und alles stürzt über dem Haus Wallenstein zusammen.

Dagegen tritt nun Wallenstein selbst in den Lichtglanz seiner höchsten Stunde, ganz mit der Sternen-Konstellation einig.

„Glückseliger Aspekt! So stellt sich endlich
Die große Drei verhängnisvoll zusammen,
Und beide Segenssterne, Jupiter
Und Venus nehmen den verderblichen,
Den tück'schen Mars in ihre Mitte, zwingen
Den alten Schadenstifter, mir zu dienen . . .
Saturnus' Reich ist aus, der die geheime

Geburt der Dinge in dem Erdenschoß
Und in den Tiefen des Gemüts beherrscht
Und über allem, was das Licht scheut, waltet.
Nicht Zeit ist's mehr, zu brüten und zu sinnen.
Denn Jupiter, der glänzende, regiert
Und zieht das dunkel zubereitete Werk
Gewaltig in das Reich des Lichts — Jetzt muß
Gehandelt werden, schleunig, eh die Glücks-
Gestalt mir wieder wegflieht überm Haupt,
Denn stets in Wandlung ist der Himmelsbogen."

Schiller hat den Augenblick vor der Schicksalswende geadelt. Auch Wallensteins Vision greift durch mehrere Dimensionen. Das Bild des Venusgestirns darf uns an Wallensteins Begegnung mit Max erinnern, den er mit souveränem Vaterwohlwollen begrüßt:

„Und, wie das glückliche Gestirn des Morgens,
Führst du die Lebensonne mir herauf."

Der Blick in die „Tiefen des Gemüts" beruft auch bei Wallenstein das Wissen um die unbewußten Triebkräfte, die ihm im verschlungenen Gesamtgeflecht des chaotischen Völkergemischs im Heer oft genug Saturns Herrschaft heraufgerufen hatte, mit „allem, was das Licht scheut". Bald wird Wallenstein zum Oberst Wrangel davon sprechen:

„Ein glühend, rachvoll Angedenken lebt
Der Greuel, die geschahn auf diesem Boden.
Und kann's der Sohn vergessen, daß der Vater
Mit Hunden in die Messe ward gehetzt?"

Alles überglänzt jetzt Jupiter, „und zieht das dunkel zubereitete Werk gewaltig in das Reich des Lichts". Etwas vom Prometheus, dem Lichtbringer, scheint in Wallensteins Wesen eingegangen. Der die Welt bewegen will, scheint einig mit der riesigen kosmischen Bewegung im Sterngewölbe über ihm.

An dieser Stelle greifen wir auf ein Gespräch der Herzogin Friedland mit ihrer Tochter voraus, das Schillers Absicht verrät, das Prometheische in seinem Verbrecherhelden zu verstärken. Die Herzogin spricht über ihre frühe Ehe:

„Der ersten Jahre denk ich noch mit Lust.
Da war er noch der fröhlich Strebende,
Sein Ehrgeiz war ein mild erwärmend Feuer
Noch nicht die Flamme, die verzehrend rast.
Der Kaiser liebte ihn, vertraute ihm,
Und was er anfing, das mußt' ihm geraten.

Doch seit dem Unglückstag von Regenspurg
Der ihn aus seiner Höh herunterstürzte,
Ist ein unsteter, ungesellger Geist
Argwöhnisch finster über ihn gekommen.
Ihn floh die Ruhe, und dem alten Glück,
Der eignen Kraft nicht fröhlich mehr vertrauend,
Wandt er sein Herz den dunklen Künsten zu,
Die keinen, der sie pflegte, noch beglückt."

Im Blickkreis der Herzogin stellt es sich so dar, daß Wallenstein seinen Ehrgeiz als reine Flamme in sich trug, „mild erwärmend" ganz wie Max ihn erlebt hat:

„Jedwedem zieht er seine Kraft hervor,
Die eigentümliche, und zieht sie groß,
Läßt jeden ganz das bleiben, was er ist,
Er wacht nur drüber, daß er's immer sei
Am rechten Ort; so weiß er aller Menschen
Vermögen zu dem seinigen zu machen."

Ein geistiges Feuer als steigernde Kraft. Erst der Sturz aus der Höhe, die Absetzung durch den Kaiser, der ihn den Fürsten opferte, hat ihn verfinstert, hat ihn den „dunklen Künsten" zugetrieben. Auch das mag sich der Herzogin vereinfachen. Aber sie ist nicht ohne Scharfblick. So warnt sie Wallenstein nach der Rückkehr aus Wien: „Unser schnelles Glück hat uns dem Haß der Menschen bloßgestellt. — Was sind wir, wenn kaiserliche Huld sich von uns wendet!" Das ist ganz realpolitisch gesehen. Und so spürt sie auch mit dem Bild von der verzehrend rasenden Flamme eine Unruhe in Wallenstein auf, die für ihn selbst gefährlich ist, weil sie ihm die natürlichen Maßstäbe verwirrt. Sie spürt, er ist irgendwie aus dem Gleichgewicht gebracht. Sein „Glück" hat ihn verlassen. Eben darum greift er nach dem „Reich des Lichts" im Jupiter-Gestirn. Damit ist nicht das Komplexe des Genies umfaßt, das immer mehr ist als seine Seelenmechanismen. Aber Schiller drückt in der Abwandlung der Lichtsymbolsprache Gefährdungen aus, die sich nur zu bald herausstellen werden.

Unmittelbar nach Wallensteins Jupiter-Verherrlichung folgt der Umschlag. Die turbulenten Ereignisse, durch Octavios Verrat herbeigeführt, lassen nirgends Raum für den Blick nach oben. Wallenstein kann sich nur noch durch ein Paradox bekräftigen: „Nacht muß es sein, wo Friedlands Sterne strahlen!" Erst die letzte und endgültige Abrechnung mit Max Piccolomini ruft in Wallensteins Gemüt Bildkräfte herauf, die die Veränderung beleuchten. Dem prometheischen Element tritt ein luziferisches gegenüber. Auch das aber ist auf große Weise eingeordnet ins Sterngefüge:

> „Und wenn der Stern, auf dem du lebst und wohnst,
> Aus seinem Gleise tritt, sich brennend wirft
> Auf eine nächste Welt und sie entzündet,
> Du kannst nicht wählen, ob du folgen willst,
> Fort reißt er dich in seines Schwunges Kraft
> Samt seinem Ring und allen seinen Monden."

Wie drückt sich hier die Erschütterung in Wallensteins Bildphantasie aus. Nicht mehr Jupiter, der alles ins „Reich des Lichts gewaltig zieht". Ein aus den Fugen geratener Stern, der Brände entzündet. Keiner, der die Welt ins Licht hinein bewegt. Ein von schrecklichen Bewegungen mitgerissner Stern, der auch Max mit hineinzwingen will.

Schiller läßt dann, sogleich mit dem Eintreffen in Eger, das barocke Bildgemälde folgen, das Buttlers elementare Rache-Phantasie verrät. Es ist, als wenn parallel zum realen Geschehen das Bildgeschehen seine gleichlaufenden Gesetzeskurven zöge:

> „Aus der böhmischen Erde
> Erhub sich dein bewundert Meteor,
> Weit durch den Himmel einen Glanzweg ziehend,
> Und hier an Böhmens Grenze muß es sinken!"

So hat Schiller durch die ganze Trilogie das astrologische Motiv zugleich real verfolgt und mit einer weitgespannten Lichtmetaphorik durchwirkt, die eindeutig der „poetischen Ausführung" dient und die Fabel in eine „poetische" verwandeln soll. Im Zusammenblick menschlichen und kosmischen Geschehens zieht sich Historie des Dreißigjährigen Kriegs im Bannkreis weniger Tage auf das Kerngefüge jener „wahren Symbolik" hin, in der am Wallenstein-Schicksal sich ein Weltkampf zwischen erstarrenden und rebellierenden Mächten offenbart, bis zum finstern Triumph der Konvention über die Rebellion. Alle Zwiespälte der Zeit wirken sich im Doppelgesicht Wallensteins prometheisch-luziferisch aus. Wie seine komplexe Tiefe noch im Wirbel der Soldatenbewegung des Lagers Figuren wie Buttler als Emporkömmling der Fortuna und Max als freigewählten Oberst der Pappenheimer mit gleicher Mächtigkeit umfaßt, werden sie alsbald auseinandertreten: Buttler als luziferischer Geist der Rache, der ihn vernichtet, und Max als prometheischer Lichtgeist, der sich ihm in ein Absolutes entzieht, für das die Wallensteintochter die Chiffren setzt. Auch die Wallensteintochter aber ist als ein Stück von Wallenstein ihm zugeordnet wie ihr Gegenpol, die extrem ehrgeizige Wallensteinschwester.

Das Gesamtgefüge steigert die große Historie zum symbolischen Kosmos einer Dichtung, in der sich elementare deutsche Tragik am Zwiespaltschicksal des Dreißigjährigen Kriegs offenbart. Wir besitzen Goethes Gesamtsicht des Dramas, zur Aufführung der Piccolomini veröffentlicht, 1799. Ganz aufs Menschliche gerichtet, spiegelt Goethe die reine entfaltete Lebensfülle, ohne den zwingenden Griff des Dramatikers, der auf die totale tragische Erschütterung zielt. Eben der Schlußteil mit Wallensteins Tod war damals noch nicht abschließend vollendet.

„Wollte man das Objekt des ganzen Gedichts mit wenig Worten aussprechen, so würde es sein: die Darstellung einer phantastischen Existenz, welche durch ein außerordentliches Individuum und unter Vergünstigung eines außerordentlichen Zeitmoments unnatürlich und augenblicklich gegründet wird, aber durch ihren notwendigen Widerspruch mit der gemeinen Wirklichkeit des Lebens und mit der Rechtlichkeit der menschlichen Natur scheitert und samt allem, was an ihr befestigt ist, zugrunde geht. Der Dichter hat also zwei Gegenstände darzustellen, die miteinander im Streite scheinen: den phantastischen Geist, der von der einen Seite an das Große und Idealische, von der andern an den Wahnsinn und das Verbrechen grenzt, und das gemeine wirkliche Leben, welches von der einen Seite sich an das Sittliche und Verständige anschließt, von der andern dem Kleinen, dem Niedrigen und Verächtlichen sich nähert. In die Mitte zwischen beiden als eine ideale, phantastische und zugleich sittliche Erscheinung stellt er uns die Liebe, und so hat er in seinem Gemälde einen gewissen Kreis der Menschheit vollendet."

Vom finstern Ende her verspüren wir, wie Schillers dramatische Energie dies polare Spannungsfeld verwandelt hat: in den „phantastischen Geist" fährt die Dynamik des Weltbewegers, der nach den Sternen greift im Drang zum Absoluten, zugleich Reichsfürsten-Ehrgeiz entwickelt in eine europäische Ordnung des Friedens hinein. Das „gemeine wirkliche Leben" füllt sich mit allem an, was sich an erstarrenden Konventionen und Verkrustungen um die altgeheiligte Habsburg-Monarchie angelagert hat. Je elementarer wir hier die Tragik vereinfacht sehen auf den Widerstreit des Weltbewegenden und des Erstarrenden, um so unmittelbarer spricht das Wallenstein-Drama uns heute noch an. Zweifellos ist es das Heer, das in seiner flutenden Bewegung vom Feldherrn in ein Element der Revolution verwandelt werden soll, und es ist dasselbe Heer, dessen Struktur mit Eidesformel und strenger Disziplin zum Instrument kaiserlicher Beharrung und Legalität gegen Wallenstein ins Feld geführt werden kann. Und so sind es Hauptleute des einst ihren Feldherrn umjubelnden Heers, die zuletzt den Schlafenden ermorden, damit er „ehrlich fallen soll von Soldatenhänden". Wie Wallenstein in der Schwebe zwischen den verführerischen weltbewegenden Möglichkeiten, statt diese Welt zu bewegen, selber eingekreist und eingeebnet wird, das macht das Erschütternde der tragischen Formel aus. Gerade weil „sein Charakterbild schwankt, von der Parteien Gunst und Haß verwirrt", weil Hybris und Schuld genug bleibt, auch wenn „die größre Hälfte seiner Schuld" den Sternen zugewälzt wird. Aber es bleibt auch bewegende Urkraft genug, die Maßstäbe jeder erstarrten Machtkonvention zu erschüttern.

Die deutsche Spaltung seit 1945, immer schärfer ausgeprägt zwischen West und Ost, hat dazu beigetragen, Schillers komplexe Totalität, statt sie zur gemeinsamen geistigen Grundlage zu machen, aufzuspalten und zu entwerten. Der Manierismus des Westens, der echten tragischen Erschütterung entfremdet, leugnet die tragische Würde Schillerscher Helden. Beim Schweizer Dichter Friedrich Dürrenmatt, der nur noch im Komisch-Grotesken Ansätze zum Tragischen findet, war 1955 zu lesen: „Aus Hitler und Stalin lassen sich keine Wallensteine mehr machen." Weil der Staat nur noch „unüberschaubar, anonym, bürokratisch" geworden sei, würden die Tragödien von „Weltmetzgern inszeniert, von Hackmaschinen ausgeführt". Als die Westdeutschen 1959 Dürrenmatt daraufhin mit dem Schillerpreis auszeichneten, fand er in seiner Schiller-Rede an den Begriffen des Naiven und Sentimentalischen einen positiveren Ansatzpunkt. „Im naiven Theater wird Wirklichkeit als göttliche Ordnung erlebt, als Schöpfung." Der sentimentalische Dramatiker sei „nur als Rebell denkbar": er rebelliert gegen die „Unnatur, die er im Namen der Natur zu richten hat". Das träfe auf unsre Schillerdeutung zu. Doch ist Schiller für Dürrenmatt nicht Revolutionär genug. In der damaligen Kleinstaaterei, politisch ohnmächtig, habe Schiller nur versuchen können, „den Menschen für die Freiheit zu ändern". Diese Freiheit herrsche nur im Reich der Vernunft, nicht im Leben. Sie manifestiere sich nur in der Kunst. Wohl bleibe Schiller „ein ungeheures Gefälle vom Denken zur Welt hin". Er bleibe „unser Gewissen, das uns nie Ruhe läßt". Doch erreiche er die Dinge nicht. Sein Denken dringe nur vor zu Symbolen und Typen. Die „Welt zu verändern", sei heute nur noch als Schlagwort möglich, nicht mehr für einen Einzelnen.

Dürrenmatts Skepsis hat ihre Größe. Schiller kann sie nicht gerecht werden. Der ganze Westen aber im Forschungsausdruck des Schillerjahrs 1959 legt das Schwergewicht auf Schiller als großen Formkünstler; auf die Formel des Prologs: „Heiter ist die Kunst", auf den Racine-Schiller, auf das Postulat der Freiheit.

Die ostdeutsche Forschung geht vom Stoff aus, aus der Perspektive des sozialistischen Realismus. Wir wählen die jüngste Analyse der Wallenstein-Trilogie von Horst Hartmann (Weimarer Beitr. 1965) „Wallensteins Patriotismus zielt auf ein geeintes, unabhängiges deutsches Reich", der „reichsverräterischen Hausmachtpolitik der Habsburger" entgegen. Außerdem will er den Frieden. Weil er sich nur auf das Heer stützen kann, auf Naturen wie Buttler, die durch ihn hochgekommen sind, aber auch auf die Pappenheimer, denen er eigne Freiheiten einräumt, arbeitet er mit „bürgerlich progressiven Maßstäben", nicht ohne „Hinterlist" und selber der „Feudalordnung" verbunden, die er beim Kaiser bekämpft. So fehlt ihm ein Volksgefüge, auf das er sich stützen kann, und darum braucht er den Pakt mit den Schweden, der alle Gegenmächte auf den Plan ruft. Maxens heroischer Untergang ist Protest gegen die „Wallenstein-Ära" wie gegen die Zeit, die nationale Ziele unmöglich macht. So liegt in der Tragik des Feldherrn die „Tragik der deutschen Nation". Generell wirft die Ostforschung der Westforschung vor, daß sie den Vaterlandsbegriff bewußt und geradezu ängstlich vermeidet.

Gegenüber den Variationen der gespaltenen Forschung, von denen die westliche vielmehr den Formkünstler, die östliche den Stoff in seinen gesellschaftlichen Verflechtungen in die Mitte rückt, will unsre Darstellung in jedem Augenblick die elementare Verschmolzenheit von Form und Stoff gegenwärtig halten als lebendige Einheit, hinter der Schillers totale Verantwortung steht für seine Zeit. Dazu zwingt die Hinwendung zum „symbolischen Kosmos der Dichtung", sie zwingt vor allem, jedes Bild ernst zu nehmen, im politischen Sprachgrund, bis zum Gesamt der Lichtsymbolsprache, auch wenn unsre „labyrinthische Zeit" dafür erst wieder aufgeschlossen werden muß.

Um der radikalen Skepsis Dürrenmatts zu begegnen, die hier mit hineingezogen wurde, sei an die starke Weltwirkung Teilhard de Chardins erinnert, die ebensosehr Ausdruck unsrer Zeit ist. Was an Teilhard fasziniert, was auch seine Gegner als seine große Position anerkennen, ist die unbeirrbare Hoffnungsgewißheit, die er der „vom Bösen hypnotisierten" Gegenwart entgegenstellt. Teilhards Hoffnung gründet sich darin, daß nichts verharrt, daß alles in fortschreitender Vorwärtsbewegung ist, in dem, was er als „Evolution" heraushebt. Mit ihr vermag er auch die Kluft zwischen West und Ost zu überschwingen. Für ihn ist der marxistische Gegensatz: Ausbeuter-Arbeiter überlebt. Es geht nicht um Gesellschaftsklassenkämpfe, sondern um den „Geist der Bewegung", von dem alle „Arbeiter der Erde" mitergriffen sind. Die Zukunftsziele sind nicht die des Kommunismus, den er ein „Universum ohne Herz" nennt. Er spricht von einem elementareren Schisma: dem „Schisma zwischen einer Hälfte der Welt, die sich bewegt, und einer andern, die nicht vorangehen will". Damit ist unmittelbar an die dramatische Mitte des „Wallenstein" gerührt. Wallenstein ist ein Weltbeweger: „jedwedem zieht er seine Kraft hervor, die eigentümliche, und zieht sie groß." Das ist die reine politische Faszination, ohne die nichts Politisches bewegt wird, auch bei den Weltmetzgern Dürrenmatts nicht. Wallenstein konfrontiert sich dann selbst im Monolog mit dem erstarrenden Prinzip: „Das ganz Gemeine ist's, das ewig gestrige, was immer war und immer wiederkehrt, und morgen gilt, weil's heute hat gegolten." Wallenstein faßt das als Kampf gegen alle Schablonen und Konventionen. Dabei stößt er dann auf Max. Max vertritt die Jugend, voll bewegter Zukunft, voll Sehnsucht nach Frieden, nach Liebe, zugleich auf seinen Kaisers-Eid gestellt. Was soll der Weltbeweger tun? Muß er alles liquidieren, was sich ihm wie Max entgegenstellt?

Für den Kommunismus wäre die Antwort einfach. Schiller wählt den symbolischen Kosmos der Dichtung, er wählt die Totalerschütterung des Tragischen mit Wallensteins und Maxens Untergang. Ist er damit in die Kunst ausgewichen? In ein Postulat der Freiheit, der sich das Leben entzieht?

Im 9. Brief der „Ästhetischen Erziehung" läßt Schiller den Künstler, Mann geworden, in sein Jahrhundert zurückkehren, „um es furchtbar wie Agamemnons Sohn zu reinigen". Das klingt keinesfalls nach einem Ausweichen in die Kunst. Zwar dient er keiner marxistischen Revolution. Aber er dient der Teilhardschen Evolution. In welchem Sinn?

Er weicht nicht aus wie Dürrenmatt in die Abstraktion vom „Kehraus der weißen Rasse", vielmehr heftet sich Schiller an die lebendigsten Träger jeder „Evolution": Väter und Söhne. Das gibt die Möglichkeit, Schillers Text noch genauer auszudeuten. Im letzten Gespräch mit Max wird Wallenstein im Haß gegen den Verräter Octavio fortgerissen zu dem Satz: „Ich kann auch Unmensch sein, wie er." Im selben Gespräch aber ruft er die Erinnerung an Maxens Jugend herauf, wie Wallenstein den Jungen aufgenommen und erzogen hat als „Kind des Hauses": „Dich hab ich geliebt." Darum will Wallenstein Max mithineinzwingen in die Revolte gegen den Kaiser. Damit berührt Schiller einen Urkonflikt zwischen Vätern und Söhnen: Väter besitzen die Macht, wenn es sein muß, Unmenschen zu sein: Söhne bringen im Ursprung den Sinn für Ordnungen mit. (Für Max ist es wie für Thekla ins Absolute erhöht.) Solcher Konflikt liegt im Schöpfungsplan, auch Weltmetzger mit Hackmaschinen werden immer wieder auf Widerstände revoltierender Söhne stoßen, die eher den Verzweiflungstod suchen als daß sie zu Unmenschen würden. Schiller vertieft die Tragik ins Personale und macht sie eben damit ausweglos. Der absurde Schlachtentod, in den Max mit dem ganzen Regiment hineinjagt, wird zur Revolte gegen die Welt. Wallenstein büßt Hybris und Schuld seiner Weltrevolte, die ins Unmenschliche verstrickt, damit daß das „ganz Gemeine, ewig Gestrige" triumphiert. Beider Untergang zusammengenommen erst drückt die volle Härte der Nemesis aus, durch die Schiller „furchtbar reinigend" der Teilhardschen „Evolution" dient. Er dient dem „kosmischen Drama" Teilhards, das letzthin zwischen Gott und Satan geführt wird.

Die mit dem Namen „Dürrenmatt" herangezogene Gegenwart kann erst volle Berücksichtigung finden, wenn wir beim Dramatiker Brecht angelangt sein werden.

Wir finden uns bestätigt in einer Forschungsarbeit des Westens von W. Tschiedert 1964, die sich mit „dem tragischen Helden Schillers in der marxistischen Ästhetik" auseinandersetzt. Sie findet den Kern der Tragik darin, daß Wallenstein „Spielball und Täter zugleich ist". Im Gegensatz zur ostdeutschen Forschung hängt alles an der Würde, die dem Sternenglauben zufällt. Nur daß die Lichtsymbolsprache nicht herangezogen wird. Wir nehmen es zum Anlaß, abschließend von ihr aus die Großleistungen des Symbols nochmals zu entfalten. Sie sind uns im Lauf unsrer Streifzüge durch Ballade und Roman immer wieder begegnet in der polaren Spannung zwischen zusammenziehenden und aufschließenden Symbolkräften. Schiller hat mit seiner „Prägnanz" der „Präzipitation" bewunderungswürdige zusammenziehende Wirkungen einer rächenden Nemesis hervorgerufen, bis in die Schlußkatastrophe, die Ermordung des Helden. Zugleich aber hat sich Schiller unterm Einfluß seines großen Freundes Goethe mit vorbildlicher Offenheit dem ganzen Komplex des astrologischen Motivs aufgetan, eminent schöpferisch im Vergegenwärtigen jenes „ungeheuren Weltganzen", von dem ihm Goethe gesprochen hatte. Als „Musterbeispiel marxistischer Interpretation" wird von Tschiedert Alexander Abusch angeführt, der Goethes Ratschlag für grundfalsch erklärt. Denn eben dadurch würde die Gestaltung der sozialen Zustände behindert. Wallenstein bleibe „in einer feudal-absolutistischen und bonapartistischen Denkweise stecken". Das sei seine Schuld. So sei er nicht kühn und schnell genug gegen die „Ewiggestrigen" vorgegangen, als Führer der Soldaten, Bauern und Bürger.

Der krasse Gegensatz kann uns deutlich machen, was Schiller Goethes Anregung verdankt. Im Grunde die ganzen Differenzierungen der Lichtsymbolsprache, die ihm die Möglichkeit geben, sowohl das Mikrokosmische im Unbewußten wie den Makrokosmos hinter dem Sternenglauben ins dramatische Gefüge gesetzhaft einwirken zu lassen als mitbewegende Kräfte. Schiller macht dabei an sich selber wahr, was Goethe erst 1823 in die Formel bringen sollte: „Jeder neue Gegenstand, wohl beschaut, schließt ein neues Organ in uns auf." Was Schiller daran aufschließt, was sich seinen aufschließenden Symbolkräften zur Darstellung bringt, ist ein viel weitschichtigeres, überraschenderes, geheimnisvolleres Wallensteinbild.

Noch heute gilt: jeder Forscher hat im Grunde seine eigne Antwort auf die Frage: wer war Wallenstein im Gesamtgefüge der Schillerschen Dichtung? In dies Gesamtgefüge ist Wallensteins Sternenglaube so tief eingesenkt, daß er zum Grundwesen seiner genialen Natur ebenso gehört wie der durch Regensburg verwundete Machtkomplex, der ihm die Maßstäbe verschoben hat. Wäre ihm wie Gustav Adolf, dem bewunderten, ein selbstbewußtes, in sich geschlossenes und unbedingt zuverlässiges Heer zur Verfügung gestanden statt des „Auswurfs fremder Länder", hätte sich alles anders gestaltet. Doch ihm stand nichts anderes zur Verfügung im zerspaltenen Deutschland, aber immerhin ein Heer, das ihm der Kaiser bedingungslos anvertraut hatte, hatte anvertrauen müssen. Und nun zeichnete sich bereits ein zweites Regensburg ab. Jeder Schritt, den jetzt der geniale Feldherr tat, begrenzte ihn. Alles hing für ihn ab von „Ort und Stunde", von der Konstellation der Sterne, der unwägbaren Machtbewegung im Innersten der durch ihn beeinflußbaren Menschen. Hier ergriff Schiller durch alle Seelenschichten und Gesellschaftsschichten hindurch mit dramatischem Spürsinn die ursprüngliche Tragik dessen, der, indem er die Welt verändernd bewegen will, selbst unentrinnbar von untergründigen Schichtenverschiebungen im Weltgeschehen bewegt wird. Es ist der atemraubende Kampf zwischen bewegenden und erstarrenden Mächten, die zur Gegenbewegung zusammengeschlossen werden. Das Hintergründige solcher Konstellationen im symbolischen Kosmos dieser Dichtung macht ihren Tiefgang aus. Eben damit wird Wallenstein zur symbolischen Gestalt für jeden genialen Weltbeweger, der schließlich von allen Mächten, die der Erstarrung dienen müssen, eingeebnet wird. Der tragische Schrecken, daß gefürstete Staatsdiener wie Octavio im Dienst moralisch zerrütteter Monarchien den Sieg davon tragen, verbindet sich mit der Erschütterung um den Untergang solcher geballter Führerenergien wie sie in Wallenstein vereinigt sind. Die dadurch hervorgerufene „Katharsis", die reinigende Wirkung der Totalerschütterung des Tragischen, sie ist es, die der wahrhaften „Evolution" im Sinne des Teilhardschen Weltbildes dient. Sie greift über das hinaus, was sich Schiller selbst vorgenommen hatte, sie greift auch weit über alles hinaus, was der Marxismus im Durchleuchten des Stoffs auf vorbereitende Winke zur Weltrevolution herausarbeitet. Die Symbolgestaltung aber, die zusammenziehenden und aufschließenden Symbolkräfte der Tragödie, lassen eine bloße Formausdeutung als unzureichend erscheinen.

Wir machen es abschließend noch an den Schlußszenen deutlich, die durchgeformt sind von einem Symbolvermögen, das die zusammenziehenden ebenso wie die aufschließenden Sinn-Wirkungen häuft. Es beginnt damit, daß die Gräfin Terzky um ihren bewunderten Bruder die ganze Aura eines untrüblichen Lichtes breitet:

> „O bleibe stark! Erhalte du uns aufrecht,
> Denn du bist unser Licht und unsre Sonne."

Wallenstein beobachtet den Himmel, der ihm alle Sterne verdeckt hält in der „Schwärze des Gewitterhimmels".

> Mir deucht, wenn ich ihn sähe, wär mir wohl.
> Es ist der Stern, der meinem Leben strahlt,
> Und wunderbar oft stärkte mich sein Anblick.

Die Schwester tröstet ihn: „Du wirst ihn wiedersehn." Wallenstein vollzieht die Wendung vom makrokosmischen zum mikrokosmischen Geschehen. Er nimmt den Stern als Metapher für Max, als Inbegriff dessen, der „faltenlos und leuchtend", ohne jeden „dunklen Flecken" dahingegangen ist. So deutet Wallenstein ihn sich zum Trost, während ihm zugleich der ganze Schmerz bewußt bleibt: „Die Blume ist hinweg aus meinem Leben." Aber der Trost überleuchtet den Schmerz. Und so wird Wallenstein wenig später zu Gordons Warnungen die Antwort finden:

> „Abgeleitet ist
> Auf das geliebte reine Haupt der Blitz
> Der mich zerschmetternd sollte niederschlagen."

Während hier die zusammenziehende Symbolik alles tut, den tragisch Verblendeten uns vor Augen zu führen, durchbricht zugleich das innere Licht seines weltbewegenden Auftrags dieses Dunkel mit eindrucksvoller Würde.

Wallensteins Schwester bedrängt ihn inzwischen mit ihren angstvollen Träumen.

> „Ich sah dich gestern Nacht mit deiner ersten
> Gemahlin, reich geputzt, zu Tische sitzen."

Wallensteins Antwort kehrt alles Unheildrohende sofort ins Glückverheißende um:

> „Das ist ein Traum erwünschter Vorbedeutung
> Denn jene Heirat stiftete mein Glück."

Ja, er geht Warnstimmen der Träume auf den Grund und ruft sich ins Gedächtnis, wie Frankreichs König Heinrich IV. vor der Ermordung „das Gespenst des Messers" in der Brust spürte. Wallenstein beruhigt eben damit die Schwester: ihn bedrücken solche finsteren Vorausdeutungen nicht. Und so entkräftet er im voraus einen Schrecktraum der Schwester, die darin ihre fast inzesthafte Liebe zum Bruder verrät.

Aber noch zwei wirkungsvolle Warnszenen hat Schiller eingeschaltet, die ebensosehr der zusammenziehenden wie der aufschließenden Symbolik dienen. Gordon als Kommandant der Festung verabschiedet sich für die Nacht. Während der Kammerdiener Wallenstein entkleidet, fällt die goldne Kette, des Kaisers erste Gunstbezeigung, zu Boden und zerbricht. Wallenstein nimmt es als ein Zeichen, daß die alten Bindungen, die ihn in den Dienst erstarrender Mächte bannten, jetzt für „ein neues Glück" Raum geben müssen. „Denn dieses Bannes Kraft ist aus." Das weltbewegende Ingenium in Wallenstein bricht sich Bahn. Er vergleicht sich Gordon, dem Jugendgefährten der Pagenzeit. Gordons „abgelebtes Gesicht" fällt ihm auf. Die eigne Verjüngungskraft wird ihm fast dithyrambisch bewußt:

„Nichts ist gemein in meines Schicksals Wegen
Noch in den Furchen meiner Hand ..."

Dann dringt mit allen Zeichen innerer Verstörung Wallensteins Astrolog Seni ein und warnt ihn vor den Schweden. „Die Zeichen stehen grausenhaft." Er warnt vor falschen Freunden. Völlig unberührt geht Wallenstein darüber hinweg. „Von falschen Freunden stammt mein ganzes Unglück. Die Weisung hätte früher kommen sollen." Grade daß Seni die Schweden für die falschen Freunde hält, gibt Wallenstein das beste Gegenargument: „Das schwedsche Bündnis hat dir nie gefallen."

Eben jetzt kommt die letzte Warnung auf Wallenstein zu. Gordon, sein Jugendgefährte, stürzt vor ihm nieder. Sein Gewissen hat sich gerührt, er glaubt, wenn er sich doppeldeutig ausdrückt, kann er Wallenstein warnen, ohne seine Kaiserpflicht zu verletzen. Aber eben solche Doppeldeutigkeit macht es Wallenstein unmöglich, die Warnung ernst zu nehmen. Hier steht wahrhaft die letzte Entscheidung auf des Messers Schneide. Gordon wagt es, Wallenstein zu bitten, die Festung den Schweden zu verschließen. Heldenhaft würde seine Truppe die Festung verteidigen. Der Kaiser würde dann Wallenstein verzeihen. Wallenstein antwortet erst nach einiger Überlegung. Er weist Gordons Eifer als entschuldbar, aber unbegründet zurück. Der Kaiser würde ihm nie mehr verzeihen können, nachdem bereits Blut geflossen ist. Gordon hat sogar Wallensteins Herz so sehr im Tiefsten angerührt, daß wir ein überraschendes Geständnis zur Kenntnis zu nehmen haben:

„Blut ist geflossen, Gordon. Nimmer kann
Der Kaiser mir vergeben. Könnt er's, ich,
Ich könnte nimmer mir vergeben lassen.

> Hätt' ich vorher gewußt, was nun geschehn,
> Daß es den liebsten Freund mir würde kosten,
> Und hätte mir das Herz wie jetzt gesprochen,
> Kann sein, ich hätte mich bedacht . . ."

Aber obgleich hier Wallenstein veranlaßt ist, die Stimme des Herzens zum Jugendgefährten sprechen zu lassen, ist Gordon so ganz Untertan seines Kaisers, daß er es über sich bringt, sich von Wallenstein ohne Warnung zu trennen, obgleich er weiß, daß die Mörder vor der Türe stehen. Nur mit einer Gebärde gramvollen Schmerzes kann Gordon die Szene beschließen.

So geht durch den ganzen letzten Aufzug ein Ineinanderwirken der zusammenziehenden und aufschließenden Symbolkräfte, die eine unerhörte Steigerung der Spannung zum Gefolge haben. Bis in jedes Wort fast verfolgt uns der Doppelsinn des Lebens, in den Schiller hier die Zuschauer zwingt. Zugleich werden sie niedergedrückt, zugleich von der unverwüstlichen Lebenskraft Wallensteins miterhoben. Unwillkürlich werden wir vom Fluch des erstarrenden Prinzips überzeugt und von dem ewigen Recht der menschlichen Natur, sich des Genies zur Weltrevolte zu bedienen.

Was gerade am Schlußakt des Wallensteindramas zu bewundern bleibt, ist die polare Spannung der dramatischen Einbildungskraft, die gleichzeitig das Niederdrückende der Nemesis und das Steigernde des unbeugsamen Charakters zur tragischen Erschütterung vorwärtstreibt; gleichzeitig die zusammenziehenden und die aufschließenden Kräfte des Symbolvermögens in Bewegung hält. Überschauen wir die Struktur des Stils, der sich unter solchen Voraussetzungen bildet, dann können wir verfolgen, wie leidenschaftlich Schillers Entwicklung vor sich gegangen ist vom Jugenddrama der „Räuber", die ganz vom Pathos des Widersprüchlichen leben unter dem aufgerufenen Gottesgericht, über den klaren antithetischen Stil des „Don Carlos", der sich zum großen Ideendrama ausgeweitet hat im politischen Sinn, und nun im „Wallenstein" entfaltet sich über den Untergründen jener elementaren Widersprüchlichkeit und über Schillers eingeborner Antithetik eines Ideen umspannenden Denkens ein symbolisch verweisender Stil, der die klassische Reife anzeigt und in der Kühnheit seiner Lichtsymbolsprache gipfelt.

Heinrich von Kleist „Der Prinz von Homburg"

Schillers Weltwirkung des „Wallenstein" hat auch unwillkürlich Spuren in Kleists Einbildungskraft hinterlassen. Das Verhältnis des Kurfürsten zum Prinzen kann unmittelbar an Wallensteins Verhältnis zu Max erinnern, und die Mittlergestalt Natalies als Nichte des Kurfürsten, Anverlobte des Prinzen, an Thekla. Der Botenbericht, den der Rittmeister von Mörner der Kurfürstin abstattet vom vermeintlichen Tod des Kurfürsten in der Schlacht, hat seine Parallele zum Botenbericht des schwedischen Hauptmanns vom Reitertod Max Piccolominis in der Schlacht mit den Schweden.

Aber solche ungefähren Verbindungslinien bezeugen zugleich nur die vollkommne Verwandlung, die das Großgeartete der Figuren der Schillerschen Welt erfährt, wenn es in den Sprachrhythmus, die elementare, Shakespeare-nahe Aura der Kleistischen Welt einverwandelt wird. Auch Umrisse von Shakespeare-Gestalten lassen sich verdeutlichen: der Schock des Prinzen am Grab hat seine Vorstufe in Claudios Todesfurcht in „Maß für Maß". Der Freund und Regimentskamerad Graf Hohenzollern steht neben dem Prinzen von Homburg, wie Horatio neben Hamlet. Und wie Prinz Heinz sich hindurchentwickelt zur Reife dessen, der als Heinrich V. den Thron besteigt und bei Azancourt zum Rang des siegreichen Volkskönigs aufsteigt, so reift der Prinz von Homburg von seiner ersten Mondnachtszene, in die ihn die somnambule Anlage versetzt, zur Schlußszene, in der der zum Mann Gewordne entschlossen das Gesetz bejaht, das ihn zum Tod durchs Kriegsgericht verurteilt hat, und eben damit in die Kleistische Lichtwelt eintritt, die auch wiederum aus anderen Lichtquellen lebt als Schillers Gestalten.

Vergleiche mit Schiller und Shakespeare bezeugen nur den Weltrang Kleists, der mit seinem letzten Werk, dem „Schauspiel": „Prinz Friedrich von Homburg", geschrieben 1809—1811, gedruckt zuerst 1821 (durch Tieck), „Spiel und Ernst so vereinigt, daß wir in der gesamten Geschichte der neueren Bühnenkunst Vollendeteres nicht kennen" — so Emil Staiger 1962 als Stimme der neutralen Schweiz.

Die Vollendung drückt sich auch in Kleists eignem Entwicklungsgang dahin aus, daß sich die extremen Ausschläge seiner früheren Jahre auf ein Ideal des Klassischen und Ausgewogenen hin ausgereift haben, das bis in die Elemente der Sprache hinein fortwirkt. Erich Schmidt hat seine Einleitung zu Kleists Werken (im bibliographischen Institut) vor dem Ersten Weltkrieg mit dem Hinweis begonnen, daß Kleist Schlüters gewaltiges Denkmal des Großen Kurfürsten stets vor Augen gestanden habe. Kleist sah das Denkmal, wo es heute nicht mehr steht, auf der Langen Brücke unmittelbar neben dem Schloß, wo mit ungeheurer Wucht die Reiterfigur in den Himmel ragte. Heute ist das Schloß dem Erdboden gleichgemacht. Es gehört zu den Nachwirkungen des Zweiten Weltkriegs, daß die westdeutsche Forschung zeitweilig versuchte, die Erinnerungen ans Vaterländische dem Erdboden gleichzumachen. Davon wird dann auch Kleist betroffen.

Bereits die Sprachstudie von Max Kommerell „Die Sprache und das Unaussprechliche" 1940 konnte dazu verführen, Kleists Verhältnis zur Sprache pathologisch zu sehen: „Beim Lesen einer Kleistischen Szene wird uns, als spräche man hier anders, als wäre das Sprechen Mühe, als ränge sich in ihm das Unaussprechliche herauf, und zwar vergeblich, obwohl der Stammelnde dem Stockenden, der Taube dem Stummen zu Hilfe kommt, und einer dem anderen mit aufgeregten und äußersten Gebärden abfragt, was doch nicht über die Lippen will."

Daran ist nur eines zutreffend: daß Kleists Sprache stets kleistisch ist, unverwechselbar, und daß sie im leidenschaftlichsten Sinn dialogisch ist, derart daß einer immer dem andern zuspricht, und daß für Kleists Dialoge das Wort Martin Bubers unmittelbar Geltung hat: „Einander reichen die Menschen das Himmelsbrot des Selbstseins" (1951).

So lassen wir Kleist unvoreingenommen zu uns sprechen. Schon die Eingangsszene des „Prinz Friedrich von Homburg" stellt uns auf eine erste Probe. Wir verstehen sie nur, wenn wir uns ihren geschichtlichen, gesellschaftlichen, zugleich persönlich menschlichen Augenblick genau vergegenwärtigen. „Der Prinz von Homburg, unsrer tapfrer Vetter" so beginnt seinen Bericht an den Kurfürsten der Graf von Hohenzollern, sowohl dem Kurfürsten wie dem Prinzen nah verwandt. Der Prinz ist dank dieser Verwandtschaft mit ganz jungen Jahren bereits General der gesamten brandenburgischen Reiterei. Er kommt soeben aus dreitägigen Reiterkämpfen mit den Schweden, bei Fehrbellin. Was sein Freund und Vetter Hohenzollern zu berichten hat, streift das Absurde: der Chef der Reiterei ist, statt wie befohlen, bereits wieder gegen den schwedischen General Wrangel aufzubrechen, im mondsüchtigen Zustand unter einer Eiche anzusehen, wo er im Nachtgewand verweilt, sich einen Lorbeerkranz zu flechten. Wie kommt Hohenzollern dazu, solche Intimsphäre seines Freundes fremden Augen preiszugeben, dazu auch noch dem obersten Kriegsherrn selbst, der von Frau und Nichte begleitet ist? Hier kann nur vieles zusammenwirken: die nahe Verwandtschaft, die Absicht, dem Kurfürsten unmittelbar das soldatisch Absurde erklärbar zu machen, die Überzeugung Hohenzollerns, daß Mondsucht nichts Krankhaftes ist, und daß es im Krieg unter Männern (insbesondre bei der Kavallerie), Kontraste gibt, die man mit einer Art von hartem Humor großbeleuchtet, statt sie zu vertuschen. Daß die Kurfürstin und ihre Nichte zufällig im Hauptquartier zu Fehrbellin mit anwesend sind, ist eine unvorhergesehene Zutat, die Kleist auf besondere Weise in die gesamtdramatische Handlung mit einzuflechten weiß.

Der Kurfürst findet sich keineswegs durch Hohenzollerns Übergriff schockiert. Während die Kurfürstin spontan vom Herzen her eingreift: „Man sollt' ihm helfen, dünkt mich, nicht den Moment verbringen, sein zu spotten", ist im Kurfürsten eine Art Spieltrieb erwacht, dem „Märchen" auf den Grund zu gehen. Der Kurfürst übertrumpft also selber den harten Humor Hohenzollerns. Beide sind darauf aus, Gesetze des Unbewußten, die sich im Traum des Prinzen in eine seltsame Gebärdensprache umsetzen, zu entziffern. Beide sind überzeugt, daß in der reinen Kämpferseele des jungen Reitergenerals nichts sich regen wird, das nicht ihm zum Ruhm gereicht. Tatsächlich muß es ein tiefer unbewußter Ehrgeiz sein, der den Prinzen veranlaßt hat, sich in den Gewächshäusern des Schloßgartens traumschlafend umzusehen und mit Lorbeerzweigen in der Hand eine Stätte zu suchen, sich selber einen Lorbeerkranz zu flechten. In diesen Augenblick hinein fällt das Wort des Kurfürsten: „Bei Gott! Ich muß doch sehn, wie weit er's treibt!"

Und nun allerdings geschieht etwas, was keiner voraussehen konnte, und was das Hybrishafte des Übergriffs ins Unbewußte einer andern Seele grell ins Licht rückt. Der Kurfürst hat seine goldne Halskette um den fertig geflochtnen Lorbeerkranz geschlungen und ihn seiner Nichte gegeben. Der Prinz ist aufgestanden, er flüstert Natalie entgegen: „Natalie! Mein Mädchen! Meine Braut!" Und den schnell Zurückweichenden ruft er nach: „Friedrich! Mein Fürst! Mein Vater!"

Hier hat sich ein Ausmaß des Ehrgeizes dem Unbewußten entrungen, das nie hätte zu andern Ohren dringen dürfen! Wenn jetzt

Hohenzollern ausruft: „Höll und Teufel!" dann trifft er damit vor allem die Hybris, mit der er selbst den Seelendeuter gespielt, ebenso wie der Kurfürst. Wer kann einem reinen Unbewußten, das sich im Labyrinth der Brust bewegt, vorwerfen, wo seine Wünsche aufzuhören haben?

Zwei Folgen hat die aufregende Szene, die uns ins Herz der dramatischen Handlung wirft. Der Kurfürst faßt sich hart und streng in die Würde des obersten Kriegsherrn zusammen:

> „Ins Nichts mit dir zurück, Herr Prinz von Homburg,
> Ins Nichts, ins Nichts! In dem Gefild der Schlacht
> Sehn wir, wenn's dir gefällig ist, uns wieder!
> Im Traum erringt man solche Dinge nicht!"

Der Kurfürst hebt hier die nahe Bande der Verwandtschaft auf: „Herr Prinz", und wenn er seinen jungen Reitergeneral ins „Nichts" zurückverdammt, dann spürt man darin sowohl das Urteil über die allzu unreife Jugend dieses Generals wie zugleich das Übergewicht, das dem obersten Kriegsherrn zufällt unter den Kriegsgesetzen. Alles aber ist ins Zukünftige vorgeworfen: in die Entscheidungen der kommenden Schlacht.

Die zweite Folge ist höchst zufälliger Art, dennoch von großem Sinngewicht. Der Prinz, der Natalien folgte, hat einen Handschuh von ihr „erhascht" und findet ihn vor in der Hand, als ihn sein Freund Hohenzollern mit Namen ruft und ins Bewußtsein zurückfallen läßt. Es gibt also ein Dokument, das aus dem Traum-Unbewußten ins Spannungsfeld der rational überschaubaren Wirklichkeiten reicht. Das muß seine rationalen Folgen haben.

Überschauen wir die Eingangsszene, dann ist hier nichts, was an das Kommerellsche „Stammeln" rührt, während Kleists wunderbarer Kunstgriff, seines Helden Unbewußtes zum Schauplatz der Eingangshandlung zu machen, wahrhaft das seltsamste Unaussprechliche ausdrückbar macht.

Zugleich bereits hat die Eingangsszene sich mit einem unzweideutigen Symbolzeichen auf den symbolischen Kosmos dieser Dichtung zubewegt: mit dem Lorbeerkranz des Ruhms. Wie der Lorbeer in die Handlungsmitte des Eingangs gerückt ist, wird er ebenso zur Handlungsmitte der Schlußszene werden, auf die wir noch einzugehen haben. Von früh auf verfolgen wir die Lorbeermetapher durch Kleists Leben. An die Braut im Brief aus Würzburg heißt es September 1800: „Wenn ich heraufsteige vor Deinen Augen, geschmückt mit den Lorbeeren meiner Taten." Kleists Freund Ernst von Pfuel hat aus der Guiscard-Zeit Kleists Wort aufbewahrt: „Ich werde Goethe den Kranz von der Stirne reißen." Oktober 1810 veröffentlichte Kleist in den „Berliner Abendblättern" zur Einleitung ein „Gebet des Zoroaster", das mit dem Anruf beginnt „Gott, mein Vater im Himmel!" und das mit dem Satze schließt: „Und einen Kranz auch lehre mich winden, womit ich, auf meine Weise, den, der dir wohlgefällig ist, kröne!"

Es ist also eine Lebensmetapher Kleists, die er sich für sein Homburg-Drama zum Sinn-Zeichen erkoren hat, das Anfang und Ende zusammenschließt. Der Lorbeer als Ausdruck unbewußten höchsten Ehrgeizes, den die eignen Hände des Prinzen sich schlafwandelnd aus Lorbeerzweigen winden, um „den zu krönen, der Zoroaster wohlgefällig ist", sich selbst. Solch zusammenziehendes Zeichen hat zugleich aufschließende Kraft, eben als Ausdruck des Unbewußten. Und nun ist es kaum noch überraschend im Zusammenhang unsrer Symboldarstellung, daß für Kleist sich mit dem Lorbeer der Glanz einer kaum zu bewältigenden Lichtfülle verbindet.

Das tritt bereits in der Folgeszene hervor, die im I. Akt sich als Gespräch Hohenzollerns mit dem Prinzen entwickelt. Der Prinz, durch den Anruf Hohenzollerns ins Bewußtsein zurückgebracht, entdeckt mit Entsetzen, daß er abermals im Mondschein zum Schlafwandler geworden ist. Dann aber berichtet er dem Freunde, was ihm im Traum beschert wurde. Eine Lichtoffenbarung reiht sich an die andre:

> Welch einen sonderbaren Traum träumt ich !?
> Mir war, als ob, von Gold und Silber strahlend
> Ein Königsschloß sich plötzlich öffnete,
> Und hoch von seiner Marmorramp' herab,
> Der ganze Reigen zu mir niederstiege,
> Der Menschen, die mein Busen liebt:
> Der Kurfürst und die Fürstin und die — dritte —
> — Wie heißt sie schon?

Hier gehört es zum eigensten Lichtgeheimnis Kleists, daß er seinen Prinzenhelden da verstummen läßt, wo sich für ihn die innerste Lichtquelle darstellt: Natalie, die er liebt. Der Name stellt sich ihm in Gegenwart selbst des Freundes nicht ein. Und der Freund hat sogleich begriffen, schon wegen des Handschuhs, der hier so real geworden ist, daß er die Gedächtnisschwäche des Prinzen unterstützen muß. Des Prinzen Lichterscheinungen aber gehen weiter im Bericht:

> „Und er, der Kurfürst, mit der Stirn des Zeus,
> Hielt einen Kranz von Lorbeern in der Hand:
> Er stellt sich dicht mir vor das Antlitz hin,
> Und schlägt, mir ganz die Seele zu entzünden,
> Den Schmuck darum, der ihm vom Nacken hängt,
> Und reicht ihn, auf die Locken mir zu drücken —
> O Lieber! . . . „Wem"? . . .
> „Nun, und die sagst du, reichte dir den Kranz?"
> Hoch auf, gleich einem Genius des Ruhms,
> Hebt sie den Kranz, an dem die Kette schwankte,
> Als ob sie einen Helden krönen wollte.
> Ich streck, in unaussprechlicher Bewegung,
> Die Hände streck ich aus, ihn zu ergreifen:
> Zu Füßen will ich vor ihr niedersinken.
> Doch wie der Duft, der über Täler schwebt,
> Vor eines Windes frischem Hauch zerstiebt,
> Weicht mir die Schar, die Ramp' ersteigend aus.
> Die Rampe dehnt sich, da ich sie betrete,
> Endlos bis an das Tor des Himmels aus . . ."

Wir sollen begreifen, daß der Drang des jungen Reitergenerals nach höchstem Ruhm in der Schlacht, im Aufstieg zum Nächsten am Thron, an der Seite der geliebten Kurfürsten-Nichte, alles sich in eine einzige lorbeerene Lichtfülle verwandelt, in deren Mitte sein aufs höchste gesteigertes Selbst- und Glücksgefühl über alles, was im Wege stehen könnte, triumphiert. Unwillkürlich ist ihm der Handschuh Bürgschaft des zukünftigen Glücks. Und so wird es verständlich, daß er die Befehlsausgabe zur morgigen Schlacht nur mit halbem Ohr vernimmt, und als Kurfürstin und Nichte eben jetzt abreisen und der Handschuh der Prinzessin vermißt wird, der Prinz überhaupt nicht mehr zuhört und nur noch darauf aus ist, den Handschuh unmerklich fallen zu lassen und sich zu vergewissern, daß es wirklich der Handschuh der Prinzessin war, den er ihr übergibt. Dem Zuschauer aber wird offenbar, wie sehr hier das Ineinandergreifen von Bewußt und Unbewußt erschreckende Verwirrung im Helden angerichtet hat. Aus der Verwarnung des Kurfürsten erfahren wir noch, daß der Prinz schon zweimal Siege verscherzt hat.

Das Schlußwort aber, das Kleist seinem Helden in dieser Szene gibt, ist die blind-hybrishafte Zwiesprache, die der Prinz mit der Göttin Fortuna hält, die sich ihm zur greifbaren Gestalt verdichtet. Er sieht sie auf der Weltkugel, Schleier-umweht. Des Prinzen barocke Phantasie, ihre weitausgreifende Bild-Energie, soll in der Unmittelbarkeit des Dialogs uns gegenwärtig machen, mit welcher ehrgeizigen Angriffswut hier der junge Reitergeneral dem Augenblick der Schlacht entgegenfiebert.

> Nun denn, auf deiner Kugel, Ungeheures,
> Du, der der Windeshauch den Schleier heut,
> Gleich einem Segel, lüftet, roll' heran!
> Du hast mir, Glück, die Locken schon gestreift:
> Ein Pfand schon warfst du, im Vorüberschweben,
> Aus deinem Füllhorn lächelnd mir herab:
> Heut, Kind der Götter, such ich, Flüchtiges,
> Ich hasche dich im Feld der Schlacht und stürze
> Ganz deinen Segen mir zu Füßen um:
> Wärst du auch siebenfach, mit Eisenketten,
> Am schwed'schen Siegeswagen festgebunden!

Auch dies Satzgebäude, so kühn es die übliche Grammatik durchgreift, ist doch vom „Stammeln" eines Unaussprechlichen weit entfernt. Eine starke Totalphantasie sucht sich die Satzgefüge unterzuordnen. Immer wieder bricht die vorausgreifende Totalanschauung durch: so wird Fortuna angerufen „Ungeheures, Du", so heißt es später im unbewußten Kontrast „Flüchtiges, Ich..." Dennoch bleiben die Satzeinheiten gewahrt, und die gliedernde Übersicht erhalten.

Welche Spannweiten in des Prinzen Seele bereit liegen, sei noch an einer Stelle aus dem Gespräch mit Hohenzollern angeführt. Der aus der Mondsucht Auferweckte überläßt sich der Schilderung eines lyrischen Augenblicks, der die tief unbewußte, erotisch durchfärbte Lebenstrunkenheit des jungen Prinzen ganz in Anschauung verwandelt:

> „Und weil die Nacht so lieblich mich umfing,
> Mit blondem Haar, von Wohlgeruch ganz triefend, —
> Ach, wie den Bräutgam eine Perser-Braut,
> So legt ich hier in ihren Schoß mich nieder."

Solch ein Satzgefüge würden wir nirgends bei Schiller finden. Die mit allen Sinnen lebendig gefühlte blonde Nacht ist mit der von Wohlgeruch triefenden Perserbraut so in eines gesehen, daß der ihr hingegebene Bräutigam sich ganz im Schoß der allmächtigen Natur aufgenommen weiß. Solche Sinnlichkeit unterläuft die grammatischen Satzbeziehungen. Solche gepreßte Daseinsfülle zugleich ist es, aus der die Schlachtfeldszene gestaltet ist, mit dem elektrisierenden Angriffsgeist der Front, dem sich alle Eindrücke vertiefen. Dem Obristen Kottwitz fällt es zu, im jungen Tag den Anhauch des Kosmischen Ausdruck zu geben. Man denkt, es ist Kleist selbst, der hier einen Weltatemzug tut:

> Ein schöner Tag, so wahr ich Leben atme!
> Ein Tag, von Gott, dem hohen Herrn der Welt,
> Gemacht zu süßerm Ding, als sich zu schlagen!
> Die Sonne schimmert rötlich durch die Wolken,
> Und die Gefühle flattern, mit der Lerche,
> Zum heitern Duft des Himmels jubelnd auf! —

Daß es Kottwitz ist, der die Worte findet, verbürgt eine Stimmung von Herzensverständnis und Kameradschaft, die den lebendigsten Gesprächshintergrund für des Prinzen Schlachterleben geben muß. Der Prinz selbst ist nicht anwesend, er kommt aus dem Dorf herauf, wo ihn die Glocken in die Kapelle gezogen haben, „sich vor dem Altar betend hinzuwerfen". Das ist der Augenblick, wo die Schlacht beginnt, deren Fortgang vom Hügel Zug für Zug zu beobachten ist. Der Prinz erlebt erst jetzt den veränderten Schlachtenplan, den er bei der Befehlsausgabe versäumt hatte. Schon fängt der Schwede an zu weichen, unter dem Ansturm der brandenburgischen Infantrie. Der Prinz ist nicht mehr zu halten. Kottwitz, der an die „Ordre" erinnert, auf die gewartet werden soll, verhöhnt er: „Hast du sie noch vom Herzen nicht empfangen?" Einem Offizier, der den Mut hat, dem Prinzen den Degen abzufordern, weil er gegen die Ordre handelt, reißt der Prinz Schwert und Gürtel ab, läßt ihn gefangen abführen. „Ein Schurke, wer seinem General zur Schlacht nicht folgt!" Hier hat der Reitergeist im ehrgeizigen Prinzen alle Hemmungen überrannt. Kottwitz folgt ihm. Alle Verantwortung beim Prinzen.

Im Schlachtenbericht, den ein Rittmeister der Kurfürstin abstattet, erfahren wir, wie des Prinzen Reiterangriff vor einer schwedischen Feldredoute zum Stehen kommt, wie der Sturz des Kurfürsten im Feuerhagel den Prinzen zu neuem wütenden Angriff treibt, der den Durchbruch durch die schwedische Front erzwingt. In die Trauer um den vermeintlichen Tod des Kurfürsten dringt der Prinz als der große Sieger von Fehrbellin herein. Während die Kurfürstin in eine Ohnmacht versank, ist dem Prinzen eine Aussprache mit der Prinzessin vergönnt, die ihn zum Retter in der Not erhöht. Zum ersten Mal im Drama entfaltet sich der exemplarische Kleistische Dialog, der die Untergründe der Bildphantasie in die Schwingung des steigernden Miteinander bringt und eines am andern zum eigensten Grundwesen aufschließt (als „Blume des Munds", als „Sprechen aus dem Ursprung"):

Natalie, elternlos, durch Spanien aus Holland vertrieben, hat im Kurfürsten den zweiten Vater verloren.

„Und jetzt sinkt mir die letzte Stütze nieder,
Die meines Glückes Rebe aufrecht hielt.
Ich ward zum zweitenmale heut verwaist."

Die poetische Natur der Prinzessin drückt sich im Bild der Weinrebe aus, als Inbegriff des der Stütze bedürftigen Wachstums, der weiblichen Anlage tief gemäß, die von der Natur bestimmt ist, langsam zu Früchten zu reifen.

Der Prinz nimmt als Nataliens gebotener Beschützer das Bild unmittelbar auf und entwickelt es fort:

O meine Freundin! Wäre diese Stunde
Der Trauer nicht geweiht, so wollt ich sagen:
Schlingt Eure Zweige hier um diese Brust,
Um sie, die schon seit Jahren, einsam blühend,
Nach Eurer Glocken holdem Duft sich sehnt!

Auch den Prinzen treibt es, dem Bild eine poetische Zutat zu geben, in die er alle Gefühle verehrender Liebe legen kann.

Nataliens Antwort, indem sie abermals das Bild fortentwickelt, spürt, daß es um die letzte Charakterentscheidung geht, wo nichts Poetisches allein mehr genügt. Sie ergreift das Bild ganz von innen her:

„Wenn ich ins innre Mark ihr wachsen darf?"

Und der Prinz, im tiefsten erschüttert vom Geständnis ihrer Liebe, treibt die letzte steigernde Bildlichkeit herauf:

In ihren Kern,
In ihres Herzens Kern, Natalie!

Es gehört zu Kleists unerschütterlicher Natur, daß ihm solche Dialoge aus dem Bildursprungsvermögen zuwachsen und sich polar auszuspannen vermögen zum Triumph der Einheit des Bewußten und des Unbewußten. Der Prinz, der sich der Trauer um den Kurfürsten bewußt wird, drückt aus, was ganz ähnlich auch Max Piccolomini bewegte: „Könnten wir zu ihm aufstammeln: Vater segne uns!" Bei Max Piccolomini heißt es: „Es sieht ihm gleich, zu überraschen wie ein Gott ... Wer weiß, ob er in diesem Augenblick

Nicht mein Geständnis, deines bloß erwartet, Uns zu vereinigen?" (Piccolomini 1707)

Beiden Liebenden werden harte Enttäuschungen nicht erspart werden. Kleists Kurfürst ist nicht auf seinem Schimmel von Granaten zermalmt worden. Es war der berühmte Stallmeister Froben, der an seiner Statt sich geopfert hat. Der Kurfürst lebt, er hat bereits den Krieg beendet und ist nach Berlin. Dorthin folgen Kurfürstin und Nichte, und der Prinz, der Sieger, darf sich ihnen anschließen. Der Prinz von Homburg glaubt am Ziel aller seiner Wünsche angekommen zu sein: „O Cäsar Divus! Die Leiter setz ich an, an deinen Stern!"

Wir haben einen Umstand übergangen, der eben jetzt gewichtig in die dramatische Handlung einbezogen wird: der Prinz war vor der Schlacht mit dem Pferd gestürzt und hatte sich die Hand verletzt. Das Gerücht hatte sich verbreitet, er sei so schwer verwundet worden, daß er bei Fehrbellin den Angriff nicht habe leiten können. Kleist führt uns in Berlin mitten in die Gefallenen- und Siegesfeier, im Lustgarten vor dem Alten Schloß, mit dem Hintergrund der Schloßkirche. Dem feierlichen Augenblick entspricht der Entscheid des obersten Kriegsherrn. Er erklärt in knappen Worten den des Todes schuldig, der ohne Ordre eigenmächtig die Reiterei in die Schlacht geführt hat, ehe die Brücken hinter dem Feind zerstört waren. Der Entschluß wird vom Kurfürsten verkündet, in der Annahme, es sei nicht der Prinz gewesen. Zugleich dankt der Kurfürst Gott für den Sieg und gedenkt des Zufalls, der ihn ihnen geschenkt. Aber den will er nicht entschuldigen, der diesen Zufall herbeigeführt hat. Im Kurfürsten spricht hier die Stimme Preußens als überpersönliche Gesetzesstimme:

„Mehr Schlachten noch als die, hab ich zu kämpfen,
Und will, daß dem Gesetz Gehorsam sei."

Eben jetzt erfährt der Kurfürst, daß doch der Prinz die Reiterei geführt. Inmitten der Siegestrophäen, die ihm zu verdanken sind, erfolgt des Kurfürsten Ordre: „Nehmt ihm den Degen ab. Er ist gefangen." Der Prinz ist fassungslos: „Helft, Freunde, helft! Ich bin verrückt!" Dann faßt er seine verletzte Würde in einen Monolog zusammen, der zugleich an den Kurfürsten gerichtet ist:

„Mein Vetter Friedrich will den Brutus spielen . . .
Bei Gott, in mir nicht findet er den Sohn,
Der, unterm Beil des Henkers, ihn bewundre.

Ein deutsches Herz, von altem Schrot und Korn,
Bin ich gewohnt an Edelmut und Liebe;
Und wenn er mir, in diesem Augenblick,
Wie die Antike starr entgegenkömmt,
Tut er mir leid, und ich muß ihn bedauern!"

Es ist nicht der Brutus Shakespeares, sondern der erste römische Konsul Brutus bei Livius, der die eignen Söhne hinrichten ließ, weil sie an der Verschwörung des abgesetzten Königs Tarquinius Superbus teilgenommen hatten. Der Prinz rebelliert gegen seinen Vetter, gegen die Maske des römischen Tyrannen. Sein Selbstgefühl ist noch völlig unerschüttert. Er fühlt sich eins mit Kottwitz, als „deutsches Herz von altem Schrot und Korn" und fordert geradezu „Edelmut und Liebe" vom Kurfürsten, als wäre das selbstverständlich. Der Kurfürst überhört den Vetter, der offenbar den letzten Vorwurf recht deutlich und zornig ausgesprochen hat. Er schickt ihn nach Fehrbellin zurück vors Kriegsgericht.

Ebenso unerschütterlich von sich selbst erfüllt aber finden wir den Prinzen im Gefängnis. Der Freund und Vetter Hohenzollern bewährt denselben Anteil wie Horatio bei Hamlet. Er hat erfahren, daß das Kriegsgericht bereits auf Tod erkannt hat und will den Prinzen trösten. Er muß feststellen, daß der Prinz es schon weiß, daß es ihn aber nicht beeindruckt hat. Zu groß ist sein Vertrauen zu sich selbst und zum Kurfürsten. Er nimmt ihr Verhältnis ähnlich unmittelbar schöpferisch, wie Max Piccolomini das zum Friedländer:

„Schien er am Wachstum meines jungen Ruhms
Nicht mehr fast, als ich selbst, sich zu erfreun?
Bin ich nicht alles, was ich bin, durch ihn?
Und er, er sollte lieblos jetzt die Pflanze,
Die er selbst zog, bloß weil sie sich ein wenig
Zu rasch und üppig in die Blume warf,
Mißgünstig in den Staub daniedertreten?"

Kleist drückt sich nur einen Grad ursprünglicher aus, mit seinem Pflanzenbild. Bei Max heißt es abstrakter: „Jedwedem zieht er seine Kraft hervor, die eigentümliche, und zieht sie groß" (Vers 428). Um so tiefer, persönlicher, unzerreißbarer scheint die Verbundenheit der beiden Vettern. Aber Hohenzollern weiß Schlimmeres zu berichten: Das Todesurteil liegt bereits beim Kurfürsten zur Unterschrift. Der Prinz ist zum ersten Mal beunruhigt. Wir erkennen es am Pathos seiner ins Hyperbelhafte vorgetriebenen Bildersprache, mit der er sich selbst verherrlicht:

„Er könnte — nein! so ungeheuere
Entschließungen in seinem Busen wälzen?
Um eines Fehls, der Brille kaum bemerkbar,
In dem Demanten, den er jüngst empfing,
In Staub den Geber treten? Eine Tat,
Die weiß den Dey von Algier brennt, mit Flügeln,
Nach Art der Cherubinen, silberglänzig,
Den Sardanapal ziert, und die gesamte
Altrömische Tyrennenreihe, schuldlos,
Wie Kinder, die am Mutterbusen sterben,
Auf Gottes rechter Seit hinüberwirft?"

Der Prinz übertrumpft hier noch seine „Brutus"-Rede, während er die eigne Tat, den Sieg von Fehrbellin, zum „Demant" erhöht, zum Lichtereignis, das alles in den Glanz von Cherubinen verwandelt, selbst Verbrecher wie den Piraten-Dey von Algier, Wüstlinge wie Sardanapal, die römischen Despoten in ihrer schrecklichen Reihe von Nero bis Algabal, alle werden unschuldig auf Gottes rechte Seite hinübergeworfen. Des Prinzen Bildsprünge haben schon etwas Maßlos-Absurdes bekommen.

Eben jetzt zeigt sich, daß Hohenzollern eine andre Vorstellung vom Kurfürsten hat als der Prinz. Hohenzollern kann sich nur vorstellen, daß beim Kurfürsten politische Motive eine Rolle spielen. So bringt er das Gespräch auf Natalie, die die Werbung des Schwedenkönigs abgelehnt habe, weil sie „schon gewählt"! Der Prinz muß gestehn, die Prinzessin habe sich ihm anverlobt. Es bringt ihn selber völlig aus der Fassung: „O Freund, Hilf, rette mich! Ich bin verloren!" Blindlings folgt er Hohenzollerns Rat, die Königin aufzusuchen, Hohenzollern gibt ihm den weiteren Rat mit auf den Weg: „Der Schritt kann, klug gewandt, dir Rettung bringen!" Die kluge Wendung liegt einzig darin, daß er annimmt, der Kurfürst würde den Prinzen begnadigen, wenn Nataliens Verlobung mit dem Schwedenkönig stattfände.

Ein Rat, wie ihn Mephisto geben könnte. Mit solchem Rat wird der Prinz auf den Weg geschickt, der ihn am offenen Grab vorbeiführen wird, bereits ausgehoben, seine Leiche aufzunehmen.

Wir erleben die Wirkung in der Szene, in der der Prinz vor der Königin erscheint: es ist ein Skandalon, das jeder Beschreibung spottet: ein von Todesangst Durchschütterter, der hemmungslos seinen Zustand der Unwürde eingesteht, um nichts als um Leben bittet. Wie sollen wir solchen Grad der Todesangst, der Würdelosigkeit, der Erschüttertheit, bei einem Offizier verstehen, der eben erst den Sieg von Fehrbellin mit beispielloser Tapferkeit errungen hat?

Es ist ein Skandalon, das bereits noch zu Kleists Lebzeiten sowohl Druck wie Aufführung verhindert hat. Die Prinzessin Preußen, geborene Prinzessin Hessen-Homburg, der Kleist nach dem Tod seiner Gönnerin, der Königin Luise (1809) das erste Manuskript gewidmet hatte, tat nichts, Kleists Schauspiel zu fördern. Tiecks Aufführung in Wien 1821 mußte alsbald abgesetzt werden. So wird jedenfalls eines erkennbar: hier bricht etwas in die dramatische Handlung ein, was sich nur als einmalig kleistisch abzeichnet, im strikten Gegensatz zur Offiziersauffassung der damaligen Zeit. Es ist um so auffallender, als die Quelle, aus der Kleist schöpfte, die Memoiren Friedrichs des Großen, zwar berichten, daß der Prinz sich zu vorschnellem Angriff habe fortreißen lassen, daß aber der Kurfürst ihm verzieh: „Wenn ich Euch nach der Strenge des Heergesetzes richtete, hättet Ihr Euer Leben verwirkt. Aber da sei Gott vor, daß ich den Glanz dieses Glückstags beflecken sollte mit dem vergossnen Blut eines Prinzen, der eins der vornehmsten Werkzeuge meines Sieges war."

Was konnte Kleist veranlassen, auf solche explosive Weise die Quelle abzuändern, seinen Helden zum Tod verurteilen zu lassen und zugleich in die blinde Todesangst zu stürzen? Vorerst lassen wir den Helden selber sprechen. Selbst hier ist es kein „Stammeln", es ist vielmehr eine schrecklich bohrende Sprachenergie, die nicht ruhen kann, das Abgründigste aus sich herauszuschleudern, hemmungslos, ohne irgendwelche Rücksichten zu nehmen:

„Ach! Auf dem Wege, der mich zu dir führte,
Sah ich das Grab, beim Schein der Fackeln, öffnen,
Das morgen mein Gebein empfangen soll.
Sieh, diese Augen, Tante, die dich anschaun,
Will man mit Nacht umschatten, diesen Busen
Mit mörderischen Kugeln mir durchbohren.
Bestellt sind auf dem Markte schon die Fenster,
Die auf das öde Schauspiel niedergehn,
Und der die Zukunft, auf des Lebens Gipfel,
Heut, wie ein Feenreich, noch überschaut,
Liegt in zwei engen Brettern duftend morgen,
Und ein Gestein sagt dir von ihm: er war!

O Gottes Welt, o Mutter, ist so schön!
Laß mich nicht, fleh ich, eh die Stunde schlägt,
Zu jenen schwarzen Schatten niedersteigen!
Mag er doch sonst, wenn ich gefehlt, mich strafen,

Warum die Kugel eben muß es sein?
Mag er mich meiner Ämter doch entsetzen,
Mit Kassation, wenn's das Gesetz so will,
Mich aus dem Heer entfernen: Gott des Himmels!
Seit ich mein Grab sah, will ich nichts als leben,
Und frage nicht mehr, ob es rühmlich sei!"

Ein großes Vorbild war Kleist bekannt: wie ein Jüngling vor der Hinrichtung vom Todesschreck befallen wird. Es ist Claudio in Shakespeares „Maß für Maß", im Gespräch mit der Schwester, die der Tyrann schänden will. Nur wenn sie sich opfert, wird Claudio freigegeben. Da bricht plötzlich aus Claudio der Schrecken vor dem Tod heraus. Um so hemmungsloser, je ehr er sich erhofft sie umzustimmen.

Ja, aber sterben! Gehn, wer weiß, wohin?
Daliegen, kalt und regungslos und faulen;
Dies lebenswarme, fühlende Bewegen
Verschrumpft zum Kloß; und der entzückte Geist
Getaucht in Feuerfluten, oder schaudernd
Umstarrt von Wüsten ew'ger Eisesmassen;
Gekerkert sein in unsichtbare Stürme,
Und mit rastloser Wut gejagt rings um
Die schwebende Erde; oder Schlimm'res werden,
Als selbst das Schlimmste,
Was Fantasie wild schwärmend, zügellos,
Heulend erfindet: das ist zu entsetzlich!
Das schwerste, jammervollste irdsche Leben,
Das Alter, Armut, Schmerz, Gefangenschaft
Dem Menschen auflegt, — ist ein Paradies
Gegen das, was wir vom Tode fürchten!

Shakespeares Totalität, die solche Todesangst mit wahrer Lebenswut gestaltet, mochte Kleist Mut machen zur radikalen Selbstentblößung seines Helden. Je trunkener dessen Lichtphantasie, um so düstrer mußte sich ihm die Gegenwelt auftun. Je kühner, heldenhafter der Reitergeneral an der Spitze seiner Schwadronen, um so schrecklicher der Kontrast im Labyrinth der Brust.

Und es ist nicht die kreatürliche Angst allein, um die es geht. Wer Kleist nicht nur als den großen Einzelnen sieht, sondern als den leidenschaftlichen politischen Menschen, dem Preußen immer tiefer ans Herz wächst, je drohender die Napoleon-Tyrannei wird, der wird, wie es die Marxisten der Ostforschung tun, hinter dem Ausbruch der Todesangst zugleich die Revolte spüren gegen einen Gesetzesmechanismus, der ihm sinnlos scheint.

Und dann wendet sich der Prinz ja, wie Claudio, an die Frauen. Wenn es ihn drängt, das Mitleid der Kurfürstin zu Hilfe zu rufen, dann mochte Kleist zugleich aus den Seelentiefen seines Traumhelden den unbewußten Drang mitsprechen lassen, im Weiblichen das Lebensgegengewicht zum Unmenschlichen des Männerstaats zu suchen. Darum beschwört der Prinz das Mütterliche in der Fürstin, die Erinnerung an die eigne Mutter und ihr Muttervermächtnis. Allerdings bei Natalie kommt etwas ganz andres hinzu.

Wenn der Prinz von Natalie, seiner Anverlobten, genau so spricht, wie es Hohenzollern ihm angeraten, dann konnte Kleist seinen Helden nicht erbarmungsloser bloßstellen:

> Ich gebe jeden Anspruch auf an Glück.
> Nataliens, das vergiß nicht, ihm zu melden,
> Begehr ich gar nicht mehr, in meinem Busen
> Ist alle Zärtlichkeit für sie verlöscht.
> Frei ist sie, wie das Reh auf Heiden, wieder,
> Mit Hand und Mund, als wär ich nie gewesen,
> Verschenken kann sie sich, und wenn's Karl Gustav,
> Der Schweden König ist, so lob ich sie.

Der Prinz ist hier wirklich genau das, als was ihn Natalie später dem Kurfürsten schildert: „ganz unwürdig", „so ganz unheldenmütig". „Der denkt jetzt nichts als nur dies Eine: Rettung!" Und alles, was er noch hinzufügt, bezeugt nur seine Unreife. Sowohl wenn er auf seinen Gütern am Rhein sich blind arbeiten will im leeren Kreislauf als wenn er Natalie empfiehlt, in ein Jungfernstift zu gehen und sich ein Kind anzunehmen, „blondgelockt wie ich".

Was Kleist hier im Sinn hat, begreift sich erst aus Nataliens Haltung zum Prinzen. Kleist hat hier in Kontrasten geschwelgt: je blindwütiger, taktloser, selbstzerstörerischer gegen sein innerstes Gefühl hier der Prinz erscheint, um so erhabner wirkt Natalie mit ihrem Wort:

> Geh, junger Held, in deines Kerkers Haft,
> Und, auf dem Rückweg, schau noch einmal ruhig
> Das Grab dir an, das dir geöffnet wird!
> Es ist nichts finsterer und um nichts breiter
> Als es dir tausendmal die Schlacht gezeigt!
> Inzwischen werd ich, in den Tod dir treu,
> Ein rettend Wort für dich dem Oheim wagen:
> Vielleicht gelingt es mir, sein Herz zu rühren,
> Und dich von allem Kummer zu befrein!

Wenn es des Prinzen tiefstes Unbewußtes war, das ihn zu den Frauen hinzog, in ihnen das stärkendste Lebensgegengewicht gegen den Männerstaat, seinen Gesetzesmechanismus zu suchen, dann hat ihn dieser innerste Instinkt richtig geführt. Grade Natalie, die er preisgeben wollte, um sich das Leben zu retten, hält ihm sein eigenstes Selbst bewahrt, das er eben selbst zu zerstören suchte, sie bewährt sich wahrhaft als das Wunder seiner Liebeswahl: „in den Tod dir treu". Nichts hat ihr Gefühl verstört an seinen blindwütigen Worten. Sie sucht selber das Wort, das ihn wieder zu sich führt: „Geh, junger Held, in deines Kerkers Haft!" Sie stellt in ihm den Helden wieder her. Des Prinzen Antwort zeigt einen bereits Verwandelten an. Die Bildphantasie arbeitet wieder mit verwandelnder Kraft. Wenn der Prinz dabei unwillkürlich die Hände faltet, drückt sich eine Ergriffenheit aus, die dem Durchbruch in die Lichtsphäre Überzeugungskraft gibt. Nataliens Bild hat sich im Innersten wiederhergestellt:

> Hätt'st du zwei Flügel, Jungfrau, an den Schultern,
> Für einen Engel wahrlich hielt ich dich!

Im Gespräch Nataliens mit dem Kurfürsten steigert sich dann die Dialogführung des Dramas zur politischen Ideenbewegung, in der sich die dramatische Handlung auf ihre Entscheidung zubewegt. In Natalie tritt das weibliche Urelement dem Inbegriff männlicher Staatsautorität gegenüber. Nicht antithetisch, wie im Schiller-Dialog, sondern aus der lebendigen Nähe dialogischer Begegnung. Natalie bittet um Gnade für den Prinzen, nicht um ihretwillen, sondern um des Lebens willen, das in ihm als Eigenwert der Schöpfung angelegt ist. Ausdrücklich trennt sie ihr Geschick von dem des Prinzen, nicht er ist es, der durch sie um Gnade bittet.

> Ich will ihn nicht für mich erhalten wissen —
> Mein Herz begehrt sein und gesteht es dir;
> Ich will ihn nicht für mich erhalten wissen —
> Mag er sich welchem Weib er will vermählen;
> Ich will nur, daß er da sei, lieber Onkel,
> Für sich, selbständig, frei und unabhängig,
> Wie eine Blume, die mir wohlgefällt.

Der Kurfürst beschränkt sich, sie auf den „Fehltritt" des Prinzen hinzuweisen. Natalie entkräftet den nüchternen Einwurf, indem sie ihn mythisiert. Was sich als Mythe ereignet, hat eigne Gesetze, den Kriegsgesetzen entzogen. Das ist Nataliens weibliches Gegenargument.

O, dieser Fehltritt, blond mit blauen Augen,
Den, eh er noch gestammelt hat: ich bitte!
Verzeihung schon vom Boden heben sollte:
Den wirst du nicht mit Füßen von dir weisen!
Den drückst du um die Mutter schon ans Herz,
Die ihn gebar, und rufst: „komm, weine nicht;
Du bist so wert mir, wie die Treue selbst."

Die Kühnheit liegt hier in der Verwandlungskraft, die den „Fehltritt" beseelt, als wäre er ein eignes Wesen, und seine Mutter heißt: Treue. Das scheint paradox. Aber Natalie begründet es vom Prinzen her. Auch die Psychologie aber wird in ihrer Bildbewegung zum mythischen Ereignis:

War's Eifer nicht, im Augenblick des Treffens,
Für deines Namens Ruhm, der ihn verführt,
Die Schranke des Gesetzes zu durchbrechen:
Und ach! die Schranke jugendlich durchbrochen,
Trat er dem Lindwurm männlich nicht aufs Haupt?"

Kann ein Drachentöter, ein Lindwurmbesieger mit Kriegsartikeln abgeurteilt werden? Seine Größe besteht ja gerade darin, im richtigen Augenblick die Schranke zu durchbrechen und das zu tun, was kein andrer vermag.

So kann Natalie wie mit logischer Prägnanz die Schlußfolgerung ziehen. Es ist eine Art Kontrastlogik, die überaus wirkungsvoll ist:

„Erst, weil er siegt', ihn kränzen, dann enthaupten,
Das fordert die Geschichte nicht von dir;
Das wäre so erhaben, lieber Onkel,
Daß man es fast unmenschlich nennen könnte:
Und Gott schuf noch nichts Milderes, als dich!"

Natalie hat es gewagt, in ihre Kontrastlogik den elementaren Vorwurf einzubauen, daß hier die Gefahr naherückt: „Unmenschliches" zu begehen. Natalie aber hat dies finstre Wort unter den Glanz des Gegenworts gestellt: „Und Gott schuf noch nichts Milderes als dich."

Man wird Kleist zugeben, daß er hier Natalie wahrhaft in eine Jungfrau mit Engelsflügeln verwandelt hat, die sich zur Verteidigung ihres Lindwurmbesiegers der kühnsten und bildungskräftigsten Argumente bedient.

Die Antwort des Kurfürsten wirkt wie wenn er sich in die Enge getrieben fühlt. Er antwortet mit einem Paradox:

Mein süßes Kind! Sieh! Wär ich ein Tyrann,
Dein Wort, das fühl ich lebhaft, hätte mir
Das Herz schon in der erznen Brust geschmelzt.
Dich aber frag ich selbst: darf ich den Spruch,
Den das Gericht gefällt, wohl unterdrücken?
Was würde wohl davon die Folge sein?

Tyrannen also zeichnen sich dadurch aus, daß sie immer noch Mensch sind, und daß man ihnen das Herz zum Schmelzen bringen kann. Was aber ist dann der Kurfürst, der sich hinter das Gericht verschanzt, unerreichbar, unbewegbar? Das Wort, das er sich zu Hilfe ruft, als Objektivum, als „Heiligtum", Numinosum-Tremendum ist das Wort „Vaterland". Auch das wirkt paradox: Vaterland beruft den Landesvater, von dem man sicherlich mehr Herz erwarten darf als von der „erznen Brust des Tyrannen".

Es gibt Natalien das Stichwort, ihren Gesprächspartner wahrhaft zu überrennen mit Argumenten des Herzens, die an das Gesamt des Vaterländischen appellieren.

Das Vaterland, das du uns gründetest,
Steht, eine feste Burg, mein edler Ohm:
Das wird ganz andre Stürme noch ertragen,
Fürwahr, als diesen unberufnen Sieg . . .

Hier erfährt dann das Gespräch seine Wende, nicht von der Logik her, sondern von der Begegnung her. Der Kurfürst fragt nach dem Hauptangeklagten, für den Natalie spricht, nach dem Prinzen selbst:

Meint er, dem Vaterlande gelt es gleich,
Ob Willkür drinn, ob drinn die Satzung herrsche?

Nataliens Antwort faßt sich abermals in ein mythisches Bild „Ach, welch ein Heldenherz hast du geknickt!" Alles, was Natalie nun ausmalt, um den Zusammenbruch des Prinzen darzustellen, wird zum Vorwurf für den, der in der Rolle des erznen Tyrannen den Lindwurmbesieger zugrundegerichtet hat.

„Der denkt jetzt nichts, als nur dies Eine: Rettung!
Den schaun die Röhren, an der Schützen Schultern,
So gräßlich an, daß, überrascht und schwindelnd,
Ihm jeder Wunsch, als nur zu leben, schweigt:
Der könnte, unter Blitz und Donnerschlag,
Das ganze Reich der Mark versinken sehn,
Daß er nicht fragen würde: was geschieht?"

Natalie erreicht mit ihrer Schilderung, was sie mit aller Redekunst bisher nicht erreichen konnte: der Kurfürst ist betroffen, aufs Äußerste erstaunt, bis in die Sprache hinein aufs tiefste erregt:

> Nein, sag: er fleht um Gnade? — Gott im Himmel,
> Was ist geschehn? mein liebes Kind? Was weinst du?
> Du sprachst ihn? Tu mir alles kund! Du sprachst ihn?

Nataliens weitere Schilderung steigert bewußt die Erregung, und dazu wählt sie sich die Worte. Wir nähern uns der dramatischen Entscheidung des Schauspiels. So mag man verstehen, warum unsre Darstellung sich so genau an den Text halten muß. Nataliens Rolle als geflügelter Engel wird bestimmend werden für alles, was noch geschieht.

> In den Gemächern eben jetzt der Tante
> Wohin, im Mantel, schau, und Federhut,
> Er, unterm Schutz der Dämmrung kam geschlichen:
> Verstört und schüchtern, heimlich, ganz unwürdig,
> Ein unerfreulich jammernswürd'ger Anblick!
> Zu solchem Elend, glaubt ich, sänke keiner,
> Den die Geschicht' als ihren Helden preist.
> Schau her, ein Weib bin ich, und schaudere,
> Dem Wurm zurück, der meiner Ferse naht:
> Doch so zermalmt, so fassungslos, so ganz
> Unheldenmütig träfe mich der Tod
> In eines scheußlichen Leun Gestalt nicht an!
> Ach, was ist Menschengröße, Menschenruhm!

Allen harten Realismus der Darstellung, zu dem Natalie ausholt, übergreift auch hier die Mythe: Natalie steigert den Tod, der den Prinzen so schauerlich entheldet hat, zum mythischen Greuelwesen: „zu eines scheußlichen Leun Gestalt." Sie hat die Mythe gewählt zur letzten steigernden Redewucht. Damit wird des Prinzen Haltung entschuldbar. Auch sein Sturz in die Todesfurcht bekommt den Akzent des Außerlogischen, wie ehedem der Lindwurmkampf in der Schlacht.

Die Wirkung auf den Kurfürsten muß Natalie überraschen. Vom Kurfürsten hört sie: „Er ist frei! er ist begnadigt!" Welcher Engelsgeist auch immer Natalien ihre Worte eingegeben, sie hat ihr Ziel erreicht. Der Kurfürst ist im Lebenspunkt getroffen. Die Formel, die er findet, wird die ganze künftige Handlung vorwärtstreiben:

> Die höchste Achtung, wie dir wohl bekannt,
> Trag ich im Innersten für sein Gefühl:
> Wenn er den Spruch für ungerecht kann halten,
> Kassier ich die Artikel: er ist frei!

Es kann nur eine politische Entscheidung sein, die hier der oberste Kriegsherr fällt. Im Ausmaß der Erschüttertheit des tapferen Reitergenerals erkennt der Kurfürst, daß er keinesfalls den Gesetzesmechanismus in Gang bringen darf. Wenn hinter des Prinzen Zusammenbruch die verborgene Revolte gegen das Gesetz aufblitzt, dann gilt es, des Prinzen Gefühl ernst zu nehmen, um des Vaterlands willen, das nicht nur aus Gesetzesparagraphen besteht, sondern aus dem Ja-Sagen zum Gesetz. Und so findet der Kurfürst die wahrhaft kurfürstliche, kleistisch-geniale Lösung: Dem Prinzen die Verantwortung aufzubürden, ob er „den Spruch für ungerecht kann halten".

Noch ehe die Prinzessin den Brief überbringen kann, der für sie des Prinzen Rettung bedeutet, wird sie selbst vor eine Entscheidung gestellt, die sie ebenfalls mit dem Gesetz konfrontiert. Die Bittschrift des Obersten Kottwitz mit allen Unterschriften der Offiziere des Regiments, die für des Prinzen Begnadigung eintreten, ist ihr als dem Chef des Regiments zugeleitet und sie setzt ihren Namen obenan. Aus freien Stücken ordnet sie an, daß ihr Regiment sogleich seinen Standort nach Fehrbellin verlegen soll, damit dort die Bittschrift auch an alle andern Reiterregimenter herumgegeben werden kann. Sie setzt sich über die Bedenken des Obersten hinweg, daß es nach Meuterei aussehen könnte. Auch die Ordre, zu der sie als Chef berechtigt ist, stellt eine offenbare Rebellion im kleinen dar, ohne den Willen ihres Kriegsherrn einzuholen.

Verständlich wird der Entschluß der Prinzessin, ein solches Spiel zu wagen, aus dem Nachwirken des Gesprächs, das sie mit dem Kurfürsten geführt hat. Sie nimmt den überraschenden Freispruch des Kurfürsten als eine Wirkung ihrer Persönlichkeit, als die, die der Prinz mit Engelsflügeln sieht. Sie will im politischen Spiel, das neu eingesetzt hat, nicht untätige Zuschauerin bleiben, sie will die Hand mit am Schalter der Entscheidungen haben. Die Bittschrift aller Reiteroffiziere des Heers will sie mit in die Waagschale werfen.

Das große Gespräch, das jetzt die Prinzessin mit dem Prinzen im Gefängnis führt, wird zur mächtigsten Dialogszene des Dramas. Natalie hat dem haltlosen Geliebten seinen inneren Halt zurückgegeben, sie hat dem Kurfürsten Paroli geboten auf die charaktervollste und einfallsreichste Art. Jetzt bringt sie die Botschaft des Kurfürsten ins Gefängnis. Kleist hat dem Prinzen noch einen Monolog gegeben, der als Eingang des Gesprächs von größter Bedeutung ist. Die Forschung ist sich keineswegs einig über diesen Monolog, weshalb wir ihn ganz anführen müssen:

Das Leben nennt der Derwisch eine Reise,
Und eine kurze. Freilich! Von zwei Spannen
Diesseits der Erde nach zwei Spannen drunter.
Ich will auf halbem Weg mich niederlassen!
Wer heut sein Haupt noch auf der Schulter trägt,
Hängt es schon morgen zitternd auf den Leib,
Und übermorgen liegt's bei seiner Ferse.
Zwar, eine Sonne, sagt man, scheint dort auch,
Und über buntre Felder noch als hier:
Ich glaub's; nur schade, daß das Auge modert,
das diese Herrlichkeit erblicken soll.

Was hier auffällt, ist die Gelassenheit, mit der der Prinz jetzt einem drohenden Tod ins Gesicht schaut. Ganz deutlich ist eine Veränderung mit ihm vorgegangen. Nataliens Haltung hat ihn verändert. Er ist ihrer wieder würdig. Er spricht überpersönlich. Der Sinn für das Allgemeine ist in ihm wach geworden. Dennoch bleibt er konkret der, der er ist. „Nur schade, daß das Auge modert." Auch das ist eine allgemeine Feststellung, aber sie betrifft ihn selbst. Er macht sich nichts vor. Aber er ist auch nicht mehr sinnlos verzweifelt. Er sieht die Welt, wie sie ist.

Und nun stellt sich im wechselvollen Spiel der Gleichgewichte genau die Gegenszene zwischen dem Prinzen und Natalie dar. Jetzt wird es der Prinz sein, der sich zum felsenharten Charakter steigert, und Natalie, die ihm die Rettung bringen will, wird in den seltsamsten Konflikt zwischen Rettungs-Hoffnung und erschreckter Bewunderung geworfen, bis sie mit ihm zusammen über den drohenden Tod triumphiert. Die Szene stellt im Geiste dar, was der frühe Liebesdialog zwischen beiden im Bild ausgedrückt hatte: Natalie ist wie die Rebe, und der Prinz wie der Baum, dem sie ins Mark wachsen darf.

Die innere Entscheidung, um die im dramatischen Handlungsfortgang hier gerungen wird, hängt an dem Satz des Kurfürsten:

„Meint Ihr, ein Unrecht sei Euch widerfahren,
So bitt ich, sagts mir mit zwei Worten —
Und gleich den Degen schick ich Euch zurück."

Natalie erblaßt, als sie das gelesen, sie spürt voraus, worum es geht, sie will ihren Geliebten retten, nicht verlieren. Darum greift sie noch einmal zur Mythe, um ihrer Sprache Nachdruck zu geben:

Saht Ihr die Gruft nicht schon im Münster
Mit offnem Rachen Euch entgegengähn'n?
Der Augenblick ist dringend. Sitzt und schreibt.

Schon bezeugt ihr des Prinzen Antwort, daß er sich weit über die Situation erhoben hat:

> Wahrhaftig, tut Ihr doch, als würde sie
> Mir wie ein Panther übern Nacken kommen.

Seine Phantasie bildet mit Überlegenheit die Mythe fort und nimmt ihr den Schrecken. So wächst er dann durch das Hin und Her des immer bewegten Dialogs in den Sinn, der ihm abgefordert wird, hinein. Noch einmal stellt ihm Natalie mit Nüchternheit vor Augen, was ihn erwartet: sie tut es mit Warnung und Beglückung zugleich:

> Mein süßer Freund!
> Die Regung lob ich, die dein Herz ergriff.
> Das aber schwör ich dir: das Regiment
> Ist kommandiert, das dir Versenktem morgen,
> Aus Karabinern, überm Grabeshügel,
> Versöhnt die Totenfeier halten soll.
> Kannst du dem Rechtsspruch, edel wie du bist,
> Nicht widerstreben, nicht, ihn aufzuheben,
> Tun, wie er's hier in diesem Brief verlangt:
> Nun so versichr ich dich, er faßt sich dir
> E r h a b e n , wie die Sache steht, und läßt
> Den Spruch mitleidsvoll morgen dir vollstrecken!

Was an diesen Worten Nataliens als besondre Größe im Kleistischen Sinn anmuten muß, ist die komplexe Kraft der Gefühle, mit der sie die Schritte des Geliebten begleitet. Obgleich sie ihn gerettet wissen will, hält sie selbst ihm den sicheren Tod vor Augen, über den niemand mehr soll sich hinwegtäuschen dürfen. Der Prinz aber schreitet innerlich unbeirrbar auf die Entscheidung zu, die des Kurfürsten Brief ihm auferlegt. Während wir den genauen Wortlaut seines Antwortbriefes hier nicht erfahren, so wenig wie Natalie, hören wir doch aus des Prinzen eignem Mund, mit welchem Stolz er dem Stolz seines obersten Kriegsherrn begegnet:

> Ich will ihm, der so würdig vor mir steht,
> Nicht, ein Unwürdger, gegenüber stehn!
> Schuld ruht, bedeutende, mir auf der Brust,
> Wie ich es wohl erkenne; kann er mir
> Vergeben nur, wenn ich mit ihm drum streite,
> So mag ich nichts von seiner Gnade wissen.

Dem Bedingungssatz in des Kurfürsten Botschaft stellt der Prinz seinen eignen Bedingungssatz entgegen: die Schuld erkennt er an, um die Begnadigung aber will er nicht streiten. Wie der Kurfürst alles in die eigne Entscheidung des Prinzen gestellt hat, so will der Prinz jetzt alles in die Schicksalsfügung stellen, ob ihn der Kurfürst begnaden wird oder nicht. Er, der Prinz, wird „verfahren, wie er soll".

Hier geht jetzt Natalie ganz und gar mit dem Geliebten zusammen. Die Entscheidung, die er getroffen hat, kommt ihr aus dem Herzen. Es ist die Entscheidung, um deretwillen sie ihn liebt, so wie er ist.

> „Nimm diesen Kuß! — Und bohrten gleich zwölf Kugeln
> Dich jetzt in Staub, nicht halten könnt ich mich,
> und jauchzt' und weint' und spräche: du gefällst mir!"

Aber die Hoffnung auf Rettung, die sie immer im gleichen Herzen getragen hat, wirft sie jetzt auf eigne Weise in die Zukunft voraus. Sie darf es auf sich nehmen, mit dem Kurfürsten um die Begnadigung zu streiten. Sie läßt ihr Regiment auf eigne Verantwortung nach Fehrbellin kommen und wird die Bittschrift durch alle Regimenter unterschreiben lassen. Das wird ihr Spiel mit der kurfürstlichen Gnade sein.

Der kurze fünfte Akt, der alle Konflikte lösen wird, bringt die Steigerung, daß der oberste Kriegsherr selbst sich vor eine Prüfung gestellt findet. Kottwitz mit dem Dragonerregiment, durch die Prinzessin ins Kriegslager von Fehrbellin beordert, überrascht den Kurfürsten um Mitternacht mit dem Aufmarsch des Regiments vor dem Schloß. So beginnt das Spiel um die Begnadung des Prinzen, das die Prinzessin mit großer wagender Kühnheit in Gang gebracht hat.

Der Monolog des Kurfürsten bereits läßt erkennen, daß er aus jener Ruhe des Herrschers entscheidet, wie sie dem Schlüter-Denkmal des Großen Kurfürsten entspricht. Er wird nicht wie der tyrannische Dei von Tunis gewaltsam vorgehen, sondern mit jenem selben harten Humor, wie gegenüber dem mondsüchtigen Prinzen. Weil es Oberst Kottwitz ist, schaltet er andre Maßstäbe ein:

> Doch weils Hans Kottwitz aus der Priegnitz ist,
> Der sich mir naht, willkürlich, eigenmächtig,
> So will ich mich auf märksche Weise fassen:
> Von den drei Locken, die man, silberglänzig,
> Auf seinem Schädel sieht, faß ich die eine
> Und führ ihn still, mit seinen zwölf Schwadronen,
> Nach Arnstein, in sein Hauptquartier zurück.

Als der Feldmarschall Dörfling vor der Rebellion der Offiziere warnt und Begnadigung des Prinzen empfiehlt, ehe es zu spät sei, zeigt sich der Kurfürst hart wie Stein. Beides ist in ihm, der Landesvater, der gegen Kottwitz patriarchalische Gefühle vorwalten läßt, und der Herrscher, der die Grenzen unbeirrbar setzt, die die Staatsautorität fordert. Kottwitzens Erscheinen klärt sogleich darüber auf, daß er ordnungsmäßige Order der Prinzessin vorzuweisen hat, und daß bereits alle Truppen ins Quartier sind, daß er also keineswegs eine Meuterei im Sinne hat. Der Kurfürst macht sich sogleich zum Herrn der Situation: er genehmigt stillschweigend den Übergriff seiner Nichte, und ordnet an, daß Kottwitz mit seinem Regiment dem zum Tod verurteilten Prinzen die letzte Ehre zu erweisen hat. Die Bittschrift dann, von allen Reiteroffizieren des Heeres unterzeichnet, führt zum großen Ideengespräch zwischen dem Kurfürsten und Kottwitz. Kottwitz wird zur Stimme des Heerlagers schlechthin, das gibt ihm Gewicht. Alle Offiziere stehen hinter ihm, das ganze märkische Land. Vorerst entschuldigt er den Prinzen. Er habe klüger gehandelt als alle. Denn ohne seinen vorschnellen Angriff hätte sich der Schwede wieder festsetzen können. Er deutet damit an, wie unwägbar das Schlachtenglück ist, insbesondere bei Reiterangriffen, wo es um Sekunden geht. Kottwitz bewährt einen kämpferischen realistischen Geist:

> „Es ist der Stümper Sache, nicht die deine,
> Des Schicksals höchsten Kranz erringen wollen,
> Du nahmst bis heut, noch stets, was es dir bot."

Kleist bereitet hier bereits auf das Kranzsymbol vor, das die Schlußszene beschließen wird. Unwillkürlich trifft Kottwitz mit seinem Kranzbild das Stümperhafte jener romantischen Traumwünsche, die des Prinzen Fehrbellin-Sieg einleiten. Dem Kurfürsten war es nie um Romantik zu tun. Darum soll er auch den errungnen Sieg nehmen, wie er ist. Der Kurfürst sieht sich gezwungen, die Formel zu wiederholen, mit der er den Prinzen verurteilt hatte:

> „Den Sieg nicht mag ich, der, ein Kind des Zufalls,
> Mir von der Bank fällt; das Gesetz will ich,
> Die Mutter meiner Krone, aufrecht halten,
> Die ein Geschlecht von Siegen mir erzeugt!"

Was jetzt aus tiefster Überzeugung sich Bahn bricht in der einzigen langen Rede, die Kottwitz hält und vermutlich je gehalten hat, ist die Überzeugung der ganzen Truppe, aller Offiziere, es ist

Kleist selber, der hier spricht. Was auf den Kurfürsten sichtlich Eindruck macht, ist der Geist der inneren Bewegtheit, den man nicht Rebellion, Meuterei, Empörung nennen darf, der aber dem Kurfürsten eines klarmachen kann: daß man niemals stur am Gesetz festhalten darf, daß es immer wieder um das Leben selber geht, das sich ins Gesetz verfestigen muß. Kottwitz drückt das sozusagen primitiv aus, ohne zu geistigen Bewältigungen vorzudringen. Wohl aber hat sein Wort eben darum eine primitive Überzeugungswucht:

„Schütt ich mein Blut dir, an dem Tag der Schlacht,
Für Sold, sei's Geld, sei's Ehre, in den Staub?
Behüte Gott, dazu ist es zu gut!
Was! Meine Lust hab, meine Freude ich,
Frei und für mich, im Stillen, unabhängig,
An deiner Trefflichkeit und Herrlichkeit,
Am Ruhm und Wachstum deines großen Namens! ..."

Dagegen ist wahrlich nichts zu sagen. Wenn die Prinzessin sich Kottwitz herangeholt hat, mochte sie unwillkürlich auch seine Volksstimme mit im Sinn gehabt haben, nicht nur die Zahl der Unterschriften. Insofern ist hier ihr Spiel um die Begnadigung mit gegenwärtig. Und der Rückzug, den der Kurfürst antritt, mag andeuten, wie sich in ihm bereits der Entschluß zur Begnadigung vorbereitet.

Hier kommt dem Kurfürsten dann eines wunderbar zustatten: die innere Entwicklung, die inzwischen der Prinz durchlaufen hat. Doch schiebt sich noch eine mehr vordergründige Handlung ein, die von der Ratio her den Kurfürsten auf denselben Entschluß zuführen muß, wie die untergründige Seelenbewegung in der Truppe. Es ist der Nachweis des Grafen Hohenzollern, daß der Kurfürst mit seinem „zweifelhaften Scherz", der mit dem Unbewußten des Prinzen sein Spiel trieb, selber mitverschuldet hat, daß der Prinz die Befehlsausgabe überhörte. Der Handschuh wird auch hier zum untrüglichen Dokument.

Nun aber kann sich der Kurfürst den Prinzen zu Hilfe rufen gegen die versammelten Offiziere. Die Worte des Prinzen, in der Einsamkeit seiner Zelle herangereift, fassen alles zusammen, was der Kurfürst selbst nur je sich zur Verteidigung der Staatsautorität im Geiste zurechtgelegt hatte:

„Ich will das heilige Gesetz des Kriegs,
Das ich verletzt' im Angesicht des Heers,
Durch einen freien Tod verherrlichen!

Was kann der Sieg euch, meine Brüder, gelten,
Der eine, dürftige, den ich vielleicht
Dem Wrangel noch entreiße, dem Triumph
Verglichen, über den verderblichsten
Der Feind' in uns, den Trotz, den Übermut,
Errungen glorreich morgen? . . ."

Die Bitte, die der Prinz anschließt: keinen Waffenstillstand durch eine Heirat zu erkaufen, sondern sogleich den Krieg wieder zu beginnen, kann der Kurfürst mit voller Zustimmung aller zum Beschluß erheben. Wir dürfen jetzt schon gewiß sein, daß der Kurfürst zur Begnadigung entschlossen ist. So bekommen die letzten Worte des Kurfürsten einen Doppelsinn:

Prinz Homburgs Braut sei sie, werd ich ihm schreiben,
Der Fehrbellins halb dem Gesetz verfiel,
Und seinem Geist, tot vor den Fahnen schreitend,
Kämpf er, auf dem Gefild der Schlacht, sie ab!

Die Sinnverkürzung hält hinter der erzenen Ruhe des Herrschers, der den Prinzen auf eine letzte Probe stellt, die Antwort an den Schweden bereit, daß Homburgs Geist sein unbesieglicher Gegner sein werde. Denn ist es der Geist, der keinen Tod fürchtet. Es ist Brandenburgs Geist. Der Prinz besteht auch diese letzte Probe. Er segnet seinen Herrscher, in dem das Gesetz triumphiert:

Geh und bekrieg, o Herr, und überwinde
Den Weltkreis, der dir trotzt — denn du bists wert!

So durchdringend ernst aber wirkt hier das Gespräch zwischen Kurfürst und Prinz, daß Natalie glaubt, sie hat ihr Spiel um die Begnadigung verloren. Darum durchbricht sie die Konvention, um dem Prinzen offen ihre Liebe zu bekennen:

„Mein teurer, unglücksel'ger Freund!"

Der Prinz aber erträgt solche Überforderung des Gefühls nicht mehr, nachdem er sich zum Tod, zum Abschied von der Welt entschloß. Sein Ausruf: „Hinweg!" muß die Prinzessin treffen wie ein Stoß ins Herz. „Wozu das Licht der Sonne länger schauen!"

Einen Augenblick nur beläßt der Kurfürst sie solchem Schmerz. Vielleicht nimmt er es als die ihr zugemessene Strafe für den Übergriff einer Rebellion im kleinen. Dann aber wendet er sich dem ganzen Offizierskorps zu und überrascht alle mit der Frage: „Wollt ihrs zum vierten Mal mit ihm wagen?" Die Begnadigung ist ausgesprochen. Die Prinzessin hat ihr Spiel gewonnen.

Die Schlußszene ist bereits von unserm Wissen um die Begnadigung durchhellt. Nur der Prinz ist unwissend. Vielmehr mutet Kleist uns zu, dem Prinzen auf seiner Gratwanderung zu folgen, die den Tod-Überwinder in die Lichtfülle der Unsterblichkeit entführt. Wenn die Kranzsymbolik Anfang und Ende zusammenzieht, mit ihrem Glanz von Glück und Ruhm, dann bedeutet der Durchbruch in die Ätherräume der Unsterblichkeit den Auftrag, im symbolischen Kosmos der Dichtung einen Lichtquell aufzuschließen, der jede Art Kranzsymbolik überstrahlt. Das will bedeuten, daß Kleist seinem Helden tief unterhalb aller Traumwünsche und Wirklichkeitszusammenbrüche eine Anlage zur Größe mit auf den Lebensweg gegeben hat, die nur der Härte und Prägnanz der Schicksalsschläge bedarf, um zu solcher Bewußtseinssteigerung fortentwickelt zu werden. Daß er, vom Glück der Wunscherfüllungen überwältigt, in Ohnmacht fällt und, wieder erwacht, alles für einen Traum hält, bestätigt nur das Außerordentliche der Bewußtseinserfahrungen. Und doch bleibt alles zugleich so ganz im Rahmen des Menschenmöglichen, daß gerade Kottwitz es ist, der dem Prinzen antwortet: „ein Traum, was sonst?"

Denn die Bewußtseinserweiterung, die der Prinz erlebt, ist zugleich die Daseinserweiterung in jene Gesetzeswelt, aus der der Kurfürst seinen Herrscherauftrag nimmt. Und so geht der Heilsruf in den Schlachtruf über: „In Staub mit allen Feinden Brandenburgs."

Was kann uns nun, im Rückblick auf das Gesamt dieses einmaligen Schauspiels, dessen Ruhm die Ausgewogenheit aller Schicksalsfügungen ist, der symbolische Kosmos der Dichtung als Ganzes sagen? Dazu gehen wir vom geistigen Höhepunkt des Dramas, von der Hymne auf die Unsterblichkeit aus, die dem Prinzen offenbar geworden ist in dem Augenblick, wo das Bewußtsein die Grenzen zum Tode hin überschwingt.

> „Nun, o Unsterblichkeit, bist du ganz mein!
> Du strahlst mir, durch die Binde meiner Augen,
> Mit Glanz der tausendfachen Sonne zu!
> Es wachsen Flügel mir an beiden Schultern,
> Durch stille Ätherräume schwingt mein Geist;
> Und wie ein Schiff, vom Hauch des Winds entführt,
> Die muntre Hafenstadt versinken sieht,
> So geht mir dämmernd alles Leben unter:
> Jetzt unterscheid ich Farben noch und Formen,
> Und jetzt liegt Nebel alles unter mir."

Der Unterschied zu den Lichtvisionen im Zeichen des Lorbeer-Kranzes ist der, daß nichts Materielles sich mehr damit verbindet, kein Königsschloß in Gold und Silber, kein Zeus mit Kranz und goldner Kette, keine Glücksgöttin mit dem Füllhorn. Statt dessen nur Glanz, und die Verwandlung in ein Flügelwesen, eine Engelslichtgestalt. „Es wachsen Flügel mir an beiden Schultern." Unmittelbar werden wir erinnert an den Augenblick, als Natalie ihm sein Selbstbewußtsein zurückgab: „Geh, junger Held, in deines Kerkers Haft!" Damals faltete der Prinz die Hände, in Nataliens Anschauung verloren, und sagte:

„Hätt'st du zwei Flügel, Jungfrau, an den Schultern,
Für einen Engel wahrlich hielt ich dich."

Wenn hier eine innere Bildgesetzlichkeit waltet, dann muß sie im Grundgefüge des Dramas verankert sein. Warum entzog sich im Bericht des Prinzen an seinen Freund Nataliens Name so hartnäckig dem Bewußtsein? In der Lichtvision die innerste Quelle des Lichts? Was wäre aus dem Zusammenbruch des Prinzen geworden ohne die Begegnung mit Natalie? Wer einzig hat den Kurfürsten zu erschüttern vermocht als Nataliens mythische Verwandlungskraft, die den Prinzen zum Lindwurm-Besieger erhöhte, und den Todesschreck zu „eines scheußlichen Leun Gestalt"? Wer wagte es, dem Kurfürsten ins Gesicht zu sagen: „Ach, welch ein Heldenherz hast du geknickt!"? Und wem verdankt der Prinz alles, was sich mit Kottwitz in Bewegung gesetzt hat, auf die Ordre der Prinzessin hin? So sehr ist Natalie ein Teil seines Wesens geworden, daß er selber sich jenem Flügelwesen zuverwandelt hat, als das sie ihm erschienen war.

Eben damit aber ist der Prinz nicht in eine ferne Unsterblichkeit entrückt, er hat sich vielmehr jenem Lichtquell zuentwickelt, der ihm als seine Wesensentsprechung in Natalie begegnet war. Sie hat ihm die Kraft zurückgegeben, die seit jeher in ihm lag, und die ihn in Stand gesetzt hat, hinter verhärteten Gesetzesmechanismen, die ihm sinnlos schienen, „das heilige Gesetz des Krieges" zu gewahren.

So darf jetzt das kühne Spiel, das Natalie in Bewegung gesetzt hat, auf den Kurfürsten übergreifen. Nachdem er sein revoltierendes Heer, Kottwitz an der Spitze, im großartigen Bekenntnis des Prinzen zugleich aufgefangen und freigesprochen hat, kann die Begnadigung walten und den Prinzen aus seinem Aufschwung in die Unsterblichkeit zurückholen in den schlichteren Glanz, den der Lorbeerkranz auszustrahlen imstande ist. So macht sich der Kurfürst zum Mitspieler in Nataliens kühnem Spiel. Er sühnt selber zugleich das Hybrishafte jenes „zweifelhaften Scherzes", den sie mit dem Unbewußten des Prinzen getrieben. Und er rechtfertigt dieses kühne, zum Höchsten ausgreifende Unbewußte, indem er die Eingangslage wiederholt. Was der Prinz im jugendlichen Unverstand als Mondsüchtiger von sich gegeben, wird ihm jetzt zuteil, nachdem er zum Manne gereift ist und einen seelischen Prozeß durchlaufen hat, der ihn um Dimensionen erweitert, auf jenes mythische Flügelwesen zu, das sich nicht auf einfache Formeln abziehen läßt, das aber jedenfalls eines mit in sich schließt: Liebe, Verehrung, Kameradschaft aller, die mit dem Sieger von Fehrbellin einstimmen in den Schlachtruf: „In Staub mit allen Feinden Brandenburgs."

Der harte Humor, den sich Freund und Feldherr im Spiel mit dem Unbewußten des Prinzen geleistet, wird hindurchgeläutert durch eine ganze Skala politischer Konflikte, die hart ans Tragische streifen, und die überwunden werden dank der polaren Spannweite des Männlich-Weiblichen und des Herrscherlich-Vaterhaften, des Rebellisch-Sohnhaften. Alle sind zum Schluß mehr geworden, der Prinz, die Prinzessin, der Kurfürst, auf jenes Flügelwesen zu, das Bewußtseinserweiterungen in sich schließt im Geiste jener Polis, als deren oberster Repräsentant der Kurfürst da steht, der „Große Kurfürst" in der Geschichte genannt.

Werfen wir abschließend noch einen Blick auf die Kleist-Forschung, wie weit sie imstande ist, dem symbolischen Kosmos, auf den es uns ankommt, zur Ergänzung oder zum Kontrast zu dienen, dann bringt der marxistische Osten die klareren Konturen heran. Hans Günther Thalheim sieht in der „patriotischen Selbstlosigkeit" des Prinzen am Schluß die Erfüllung seines „eigentlichen Selbst". Doch wird damit „die alte Feudalordnung" nicht verändert. Die Harmonie des Schlusses ist eine „Illusion". Kleist „signalisiert die Totalität der spätzeitlichen Feudalkrise". Kurfürst und Prinz stimmen nicht zusammen. Der Kurfürst haftet letzten Endes doch „am Buchstab", der Prinz paßt sich, wenn auch „verinnerlicht", der Feudalgesellschaft an, die ihn zur Unterwerfung zwingt.

Unterschätzt wird hier die aufschließende Kraft des Symbols, die im Hymnus des Prinzen auf die „Unsterblichkeit" Gestalt gewordnen Energien, die nur zusammenfassen, was durchs Ganze geht nicht als Revolution, Rebellion, sondern als Evolution: wie die Hauptfiguren mehr werden, als sie waren, will Kleist auch im Zuschauer vorwärtswirken, auf das Traum-Ideal einer Polis hin, die zuletzt verwirklicht, was Kleist sich für Preußen wünschte. Und wenn wir an unsere Gegenwart denken, dann greift die Evolution wie bei Teilhard über den Gegensatz Ost-West, und jedenfalls über das „Universum ohne Herz" hinaus.

Schwieriger ist ein Überblick über die individualistisch so vielfältigen Deutungen des Westens. Wir beschränken uns auf die ausführlichste Stimme zum Prinzendrama 1962: Walter Müller-Seidel glaubt der Kleistschen Totalität, die extreme Widersprüche zu umfassen vermag und darin ihre Größe hat, durch dialektische Aufspaltungen auf den Grund zu kommen. So genügt ihm die Todesangstszene, um alles Vorausgegangene als „Schein" darzutun, Ruhm, Glück, Liebe. Gerade darum aber wachsen Natalie die Engelsflügel, um hinter den Widersprüchen, in die der Prinz sich geworfen findet, seine unzerstörbare Totalität wiederherzustellen. Nicht zwischen „Schein" und „Sein" scheidet Kleist, sondern zwischen Ruhm, der noch ichverfangen ist, und Ruhm, der sich auf ein Unsterbliches zubewegt, auf eine Bewußtseinsweitung, die der Polis dient und vom Lenker der Polis als Begnadung aufgefaßt und gewürdigt wird. Und nicht als „Scheidung" treten hier zwei Arten Ruhm ins Bild, sondern als Bewegung in den Seelen, die durch Begegnungen hindurchgeführt werden. Die Marxisten mit ihrem stets politischen Blick sehen hinter der Angst des Prinzen die Revolte gegen ein sinnloses Gesetz. Wer ihm den Sinn zurückgibt, gibt ihn sich selbst zurück. Der westliche Scheidekünstler aber zielt darauf, noch bis in die Schlußgloriole eine „Zweideutigkeit" auszuhandeln: wer vermöchte auszumachen, „ob der Prinz in allem an Brandenburg denkt oder in erster Linie an sich selbst"? Wenn man selbst das Spiel mit der Gnade, wie es Nataliens Kühnheit ins Leben ruft, als ein „dialektisches Spiel" bezeichnet, in das der Kurfürst verflochten sei, dann kann es nicht schwer fallen, das ganze Schauspiel dialektisch auf „Schein" und „Sein" durchzuinterpretieren. Alles läßt sich dann, dialektisch betrachtet, in die Zweideutigkeit werfen.

Der Vorwurf, der dagegen zu erheben ist, kommt von der Nichtachtung des symbolischen Kosmos der Dichtung. So wenig wie der Lorbeer die geringste Rolle spielt, so wenig die Lichtsymbolsprache.

Das zwingt uns noch eine abschließende Betrachtung auf. Was Kleists Schauspiel den Eindruck klassischer Geschlossenheit verleiht, ist einmal die Einheit von Zeit, Raum und Handlung, zum andern die Wiederkehr der Eingangsszene in der Schlußszene, mit der lichtumstrahlten Lorbeersymbolik. Solche Kraft des Zusammenblicks ermißt sich erst ganz aus der Spannweite der Widersprüche, in die hier Menschenschicksal geworfen wird. Der Ruhm des Schauspiels ist es, daß es in allen Hauptgestalten das Tragische streift. Wenn der Prinz aus den Wunschträumen eines Cäsar Divus vor das offene Grab geführt wird, das ein ihm sinnlos scheinender Staatsmechanismus über ihn verhängt, dann macht der Zusammenbruch des Heldischen in dieser stolzen Seele die tragische Bedrohung offenbar. Was ihn dann zu den Frauen führt, zu den „Müttern", greift auf tiefere Instinkte zurück als auf die ihm vom Freund Hohenzollern angeratenen Ziele. Hier gehört es zum Kleistischen Kosmos, daß eben hier ihm die Begegnung zuteil wird mit der Frau: „bis in den Tod dir treu", und daß seine offenbare Unreife ihr die Kraft gibt, ihn zurückzuführen auf jenes eigenste Selbst, das sie in ihm liebt. Aber auch Natalie bleibt die tragische Bedrohung nicht erspart. Nachdem sie dem Kurfürsten die Rettung abgerungen hat, muß sie miterleben, wie des Kurfürsten Anruf zur eignen Verantwortung im Prinzen Kräfte weckt, die sich ihrem Einfluß entziehen; bis zu dem radikalen „Hinweg", mit dem der Prinz sich von der Welt abscheidet, um des Gesetzes willen. Natalie, die ihr Spiel um die Begnadigung des Prinzen verloren glaubt, schließt mit dem Leben ab: „Wozu das Licht der Sonne länger schauen?" Nun greift dann der Kurfürst ein. Auch ihm, dem geborenen Herrscher und weisen Fürsten, bleibt ein tragischer Augenblick nicht erspart. Nachdem ihm Kottwitz die Stimmung des Heers vor Augen geführt hat, hängt alles an der Entscheidung des Prinzen. Was bliebe dem Kurfürsten, wenn der Prinz anders entschiede? Aber die Bedrohung geht vorüber. Der Kurfürst darf begnadigen. Natalie darf ihr Spiel gewinnen. Des Prinzen Durchbruch ins Licht der Unsterblichkeit hat zuletzt ein Maß gesetzt, das alle Lorbeerwünsche in ihrem Lorbeerglanz übergreift. Dieses Maß aber ist zur Verherrlichung der Polis da, es hat allen, die davon berührt worden sind, eine Dimension mehr gegeben. Es ist die eigentliche kleistische Dimension.

Was aber macht der Individualismus der westlichen Forschung daraus? Bei Müller-Seidel ist zu lesen: „Wer das fortwährend Ambivalente in Kleists Dichtung übersieht, sieht am Wesentlichen vorbei." Günter Blöcker erklärt die Gleichzeitigkeit konträrer Strebungen im archaischen Fühlen als „ambivalent". So spricht er bei Natalie „von geradezu bravouröser Ambivalenz", Kleists Selbsttod erklärt er aus dem „Gesetz der Ambivalenz als das allein wahre und immer gültige Lebensprinzip". So wird der von Freud grundgelegte Begriff der Ambivalenz als Ausdruck moderner Zeitneurose auf Kleist zurückvisiert. Damit werden die Elemente des Tragischen zerstört, ebenso wie die Elemente jenes freien Spiels, das über komplexen Grundkräften Kleists Schicksalsgefühl mit großen Charakteren spielt.

Georg Büchners „Woyzeck"

Gehen wir von der Frage aus, welche Dramen des 19. Jahrhunderts noch mit unverminderter Lebenskraft fortwirken bis in die jüngste Gegenwart, nicht nur in der Literaturgeschichte, dann tritt selbst der große Friedrich Hebbel merkwürdig zurück. Überraschend dagegen ist der Aufstieg, den Georg Büchner genommen hat, der schon 1837 mit 25 Jahren starb. Und die stärkste Ausstrahlung geht dabei von einem Fragment aus, über dem Büchner hinweggestorben ist, vom „Woyzeck". Erst 1879 trat es aus dem Nachlaß ans Licht. Erst 1920 und 1922 wurde ein gereinigter Text hergestellt, und erst 1968 erschien der I. Band einer Historisch-Kritischen Ausgabe.

Wohl entdeckte ein Marxist in Hebbels „Gyges und sein Ring" den Typus des Weltbewegers wie im „Wallenstein". Es ist Kandaules, König von Libyen, der die Warnung ausspricht: „Nur rühre nimmer an den Schlaf der Welt!" Kandaules hat den Kampf gewagt, und er ist unterlegen. „Herakles war der Mann, ich bin es nicht!" Kandaules fällt im Zweikampf mit Gyges, und seine Gemahlin Rhodope, die Hüterin und Repräsentantin des Schleiers als der bewahrenden Sitte, siegt im Tod. So großartig nun auch gerade die Symbolkunst Hebbels sich des Schleiersymbols bemächtigt und es in Rhodopes Charakter angelegt hat, so bewirkt er zugleich ein Erstarren der Symbolkräfte, die im Selbsttod Rhodopes auch zum Erstarren der tragischen Erschütterungen führt. Jüngste Forschung 1968 spricht von der „Einkapselung des Selbst".

Nicht an Hebbel hat das 20. Jahrhundert angeknüpft, sondern an Büchners unscheinbares Fragment. Es hat sich in der Wirkung selbst dem Naturalismus Hauptmanns als überlegen erwiesen.

Büchners Drama kommt ganz vom andern Ende her. Es kommt vom Balladischen her, es greift tief hinter die Großbauten des Idealismus zurück ins Schreckgesicht des inzwischen veränderten, unheimlich veränderten Lebens. Ähnlich wie bereits 1818, in die Restaurationszeit hinein, ein philosophisches Werk die Welt der Klassik, die Welt Hegels aus den Angeln zu heben versuchte, nur sehr viel bewußter: Arthur Schopenhauers neues Weltsystem: „Die Welt als Wille und Vorstellung". Schopenhauer hat damals warten müssen, bis zu den „Briefen über Schopenhauer" 1854, ehe sich sein Weltpessimismus Bahn zu brechen begann. Und erst im Wilhelminischen Reich breitete er sich aus.

Im II. Band seines Hauptwerks schrieb Schopenhauer: „Aufforderung zur Abwendung des Willens vom Leben bleibt die wahre Tendenz des Trauerspiels." Es könnte scheinen, das habe Büchner vorgeschwebt, als er aus dem ärztlichen Gutachten über die Zurechnungsfähigkeit des Mörders Woyzeck (von 1824) sich die Gestalt seines Helden schuf. Es ist die Leidensgeschichte eines Mannes aus der untersten Schicht, der sich zur Löhnung als Stadtsoldat noch beim Hauptmann Geld verdient als Friseur, und der sich als Objekt hergibt für wissenschaftliche Experimente, die der Doktor mit ihm anstellt. Er braucht das Geld, um Frau und Kind durchzubringen. Zur Ehe hat es bisher nicht gereicht. So könnte man ihn einen ersten Proletarier in der Dichtung nennen: im Erzeugen seines unehelichen Kindes hat er die einzige soziale Leistung zuwege gebracht. Er ist „proles" im alten Sinn, Prolet, nichts weiter. Lange ehe Karl Marx dem „Proletariat" die Menschenwürde absprechen mußte und der Ausbeutung entgegentrat. Woyzeck wird vom Leben selber ausgebeutet. Ihm ist es verhängt, daß die Frau, die er liebt, sein einziger Besitz, die Mutter seines Kindes, in die Untreue fällt und daß er zum Mörder werden muß. Im Leben wird er hingerichtet. Büchner läßt ihn nicht hinrichten.

Büchner hatte den Mut, den Mut des Genies, dürfen wir heute sagen, die Gestalt seines Woyzeck in den symbolischen Kosmos einer Dichtung zu stellen. Und dieser Kosmos füllt sich mit Weltverzweiflung an. Das in dieser Dichtung durchgelittene Leben wird zur Anklage. Büchners Weltanklage nimmt in der Kraft eines Symbols die dogmatische Weltrevolte von Karl Marx voraus. Mit welchen Mitteln ist Büchner das gelungen?

„Man kann den Stoff", sagt Karl Viëtor, „mit ein paar Worten wiedergeben wie den einer Ballade." Doch nennt er eine „dramatisierte Ballade" eine „Zwitterform". „Dramen mit passiven Helden sind gebrechliche Gebilde." Unsere Gegenwart, die nur noch passive Helden zu kennen scheint, hat den Begriff der „offenen Form des Dramas" weithin aus dem „Woyzeck" entwickelt.

Es gibt nun eine wirkliche Volksballade, die den Woyzeck-Stoff in den symbolischen Kosmos ihrer Dichtung vorausgestaltet mit den reinen Mitteln der Volksballade. Es ist die im Elsaß von Goethe aufgezeichnete Ballade „vom eifersüchtigen Knaben". Sie ist bekannter geworden unter ihrem Eingangsvers: „Es stehen drei Sterne am Himmel." Die Moral in der Schlußstrophe spricht von der „Falschen Liebe", und auch unter diesem Titel lebt die Ballade fort. Wir haben sie ausführlich behandelt. Büchner war in Hessen unter Volksliedern aufgewachsen, war ihnen im Elsaß, der Heimat seiner Braut, wieder begegnet und schätzte sie sehr hoch ein. In der Novelle „Lenz" brachte er seinen Helden am Tisch des frommen Oberlin, der heilkräftig auf seine innere Unruhe einwirkte, zu einem Gespräch über Kunst. Es enthält wohl Büchners eigne Grundauffassung und bestimmt die Umrisse seines Weltbilds:

„Der liebe Gott hat die Welt wohl gemacht wie sie sein soll, und wir können wohl nichts Besseres klecksen, unser einziges Bestreben soll sein, ihm ein wenig nachzuschaffen. Ich verlange in Allem-Leben, Möglichkeit des Daseins, und dann ists gut; wir haben dann nicht zu fragen, ob es schön, ob es häßlich ist. Das Gefühl, daß was geschaffen sei, Leben habe, stehe über diesen Beiden, und sei das einzige Kriterium in Kunstsachen. Übrigens begegne es nur selten: in Shakespeare finden wir es, und in den Volksliedern tönt es einem ganz, in Goethe manchmal entgegen."

Die rigorose Einfachheit, mit der hier „Leben" großgeschrieben wird, als einziger Wert, erfährt ihre Berechtigung bei Büchner in den Gestalten, die er in Woyzeck und um Woyzeck geschaffen hat. Karl Viëtor mag vorerst zu Wort kommen, als der bedeutendste Büchnerforscher seiner Zeit: „Dieser Arme im Geist und im Besitz weiß nach der unbewußten Weise seiner Einfalt allein etwas von den dunklen Geheimnissen des Lebens." Woyzecks Kamerad nennt er „den einfältig-biederen Andres", und Woyzecks Marie als Mädchen aus dem Volk ist ihm „wahr und echt wie die Natur". „Unschuld der Natur." Viëtor spricht hier Büchner den Willen zu, „die Gestalt Gretchens an unmittelbarer Wahrheit und Echtheit zu übertreffen".

Der Begriff der „Einfalt", den Viëtor hier als einen Grundwert im dichterischen Kosmos Büchners aufzeigt, soll uns veranlassen, nochmals auf die Volksballade von der „Falschen Liebe" zurückzugehen. Jüngste Herderforschung von 1963 faßte den Begriff der Volksballaden-Einfalt Herders zusammen in den Satz: „Einfalt in dieser Bedeutung meint den Charakter der Poesie selbst." Nur ist Poesie hier nichts irgendwie „Poetisches" im sentimentalen Sinn, sondern Büchners „Leben", großgeschrieben. Und so zeigt die Volksballade eine Moritat: wie dem Mädchen verhängt ist, leichtsinnig zu sein, so fällt dem Reiter, der sie liebt, das Verhängnis zu, als Richter aufzutreten und sie zu ermorden. So ungeheuer ist die Übermacht, die sich hier der Menschen bemächtigt, daß der Mörder nach der Tat ausruft: „Ach reicher Gott vom Himmel / Wie bitter ist mir der Tod." Und abermals hinterher ruft er aus:

„Mein Feinslieb ist mir gestorben,
Jetzt hab ich kein Feinslieb mehr!"

Als wäre es seinem Gedächtnis ganz entschwunden, daß er selber der Mörder war. Wenn Herder von „Sprüngen und Würfen" spricht, dann ist unterhalb des Einfaltbegriffs eine Kraft gemeint, vom Leben selbst so mitbewegt zu sein, daß psychologische Stufen übersprungen werden, wenn es darum geht, dem „Leben" die Bahn zu brechen. Da dringen unvermutet ganz andere Gesetze in den Lebensstoff ein, als der Mensch sie sich bewußt machen kann. Und so großgeartet sind die Gesetze, daß dem Menschen nur der Ausruf bleibt: „Ach reicher Gott vom Himmel!" Die hier sich auswirkenden Urkräfte strömen aus dem Reichtum Gottes. Der aber kann furchtbar sein.

Büchner hat schon aus Herders „Volksliedern" Goethes Volkslied vom eifersüchtigen Knaben gekannt. (In „Dantons Tod" läßt er Lucile im Gefängnis singen, IV. Akt: „Es stehn zwei Sternlein am Himmel".) Aber im Woyzeck-Drama hat Büchner die Parallele, die zwischen Woyzecks Tat und der Mordtat der Ballade besteht, bewußt vermieden. Wohl finden sich eine Fülle von Volksliedanfängen und Strophen über das Ganze verstreut. Aber jede hat ihre besondere Aufgabe im Stimmungston der Szene. An keiner Stelle wird jener Urton der Volksballade vom eifersüchtigen Knaben erreicht. Was mochte Büchner dazu veranlaßt haben? Wir werden es aus der Deutung der Einzelszenen zu ergründen suchen. Vorweg dürfen wir erschließen, daß es dieselben Gründe sein werden, die Büchner gezwungen haben, aus dem Rhythmus der Volksballade in die „Zwitterform" einer dramatischen Prosa-Ballade in Kurzszenen überzugehen. Da hat sich eben gezeigt, daß der Lebensgrund ein anderer geworden ist, als wie er in den Jahrhunderten der Volksballade war. Das Leben selbst, um das es Büchner immer in seiner schonungslosen Wahrheit zu tun ist, hat sich seit jenen Volksballaden-Jahrhunderten vorwärtsbewegt und verändert. Auch der Mensch der Einfalt, der aller Lebensbewegung so blindlings offen ist und sich ihr hingibt mit Sprüngen und Würfen, hat sich verändert. Er ist im bürgerlichen Zeitalter zum „Proles" abgesunken. Und in seiner Wehrlosigkeit, in seiner rückständigen Kindlichkeit, ist er ein Opfer der gebildeten Klassen geworden, die sich anmaßen, den lieben Gott zu spielen, im Kleinen wie im Großen. Aus der Volksliedeinfalt ist eine geschundene Einfalt geworden. Dafür gilt es den neuen Ausdruck zu finden, der der Wahrheit entspricht. Büchner hat offenbar den Glauben nicht aufgegeben, daß es einen „Kosmos" gibt, der sich auch über den Menschen der geschundenen Einfalt wölbt. Darum macht er zu einem seiner Kunstmittel die eingestreuten Volksliedverse. Die einfachen Menschen, die er zu zeichnen hat, haben sozusagen noch einen Fuß in dem Volksgrund, aus dem einstmals die Volksballade stieg. Sie singen noch, wenn sie zusammen sind, und die Einfachheit der Volkslieder entspricht ihrem einfachen Geist. Das Leben, auch wenn es von den gebildeten Bürgerständen in eine geistige Gußform gebracht worden ist, strömt unterhalb solcher Verfremdungen oder auch Erstarrungen im unverändert alten Lebensstrom fort, wenn auch die Menschen der einfachen Schicht selber an Totalität eingebüßt haben und es erdulden müssen, mit den Maßstäben der gebildeten Schichten als „arme Leut", oder wie Woyzeck vom Doktor als „ein interessanter Casus" angesehen zu werden.

Es ist Büchners Genie, über seinem einfachen Woyzeck, dem Menschen der geschundenen Einfalt und seiner nächsten Umwelt den symbolischen Kosmos der Dichtung nie außer acht gelassen zu haben. Auch wenn die Menschen, die hier begegnen, nur noch ein Trümmerfeld darstellen. Woyzeck weiß, wie Viëtor es ausdrückt, immer doch eben kraft seiner Einfalt, etwas von den „dunklen Geheimnissen des Lebens". Eben um diese Geheimnisse bleibt es Büchner zu tun. Aus ihrem im Schicksal des Woyzeck sich erhellenden Untergrund stellt er den zertrümmerten Kosmos wieder her.

Erst unsre Gegenwart besitzt offenbar die Spannweite, den Blick von den Großwerken der Klassik zu solchem Volksuntergrund zu tun, wie er sich in Büchners Fragment aufschließt, als einer dramatischen Ballade in Prosa. Die Untersuchung von Volker Klotz „Geschlossene und offene Form im Drama" 1960 gibt Anlaß, für Büchners „Woyzeck" den Rahmen zu finden, in dem dies Werk neben die Großwerke der „geschlossenen Form" eingereiht werden könnte, im polaren Spannungsfeld der „offenen Form". Allerdings engt sich Volker Klotz selber ein, im Anschluß an die berühmten Grundbegriffe Wölfflins. Für die geschlossne Form wählt er sich Racine und seine deutschen Nachfolger (Iphigenie, Maria Stuart). Die Frage nach dem symbolischen Kosmos der Dichtung stellt er nicht mehr. Schillers „Wallenstein" erwähnt er gar nicht, und Kleist ist ihm eine Mittelfigur zwischen geschlossner und offner Form. Dennoch schließt er mit der offnen Form für den „Woyzeck" eine eigne Dimension auf. Er begreift, daß es sich weithin um unbewußte Sprach- und Bildbereiche handelt, daß die anonymen Volkslieder zum besonderen Sprachmedium werden und ins Balladische zurückverweisen. Damit fällt die Sprache des „Woyzeck" an ein viel stärkeres Eigenleben aus dem Unbewußten zurück, in eine totalere balladische Schicht. Dem nun entspricht es, daß die Szenen-Fragmente des „Woyzeck" einer wachsenden Sorgfalt der Forschung begegnet sind, daß man um jedes Wort heute ringt, weil man begriffen hat, daß eben jene unbewußten Formkräfte einer archaischen Vorstufe zum „geschlossenen Drama" Werte in sich enthalten, die jede Bemühung lohnen. Hier wiederum werden Kraftquellen aufgespürt, die weit über den von Klotz gezogenen Rahmen hinaus dem symbolischen Kosmos auch im rudimentären „Woyzeck" dienen und ihm erst sein volles Wertgewicht geben. Dem ist in unsrer Untersuchung Rechnung getragen.

Als Büchner Februar 1837 starb, ließ er die rund dreißig Kurzszenen des Woyzeckfragments ungeordnet zurück. Sie schienen so schwer zu entziffern, daß die Erstausgabe der Gesamtwerke 1850, durch Büchners Bruder besorgt, auf den Woyzeck verzichtete. Nachdem Franzos 1879 ziemlich willkürlich gewaltet hatte, brachte erst die Ausgabe von 1920 (Witkowski) und von 1922 (Bergemann) eine zuverlässige Gesamtordnung hinein. Die „offene Form des Dramas", die sich im „Woyzeck" ihre Eigenform ausprägt, gab überhaupt erst die Möglichkeit, die vielen Kurzszenen zum Ganzen zusammenzusehen. Weltoffenheit, wie im Volkslied, gehört zur Struktur.

Wir beginnen unmittelbar mit der ersten Szene Bergemanns.

Woyzeck: „Ja, Andres, den Streif da über das Gras hin, da rollt abends der Kopf, es hob ihn einmal einer auf, er meint' es wär' ein Igel: drei Tag und drei Nächt und er lag auf den Hobelspänen." (Leis): „Andres, das waren die Freimaurer! Ich hab's, die Freimaurer, still!"

Woyzeck spricht das zum Kameraden, dem Stadtsoldaten Andres, beide schneiden Stecken, um sich Geld zu verdienen. Andres geht als Woyzecks Vertrauter durch das Ganze. Die abrupten Sätze, die Woyzek ausstößt im freien Feld vor der Stadt, geben bereits eine Ahnung von der Weltoffenheit, in die Woyzeck hineingebannt ist inmitten ihn bewegender Mächte. Wohin er die Augen richtet, bewegt es sich. So handgreiflich, daß er es zeigen kann: „den Streif da" . . . über das Gras hin. Und dann kommt die Vision, von der er besessen ist: „da rollt abends der Kopf". Die Welt ist voll von Visionen. Wer da zugreift, als wärs nur ein Igel, der lebt keine drei Tage mehr. Dann folgt eine offenbar ganz verrückte Vorstellung: „Das waren die Freimaurer!" Da ist auf eine nicht mehr nachzukontrollierende Weise der Aberglaube ins Volk gedrungen, die Freimaurer seien Botschafter des Teufels. Im ärztlichen Gerichtsgutachten über Woyzeck hatte Büchner gelesen, Woyzeck habe „beunruhigende Träume von Freimaurern gehabt". So geht es ihm darum, auch in solch geringen Zügen ganz wirklichkeitstreu zu sein. Später kommen die Freimaurer nicht mehr vor. Hier genügt es, das Gesamtbild einer von Mächten bewegten Welt voll Schreck und Unheimlichkeit zu verstärken.

Andres fügt sich in den Dialog ein, indem er ein Volkslied anstimmt; vielmehr indem er Verse aus einem bekannten Volkslied herausgreift, die er singt:

Saßen dort zwei Hasen,
Fraßen ab das grüne, grüne Gras . . .

Woyzeck: Still! Es geht was!
Andres: Fraßen ab das grüne, grüne Gras
Bis auf den Rasen.
Woyzeck: Es geht hinter mir, unter mir. (stampft auf den Boden) Hohl, hörst du? Alles hohl da unten! Die Freimaurer!
Andres: Ich fürcht mich.
Woyzeck: 's ist so kurios still. Man möcht den Atem halten. Andres!

Andres:	Was?
Woyzeck:	Red was! (starrt in die Gegend) Andres, wie hell! Ein Feuer fährt um den Himmel und ein Getös herunter wie Posaunen. Wie's heraufzieht! — Fort! Sieh nicht hinter dich! (reißt ihn ins Gebüsch)
Andres:	(nach einer Pause): Woyzeck, hörst du's noch?
Woyzeck:	Still, alles still, als wär' die Welt tot.
Andres:	Hörst du? Sie trommeln drin. Wir müssen fort.

Die zweite Hälfte des Gesprächs zeigt Andres als ganz einfachen Mann. Offenbar singt er, weil er Angst hat. Büchner schafft mit dem Volkslied einen Kontrast zum einsam sinnierenden Woyzeck. Das Volkslied beginnt „Zwischen Berg und tiefem, tiefem Tal saßen einst zwei Hasen". Der Eingang ist uralt, das Hasenlied bekannt seit 1820. Büchner mochte es in Hessen in den Dörfern haben singen hören. Der Kontrast des leichten Scherzliedes vertieft nur die Gehetztheit des armen Woyzeck, den das „Es" verfolgt, das Es, das sich unwägbar unter ihm bewegt. Keinen Augenblick kann er sich sammeln. Wenn es plötzlich still um ihn ist, „kurios still", überfällt ihn plötzlich eine feurige Vision, wie Blitz und Gewitter. Wie ein Gottesgericht, vor dem er sich verkriecht ins Gebüsch. Dabei reißt er Andres mit sich. Woyzeck ist hier die bewegende Kraft. Andres kreist blind um ihn. Wenn Andres trommeln hört, ist es keine Vision, es ist der Trommelschlag der Stadtkompanie, die sie zurückruft.

Die Eingangsszene enthält bereits im Umriß, aus welcher Totalität des Grauens, der Unruhe, der Woyzeck umdrohenden Mächte hier gelebt wird. Aber es ist gefülltes Leben, jeder Augenblick zwingt Woyzeck Worte auf die Lippen, mit denen er Andres anruft, an sich bannt. So verstiegen er zu sinnieren verdammt ist, so unmittelbar sucht er das Gespräch mit Andres. Wenn wir hier schon versuchen, auf den symbolischen Kosmos der Dichtung hinzudenken, dann muß einer der Hauptfaktoren die untere Welt sein, mit der Woyzeck im Unbewußten zusammenhängt, das sich Bewegende unter ihm, eine von Dämonen durchwirkte Unruhestätte. Um Andres, den Gefährten, klingt im Volkslied die Gemeinschaft auf, das simple Miteinander, das zu Woyzeck auch wie das Atmen gehört. Inmitten Woyzeck als Rätselgestalt, offen, gehetzt, von Stimmen getrieben.

Auch die zweite Szene verfolgen wir noch durch. Sie führt uns in die Stadt, in die Kammer von Woyzecks Weib und Kind. Es ist Woyzecks Ergänzungswelt. Büchner hat elementare Kontraste in die kurze Szene hineingedrängt. Während Marie am Fenster ihr Kind wiegt, zieht der Zapfenstreich mit dem Tambourmajor vorbei, der sie grüßt. Eine Welle erotischer Untertöne dringt in den Frauen am Fenster, der Nachbarin und Marie, herauf. Was die Volksballade ins Versgefüge bringen würde, wird hier in die Wucht von Einzelworten hineingestanzt: „Was ein Mann, wie ein Baum!" Marie steigert es aus einem dynamischen Lebensgefühl, das den Prosarhythmus sucht: „Er steht auf seinen Füßen wie ein Löw!" Sie singt dazu: „Soldaten das sind schöne Bursch." Kein Volkslied, das bekannt ist. Eins, das sie sich zurechtsingt.

Schon ist ein Streit zwischen der Nachbarin und Marie in Gang gekommen. Auch hier ist das Leben ganz dicht. Hessische Mundart färbt die Sprache, und sie nährt sich aus Bildern, wie Messerklingen scharf.

> Margret: Ei, was freundliche Auge, Frau Nachbarin! So was is man an Ihr nit gewöhnt ... Ihre Auge glänze ja noch ...
>
> Marie: Und wenn! Trag Sie Ihre Auge zum Jud und laß Sie sie putze; vielleicht glänze sie noch, daß man sie für zwei Knöpf verkaufe könnt.
>
> Margret: Was? Sie? Sie? Frau Jungfer, ich bin eine honette Person, aber Sie guckt siebe Paar lederne Hose durch!

Das Aggressive geht hier von Marie aus. Aus dem Stolz der starken Liebenden, die ihr Kind unehelich zur Welt gebracht hat und sich an ihm freut. So wie sie sich an dem schönen Tambour freut, dem sie Augen macht. Man spürt schon hier, Marie ist eine Natur. Aber die Nachbarin hat sie sich zur Feindin gemacht. Und die Schärfe der Zunge muß sie nun selber spüren.

Marie ruft ihrer Nachbarin noch zu: „Luder!", schlägt das Fenster zu und wendet sich zu ihrem Kind. Eine eigne kleine Szene beginnt: Mutter und Kind. Der Vorwurf: „Frau Jungfer" hat Marie doch getroffen. Es ist ihre Lebenswunde. Sie begegnet ihr mit dem zornigen Glücksgefühl der Mutter, die sich über „die Leut" hinweggesetzt:

> „Komm, mei Bub! Was die Leut wolle. Bist doch nur en arm Hurenkind und machst deiner Mutter Freud mit deim unehrliche Gesicht. Sa, sa!"

Die Szene, die Büchner der Partnerin seines Helden einräumt, geht parallel zur Eingangsszene, die Woyzeck in seiner Gehetztheit zeigt. Woyzeck hält Zwiesprache mit den Mächten. Wie wird uns

Marie überzeugend gemacht in ihrer unerschütterlichen Lebenskraft, ihrem Übermut, ihrer Liebeslust am eignen Kind, am eignen selbstgewählten Schicksal! Büchner läßt sie ein Lied singen, so wie Gretchen ein Lied singt, das der Dichter selbst ihr gedichtet hat im Volksliedstil. Bei Goethe ist es der „König in Thule", aus der unbewußten erotischen Sehnsucht gestaltet. Büchner wählt seinen eignen Weg. Marie singt ein Lied unmittelbar aus ihrer eben wieder aufgewühlten Lage als uneheliche Mutter:

Mädel, was fangst du jetzt an?
Hast ein klein Kind und kein Mann!
Ei, was frag ich danach?
Sing ich die ganze Nacht
Heio, popeio, mei Bu, juchhe!
Gibt mir kein Mensch nix dazu.

Es hat den Rhythmus eines Kinderlieds. Mit der vollen Unbefangenheit des „Mädels" ohne Mann. Woher mag Büchner dies Lied haben, das es bei Erk-Böhme nicht gibt? Auch nicht bei Pinck. Die letzte Zeile ist hier aufschlußreich: „Gibt mir kein Mensch nix dazu." Von Goethe gibt es aus der Sturm-und-Drang-Zeit ein Gedicht, das die uneheliche Mutter singt, als man sie vor Gericht gezogen hat. („Von wem ich es habe, das sag ich euch nicht.") Dies Gedicht schließt:

Es ist mein Kind, es bleibt mein Kind,
Ihr gebt mir ja nichts dazu.

Danach dürfen wir wohl annehmen, daß Büchner selbst dies Gedicht gemacht hat, im Kinderlied-Stil, im Stil der Volkseinfalt. So soll es Marie singen, spontan, aus ihrer Lebensnot und Lebenslust. So viel Lebensüberfluß traut ihr der Dichter zu.

Marie fügt dann noch eine Strophe an, aus einem Fuhrmannslied, das Erk-Böhme für Gießen um 1850 bezeugt. So mochte Büchner es im Hessischen sich aufgezeichnet haben. Maries Strophe ist die letzte im Lied. Es ist eine Art Triumphgesang: der Fuhrmannssohn hat vom Vater Gulden erhalten, sich ein Weib zu kaufen. Er holt die schöne Kellnerin aus dem Gasthof heraus und nimmt sie mit auf Fahrt. Die letzte Strophe beendet die Fahrt:

Hansel spann deine sechs Schimmel aus
Gieb ihn zu fresse auf's neu
Kein Haber fresse sie
Kein Wasser saufe sie,

Lauter kühle Wein muß es sein, Juchhe!
Lauter kühle Wein muß es sein.

So drückt sich im Volkslied aus, daß Hochzeit gefeiert wird. Das ist die lebensvolle Gegenstimme zu Woyzecks düsteren Visionen, die ihn durchs Leben hetzen.

Dann beginnt der dritte Teil der Szene: Woyzeck klopft ans Fenster. Er kommt unmittelbar vom freien Feld, wo er Stecken geschnitten hat, auf dem Weg zur Kaserne. Der erste Dialog zwischen Woyzeck und Marie beginnt. Woyzeck abermals gehetzt von der Zeit, das teilt sich dem Dialog mit.

Marie: Wer da? Bist du's Franz? Komm herein!
Woyzeck: Kann nit. Muß zum Verles.
Marie: Hast du Stecken geschnitten für den Hauptmann?
Woyzeck: Ja, Marie!
Marie: Was hast du, Franz?
Woyzeck (geheimnisvoll): Marie, es war wieder was, viel — steht nicht geschrieben: Und sieh, da ging ein Rauch vom Land, wie der Rauch vom Ofen?
Marie: Mann!
Woyzeck: Es ist hinter mir hergangen bis vor die Stadt. Was soll das werden?
Marie: Franz!
Woyzeck: Ich muß fort. — Heut abend auf die Meß! Ich hab wieder was gespart (er geht).
Marie: Der Mann! So vergeistert! Er hat sein Kind nicht angesehn! Er schnappt noch über mit dem Gedanken! — Was bist so still, Bub? Furchst dich? Es wird so dunkel; man meint, man wär blind. Sonst scheint als die Latern herein. Ich halt's nit aus; es schauert mich!

Es ist Volksballadenstil in Prosa. Woyzecks Unruhe greift auf Marie über. Was sie spüren muß zugleich, ist Woyzecks Liebe zu Frau und Kind, die all sein Tun bestimmt. Er bringt wieder Geld. Der Dialog aber öffnet sich dem, was hinter Woyzecks Unruhe spürbar wird: das unheimliche Es, von dem sich Woyzeck gejagt fühlt, faßt sich jetzt zusammen in ein Bibelwort: „Und sieh, da ging ein Rauch vom Land, wie der Rauch vom Ofen." Es ist wichtig für Büchners Gesamtauffassung seines Woyzeck, daß er ihm im ersten Gespräch mit Marie ein Bibelwort gibt, das aus der „Offenbarung Johannis" stammt, Kapitel 9,2. Da heißt es:

„Und der Engel tat den Brunnen des Abgrunds auf; und es ging auf ein Rauch aus dem Brunnen wie ein Rauch eines großen Ofens . . ."

Wenn Marie nur antwortet: „Mann!", dann klingt hier Staunen, Schrecken und Bewunderung zusammen. Offenbar sind die Visionen des Johannes Marie ebenso vertraut wie Woyzeck, der daraus für sie zitiert. Ohne solchen Bibel-Untergrund will Büchner seinen Helden nicht verstanden wissen. Woyzeck aber holt sich aus der Offenbarung des Johannes Visionen des Abgrunds, aus dem Heuschrecken kommen, die die Menschen peinigen wie Skorpione. Woyzeck erschreckt Marie damit, daß er immer von solchen finsteren Visionen geplagt ist: „Es ist hinter mir hergangen bis vor die Stadt. Was soll das werden?" Marie kann ihn nur bei seinem Vornamen rufen, um ihn in ihre Welt zurückzurufen. Dann ist Woyzeck fort und Marie bleibt mit der Unruhe allein. „Der Mann! So vergeistert! Er hat sein Kind nicht angesehn! Er schnappt noch über . . ."

Marie fühlt sich wie ins Finstre geworfen. „Man meint, man wär blind." Auch das Kind tröstet jetzt nicht. „Ich halt's nit aus; es schauert mich." Wenn Büchner jetzt hinzufügt: Marie „geht ab", dann ist vorauszusehen, daß Woyzecks trostlose Atmosphäre sie eben jetzt in ein Begegnen mit dem Tambourmajor treiben wird.

So sind die beiden ersten Szenen als Kontrastszenen gearbeitet. Aus der balladischen Spannung, auf die sie zielen, springt jetzt schon unsichtbar die Katastrophe heraus. Sie wird sich in Sprüngen und Würfen, wie in der alten Volksballade vollziehen.

Woyzeck hat Marie noch versprochen, sie zur Meß abzuholen. Büchner weitet die Szenerie zur Volksszene aus. Es beginnt mit dem dichtesten Kontrast: Alter Mann und Kind, das tanzt. Was der alte Mann zum Leierkasten singt, ist wie ein Vers der Jedermannsweisheit, wenn auch aus keinem Jedermannsdrama:

> „Auf der Welt ist kein Bestand.
> Wir müssen alle sterben.
> Das ist uns wohlbekannt."

Büchner wirft einen Schatten voraus. Die nächsten Textstellen sind so schwer zu entziffern, daß ganz verschiedene Lesungen festzustellen sind. Wir geben drei davon:

Paul Landau bezieht das „Heißa Hopsasa" auf den Leierkastenmann. Bergemann läßt Woyzeck ausrufen: Hei Hopsa! Lehmann in der Hist. Kritischen Ausgabe gibt den Ausruf Marie: „Hey! Hopsa!" (In der Erstfassung der Synopse fehlt der Sprecher noch, und was später Marie sagt, sagt hier Franz.)

Bei Landau ruft Woyzeck: „He, Marie! lustig! Schöne Welt! gelt?" Bei Bergemann wird ein ganzer Satz für Woyzeck entziffert:

> „Hey Hopsa! Armer Mann, alter Mann! Armes Kind! Junges Kind! Sorgen und Feste!"

Bei Lehmann spricht Woyzeck hessisch:

> „Arm Mann, alter Mann! Arm Kind! Jung Kind! Sorgen und Fest! Hey, Marie, soll ich dich . . . ?"

Maries Antwort fehlt bei Landau. Bergemann entziffert etwas anderes als später Lehmann:

> Marie: „Mensch! sind noch die Narrn von Verstande, dann ist man selber Narr. — Komische Welt! schöne Welt!"
>
> Marie bei Lehmann:
>
> „Ein Mensch muß auch der Narr von Verstande sein, damit er sagen kann: Narrisch Welt! Schön Welt!"

Die Großbeleuchtung der Kurzszene soll nicht nur generell die Schwierigkeiten aufzeigen, die zu meistern sind, sie betrifft auch das besondre Verhältnis Maries zu Woyzeck, das sich abzukühlen beginnt. Wir gehen davon aus, daß Büchners Stil die Kontraste sucht. Wer kann am kontrastreichsten durch den Ausruf „Hey Hopsa" gekennzeichnet werden? Keinesfalls der Leierkastenmann, der dem Kind zum Tanz aufspielt. Dagegen für Woyzeck, den seine Marie so „vergeistert" nennt, wäre es das Ungewöhnlichste, daß er bei dem Meß-Besuch eine forcierte Fröhlichkeit an den Tag legte. So scheint uns hier Bergemann das Richtigste zu treffen. (Da der Text offenbar unlesbar geworden ist.) Woyzeck umfaßt die Kontraste: Alt und Jung, Sorgen und Feste, wie sie sich dem Auge darbieten, unmittelbar, und dazu ruft er: Hey Hopsa! Wie lautet nun die Antwort Maries, die ebenso schwer lesbar im Text sein muß? Wenn sie, wie bei Bergemann, Woyzeck mit „Mensch!" anredet, verstärkt sie den Abstand. Im übrigen bilden sowohl Bergemann wie Lehmann ein recht kompliziertes Satzgefüge, wie es der einfachen Marie kaum natürlich sein kann. Deutlich lesbar ist, scheint es, nur „Narr von Verstand". Sollte der Leierkastenmann gemeint sein? Ist er als Narr vom Verstand gekommen, weil er Kindern aufspielt mit der Melodie zu: „Wir müssen alle sterben?" Oder meint Marie etwas viel Persönlicheres? Spricht sie mit dem Narren Woyzeck an und sagt ungefähr zu ihm: „Mensch! kommst du als Narr von Verstand, dann werd ich selber Narr!" Sie will nicht, daß er sich närrisch gebärdet und „Hey Hopsa" ruft. Und sie läßt die Warnung durchklingen, daß sie selber zur Närrin werden könnte. (Anders als er sich das denkt.)

Bei solcher Ausdeutung bekäme die Stelle ihren kontrastreichsten Inhalt.

Im Geschwätz des Ausrufers vor der Marktbude hören wir einen neuen Ton Büchners heraus: radikale Zeitsatire, die an die Wurzeln der Zivilisation rührt. Büchner hat zwei Ansätze gemacht, beide noch durchaus unvollkommen. (Abdruck bei Lehmann, in der Synopse.) Weder Lehmann noch früher Bergemann bringen wirklichen Sinn in den verworrenen Text. Dagegen Hans Jürgen Meinerts in der Mohnverlag-Ausgabe 1963 hat den Mut zu einer Kontamination aufgebracht, der folgenden satirischen Sinn bringt:

> „Alles schreitet fort: ein Pferd, ein Aff, ein Kanaillenvogel! Der Aff ist schon ein Soldat, s' ist noch nit viel, unterste Stuf von menschliche Geschlecht! Schließt Pistol los, stellt sich auf ein Bein. Alles Erziehung, haben nur eine viehische Vernunft, oder vielmehr eine ganze vernünftige Viehigkeit, ist kein viehdummes Individuum, wie viel Personen, das verehrliche Publikum abgerechnet ..."

Würde Woyzeck ernsthaft hinhören, müßte er wohl die Satire auf den Soldaten herausspüren, der zum untersten Stand der Viehvernunft herabgedrückt wird. Aber er achtet nicht darauf und geht mit Marie in die Marktbude hinein. (Marie: „Was der Mensch Quasten hat, und die Frau hat Hosen.")

Unmittelbar hinterher läßt sich anschließen die Szene, die in der Urfassung ein Gespräch zwischen Unteroffizier und Tambourmajor bringt. Da später die Führung an den Tambour übergeht, hat bereits Bergemann die Sprecher umgestellt. (Lehmann kann sich dazu nicht entschließen, obgleich er den genaueren hessischen Mundarttext hat.)

> Tambour-Major: Halt, jetzt. Siehst du sie? Was n' Weibsbild!
> Unteroffizier: Teufel, zum Fortpflanzen von Kürassierregimentern
> Tambour-Major: Und zur Zucht von Tambourmajors
> Unteroffizier: Wie sie den Kopf trägt. Man meint, das schwarze Haar müßt sie abwärts ziehn, wie ein Gewicht, und Auge schwarz ...
> Tambour-Major: Als ob man in ein Ziehbrunn oder zu eim Schornstein hinabguckt. Fort hinter drein.

Man kann sich vorstellen, daß beide mit Absicht auf den Markt gekommen sind, weil sie bereits wissen, daß sie Marie treffen werden.

Wir haben hier Steigerung in die vitalste Bildwelt. Wie Hengste, die hinter der Zuchtstute her sind, stürzen sich die beiden Soldaten auf Maries Spur. Wir spüren zugleich durch ihr hirschiges Bildvermögen die Aura, die von Marie ausstrahlt: „Wie sie den Kopf trägt." „Man meint, das schwarz Haar müßt sie abwärts ziehn wie ein Gewicht." Was hier abwärts zieht, in den gierigen Augen ihrer Hengstphantasie, ist die Urgewalt des Eros selbst. Gewaltsamer als der Unteroffizier dringt der Tambour in die Abgrundwelt ein: „in ein Ziehbrunnen ... einen Schornstein hinunter." So mächtig beide sich gebärden, hinter Marie hinterdrein, so wenig heben sie sich ab von dem, was der Ausrufer als „viehische Vernunft, vernünftige Viehigkeit" verspottet.

Büchner hat der wuchtigen Szene noch einen besonderen Schluß gegeben. Eh Marie und Woyzeck in der Marktbude verschwinden, tauschen sie noch zwei Worte aus. Mit den Worten der beiden Soldaten haben sie nichts zu tun. Aber sie entsprechen doch im Zugleich des balladischen Geschehens. Wir geben vorerst Bergemanns Text:

Marie: „Was Licht!"
Woyzeck: „Ja, Marie, schwarze Katzen mit feurigen Augen. Hei, was ein Abend!"
Lehmann hat mehr entziffert:
Marie: Was Lichter, mei Auge!
Woyzeck: Ja de Brandwein, ein Faß schwarz Katz mit feurige Auge. Hey, was'n Abend.

Man kann nicht sagen, daß die Zusätze den Sinn verstärken. Aus Marie bricht Sehnsucht nach Licht. Unwillkürlich entdeckt Woyzeck dieselben Schönheiten an Marie wie die beiden Soldaten.

Büchner hat der Marktbudenszene noch einen zweiten Versuch folgen lassen „Das Innere der Bude". Davon hat er später Abstand genommen. Die satirischen Motive wiederholen sich. Gegen die Texte bei Bergemann und Lehmann läßt sich die Forschung des Holländers J. Elema vertreten (Neophilologus 1965), daß ein besondrer Bühnenszenenwechsel kaum zu rechtfertigen wäre. In der letzten Handschrift hat Büchner unter der summarischen Überschrift: „Buden, Lichter, Volk" alles offen gelassen und das „Innere der Bude" nicht mehr aufgenommen.

Mit der nächsten Szene „Marie sitzt, ihr Kind auf dem Schoß, ein Stückchen Spiegel in der Hand" wird die Handlung mächtig vorwärtsgetragen. Mit einem Sprung, den Würfen der Volksballade vergleichbar, hat sich Büchner bereits über die Begegnung mit dem Tambourmajor hinweggesetzt. Ein Szenenfetzen, den die Hist. Krit. Ausgabe in der Synopse bringt, lautet als Gedankengang Mariens: „Der andre hat ihm befohlen und er hat gehen müssen. Ha! Ein Mann vor einem Andern!" Bergemann hat diesen Gedanken einleuchtend an den Anfang von Mariens Szene in der Kammer gestellt. An dieser Stelle kann er sich nur darauf beziehen, daß der Tambourmajor sich in seine Autorität geworfen und dem Unteroffizier befohlen hat, zu gehen. So konnte er sich mit Marie allein verabreden und ihr die Ohrringe schenken. Marie vor ihrem Stückchen Spiegel genießt das Geschenk, so wie Gretchen im „Urfaust" das Teufelskästchen. Alles ist hier wie bei Gretchen ursprünglichstes Leben, nur bei Marie immer im Gespräch mit ihrem Bub im Bett.

> „Was die Steine glänze! Was sind's für? Was hat er gesagt? — Schlaf Bub! Drück die Auge zu, fest, (Kind versteckt die Augen hinter den Händen) noch fester, bleib so, still oder er holt Dich.
> (sie singt):
> Mädel mach's Ladel zu
> S' kommt e Zigeunerbu
> Führt dich an deiner Hand
> Fort ins Zigeunerland.

Ein Kinderliedvers, der wiederum nirgends nachzuweisen ist. Wenn ihn Büchner selbst gedichtet hat, dann genau treffend in die Situation hinein.

Darnach hält Marie ihr Selbstgespräch mit dem Spiegel, der ihr das Gold der Ohrringe zurückstrahlt. Viëtor hat hier Gretchens Verse zum Vergleich herangezogen. Büchner hat sie in seine Prosa überführt, ganz aus Mariens anderem Sozialgefüge heraus.

> „Wem mag die Herrlichkeit gehören?
> Wenn nur die Ohrring meine wären!"

Marie darf sich im Besitz ihrer Ohrringe fühlen. Sonst quillt alles aus ihrem Herzen wie bei Gretchen. „Nach Golde drängt am Golde hängt Doch alles! Ach wir Armen!"

> „'s ist gewiß Gold! Uns eins hat nur ein Eckchen in der Welt und ein Stückchen Spiegel, und doch hab' ich einen so roten Mund als die großen Madamen mit ihren Spiegeln von oben bis unten, und ihren schönen Herrn, die ihnen die Händ küssen, ich bin nur ein arm Weibsbild — Still, Bub, die Auge zu! Das Schlafengelchen; Wie's an der Wand läuft! ... Die Auge zu! oder es sieht dir hinein, daß du blind wirst!"

Büchner erreicht in seiner Gretchen-Variation aus dem Untergrund vom Mutter-Kind-Gespräch die gleiche Aura von Einfalt, Eitelkeit, Kontrastgefühl reich und arm wie bei Gretchen. Büchner erreicht den gleichen Rang. Eine große Leistung, ohne Reim und Rhythmus, allein aus der Kraft des am Gold sich entzündenden Glücksgefühls. Noch einmal erleben wir Marie als die Natur, die sie ist, getragen vom Aufschwung der Macht, die ihr Schicksal bestimmen wird, wie bei Gretchen.

Schon meldet sich die unglückselige Wende an. Woyzeck kommt herein und sieht den Glanz der Ohrringe, die sie nicht mehr verbergen kann. In zwei Worten ist alles gesagt, unheimlich volksballaden-dicht:

> Woyzeck: Was hast du?
> Marie: Nix.
> Woyzeck: Unter deinen Fingern glänzt's ja.
> Marie: Ein Ohrringlein; hab's gefunden.
> Woyzeck: Ich hab so noch nix gefunden, zwei auf einmal!
> Marie: Bin ich ein Mensch?
> Woyzeck: 's ist gut, Marie.

Mit „Mensch" meint hier Marie ein übles Weibsstück, eine Dirne. Woyzeck geht darüber weg, gutherzig wie er immer ist. Er wendet sich ihrem gemeinsamen Kind zu. Er drückt damit aus, daß er der Mutter seines Kindes nichts wirklich Böses zutraut. Welche Sorgfalt aber spricht aus dem väterlichen Wort, welche Liebe:

> „Was der Bub schläft! Greif' ihm unter's Ärmchen, der Stuhl drückt ihn. Die hellen Tropfen steh'n ihm auf der Stirn, alles Arbeit unter der Sonn, sogar Schweiß im Schlaf. Wir arme Leut! Da is wieder Geld, Marie; die Löhnung, und was von mein'm Hauptmann." Unmerklich bringt Büchner es zu Wege, daß er bis in Woyzecks Herz hinein immer den Schatten zu werfen vermag: „Wir arme Leut!"

Was er in Marie zurückläßt, ist ein schrecklicher Zwiespalt. Sie dankt ihm mit einem „Gott vergelt's, Franz!" Zugleich klagt sie sich an: „Ich bin doch ein schlecht Mensch! Ich könnt mich erstechen!" Sie braucht dasselbe Wort: Mensch! Und die Wildheit, mit der sie vom „erstechen" spricht, fordert das Schicksal heraus. Büchner läßt es offen, wie weit und wann sie sich bereits mit dem Tambourmajor eingelassen hat. Im Gesamtgefüge des Balladengeschehens wirkt es dichterisch stärker, wenn sich die Macht des erotischen Dämons, dem Marie verfallen ist, nicht an einen Einzelaugenblick knüpft, sondern ins Unheimliche verteilt, so wie es sich in Maries Ausbruch kund gibt: „Ach was, Welt! Geht doch alles zum Teufel. Mann und Weib." Zum ersten Mal hat sie den Teufel angerufen und schon ist er gegenwärtig.

Ehe sich aber die balladische Handlung zur Katastrophe zusammenzieht, entschließt sich Büchner, seine Eifersuchtsballade vor einen breiteren Gesellschaftshintergrund zu stellen. Was mit der Szene auf dem Markt nur kurz begonnen war, der Einschub der Zeitsatire, die im groben Ausrufer-Jargon vor sich ging, wird durch drei Großszenen ausgeweitet, groß nur im Verhältnis zu den volksballade-dichten Kurzszenen: das weitschweifige Gespräch des Hauptmanns mit Woyzeck, der seinen Vorgesetzten rasiert; das Gespräch des Doktors, der mit Woyzeck seine ärztlichen Erbsen-Experimente betreibt, und das Zusammentreffen des Hauptmanns mit dem Doktor auf der Straße, wobei sich beide gegenseitig verhöhnen, bis Woyzeck vorbeirast und ins Gespräch einbezogen wird. Der Hauptmann benutzt den Augenblick, Woyzeck auf die Liebschaft Maries mit dem Tambour hinzuweisen, so grausam und taktlos wie möglich. Auf solche Weise sind die drei Szenen nicht nur dazu da, als Aufenthalte im Fluß der Balladenhandlung zu dienen, Kontrastwirkungen auszuüben, sondern sie greifen zuletzt unmittelbar vorwärtstreibend in die Balladenhandlung ein.

Der Stil der Gesprächsszenen mit Hauptmann und Doktor muß naturgemäß ein andrer sein. Die Zeitsatire zieht sich um zwei Gestalten zusammen, die schlechthin ins Groteske hochgetrieben werden. Ausdruck einer im Biedermeier erstarrten Bürgerlichkeit, die nur noch groteske Formen entwickeln kann und gegen die Büchner mit einer Weltanklage angeht.

Die Gestaltungsdichte, die Büchner auf seine Balladenfiguren verwendet, zielt hier auf das Gespenstige einer Entartung nach dem Unmenschlichen hin. Man hat es auf die Formel gebracht, daß hier Psychologie und Mythologie aufeinander zubewegt werden. Die breitschweifigen und geschwätzigen Gedankengänge der beiden Bürgertypen nähren sich von einer trostlosen, rationalen, konventionellen Psychologie und Scheinmoral. Immer wieder fährt Woyzecks mythologische Vision dazwischen, unbeirrbar original. Im Blick der Psychologen neurotisch entartet. In Wirklichkeit ist es umgekehrt: entartet sind die Bürgertypen in ihrem intellektuellen Hochmut, der nur immer auf der Stelle tritt. Woyzeck dagegen findet sich unbewußt von dem Drang bewegt, bildkräftig zu sein und Anstoß zu erregen.

Es mag genügen, die Eingangssätze des Hauptmanns zu zitieren, in denen Büchner eine Art Zeitphilosophie zu parodieren scheint:

> „Langsam, Woyzeck, langsam; ein's nach dem andern! Er macht mir ganz schwindlich. Was soll ich dann mit den zehn Minuten anfangen, die Er heut zu früh fertig wird? Woyzeck, bedenk Er: Er hat noch Seine schöne dreißig Jahr zu leben, dreißig Jahr! Macht 360 Monate! Und Tage! Stunden! Minuten! Was will Er denn mit der ungeheuren Zeit all anfangen? Teil Er sich ein, Woyzeck!" — „Jawohl, Herr Hauptmann!"

In diesem Gespräch, das Woyzeck zugleich vermahnt, weil er ein Kind „ohne den Segen der Kirche" habe, erleben wir Woyzeck auf versteckte Weise überlegen. Fast klingt ein wenig Hohn durch seine betonte Bescheidenheit:

> „Herr Hauptmann, der liebe Gott wird den armen Wurm nicht drum ansehn, ob das Amen drüber gesagt ist, eh' er gemacht wurde. Der Herr sprach: Lasset die Kindlein zu mir kommen." „Wir arme Leut — Sehn Sie, Herr Hauptmann: Geld, Geld! Wer kein Geld hat. — Da setz eimal eines seinsgleichen auf die Moral in die Welt! Man hat auch sein Fleisch und Blut. Unseins ist doch einmal unselig in der und der andern Welt. Ich glaub', wenn wir in Himmel kämen, so müßten wir donnern helfen."

Man könnte alle Redensarten, die der Hauptmann von sich gibt, zu Bergen türmen, es spränge nicht ein Funken Leben heraus. Das Wort von Woyzeck, die armen Leut müßten donnern helfen, bewegt die Herzen wie später das Marxsche System den Verstand. Büchner kann dies Gespräch nicht beenden, ohne daß der Hauptmann sich selber ins Lächerliche zieht (ohne es zu merken), und damit die ganze Halbheit des Bürgertums:

> „Wenn ich am Fenster lieg und den weißen Strümpfen so nachsehe, wie sie über die Gassen springen — verdammt, Woyzeck, da kommt mir die Liebe! Ich hab auch Fleisch und Blut. Aber, Woyzeck, die Tugend, die Tugend!"

Begreiflich, daß solche Lebenshalbheit eines erzeugt: Schwermut über die Langeweile des Daseins. Dem Doktor wird der Hauptmann sich später so signalisieren: „Herr Doktor, ich bin so schwermütig, ich habe so was Schwärmerisches, ich muß immer weinen, wenn ich meinen Rock an der Wand hängen sehe." Alles kontrastiert in diesem Typus des biedermeierlichen Bürgers mit dem harten Leid, das über Woyzeck verhängt ist.

Vertritt der Hauptmann die gemütsdumpfe Seite des Bürgertums, so wird der Doktor zum Repräsentanten jener eiskalten Experimentierlust, der sich der immense Fortschritt der Naturwissenschaften verdankt. Woyzeck ist für den Doktor reines Experimentier-Objekt, wie die Katzen. Für zwei Groschen täglich ist Woyzeck verpflichtet, nur Erbsen zu essen und seinen Harn zu kontrollieren. Der Doktor hat ihn überrascht, daß ihm auf der Straße „die Natur kommt". Er stellt ihn zur Rede und kann sich gar nicht beruhigen. Er doziert wie auf der Lehrkanzel des Professors: „Woyzeck, der Mensch ist frei, in dem Menschen verklärt sich die Individualität zur Freiheit. Den Harn nicht halten zu können!!" Woyzeck weiß auch solcher Entwürdigung auf seine Weise zu begegnen:

> „Sehn Sie Herr Doktor, manchmal hat einer so n'en Charakter, so n'e Struktur — Aber mit der Natur ist's was anders, ... Herr Doktor, haben Sie schon was von der doppelten Natur gesehn? Wenn die Sonn in Mittag steht und es ist, als ging die Welt in Feuer auf, hat schon eine fürchterliche Stimme zu mir geredt."

Es ist, als könnte Woyzeck den einlinigen Rationalismus des experimentierenden Doktors nicht aushalten, als müßte er ihn herausfordern. So fängt auch er an zu dozieren, indem er den Finger an die Nase legt:

> „Die Schwämme, Herr Doktor, da, da steckt's. Haben Sie schon gesehn, in was für Figuren die Schwämme auf dem Boden wachsen? Wer das lesen könnt!"

Woyzeck erreicht, daß der Doktor ihn für geistesgestört hält. „Aberratio mentalis partialis!" „Er kriegt Zulage!" Er ist „ein interessanter Casus"!

Die Gespräche mit Hauptmann und Doktor sind nicht nur ein Stück Gesellschaftskritik, sie zeigen auch Woyzeck im besonderen Licht. Er wird sich seiner anderen Art bewußt, und es ist für Büchner ausgemacht, daß die Stimmen, die aus Woyzeck sprechen, im dichterischen Kosmos unvergleichbar mehr Gewicht haben, als die andern.

Im dritten Gespräch folgt auf die Groteske der beiden Streithähne: „Herr Exerzierzagel — Herr Sargnagel" Woyzecks Begegnung mit ihnen. Der Hauptmann hält ihn auf: „Bleib Er doch, Woyzeck. Er läuft ja wie ein offnes Rasiermesser durch die Welt, man schneidt sich an Ihm." Das ist eine bissige Metapher. Zugleich signalisiert sich ein Zusammenhang: Woyzeck und schneidende Härte; der Dichter fängt an, uns hellhörig zu machen. Derselbe Hauptmann ist es dann, der Woyzeck mit grober Taktlosigkeit auf die Liebschaft Maries mit dem Tambour aufmerksam macht. Woyzeck wird kreideweiß und antwortet: „Herr Hauptmann, ich bin ein arm Teufel und hab sonst nichts auf der Welt, Herr Hauptmann, wenn Sie Spaß machen."

Daß es nicht um Spaß geht, wird aus der dramatischen Steigerung der Wechselgespräche klar. Alle Kontraste verschärfen sich.

> Hauptmann: Spaß ich, daß dich Spaß, Kerl!
> Doktor: Den Puls, Woyzeck, den Puls, klein, hart, hüpfend, unregelmäßig.

Der Hauptmann kehrt den Vorgesetzten heraus. Der Doktor beginnt Woyzecks sich abzeichnende Erregung am Puls zu messen. Darauf explodiert Woyzeck in Paradoxien:

> „Herr Hauptmann, die Erd ist höllenheiß, mir eiskalt, eiskalt, die Hölle ist kalt, wollen wir wetten — Unmöglich, Mensch! Mensch! Unmöglich."

Woyzeck kümmert sich nicht mehr darum, daß der Hauptmann sein Vorgesetzter ist. Er spricht wie mit Gleich und Gleich. In allen herausgeschrienen Paradoxien drückt sich das Ungeheuerliche einer Untreue für Woyzeck aus. Er wagt es, dem Hauptmann zweimal zuzurufen: „Mensch! Mensch!"

Der Hauptmann nimmt das als ebenso ungeheuerliche Insubordination.

> „Kerl, will Er erschossen werden? Will Er ein paar Kugeln vor den Kopf haben? Er ersticht mich mit seinen Augen, und ich mein's gut mit Ihm, weil Er ein guter Mensch ist, Woyzeck, ein guter Mensch."

Die schärfste Metapher trifft abermals Woyzecks schneidende Härte, diesmal als Augen, die „erstechen" wollen.

Unverändert verfolgt der Doktor die erregten Gesichtszüge Woyzecks, mit kalter Analyse.

Solcher Druck von außen treibt noch einmal Woyzecks eigenste Visionskraft hervor:

> „Wir habe schön Wetter, Herr Hauptmann. Sehn Sie so ein schön, festen, groben Himmel, man könnte Lust bekomm, ein Kloben hineinzuschlagen und sich daran zu hänge, nur wege des Gedankenstrichels zwischen Ja, und wieder ja, — und nein, Herr

Hauptmann, ja und nein? Ist das Nein am Ja oder das Ja am Nein Schuld? Ich will drüber nachdenke."

Die Steigerung des Wechselgesprächs hat dazu geführt, daß zum ersten Mal ganz klar in Woyzeck sich die balladische Bewegung zum Urdrama formiert, zur Entscheidung zwischen Ja und Nein. Es gibt ein Wort Gerhart Hauptmanns zum „Urdrama", das lautet: „Die menschliche Sprache enthält das Ja und enthält das Nein ... In diesem Ja und Nein haben wir die ersten Akteure des menschlichen Urdramas ... Der Dialog der beiden Mächte beginnt im Kinde, wenn das Denken beginnt, und er endet im Tode ..." Es ist das Wort eines Praktikers, der seine dramatischen Ersteindrücke im Naturalismus begann. Büchner gibt seinem Woyzeck, unter dem Schrecken über die Untreue seiner Frau, einen Vorstoß ins Bewußtsein, wo sich der von Angstdämonen Gehetzte auf seine Verantwortlichkeit zwischen Ja und Nein zubewegt.

An den Schluß der drei Gespräche mit den Vertretern der bürgerlichen Gesellschaft gestellt, zeichnet sich die Wende im Schicksal Woyzecks ab. Büchner hat seinem Helden stärkere plastische Konturen gegeben. Am Gegensatz von Mann zu Mann verstärken sich im Sozialgefüge die elementaren Grundzüge seines ins Unbewußte abgedrängten Charakters. Die Bilder, die im Dialog dem Hauptmann durch Woyzecks Wesen aufgenötigt werden, deuten die schneidende Härte an: „wie ein offenes Rasiermesser", an dem man sich schneidet. Augen, die den eignen Vorgesetzten „erstechen". Welche Kühnheit liegt in dem Bild, mit dem Woyzeck seine letzte Antwort zusammenfaßt: in den festen groben Himmel einen Kloben einzuschlagen, um sich daran anzuklammern mit der Entscheidung zwischen Ja und Nein. Büchner will seinen Helden nicht als den Nur-Gehetzten sehen, nicht als den rein passiven Helden. Er gibt ihm die Einsicht, daß der Kloben in den Himmel eingeschlagen werden muß, um zwischen Himmel und Hölle sich die Entscheidung abzuringen: Ja oder Nein.

Wir spüren hier den symbolischen Kosmos, der den Dichtern aufgegeben ist, auch wenn es wie bei Büchner nur um den Mann der geschundenen Einfalt geht, auf den die Gebildeten mit allen Registern der Überlegenheit und des geistigen Hochmuts heruntersehen.

Sowohl die Messer-Metaphern wie das Bild vom Kloben, der in den Himmel zu treiben ist, machen die Szene zum tragenden Pfeiler des Woyzeck-Dramas. Die Historisch-Kritische Ausgabe von

1968 erweist sich hier denen überlegen, die die Szene im Anhang drucken. Klaus Zobels Folgerungen aus der „inneren Form" 1959 bestätigen mit der Messer-Symbolik die Bedeutung der Szene im symbolischen Kosmos dieser Dichtung.

Es bleibt aber festzuhalten, daß die drei großen Gesprächsszenen nur Kontrastszenen sind, den Fluß der Eifersuchtsballade aufzustauen, in den breiteren sozialen Rahmen zu stellen und erst am Schluß den Vorstoß in die dramatische Bewegung zu vollziehn.

Unzweifelhaft folgt auf das erste Gespräch des Hauptmanns mit dem rasierenden Woyzeck die Kurzszene, in der sich Marie und Tambour einig geworden sind. Mit wenigen monumentalen Metaphern steigert Büchner hier den Eros zur Begegnung zweier Raubtiere, über jedes pornographische Detail hinweg. Marie fällt die führende Rolle zu:

Tambour-Major:	Marie!
Marie:	(ihn ansehend mit Ausdruck): Geh einmal vor dich hin! — Über die Brust wie ein Rind, und ein Bart wie ein Löw. So ist keiner! — Ich bin stolz vor allen Weibern!

Der Tambour-Major bewährt seine grenzenlose Eitelkeit dadurch, daß ihm nichts einfällt, als seine Sonntagsausgabe mit Federbusch und weißen Handschuhen. „Donnerwetter, Marie, der Prinz sagt immer: Mensch, er ist ein Kerl!"

Marie (spöttisch): „Ach was! (tritt vor ihn hin): Mann!"

Für Marie ist der Prinz nur ein Anlaß, den Eitlen zu verspotten. Was sie will, ist der „Mann". Den ruft sie an! Abermals fällt dem Tambour nichts ein als was ihm schon im Gespräch mit dem Unteroffizier durch den Kopf gegangen war: „Und Du bist auch ein Weibsbild. Sapperment, wir wollen ein Zucht von Tambour-Majors anlegen. He?"

Was Marie an ihm abstößt und anzieht, wird im Schluß der Szene auf den knappsten Ausdruck gebracht.

Als er sie umfaßt, ist sie verstimmt: „Laß mich!"

Tambour-Major:	„Wild Tier!"
Marie:	(heftig) „Rühr mich an!"
Tambour-Major:	Sieht Dir der Teufel aus den Augen?
Marie:	Meintwegen. Es ist Alles eins.

Maries Überlegenheit gegenüber dem Exemplar Mann ist ebenso eindeutig wie ihre Lust, sich dem Teufel zu übergeben, den er in ihren Augen sieht.

Das Gespräch mit dem Doktor schafft den nächsten eisigen Kontrast. Zugleich muß diesem Gespräch das dritte folgen, in dem der Hauptmann Woyzeck aufschreckt mit der Liebschaft seiner Frau. Unmittelbar danach folgt dann die Szene: Marie-Woyzeck. Diese Szene ist in zwei Formen überliefert. Die ältere spielt noch zwischen Franz und Luise. Ihr erster Teil ist durch die spätere Fassung überholt. Paul Landau hatte 1909 den Mut, beide Fassungen zu kontaminieren. Bergemann hat sich an Landau angeschlossen. Die Historisch-Kritische Ausgabe gibt in der Synopse beide nebeneinander. Man muß aber hier zu einem Entschluß kommen. Wir geben zuerst die späte Fassung.

Woyzeck (sieht sie starr an, schüttelt den Kopf): Hm! Ich seh nichts, ich seh nichts. Oh, man müßt's sehen, man müßt's greifen könne mit Fäusten.
Marie (verschüchtert): Was hast du Franz? Du bist hirnwütig, Franz.
Woyzeck: Eine Sünde so dick und so breit. Es stinkt, daß man die Engelchen zum Himmel hinaus rauche könnt. Du hast ein rote Mund, Marie. Keine Blase drauf? Adieu, Marie du bist schön wie die Sünde. — Kann die Todsünde so schön sein?
Marie: Franz, du redst im Fieber!
Woyzeck: Teufel! — Hat er da gestande, so so?
Marie: Dieweil der Tag lang und die Welt alt ist, könn viel Mensche an eim Platz stehn, einer nach dem andern.
Woyzeck: Ich hab ihn gesehn!
Marie: Man kann viel sehn, wenn man zwei Auge hat und man nicht blind ist und die Sonn scheint.
Woyzeck: Mit diesen Augen!
Marie (keck): Und wenn auch.

Woyzeck hat in dieser Szene die Oberhand, als der Kindsvater, der Marie zur Verantwortung zieht. Offen klagt er sie der „Todsünde" an, daß sie sich mit dem andern eingelassen hat. Es ist ganz Woyzecks Bildsprache: „Es stinkt, daß man die Engelchen zum Himmel hinausrauche könnt." Erst ganz am Schluß hat die überraschte Marie sich gefangen: „Und wenn auch."

Hier nun bietet die ältere Fassung einen Schluß, für den im Handschrifttext der späteren Fassung noch Raum freigelassen ist. Woyzeck geht auf Marie los und drückt seine zornige Verachtung in dem einzigen Wort aus: „Mensch!". Die Antwort, die Marie darauf gibt, ist so unmittelbar eingepaßt in das Gesamtgefüge, daß sie Büchner nicht unterdrückt haben kann. Ebenso ist es mit Woyzecks Antwort!

Marie: Rühr mich an, Franz! Ich hätt lieber ein Messer in de Leib, als dei Hand auf meine. Mei Vater hat mich nicht angreifen gewagt, wie ich 10 Jahr alt war, wenn ich ihn ansah.

Woyzeck: Weib! — Nein, es müßte was an dir sein! Jeder Mensch ist ein Abgrund, es schwindelt einem, wenn man hinabsieht. Es wäre! Sie geht wie die Unschuld. Nun Unschuld du hast ein Zeichen an dir. Weiß ichs? Weiß ichs? Wer weiß es?

Maries Antwort gibt ihr die ihr eigne Überlegenheit zurück. Schon einmal hat sie sich selbst zugeflüstert: „Ich könnt mich erstechen!" Damals war die Liebschaft mit dem Tambour erst im Anfang. Um so natürlicher wirkt es, wenn sie vor Woyzeck jetzt die schreckliche Formel dahin steigert, daß sie lieber ein Messer in den Leib will, als daß Woyzeck sie nochmals berühren darf. Schlimmer kann sie die Fremdheit nicht treiben, die sie zwischen sich und Woyzeck legt.

Woyzecks Antwort malt das Entsetzen, das ihn ergriffen hat. „Jeder Mensch ist ein Abgrund!" Und trotzdem ist seine natürliche Güte und Gerechtigkeit so groß, daß er angesichts ihrer unmittelbaren Natur, ihrer Aura von Unschuld und Ursprünglichkeit, wieder an der kompakten Schuld zu zweifeln beginnt. „Nein, es müßte was an dir sein!"

Das ist die Zweifelsunruhe, die Woyzeck durch die nächsten Szenen treibt. In der Wachtstube führt er sein Gespräch mit Andres, der ein erotisches Volkslied singt, vierte Strophe vom „Wirtshaus an der Lahn". („Frau Wirtin hat 'ne brave Magd.") Diesmal betont Andres seinen Gleichmut, während Woyzeck wiederholt: „Ich muß hinaus!" Es ist Sonntag, Andres berichtet: „Vorhin sind die Weibsbilder hinaus; die Mensche dampfe, das geht." Woyzeck sieht sie schon tanzen. „Tanz, Tanz! Wird sie heiße Händ habe. Verdammt." Andres will ihn zurückhalten: „Mit dem Mensch!?" Woyzeck soll sich überlegen, ob sich die Erregung lohnt. Aber Woyzeck ist nicht zu halten. Hier ist es, wo Andres ihn zum ersten Mal einen Narren nennt.

Die erste Wirtshausszene ist um zwei Handwerksburschen erweitert. Im Chor wird gesungen: „Ein Jäger aus der Pfalz." Altes Jägerlied. („Ein Jäger aus Kurpfalz.") Büchner stellt mit einfachsten

Mitteln eine Gemeinschaftsszene her. Einer der Handwerker singt ein Landsknechtslied, abgewandelt: „Meine Seele stinkt nach Brandewein." Die ganze Szene gibt nur den Rahmen für den Augenblick, wo Woyzeck durchs Fenster die Tanzenden beobachtet. „Er! Sie! Teufel!" Woyzeck hört Marie im Tanz sprechen „Immer, zu, immer zu." Jetzt hat er Gewißheit. Einsam auf seiner Bank sitzt er und hadert mit der Unzucht in der Welt! „Warum bläst Gott nicht die Sonn aus, daß alles in Unzucht sich übernander wälzt. Mann und Weib, Mensch und Vieh?" Ihn verfolgt der Eindruck, wie der Tambour an Marie herumstreicht. „Er hat sie, wie ich zu Anfang!"

Büchner treibt einen besonderen Kontrast in die Szene. Der eine Handwerksbursch parodiert eine Predigt: er parodiert die beste der möglichen Welten. In Woyzecks Seele mag er die Frage treiben: „Warum ist der Mensch? Von was sollte der Soldat leben, wenn Gott ihn nicht mit dem Bedürfnis, sich totzuschlagen, ausgerüstet hätte?"

Auf freiem Feld verfolgt Woyzeck der Ruf: „Immerzu, immerzu." Und schon hört er Stimmen: „Stich, stich die Zickwolfin tot! Stich tot! tot!" Neben Andres im Bett in der Kaserne verfolgt ihn der Ruf. („Es zieht mir zwischen den Augen wie ein Messer.")

Büchner hat nun noch eine vierte Kontrastszene geschrieben, der Doktor tritt als Professor auf vor Studenten, vom Dach her doziert er. Der Sinn der Kontrastszene kann nur sein, Woyzeck noch einmal im Zustand einer brutalen Erniedrigung zu zeigen, ehe er selber das Messer in die Hand nimmt. Woyzeck muß den Studenten vormachen, wie man mit den Ohren wackelt. Als Woyzeck, dem vor den Augen dunkel wird, zögert, brüllt ihn der Professor an: „Bestie, soll ich dir die Ohren bewegen?" Und zu den Studenten: „So meine Herren, das sind so Übergänge zum Esel!" Büchner hat hier Erfahrungen verarbeitet, die er als Gießener Medizinstudent bei einem Professor Wilbrand erlebte (1834). Die Szene trägt zu Woyzecks Charakterisierung selbst nicht viel bei. Nur Woyzecks Tierliebe zeigt sich beim Auffangen der Katze. („Er greift die Katze so zärtlich an, als wärs seine Großmutter.") Auch ein leiser Hohn Woyzecks ist durchzuspüren, wenn er feststellen soll, was die Katze tut, und nur sagt: „sie beißt."

Die Kontrastszene ist aber von Paul Landau, von Bergemann und Lehmann aufgenommen. Sie erhält ihre besondre Rechtfertigung dadurch, daß jetzt im Eifersuchtsdrama die Szene der schlimmsten Erniedrigung Woyzecks folgt. Der genaue Einschub der Kontrastszene ist in den Ausgaben verschieden. Wir stellen ihr noch die Kurzszene voraus, die ein Gespräch: Woyzeck mit Andres festhält. Dies Gespräch ist von Büchner in zwei Abwandlungen entworfen, die beide gut aufeinander folgen können. (Bergemann bringt die erste nur in den Paralipomena, auch bei Lehmann ist sie in der letzten Lesefassung verschwunden.)

Das erste Gespräch spielt sich, wie die Kurzszene „Nacht", im Kasernen-Bett ab. Woyzeck erzählt Andres den Traum, der sich ihm aufgedrängt hat.

> „Ich hab kei' Ruh, ich hör's immer, wie's geigt und springt, immer zu! immer zu! Und dann wann ich die Augen zumach', da blitzt es mir immer, es ist ei groß breit Messer und das liegt auf eim Tisch am Fenster und ist in einer eng dunkel Gaß und ein alter Mann sitzt dahinter. Und das Messer ist mir immer zwischen den Augen." Andres sagt nur: „Schlaf, Narr!"

Büchner wollte Woyzecks inneren Entscheid im Unbewußten vorbereiten, hellsichtig träumt er voraus, wo er das Messer, das er braucht, am ersten erhalten wird.

Das andre Gespräch findet am Tage statt, auf dem Kasernenhof. Woyzeck fragt Andres aus, was der Nebenbuhler gesagt hat. Die Eifersucht will Nahrung haben, um sich im Mordentschluß zu befestigen.

> Woyzeck: Hast nix gehört?
> Andres: Er ist da noch mit einem Kamraden.
> Woyzeck: Er hat was gesagt.
> Andres: Woher weißt du's? Was soll ich's sagen. Nu, er lachte und dann sagt er: ein köstlich Weibsbild! Die hat Schenkel und Alles so heiß!
> Woyzeck (ganz kalt): So hat er das gesagt? Von was hat mir doch heut Nacht geträumt? War's nicht von eim Messer? Was man doch für närrische Träume hat.
> Andres: Wohin, Kamerad?
> Woyzeck: Meim Offizier Wein holen. — Aber, Andres, sie war doch ein einzig Mädel.
> Andres: Wer war?
> Woyzeck: Nix. Adies.

Beide Kurzszenen, beide nacheinander aus der ältesten Handschrift, sind von Büchner ergänzend entworfen, auf dem Weg Woyzecks zu seinem Entschluß. Schon nimmt er den Mord vorweg: „Sie war doch ein einzig Mädel!" Schon hat sie sich ihm ins Zeitlose der Erinnerung verfestigt. Alles dazwischen ist abgestreift. Kurt May spricht von den „reinsten Herzkammertönen des zartesten Gefühls."

Nun aber entwirft Büchner in der letzten Handschrift die schreckliche Szene, in der Woyzeck mit dem Tambour in der Wirtschaft zusammentrifft und im Ringkampf schmählich besiegt wird, weil ihm die Kräfte fehlen. Der vom Doktor Erniedrigte, durch das Erbsenessen geschwächt, erlebt die totale Erniedrigung. Hier gibt es kein Volkslied im Chorgesang.

Tambour-Major:	Ich bin ein Mann! (schlägt sich an die Brust) ein Mann sag ich. Wer will was? Wer kein besoffen Herrgott ist, der laß sich von mir. Ich will ihm die Nas ins Arschloch prügeln. Ich will — (zu Woyzeck) da Kerl sauf, der Mann muß saufen, ich wollt die Welt wär Schnaps, Schnaps.
Woyzeck pfeift.	
Tambour-Major:	Kerl, soll ich dir die Zung aus dem Hals ziehe und sie um den Leib herumwickle? (Sie ringen, Woyzeck verliert). Soll ich dir noch soviel Atem lassen als en Altweiberfurz? soll ich?
Woyzeck setzt sich erschöpft zitternd auf die Bank.	
Tambour-Major:	Der Kerl soll dunkelblau pfeifen. Ha, Brandewein das ist mein Leben, Brandewein gibt courage!
Einer:	Der hat sei Fett.
Andre:	Er blut.
Woyzeck:	Eins nach dem andern.

Woyzeck bekommt hier den Begriff von der Kraft, mit der ihn der Tambour bei Marie ausgestochen hat. Eine vom Branntwein geschwellte vitale Kraft, die sich in Sprache umsetzt. In Hyperbeln der Stärke ist der Tambour auf der Höhe. Mühelos strömen ihm die vulgären Gewaltvorstellungen zu. Diese Szene korrespondiert unmittelbar mit den beiden Eingangsszenen, die Woyzeck als den von Dämonen Gehetzten zeigen, Marie als die lebenstrotzende Natur, stolz auf ihr unehelich Kind. Und nun der Dritte, der in die Liebe einbricht mit Naturgewalt. Gegen den Woyzeck sich nirgends behaupten kann. Nur in einem: daß er ihm die Frau nehmen wird, die er Woyzeck fortgenommen hat. Nicht um Rache zu nehmen an Marie, die er liebt. „Sie war doch ein einziges Mädel." Nur um den Stimmen zu folgen, die ihm zurufen: „Stich die Zickwolfin tot!" Um das gespenstige „Immerzu! Immerzu!" nicht mehr zu hören, das die Lebensordnung der Woyzeckwelt stört. Zwischen Ja und Nein hat Woyzeck die Wahl getroffen und wird in Marie sich selbst zerstören. „Eins nach dem andern." Woyzecks einziges Wort.

Darnach rollen die Kurz-Szenen ab, mit denen Büchner auf die Katastrophe zielt. Eine ist vollkommen wie die andre. Büchner hat das, was wir den symbolischen Kosmos nennen, so dicht wie möglich gemacht. Nachdem in einer Reihe von Bildern die schneidende Härte vorbereitet ist, die im Raum der Woyzeckschen Dichtung den Menschen abgezwungen wird, (Marie „Ich könnt mich erstechen", „Ich hätte lieber ein Messer in den Leib" und der Hauptmann für Woyzeck: „wie ein offenes Rasiermesser", „Augen, die erstechen", Woyzeck „Stich die Zickwolfin tot") setzt sich unversehens Woyzecks Traumvorstellung von einem Messer in der eng dunklen Gaß in Wirklichkeit um. Wir treten mit Woyzeck ins Geschäft des Juden ein:

Woyzeck:	Das Pistolche ist zu teuer.
Jude:	Nu, kauft's oder kauft's nit, was is?
Woyzeck:	Was kost das Messer?
Jude:	's ist ganz, grad. Wollt Ihr Euch den Hals mit abschneiden? Nu, was is es? Ich geb's Euch so wohlfeil wie ein andrer, Ihr sollt Euern Tod wohlfeil haben, aber doch nit umsonst. Was is es? Er soll 'nen ökonomischen Tod habe.
Woyzeck:	Das kann mehr als Brod schneide . . .
Jude:	Zwee Grosche.
Woyzeck:	Da! (geht ab)
Jude:	Da! Als ob's nichts wär. Und 's is doch Geld. Der Hund.

Die Sprache ist im Geschäftsjargon auf ein Minimum reduziert. Ein Maximum an Wirkung ist erreicht. Hinter dem Jud steht nicht nur die virtuose Geschäftspraxis, die zu überreden weiß, unmerklich. Auch eine Geistigkeit, die dem starren Woyzeck überlegen ist. Der Jud durchschaut den Käufer, seine starre Verzweiflung. „Wollt Ihr Euch den Hals mit abschneiden?" „Ihr sollt Euren Tod wohlfeil haben." Sogar eine philosophische Redensart springt heraus: „Er soll einen ökonomischen Tod haben."

Unwillkürlich löst sich Woyzecks Zunge: „Das kann mehr als Brod schneide!" Aber dann wirft er sein Geld hin und ist fort. Die Enttäuschung des Jud, daß er dem Käufer sein Geheimnis doch nicht herausgelockt, heftet sich an die Gebärde, mit der das Geld hingeworfen wird. Wirklich klaffen hier zwei Weltanschauungen auseinander. Für Woyzeck ist Geld nichts an sich. Für den Jud ist es alles. Die Wut des Juden entlädt sich im Schimpfwort: „der Hund!" Was objektiv dahinter steht, wird niemand erraten: daß Woyzeck hier mit dem „Da!" seine unbewußte Revolte ausdrückt für sein geschundenes und gejagtes Schicksal, wie ein Hund.

Mit der nächsten Szene gedenkt Büchner der Frau, die dem Messer zum Opfer fallen wird, und er gibt Marie die Gloriole, die ihr im Gesamtbild zukommt.

> Marie (blättert in der Bibel): „Und es ist kein Betrug in seinem Munde erfunden." Herrgott, Herrgott! Sieh mich nicht an! (blättert weiter): „Aber die Pharisäer brachten ein Weib zu ihm, im Ehebruch begriffen, und stelleten sie ins Mittel dar ... Jesus aber sprach: So verdamme ich dich auch nicht. Geh hin und sündige hinfort nicht mehr!" (schlägt die Hände zusammen): „Herrgott! Herrgott! Ich kann nicht. — Herrgott, gib mir nur so viel, daß ich beten kann."

Wie Woyzecks erstes Wort zu Marie ein Bibelwort war, aus der Offenbarung Johannis, so greift Marie in ihrer Herzensnot zur Bibel. Sie stellt sich unter die allverzeihende Liebe Christi. Und sie spürt den Abgrund ihrer Sünde. Aber was sie mit Christus im Innersten verbindet, will sie nicht aufgeben. Noch folgt in der Szene ein zweiter Teil. Dazu hat Büchner neben dem Kind einen Narren, einen verkindschen jungen Mann, namens Karl, gestellt, der mit dem Kind und Marie auf Du und Du steht.

> (Das Kind drängt sich an Marie): Das Kind gibt mir einen Stich ins Herz. Karl! Das brüst sich in der Sonne!
> Narr (liegt und erzählt sich Märchen an den Fingern): Der hat die goldne Kron, der Herr König ... Morgen hol ich der Frau Königin ihr Kind ... Blutwurst sagt: Komm, Leberwurst ... (Er nimmt das Kind und wird still).
> Marie: Der Franz ist nit gekomm, gestern nit, heut nit. Es wird heiß hier. (sie macht das Fenster auf). „Und trat hinein zu seinen Füßen und weinete und fing an seine Füße zu netzen mit Thränen und mit den Haaren ihres Hauptes zu trocknen und küssete seine Füße und salbete sie mit Salben. (schlägt sich auf die Brust). Alles todt! Heiland! Heiland! ich möchte dir die Füße salben!"

Es ist Büchner um die Gloriole zu tun, die Marie heraushebt aus einem Dirnenschicksal. Noch fühlt sie sich ihrem Kind so verbunden, daß der Anblick des Kindes sie „ins Herz sticht". Was der Narr aus unverständlichen Märchenzitaten zusammenstammelt, soll nur andeuten, daß es eine kindliche Sphäre gibt, in die die Märchen reichen. Marie aber sucht sich den Bibeltext von der großen Sünderin und läßt die wunderbaren Bibelworte durch ihr Herz ziehen. Sie möchte es der großen Sünderin gleichtun, und sie spürt, ihr Herz ist tot. Auch hier wirken die Kontraste.

Dann erleben wir Woyzeck in der Kaserne. Es ist die letzte Szene, die ihm gegeben ist vor dem Mord. Woyzeck verteilt seine Sachen, als machte er sein Testament. Die armseligen Dinge, in denen er kramt, sind in Abschiedsstimmung getaucht.

Woyzeck: Das Kamisolche. Andres, is nit zur Montur: du kannst 's brauche, Andres. Das Kreuz is meiner Schwester und das Ringlein; ich hab auch noch ein Heiligen, zwei Herze und schön Gold — es lag in meiner Mutter Bibel, und da steht:
Herr! wie dein Leib war rot und wund,
So laß mein Herz sein aller Stund.
Meine Mutter fühlt nur noch, wenn ihr die Sonn auf die Hand scheint. Das tut nix.

Andres (ganz starr, sagt zu allem): Jawohl!

Woyzeck (zieht ein Papier hervor). Friedrich Johann Franz Woyzeck, Wehrmann, Füsilir im 2. Regiment 2. Bataillon 4. Kompagnie, geboren Mariä Verkündigung den 20. Juli — alt 30 Jahr 7 Monate und 12 Tage.

Andres: Franz, du kommst ins Lazarett. Armer, du mußt Schnaps trinke und Pulver drin, das töt das Fieber.

Woyzeck: Ja, Andres, wenn der Schreiner die Hobelspäne sammelt, es weiß niemand, wer sein Kopf drauf lege wird.

Büchner scheut sich nicht, die Gemütsregister zu ziehn, die zur Volkseinfalt gehören. Was er vorbereiten will, ist die Gemütssphäre, ohne die diese Katastrophe nichts mehr von der Urform der Volksballade haben würde. Es wäre dann ein trivialer Mord, wie beim historischen Woyzeck. Für Büchner sind es Menschen, die den Abgrund des Leids durchzumessen haben. So verteilt Woyzeck seine armseligen Habseligkeiten, an denen sein Herz gehangen hat. Und unversehens dringt aus der Bibel der Mutter ein Gesangbuchvers in den Text, der zum Ausdruck von Woyzecks Grundstimmung wird. Wir begreifen, daß die Woyzeckszene damit unmittelbar der Bibelszene Maries an die Seite tritt. Marie bleibt die verzweifelte Sünderin, deren Herz sich nicht von der Begnadung Christi ausgeschlossen findet. Woyzeck, der sein Leid bis zum bittersten Ende auszumessen hat, findet sich im Ausmaß seines Leides den Leiden Christi am Kreuz gleichgestellt. Es ist nur ein Augenblick, und Woyzeck selbst wäre unvermögend, solche Gleichung zu vollziehn. Büchner vollzieht sie für ihn, im mütterlichen Gesangbuchvers:

„Herr, wie dein Leib war rot und wund,
So laß mein Herz sein aller Stund."

Zugleich arbeitet Büchner jeder Sentimentalität entgegen. Andres begreift nichts von dem, was wirklich vorgeht. Er hat nur Mitleid mit dem Kameraden, der närrisch geworden ist und ins Lazarett gehört. Woyzeck bleibt ganz in seiner nüchternen Sphäre. Er liest sich seine Stammrolle nochmals vor. Nüchterner kann sich ein Lebenslauf nicht darstellen, als in solchem Protokoll. Auch Woyzecks Schlußwort schaut dem Tod gelassen ins Gesicht.

Aber vor der Katastrophe wird von Büchner noch ein Aufenthalt gegeben. Er führt uns vor die Haustür von Maries Kammer. Mädchen singen ein geistliches Volkslied.

„Wie scheint die Sonn am Lichtmeßtag."

Lichtmeß ist Feier zur Reinigung Mariä. Weil Simeon im Tempel über dem Christuskind die Worte sprach: „Ein Licht, zu erleuchten die Heiden" werden am Lichtmeßtag Kerzen geweiht und in der Prozession herumgetragen. Hier im Volkslied ist alles säkularisiert:

Wie scheint die Sonn St. Lichtmeßtag
Und steht das Korn im Blühn.
Sie gingen wohl die Straße hin,
Sie gingen zu zwei und zwein.
Die Pfeifer gingen vorn,
Die Geiger hintedrein.
Sie hatte rote Sock . . .

Bekannt ist dies Lied nirgends. Entweder hat Büchner es in Hessen singen hören oder er hat es selbst gedichtet. Dann hat der Lichtmeßtag seinen besonderen Sinn. Die Prozession ist hier ein Freuden-Sommerfest. Die eine, die rote Socken anhat, kann sich dann nur auf Marie beziehen. Auch sie geht in der Prozession mit, und als Mutter.

Den Kindern gefällt das geistliche Volkslied nicht. Sie bitten Mariechen zu singen. Aber Marie steht offenbar der Sinn nicht auf ein Volkslied. Sie lenkt die Kinder ab:

Kommt ihr klei Krabben!
Ringle, ringel Rosenkranz. König Herodes.

Was sie mit dem König Herodes meint, bleibt offen. Mit Herodes verbindet sich der Bethlehemitische Kindermord. Vielleicht gab es ein Schreckspiel für Kinder. Die Großmutter wird von Marie aufgefordert, ein Märchen zu erzählen. Dies Märchen ist ein Schreckmärchen schlechthin. Es beginnt ganz im Stil des Grimmschen Märchens. Wie Sonne und Mond zu Schreckfiguren werden, könnte an das Märchen von den „Sieben Raben" erinnern: da frißt die Sonne die kleinen Kinder, und der Mond ist „kalt und grausig und bös".

Was aber dem Großmuttermärchen seinen eignen Stil gibt, ist die einheitliche Trostlosigkeit, die die Märcheneinfalt unterläuft.

> „Es war einmal ein arm Kind und hat kei Vater und kei Mutter war Alles todt und war Niemand mehr auf der Welt, Alles todt, und es ist hingangen und hat greint Tag und Nacht. Und weil auf der Erd Niemand mehr war, wollt's in Himmel gehn, und der Mond guckt es so freundlich an und wie's endlich zum Mond kam, war's ein Stück faul Holz und da ist es zur Sonn gangen und wie's zur Sonn kam, war's ein verreckt Sonneblum, und wie's zu den Sterne kam, warens klei golde Mück, die waren angesteckt wie der Neuntödter sie auf die Schlehe steckt und wie's wieder auf die Erd wollt, war die Erd ein umgestürzter Hafen und war ganz allein und da hat sich's hingesetzt und geweint und da sitzt es noch und ist ganz allein."

Wären wir in einer Symphonie und nicht in der Dichtung, dann wäre dies Märchen wie ein Paukenschlag, der alles, was es an Melodien gibt im Volksmärchen, zugrundedonnert. Büchner hat sich die Großmutter aufgespart, um den tödlichen Augenblick zu durchleuchten, der dem Mord unmittelbar vorausliegt. Da zeigt sich, daß jedes Miteinander erstorben ist. Auch das Volkslied und die Kinderschar kann daran nichts ändern. Woyzeck erscheint am Schluß wie der Totenrichter selbst:

> Woyzeck: Marie!
> Marie (erschreckt): Was ist?
> Woyzeck: Marie, wir wolln gehn. 's ist Zeit.
> Marie: Wohinaus?
> Woyzeck: Weiß ich's?
> Darnach begleiten wir die beiden in die Nacht hinaus:
> Marie: Also dort hinaus ist die Stadt. 's ist finster.
> Woyzeck: Du sollst noch bleiben. Komm, setz dich!
> Marie: Aber ich muß fort.
> Woyzeck: Du wirst dir die Füß nicht wund laufen.
> Marie: Wie bist du nur auch!
> Woyzeck: Weißt du auch, wie lang es just ist, Marie?
> Marie: An Pfingsten zwei Jahr.
> Woyzeck: Weißt du auch, wie lang es noch sein wird?
> Marie: Ich muß fort, das Nachtessen richten.
> Woyzeck: Friert's dich, Marie? Und doch bist du warm. Was du heiße Lippen hast! Heiß, heiß Hurenatem. Und doch möcht' ich den Himmel geben, sie noch einmal zu

	küssen. Und wenn man kalt ist, so friert man nicht mehr. Du wirst vom Morgentau nicht frieren.
Marie:	Was sagst du?
Woyzeck:	Nix. (Schweigen)
Marie:	Wie der Mond rot aufgeht.
Woyzeck:	Wie ein blutig Eisen.
Marie:	Was hast du vor? Franz, du bist so blaß (Er zieht das Messer). Franz, halt! Um des Himmels willen, Hülfe, Hülfe!
Woyzeck:	Nimm das und das! Kannst du nicht sterben? So, so! Ha, sie zuckt noch; noch nicht, noch nicht? Immer noch (Stößt zu) Bist du tot? Tot! Tot!

Die kurzen Sätze sprechen aneinander vorbei. „Diskontinuität" nennt die Forschung das. Die Spannung, die zwischen den Sätzen hergeht, ist auf einen unendlichen Punkt gerichtet. Für Woyzeck ist der Punkt eindeutig. Es ist der Tod, den er mit dem Messer in der Hand hält. Für Marie ist es die Erwartung, was Woyzeck vorhat. Sie spürt, daß er sie noch liebt. Sie hört es aus seinen Worten: „Was du heiße Lippen hast! Heiß, heiß Hurenatem! Und doch möcht ich den Himmel geben, sie noch einmal zu küssen." Sie muß wohl denken, daß es ihr gelingen wird, ihn durch seine Liebe, durch sein gutes Herz, das sie kennt, über die Spannungen hinweg zu leiten.

Unwillkürlich ruft sie selber die Entscheidung herbei: „Was der Mond rot aufgeht." Sie wirft den Blick aus der Enge ihres unergiebigen Sprechens in die Weite des Gestirns. Als müßte der rote Mond Lebensfarbe auf sie zurückstrahlen. Aber Woyzeck sinnt auf Mord. Der rote Mond wird ihm zum Signal. „Wie ein blutig Eisen!" Die Welt hat sich ihm verfinstert. Rot ist für ihn nur noch Blut. Und so sticht er sie, bis sie tot ist. Als Leute kommen, läuft Woyzeck weg.

Wohin aber soll er laufen, der Mörder? Soll er dem Gericht in die Arme laufen? Wo alles ihn belasten muß? Büchner hat seinen Schluß nicht mehr ausführen können. Der Tod hat ihm wahrhaft die Feder aus der Hand genommen. Welche Art Schluß mag Büchner vorgeschwebt haben? Sechs Kurzszenen bereiten uns auf Woyzecks Ende vor.

Zwei Szenen ziehen sich zusammen um den Schrecken, der von der Ermordeten ausgeht.

Erste Person:	Halt!
Zweite Person:	Hörst du? Still! Da!
Erste Person:	Uu! Da! Was ein Ton.

Zweite Person: Es ist das Wasser, es ruft, schon lang ist Niemand ertrunken. Fort, 's ist nicht gut, es zu hören.
Erste Person: Uu jetzt wieder. Wie ein Mensch, der stirbt.
Zweite Person: Es ist unheimlich, so dunstig, allenhalben Nebelgrau und das Summen der Käfer wie gesprungne Glocken. Fort!
Erste Person: Nein, zu deutlich, zu laut. Da hinauf. Komm mit.

Wie kommt Büchner darauf, daß einer im Wasser ertrunken sein könnte? Ganz in die düstere Weltstimmung hinaus wirkt Büchners Sprache, wo sie zum Gleichnis greift: „und das Summen der Käfer wie gesprungne Glocken."

Die andere Szene ist reine Kinderszene:

Erstes Kind: Fort! Mariechen!
Zweites Kind: Was is?
Erstes Kind: Weißt du's nit? Sie sind schon alle hinaus. Drauß liegt eine!
Zweites Kind: Wo?
Erstes Kind: Links über die Lochschanz in dem Wäldche, am roten Kreuz.
Zweites Kind: Fort, daß wir noch was sehen. Sie tragen 's sonst hinein.

Offenbar war es Büchner darum zu tun, eine solche reine Szene der Kinderneugier einzuschieben. Es gehörte ihm zur Totalität seiner Volksballade vom eifersüchtigen Knaben, die es in überzeugende Prosa umzusetzen galt. Außerdem werden wir vorbereitet, daß die Leiche hineingetragen wird; wohin sonst als in die Anatomie?

Die größte Szene, die Büchner noch nach dem Mord angelegt hat, ist Woyzeck, dem Mörder, selbst gegeben. Wie wenn ihm jeder Verstand abhanden gekommen wäre, stürzt er sich unmittelbar nach der Tat in ein Wirtshaus, wo Trubel und Tanz seine Wirbel zieht. Sein erstes Wort verrät den vom Teufel gehetzten:

„Tanzt alle, immer zu, schwitzt und stinkt, er holt euch doch eimal Alle."

Noch spüren wir, wie ihn das „Immer zu" selbst über Maries Tod hinaus verfolgt.

Zum ersten Mal erleben wir, daß Woyzeck einen Volksliedvers singt. Nach der Hist. Krit. Ausgabe wiederholt er denselben, erotisch untertönten Vers aus dem „Wirtshaus an der Lahn", den Andres gesungen hatte: „Frau Wirtin hat ne brave Magd." Bergemann setzt dafür einen andern Vers ein, der aus einem überholten Text der ältesten Handschrift stammt. Damals war es der „Barbier", der damit eine Wirtshausszene einleitete. (Der Barbier, der später verschwindet, hat noch nichts vom künftigen Woyzeck.)

Ach Tochter, liebe Tochter,
Was hast du gedenkt,
Daß du dich an die Landkutscher
Und die Fuhrleut hast gehenkt.

Es hat etwas Überzeugendes, daß Woyzeck nach dem Mord an Marie etwas andres zu singen weiß, als die Wiederholung des Andresverses. Der Vers klingt brutaler, bösartiger, teuflischer, wenn man ihn mit Maries Gestalt verbindet. Woyzeck verrät, wie sehr er außer Rand und Band geraten ist. Er widmet sich jetzt einer Käthe, die wohl zum Wirtshauspersonal gehört und der gegenüber er jede Scheu ablegt:

(Er tanzt) So Käthe! setz dich! Ich hab heiß, heiß (er zieht den Rock aus) es ist einmal so, der Teufel holt die eine und läßt die andre laufen. Käthe du bist heiß! Warum denn? Käthe du wirst auch noch kalt werden. Sei vernünftig. Kannst du nicht singen?

Aus den sprunghaften Kontrasten heiß und kalt ist die Verzweiflung herauszuhören. Wer genauer zuhören wollte, müßte einen Schrecken bekommen. Käthe wählt sich die letzte Strophe des bekannten Volkslieds aus, das beginnt: „Auf dieser Welt hab ich keine Freud." Es ist, als wollte sie einen Abstand gegen Woyzeck betonen, wenn sie ihren Dienstmagdcharakter unterstreicht.

Ins Schwabeland das mag ich nicht.
Und lange Kleider trag ich nicht,
Denn lange Kleider spitze Schuh,
Die kommen keiner Dienstmagd zu.

Woyzeck geht auf den Text ein, wieder bekommt das, was er hinzufügt, etwas Unheimliches:

Nein, keine Schuh, man kann auch ohne Schuh in die Höll gehn.

Käthe bewährt sich als schlagfertige Volksliedkennerin. Sie antwortet aus der abgewandelten vierten Strophe desselben Liedes:

O pfui, mein Schatz das war nicht fein,
Behalt dei Thaler und schlaf allein.

Woyzecks Antwort hat etwas Schrecklich-Verräterisches: „Ja, wahrhaftig! ich möchte mich nicht blutig machen." Eben damit verrät er sich auf andre Weise. Käthe entdeckt Blut an ihm. Die Leute werden aufmerksam. Woyzeck verheddert sich. „Ich glaub, ich hab mich geschnitten da an der rechten Hand." Der Wirt schaltet sich ein: „Wie kommts aber an den Ellenbogen?" Woyzeck: „Ich habs abgewischt!" Wirt: „Was? mit der rechten Hand? an den rechten Ellenbogen? Ihr seid geschickt!" Büchner führt an dieser Stelle nochmals den Narren ein, um der andern Dimension willen. Er spricht aus der Märchenwelt.

> „Und da hat der Ries gesagt: Ich riech Menschenfleisch. Puh, das stinkt schon." Als witterte der Narr den Mörder! Woyzeck ist jetzt so aufgewühlt, daß er sich öffentlich selbst verrät:
> „Teufel, was wollt ihr? Was gehts euch an? Platz! oder der erste — Teufel! Meint ihr ich hätt Jemand umgebracht? Bin ich Mörder? Was gafft ihr! Guckt euch selbst an! Platz da!"

Woyzeck bleibt nichts mehr übrig, als fortzulaufen. Büchner hat mit der Szene ganz deutlich gemacht, daß Woyzeck mit seinem unbewußten Verlangen nach Gesellschaft, in der er mit Teufel, Hölle, Mörder um sich wirft, wirklich einem Manne gleicht, der den Kloben in den Himmel geschlagen hat, um daran sich mit seinem Mordentschluß aufzuhängen. Er hängt sozusagen zwischen Himmel und Hölle und hat den Sinn für menschliche Zusammenhänge verloren.

Wo soll er nun hin? Nachdem er sich sagen muß, daß sich der Mord wie ein Lauffeuer verbreiten wird und daß aller Verdacht auf ihn fallen muß?

Überraschend taucht er plötzlich nochmals zu Hause auf. Es ist eine Kurzszene, die auf einem Sonderblatt überliefert ist, zusammen mit dem „Hof des Doktors". Sie steht also außerhalb aller sonstigen Planung.

Wir finden abermals das Kind mit dem Idioten zusammen, der schon einmal beim Kinde war, als Marie in der Bibel ihren Trost suchte. Damals ging es Büchner um den Kontrast zwischen verspielter Märchenwelt und dem tödlichen Ernst der Bibelsprache. Diesmal greifen die Kontraste tiefer:

Karl	(hält das Kind vor sich auf dem Schoß.) Der is in's Wasser gefallen, der is in's Wasser gefalln, der is in's Wasser gefalln.
Woyzeck:	Bub, Christian.
Karl	(sieht ihn starr an) Der is in's Wasser gefalln.
Woyzeck	(will das Kind liebkosen, es wendet sich weg und schreit): Herrgott!

Karl:	Der is in's Wasser gefalln.
Woyzeck:	Christianche, du bekommst en Reuter, sa, sa (Das Kind wehrt sich. Zu Karl): Da kauf dem Bub en Reuter.
Karl	(sieht ihn starr an)
Woyzeck:	Hop, hop! Roß.
Karl	(jauchzend) Hop! hop! Roß! Roß! (läuft mit dem Kind weg).

Das Auffälligste, was durch den Narren in die Szene kommt, ist das fünffache Wiederholen vom „Ins-Wasser-Fallen". Es ist ein Fünf-Finger-Abzähl-Liedchen für Kinder. Die Wirkung zielt weit darüber hinaus.

Die kurze Narrenszene bringt Woyzeck eine schreckliche Erkenntnis: sein Christianche schrickt vor ihm zurück. Und der Narr schaut so starr, als säh er ihm den Mord an. Wohl behält Woyzeck sein gutes Herz, er gibt dem Narren Geld, dem Kind einen Reiter zu kaufen. Aber Narr und Kind laufen vor ihm fort. Eins mußte sich Woyzeck einprägen: das monotone Gesinge des Narren: „Der is ins Wasser gefalln." Merkwürdig eindringlich verstärkt Büchner die Vorstellung vom Wasser. Als zöge dies Element Woyzeck an.

Zwei Szenen bleiben uns noch: Woyzeck allein. Er ist zum Ort der Tat zurückgestürzt und hebt das Messer auf, das er fortgeworfen hat. Noch einmal schaut er die gemordete Geliebte an:

> „Das Messer? Wo ist das Messer? Ich hab es da gelassen. Es verrät mich! Näher, noch näher! Was ist das für ein Platz? Was hör ich? Es rührt sich was. Still. Da in der Nähe. Marie? Ha Marie! Still! Alles still! Was bist du so bleich, Marie? Was hast du eine rote Schnur um den Hals? Bei wem hast du das Halsband verdient? mit deinen Sünden? Du warst schwarz davon, schwarz! Hab ich dich jetzt gebleicht? Was hänge die schwarze Haar so wild? Hast du die Zöpfe heut nicht geflochten? Da liegt was! kalt, naß, stille. Weg von dem Platz. Das Messer, das Messer, hab ich 's? So! Leute. — Dort."

Es ist ein Stil der Auflösung. Die kurzen Sätze, Ausrufe, Fragen an die Tote, ins Nichts hinein, sind wie die letzten Verzweiflungsrufe eines, der sich selber aufgegeben hat. Unmittelbar geht die Szene in die nächste über, die letzte, die Woyzeck beschieden ist: Woyzeck findet sich vor einem Teich. Er wirft das Messer hinein und geht ihm nach. Er will sich vom Blut waschen und spürt überall Flecken Blut.

> „So, da hinunter! (Er wirft das Messer hinein). Es taucht in das dunkle Wasser, wie ein Stein! Der Mond ist wie ein blutig Eisen!

Will denn die ganze Welt es ausplaudern? Nein, es liegt zu weit vorn, wenn sie sich baden (er geht in den Teich und wirft weit) so jetzt. — aber im Sommer, wenn sie tauchen nach Muscheln, bah es wird rostig. Wer kanns erkennen — hätt ich es zerbrochen! Bin ich noch blutig? ich muß mich waschen. Da ein Fleck und da noch einer."

Die Auflösung ist weiter fortgeschritten. Angst vor der Entdeckung treibt ihn, das Messer immer weiter zu werfen. Angst treibt ihn, sich vom Blut zu waschen. Noch einmal wiederholt er das Bild: „Der Mond ist wie ein blutig Eisen!" Darunter ist Marie zugrundegegangen. Darunter wird auch Woyzeck zugrundegehen.

Wie Woyzeck zugrundegeht, hat Büchner nicht mehr dargestellt. Er hat auch nicht mehr hinzugefügt, daß Woyzeck ins Wasser immer weiter hineingeht und ertrinkt. Er hat nur durch eindringliche Stimmungssymbole deutlich gemacht: daß schon lange keiner im Wasser ertrunken ist, und daß der Narr immer wiederholt, wie in einer Zwangsvorstellung: „Der is ins Wasser gefalln." Damit werden wir auf eine Spur gewiesen: Es ist wie in der Apokalypse: „Und der Engel tat den Brunnen des Abgrunds auf." Woyzeck stürzt es in den Brunnen des Abgrunds. Und in ihm selber mag noch das Wort nachhallen, das ihn im Anblick seines ungetreuen Weibes überfällt: „Jeder Mensch ist ein Abgrund, und es schwindelt einem, wenn man hinabsieht."

Sollte aber das Drama so rein balladisch enden? Dem widersprechen die vier größeren Szenen, die alle der schärfsten Gesellschaftskritik dienen, die den Gang des balladischen Geschehens verzögern und die im Streitgespräch zugleich das Rebellische in Woyzeck verstärken.

Hier ist nun noch ein Szenen-Fragment erhalten geblieben, es war ans Ende der ältesten Handschrift gesetzt und deutet auf den ursprünglichsten Plan:

Gerichtsdiener. Barbier. Arzt. Richter.
Gerichtsdiener: Ein guter Mord, ein ächter Mord, ein schöner Mord, so schön als man ihn nur verlangen tun kann, wir haben schon lange so kein gehabt.
Barbier. Dogmatischer Atheist. Lang, hager, feig, schlecht, Wissenschaftler.

Es ist wie ein Blitz, der Büchners letzte Vision erhellt. Hans Winkler hat in seiner Woyzeck-Dissertation 1925 auf einen Fall Dieß hingewiesen, der 1830 seine Geliebte, Mutter seines Kindes, erstach, weil sie ihn nicht heiraten wollte. Dieser Dieß starb im

Zuchthaus 1834; sein Leichnam wurde der Anatomie in Gießen überwiesen, wo Büchner Medizin studierte und Anatomie belegte. Büchner hatte mit 17 Jahren den Fall Dieß miterlebt, und so mochte es ihn erinnern, als er die Leiche mit in der Anatomie zu verarbeiten hatte. Damals mochte Büchner bereits den Woyzeck-Plan in sich bewegen. Dann könnte es sein, daß Büchner sein Drama vom Ende her konzipierte, so wie Goethe seinen „Urfaust" nach Roethe vom Ende her, von der Kerkerszene her. Büchner sah als Schlußszene einen Anatomiesaal, in dem nebeneinander die beiden Leichen lagen, die ermordete Marie und der ertrunkene Woyzeck. Die Mordkommission wird dann abgelöst von der ärztlichen Wissenschaft, die im Geist des Doktors und des Hauptmanns sich mit den beiden Toten beschäftigt. Die Figur des „Barbiers", der so genau charakterisiert wird, gab dann als dogmatischer Atheist den Stil der Gespräche her, an denen Büchner seine Anklage gegen die Welt im Geist Woyzecks zur gottesgerichtlichen Härte steigern konnte. Nicht also ein Gerichtsverfahren wie beim historischen Woyzeck, sondern, angesichts der beiden Leichen, die Darstellung eines Gottesgerichts.

Paul Landau hat bereits 1909 in seiner Einleitung zu Büchners Werken das „Finale" so zusammengezogen: „Zwei grelle kontrastierende Schlußszenen, die das Stück schrill und abgerissen aushallen lassen, bilden das Finale: das nach dem Mord der Eltern ahnungslos spielende, lustig rufende Kind, und das Triumvirat des Chirurgen, Arztes und Richters, die vor den beiden Leichen im Seziersaal ihre platten Witze und alltäglichen Bemerkungen machen."

Dieses Ende aber besitzen wir nun nicht, und wir haben keinen Dichter, der Büchners Vision die letzte Gestalt geben könnte. Trotzdem hat „Woyzeck" die Bühnen erobert und die komplexe Wirkung war so groß, daß zwei geradezu entgegengesetzte Verkörperungen der Hauptgestalt sich durchsetzen konnten: Albert Steinrück spielte den „verhinderten Revolutionär", die vom Druck der Umwelt, von der Last der Visionen zusammengekrümmte Proletarier-Existenz, die die Revolte in sich hat, auch nachdem er sein Blutbad angerichtet an der, die er liebt, und sich dem Abgrund zuwirft, als dem letzten Leidensgrund. Eugen Klöpfer dagegen spielte ganz und gar den passiven Helden, das Urbild des Leidens, die Kinderseele, die mit dem Starrsinn des Kindes mordet, einer Marionette vergleichbar. Möglich sind solche Wirkungen nur, weil Büchner nichts als „Leben" wollte, keinerlei Idee, und so viel dichte Wirklichkeit bis ins einzelne Wort, daß Woyzeck immer in seiner Atmosphäre steht, unheimlich, unausschöpfbar, auch in den Sprüngen und Würfen, die seinen unterschwelligen Geist bewegen, jenen rätselhaften Figuren vergleichbar, die er an den Schwämmen vermutet. Darum fanden wir uns genötigt, jede Szene genau durchzugehen und Büchners Hinweisen fast pedantisch zu folgen, aus denen sich seine Vision vom Ganzen aufbaut.

Hier scheint uns richtunggebend die Folge der Kontrastwirkungen, an denen im schnellen Ablauf sich die Konturen Woyzecks immer plastischer abzeichnen nach der eignen Tiefe hin. Die Groß-Kontraste arbeiten den Gegensatz der Klassen heraus, sie geben Büchners rebellischem Geiste Raum und liefern die Umrisse des Weltbilds, in dessen Mitte Woyzeck und Marie stehen. Beide gehören zur unteren Schicht, die Büchner mit Liebe gezeichnet hat. Um den Hauptmann und den Doktor singen keine Volkslieder mehr, auch die Bibel schließt sich nicht mehr auf. Nur Langeweile, Kälte, Herzensroheit, beim Hauptmann durch dumpfe Spießigkeit überdeckt, richten sich selbst. Leben quillt nur auf im Untergrund, wo Armut herrscht, wo der Füsilier Woyzeck die Groschen zusammenverdient für Frau und Kind, wo sich ihm alle Energie nach Innen geschlagen hat, in Angstvisionen, aus der Offenbarung Johannis genährt, in Bilder, die sich zur Wehr setzen gegen den Bürger-Hochmut, mit wachsendem Eigensinn. Aber was das Schicksal ihm zumutet, geht über seine Kraft. Die Frau, für die er sich schindet, ist die stärkere Natur. Während er sich vermindert, den Leib für Arztexperimente verkauft, fällt sie dem Kerl zu, den sich die Stadtmiliz als eine Art Schmuckbullen leistet, dem Tambourmajor. Alles spielt sich nun zwischen Marie und Woyzeck ab. Es ist die Volksballade vom eifersüchtigen Knaben, von der falschen Liebe, aber aus dem Balladenrhythmus in die Nüchternheit der Proletarierexistenz geworfen. Im grellen Licht der Kontraste folgen sich die Kurzszenen als Schreckbilder auf den Untergang zu. Langsam gewinnt das Bild vom Erstechen zusammenziehende Kraft. Die Metapher vom offenen Rasiermesser setzt sich in Woyzecks Träumen um, bis zum wirklichen Messer in der Hand, das die Frau ersticht, die selber lieber ein Messer in den Leib gewollt als noch einmal seine Hand auf ihrer Hand. Was wir hier als die zusammenziehende Kraft des Symbols begreifen, ruft sich zugleich aufschließende Kräfte des Symbols heran. Hier erst bewährt sich die Büchnersche Gesamtvision. Was er uns in beiden aufschließt, die hier ihr Schicksal

durchlieben und durchleiden, mißt die Tiefen einer Einfalt aus, die der dargestellten Bürgerwelt verloren gegangen ist. Die Stimmen, die Woyzeck hört, die Untergangsvisionen aus der Offenbarung, verzeichnen wie ein Seismograph die Erschütterungen im Weltraum. Es ist nicht der marxistische Klassenkampf, den er heraushört. Aber er trifft die Vorboten, wenn er sagt: „Ich glaub, wenn wir in den Himmel kämen, müßten wir donnern helfen." Und er dringt tiefer als die Marxisten, wenn er sagt: „Jeder Mensch ist ein Abgrund, es schwindelt einen, wenn man hinabsieht." Denn hier ist der Mensch zugleich wieder vor seinen Gott gestellt, der Grund und Abgrund in einem ist. Der Marxismus aber bleibt, wie Teilhard de Chardin es ausgedrückt hat: „ein Universum ohne Herz." Daran schließt sich für Woyzeck noch etwas auf. Eines ist ihm nicht beschieden, nach dem Mord zur Einsicht zu reifen wie der Volksballadenmörder: „Ach, reicher Gott vom Himmel! Wie bitter ist mir der Tod!" Woyzeck im Wirtshaus ist wie vom Teufel gehetzt. Danach hetzt ihn die Angst zum Messer und zur Toten zurück. Durch irre Worte hetzt sie ihn ins Wasser und sein letzter Blick ist der Mond, das blutige Eisen am Himmel über den Menschen. So geht er zugrund, kein Revolutionär, ein Verzweifelter. Alles Leid schlägt über ihm zusammen, der sein Liebstes erstochen hat. Nichts hat Büchner ihm erspart. Nur den Bibelvers mitgegeben:
„Herr! wie dein Leib war rot und wund,
So laß mein Herz sein alle Stund."

Sein ganzes Leidensleben müssen wir überschaun. Da bleiben zwei Worte haften: „Aber, Andres, sie war doch ein einzig Mädel!" Da ist ihr Tod schon in ihm beschlossen. So unabänderlich, wie sie in ihm fortlebt. Und als er ihrer Untreue gewiß ist: „Sie geht wie die Unschuld. Nun, Unschuld, du hast ein Zeichen an dir!" Und doch schwindelt ihm vor dem Abgrund in der Seele. Es ist die Paradoxie der Liebe, die nicht aufhört, das Ganze zu lieben, auch wo Sünde, Schuld, Entfremdung aufgestanden sind. Hier lebt fort, was Eugen Klöpfer als Woyzecks „Kinderseele" gespürt hat. Das bleibt dem Mörder zugelegt, der geschundenen Einfalt.

Marie behält ihre Natur in allem, was sie tut. Sie spürt die Gewalt des Eros als Kraft, als Teufel, und sie übergibt sich ihr. Aber sie schlägt sich an die Brust, über dem Bibelwort von der großen Sünderin, sie trinkt die Allmacht des Bibelworts in sich ein, auch wenn der Trost nicht in ihr dauern kann.

Was sich in beiden Fällen aufschließt, ist eben das, was von der Volkseinfalt der alten Ballade noch in ihnen fortlebt, unzerstörbar, wenn auch abgesunken und zerschunden, in einer veränderten Zeit. Noch werden Volkslieder gesungen und ziehen mit ihren Melodien durch den proletarischen Tag. Alle Variationen Volkslieder vom Scherzlied zum zynischen bis zum religiösen Lied. Die Gewalt der Volksballade wird nicht mehr gesucht. Nur unwillkürlich wird sie im eignen Schicksal durchgelebt, durchgelitten. Dafür hat Büchner seinen symbolischen Kosmos aufgerichtet, und er hat noch zwei Höhepunkte hineingearbeitet, die unübersehbar sind. Für beide Pole, um die die Handlung kreist, den männlichen und den weiblichen Pol. Woyzeck reicht mit seinen Diensten in die Welt des Hauptmanns, des Doktors hinein. Am Wechselgespräch wird er sich seines Grundwesens schärfer bewußt und drückt es in Bildern aus. Als der Hauptmann auf Maries Untreue anspielt, und als der Doktor Woyzecks Erregung zu analysieren beginnt, steigert sich die Revolte in ihm zu einem Bild.

> „Wir habe schön Wetter, Herr Hauptmann. Sehn Sie so ein schön festen groben Himmel, man könnte Lust bekomm, ein Kloben hineinzuschlagen und sich daran zu hänge, nur wege des Gedankenstrichels zwischen Ja und wieder ja und nein, Herr Hauptmann, ja und nein. Ist das Nein am Ja oder das Ja am Nein Schuld? Ich will drüber nachdenke."

Wir haben das schon ausgedeutet, als den urdramatischen Akt, der sich in Woyzecks Bewußtsein aus Protest emporringt. Es ist der männlichste Augenblick in Woyzecks armem Leben, der Entschluß zum Ja als Ja zum Tod, zum Mord am geliebtesten Leben, daran er sich selbst zerstört. Das ist die tragische Wendung, die Woyzecks Weltrevolte nimmt.

Der weibliche Pol kann nicht in einer Steigerung Mariens liegen, die in ihr Schicksal verfangen bleibt. Da tritt die Großmutter ein mit ihrem Märchen, das sich als Schreckmärchen entwickelt. Es ist der Schrecken, daß jedes Miteinander erstorben ist. Nicht nur die Märchenwelt, die Welt der Kinder, stirbt, auch die Welt des Volkslieds, jedes Gesprächs, jeder Regung von Seele zu Seele. Nichts ist mehr als das Kind auf der Erd auf einem umgestürzten Hafen, weinend und allein.

So hat Büchner den Fall des Mörders Woyzeck in einen symbolischen Kosmos der Dichtung eingeformt und daran das Schicksal nicht nur um ein Mordmesser zusammengeschlossen, sondern nach vielen Richtungen aufgetan. Da ist der gespenstige Kontrast der Gesellschaftsschichten im bürgerlichen Biedermeier, aus dem man das beginnende Proletarierschicksal nicht herausnehmen kann. Da ist die Weltrevolte des Einzelnen, die sich, wo sie Entscheidung ruft, zwischen die Pole geworfen findet, die der Eros schafft, und schließlich gegen sich selber wütet. Und da ist die weibliche Natur, als Spielball der Leidenschaften, die zuletzt jedes Miteinander, dessen Hort sie sein soll, zerstört. Aber alles überwölbt „ein schön fester grober Himmel", ein „Kosmos" als Gottesordnung, zu dem der Mensch in letzter Verzweiflung hinaufschaut und sich hineinwirft im Tod.

Die Frage nach der tragischen Wirkung wird bei Büchner auf eine andre Weise als bei Schiller und Kleist beantwortet. Grimmig äußert er sich in der Lenz-Novelle durch seinen Helden am Tische Oberlins: „Da wolle man idealistische Gestalten", aber alles, was Lenz davon gesehen hat, „sind ihm Holzpuppen. Dieser Idealismus ist die schmählichste Verachtung der menschlichen Natur. Man versuche es einmal und senke sich in das Leben der Geringsten und gebe es wieder, in den Zuckungen, den Andeutungen, dem ganzen feinen, kaum bemerkten Mienenspiel." . . . „Die Gefühlsader ist in fast allen Menschen gleich, nur ist die Hülle mehr oder weniger dicht, durch die sie brechen muß." Das hat Büchner im „Woyzeck" versucht.

Was an Fallhöhe des Tragischen verloren gegangen ist, ergänzt sich nach der sozialen Lebensbreite und nach dem unterschwelligen Unbewußten. Damit nähert sich Büchner dem, was Max Scheler dem Tragischen der Gegenwart zuspricht, als „ein wesentliches Element im Universum selbst". Es muß nicht epische Tragik sein, wie in der Novelle. Was die Volksballade am Erz des Tragischen mitbringt im Zusammenwirken lyrischer epischer dramatischer Darstellung, hat Büchner zur dramatischen Eigenform entwickelt. Er dringt tiefer als der Idealismus in den Mikrokosmos der Seele im „Leben der Geringsten" vor. Daher die komplexe Wirkung, die den passiven Helden als verhinderten Revolutionär auf die Bühne bringt, und zugleich Einblick in eine Kinderseele tut, die als geschundene Einfalt durchs Leben gehetzt wird und dem bewegten Lebensgrund offener anheimgegeben ist als der von Ideen vorwärtsgetriebene Täter, der eine Welt umzustürzen imstande ist. Auch da entstehen Tragödien. Wir hatten Schopenhauers Formel vorweggenommen: „Aufforderung zur Abwendung des Willens zum Leben bleibt die wahre

Tendenz des Trauerspiels." Was an komplexer Wirkung Büchners Held in uns auslöst, ist ein Schauer, ein Mitleiden, eine Weltanklage, alles in eins gewirkt, was über Schopenhauers Formel hinaus in die Lebensmitte trifft und uns in eine Weltbewegung zieht, die aufrütteln will, nicht die Abwendung vom Willen zum Leben lehrt. Ein junges Genie, ruft Büchner das Jahrhundert der Massen auf, das die Welt zu verändern unternimmt.

Wer wie Büchner stärker als alle anderen Dichter der Zeit von den revolutionären Bewegungen mitbewegt wird und sich daraus seine Gestalten holt, ruft Spannungen auf, die sich heute im gespaltenen Deutschland zwischen Ost- und Westforschung nur zu eindeutig abzeichnen. Georg Lukacs schrieb 1937 seinen Aufsatz: „Der faschistisch verfälschte und der wirkliche Georg Büchner", 1965 in den „Wegen der Forschung" neugedruckt. Weil Viëtor in seinen vorbildlichen Büchnerstudien Danton mit Büchner gleichsetzt, der über das Morden der frühen Revolutionäre hinausgewachsen ist, wird er zum Faschisten erklärt. Für Lukacs steht Büchner sowohl hinter Danton wie Robespierre als Stimme des objektiven Widerstreits der Revolutionsbewegung, die ebenso Dantons wie später Robespierres bedurfte. Woyzecks Gestalt bringt die Standpunkte näher aneinander. Für Lukacs ist er „die großartigste Gestalt des damaligen Armen in Deutschland", Büchner selber „ein plebejischer Revolutionär". Auch Viëtor nennt den „Woyzeck" das „revolutionärste" von Büchners Werken. Zugleich aber ist er „der Arme im Geist, der nach der unbewußten Weise seiner Einfalt allein etwas von den dunklen Geheimnissen des Lebens weiß". Hans Mayer als Marxist von 1950 vereinfacht Woyzeck wiederum als Produkt der sozialen Umstände bis zur Determiniertheit des Büchnerworts im Brief (wie bei Danton): „Was ist das, was in uns lügt, hurt, stiehlt und mordet?" Dagegen die Westforschung bemüht sich um einen komplexeren Woyzeck, und dazu gilt es den Dichter Büchner über den Revolutionär zu stellen. Kurt May hört „die reinsten Herzkammertöne des zartesten Gefühls" aus Woyzeck heraus. Klaus Zobel sucht mit dem Begriff der „inneren Form" und mit Hilfe der zusammenziehenden Messer-Symbolik das dichterische Gesamt zu fassen (1959). Eine Münchener Doktorarbeit 1958 greift auf den mittelalterlichen Begriff der „acedia" zurück (von „acer" = scharf), um die religiösen Wurzeln der Woyzeck-Verzweiflung herauszuarbeiten. Als Gegenpol wird der „numinose" Charakter der „Landschaft" herangezogen, dem Woyzecks Seele offen ist, während er durchs

Leben gehetzt wird. Die auf allzu weite Grundbegriffe abgezogene Arbeit wird insbesondre den Kontrastwirkungen des „Woyzeck"-Dramas nicht gerecht. Eine Dissertation der Freien Universität Berlin von 1967 (Bodo Rollka): „Untersuchungen zur Struktur des Raumes im ‚Woyzeck'" sucht die überwölbende Kraft der Symbolformung im Begriff der Raum-Struktur zu fassen, als aufschließendes Medium für die „Aussagekraft des dichterischen Textes", mit Hilfe der von Viktor Klotz erschlossenen „offenen Form" (Lehmanns Prolegomena konnten schon benutzt werden, die Hist. Krit. Ausgabe noch nicht). Auch hier wird mit dem abgezogenen Raumstruktur-Begriff zu wenig von den Kontrastwirkungen der Einzelszenen miterfaßt. Auch die entscheidende sinnliche Atmosphäre jeder Einzelszene wird nicht für den Aufbau des symbolischen Kosmos ausgewertet. Das Woyzeck-Drama verlangt, schon wegen der ungesicherten Texte, die genaueste Wechselfolge von Szene zu Szene.

Hier bieten sich die sorgfältigen Ergebnisse von Viktor Klotz zur „offenen Form" an, die weithin aus dem Woyzeck abgezogen sind. Sie bezeugen die Notwendigkeit, dem Handlungsgang von Szene zu Szene zu folgen. Alles „Offene" erbringt Hinweise für das Aufschließende der überwölbenden Symbolik. Vieles wird herausgehoben, was die polare Ergänzung nach dem zusammenziehenden Symbol erfordert: „Metaphorische Verklammerung", „das zentrale Ich", die „Integrationspunkte" usw. Was schließlich Klotz zusammenfassend zum Shakespearischen Weltbild sagt, betrifft das Zusammenwirken des zusammenziehenden und aufschließenden Symbols: „der Glaube an eine hierarchisch gestufte Welt, an Korrespondenz zwischen dem Mikrokosmos der Person und dem Makrokosmos des Alls. Dem entspricht eine gesellschaftliche Hierarchie, die jedoch im Gegensatz zum geschlossenen Drama auch den niederen Ständen Existenzberechtigung im Drama zubilligt und ihnen Farbe und Eigenständigkeit läßt." Auch das offene Drama Büchners, das sich ganz vom niederen Stand her aufbaut, erreicht mit Hilfe der Bausteine eines symbolischen Kosmos der Dichtung über allen offenen Formen die Geschlossenheit des Weltbilds, im Gleichgewicht zusammenziehender und aufschließender Symbolformen. Ihre Elemente muß man sich gemäß der offenen Grundform von Szene zu Szene aufbauen. Der symbolische Kosmos übergreift die Spannungen, die Ost- und Westforschung auseinandertreiben.

Bert Brecht „Das Leben des Galilei"

Wenn wir in unserem Zusammenhang über das vielbändige Werk Gerhart Hauptmanns hinweggehen, so hat das einen entscheidenden Grund. Hauptmann hat seine große dramatische Begabung selbst um die höchste Weltwirkung gebracht dadurch, daß er als eine Art Proteus Mittler aller Zwischenwerte wurde in einer zwischen Naturalismus, Impressionismus, Neuromantik, Neuklassik her und hin schwankenden Zeit. Das hat seinem Sinn für das „Urdrama", der ihm in der Seele lag, den symbolischen Kosmos versagt, der den Weltrang bedeutet. Daß ihm 1912 der Nobelpreis verliehen wurde, verdankte er seinen naturalistischen Dramen, die unzweifelhafte Welterfolge wurden: „Die Weber", „Fuhrmann Henschel", „Rose Bernd", „Die Ratten". Wie seiner gemütvollen schlesischen Begabung erst der harte Wille des Ostpreußen Arno Holz die Hinwendung zum Sekundenstil und zur Dramenform aufzwang, so wachsen die dramatischen Konflikte sich nicht aus eignem komplexem Schwergewicht zum symbolischen Kosmos aus. Vom Zufallstod des alten Hilse bis zur Metaphorik der Ratten verfolgen den Dichter Schwächen der dramatischen Gestalt, in denen sich, formelhaft vereinfacht, nicht die zusammenziehenden Kräfte einer verwirrenden Großstadt-Symbolik mit den aufschließenden Seelen-Energien zur Gesamtwirkung vereinigen. So sind diese Dramen heute vom Spielplan so gut wie verschwunden. Impressionismus aber und Neuromantik erreichen noch weniger geschlossene Gesamtwirkungen, dank der ihre Konfliktstoffe spaltenden, selbstmörderischen Ambivalenz der Werte.

Unter den nachwachsenden Generationen hat nur Bert Brecht den Rang eines Weltdramatikers erreicht. Was er mitbrachte, war eine ursprünglich balladische Begabung, die sich aus dem komplexen Fundus lyrischer, epischer, dramatischer Anlagen nähren konnte. Brecht schuf der offenen Form, wie sie Büchner im Woyzeck fragmentarisch erobert hatte, die Struktur eines eigengewachsenen „epischen Theaters" hinzu, das neuen Möglichkeiten des Balladischen wie des Dramatischen Raum geschaffen hat. Brecht, Sohn aus gutbürgerlichem Haus in Augsburg, erfuhr als Jüngling die Schrecken des Ersten Weltkriegs und seiner Katastrophe. Das verschärfte seine Abneigung gegen die Unverbindlichkeit des bürgerlichen Lebens bis zum Haß; bis zum Entschluß, im Sozialismus eine Neugründung des Lebensstils zu suchen. Sein Selbstbewußtsein um

1921, als Dreiundzwanzigjähriger, drückt sich in dem Gedicht aus, mit dem er 1927 die berüchtigte „Hauspostille" abschließt: „Vom armen B. B." (Im Anklang an den armen Villon.) Die Eingangsstrophe darf hier genügen:

Ich, Bertolt Brecht, bin aus den schwarzen Wäldern.
Meine Mutter trug mich in die Städte hinein
Als ich in ihrem Leibe lag. Und die Kälte der Wälder
Wird in mir bis zu meinem Absterben sein.

Brecht stammt wirklich aus dem Schwarzwald. Er gibt sich das Gewicht dessen, der noch im Mutterleib aus den Wäldern in die Städte überführt wurde. Er betrachtet es als seine eigentümliche Mitgift, daß er die „Kälte" der Wälder wie einen Schutzmantel um sich hat und bis zum Tode haben wird. Man kann sich vieles in die Kälte der Wälder hineindenken: ihre Unzerstörbarkeit im Schöpfungssinn, ihr Eigengesetz, ihre Außermenschlichkeit; jeder Art von bürgerlicher Gefühligkeit, jedem „Hauspostillen"-Klima fern.

Nachdem Brecht sich in München und Berlin balladisch-expressionistisch ausgetobt hatte, um zunächst einmal die nötige Aufmerksamkeit auf sich zu ziehen, („Baal" 1918, „Trommeln in der Nacht" 1922, „Im Dickicht der Städte" 1922, „Mann ist Mann" 1926), erreichte er mit der Bearbeitung von Gays „Beggar's Opera" als „Dreigroschenoper" den ersten durchschlagenden Erfolg. 1928. Inzwischen hatte ihn Karl Kosch, ein selbständig denkender Sozialist, zum Kommunismus bekehrt, nachdem Kosch selbst bereits 1926 aus der kommunistischen Partei ausgeschlossen worden war. Brecht wandte sich in einer Reihe Stücke, die er „Lehrstücke" nannte, „Versuche", der Volkserziehung zu. Es waren Lektionen in Gesprächsform. Schon im Nachwort zur Dreigroschenoper hatte er zum „komplexen Sehen" aufgefordert, zum „epischen Stil", derart, daß er Überschriften zu den einzelnen Szenen gab, um den Zuschauer in eine betrachtende Haltung zu zwingen. Dann folgte die Oper „Aufstieg und Fall der Stadt Mahagonny" 1930 mit einem Nachwort, in dem katalogmäßig der dramatischen Form des Theaters die „epische Form" gegenübergestellt wurde als ein Novum. „Das gesellschaftliche Sein bestimmt das Denken." Der Zuschauer wird zur Aktivität erzogen. Er soll sich der passiven Genußhaltung des Bürgers entziehen. Brecht hat dann im selben Jahr 1930 im Lehrstück „Die Maßnahme" ein extrem kommunistisches Problem durchgetrieben: ein junger Kommunist wird selber durch die schneidende Dialektik der Partei überzeugt, daß er der eignen Hinrichtung zustimmt, weil es das Wohl des Ganzen fordert. Ähnlich streng marxistisch ist „Die heilige Johanna der Schlachthöfe“ gebaut. Brecht nennt es „die heutige Entwicklungsstufe des faustischen Menschen“: ein Heilsarmeemädchen wird mit der Geschäftswelt Chikagos konfrontiert und zu der Überzeugung gebracht: „Es hilft nur Gewalt, wo Gewalt herrscht.“ Dann wird Brecht 1933 zur Flucht in die Emigration gezwungen. Er erfährt als Emigrant den verhaßten Aufstieg des Dritten Reichs, den er mit Haßgesängen und Haß-Parabeln begleitet. Von 1933—1936 lebte er mit Karl Kosch im dänischen Svendborg zusammen. Kosch bekämpfte weiter die Diktatur der Partei, ihr geistiges Unterdrückungssystem. Brecht bewahrt sich die selbständige Dialektik des Bewußtseins, um durch das Theater die Welt zu verändern. Er schrieb als Beitrag zum Spanischen Bürgerkrieg den Einakter: „Die Gewehre der Frau Carrar“ 1937, unmittelbar aus der miterlebten Geschichte, noch vor der Niederlage, Oktober 1937 in Paris aufgeführt. Eine Ballade in Prosa, um die Gewehre, die die Mutter vor den Kindern verbirgt, nachdem der Vater gefallen ist, und die sie selbst an die Volksfront verteilt, als der älteste Sohn von Franco-Leuten umgelegt worden ist.

Was aber konnte Brecht veranlassen, eben jetzt den Galilei-Stoff zu dramatisieren, nachdem er kurz vorher mit einem Prosaentwurf um Julius Cäsar begonnen hatte? Am 29. September 1938 fand die Viererkonferenz in München statt: Chamberlain, Daladier, Mussolini bei Hitler. Das Münchener Abkommen als ein Triumph Hitlers. Darnach schrieb Brecht im Oktober-November 1938 binnen drei Wochen die Erstfassung des Galilei. Ernst Schumacher hat 1965 in seiner Galilei-Monographie wahrscheinlich gemacht, daß der erste Anstoß zum Galilei von der Rede ausging, die der Angeklagte Dimitrow im Reichstagsbrandprozeß 1933 gehalten hat. Er berief sich auf Galileis Wort: „Die Erde dreht sich doch.“ Bert Brechts Erstfassung trug den Titel: „Die Erde bewegt sich.“ In welchem inneren Zusammenhang kann das mit dem Münchener Abkommen stehen?

Die Rückwendung zur Historie, die sich bei fast allen Emigranten findet, hat den generellen Grund, sich Symbolfiguren zu schaffen, die im Abstand der Historie den Angriff gegen die Diktaturen der Gegenwart führen und auf solche Weise von sich aufstauenden Komplexen befreien. Auch Galilei ist eine solche Symbolfigur. Er ist darum so fruchtbar, weil sich in ihm eine denkerische Ursprungsstelle aufschließt, die mit dem Ruf: „Die Erde bewegt sich“ um die Sonne, nicht die Sonne um die Erde, eine wahrhafte Weltrevolution hervorruft, der sich zwar die Allmacht der Kirche und der staatlichen Obrigkeit entgegenstemmt, um Galileis Einzelstimme zum Schweigen zu bringen, die aber das Licht der hier aufgebrochenen Wahrheit nicht hat ersticken können. Und das einmalige Ereignis im Leben Galileis ist es, daß er zwar sich durch Widerruf seiner Lehren der Folter und dem Martertod entzogen hat, daß er aber sein gerettetes Leben daran gesetzt hat, seine Forschungen im Geheimen weiterzuführen und sie durch Mittelsträger ins Ausland zu bringen, wo sie die künftige Forschung haben befruchten können. Für Brecht ergab sich also die Möglichkeit, ein Genie zur Darstellung zu bringen, das seine Vernunfteinsichten so sachlich-physikalisch und unwiderlegbar auszubreiten weiß, daß alle ins Unrecht gesetzt werden, die sich ihm entgegenstellen. Dennoch wird seine Stimme erstickt. Aber für alle Emigranten, die Hitlers Münchener Triumph in die Verzweiflung zu stürzen drohte, hatte Brechts Drama den Trost bereit, daß die List der Vernunft jeden Terror zu unterlaufen imstande ist und daß es eine Wahrheit gibt, deren Siegeszug nicht aufgehalten werden kann.

So allerdings konnte Brecht die Rede Dimitrows mit ihrem Hinweis auf Galilei aufnehmen und ihren Ruf in symbolische Gestalt verwandeln: „Die Erde bewegt sich." Brecht hatte damit die Urbewegung selbst im Griff, die nicht nur das Leben des Galilei, sondern das Leben jedwedes Menschen unter ihren Schicksalsgang zwingt und aller Revolution voraus eine wahrhaft gottgewollte Schöpfungsbewegung als eine Art sanftes Vernunft-Gesetz wirksam zeigt. (Mag es auch dem entdeckenden Genie als ungeheures Licht der Wahrheit die Augen zu verblenden imstande sein.) Mit Recht setzte Brecht später in die Überschrift des Dramas die symbolische Gestalt ein: „Das Leben des Galilei."

Für die Darstellung, die Brecht vorschwebte, kann ein Aufsatz miterhellend sein, der im selben Jahr 1938 entstand: „Volkstümlichkeit und Realismus": „Volkstümlich heißt: den breiten Massen verständlich, ihre Ausdrucksform aufnehmend und bereichernd, ihren Standpunkt einnehmend und befestigend . . . Wir haben ein kämpferisches Volk vor Augen und also einen kämpferischen Begriff volkstümlich."

Es ist derselbe Geist, der Schiller veranlaßt hat, seinem Wallenstein-Drama „Wallensteins Lager" vorauszuschicken, von dem es heißt: „Das Lager nur erkläret sein Verbrechen." Überschauen wir die Anlage des Galilei-Dramas, dann finden wir als besondre Szene den Volksauftritt eines Bänkelsängers, der mit seiner Frau eine Ballade vorträgt:

„Das Lied von der erschröcklichen Lehre und Meinung des Herrn Hofphysikers Galilei." Die Ballade hat in der Erstfassung neun Strophen. Brecht hat die Ballade in der Endfassung umgedichtet. Der Sinn ist der, daß jetzt die Ordnung sich umgekehrt hat:

Die Mägde bleiben bei den Knechten sitzen
Wenn der Herr vorübergeht
Der Herr, er sieht mit blassem Erstaunen,
Daß sich nichts mehr um ihn dreht.
Je nun, je nun,
Die Mägde und die Knechte sind mit sich beschäftigt,
Sie haben viel zu tun.

Was hier ins Volk gedrungen ist vom Hofphysiker Galilei, ist der Umsturz der alten Ordnung. Und was sich als Prozession zur Faßnacht in Bewegung setzt, ist die sinnfälligste Volks-Spiegelung der Lehre, daß die Erde nicht mehr der Mittelpunkt der Welt ist, sondern sich um die Sonne dreht. Wir erkennen, daß wir auch hier abgewandelt sagen können: Die Volksballade erkläret sein Verbrechen. Wenn Galilei solche Volkswirkungen hervorruft, drängt sich der Inquisition die Frage auf, ob es nicht besser ist, ihn einzusperren und seine Lehre zu unterdrücken.

Ehe wir uns dem Drama selbst zuwenden, bleibt noch heranzuziehen, daß Brecht Ende April 1939 der Kriegsgefahr wegen nach Schweden weiter-emigrierte, den Galilei im Fluchtgepäck und daß am 23. August 1939 der Nicht-Angriffspakt zwischen Stalin und Hitler geschlossen wurde. Damit wurde Brechts Kommunismus selbst auf die härteste Probe gestellt. Die Werke, die jetzt entstanden, gelten als die besten Werke Brechts. Das Galilei-Drama sollte noch zwei Umformungen erfahren, wir werden uns an die letzte von 1955 halten. Die Ursprungsstelle, aus der heraus Brecht den Galilei konzipierte, weist unmittelbar in die Lebensmitte der Figur, und wir spüren die Spannungskräfte, die den Dichter hineinzwangen, aus dem Katastrophendruck der Umwelt, im bedrohlichen Anwachsen der Hitlermacht. Galileis Triumph: „Und sie bewegt sich doch" führt sogleich in die Eingangsszene und erfüllt sie mit dem lebendigsten Dialog, den Galilei mit dem ihn verehrenden Knaben Andrea, Sohn der Haushälterin Frau Sarti, führt. Am Modell des ptolemäischen Systems zeigt der berühmte Gelehrte dem Knaben die Begrenzung des Systems, das sich mit seinen acht Schalen um die Erde bewegt und sie „einkapselt", wie Andrea sagt. Galilei aber bricht in den Triumphruf aus: „Aber jetzt fahren wir heraus, Andrea, in großer Fahrt. Denn die alte Zeit ist herum, und es ist eine neue Zeit." „Denn alles bewegt sich, mein Freund!"

Was in dem mächtigen Zukunfts-Weltbild, das Galileis Redestrom über den Jungen herbrausen läßt, Gestalt gewinnt, ist auch Brechts eigner Gestaltwille, sein eigner Humor, sein eigner kämpferischer Geist, der den Beginn des wissenschaftlichen Zeitalters vorwegnimmt, das ihn wie ehedem Galilei trägt. „Die Himmel, hat es sich herausgestellt, sind leer. Darüber ist ein fröhliches Gelächter entstanden." „Es wird den neuerungssüchtigen Menschen unsrer Städte gefallen, daß eine neue Astronomie nun auch die Erde sich bewegen läßt."

Was wir spüren sollen, ist das Genie, das hier spricht. Daraus erwächst der kontrastierende Humor, wenn Andrea dem Meister antwortet: „Warum wollen Sie denn, daß ich es begreife? Es ist sehr schwer, und ich bin im Oktober erst elf." Gemeint ist das neue System, Andrea nennt es das des „Kippernikus". Aber Galilei ruht nicht, bis er dem Jungen an einem Stuhl klargemacht hat, wie sich die Erde um die Sonne bewegt.

> Und was hat sich bewegt?
> Ich!
> Falsch! Dummkopf! Der Stuhl!
> Aber ich mit ihm!
> Natürlich! Der Stuhl ist die Erde. Du sitzt drauf!

„Naiv muß jedes wahre Genie sein, oder es ist keins!" heißt es bei Schiller. „Seine Naivität allein macht es zum Genie." „Mit dieser naiven Anmut drückt das Genie seine erhabensten und tiefsten Gedanken aus; es sind Göttersprüche aus dem Mund eines Kindes." Bei Brecht heißt es: „Das Naive ist eine ästhetische Kategorie, die konkreteste." So Brechts Schüler Manfred Wekwerth im Sinn-und-Form-Heft 1957, nach Brechts Tod. Es zeigte sich, daß keiner seiner Schüler wirklich begriff, was Brecht unter „naiv" verstand. Sie waren alle zu „ironisch". Brecht aber erklärte: „Naiv ist das ganze Unternehmen unserer Spielweise." „Gerade politische Stücke verlangten naive Darstellung."

Wir halten fest, daß uns Galilei von Anbeginn als ein Genie, oder wie Brecht später sagt, als „riesige Figur" entgegentritt, um die sich im Volk eine Galilei-Legende spannt. Es gehört zu ihm, daß er alle, die um ihn sind, miteinbezieht in die Ausstrahlung seiner

Gedanken, die vom neuen Geist ergriffen sind, der die Zeit bewegt. Ein dialogisches Genie, Liebhaber der Jugend wie Sokrates. Eine Totalnatur, ebensosehr sinnlich wie geistig, Forscher und Lehrer zugleich. Der nächste Schritt, den wir miterleben, ist Galileis genialer Verstand, wie er konkret arbeitet: das ihm aus Holland zugebrachte Fernrohr ergänzt er, holt sich mit List beim Dogen die Verdoppelung des Gehalts und wendet das verbesserte Fernrohr auf das Jupitergestirn an. Er entdeckt die vier Monde, die den Jupiter umkreisen, errechnet eine ganze Nacht ihre Bahn und hat nun Beweise dafür, daß das Weltall in Bewegung ist, daß auch die Erde ein Stern ist, der sich um die Sonne bewegt. Galileis Gespräch mit dem Freund Sagredo läßt erst die Gefahr klar werden, in die Galilei hineingeraten ist: „Ich frage dich: wo ist Gott in deinem Weltsystem?" — „In uns oder nirgends!" Galilei aber wendet sich an Frau Sarti: „Ist anzunehmen, daß das Große sich um das Kleine dreht oder dreht wohl das Kleine sich um das Große?" Ihre Antwort: „Stelle ich Ihnen das Essen hin oder stellen Sie es mir hin?" Man kann sagen: es gibt nichts, was Galilei nicht umfaßt immer mit gleichem unkonventionellem Forscherdrang. Am Ende des Gesprächs aber steht Sagredos Warnung: „Geh nicht nach Florenz!" „Weil die Mönche dort herrschen!"

Es gehört zur Spannung, in die uns Brecht versetzt, daß solche Entfaltung des Genies umrahmt wird durch Szenen-Überschriften, die von Anbeginn „entspannen" sollen: Galilei in Padua 1609. Galilei überreicht der Republik Venedig eine neue Erfindung. Am 10. Januar 1610 entdeckt er am Himmel, was ihm das kopernikanische System beweist. Er entdeckt: „Daß kein Himmel war." Aber er glaubt an den Sieg der Vernunft.

Zweifellos sind solche Überschriften des epischen Theaters wie der Prolog von „Wallensteins Lager" insofern entspannend, als der Inhalt des Kommenden vorausgenommen wird. Der Zuschauer kann sich also ganz der Darstellung öffnen. Zugleich doch wächst eine andere Spannung. In unserem Fall: wie entfaltet sich das Genie aus seinen Ursprüngen, und wohin wird es zielen?

Da stoßen wir z. B. im Gespräch Galileis mit seinem Freund Sagredo darauf, daß Galilei den Grundsatz ausspricht: „Ja, ich glaube an die sanfte Gewalt der Vernunft über die Menschen." Das ist Galileis Antwort darauf, daß Sagredo von dem „Verbrannten" spricht: Giordano Bruno, der vor noch nicht zehn Jahren verbrannt wurde. Wie soll bei so viel gefährlicher Gewalt die Vernunft durch ihre Sanftheit siegen?

Galilei hat sich entschlossen, die neuentdeckten Jupitersterne „Mediceische Gestirne" zu taufen und um die Stelle des Hofmathematikers in Florenz nachzusuchen. Das Gehalt ist höher und er braucht nicht mehr Stunden zu geben, kann sich ganz der Forschung widmen. Aber die Gefahrenzone verdichtet sich, wegen der Nähe der Inquisition. Brecht überführt das in die Struktur des Dramenbaus durch den scharfen Wechsel von Kontrastszenen, wie sie sich schon der offenen Form im „Woyzeck" dargeboten hatten.

Es beginnt mit dem empörten Einwand aus dem naiven Gesichtskreis der Frau Sarti: „Die ganze Stadt zieht an dem Rohr vorbei und ich kann dann den Fußboden aufwischen." Sie bezweifelt den Erfolg. „Ich war viele Jahre bei Monsignore Filippo im Dienst... Er hatte zwei Pfund Geschwüre am Hintern vom vielen Sitzen über all der Wissenschaft und ein solcher Mann soll nicht Bescheid wissen?"

Es folgt der Jungensstreit zwischen Cosimo de Medici und Andrea über die beiden Weltsysteme: das ptolemäische und das kopernikanische, wobei beim Raufen das ptolemäische in Stücke geht. Andrea vertritt den Volksrevolutionär, der seine Hoheit Dummkopf schimpft; und Cosimo den Höfisch-Erzogenen, der nachher Andrea zur formellen Verbeugung zwingt. Brecht holt sich die Naivität der Jungenssphäre mit herein, um die Kontraste zu schärfen.

Ganz ins Groteske gerät dann das Streitgespräch, das Galilei mit den Gelehrten des Florentiner Hofs in Gegenwart des jungen Cosimo zu führen hat. Sowohl der Philosoph wie der Mathematiker weigern sich, durch das Rohr zu schauen, weil sie ihr ptolemäisches System im Kopfe haben, das sich auf die erhabene Autorität des Aristoteles stützt. Vergebens bringt Galilei die Kraft des Experiments dagegen in Geltung, hinter dem, unausgesprochen, die Autorität Bacons steht.

Darnach schiebt Brecht die Pestszene ein, die den ganzen höfischen Palaver mit ihrer furchtbaren Todesdrohung beiseite rückt. Obgleich der junge Großherzog Galilei eine Kalesche zur Verfügung stellt, ihn aus der Pestgefahr zu retten, bleibt Galilei über seiner Forschung und trotzt mit Gleichmut den Schrecken der sich schnell verbreitenden Pest. Frau Sarti hält bei ihm aus, bis sie erkrankt. Dann ist plötzlich Andrea wieder da, aus der Kalesche geflüchtet, um seinem verehrten Lehrer Brot, Milch und Bücher zu besorgen. Der Hintergrund der kurz aufblitzenden Volksszenen ist eindrucksvoll, nach dem Leerlauf des höfischen Geschwätzes.

Abermals folgt eine Kontrastszene: die Überschrift verweist uns ins Collegium Romanum 1616 in Rom. Den Hauptinhalt der Szene zieht ein Knittelvers zusammen:

Das hat die Welt nicht oft gesehn,
Daß Lehrer selbst ans Lernen gehn.
Clavius, der Gottesknecht,
Gab dem Galilei recht.

Die Szene selber lebt aus dem burlesken Hohn, mit dem die fette Geistlichkeit sich darüber lustig macht, daß die Erde sich bewegt. Jeder spielt den von der Erde Herunterfallenden. Nichts wie Empörung wird laut, daß „kein Unterschied mehr ist zwischen oben und unten". Galileis Antwort ist einzig eine Gebärde: er läßt einen Stein auf die Erde fallen, hebt ihn auf und sagt dazu: „Er ist mir hinaufgefallen." Alles lebt aus dem grotesken Kontrast. Auch die Stimme des ganz alten Kardinals, der nicht mehr gut sieht, aber sich gut erinnert an den Mann, den sie verbrannt haben. „Der Mensch ist die Krone der Schöpfung." Wer ihn an den Rand rückt, ist als „Feind des Menschengeschlechts zu behandeln". Inzwischen hat im Hintergrund der berühmte „große Clavius", Leiter des Forschungsinstituts im Vatikan, durchs Rohr gesehen und erklärt, es stimmt. Galilei hat als Forscher gesiegt. Dann wird auch noch der Kardinal Inquisitor durchs Fernrohr sehen.

Abermals erleben wir den äußersten Kontrast: ein Faschingsfest beim Kardinal Bellarmin in Rom. Galilei steht im Ruhm. Seine Tochter Virginia hat ihren Verlobten Ludovico zur Seite.

Galileis innere Beschwingtheit drückt sich im Zitat antiker Verse aus, mit denen er seine Tochter in eine bewunderte Thais verwandelt. Das erste Faschingsfest nach dem Pestjahr beginnt. Galilei wird von den Kardinälen Bellarmin und Barberini ins Kreuzverhör genommen. Der eine in der Maske des Lamms, der andre in der einer Taube. Beide aber entwickeln die Zweideutigkeit von Wölfen. Gegenseitig bombardieren sie sich mit Bibelsprüchen. Der kluge Kardinal Barberini erinnert an den Ursprung Roms, an die säugende Wölfin: „Von der Stunde an müssen alle Kinder der Wölfin für die Milch zahlen." Galilei durchschneidet alle Zweideutigkeiten mit dem Bekenntnis: „Ich glaube an die Vernunft!" Die hinterhältigen Kardinäle locken aus Galilei das Geständnis heraus: „Schließlich kann der Mensch nicht nur die Bewegungen der Gestirne falsch auffassen, sondern auch die Bibel!" Darnach beenden die Kardinäle das Gespräch mit der brutalen Feststellung: Das Heilige Offizium hat die Lehre des Kopernikus als „töricht, absurd und ketzerisch im Glauben" erklärt. Sie lassen Galilei in der Bestürzung zurück, daß er zwar forschen darf, daß aber niemand ihm seine Hypothesen abnimmt.

Inzwischen läßt Brecht noch ein überraschendes Gespräch folgen, das der Kardinal Inquisitor persönlich mit Galileis Tochter Virginia führt. Er stellt dabei fest, daß sie nichts von allem versteht, was ihr Vater lehrt und forscht. Er selber wird seltsam gesprächig in der Warnung vor den „Neuerern", die das Weltall ins Unvorstellbare ausdehnen. Er gibt Virginia den Auftrag, den Vater ins Gebet mit einzuschließen. „Er wird Sie brauchen." Außerdem läßt er sich den Namen ihres Beichtvaters nennen.

Schließlich fügt Brecht noch ein letztes Gespräch in Rom hinzu, das Galilei mit einem der Mönche hält, der über die Trabanten des Jupiter genau im Bilde ist. Der Mönch warnt ihn, weiter zu forschen. Nicht nur wegen der Folterinstrumente, auch aus einem volkstümlichen Grund: die Bauern, seine Eltern, leben unter solchem Druck, daß sie's nur ertragen, wenn sie darin Gottes Auge erkennen. So deutet der Mönch das Verbot der Lehre des Kopernikus als „edles mütterliches Mitleid" mit dem Volk. Die Kirche als die große Mutter. Damit ruft der Mönch in Galilei wahrhaft ketzerische Empörungen herauf. Warum arbeiten die Bauern sich zu Tode? Weil sie die Kriege des Papstes bezahlen müssen. „Ich sehe die göttliche Geduld Ihrer Leute. Aber wo ist ihr göttlicher Zorn?" Galilei spricht durch ein Symbol: „Wissen Sie, wie die Auster ihre Perle produziert? Indem sie in lebensgefährlicher Krankheit einen unerträglichen Fremdkörper z. B. ein Sandkorn in eine Schleimkugel einschließt. Sie geht nahezu drauf bei dem Prozeß. Zum Teufel mit der Perle. Ich ziehe die gesunde Auster vor."

Galilei findet den Ausweg, der seinem Genie entspricht. Er hat in dem Mönch den Physiker erkannt und gibt ihm einen Stoß Manuskripte zu lesen, die die Gründe erforschen, warum das Weltmeer sich in Ebbe und Flut bewegt. Schon ist der Mönch in die Lektüre vertieft und hört nicht mehr auf.

Das Gesamt aller Kontrastszenen, die anfangs in Florenz, nach der Pest 1616 in Rom spielen, bildet eine Einheit im Drama, das Mittelstück. Die Entfaltung der Geniekräfte im Forscher Galilei hat ihren ersten Höhepunkt erreicht. Er ist um der Forschung willen in die Gefahrenzone nach Florenz gegangen, er hat alle Warnungen vor der Inquisition in den Wind geschlagen, er hat in der Pestzeit einen außergewöhnlichen Forschermut bewiesen, und er hat in Rom gewagt, seine Forschung dem Institut des Vatikans zur Prüfung darzubieten. Er hat sogar einen Sieg errungen. Doch im selben Augenblick schlägt die Kirche zu und unterdrückt solchen Sieg. Völlig unerschüttert geht Galilei durch alle Szenen mit seinem „Glauben an die Vernunft". Unangetastet darf er nach Florenz zurückkehren. Seine fromme Tochter, die nichts von seiner Forschung versteht und die er auch nie ins Bild gesetzt hat, bewährt sich jetzt als eine Art Schutzschild gegenüber der Kirche.

Der epische Charakter des Dramas verstärkt sich, wenn wir jetzt der Überschrift entnehmen, daß Galilei acht Jahre lang sich in Florenz zurückgehalten hat. Er hat sich begnügt, über unverfängliche Gebiete zu lehren. Er hat nichts mehr veröffentlicht. Wieder unterrichtet uns ein Knittelvers:

Die Wahrheit im Sacke
Die Zung in der Backe
Schwieg er acht Jahre, dann war's ihm zu lang.
Wahrheit, geh deinen Gang.

Unter den Hauptschülern ist jetzt auch der kleine Mönch, neben dem herangewachsenen Andrea und dem Mann aus dem Volk, dem Linsenschleifer, von dem Galilei mehr hält als von den Gelehrten, die lateinisch können.

Auch die nächste Szenenfolge, die sich abermals um eine dramatische Zuspitzung zusammenzieht, ist unter die Wirkungen des Kontrasts gestellt. Brecht hat in der zweiten und dritten Fassung die Kontrastwirkungen verstärkt. Entscheidend wird erst die Veränderung der 14. Szene, die ihre Sonderbetrachtung fordert. So folgen wir der allgemein bekannten letzten Fassung, wenn wir jetzt den Galilei nach achtjährigem Schweigen in Florenz aufsuchen.

Der erste scharfe Aufklang kommt in das idyllische Arbeitsbild durch das Erscheinen des früheren Schülers Mucius, der den Meister verleugnet hat im Buch und sich entschuldigen will. Galilei nimmt die Entschuldigung nicht an. Er spricht mit der Wucht der anerkannten Welt-Autorität:

„Wer die Wahrheit nicht weiß, der ist bloß ein Dummkopf. Aber wer sie weiß und sie eine Lüge nennt, der ist ein Verbrecher! Gehen Sie hinaus aus meinem Haus!"

So steht es schon in der ersten Fassung. Es entspricht ganz und gar dem Gesamtcharakter Galileis, wie er sich bisher herausentwickelt hat. Daß Galilei geschwiegen hat, nachdem ihm die Kopernikus-Lehre durch die Kirche verboten war, entspricht seiner Verantwortung vor der Obrigkeit. Vom Rektor der Universität wird ein neues Buch gebracht, das Untersuchungen über Sonnenflecke enthält. Andrea fragt, warum sie nicht selber Sonnenflecke untersuchen. „Ganz Europa fragt nach Ihrer Meinung." Galileis Antwort kommt aus einer überraschend tieferen Schicht: „Ich kann es mir nicht leisten, daß man mich über einem Holzfeuer röstet wie einen Schinken." Galilei ist sich ganz klar, was er sich zumuten kann und was nicht. Er hat sich zum Schweigen gezwungen, und darum wird er auch jetzt nicht dieses Schweigen brechen. Denn die Sonnenflecke rühren an das Grundproblem, über das er nicht schreiben darf.

Anders ist es mit dem Experiment, das sie beschäftigt: das Schwimmen von Körpern. Da dürfen sie sich über Aristoteles lustig machen. Der lehrt, Eis schwimme, weil es breit und flach sei, während es nur leichter ist, verdünntes Wasser. Auch hier ist alles in Handlung umgesetzt, mit der Galilei vordemonstriert, was er lehren will. „Heiliger Aristoteles! Sie haben ihn niemals überprüft!" Alle lachen, und Virginia berichtet Frau Sarti: „Vater sagt: Die Theologen haben ihr Glockenläuten, und die Physiker ihr Lachen!"

So arbeitet Brecht bereits auch hier den symbolischen Bezug heraus, der allem, was vordergründig geschieht, eine unterschwellige Sinn-Bewegung gibt. Dahinein trifft nun der Besuch von Virginias Bräutigam Ludovico, der die Stimme der repräsentativen Adelsschicht vertritt mit Latifundien in der Campagna. Die Begrüßung ist betont herzlich von seiten Galileis: „Sarti, wir feiern! Hol einen Krug von diesem sizilianischen Wein, dem alten." Ludovico überbringt Glückwünsche seiner Mutter zu Galileis „bewunderungswürdigem Takt angesichts der neuen Sonnenfleckenorgien der Holländer!" Er übermittelt die Befürchtungen Roms: „der ganze Erde-um-die-Sonne-Zirkus" möchte wieder von vorn anfangen.

Solcher Adels-Übermut muß notgedrungen Galileis Mißstimmung verschärfen. Eben jetzt ereignet sich, was die Spannung ins Dramatische steigert: Ludovico überbringt die Neuigkeit: der Papst liegt im Sterben. Als Nachfolger gilt Kardinal Barberini, der Mathematiker, Galileis Hoffnung. Alles scheint wie im Flug verändert.

Galilei: „Die Dinge kommen in Bewegung." Andrea bildet sogleich einen Song:

> „Die Schrift sagt, sie steht still. Und die Doktoren
> Beweisen, daß sie still steht, noch und noch.
> Der Heilige Vater nimmt sie bei den Ohren
> Und hält sie fest. Und sie bewegt sich doch!"

Der Linsenschleifer, Feind allen Adelshochmuts, greift sogleich das Wort vom „Erde-um-die-Sonne-Zirkus" auf. Galilei selber nimmt Ludovico unmittelbar an: „Ich weiß jetzt, warum deine Mutter dich zu mir schickte. Barberini im Aufstieg! Das Wissen wird eine Leidenschaft und die Forschung eine Wollust!" Sogleich wird das Gespräch zum Streitgespräch. Galilei fordert Ludovico heraus: „Was hat die Astronomie mit meiner Tochter zu tun? Die Phasen der Venus ändern ihren Hintern nicht!" Ludovico zieht sich ganz in die Würde der „vornehmsten Familien des Landes" zurück: „Meine Frau wird auch im Kirchenstuhl unserer Dorfkirche Figur machen müssen." Eben jetzt bewährt Frau Sarti ihr Herz. Sie stellt sich gegen Galilei, den sie kurzerhand und grob mit Du anredet: „Wenn ich meine ewige Seligkeit einbüße, weil ich zu einem Ketzer halte, das ist meine Sache. Aber du hast kein Recht, auf dem Glück deiner Tochter herumzutrampeln mit deinen großen Füßen!" Ludovico nimmt seinen Abschied. Er tut es mit Gutsherren-Verstand: die Bauern brauchen, was Galilei ihnen rauben will, die alte Ordnung.

Es sind ähnliche Gedanken, wie beim kleinen Mönch; nur sprach der als frommer Sohn gedrückter Bauern. Ludovico denkt als Gutsherr an die Arbeitskräfte, den reibungslosen Pachtzins. Darüber explodiert Galilei und wird zum ersten Mal zum wirklichen Volksrevolutionär. „Ja, ich könnte seine Bauern aufstören, neue Gedanken zu denken!" „Ich könnte in der Sprache des Volkes schreiben für die vielen anstatt in Latein für die wenigen. Für die neuen Gedanken brauchen wir Leute, die mit den Händen arbeiten. Wer sonst wünscht zu erfahren, was die Ursachen der Dinge sind? Die das Brot nur auf dem Tische sehen, wollen nicht wissen, wie es gebacken wurde; das Pack dankt lieber Gott als dem Bäcker. Aber die das Brot machen, werden verstehen, daß nichts sich bewegt, das nicht bewegt wird."

Das ist die gewaltige Entdeckung Galileis, umstürzender als alle physikalischen Formeln: daß „nichts sich bewegt, was nicht bewegt wird". Das versteht jeder im Volk, der überhaupt nach Ursachen fragt. Darum wendet sich Galilei zum kleinen Mönch: „Deine

Schwester wird vermutlich lachen, wenn sie hört, daß die Sonne kein goldenes Adelsschild ist, sondern ein Hebel: die Erde bewegt sich, weil die Sonne sich bewegt."

Das alles sind Kontraststeigerungen der Endfassung. Dazu gehört dann auch der dramatische Schluß: daß Virginia im Brautkleid zurückkommt, nachdem ihr Bräutigam bereits für immer fortgegangen ist. „Du hast ihn weggeschickt, Vater", ruft sie aus und bricht ohnmächtig zusammen. So hört sie nicht mehr, was Galilei sagt: „Ich muß es wissen." Ohne Bedenken opfert er das Glück seiner Tochter auf.

Solche Härten bereiten auf die nächste Szene, die Volksbänkelsängerszene, vor, sie spricht vom neuesten Florentiner Lied, das in ganz Oberitalien gesungen wird: „Die erschröckliche Lehre und Meinung des Herrn Hofphysikers Galileo Galilei oder ein Vorgeschmack der Zukunft." Wir sind bereits am Fastnachtstag 1632. Das Lied vom großen Umsturz aller alten Ordnung. Brecht hat die Verse neu gedichtet.

Es soll jetzt die creatio dei
Mal andersrum sich drehn.
Jetzt soll sich mal die Herrin, he!
Um ihre Dienstmagd drehn.

Auch die Kehrreim-Strophe ist neu. Sie ist auf sechs Füße ausgedehnt, um sich wuchtiger einzuprägen:

Das ist doch allerhand? Ihr Leut, das ist kein Scherz
Die Dienstleut werden sowieso tagtäglich dreister!
Denn eins ist wahr: Spaß ist doch rar. Und Hand aufs Herz:
Wer wär nicht auch mal gern sein eigner Herr und Meister?

Sechsmal wird die Strophe abgewandelt zur Wirkung gebracht, immer mit der gleichen Schlußzeile. Es bleibt Marktgesang, Bänkelsang. Aber er geht zuletzt in die „Prozession" über, mit Puppen, die den Großherzog wie den Kardinal lächerlich machen. Am Ende wird eine überlebensgroße Puppe vorgetragen, die sich vor dem Publikum verbeugt: Galileo Galilei. Ein Kind trägt eine riesige aufgeschlagene Bibel vor ihm her und der Balladensänger ruft unter dem Gelächter der Menge: „Galileo Galilei der Bibelzertrümmerer!"

Die Szene stellt keinen Akt der Volksrebellion dar. Sie wird ja zugelassen, um der Volksstimmung Raum zu geben, um Komplexe freizumachen. Zugleich behält sie das Bänkelsängerisch-Lächerliche, unter dessen Schirm und Schutz sie sich vorwagen darf, zugleich betont sie, daß solch Lehren unmöglich sind, wie solche Anarchie unmöglich ist. Dennoch ist die Galilei-Handlung ins breite Blickfeld der Öffentlichkeit gebracht. Galilei ist nicht nur als überlebensgroße Puppe gegenwärtig, auch Mitte einer Galilei-Legende, als „Bibelzertrümmerer" und Störer der Ordnung, die von altersher gilt. Eine symbolische Überhöhung und Steigerung der Gestalt, die die Gegenkräfte aufrufen muß.

Auf drei Szenen ist die Gegenbewegung verteilt. Sie hat sich lange Zeit gelassen. Galilei hat ein Buch über die Mechanik des Universums geschrieben, mit päpstlicher Zensurgenehmigung. So fühlt er sich ermutigt, sein neues Buch: „Dialoge über die beiden größten Weltsysteme" dem Großherzog persönlich zu überreichen. Er erfährt nur Demütigungen. Der Großherzog erkundigte sich nur nach dem Zustand seiner Augen, über das Buch sieht er hinweg. Der Einzige, der Galilei betont höflich grüßt, wenn auch mit Abstand, ist der Kardinal Inquisitor, der überraschend aus Rom nach Florenz gekommen ist. Die Überraschung klärt sich bald: der Hof teilt Galilei mit, daß er sich nicht instand sieht, sich der Forderung der Inquisition zu widersetzen, Galilei in Rom zu verhören.

In den Anfang dieser bedrückenden Szene hat Brecht später ein Gespräch Galileis mit dem Eisengießer Vanni eingeschoben, für den Galilei eine Schmelzanlage entworfen hat. Vanni vertritt die Stimme der oberitalienischen Städte, ihres modernen Handelsgeists. Sie sehen in Galilei den Vorkämpfer der Freiheit, Vanni bietet ihm an, ihn nach Venedig zu fahren. Galilei lehnt ab. Er vertraut auf den Großherzog und den Papst. Er will kein Flüchtlingsleben auf sich nehmen. Die Demütigungen dann machen ihn nachdenklich. Schon denkt er an den Freund Sagredo in Padua, schon ist er entschlossen, sich vom Glasschneider Volpi zwischen leeren Weinfässern aus der Stadt herausfahren zu lassen. Da trifft ihn der Schlag der Inquisition. Der Wagen wartet schon, der ihn nach Rom bringen wird als Gefangenen der Kirche. Im kleineren Rahmen sind hier Spannungen dramatisiert, wie sie Wallenstein erfahren muß, als alle seine Pläne im voraus durchkreuzt sind.

Es folgt das hochpolitische Gespräch, das Papst und Inquisitor über Galilei führen. Papst Urban VIII., früher Kardinal Barberini, tritt für Galilei ein. Der Inquisitor entwickelt in langer leidenschaftlicher Rede, welche Gefahren dem Zeitalter durch den Freigeist Galileis drohen: es ist „der Geist der Auflehnung und des Zweifels", der eine „entsetzliche Unruhe in die Welt" geworfen hat. Denn was

Galilei predigt, ist der Glaube an die Vernunft. Der Inquisitor hält eisern daran fest, daß die Erde unbeweglich ist. Aber er fürchtet die unterirdische Bewegung der Geister. Galileis Sternkarten helfen der Schiffahrt, doch setzen sie die Bewegung der Gestirne voraus.

Galilei schreibt in der Volkssprache, die die Gemüter erregt. Die Szene findet statt, während der Papst sich ankleiden läßt. Immer prunkvollere Gewänder werden ihm umgelegt. Er wächst sozusagen in seine höchste Würde hinauf, während ihm der Inquisitor die Prüfungen vorhält, in die das Papsttum geraten ist: das Zerwürfnis mit dem Kaiser, der Dreißigjährige Krieg mit dem Sieg Gustav Adolfs, dem der Papst zuneigt gegen den Kaiser. Auch die päpstlichen Schwächen für die Künste werden erwähnt. „Was die Barbaren Rom gelassen haben, rauben ihm die Barberinis." So kommt es zum Kompromiß: Galilei sollen die Folterinstrumente gezeigt werden, aber das soll das Alleräußerste sein. Der Papst weiß wie der Inquisitor, welch ein sinnlicher Genußmensch Galilei ist.

Darnach folgt als dramatischer Höhepunkt die Szene des öffentlichen Widerrufs. Eine Szene: Galilei im Kerker hat Brecht aus der Erstfassung später herausgenommen. Solche Entwürdigungen bleiben dem großen Gelehrten erspart. Wir erleben die Vorgänge mit in der atemlosen Spannung, mit der Galileis Schüler im Palast der Florentinischen Gesandten in Rom den Augenblick heranwarten, in dem die Entscheidung fällt. Alle Schüler Galileis sind überzeugt, daß er nicht widerrufen wird. Warum mußte er aus Venedig fortgehen? „Da konnte er sein Buch nicht schreiben." „Und in Florenz konnte er es nicht veröffentlichen." Zum ersten Mal wird die tragische Spannung, in die Galilei geworfen ist, formelhaft umkreist. 23 Tage hat Galilei im Kerker gesessen. Gestern war das große Verhör. Eine Nachricht steigert die Spannung noch: die große Glocke von Sankt Markus soll läuten, wenn der Widerruf öffentlich ausgerufen wird.

Andrea muß seinem Herzen Luft machen. Er wirft sozusagen Galileis Großtaten in den Weltraum, macht sie an den Gestirnen offenbar:

> „Der Mond ist eine Erde und hat kein eignes Licht. Und so hat die Venus kein eignes Licht und ist wie die Erde und läuft um die Sonne. Und es drehen sich vier Monde um das Gestirn des Jupiter, das sich in der Höhe der Fixsterne befindet und an keiner Schale befestigt ist. Und die Sonne ist das Zentrum der Welt und unbeweglich an einem Ort, und die Erde ist nicht

> Zentrum und nicht unbeweglich. Und er ist es, der es uns gezeigt hat."

Schon ist es drei Minuten über fünf Uhr. Galileis Schüler atmen das Glück voraus: „Also: es geht nicht mit Gewalt! Sie kann nicht alles! Also: die Torheit wird besiegt! sie ist nicht unverletzlich! Also: der Mensch fürchtet den Tod nicht!" „So viel ist gewonnen, wenn einer aufsteht und nein sagt!"

Eben jetzt beginnt die Glocke zu läuten, und Virginia, Galileis Tochter, atmet auf: „Er ist nicht verdammt!"

Die Stimme eines Ansagers aber schallt herüber, die Galileis Widerruf wortwörtlich öffentlich wiederholt.

In dieser Szene ist alles dramatische Bewegung, in Anschauung umgesetzt. Galilei selbst ist herausgespart, um den Mächten Raum zu geben, die in Galileis Seele miteinander ringen. In zwei letzten Aussprüchen hat Brecht diese Mächte selbst sich aussprechen lassen. Andrea übernimmt die eine Stimme: „Unglücklich das Land, das keine Helden hat!" Andreas ganze Verzweiflung drückt sich darin aus, die Verzweiflung der auf die Freiheitsentscheidungen des heldenhaften Einzelnen angewiesenen europäischen Kultur. Die andere Stimme übernimmt der zurückgekehrte Galilei, der sich, von seinen Schülern geschmäht und verfemt, nicht aus der Ruhe bringen läßt:

„Unglücklich das Land, das Helden nötig hat." Es ist der Entscheid dessen, der auf jedes Heldentum verzichtet hat mit seinem Widerruf dessen, was er gelehrt hatte. Galilei stellt sich damit in eine Weltbewegung, die nicht den Einzelnen braucht, sondern die sich Kollektivgesetzen fügt, in Galileis Fall den Gesetzen der kirchlichen Obrigkeit. Brecht hat damit zugleich den tragischen Zwiespalt einer Welt bewußt gemacht, die zwischen zwei Weltblöcke zerspalten ist, zwischen das westliche Abendland, mit seinem Ruf nach Freiheit des Einzelnen, und zwischen eine Welt, die den Anspruch erhebt, ihrer Gesetzesordnung den Einzelnen unterzuordnen.

Im Zeitalter Galileis stellt sich das so dar, daß der Forschergeist des Einzelnen zum „Gefangenen der Kirche" gemacht wird bis zu seinem Tod. Dennoch ist etwas in Galilei ungebrochen geblieben, das sich zu dem Gedanken durchgerungen hat: „Unglücklich das Land, das Helden nötig hat." Auf den Tiefsinn, der sich hinter diesen Worten Galileis verborgen hält, ist die entscheidende Schlußszene ausgerichtet.

Hier haben wir einen Augenblick zu verweilen. Es liegen zwei verschiedene Fassungen vor. Die Erstfassung hat Ernst Schumacher zur Kenntnis gebracht, so wie sie bei der Uraufführung in Zürich 1943 auf die Bühne kam. Die spätere Fassung, die in den Werken enthalten ist, ist durch ein Ereignis bestimmt, das Brecht, nachdem er es erfahren, nicht mehr aus dem Lebenskreis seines Galilei-Dramas heraushalten konnte: es war der amerikanische Wurf der Uranium-Bombe auf Hiroshima am 6. August 1945 und der Wurf der Plutonium-Bombe auf Nagasaki am 9. August. Hier war die Entdeckerfreiheit, die mit Galilei begann, fortgeschritten zum Massenmenschenmord, zur Unmenschlichkeit. Brecht, der glaubte, in der Symbolgestalt Galileis die Welt zu bewegen, fand sich als Dichter von einer erschreckend furchtbaren Weltbewegung fortgetragen, die ihm neue Entscheidungen in die Feder zwang.

Die Erstfassung leidet darunter, daß Galilei scharf überwacht wird. Auch die Tochter Virginia beteiligt sich daran. So kommt es zu keinem Gespräch, nur zu zweideutigen Aussprüchen Galileis, die absichtlich verfremdend wirken. Ein Hafner, der den Kamin ausbessern soll, hilft ihm Manuskripte nach auswärts zu schmuggeln. Ein Arzt untersucht seine Augen. Auch als Andrea kommt, vor der Abreise nach Holland, bleibt das Gespräch matt, unter Virginias Aufsicht. Erst als die betonten Aussprüche der Reue Virginia den Eindruck gegeben haben, daß sie ihn mit Andrea allein lassen kann, verwandelt sich der Duktus. Galilei gesteht, daß er „Rückfälle" hatte. Er übergibt Andrea „Notizen". Auch jetzt muß man noch sehr hinter die Worte hören, hinter denen sich Galilei versteckt. Nur die Sache, nicht sein Name ist wichtig. „Die Vernunft ist eine zu große Sache, als daß sie in einem Kopf Platz hätte." Sie ist „die Selbstsucht der ganzen Menschheit". „Der Einbruch des Lichts erfolgt in die allertiefste Dunkelheit." So vorsichtig warnt er Andrea vor der Finsternis: „Nimm dich in acht, wenn du durch Deutschland fährst und die Wahrheit unter dem Rock trägst."

Anders die letzte Fassung. Galilei ist lebendiger Mittelpunkt. Virginia umschützt ihn mehr als daß sie ihn beaufsichtigt. Er diktiert ihr auf Fragen und Bibelzitate des Erzbischofs untertänige Antworten, mit Ironie gewürzt, an denen Virginia teilnimmt, während er diktiert. Er verteidigt sich, daß er die Sprache des Marktes gebraucht habe. Das solle keine Mißachtung des Lateins bedeuten. Schon wird dann Andrea hereingeführt. Anfangs in Gegenwart Virginias; ebenso vorsichtig alles wie in der Erstfassung. Dann aber schickt Galilei Virginia in die Küche, sie nimmt den überwachenden Mönch mit. Sogleich spricht Galilei von den „Discorsi", von der Abschrift, die im Globus liegt und die Andrea mitnehmen soll. „Stopf es unter den Rock." Andrea preist seinen einstigen Lehrer. „Auch auf dem Felde der Ethik waren Sie uns um Jahrhunderte voraus." „Hätten Sie in einer Gloriole von Feuer auf dem Scheiterhaufen geendet, wären die andern die Sieger gewesen."

Soweit erscheint alles klar. Galilei hat seine Bewacher überlistet. Dennoch trifft das nur den halben Galilei. Brecht hat ihm so viel mehr doppelsinnige Ausstrahlung gegeben, weil er ihm und auch Andrea sehr viel mehr zumuten will.

Zum Verständnis der Szene ist noch zweierlei vorauszuschicken. Brecht fand in Amerika den großen Schauspieler Laughton, der Galilei spielte. Brecht ging mit ihm alle Szenen durch, gemeinsam übersetzten sie den Text ins Amerikanische. Er war weltberühmt durch seine Darstellung des Quasimodo in Viktor Hugos „Notre-Dame" im Film, dies Ungeheuer, Mißgeburt mit Riesenkräften. Solche extreme Widersprüchlichkeit ist es, aus der Laughton seine Gestalten zu bauen liebt. Brecht charakterisiert ihn so: „Immer wenn Galilei schöpferisch ist, zeigt Laughton eine widersprüchliche Mischung von Aggressivität und schutzloser Weichheit und Verwundbarkeit." Unwillkürlich beeinflußt Laughtons Spiel Brechts Ausgestaltung der Galilei-Gestalt in der amerikanischen Fassung, die 1947 zur Aufführung kam.

In die gemeinsame Bearbeitung des Dramas fiel dann die Erschütterung Brechts durch die Atombombenabwürfe. Brecht spürte den Zusammenhang auf, der zwischen Galileis Entdeckungen und der Atombombe herzustellen ist. „Der infernalische Effekt der Großen Bombe stellte den Konflikt Galileis mit der Obrigkeit seiner Zeit in ein neues schärferes Licht." Ohne daß es nötig war, „die Struktur" des Dramas zu ändern, vertiefte sich für Brecht das Grundproblem. Galilei rückte in ein Zwielicht. Brecht konnte ihn nicht mehr als den geheimen Sieger sehen, der die Inquisition überlistete, um sein neues Buch insgeheim niederzuschreiben und ins Ausland bringen zu lassen. „Am Ende betreibt Galilei seine Wissenschaft wie ein Laster, heimlich, wahrscheinlich mit Gewissensbissen. Angesichts einer solchen Lage kann man kaum darauf erpicht sein, Galilei entweder nur zu loben oder nur zu verdammen." Brecht entdeckte neben dem technischen Wunder der wissenschaftlichen Leistung „Galileis soziales Versagen". Wie war das noch in die Struktur des Dramas einzuarbeiten? Brecht griff, stärker verändernd, nur noch in die 14. Szene ein. Die Kritik der amerikanischen Aufführung hält die Wirkung gerade dieser Szene fest: Laughton als Galilei: „Von tragischer Klarheit, halb Sieger, halb Opfer, überführt sich der alte Riese selbst in einem monumentalen Monolog, und eine Zeitlang scheinen wir auf der Bühne im Zentrum der Wahrheit zu sein." Nachdem Brecht dann 1949 endgültig nach Ostberlin übergesiedelt war, um dort ein neues Theater zu schaffen, ging Brecht 1953—1955 an die deutsche Endfassung des Dramas, die die amerikanische in sich aufnahm. Auch die 14. Szene erfuhr noch Änderungen, in die Brecht die Erfahrungen der letzten Jahre mit einarbeitete. Er selbst hatte 1947 noch vor dem amerikanischen Kongreßausschuß wegen seines Verhältnisses zum Kommunismus ein „Verhör" zu bestehen, das dem Verhör Galileis vor der Inquisition wohl vergleichbar war. Unmittelbar danach verließ er, Hals über Kopf, Amerika. Außerdem hatte er Gelegenheit, über die „Erbsünde" der modernen Atomforscher nachzudenken, die ihren Forschertrieb in den Dienst ihres Staates stellten, der allein imstande war, die Mittel herzugeben, um die bisherige „Kernforschungsutopie" zu verwirklichen.

Das Entscheidende aller dieser Erfahrungen, die Brecht zur letzten Fassung des Galilei-Dramas führten, war seine Einsicht, daß Forscher wie Galilei, die den Mut hatten, vorzustoßen zu der Wahrheit, daß die Erde sich um die Sonne bewegt, selber von Mächten bewegt werden, deren unheimliche Ziele nicht abzusehen sind. Während Galilei zum Widerruf gezwungen wurde, war die Forscherwahrheit, in deren Dienst er fortwirkte, unterschwellig auf dem Wege, sich in viel gefährlichere Konflikte zu verstricken, als sie das Verbot der Inquisition hatte erkennen können. Brecht aber fühlte sich verpflichtet, sein Drama, das sich einer offenen Form aufgeschlossen hatte, bis zum Abgrund zu öffnen, wo sich Bewegungen vollziehen, über die auch der Dramatiker des Galilei-Schicksals keine letzte Gewalt hat. Denn indem er glaubt zu bewegen, wird er mitbewegt von jenen selben unheimlichen Kräften, die im epischen Gang der Geschichte von Galilei zur Atombombe geführt haben. Etwas davon war bereits in den Ausspruch Galileis eingegangen: „Unglücklich das Land, das Helden nötig hat."

Damit wenden wir uns der Letztfassung der 14. Szene zu, in der Galilei seinem früheren Schüler Andrea die Discorsi übergeben hat, sie unter den Rock zu stecken. Andrea hat Galilei alles abgebeten, was er gegen ihn im rebellischen Herzen gefühlt und gedacht hat. Er hat soeben gesagt: „Auf dem Felde der Ethik waren Sie uns um Jahrhunderte voraus." Und was die befleckten Hände betrifft: „besser befleckt als leer." Galileis Antwort: „Klingt realistisch, klingt nach mir!" Als wäre er ganz einverstanden mit seinem Schüler. Aber dann als Andrea Galilei den eigentlichen Sieger nennt, erweitert plötzlich Galilei den Blick: „Die Andern sind die Sieger. Und es gibt kein wissenschaftliches Werk, das nur ein Mann schreiben kann." Das will sagen: Einzelhelden gibt es nicht! Darauf fragt Andrea: „Warum dann haben Sie widerrufen?" Galilei: „Weil ich den körperlichen Schmerz fürchtete! Man zeigte mir die Instrumente." Doch das erschüttert oder kränkt Andrea nicht mehr: „Die Wissenschaft kennt nur ein Gebot: den wissenschaftlichen Beitrag."

Aber Brecht macht uns jetzt in Galileis Entgegnungen und in seinem langen Monolog klar, wieviel er hinzugelernt hat zwischen 1938 und 1955. Man muß sich den Ausbruch Galileis von Laughton gespielt denken, so widersprüchliche Tiefen tun sich auf. (Selbst Laughton wehrte sich dagegen.)

„Willkommen in der Gosse, Bruder in der Wissenschaft, und Vetter im Verrat!" Galilei überrumpelt den früheren Schüler damit, daß er ihn in die Bruderschaft des Verrats einbezieht. Er selber fühlt sich als Verräter, weil er sich wissenschaftlich überlegen gefühlt hat und nun spürt, daß das keine Heldentat war, sondern nichts als Angst vor der Folter, vor dem Tod. Weil Andrea ihn verherrlichen will, verhöhnt er ihn. Die Buch-Übergabe entwertet er: „Ich verkaufe aus — du bist ein Käufer." Andreas Optimismus prangert er an: „Geheiliget sei unsre schachernde, weißwaschende, todfürchtende Gemeinschaft!"

Andrea aber läßt sich nicht verhöhnen. „Todesfurcht ist menschlich! Menschliche Schwächen gehen die Wissenschaft nichts an!" Andrea hält die Leistung Galileis als Heldentat aufrecht.

Das veranlaßt Galilei zu seinem großen Monolog. Er gipfelt in einer scharfen Selbstanklage. Galilei hat es versäumt, den Kampf gegen den wirklichen Feind durchzuführen. Dafür findet er zweimal dasselbe Bild, verstärkt dadurch sein Bild-Gewicht: den Kampf gegen „den perlmutternen Dunst von Aberglauben und alten Wörtern". Dahinter haben sich die Mächtigen verschanzt. Sie haben das Elend der Ausgebeuteten verewigt. „Das Elend der vielen ist alt wie das Gebirge und wird von Kanzel und Katheder herab für unzerstörbar erklärt wie das Gebirge." Die Wissenschaftler haben wohl „den Kampf um die Meßbarkeit des Himmels gewonnen", "Unberechenbar aber sind den Völkern die Bewegungen ihrer Herrscher geblieben". Die Wissenschaftler haben das Volk verraten. Sie haben nur „Wissen um des Wissens willen" aufgehäuft, haben dadurch „die Wissenschaft zum Krüppel gemacht". So ist ihr Fortschritt zu einem „Fortschreiten von der Menschheit weg" geworden. Die Kluft ist so groß, daß der „Jubelschrei" über irgend eine neue Errungenschaft von einem „universalen Entsetzensschrei" beantwortet werden wird. In diesen Rahmen stellt Galilei seine eigne Schuld:

> „Ich hatte als Wissenschaftler eine einzigartige Möglichkeit. In meiner Zeit erreichte die Astronomie die Marktplätze. Unter diesen besonderen Umständen hätte die Standhaftigkeit eines Mannes große Erschütterungen hervorrufen können. Hätte ich widerstanden, hätten die Naturwissenschaftler etwas wie den hippokratischen Eid der Ärzte entwickeln können, das Gelöbnis, ihr Wissen einzig zum Wohle der Menschheit anzuwenden."

Das ist Galileis Selbstanklage. Er hatte Fühlung mit den Handwerkern und Händlern der oberitalienischen Städte, er hatte Fühlung mit dem einfachen Mann wie mit dem Linsenschleifer Federzoni, er war Mittelpunkt einer Volkslegende, auf ihn wurden Balladen im Bänkelsangsstil gesungen überall. Als Märtyrer hätte er einen Aufstand hervorgerufen. Er hätte mit seiner Lehre die Welt bewegt. Statt dessen „überlieferte ich mein Wissen den Machthabern". Die Folgen seiner Versäumnis aber sind unübersehbar: die Kluft zwischen Wissenschaft und Volk wird größer und größer werden, so groß, daß sich der „Jubelruf" über neue Entdeckungen in einen „universalen Entsetzensschrei" verwandeln wird, (wenn einst einmal die Atombombe entsteht). Dann zeigt sich: die Wissenschaftler haben nur Wissen um des Wissens willen aufgehäuft. Sie sind zu einem Geschlecht „erfinderischer Zwerge" verkrüppelt, die „für alles gemietet werden können". (Brechts Vorwurf gegen Atomforscher im Dienst ihres Staates.) Wo ist die Aufgabe geblieben: „die Mühseligkeit der menschlichen Existenz zu erleichtern?" So faßt Galilei seine Selbstanklage zusammen: „Ich habe meinen Beruf verraten." Dennoch bestätigt er Andrea, daß „ein neues Zeitalter angebrochen sei". Und er wiederholt seinen Akt der Fürsorge für den einstigen Schüler: „Gib acht auf dich, wenn du durch Deutschland kommst, die Wahrheit unter dem Rock!"

Andreas Abschiedsruf wird darum sein: „Ich kann mir nicht denken, daß Ihre mörderische Analyse das letzte Wort sein wird."

So endet Brechts Drama wahrhaft ins Offene. Es endet in die unüberbrückte Spannung zwischen Schüler und Lehrer, zwischen Andreas Wort: „Unglücklich das Land, das keine Helden hat" aus der Verzweiflung des Schülers über den Widerruf des Lehrers und Meisters; und zwischen Galileis Wort: „Unglücklich das Land, das Helden nötig hat." Aus dem inneren Widerspruch dessen, der widerruft und der sich selbst verklagt: Ich habe meinen Beruf verraten. Es ist der tiefere ungelöste Widerspruch, der sich bereits von den Einzelpersonen abgelöst hat: zwischen der Hoffnung: immer hängt es an der Entscheidung des Einzelnen, daß die Welt bewegt wird; und zwischen der Einsicht: die Bewegungen gehen aus viel tieferen Schichten hervor, wo der Einzelne sich in unlösbare Widersprüche verstrickt findet, wo es auf Entscheidungen ankommt über den Einzelnen weg.

Ist das aber nicht die Kluft gerade zwischen West und Ost? Und sprengt Brecht im Galilei-Drama damit nicht die symbolische Wirkung? Bedeutet die Form des offenen Dramas nicht Sprengung des symbolischen Kosmos der Dichtung?

Ehe wir uns an die Antwort heranbegeben, sollen Ost und West selber vorerst zu Wort kommen. Ernst Schumacher als Stimme des überzeugten Marxisten vertritt in seiner ausführlichen Monographie zum Galilei-Drama den Standpunkt, daß Brecht einem ausgesprochenen Irrtum unterlegen sei, wenn er glaubt, daß Galilei durch einen Märtyrertod irgendetwas revolutionär hätte bewegen können. Die Gesellschaftsbedingungen waren damals dafür einfach noch nicht reif. „Zusammenfassend läßt sich sagen, daß Galilei nicht den sozialen Verrat begangen hat, wie ihn Brecht in der Neufassung unterstellt." Sind darum die Selbstbeschuldigungen Galileis hinfällig oder gar töricht? Oder enthalten sie nicht Vorauswürfe des Genies, die erst wahrhaft die „riesige Figur" erklären? Alles, was Brecht hineingearbeitet hat an gesellschaftlichen Kontrasten, bleibt überaus wirkungsvoll. Und die Witterung, daß der Typus des Gelehrten damals einmalig volksnah lebte und erlebt wurde, bleibt der Figur des „Bibelzertrümmerers" mitgegeben. Galileis Gewissen, das sich so selbstanklagend regt, behält Symbolgewicht aus der komplexen Tiefe der Gestalt. Darum ist Galileis Einsicht die weisere, und sein Schüler mit seinem Ruf nach dem Helden wirkt daneben einschichtiger. Nur sind die letzten Fragezeichen damit nicht gelöst. Die Warnung, die Brecht aussprechen wollte durch die Symbolgestalt, und die sich an die „erfinderischen Zwerge" richtet, die „für alles gemietet werden können", bleibt im offenen Drama ins Offene der Zukunft hinausgesprochen.

Unverändert bleibt durch alle drei Fassungen, daß Brecht seinem Galilei zugleich die Einsicht gibt, daß vorerst sein Schüler als Bote in die protestantischen Länder mit den insgeheim abgeschriebenen Discorsi den Auftrag erfüllt, die Terrorgesetze der Kirche zu überlisten oder zu unterlaufen. Im Genie Galilei schließt das eine das andere nicht aus, insofern wird er gerade zur symbolischen Gestalt.

Für die Auffassung des Westens haben wir zwei genaue Interpretationen des Dramas, von Günter Rohrmoser und Werner Zimmermann. Rohrmoser verzichtet allerdings auf die Betrachtung von Szene zu Szene. Auf der einen Seite erklärt er den Marxismus für unfähig, „eine Ethik des politischen Handelns hervorzubringen", zum andern beleuchtet er die „Unentschiedenheit der Frage, wie weit überhaupt dem Individuum eine Bedeutung für den Ausgang geschichtlicher Prozesse zukomme". Galilei ist absichtlich in die „Zweideutigkeit" gestellt. Darum läßt sich auch das Drama als Ganzes nicht eindeutig bestimmen:

> „Eine Tragödie ist es nicht, denn das letzte Resultat des geschichtlichen Experiments steht noch aus. Als Historienspiel kann es nicht gedeutet werden, denn es ist von bedrängender Aktualität. Den Parabelstücken kann es nicht zugerechnet werden, denn die Gestalt Galileis und sein Schicksal sind unlöslich an ihre historische Konkretion gebunden. Von einem „Lehrstück" kann schon gar nicht gesprochen werden, da das „Beispiel" den Charakter der unwiederholbaren Einmaligkeit hat, die so nicht übertragbar oder gar anwendbar ist. In eigentümlicher Weise vereinigt das Leben Galileis alle diese Züge so in sich, daß sie verwandelt in eine neue Gestalt des Dramas aufgehoben werden ... Die doppelte Funktion der Dialektik als artistisches Spiel und als Methode geschichtlicher Weltbewältigung faßt die divergierenden Aspekte zu einer Einheit zusammen."

Die neue Einheit kann nur als offenes Drama verstanden werden als „Drama nichtaristotelischen Typs", wodurch das bürgerliche Drama überwunden werden soll. Rohrmoser vereinfacht die Handlung auf „die doppelte Funktion der Dialektik als artistisches Spiel und als Methode geschichtlicher Weltbewältigung". Wir stellen die Dialogik dagegen, die aus dem genialen Wurf des Dichters lebt, daß

Galilei begreift: „Nichts bewegt sich, was nicht bewegt wird." Das ist die unterschwellige Bewegung, die durch alle vordergründige Handlung geht. Das bezeugt die Resonanz, die Galilei im Volk findet, bis zur Bänkelsängerballade. Das bezeugt die elementare pädagogisch-denkerische Gesprächslust Galileis, die zugleich sich streitend aller dialektischen Schärfen bedient (wie mit dem Gegenruf: „Unglücklich das Land, das Helden nötig hat.") Das bezeugt zuletzt die gespenstige Gegenwart unlösbarer Widersprüche im Monolog Galileis, der den Kampf „gegen den perlmutternen Dunst von Aberglauben und alten Worten" führt, gegen alles, was sich erstarrend zu sichern sucht, und sich selber durch Selbstanklagen, die ihn spalten, lähmt, weil er Bewegungen vorausschaut, denen er sich nicht gewachsen weiß.

Zimmermann spiegelt in seiner genauen Szenenfolge zweierlei: eine „Dialektik als übergreifendes Strukturprinzip", zugleich „ein organisch gewachsenen Ganzes", mit Galilei als Hauptfigur, in der sich „die einzelnen Eigenschaften widersprechen" (im Sinn des Brechtschen Organons § 53), und zwar mit dem „Genuß an den Widersprüchen", doch vertieft bis zu „Elementen des Tragischen".

Brecht selbst hat einen Hinweis gegeben, im Brief vom Juli 1945, noch vor der Bombe: Das Galilei-Drama sei Gegenbeispiel zu den Parabeln. „Dort werden Ideen verkörpert, hier eine Materie gewisser Ideen entbunden." Das ist der dramatische Vorgang: daß Ideen entbunden werden, während Galilei nichts bewegt, was nicht bewegt wird. Nach Hiroshima ist auch die Schreck-Idee der Atombombe in die Bewegung aufgefangen. Was Brecht hier im Genie Galileis vorausahnen läßt, sind Gedanken, die gleichzeitig mit Brecht Theodor Litt angestellt hat in seinem Buch über „Technisches Denken und menschliche Bildung" 1957: Litt greift Freuds Begriff der „Ambivalenz" auf, als Verhängnis oder Schicksal der Atomforschung, aus der „Segen und Fluch" in gleicher Wurzel entspringt. Als „Schicksal einer verhängnisvollen Selbstgefährdung für immer und ewig".

Brecht versucht solchen „Schatten der Ambivalenz" als dem zukünftigen die Welt bedrohenden Atom-Schicksal zu entrinnen mit Galileis Ruf: „Unglücklich das Land, das Helden nötig hat." Das vor allem gibt seinem widersprüchlichen Schluß Gewicht: Obgleich das Galilei-Drama keine Tragödie ist, dringen hier die „Elemente des Tragischen" herauf. Derselbe Galilei, der Andrea die „Discorsi" übergibt mit dem fürsorglichen Wort: „Gib acht auf dich, wenn du durch Deutschland kommst, die Wahrheit unter dem Rock"! wirft in die Seele seines Schülers die Worte: „Willkommen in der Gosse! Vetter im Verrat!"

Brecht erreicht hier in seiner Galilei-Gestalt im unbewältigten Widerspruch die symbolische Chiffre für die Tragik des männlichen Prinzips in der schrecklichsten Grenzsituation, in die uns die Technik gebracht hat, die mit Galileis Entdeckungen ihren Anfang nahm. Das ist als Genie-Wurf weit über den Gegensatz von West und Ost gedacht. Als balladische Vision greift es zugleich über jede Ost-Dialektik hinaus. Hier wird der Dichter offenbar.

Theodor Litt rief in seiner Schrift gegen solche Selbstgefährdung im Schicksal der Ambivalenz „den ganzen Menschen" auf. Er spricht von der „inneren Ordnung", vor der „die Schatten der Ambivalenz" zu weichen haben. Brechts dichterische Vision entzieht sich auch hier den Fängen des dialektischen Materialismus und sucht den „ganzen Menschen" im Dialogischen und Bipolaren einer umfassenderen Schöpfungsbewegung. Er ruft sich gegen die Übergriffe des männlichen Prinzips das weibliche Prinzip zu Hilfe. Brecht hat in den Jahren des Stalin-Hitler-Paktes seine bedeutendsten Werke geschaffen, indem er sich zur eignen Vision befreite. Es sind Dramen um Frauengestalten: „Mutter Courage und ihre Kinder" 1939, „Der gute Mensch von Sezuan" 1940, „Die Geschichte der Simone Machard" 1943 und „Der kaukasische Kreidekreis" 1944—45. So dürfen wir den symbolischen Kosmos der Brechtschen Dichtung nicht allein auf das Galilei-Drama gründen. Wir wählen für unseren Zusammenhang die Mysterienspiel-Parabel „Der gute Mensch von Sezuan" aus, weil hier der sinnfälligste Ausgriff auf einen symbolischen Kosmos gewagt wird.

Abschließend sei noch dem Verhältnis zum Lichtsymbol nachgegangen. Brecht berührt es in diesem Männerstück nur am Rande für das „Licht" der Wissenschaft. In der Erstfassung hieß es: „Der Einbruch des Lichts erfolgt in der allertiefsten Dunkelheit. Nimm dich in acht, wenn du nach Deutschland kommst." In der Letztfassung heißt es nur noch: „Gib acht auf dich." Es ist in Gegenwart der Tochter gesprochen. Statt dessen braucht Galilei zweimal im letzten großen Monolog das Bild vom „perlmuttnen Dunst von Aberglauben und alten Worten". Als falscher Glanz. Dann aber erscheint das Licht in der letzten Szene des Dramas, beim Gang Andreas durch die Zollsperre, in dem begleitenden Knittelvers:

„Liebe Leut, gedenkt des Ends.
Das Wissen flüchtet über die Grenz.
Wir, die wissensdurstig sind.
Er und ich, wir bleiben dahintt.
Hütet nun Ihr der Wissenschaften Licht.
Nutzt es und mißbraucht es nicht.
Daß es nicht, ein Feuerball,
Einst verzehre noch uns all
Ja, uns all!"

Da es sich um die letzte Szene handelt, kann man diesen naiven Knittelvers auch als Chorstimme ans Ende setzen und ihm mehr Gewicht geben. Brecht hat die Naivität des Knittelverses ausgenutzt, um den unheimlichen Schreckzusammenhang wenigstens anzudeuten, der zwischen dem Licht der Wissenschaft und der Atombombe besteht.

Theodor Litt hat in unsre Gegenwart hinein keinen Anlaß, sich hinter Knittelvers-Naivität zu verhüllen: „Sie wollten nicht wissen, daß das Licht der Menschlichkeit nur strahlen kann, weil es vom Dunkel der Unmenschlichkeit verschlungen zu werden ohne Unterlaß in Gefahr ist."

Wie grundanders gestaltet sich die Lichtsymbolik im klassischen Drama Schillers. Wie durchdringen sich Sternensymbolik und Lichtmetaphorik im Stil des Barock. Wenn Wallenstein ausruft: „Nacht muß es sein, wo Friedlands Sterne strahlen", dann hat die kühne Metaphorik alles Licht in Wallensteins Selbst hineingebannt. Der Weltbeweger ist das Licht. Alles, was ihm erstarrend entgegensteht, ist Finsternis. „Unglücklich das Land, das keine Helden hat!" Auch Brecht ist es um Weltbewegung zu tun. Aber was Galilei bewegt mit dem Licht der Wissenschaft, sprengt die Welt auseinander. „Unglücklich das Land, das Helden nötig hat." Die Gestaltmitte, die Galilei darstellt, die „Bildmitte", schließt als Sinn-Mitte nur die Katastrophe auf. So kann es nur ein offenes Drama geben.

Bert Brecht „Der gute Mensch von Sezuan"

Brecht nennt sein Stück ein „Parabelstück". Parabel und Symbol haben dasselbe Verbum als Grundwort: Ballein — werfen. Aus dem Zusammenwerfen des Widersprüchlichen entwickelt sich das Symbol, es zielt auf eine „Bild-Mitte, eine Sinn-Mitte". Das „Para" kann sowohl „neben vorbei" meinen wie „hin zu". Es ist nach

Przywara das „Widerspruchsspiel zwischen entgegengesetzten Möglichkeiten". Brecht selbst hat den „Galilei" ein Gegenbeispiel zu den Parabeln genannt: „In den Parabeln werden Ideen verkörpert, beim Galilei „eine Materie gewisser Ideen entbunden". So geht es bei den Parabeln um freie Würfe der Phantasie, nicht durch historische Fakten wie Galilei gebunden. Das aber schließt nicht aus, daß auch die freien Würfe auf Zusammenwürfe des Widersprüchlichen zielen.

Brecht führt drei Götter ein, die durch die Klagen der beispiellosen Armut in China auf die Erde herabgezogen worden sind, um nach einem einzigen guten Menschen in der Hauptstadt Sezuan zu suchen. Brecht beginnt damit, daß er einen Ärmsten der Armen einführt, den Wasserverkäufer Wang. Er ist von dem unbeirrbaren Glauben durchdrungen, daß die Götter helfen können. Er wird der erste sein, der ihnen begegnet. Er wird sie durch alle Szenen hindurch als „Erleuchtete" begrüßen und ihre Lichtausstrahlung bezeugen. Im Gespräch mit den Göttern erlebt er, daß sie sich ganz menschlich zu ihm herablassen, während er sich bemüht, ein Nachtquartier für die drei Götter ausfindig zu machen. Das erweist sich als schwierig, weil die Reichen so verhärtet sind und an nichts mehr glauben. Wang entschuldigt sie, so gut er kann; er erfindet sogar Gründe, warum sie verhindert seien. Die Götter durchschauen seine Ausflüchte. Es zeigt sich, die drei Götter sind keine Schemen, sie haben verschiedene Charaktere. Der erste Gott ist Idealist, der zweite ein sehr nüchterner Realist, der dritte steht genau zwischen beiden. Der Realist durchschaut z. B. sogleich Wangs versteckteste Eigenschaften. Wangs Wasserbecher hat nämlich einen doppelten Boden. Seine Armut hat ihn zum Betrüger im kleinen gemacht. Trotzdem ist er unermüdlich, das Nachtquartier zu besorgen. Als ein Mann ihn auslacht: „Das müssen schöne Gauner sein, die du unterbringen willst", öffnet Wang alle Schleusen seiner Gossensprache: „Du schieläugiger Schieler! Hast du keine Gottesfurcht? Die Götter scheißen auf euch! Aber ihr werdet es noch bereuen!"

Auf solche Weise hat uns Brecht die Götter gegenwärtig gemacht als lebendige Wesen in einem dramatischen Rahmen, den man nur als Mysterienspiel bezeichnen kann. Damit tritt dann die Hauptheldin auf. Wang führt sie ein als „Prostituierte, die nicht nein sagen kann". Sie bleibt ihm als letzte Hoffnung, und sie enttäuscht ihn nicht. Aber der Zufall will, daß Wang sie verfehlt und glaubt, auch sie wolle sich drücken. Während Wang nicht mehr wagt, den Göttern vor die Augen zu treten und verschwindet, ist Shen Te aus ihrem Haus herausgekommen und spricht die Götter an. „Seid ihr die Erleuchteten?" Shen Te erkennt sie, wie Wang, an ihrem Lichte, und sie wird sie genau wie Wang durch alle Szenen des Dramas „Erleuchtete" nennen und sich blindlings ihrem Urteil beugen. Auch das ist eine der wichtigsten Stützen im Mysterienspiel. Es lebt vom Glauben der Einfältigen.

Nachdem Shen Te den Göttern ihr Zimmer angeboten hat zur Nachtunterkunft, erfährt sie andern Morgens den Dank der Götter. Als die Götter sie einen guten Menschen nennen, gesteht sie: „Ich bin nicht gut." „Ich möchte es wohl sein, nur: wie soll ich meine Miete bezahlen? So will ich es euch denn gestehen: ich verkaufe mich, um leben zu können." ... „Wie soll ich gut sein, wenn alles so teuer ist?" Darauf zum Abschied entscheidet der erste Gott, der Idealist, daß sie das Nachtlager bezahlen wollen. Er gibt Shen Te tausend Silberdollar. Ein Vermögen! Sogleich wird Shen Te ihr Gewerbe aufgeben und einen Tabakladen kaufen, um sich ehrlich durchzuschlagen. Wir dürfen darin eine Prüfung sehen, die die Götter mit dem ersten guten Menschen anstellen, der ihnen begegnet ist.

Brecht hat nun bereits diese erste Szene seiner Parabel oder seines Mysterienspiels durch eine symbolische Handlung ausgezeichnet, die, wie sich zeigen wird, eine großartige zusammenziehende und zugleich aufschließende Symbolwirkung in die Parabel hineinarbeitet. Shen Te leuchtet am frühen Morgen den Göttern mit einer Lampe auf den Weg. Als die Götter ganz am Schluß zum Himmel wieder auffahren, nehmen sie in ihre Abschiedsbotschaft Shen Tes Leuchten mit der Lampe als eine unvergeßliche Geste der Güte auf und sagen zu ihr:

> Jedoch
> Gedenken wir dort über den Gestirnen
> Deiner, Shen Te, des guten Menschen, gern
> Die du von unserm Geist hier unten zeugst
> In kalter Finsternis die kleine Lampe trägst.
> Leb wohl, mach's gut!

Die Götter rühmen Shen Te als den guten Menschen. Wie sie einst mit ihrer kleinen Lampe den Göttern auf den Weg geleuchtet hat, so wird sie als ein Lichtquell des Guten auf der Erde weiter vom Guten zeugen, in die „kalte Finsternis" unsrer Gegenwart. Das ist wahrhaft ein Götterwort, das wie vom Himmel her gesprochen ist und Shen Tes gesamtes Leben überspannt, wie es sich im Mysterienspiel abgespielt hat. Wir dürfen uns eines gewaltigeren Mysterienspiels erinnern, das mit einer machtvolleren Lichtapotheose schließt: Goethes Faust. Natürlich ist der Unterschied groß: Faust wird als Doctor Marianus in den „Glanz" der Himmelskönigin hinaufgehoben. Shen Te bleibt auf der Erde zurück, soll in der „kalten Finsternis" als kleine Lampe leuchten. Dennoch hat Brecht zweifelsohne den Vergleich mit dem größeren Mysterienspiel herausgefordert. Am Schluß des sechsten Szenenbildes sprechen die drei Götter alle zusammen: „Wir glauben fest, daß unser guter Mensch sich zurechtfinden wird auf der dunklen Erde." Im „Prolog im Himmel" sagt der Herr Vers 328:

> Ein guter Mensch in seinem dunklen Drange
> Ist sich des rechten Weges wohl bewußt.

Der Anklang kann nicht zufällig sein. Hat Brecht, der Marxist, eine Parodie im Sinn? Sind die drei Götter parodistisch gemeint? Dagegen spricht von vornherein der Ernst, mit dem Brecht das Grundmotiv aufgenommen hat: daß die chinesischen Götter in dem Sodom und Gomorrha der Gegenwart nach einem einzigen guten Menschen suchen. Bereits als Brecht 1930 sein „erstes antikapitalistisches Kampfstück" schrieb: „Die heilige Johanna der Schlachthöfe", nannte er es „die heutige Entwicklungsstufe des faustischen Menschen". Also ist sich Brecht durchaus bewußt, daß der faustische Mensch eine Weltgestalt ist, die sich in jedem Zeitalter ihre neuen Aufgaben sucht. Brecht entschließt sich, wie schon bei der „Heiligen Johanna", dem Heilsarmee-Mädchen, in Shen Te, der durch die Not der Armut bis zur Prostitution Ausgebeuteten, einen weiblichen Faust auf den faustischen Weg zu schicken, sich als guter Mensch zurechtfinden zu lassen „auf der dunklen Erde".

Die Lichtsymbolsprache durchwirkt auch noch die Verse, mit denen die drei Götter in den Himmel auffahren: Offenbar hat Brecht sich die Rhythmen aus der Lichtapotheose des Faustgedichts in den „Bergschluchten" geradewegs zum Muster genommen. Auch hier aber schließt der gewichtige Sinn der Verse eine Parodie aus.

> Leider können wir nicht bleiben
> Mehr als eine flüchtige Stund:
> Lang besehn, ihn zu beschreiben
> Schwände hin der schöne Fund.

Eure Körper werfen Schatten
In der Flut des goldnen Lichts.
Drum müßt ihr uns schon gestatten
Heimzugehn in unser Nichts.

Es ist verkürzender Weisheitsstil, wie ihn Goethe liebt. Hier ist er den Göttern angemessen, die ihren Abstand zum Menschen auf der Erde betonen. Weil die Menschen Schatten werfen in die „Flut des Lichts" (wie sie Dante als „Empyräum" feiert), können die Götter nicht dauernd auf Erden verweilen. Wollten sie mit den angenommenen Menschenaugen den „schönen Fund" des guten Menschen von Sezuan betrachten, würden sie allzu genau zusehen, bis der Fund sich verflüchtigt hätte. Auch das gehört zu den Schatten, die die Menschen werfen. Brecht macht es sich zum Anliegen, seinen guten Menschen durch die kalte Finsternis der Gegenwart zu steuern, wo von den Menschen selber das Licht ausgesperrt ist. Aber Shen Te wird hindurchgehen mit ihrer kleinen Lampe, und so wird sie, obgleich von allen Seiten umfinstert, von den Göttern zeugen. Eben das wird das Licht sein, auf das es Brecht ankommt.

Was nun hat Brecht aufgerufen, um das Licht nie ganz ausgehen zu lassen? Zunächst hat er die Doppelsicht durchgehalten, die sich auf menschlicher und zugleich auf göttlicher Ebene bewegt. Er hat die Prosa, die der ausgebeuteten Armut entspricht, in Dauer-Dialoge eingespannt, die den Seelen unmittelbar auf den Grund gehen, und er hat seine balladische Phantasie zu freien Würfen zwischen Göttern und Menschen immer wieder aufgerufen. Fünf Lieder sind in das Mysterienspiel eingelassen, um den Alltag zu verwandeln.

Das „Lied vom Rauch" vereinigt die Stimmen des Großvaters, des Manns und der Nichte, um im Gleichnis vom sich auflösenden Rauch am Himmel einen Stimmungsausgleich zu schaffen, der die Alltagsarmut erträglicher macht. Aus der Ohnmacht erheben sie sich zur gemeinsamen Stimme:

Einstmals, vor das Alter meine Haare bleichte,
Hofft mit Klugheit ich mich durchzuschlagen.
Heute weiß ich, keine Klugheit reichte
Je, zu füllen eines armen Mannes Magen.
Darum sagt ich: laß es!
Sieh den grauen Rauch
Der in immer kältre Kälten geht: so
Gehst du auch.

Warum singt der Alte? und warum stimmen die andern mit ein, um in gleicher Kehrreim-Strophe sich zu bekräftigen? Die Phantasie gehört auch dem Armen, und es ist ein Trost, sich in die Weite des Rauchs aufzugeben. Aus der Ohnmacht der tödlichen Armut haben sie sich herausgesungen. Solche Gesänge steigern die Gemeinsamkeit, sie sollten nicht als „Unterbrechungen" aufgefaßt werden, die uns Zustände des epischen Theaters bewußt machen. Das sind herangetragene Theorien. Das nächste Lied singt Wang vor sich hin, allein als Wasserverkäufer. Er steigert sich über das Monotone des Alltags weg, auch er mit Hilfe der unermüdlichen Wangphantasie, die sich so bedingungslos in ihren Träumen mit den Göttern zu unterhalten vermag. Jetzt unterhält er sich mit sich selbst:

Ich hab Wasser zu verkaufen
Und nun steh ich hier im Regen
Und ich bin weithin gelaufen
Meines bißchen Wassers wegen.

Schon setzt er selbst im Kehrreim seinen Punkt, nicht ohne Humor:

Und jetzt schrei ich mein: Kauft Wasser!
Und keiner kauft es
Verschmachtend und gierig
Und zahlt es und sauft es.
(Kauft Wasser, ihr Hunde)

Wang träumt, es fiele sieben Jahr kein Regen. Wieviel Wasserbecher würde er absetzen! Aber dann lacht er über sich selber und läßt die Phantasie spielen:

Ja, jetzt sauft ihr kleinen Kräuter
Auf dem Rücken mit Behagen
Aus dem großen Wolkeneuter
Ohne nach dem Preis zu fragen . . .

Wang gönnt den Kräutern ihren Regen, auch wenn er nichts verkaufen kann. Nachdem er sein Lied gesungen, kommt Shen Te, die verliebte Glückliche und kauft ihm mitten im Regen Wasser ab. So steigert eins das andre.

Ein drittes Lied singen später die Arbeiter in der Tabakfabrik. Sie singen das „Lied vom achten Elefanten". Darin schafft sich ihre Phantasie den Ausweg, um den Ausbeuter anzuprangern, der sie im Dienst des Chefs überwacht und an die Arbeit hetzt. Ein Arbeiter erfindet die Eingangsstrophe. In den Kehrreim fallen alle mit ein:

Sieben Elefanten hatte Herr Dschin
Und da war noch der achte.
Sieben waren wild und der achte war zahm
Und der achte war's, der sie bewachte.

Wieder ist es der Kehrreim, der die Pointe zusammenfaßt:

Trabt schneller!
Herr Dschin hat einen Wald
Der muß vor Nacht gerodet sein
Und Nacht ist jetzt schon bald!

Welche Kraft der Phantasie, sich aus der bedrückenden Alltagsarbeit in der Tabakfabrik herauszuheben, und doch genau den Bösewicht zu treffen, der ihnen das Leben zur Hölle macht.

So dienen die balladischen Lieder der Lebenssteigerung. Auch die Armen sind Menschen! Auch sie haben Phantasie. Und die Phantasie kommt vom Phoos = das Licht! Auch sie haben teil am Licht der Götter, die nur herunterkommen zur Erde, weil die Armen sie gerufen haben. Und sie suchen und finden den einzigen guten Menschen.

Shen Te wird auch ein Lied singen, sie wird sich kraft ihrer Phantasie sogar mitten aus dem Alltag in gehobene Augenblicke steigern, in denen sie das Publikum anspricht, und auch das ist gesteigertes Mysterienspiel.

Damit kehren wir zum Anfang zurück.

Shen Te hat sich ihren Tabakladen gekauft und ist glücklich. „Ich hoffe, jetzt viel Gutes tun zu können." Sie hat schon Reis bereit für die Kinder der früheren Mieterin Frau Shin. Frau Shin aber ist der Typus der bösen Klatschsüchtigen, die sich sogleich daran macht, Shen Te den Laden schlecht zu machen, den sie selbst ihr verkauft hat. Außerdem bittet sie sie sofort um Geld und schimpft sie „Halsabschneiderin", weil Shen Te ihr vorerst Geld nicht geben kann. Und nun muß Shen Te es erleben, wie sich von allen Seiten Bekannte und deren Verwandte in ihren Laden hereindrängen, um sie auszunutzen. Es sind ihre ersten Wirtsleute, die sie längst auf die Straße gesetzt hatten, als Shen Te ihr Geld ausging. Jetzt heften sie sich an sie und gehen einfach nicht mehr fort.

Was tut Shen Te? Sie spricht mit sich selbst, wie auf der Mysterienbühne, in gehobener Sprache:

Sie sind ohne Obdach.
Sie sind ohne Freunde.
Sie brauchen jemand.
Wie könnte man da nein sagen?

Brecht macht uns deutlich: das ist Shen Tes Lebensstil, so zu sprechen, so einfach, und doch nachdrücklich, aus einer unbeirrbaren Gesinnung der Güte.

Es wiederholt sich, nachdem Shen Te bereits ihre Erfahrungen gemacht hat.

Sie sind schlecht.
Sie sind niemandes Freund.
Sie gönnen keinem einen Topf Reis.
Sie brauchen alles selber.
Wer könnte sie schelten?

Solche Güte geht zusammen mit einem scharfen Wirklichkeitsblick. Dennoch ist sie unbeirrbar gut.

Brecht sorgt noch für eine Steigerung. Shen Te muß erleben, daß Frau Shin ihr den Ladeninhalt verkauft hat, ohne die Schreinerrechnung für die Stellagen zu bezahlen. Der Schreiner kommt und fordert sofort sein Geld. Shen Te bittet um einen Aufschub. Wiederum spricht sie in ihrer eignen Sprache ans Publikum gewendet. Diesmal ergreift sie die schwierigere Lage mit gesteigerten Phantasiekräften:

„Ein wenig Nachsicht und die Kräfte verdoppeln sich.
Sieh, der Karrengaul hält vor einem Grasbüschel:
Ein Durch-die-Finger-Sehen und der Gaul zieht besser.
Noch im Juni ein wenig Geduld und der Baum
Beugt sich im August unter den Pfirsichen. Wie
Sollen wir zusammenleben ohne Geduld?
Mit einem kleinen Aufschub
Werden die weiteren Ziele erreicht."

Shen Te will überzeugen. Daher die Beispiele aus dem Leben. Dabei tritt aus ihrer Seele ein Grundsatz hervor, der sich unverlierbar einprägt: „Wie sollen wir zusammenleben ohne Geduld?" Es ist die Grundmaxime, aus der dieser weibliche Faust lebt. Man könnte ihn dem Wort Fausts vergleichen: „daß ich erkenne, was die Welt im Innersten zusammenhält." Shen Te geht es um das Zusammenleben, und dazu bedarf es nicht des Erkenntnisdrangs, vielmehr „der Geduld".

Die Szenen, die sich inzwischen abwickeln, sind bestimmt dadurch, daß immer mehr Verwandte sich einfinden und im Tabakladen Platz nehmen. Shen Tes Begrüßungsformel lautet immer wieder: „Seid willkommen!" Dabei entwickelt sie die Überlegenheit des Humors. Nichts kann sie aus der Ruhe bringen. So begegnet sie den Gehässigkeiten der Shin mit einem Lachen: „Ich werde euch gleich das Quartier aufsagen und den Reis werde ich zurückschütten!" Sie denkt nicht daran, das zu tun. Sie sagt es nur zum Spaß. Auch solcher Humor der heiteren Überlegenheit ist von Brecht mit großer Absicht der Szene eingeformt. Shen Te ist jeder Komplikation gewachsen. Als abermals neue Verwandte hereinkommen und spontan der Ruf laut wird: „Gut, daß du den Laden hast!" wendet sich Shen Te zum Publikum und lacht: „Ja, gut, daß ich ihn habe!"

Aus eben solcher Lebensweisheit des Humors wird ein wichtiger Entschluß geboren. Als Shen Te einem Arbeitslosen, der um Zigaretten bittet, anstandslos mehrere gibt, heißt es gleich: „Sie kann nicht nein sagen!" Und man gibt Shen Te den Rat: sie solle sagen, der Laden gehöre einem Verwandten. Als der Schreiner sein Geld fordert, wird Shen Te zugerufen: „Vetter!" Und dem Schreiner: er solle die Rechnung für den Vetter ausstellen. Der werde bezahlen. Als der Schreiner sagt: „Solche Vettern kennt man!", verbürgen sich die Hausgäste, sie kennten den Vetter persönlich. „Ein Mann wie ein Messer!" Tatsächlich läßt sich der Schreiner bestimmen, die Rechnung für den Vetter auszustellen. Shen Te ist bekümmert, daß sie den Schreiner nicht sogleich bezahlen kann. „Was werden die Götter sagen!" In diesem Augenblick kommt die Hausbesitzerin, von der Shen Te den Laden gemietet hat, und fordert im voraus 200 Silberdollar, weil Shen Te keine Referenzen hat. Eben jetzt wird ihr abermals ins Ohr geflüstert: „Vetter! Vetter!" Und Shen Te sagt, „langsam, mit niedergeschlagenen Augen": „Ich habe einen Vetter!" Sogleich stimmen ihre Hausgäste zu, sie kennten den Vetter, und sie weisen auf den Schreiner hin, der die Rechnung für den Vetter ausschreibt. So geht die Hausbesitzerin beruhigt ab. Abermals kommen weitere Verwandte. Große Heiterkeit hat sich ausgebreitet: „Der Vetter bezahlt es!" Jetzt wird das Lied vom Rauch gesungen. Beim Weintrinken entsteht Streit unter den Gästen. Als die Stellagen umfallen, beschwört Shen Te ihre Gäste: „Schont den Laden. Es ist ein Geschenk der Götter!" Nochmals klopfen neue Verwandte. Abermals finden wir Shen Te zum Publikum gewandt. Auf die bedrohte Lage antwortet sie mit einem kühnen Bild, das alles zusammenfaßt:

> Der Rettung kleiner Nachen
> Wird sofort in die Tiefe gezogen:
> Zu viele Versinkende
> Greifen gierig nach ihm!

In dem Bild hat Shen Te bereits ausgedrückt, daß es so nicht weitergehen kann. Zugleich ist in dem zusammengefaßten Bild so viel Lebensklugheit, so viel Vorausschau eines überlegenen Geistes, daß wir nicht zu erstaunen brauchen, wenn andern Morgens an die Tür geklopft wird und hereintritt ein junger Herr, der erklärt: „Ich bin der Vetter." Shen Te hat sich kurzerhand in die Männerrolle des Vetters Shui Ta verwandelt und treibt die Schmarotzer aus ihrem Laden. Mit wieviel heiterem Verstand sie das tut, zeigt sich von Augenblick zu Augenblick mehr. Dem Schreiner begegnet sie mit einem chinesischen Vers, der ihre Bildung und ihr Zutrauen in seine Bildung verrät. Es geht ihr darum, ihm klarzumachen, daß die Not in der Stadt so groß ist, daß ein einzelner ihr nicht steuern kann. Dabei hat sie den Vers umgeformt. Der chinesische Dichter hatte ihn als Ausdruck des echten Mitleids gemeint. Wie kann man Frierenden helfen? Jedem Einzelnen Wärme bringen ist unmöglich. Der Dichter wünscht sich eine zehntausend Fuß lange Decke, um sie über jeden in der Stadt auszubreiten. Shui Ta legt die wichtigsten Worte dem Gouverneur selbst in den Mund:

> Der Gouverneur, befragt, was nötig wäre,
> Den Frierenden in der Stadt zu helfen, antwortete:
> Eine zehntausend Fuß lange Decke,
> Welche die ganzen Vorstädte einfach zudeckt.

Im Mund des Gouverneurs wirkt das Bild herausfordernd roh und bösartig. Die Decke soll einfach die Not der „Vorstädte" von Sezuan mit ihrem Elend überdecken. Da spricht nicht mehr Shen Te, sondern Shui Ta, der sich daran gewöhnen muß, hart zu werden. Auch der Schreiner soll wissen, daß es im Verkehr mit Shui Ta hart auf hart geht. Der Schreiner wird höflich, aber er will seine 100 Silberdollar. Shui Ta bietet 20; sonst soll der Schreiner die Stellagen wieder mitnehmen. Der Schreiner erklärt, sie seien nach Maß gemacht, die Bretter verschnitten, sonst nicht mehr zu verwenden. Shui Ta: „Eben darum biete ich nur 20 Silberdollar." Der Schreiner resigniert. Die Hausgäste wälzen sich vor Lachen, über so viel Schlauheit Shui Tas. Aber Shui Tas Humor richtet sich ebenso gegen die Schmarotzer und setzt sie sämtlich vor die Tür. Sogar mit Hilfe der Polizei, die sich eingeschaltet hat. Als die Hausbesitzerin auf ihren 200 Dollar Vorauszahlung besteht, berät der Polizist Shui Ta, er solle für seine Kusine eine Heiratsannonce aufgeben. Shui Ta stellt fest: „wieviel Glück nötig ist, damit man nicht unter die Räder kommt."

Brecht hat auf diese Alltagsszenen so viel Gewicht gelegt, sie so sorgfältig aufgebaut, weil es ihm um den Grundcharakter Shen Tes geht, die sich notgedrungen in ihren Vetter Shui Ta verwandeln muß. Sie greift ein Hilfsmittel auf, das ihr von außen angeboten wird, und sie durchwirkt die Rolle des Vetters sogleich mit so viel Verstand, daß sie sich und ihren Laden vor dem Ruin bewahrt. Shen Tes Grundfrage bleibt: „Wie sollen wir zusammenleben ohne Geduld?" Es zeigt sich, sie verfügt, wenn es hart auf hart geht, nicht nur über ein grundgutes Herz, auch über einen ungewöhnlichen Verstand.

Die nächste Szenenfolge verwendet Brecht, um Shen Te, wieder zurückverwandelt, in ihrem ganzen Grundwesen von Herzenskraft, angeborner Güte und Lebensklugheit überzeugend vor Augen zu führen. Dazu entwickelt Brecht das Gespräch als elementarstes Stilmittel im Drama. Alle bisherigen Gespräche zeigten ein selbstverständliches Miteinander im Alltag, so wie das zum China der Konfutiuszeit gehört. Fast grotesk schon war das Familiengewimmel, mit dem Shen Te überzogen wurde, nachdem sie ihren Laden hatte mieten können. Jetzt stellt Brecht Shen Te in den Schicksalsaugenblick ihres Lebens. Shen Te begegnet dem Mann, den sie lieben wird. Es ist Sun, der „Flieger ohne Flugzeug", der eben im Begriff ist, sich aufzuhängen. Die elementare Leistung des Gesprächs zwischen beiden wird darin bestehen, daß Shen Te den Verzweifelten aus seinem Zynismus herauszuholen versteht in ein neues Lebensverständnis, das sich anderen Menschen öffnet, und zwar eben Shen Te, die sich wiederum ihm mit ihren Seelenkräften öffnet. Es ist also eine Romeo- und Julia-Begegnung, doch auf Brechtsche Weise, so alltäglich wie möglich, dennoch zugleich shakespearehaft.

Es beginnt damit, daß Shen Te den Strick sieht, während Sun vorübergehende Dirnen als „Aasgeier" beschimpft. Sie begreift, daß Sun mit andern Dingen beschäftigt ist als mit Mädchen. Shen Tes Schrecken geht in eine Frage über: „Wozu der Strick? Das dürfen Sie nicht!" Sun scheint auch sie für eine Dirne zu halten. „Schwester, mit mir ist kein Geschäft zu machen. Du bist mir auch zu häßlich. Krumme Beine!"

Shen Te läßt sich nicht einschüchtern. „Warum wollen Sie das tun?" Die echte Fürsorge in der Frage veranlaßt Sun, ihr von seinem Miß-Geschick als Flieger ohne Flugzeug zu berichten. Sehr wortreich tut er es, man spürt, daß er sich mit nichts anderem mehr beschäftigt.

Er fühlt sich als der geborne Flieger, aber er wird nicht gebraucht. Flieger werden nur gegen Schmiergelder eingestellt. „Aber was das bedeutet, kannst du nicht verstehen."

Alles hängt jetzt von Shen Tes Antworten ab. „Ich glaube, ich verstehe es doch." Sie greift nur auf eine Kindheitserinnerung zurück. Aber eben darin zeigt sich ein solches Grundverstehen dessen, was den Flieger im tiefsten beschäftigt, daß sie ihn damit bereits ins Leben zurückruft:

„Als Kinder hatten wir einen Kranich mit einem lahmen Flügel. Er war freundlich zu uns und trug uns keinen Spaß nach und stolzierte hinter uns drein, schreiend, daß wir nicht zu schnell für ihn liefen. Aber im Herbst und im Frühjahr, wenn die großen Schwärme über das Dorf zogen, wurde er sehr unruhig und ich verstand ihn gut."

Das ist alles. Es klingt gradezu einfältig. Logisch nicht ganz zusammenhängend. Wohl aber in einem überzeugend: daß zwischen dem Kranich, der unruhig wird, wenn die Kranichschwärme vorüber ziehn, und zwischen dem verhinderten Flieger die gemeinsame Natur besteht. Das ist es, was in der einfältigen Kindheitserinnerung ausgedrückt werden soll. Also versteht Shen Te den jungen Flieger in seinen innersten Wünschen. Das Fliegen ist ihm eingeboren wie dem Kranich.

Shen Tes Aufregung, hinter aller Kindereinfalt, drückt sich darin aus, daß sie „halb lachend halb weinend" spricht. Darum wird in ihr solche Kindheitserinnerung lebendig. Es ist ihre Seele, die sich öffnet. Sun wird zu der Frage angetrieben: „Warum willst du mich eigentlich vom Ast schneiden, Schwester?" Shen Tes Antwort ist wiederum eine große Überraschung. „Ich bin erschrocken. Sicher wollten Sie es nur tun, weil der Abend so trüb ist." Darauf wendet Shen Te sich ans Publikum, wie wenn sie im Mysterienspiel als sein Schutzengel vor die Rampe träte:

„In unserem Lande
Dürfte es trübe Abende nicht geben
Auch hohe Brücken über die Flüsse
Selbst die Stunde zwischen Nacht und Morgen
Und die ganze Winterzeit dazu, das ist gefährlich.
Denn angesichts des Elends
Genügt ein Weniges
Und die Menschen werfen
Das unerträgliche Leben fort."

Auch dies Gedicht in halber Prosa wirkt einigermaßen einfältig, sofern die innere Logik nicht gleich greifbar wird. Es setzt ein hohes Fühlvermögen voraus, um zu verstehen, daß der schreckliche Entschluß zum Selbsttod hier entschuldigt wird aus der Landschaftsstimmung im Winter, der trüben Abende, der Verlockung von hohen Brücken. Und angesichts des allgemeinen Elends. So viel Seelenverständnis tut sich hier auf, daß Sun nichts weiter sagt als „Sprich von dir!" So tief ist er getroffen von ihrem Mitgefühl. Er öffnet sich dem Gespräch. Die Selbstverzweiflung hat er überwunden. Sie hat ihn ins Leben zurückgerufen.

Brecht übernimmt es nun, das Gespräch zwischen den beiden zu seinem Höhepunkt zu führen. Vorerst bricht bei ihr eine große Heiterkeit durch. Als Sun bezweifelt, daß sie einen Laden hat, und fragt, ob ihr den wohl die Götter geschenkt hätten, sagt sie einfach „Ja!" Als er sich damit belustigt sich vorzustellen: „Eines schönen Abends standen sie da und sagten: Hier hast du Geld", da lacht sie nur und sagt: „Eines Morgens." Brecht erhebt sich hier, dürfen wir sagen, in den Humor der Welteinverstandenheit. Denn was hier gesprochen wird, verfestigt sich zur Substanz eines unwiderruflich wahrhaftigen Mysterienspiels, das vom Licht der Götter durchstrahlt ist, wie es vom phantasiedurchwirkten Licht des Humors durchstrahlt ist. Zugleich findet sich Shen Te jetzt frei genug, dem jungen Flieger Mut zu machen. „Man sagt: ohne Hoffnung sprechen heißt ohne Güte sprechen." Abermals greift sie in eine Kindheitserinnerung zurück. Aus der Einfalt eines grundguten Herzens:

„Es gibt noch freundliche Menschen, trotz des großen Elends. Als ich klein war, fiel ich einmal mit einer Last Reisig hin. Ein alter Mann hob mich auf und gab mir sogar einen Käsch. Dran habe ich mich oft erinnert. Besonders die wenig zu essen haben, geben gern ab. Wahrscheinlich zeigen die Menschen einfach gern, was sie können, und womit könnten sie es besser zeigen, als indem sie freundlich sind? Bosheit ist bloß eine Art Ungeschicklichkeit. Wenn jemand ein Lied singt oder eine Maschine baut oder Reis pflanzt, das ist eigentlich Freundlichkeit. Auch Sie sind freundlich!"

Shen Tes Einfalt bewährt hier eine gradezu überredende Gewalt, um dem, den sie liebt, Mut zu machen. Als jetzt Wang vorbeikommt, sein Regenlied singt, kauft sie ihm mitten im strömenden Regen ihres Glücks einen Wasserbecher ab, für den Liebsten, und sie bezeugt ihre alte Freundschaft für Wang durch das Bekenntnis ihrer Liebe zum Flieger:

Er ist ein Flieger. Ein Flieger
Ist kühner als andere Menschen. In der Gesellschaft der Wolken
Den großen Stürmen trotzend
Fliegt er durch die Himmel und bringt
Den Fremden im fernen Land
Die freundliche Post.

Brecht macht uns hier klar: etwas Neues ist in Shen Tes Leben eingetreten, durch die Liebe: die Ausweitung in ein Unbedingtes, in ein Ideal mitmenschlicher Freundlichkeit, das die Weite der Wolken um sich hat: Er bringt die Post über die Welt. Dies Neue geht durch alle nächsten Szenen. Es bringt gesteigertes Glück, aber auch steigernde Forderungen an das menschliche Miteinander. Vorerst endet die Romeo-und-Julia-Begegnung damit, daß Sun sogleich eingeschlafen ist, übermüdet von dem, was ihm im Umschwung vom Tod ins Leben zurück widerfuhr.

Brecht verfestigt sein Mysterienstück durch „Zwischenspiele", in denen Wang im Traum die Götter schaut und Zwiesprache mit ihnen hält. Sie haben ihm aufgetragen, von Shen Te zu berichten, und glückstrahlend weiß er zu sagen, daß sie liebt und daß sich bereits der Name „Der Engel der Vorstädte" an sie geheftet hat.

So erscheint sie uns, wie sie von ihrer Liebesnacht mit Sun morgens in ihren Laden zurückkehrt: „Ich habe immer gehört, wenn man liebt, geht man auf Wolken, aber das Schöne ist, daß man auf der Erde geht, dem Asphalt." Als sie im Nachbarladen einen Shawl kauft, um schöner auszusehen, bietet das alte Händlerpaar ihr freiwillig die 200 Silberdollar als Leihgabe an, die sie für die Jahresmiete vorauszahlen muß. Die Liebe scheint alles zu verwandeln. („Ich wünschte, die Götter hätten zugehört.") Aber Shen Te ist auch in ihrem Grundwesen der Güte über sich hinausgewachsen. Als sie erfährt, ein zorniger reicher Barbier hat Wang die Hand zerschlagen, wie er mit seinem Wasserbecher aufdringlich wurde, fordert sie alle, die dabei waren, auf, als Zeugen aufzutreten. Als sich herausstellt, daß sie alle zu feige sind, tritt sie als Stimme der Empörung auf, Stimme aller Unterdrückten:

„Eurem Bruder wird Gewalt angetan, und ihr kneift die Augen zu.
Der Getroffne schreit laut auf, und ihr schweigt?
Der Gewalttätige geht herum und wählt sein Opfer
Und ihr sagt: uns verschont er, denn wir zeigen kein Mißfallen.
Was ist das für eine Stadt, was seid ihr für Menschen!
Wenn in einer Stadt ein Unrecht geschieht, muß ein Aufruhr sein.
Und wo kein Aufruhr ist, da ist es besser, daß die Stadt untergeht
Durch ein Feuer, bevor es Nacht wird!"

Das spricht nicht Shui Ta, das spricht Shen Te, die durch ihre Liebe über sich Hinausgehobene. Ja, sie wendet sich ans Publikum, um mit Trauer und Entsetzen festzustellen:

„Nichts bewegt sie mehr. Nur
der Geruch des Essens macht sie aufschauen!"

Shen Te begreift, mit solchen Menschen läßt sich die Welt nicht verändern. Nur sie selbst, die von der Liebe Verwandelte, kann ihre eigne kleine Welt bewirken. Die Mutter Suns teilt ihr mit, er bekommt eine Fliegerstelle, wenn er 500 Silberdollar aufbringt. Sogleich gibt Shen Te ihre 200 dafür hin. Und sie überlegt, den Laden zu verkaufen. „Einer wenigstens soll über all dies Elend, einer soll über uns alle sich erheben können." Abermals wendet Shen Te sich ans Publikum:

Yang Sun, mein Geliebter, in der Gesellschaft der Wolken
Den großen Stürmen trotzend
Fliegend durch die Himmel und bringend
Den Freunden im fernen Land
Die freundliche Post.

Eben jetzt räumt Brecht seiner Shen Te ein Zwischenspiel vor dem Vorhang ein, zu einem verwegenen Lied, an die Götter gerichtet. Shen Te, die Maske Shui Tas auf dem Arm, hat begriffen, daß sie sich abermals in die Rolle des männlichen Verstandes verwandeln muß, wenn sie nur das Geringste bewegen will. So tief ist ihr Erschrecken über die Ohnmacht und Feigheit der Massen, die Wehrlosigkeit der Guten, daß sie ihr Lied als anklagende Frage an die Götter selbst richtet. Dreimal erklingt die anklagende Kehrreimstrophe wie die Variation zu der biblischen Einfalt Hiobs: „Warum verbirgst du dein Antlitz?"

Warum haben die Götter nicht Tanks und Kanonen
Schlachtschiffe und Bombenflugzeuge und Minen,
Die Bösen zu fällen, die Guten zu schonen?
Es stünde wohl besser mit uns und mit ihnen.

Warum erscheinen die Götter nicht auf unsren Märkten
Und verteilen lächelnd die Fülle der Waren
Und gestatten den vom Brot und vom Weine Gestärkten
Miteinander nun freundlich und gut zu verfahren?

Warum sagen die Götter nicht laut in den obern Regionen,
Daß sie den Guten nun einmal die gute Welt schulden?
Warum stehn sie den Guten nicht bei mit Tanks und Kanonen
Und befehlen: Gebt Feuer! und dulden kein Dulden?

Soweit hat sich in Shen Te der faustische Impuls fortgesteigert: „Wie sollen wir zusammenleben ohne Geduld?" Wenn sie jetzt wieder als Shui Ta auftreten muß, weil die Götter nicht helfen, dann hat sie mehr im Sinn als Schmarotzer aus dem Laden zu vertreiben. Aber nun muß sie erfahren, daß gerade Sun, ihr Geliebter, ein brutaler Egoist ist, der ihre Gefühle rücksichtslos ausnutzt, um zu seinen 500 Dollar zu kommen. Den Laden will er blindlings verkaufen, die Schuld an den beiden Alten kümmert ihn nicht, weil sie nicht schriftlich festgelegt ist. Wohl erklärt er sich zur Heirat bereit, doch nach Peking will er sie nicht mitnehmen, als „Klotz am Bein".

Der Schmerz, daß Sun sie nicht liebt, zerreißt Shen Te ebenso wie Shui Ta. Die Bildsprache, mit der Shui Ta sich an die Ladenhelferin Shin wendet, ist ins Totale ausgeweitet. Das Elementare der Shakespeare-Sprache geht darin um: „Die Zeiten sind furchtbar, diese Stadt ist eine Hölle, aber wir krallen uns an der glatten Mauer hoch . . ."

„Was ist das für eine Welt?
Die Liebkosungen gehen in Würgungen über.
Der Liebesseufzer verwandelt sich in den Angstschrei.
Warum kreisen die Geier dort?
Dort geht eine zum Stelldichein . . ."

Shen Te übergibt sich dem Shui-Ta-Verstand und akzeptiert das Angebot des reichen Herrn Shu Fu, der Shen Te seine Reichtümer anbietet. Aber Sun kehrt zurück. Noch einmal tritt Shen Te selber auf und läßt sich von Sun zurückgewinnen. Aber auf der Hochzeitsfeier wird es ihr endgültig klar, daß Sun nichts als ein gewissenloser Schurke ist, der sie zur „Untat" am Mitmenschen zwingen will. Sie wendet sich von ihm ab und ans Publikum. Schutzgeister ruft sie sich heran wie Gestalten des Mysterienspiels:

„Er ist schlecht und er will, daß auch ich schlecht sein soll . . . Aber um mich sitzen die Verletzlichen, die Greisin mit dem kranken Mann, die Armen, die am Morgen vor der Tür auf den Reis warten, und ein unbekannter Mann aus Peking, der um seine Stelle besorgt ist. Und sie alle beschützen mich, indem sie mir alle vertrauen."

Von solchen Schutzgeistern umgeben, bewahrt sich Shen Te ihr Grundwesen, das auf Vertrauen, auf Güte, auf Menschlichkeit im Miteinander gestellt ist. So erträgt sie auch die Antwort, die ihr Sun aufzwingt, mit dem Hohn seines Lieds vom Sankt Nimmerleinstag. Auch Sun hat Phantasie genug, sich ein Flieger-Paradies vorzustellen. Und er hat Trotz genug, der Braut, die sich ihm entzieht, die schneidende Verzweiflung des Sankt Nimmerleinstags im Lied entgegenzuschmettern, mit dem Hohn des Bräutigams, der Shen Te vorwirft, daß „sie nicht weiß, was Liebe ist". Aber dieses Lied rührt nicht mehr an ihr Herz.

Die Wende, die sich in Shen Tes Schicksal vorbereitet, wird bereits im nächsten Zwischenspiel Wangs im Traum-Zwiegespräch mit den Göttern deutlich, Wang spricht für die in der Liebe Gescheiterte, weil sie die „Nächstenliebe" höher stellte. Er möchte die Hilfe der Götter erbitten. Aber sie einigten sich auf den Spruch: „Wir glauben fest, daß unser guter Mensch sich zurechtfinden wird auf der dunklen Erde."

Als wenn die Götter doch ihre Hand im Spiel hätten, wird der reiche Herr Shu Fu von dem Gedanken ergriffen, Shen Te einen Blanko-Scheck anzubieten, ohne Gegenforderung, nur „damit das Gute nicht untergeht". Zugleich entdeckt Shen Te in sich die ersten Anzeichen werdender Mutterschaft. „O Freude! Ein kleiner Mensch entsteht in meinem Leibe!" Allem Zwiespalt, in den das männliche Prinzip in seiner Unrast Shen Te mit hineingeworfen hatte, begegnet das Urtümlich-Mütterliche in Shen Te mit überwältigender Spiel-Einfalt, die ihre Phantasiespiele mit dem imaginären Kindwesen beginnt. Sie überspielt sogar die Erinnerung an den verabschiedeten Vater, wenn sie sich ans Publikum wendet:

Ein Flieger!
Begrüßt einen neuen Eroberer
Der unbekannten Gebirge und unerreichbaren Gegenden! Einen
Der die Post von Mensch zu Mensch
Über die unwegsamen Wüsten bringt!

Wang begegnet ihr und bringt ein Kind des Schreiners mit, der zum Trunkenbold geworden ist. Shen Te nimmt sich sogleich des Kindes an. Abermals zum Publikum gewendet:

He, ihr! Da bittet einer um Obdach.
Einer von morgen bittet euch um ein Heute!
Sein Freund, der Eroberer, den ihr kennt,
Ist der Fürsprecher!

Das Urtümlich-Mütterliche verstärkt sich ebenso wie die Spiel-Einfalt, jederzeit bereit, sich dem Alltag zu entziehen in die Phantasiefreiheit. Während sie sich zugleich um Wangs Zukunft Sorge macht, stellt sie sich der immer gehässigen Frau Shin entgegen mit der Frage: „Warum sind Sie so böse?" Wie sie jetzt die Shin beobachtet, ihre Zornsgesten heraushebt und die Gegengesten der Güte entfaltet, zeigt sich Shen Te allem überlegen, was wir früher an ihr erlebten:

„Den Mitmenschen zu treten.
Ist es nicht anstrengend? Die Stirnader
Schwillt Ihnen an, vor Mühe, gierig zu sein.
Natürlich ausgestreckt
Gibt eine Hand und empfängt mit gleicher Leichtigkeit. Noch
Gierig zupackend muß sie sich anstrengen. Ach
Welche Verführung, zu schenken! Wie angenehm
Ist es doch, freundlich zu sein! Ein gutes Wort
Entschlüpft wie ein wohliger Seufzer!"

Die Überlegenheit drückt sich darin aus, daß sie die Menschen aus ihren Gesten sich erschließt und dabei zwei polare Gesten gegeneinanderstellt, die des Zorns, der verkrampft, und die der Güte, die sich und den andern öffnet. Über beiden Gesten erhebt sich das Ideal der „Mitmenschlichkeit". Und so lebt hier Shen Tes Grundwort wieder auf: „Wie sollen wir zusammenleben ohne Geduld?" Jene Grundhaltung wie bei dem Lied an die Götter, in dem Shen Te und Shui Ta zusammenwirken.

Eben jetzt muß Shen Te erleben, wie das Kind des Schreiners im Mülleimer nach Nahrung sucht. Shen Te erstarrt vor Entsetzen, zeigt dem Publikum das graue Mäulchen und bricht in eine Dithyrambe des Schreckens, der Verzweiflung, des Aufruhrs aus. Die eben erwachte Mutterliebe revolutioniert ihr Herz in dem Gedanken, daß ihr eignes Kind einmal so verhungert sein könnte, und die ganze elementare Verantwortung für das soziale Elend in der Welt bricht aus ihrer eingebornen Güte auf. Shen Te, die Grundgütige, will sich in einen „Tiger" verwandeln und noch einmal die Maske des Shui Ta anlegen, um zu kämpfen; jetzt aber, wie im Lied an die Götter, ins Große gewendet.

Sie erscheint als Shui Ta, und verkündet allen, die sich schon wieder an ihren Laden drängen, daß eine Tabakfabrik angelegt wird, in der alle Arbeit finden sollen, die sich bisher von Almosen und Spenden der Güte genährt haben. Der Blanko-Scheck des reichen Shu Fu wird jetzt ausgefüllt auf 10 000 Silberdollar und damit die Tabakfabrik begründet. Aus dem „Engel der Vorstädte" wird der „Tabakkönig von Sezuan".

Eine Tabakfabrik, mit Hilfe eines Kapitalisten errichtet, kann die Welt nicht revolutionär verändern. Shui Ta wird durch die nüchternen Überlegungen gezwungen, zunächst einmal mit Härte die ans Betteln gewöhnten Armen an die Arbeit zu treiben. Dazu bedarf es Aufseher und Antreiber. Der von Shui Ta eingestellte frühere Flieger Sun steigt zum extremen Antreiber auf. Das Lied der Arbeiter über den achten Elefanten zielt auf Sun. Brecht hat Suns Aufstieg im Rahmenbericht seiner Mutter zusammengefaßt. Als Sun zufällig durch Wang erfährt, daß Shen Te ein Kind erwartet, wird er zum Erpresser, der Shui Ta vors Gericht bringt. Die Gerichtsszene wird zur Hauptszene dadurch, daß die Götter als Richter auftreten. Shui Ta fällt beim Anblick der Götter-Richter in Ohnmacht. Aus den guten und bösen Zeugenstimmen heben wir nur zwei Punkte heraus. Shui Ta verteidigt Shen Te: „Der Mann, den sie liebte, war ein Lump." Das spricht durch Shui Ta hindurch Shen Te selbst. Als Hauptankläger Shui Tas tritt Wang auf, ältester Freund Shen Tes, der um den einzigen wirklichen guten Menschen trauert: „Was hast du mit der guten Shen Te gemacht, du schlechter Mensch? Du warst ihr Todfeind!" Darauf Shui Ta: „Ich war ihr einziger Freund!"

Die Lösung kann nur Shui Tas Geständnis bringen, das er im geräumten Gerichtssaal den Göttern ablegt: er nimmt die Maske ab und zeigt sich als Shen Te. In Shen Tes Geständnis, das ein einziger Verzweiflungsschrei ist, ziehen sich alle Ereignisse des Mysterienspiels zusammen. Es ist zugleich die verzweiflungsvollste Zwiesprache des Menschen mit den Göttern, die er die „Erleuchteten" nennt und unter deren Gericht er sich stellt.

> Ja, ich bin es. Shui Ta und Shen Te, ich bin beides.
> Euer einstiger Befehl
> Gut zu sein und doch zu leben
> Zerriß mich wie ein Blitz in zwei Hälften. Ich
> Weiß nicht, wie es kam: gut sein zu andern
> Und zu mir konnte ich nicht zugleich.
> Andern und mir zu helfen, war mir zu schwer ...

Wir haben Shen-Te-Shui-Ta, der die äußere Welt die Spaltung aufgezwungen hat, im Kern ihrer verwundbaren Güte verfolgen können im Anwachsen ihrer Bildkräfte bis zu Shakespeareschen Elementarbildern. Jetzt ist der Höhepunkt in Hyperbeln der Verzweiflung erreicht. „Euer Befehl ... zerriß mich wie ein Blitz in zwei Hälften." Die Hyperbel sucht das mythische Maß: höhere Mächte haben sie auf die Zerreißprobe gestellt. Solche Hyperbeln bestimmen den Verzweiflungsstil: „Die Hand, die dem Elenden gereicht wird, reißt er einem gleich aus." „Die Last der guten Vorsätze drückte mich in die Erde!" Auch das Bild vom „Tiger" wird in die mythische Hyperbel gesteigert:

Jedoch Mitleid
schmerzte mich so, daß ich gleich in wölfischen Zorn verfiel
Angesichts des Elends. Dann
Fühlte ich wie ich mich verwandelte und
Mir die Lippe zur Lefze wurd. Wie Asch im Mund
Schmeckte das gütige Wort. Und doch
Wollte ich gern ein Engel sein den Vorstädten ...

Hinter all solchen Hyperbeln steht die elementare Einfalt der Verzweiflung, die sich den Göttern entgegenhebt:

Für eure großen Pläne, ihr Götter,
War ich armer Mensch zu klein.

Vor so viel Verzweiflung verstummt der dritte Gott. Der erste und zweite Gott sind sich nicht einig. Der Idealist, der nur das Große sieht, spricht von Mißverständnissen, der Realist fragt sich, wie soll sie weiterleben? Die Stimme des ersten Gottes entscheidet. Die Weltordnung ist nicht gefährdet, solange es nur einen einzigen guten Menschen gibt. Und so fällen die Erleuchteten das Urteil: Preis und Ruhm dem guten Menschen von Sezuan, der mit seiner kleinen Lampe eines unbeirrbar guten Herzens die Zeitenfinsternis durchleuchtet. Der erste Gott erklärt: sie ist stark genug, alles zu überstehen. Er wählt Vokabeln des Realismus: „Sie ist eine kräftige Person und wohlgestaltet und kann viel aushalten." Eben damit hebt er Einwände des Realisten von vornherein auf. Alles, was Shen Te noch einmal aus ihrer engsten Bedrängnis vor den Erleuchteten ausbreitet: Schuldgefühl gegen die beiden Alten, die ihren Laden verloren haben, Schuldgefühl gegen Wang, dessen Hand steif bleibt und für den sie nicht hat eintreten können, die Zwischenstellung zwischen dem reichen Shu Fu, von dem die Tabakfabrik abhängt, und zwischen Sun, dem Schurken, dem Aufpeitscher, in dem sie doch den Vater ihres kommenden Kindes liebt, alle bitterste Alltagsnot, die auf sie zukommt, hat für die Götter nichts zu sagen. „Sei nur gut und alles wird gut werden!" Und vor allem Volk von Sezuan erklären die auffahrenden Götter in ihrer Lichtapotheose, ihrer bezeugten Göttlichkeit der „Erleuchteten": „Sie ist nicht umgekommen, sie war nur verborgen. Sie wird unter euch bleiben, ein guter Mensch!"

Noch einmal wagt Brecht den Schrecken aufzufangen im Kontrast-Licht des Humors, um den Göttern noch etwas vom alten Glanz übrig zu lassen für den Brechtschen Alltag:

Shen Te:	Aber ich brauche den Vetter!
Der erste Gott:	Nicht zu oft!
Shen Te:	Jede Woche zumindest!
Der erste Gott:	Jeden Monat, das genügt!
Shen Te:	Oh, entfernt euch nicht, Erleuchtete! Ich habe noch nicht alles gesagt! Ich brauche euch dringend!

Was hat Shen Te noch nicht alles gesagt? Daß die Spaltung, die ihr aufgezwungen worden ist, einen viel tieferen Grund hat, den auch die Maske des Vetters nicht aufheben kann: daß nämlich der Riß zwischen reich und arm quer durch ganz Sezuan und durch die Welt geht, und daß Shen Tes Lebensgesetz der Güte: „Wie sollen wir zusammenleben ohne Geduld", dazu nicht ausreicht. Auch wenn sie sich immer wieder auf ihre Doppelnatur besinnt und den Mann in sich und seinen harten Verstand zu Hilfe ruft. Denn gerade das, was dieser rationale Tabakkönig von Sezuan einsehen muß, ist die nüchterne Tatsache, daß man die Welt selbst verändern müßte, um gegen die Reichen, die das Kapital geben, und gegen die Aufpeitscher, die die Faulheit den unbeweglichen Massen austreiben müssen, eine wirkliche Gottesordnung zu setzen.

Was die Götter, die zum Himmel auffahren, dabei beruhigt und was sie verhindert, selber einzugreifen, ist eine andere einfache Tatsache, aus der heraus Brechts Mysterienspiel geschrieben ist: daß Shen Te, der geborene gute Mensch, der Inbegriff weiblicher Duldsamkeit, Güte und Menschlichkeit, Mitmenschlichkeit, zugleich Inbegriff der Liebe und der Mutterliebe ist, und daß hier Urkräfte lebendig werden, die imstande sind, Menschen in „Tiger" zu verwandeln, wenn die Ordnung gefährdet wird durch Schurken und gewissenlose Abenteurer des entartenden männlichen Prinzips. Hier tritt uns Brecht entgegen mit seiner Vision von der revolutionierenden Mutterliebe, als dem Gegenprinzip zum alles in Frage stellenden wagenden Mann. Dreimal noch wird Brecht seine balladisch-dramatische Begabung zu Hilfe rufen, um Frauengestalten in die Mitte zu stellen: „Mutter Courage und ihre Kinder", die durch den Dreißigjährigen Krieg fahrende Marketenderin, die alle drei Kinder durch den Krieg verliert und die allen Brechtschen Verfremdungseffekten zum Trotz fortlebt auf der Bühne als „versteinerte Niobe". „Die Geschichte der Simone Machard", in deren Kinderherz mit dem Bild der Jungfrau von Orleans die eingeborene Mutterliebe sich zur leidenschaftlichen Mutter- und Vaterlandsliebe steigert, um 1940 die Franzosen vor den einbrechenden Deutschen zu schützen. Und der „Kaukasische Kreidekreis", in dem die alte salomonische Fabel umgemünzt ist derart, daß Grusche, die Magd, die das Adelskind rettet, um der wahrhaftigeren Mutterliebe willen das Kind zugesprochen wird, während die leibliche Mutter im Reichtum entartet ist und das Kind nur um der Erbschaft willen zurückfordern will.

Hinter allen diesen Dramen steht eine Brechtsche Weltsicht, ein symbolischer Kosmos der Dichtung: Seine Formel hat Ernst Jünger 1960 im „Weltstaat" geprägt: „Unsere Zeit ist im Begriff, ein großes Mutterbild zu konzipieren." Jünger postuliert den Weltstaat als „Gußform" aus den zwei Hälften West und Ost. Die Gußform stellt als Forderung die „Begegnung von Organismus und Organisation", und was hier aus der Tiefe heraufsteigt, ist nach Jünger „das Spiel einer gewaltigen erdgeistigen Kraft".

Bei Brecht haben wir in Shen Te eine Fortführung des Heilsarmeemädchens, der „Heiligen Johanna der Schlachthöfe", die er „die heutige Entwicklungsstufe des faustischen Menschen" nennt. Brecht hat einen weiblichen Faust auf den Weg gebracht und durch sein Brechtsches Mysterienspiel mit den auf die Erde zurückgekehrten drei Chinesengöttern zusammengeführt. Auch dies Brechtsche Drama hat einen offenen Schluß, wie das Galilei-Drama. Dort ließ uns Brecht zurück zwischen dem Ruf des Westens: „Unglücklich das Land, das keine Helden hat" und dem Ruf des Ostens „Unglücklich das Land, das Helden nötig hat." Er hatte sich angesichts der modernen technischen Entwicklung, die zur Atombombe geführt hat, auf die Lichtsymbolsprache im einfältigen Knittelvers zurückbesonnen:

„Hütet nun Ihr Wissenschaften Licht,
Nutzt es und mißbraucht es nicht!"

Solche Lichtsymbolsprache hat Brecht im Mysterienspiel in die Dramenmitte selbst gerückt. Er hat die Erleuchteten ihren Spruch sprechen lassen aus der Kraft der uralten Lichtsymbolwelt des technisch noch nicht ganz entmachteten Himmels. Und er hat dem männlichen Prinzip des alten Volksbuch-Faust, der „der Erde Freuden überspringt" und beinah beim Teufel landet, die Gestalt der zu jedem Opfer entschlossenen Mutterliebe gegenübergestellt.

Brecht hat damit fast zur selben Zeit, in der Thomas Mann seinen „Doktor Faustus" Satan übergibt mit den Sprüchen des Zeitgerichts „Wir schaffen nichts Neues!" und der Teufelspaktbedingung: „Du darfst nicht lieben!" seine Shen Te geschaffen, deren Grundwesen es ist, zu lieben und auf die Visionen einer revolutionären Zukunft hinzuleben, für die sie sich sogar in die Doppelrolle einer weiblichen Shen Te und eines männlichen Shui Ta hineinzustürzen unternimmt.

Damit wir aber den Dichter Brecht nicht überschätzen, sondern immer mitbewußt bleiben, daß er ein aus dem Bürgertum ausgebrochener Marxist ist, der aus Moskau 1935 seine Verfremdungseffekte mitgebracht hat, hat Brecht seinem Mysterienspiel noch einen „Epilog" angehängt, der uns scharf aufruft:

„Verehrtes Publikum, jetzt kein Verdruß:
Wir wissen wohl, das ist kein rechter Schluß."

Mit solcher Knittelvers-Einfalt unterbricht Brecht die Wirkung seines Mysterienspiels zwischen Göttern und Menschen. Dichterisch gibt er sich nicht die geringste Mühe, die Sprachdichte des Dramas zu erreichen. Er will das Publikum aus der Gefühlswirkung des Dramas herauswerfen und auffordern, selber kritisch nachzudenken, dem ratlosen Dichter zu helfen.

Soll es ein andrer Mensch sein? Oder eine andre Welt
Vielleicht nur andere Götter? Oder keine?
Wir sind zerschmettert und nicht nur zum Scheine!
Der einzige Ausweg wär aus solchem Ungemach:
Sie selber dächten auf der Stelle nach
Auf welche Weis dem guten Menschen man
Zu einem guten Ende helfen kann.
Verehrtes Publikum, los, such dir selbst den Schluß:
Es muß ein guter da sein, muß, muß, muß.

Hier hat der Marxist Brecht kurzerhand den Dichter Brecht entlassen. Das Publikum soll dahin verfremdet werden, daß es kritisch feststellt, die Welt muß verändert werden. Alle Gewalt der Sprache, mit der Shen Te ihr Leben bestanden hat bis zum Götterlobspruch: „Gepriesen sei, gepriesen sei der gute Mensch von Sezuan!" das alles ist nichts wert, wenn nicht daraus der Verstand des kritischen Marxisten die Folgerung zieht nach „anderen Menschen, anderer Welt, anderen Göttern".

Die Vision des Dichters Brecht kann den Epilog entbehren. Sie lebt aus dem Mut, auch in die kalte Finsternis unsrer marxistisch durchsetzten Zeit das Mysterium vom guten Menschen hineinzuzaubern, als die „kleine Lampe" einer unbeirrbaren Herzenskraft des Miteinanderlebens, der Zwiesprache mit „Erleuchteten", der alles revolutionierenden Mutterliebe, die es fertig bringt, sich aufzuspalten in den weiblichen und männlichen Pol, ohne sich im Lebenskern selbst beirren zu lassen. Umschirmt von allen, die ihre Herzensgüte einmal erlebt haben; unbeirrbar vor allem darin, daß sie selbst wenn sie die Liebe ihres Lebens liebt, keiner „Untat" fähig ist, immer Mitmensch bleibt, auch wenn sie zum „Tiger" werden muß, um ihr Kind vor dem Verhungern zu schützen. Da treibt sie eher die Faulenzer an die Arbeit und bringt die reichen Leute dazu, Gutes zu tun, Geld zu spenden, sich erhoben zu fühlen. Sogar das Licht des Humors blitzt in ihr auf, wenn sie auf jenem verwegenen Grat geht zwischen Abgründen menschlicher Schwäche, Schlechtigkeit und Gemeinheit. Das alles ist der von den Erleuchteten bewunderte Lebensweg Shen Tes-Shui Tas. Auf solche Weise hilft Brecht mit, ein neues Mutterbild in die Zeit zu stellen. Als ein Wurf der dichterischen Visionskraft jenseits der Spaltung West und Ost.

Nur wenn wir beide Grundgestalten der Brechtschen Welt zusammensehen: Galilei als den männlichen Faust, der seinen Andrea findet, um selbst im Widerruf nicht die Selbstwürde zu verlieren, sondern ein Exempel zu werden zwischen denen, die es als Unglück empfinden, ohne Helden zu sein, und zwischen denen, die es als Unglück empfinden, heldisch sein zu müssen; und dann Shen Te-Shui Ta als Versuch eines weiblichen Faust, die es wagen darf, ganz weiblich zu sein als Güte und männlich streng als klug berechnender Verstand, beides im unnachahmlichen Wechselspiel zwischen ihren Rollen im rationalen Alltag des Lebens — erst wenn wir beides zusammen sehen, erkennen wir, wie weit die Brechtschen Parabelspiele symbolisch sind und in einem symbolischen Kosmos ihrer Dichtung gegründet, der alles einfängt, was unsere von Dauerkrisen gefährdete Zeit braucht, um zu überstehen, jenseits der Spaltung West und Ost.

Das wird durch die Brecht-Forschung auch für den „Guten Menschen von Sezuan" auf eine überraschende Weise bestätigt. Die Krisenstimmung des Westens spiegelt die West-Forschung dadurch wider, daß sie Brechts Shen Te nur als „schizoide Figur" sehen kann, als „Spaltung der Figur", durch Spaltung „verfremdet", oder als „dialektisches Gegenmuster zum dialektischen Grundmuster der Götter", als „Keim für dialektische Differenzierungen, Entzweiungen, ja Explosionen". Die Ost-Forschung abstrahiert auf „die Dialektik vom Individuellen und Gesellschaftlichen", um daran „die Dialektik eines großen gesellschaftlichen Widerspruchs" auszutragen. So wird der Zuschauer „mit zwingender Logik zu der Schlußlösung geführt, daß dem Guten auch eine gute Welt gebührt". Nicht schematisch, als wäre Shen Te das „Individuelle" als Gut-sein, Shui Ta das Gesellschaftliche als „Nicht-gut-sein-Können", sondern im „Umschlagen" vom Individuellen ins Gesellschaftliche und umgekehrt.

In beiden Fällen hat die Spaltung zwischen West und Ost dazu geführt, daß alle Urelemente des „Sym", der Dialog, die Bildbewegung im dialogischen Sprachgrund, die Zwiesprache mit den „Erleuchteten", die Lichtsymbolsprache, das Aufrufen des Simultanen in der schöpferischen Phantasie balladischer Gesänge unausgewertet bleiben. Eben das aber sind die lebensvollen Stilelemente, die das Parabelhafte ins Symbolische steigern, zusammenziehend wie aufschließend. So wird aus dem „Guten Menschen von Sezuan" als symbolische Gestalt eines weiblichen Faust der Umriß zu dem „Mutterbild", das die Zeit braucht, als Entwurf jenseits von West und Ost.

Insbesondre der Westen übersieht, was Brecht aus seiner sozialistischen Perspektive dem individualistischen Westen zu geben hat, wo es ihm gelingt, zur symbolischen Gestalt durchzudringen: Shen Te ist gerade nicht „schizoid", nicht ein nur-„dialektisches Gegenmuster", sondern als Mensch total in der weiblichen Anlage zum Mit-Menschlichen, zum Guten, und in dem Mut, in sich die gegenpoligen, abstandhaltenden, männlich rationalen Phantasiekräfte zu entwickeln, die sich im Gesellschaftlichen ebenso bewähren wie die weiblich-mitmenschlichen. Unbeirrbar bleibt gerade der von den Göttern gestärkte, vor ihrem Gericht bewährte Kern des Guten. Die Gefahr des Westens, als „Wüstling des Möglichen" einer ambivalenten Lähmung zu verfallen, die seit Freuds Entdeckungen im Westen umgeht, die Gefahr der in Thomas Manns Satan gegenwärtig gemachten Zeitneurose, gerade sie ist durch Brecht gebannt, sowohl in Shen Te für den Westen wie im Typus Galilei für den Osten: dort gilt es, die Dogmenstarre durch die Ehrfurcht vor dem Einmalig-Genialen zu durchbrechen, das dialektische Schema dem Dialogischen zu öffnen.

Nicht ohne eigne Steigerung auch der künstlerischen Kräfte hat Brecht seinen Helden Galilei zu der Einsicht gebracht, daß sich nichts bewegt, was nicht bewegt wird. Brecht fühlt sich als Kind eines neuen wissenschaftlichen Zeitalters; auch dessen Theater kann nicht in Bewegung kommen, wenn es nicht bewegt wird. Dazu schrieb Brecht sein „Kleines Organon für das Theater“. Darin heißt es § 53: „Die Einheit der Figur wird durch die Art gebildet, in der sich ihre einzelnen Eigenschaften widersprechen.“ Damit ist ein innerer Motor widersprüchlicher Kräfte aufgerufen, der in sich die Totalität alles Schöpferischen fordert. Brechts Anlage hat ihn ins Balladische zurückgeführt. Balladische Urbewegung steht am Anfang seiner Dichtung. Eine Bänkelsangsballade steigert Galileis Volkslegende. Balladische Lieder durchwirken Shen Tes Lebenshintergrund. Sie selber wendet sich ans Publikum mit gesteigerter Phantasiekraft, die sich rhythmisiert. Sie selbst beruft die Götter in einem revolutionären Lied, ohne die Ehrfurcht vor den Erleuchteten aufzugeben.

Das erweckt eine symbolische Ausstrahlung, die mehr als eine Deutung zuläßt, im Sinn des offenen Dramas. Ein Westforscher, Martin Esslin, spricht geradezu von einer „Ambivalenz der Symbole“. Esslin deutet das so, daß Brecht dem Kommunismus gegenüber ambivalent sei. Als Dichter aber sei er total. Wir haben verfolgen können, wie weit Brecht sowohl im „Galilei“ wie im „Guten Menschen“ den Marxismus hinter sich läßt und Lebenswirklichkeiten sucht, die uns alle bedrängen, im Westen wie im Osten. Im Forscher Galilei finden wir das männliche Schöpfungsprinzip hineingesteuert in Widersprüche; wo der, der die Welt bewegt, selber auf unheimliche Weise über sich hinaus bewegt wird, letzthin auf Ziele zu, vor denen die ganze Forscherwelt, ja die Welt überhaupt fragwürdig wird: soll die Atomenergie zum Schöpfungsaufbau oder zur Zerstörung dienen? In Shen Te, dem von den Göttern gepriesenen guten Menschen, begegnen wir einer Kraft aus der Tiefe des Mutterbildes, die jede Art Ambivalenz überwindet, indem sie es auf sich nimmt, die Doppelrolle des Weiblichen und des Männlichen, der Güte und der Härte durchzuspielen, und immer aus der gleichen unbeirrbaren Lebensmitte, zu der die Ehrfurcht vor den Erleuchteten gehört, zu der auch der eben darin mitberuhende überlegene Humor einer Welteinverstandenheit gehört, der zugleich, wenn die Muttermächte aufgestört werden, imstande wäre, sich in einen „Tiger“ zu verwandeln und die Welt zu verändern, soweit das ein Einzelner könnte.

Gemeinsam ist im Brechtschen symbolischen Kosmos die Mitte der Gestalt, jede schöpferisch erfaßt vom produktiven Geist der Zeit, jede auf ihre Art grundnaiv, gemäß Brechts oberster ästhetischer Kategorie; jede so komplex angelegt, daß sich in ihnen „ihre einzelnen Eigenschaften widersprechen". Als ein „Denkmodell von Widersprüchen" hat die jüngste, sich anarchisch gebende Generation Brecht angesprochen. Zu solchen Widersprüchen, die Brecht die offene Dramenform aufgezwungen haben, gehören besonders tiefe Einblicke in die Struktur des Symbols. Wo die Widersprüche dialektisch nicht mehr zu bewältigen sind, stellt sich für die dichterische Vision das symbolische Vermögen ein, als unbeirrbare unteilbare Stoßkraft eines Galilei-Ingeniums ebenso wie einer Shen-Te-Shui-Ta-Bereitschaft, bis zum letzten Atemzug produktiv zu bleiben. Das bedingt den spontanen Dialog, die spontane schöpferische Bildkraft im wechselseitigen Sprechen. Es bedingt, daß es sich nicht um starre Charaktere handelt, sondern um solche, die sich in die Zeit entfalten und verwandeln, ohne ihren Kern zu verlieren. Brecht erreicht so den Lebensalltag selbst, nicht naturalistisch, sondern total gesehen, in der balladischen Vision, immer unbeirrbar lebensnah. Mit Phantasie und Humor. Aber immer muß es ins Offene gehen. Eines wird dabei immer erreicht, die zusammenziehende Kraft des Symbols, die sich zur Gestaltmitte, zur Bildmitte schließt. Wie sieht es mit der aufschließenden Kraft desselben symbolischen Vermögens aus?

Hier dürfen wir sagen, daß die Grenzen des Brechtschen Weltbildes sichtbar werden. Rolf Hochhuth, Moralist wie Schiller unter den jüngsten deutschen Dramatikern, zieht es in den Satz zusammen: „Er sah das Tragische nicht!" Hochhuth führt das auf den marxistischen Optimismus zurück, die Welt zu verändern. „Aber das Schweigen Büchners und Hauptmanns, wenn das Ende da ist, ihre Kapitulation vor dem Verhängnis, scheint mir von einer höheren künstlerischen Qualität." Dagegen finden wir in der Kurzbiographie von Max Höger, die Brecht im Rahmen von Bayrisch-Schwaben sieht und die „Kälte der Wälder" immer um ihn spürt, die tiefer dringende Formel: „Brecht wurde zum tragischen Menschen. Er wußte keinen Ausweg aus dem Dilemma zwischen der ethisch-tragischen Anlage seiner großen Figuren, einer Shen Te oder eines Galilei, und der Verneinung alles Tragischen aus ideologischen Gründen. Und so wurde auch seine Ideologie tragisch. In diesem Widerspruch ist Brecht sehr modern, geistesgeschichtlich sehr aktuell."

Brecht begriff, daß auch der Marxismus, der die Welt bewegen will, Erstarrungssymptome in sich hat. Darum mußte Brecht es machen wie Galilei: „Und sie bewegt sich doch!" Brecht war eines nie aufzuopfern bereit, die Freiheit zur „Produktivität", zur dichterischen Vision. Gerhard Szszesny, der ein Buch über Galilei schrieb

„Dichtung und Wirklichkeit" mit kritischem Abstand zu Brecht, versucht ihn tiefenpsychologisch zu sehen: „Sein Anti-Individualismus war unecht, weil er ihn proklamierte, um in seinem Schutz Triebwünsche nicht zu unterdrücken, sondern auszuleben; weil er gar nicht daran dachte, sein privates Ich der sozialen Welterlösung zum Opfer zu bringen." Die Tiefenpsychologie ist nur ein Sektor im totalen Bestand der dichterischen Begabung. Brecht würde gewiß nicht mit dem symbolischen Kosmos seiner Dichtung den Westen erobert haben, wäre es ihm nicht um die lebendigste Wirklichkeit zu tun, die uns alle angeht, in West wie Ost. Und dazu brachte er aus den schwarzen Wäldern die Kälte mit, die die Mutter ihm als Mitgift ins Leben gab. Sie war sein Schutzmantel nicht nur gegenüber den Bürgern, auch gegenüber den Marxisten.

Trotzdem bleibt auch ihm das Galilei-Schicksal nicht erspart. Während er bewegt, spürt er, wie er bewegt wird. Er hat das offene Drama zur Weltgeltung gebracht. Aber der Durchbruch ins Offene bedarf der Gegengewichte. Und sie stellen sich ein auch über Brecht hinweg. So war es der Stilforscher, der den modernen Manierismus mit dem des 16. und 17. Jahrhunderts zusammensah und dafür den Einheitsnamen „Die Welt als Labyrinth" schuf, G. R. Hocke, der zugleich entdeckte, daß die Schöpfungsweisheit immer mit Polaritäten arbeitet, wie es schon Goethe sah. Die Welt baut sich aus der Polarität des Männlichen und Weiblichen auf. „Der Manierismus ist ewig weiblich, der Klassismus ewig männlich." „Der Klassiker schafft Strukturen, erobert den Kern der Welt." Aufgabe des Manierismus ist es, „Versperrungen, Erstarrungen, Versteinerungen aufzureißen". Das ist reichlich geschehen. Brecht ist es gelungen, im offenen Drama die Tore weit aufzureißen, hinter Galilei wie hinter Shen Te. Aber: „nur der Klassiker schafft Strukturen." Zur Erneuerung des Symbols, auch des aufschließenden, sind wir auf ein Drama angewiesen, das auf moderne neue Weise klassisch ist. Arthur Miller, mit dem wir das Dramenkapitel begannen, sei wiederholt: „Das neue Drama wird griechisch sein, in dem Sinn, daß die Menschen wieder Teile eines Ganzen werden, der Sozietät eines Ganzen, das der Mensch bedeutet." Lassen sich Spuren auch eines künftigen Dramas aufzeigen?

Ausblicke

Das 20. Jahrhundert verbindet mit riesigen technischen Fortschritten erschreckende Katastrophen. Brechts Gestalt zeichnet sich dadurch ab, daß er durch Dauer-Schocks hindurch unverlierbar eines mit sich trug: den Motor des produktiven Menschen, der zwischen Zerrbildern immer wieder das Urbild des wahren Menschen suchte und in Gestalt verwandelte, symbolische Gestalt im Rahmen parabelhafter Dramen der offenen Form. Doch die wachsende Verfrostung der Beziehungen zwischen Ost und West läßt Brechts Begrenzungen heute deutlicher werden. Die Monatszeitschrift „Theater heute", die soeben ihr 100. Heft mit berechtigtem Selbstbewußtsein herausgebracht hat, ließ März 1968 ein Brechtheft erscheinen, mit der Frage des Mitherausgebers Henning Rischbieter: „Wie tot ist Brecht?" Die Antwort lautet: „Der Zweifler, der Realist, der listige Brecht ist tot für die DDR. Der Marxist, der Utopist, der von der Lust an der Produktivität beflügelte Brecht ist tot für die Bundesrepublik. Und der jeweils halbe Brecht, der hier und dort übrig bleibt, der wird — bewußt oder unbewußt — als lau, unzureichend, wirkungslos empfunden. Der ganze Brecht? Eine Riesenfigur, verschwindend im Gewölk, das unsere augenblickliche Situation verunklärt? Ich ende mit Fragezeichen."

Hier wird die entscheidende Frage nach dem symbolischen Kosmos der Dichtung Brechts gar nicht mehr gestellt. Als wäre er „im Gewölk" mitverschwunden. Als wären wir in einer Landschaft jenseits des Symbols angelangt. Die fototechnische und organisatorische Großleistung von „Theater heute", die ein Gesamt des europäischen Theaters in der Überschau bietet, kann nicht darüber forttäuschen, daß die gegenwärtige Dramenproduktion nach allen Richtungen hin Fragezeichen setzt, Krisensymptome hervorruft. Ein solches Krisensymptom sei herausgehoben, Zeichen für den Symbolschwund im Rahmen der Theaterkritik. Brechts „Guter Mensch von Sezuan" wurde Mai 1967 in Westberlin gespielt, ohne Verfremdungsformen, vielmehr so, daß Shen Te und Shui Ta eine einheitlich überzeugende Gestalt bildete. Genau also das, was nach unsrer Darstellung den lebendigen Symbolkern des Mysterienspiels hervortreten läßt. Was aber war die Wirkung auf den Kritiker? „Jetzt hört man die geborgte, die artifizielle Einfalt der Brechtschen Argumentation und Diktion deutlicher als zuvor. Brechts Mühe mit dem Schlichten schmeckt jetzt beschwerlich, wirkt heute mühsam. Seine komplizierte, seine errechnete Simplizität wird durchschaubar und gewinnt ein etwas ranziges Pathos." „... Wenn der Armen Armut immer wieder belegt und ausführlich beklagt werden muß, wird sie auf langweilige Weise mulmig. Da erweist sich des Textes Einseitigkeit, ... setzt sein Pathos Mehltau an."

Auch wenn man, an laxen Journalisten-Stil in der Theaterkritik gewöhnt, die nötigen Abstriche macht, bleibt der niederdrückende Eindruck, daß die westliche Intelligenz unvermögend geworden ist, Symbolwirkungen wahrzunehmen. Jene „Naivität", auf der Brecht seine Ästhetik aufbaut, genau wie sie ehedem Schiller und Goethe auf dem Einfaltbegriff aufbauten, wird verhöhnt, weil man sie nicht mehr spüren kann oder will. Was Brecht gerade in der großen Figur Shen Tes anzubieten hat als Überwindung der Ambivalenzen und Spaltungen des Westens, wird mit selbstzerstörerischem Hochmut abgetan. Es entspricht den westlichen Forschern, die Shen Te als „schizoide Figur" sehen, als durch Spaltung Verfremdete, als dialektisches Gegenmuster zum dialektischen Grundmuster der Götter. Wir befinden uns in der Landschaft jenseits des Symbols.

Man könnte versucht sein, sich die Wiederkunft der Götter im Brechtschen Mysterienspiel nicht in China, sondern in der westlichen Hemisphäre vorzustellen. Da wäre es dann nur zu begreiflich, wenn die Götter sich wieder von der Erde zurückziehen und ihren gepriesenen guten Menschen sich selbst überlassen. Sie halten es nicht aus, weil sie zu scharf sehen, weil ihnen die Schatten, die die Menschen in ihr Empyräum werfen, unerträglich sind; weil diese Menschen ihnen zuwider werden, die ihre Symbolorgane haben verkümmern lassen. Es wäre nicht auszuschließen, daß Brecht auch daran gedacht hat.

Wenn wir hier nochmals Thomas Manns Begriff der „Volkseinfalt" ins Bewußtsein bringen, den er 1943 im IV. Buch des Josephromans aus dem Sprachschatz Herders erneuerte, so aus dem Gesetz des ergänzenden Widerspruchs. Thomas Mann, der Meister der Ironie und Parodie, erspürt im Bild des „Fruchtbodens", den gerade der Geistige braucht sich zurückzuverjüngen: was dem Westen verloren gegangen ist. Wie Thomas Mann selbst sich Jeremias Gotthelf zum großen Vorbild wählte für den Doktor-Faustus-Roman, so war ihm bewußt, daß Volkseinfalt nichts Idyllisches ist, nichts Sentimentales oder Ranzig-Pathetisches, sondern eine Kraft der zusammengefalteten Lebensenergien, aus denen nicht nur der Mut zum Zusammenblick des Widersprüchlichen hervorgeht, um sich ins Symbol zu steigern, sondern aus dem auch die Strenge des Existenzgerichtes dringt, „als nahe sich eine Buße aus Gottes selbsteigner Hand". Solchen Gerichten mag sich der Kritiker unsrer Gegenwart wohl ins schnellgefügte Journalistendeutsch zu entziehen suchen, wo es dann nur noch „geborgte, artifizielle Einfalt gibt", die etwas „Ranziges" hat.

Wir halten uns in jener Kraterlandschaft jenseits des Symbols nicht weiter auf. Wir nehmen dabei Abschied von Brecht mit einem Wort, das aus einem Vergleich zwischen Brecht und Camus hervorgegangen ist: „Es ist das Genie der Dichtung selber, das sich autonom und gegen den politischen Zwang des Brechtschen Privatwillens durchsetzt." Wir ergänzen dieses Wort dahin, daß es dem Genie der Dichtung in Brecht nur gelang, weil ihm stets vorgeschwebt hat, ein volkstümlicher Dichter zu sein und aufs Volk unmittelbar einzuwirken.

Wo gibt es Ansätze zum zukünftigen Drama, die wieder den Raum eines symbolischen Kosmos der Dichtung zurückgewinnen? Wir setzen dabei voraus, daß das „Theater des Absurden" abgewirtschaftet hat. Hier können wir uns der Argumente Ostdeutschlands bedienen: Werner Mittenzwei „Gestaltung und Gestalten im Drama" 1965 macht überzeugend, daß es die Wirkung des Brechtschen Dramas war, die dem absurden Drama den Boden entzogen hat. Zugleich macht der Rigorismus Mittenzweis klar, daß wir gegenwärtig vom ostdeutschen Drama ohne Brecht nichts zu erwarten haben. „Die Entfremdung kann nur durch die Beseitigung des kapitalistischen Privateigentums überwunden werden." Einen solchen Satz hätte Brecht nicht so rigoros geprägt, ihm genügte es, gegen das Unrecht in der Welt zu rebellieren.

Wie beim Ausblick auf den zukünftigen Roman greifen wir auf das Drama und Theater des Auslands über.

William Faulkner, der mit dem Nobelpreis ausgezeichnete Epiker, schrieb ein einziges Drama: „Requiem for a Nun" 1951, deutsch 1956. Er griff auf einen Romanstoff zurück, den er 1931 geschrieben hatte, um Geld zu verdienen: krasseste Sexualmotive, um eine Gestalt des Bösen schlechthin. Zwanzig Jahre später trieb es ihn, das hier aufgerührte Böse nochmals anzugehen und in den Kampf „zwischen Gott und Satan" zu stellen. Das symbolische Vermögen findet sich hier vor einer seiner höchsten Aufgaben.

Faulkners Drama umspannt zwei Kontrastwelten, die in zwei Frauengestalten zusammengenommen sind. Temple Drake als Vertreterin eines seelisch entarteten Geld-Amerika wird zum exemplarischen Typus der Moderne: durch ihre Lust zum Absurden. Wie kann eine Seele, deren Komplexe sich im Bordell gebildet haben, in das sie unverschuldet hineingeriet, in dem es ihr aber gefiel, und die als ein weiblicher Süchtling des Möglichen für alles Selbstzerstörerisch-Absurde im Sexuellen anfällig wird, wie kann sie noch dem Zugriff Gottes zugeführt werden? Zwei Energiequellen hat Faulkner in die dramatische Bewegung hineingeleitet. Die eine entspricht dem modernen Geist amerikanischer Seelendurchforschung: Rechtsanwalt Gavin Stevens vertritt mit seiner Rechtsvernunft die Würde der Wahrheit, der Gerechtigkeit, und gibt sich die erdenklichste Mühe, die Widerstände in einer Frauenseele zu brechen, die sich mit dem Gürtel zynischer Indifferenz umgürtet hat. Faulkners Symbolgriff ist hier der, daß solche vordergründige Dimension der Vernunft nicht mehr ausreicht. So erschafft er sich die tiefere religiöse Dimension, die des Herzens hinzu. Dazu erfindet er die weibliche Gegengestalt. Temple als Herrin hat eine Dienerin zur Seite aus dem verachteten schwarzen Proletariat. Armut hatte sie (wie Shen Te) in die Prostitution hineingetrieben. Temple hatte sie als Kindermädchen für ihre zwei Kinder in Dienst genommen, weil sie jemanden um sich haben wollte, der die Dirnensprache verstand. Nancy aber ist nun ihrem Charakter nach Temple völlig entgegengesetzt. Sie gehört jener Schicht an, die nur mit dem Begriff der „Volkseinfalt" zu umschreiben ist. Damit ist bereits das Einzigartige im Zusammenblick der Widersprüche für die Symbol-Lösungen vorbereitet. Nur aus einer Natur wie Nancy kann noch die Zwiesprache mit dem Absoluten erreicht werden, als der einzigen Kraft, die Temple vor ihr Existenzgericht stellt.

In diesen großen Rahmen ist die dramatische Handlung eingepaßt. Während den Vordergrund die seelenanalytischen Verhandlungen um Temple füllen, die vom Rechtsanwalt Gavin mit geistigdialektischer Energie geführt werden, und auf die wir hier nicht eingehen wollen, liegen die symbolischen Steigerungen in zwei

Gesprächsszenen zwischen Temple und Nancy. Einmal wird in die Seelenanalyse hinein die reale Szene eingeblendet, die sich ehedem zwischen Temple und Nancy abgespielt hat. Sie trifft in eine hochdramatische Situation: Temple wird durch Briefe, die sie einst im Bordell geschrieben hat, vom Bruder ihres einstigen Liebhabers, der inzwischen ermordet ist, erpreßt, und sie wirft sich dem Erpresser an den Hals, froh, ihrer Ehe zu entrinnen. Sie ist nicht nur bereit, ihren Sohn in Stich zu lassen, sie will sogar das zweite, sechs Monate alte Kind mitnehmen, damit der Erpresser weiter damit erpressen kann. Gegen solch absurde Unmenschlichkeit wendet sich Nancy. Sie zwingt Temple durch alle ihre Ausreden und Ausfälle gegen die Dienerin zu dem klaren Bekenntnis, daß sie fort will, „ganz gleich, was aus den Kindern wird". Als Nancy klar wird, daß nichts mehr Temple aufhalten kann, geht sie ins Kinderzimmer und erstickt das Kleinkind in der Wiege. Eine absurde Tat, für die sie, wie sie weiß, hingerichtet wird. Sie will das Kind vor dem Elend bewahren, wie sie selbst es im Leben hat durchmachen müssen, und sie will durch den absurden Schock Temple so im Herzen treffen, daß sie ihr eignes Absurdes überwindet und in ihre Lebenspflichten zurückkehrt.

Den Höhepunkt der symbolisch-dramatischen Steigerung stellt dann die Begegnung Temples mit Nancy im Kerker dar, am Tag vor Nancys Hinrichtung. Trotz der langen heilsanalytischen Behandlung ist Temple ratlos, zwar wortreich, doch ohne Trost, ohne Tränen. Nancy dagegen ist die Ruhe selbst. Sie steht da wie ein dunkler Leuchtturm in der Nacht. Das Wenige, was sie sagt, kommt aus Schichten, die Temple unerreichbar sind. In Nancy sind die Mutterinstinkte ebenso ungebrochen wie ihr Christusglaube, in Spirituals besungen. Mit ihrer harten Hurensprache trifft sie immer mitten in den Kern der Dinge. Wir begreifen, nur solch ein elementares Urwesen war imstande, das Absurde zu tun, um das Absurde zu besiegen. Das Kind zu ersticken, um es für Gott zu retten, und die Mutter durch den Schock zu heilen.

Wer hineinhorcht in Nancys Worte, wird spüren, daß sie Zwiesprache mit einem unsichtbaren Gegenüber hält. Faulkner hat das kühnste Paradox gewagt: die Gegenwart des Absoluten wieder ins Drama hineinzuholen, und der Unwürdigsten, der schwarzen Prostituierten, die Kraft zur tragischen Würde zu geben, aus der heraus hier mehr vollzogen wird als ein Gericht an der einen Temple. Es ist das Gericht am ganzen ins Absurde entarteten Abendland, dem in seinem Theater des Absurden die tragische Würde abhanden gekommen ist. Möglich aber war das alles nur, weil hier ein Mensch aus den ungebrochenen Instinkten der Volkseinfalt spricht. Tatsächlich war nur eine Negerin (im Fernsehspiel) imstande, Nancys Worte so einfach zu sprechen, daß sie überzeugen. Auf Temples Frage: „Gibt es einen Himmel?" antwortet die Einfaltstimme: „Ich weiß nicht. Ich glaube." So geht sie in den Tod, von Faulkner zur „Nonne" erhöht.

Was Faulkner hier für die Wiederkehr des symbolischen Kosmos der Dichtung im Drama leistet, ist genau das, was Schiller im Prolog zu Wallenstein „der Menschheit große Gegenstände" nennt. Dem Theater des Absurden scheint der Blick gerade dafür abhanden gekommen zu sein. Wir haben nun neben dem einen Drama Faulkners das Gesamt-Dramenwerk Arthur Millers, der fordert: „Das neue Drama wird griechisch sein." Wie stellen sich ihm im amerikanischen Alltag der Menschheit große Gegenstände dar? Wie sieht der symbolische Kosmos seiner Dichtung aus?

Wenn wir Arthur Millers Werk durch alle seine Dramen auf das Zwingende der innewirkenden Symbole überprüfen, so geschieht es mit der besonderen Rücksicht darauf, daß Millers Anknüpfen an die Ibsen-Technik von den modernen Vertretern des Absurden als „konventionell" abgetan wird. Es ist bei Miller gerade nicht die „Übereinkunft", die er sucht, sondern der Zusammenblick der Widersprüche, immer ins Jetzt und Hier des lebendigsten Alltags hineingetrieben, wo den Tod-Entscheidungen nicht mehr ins Spiel mit dem Absurden als verdeckte Todesfurcht ausgewichen werden kann.

Miller, der sich ausdrücklich auf Ibsen beruft, folgt ihm darin, daß er die Gegenwart von der Vergangenheit her mit tragischem Sinn erfüllt. Schon in seinem Erstling „All my Sons" (Alle meine Söhne) 1947 greift er mit amerikanischer Dynamik über Ibsen hinaus. Wenn der Rüstungsfabrikant, der durch fehlerhafte Zündkapseln im 2. Weltkrieg Flieger zum Absturz gebracht hat, das Wort „alle meine Söhne" ausspricht, ist in ihm die schreckliche Erkenntnis gereift, daß seine Söhne ihm das Gericht gesprochen haben. Er hat immer nur „Geld gemacht" für seine Familie, seine beiden Söhne. Um sich und sein Geschäft zu bewahren, hat er einen Unschuldigen, seinen Angestellten, ins Zuchthaus gebracht. In dem Augenblick, wo ihm aufgeht, daß sie alle, alle die abgestürzten Flieger, seine Söhne sind, daß er ihr Mörder ist, im Richterspruch der

Söhne, gibt er sich selbst den Tod. Noch sind die drei Akte ganz im Ibsenstil mit Familienszenen gefüllt, in denen die verdeckte Schuld ans Licht dringt. Nur in der Einsicht: „Alle meine Söhne" weitet sich das Symbol über die Familientragödie hinaus. Millers nächstes Drama „Der Tod des Handelsreisenden" 1949 sprengt die Ibsen-Technik der tragischen Analysis. Miller hat begriffen, daß im Leben immer „alles zusammen und gleichzeitig in uns existiert"; daß „ein Mensch in jedem Augenblick seine Vergangenheit selbst ist". Das fängt Miller in der Struktur des Dramenaufbaus ein. Eben damit dringt er in den Symbolkern der Existenz. Er kann sich auf die Durchschnittsfamilie des Handlungsreisenden Lohmann beschränken und doch die Totalität dessen erreichen, was er „das neue Drama wird griechisch sein" nennt.

Immer wieder geht die reale Vorderbühne des Alltagsgeschehens in die Visionsbühne der Mächte über, die aus den tieferen Seelenschichten heraufdringen. Unvermittelt steht eins neben dem andern, mit naivem Daseinsanspruch: Gegenwart. Erinnerung, bis zur Stimme des toten Bruders, des Diamanten-Ben, bis zur Zwiesprache mit dem Toten. An die Stelle der Entlarvungstechnik Ibsens tritt das Hereinfluten von unten herauf, aus dem immer bewegten Daseinsgrund. Das ganze Leben der Familie Lohmann, Vater, Mutter, Söhne faltet sich vor uns auseinander, chaotisch unzulänglich, nur das stille Herzenslicht der Mutter hält alles zusammen.

„Für einen Handlungsreisenden hat das Leben keinen festen Boden. Wenn sein Lachen nicht mehr erwidert wird, dann stürzt die Welt ein." Diesen Einsturz erleben wir am sechzigjährigen Willy Lohmann: zwischen Geltungssucht und Lebensangst durchs Geschäft gehetzt, bis er ausgebootet wird. Ein Vatervorbild kann er nicht sein; so mißraten auch die Söhne. Besonders Biff hat er auf dem Gewissen: kritiklos hat er im Schüler und Sportler die Geltungskomplexe so gesteigert, daß Biff später jeden Wertemaßstab verloren hat. Sogar kleinere, dann verwegnere Diebstähle werden zu Heldentaten umgeformt. Die innere Seelendramatik erreicht ihren Katastrophenaugenblick, als den Vater die Erinnerung als entsetzensvolles Bühnenbild überfällt: Biff, soeben durchs Abitur gefallen, sucht verzweiflungsvoll den Vater im Hotelzimmer auf, er findet ihn zusammen mit einem Frauenzimmer übler Art. Daß der Vater die Mutter zeitlebens betrogen hat, wirft den Sohn aus jedem Halt. Er hat begriffen, daß er selber diese Vater-Erbschaft als Halbheit im Blut hat, das erstickt ihm die Zukunft. Er wird sein Abitur nicht nochmals versuchen, sondern zum Nomaden werden, dem nichts mehr gelingt. Die Schreck-Erinnerung läßt in Willy Lohmann einen Entschluß reifen. Er stellt sich seinem Existenzgericht. Das geht unterschwellig durch mehrere Szenen: Zwiegespräch mit Diamanten-Ben, Auseinandersetzung mit dem trotzigen und weinenden Biff, der wieder in die Welt will. Dann verschwindet Willy in die Garage, rast mit dem Auto in den Tod. Damit holt er für Biff und die andern 20000 Dollar Lebensversicherung herein. Letzte Vaterliebe.

Miller öffnet hier die Dramenform der Technik des Absurden. Aber er hält die Sinnmitte fest. Gegenhalt bildet Linda, Willys Frau, die Mutter der Söhne, die stille, wahrhaft Liebend-Leidende, die ihren Mann längst durchschaut hat, alle faulen Stellen im Charakter der Söhne kennt. Dennoch grundgeduldige, unbeirrbare Familienmitte. Ihr fällt am Grabe der Ausruf zu: „Warum hast du das getan? Ich suche und suche und suche und ich verstehe nicht." Wie soll der einzige Charakter in diesem Drama verstehen, was zwischen charakterlosen Opfern des Zeitgeists sich als Existenzgericht vollzogen hat? Miller hat etwas von der Nemesis erfaßt, die auch noch das Absurde ins Menschliche bindet.

Millers Reifungsprozeß auf die symbolische Durchdringung der amerikanischen Alltagsgegenwart zu erreicht eine erste Höhe mit dem Drama „Der Blick von der Brücke" 1955, umgearbeitet 1957. Der Titel deutet auf die wichtigste Neueroberung: der Rechtsanwalt, der sein Büro mitten im Hafenarbeiter-Viertel aufgeschlagen hat, beansprucht als Kommentator des Geschehens die Würde der griechischen Chorstimme. Zweimal greift er in die Handlung als beratender Anwalt ein, Stimme der Menschenvernunft, hinter der die Ahnung von Gottes Gerechtigkeit durchzuspüren ist. So tritt von Anbeginn der „Blick von der Brücke" in den Dienst der symbolischen Durchdringung.

Das Grundmotiv ist aus dem Leben geschöpft. Miller sagt dazu: „Als ich die Geschichte eines Abends in der Nachbarschaft hörte, fiel mir auf, wie unmittelbar, mit welch atemraubender Einfachheit sie sich entwickelte . . . Nach einer Weile glaubte ich, es müsse sich um irgend eine Wiederkehr eines griechischen Mythos handeln." Die Welt der Hafenarbeiter ist die Welt ganz einfacher Leute. Miller zieht alles zusammen um die Gestalt des Eddie Carbone zwischen Frau und junger Nichte, als deren Erzieher er sich fühlt. Verwandte seiner Frau, zwei Brüder aus Italien, werden illegitim bei ihnen aufgenommen. Beide bringen ein Stück archaische Urwelt mit, in ihrer Schlichtheit und Geradheit, ihrem elementaren Ehrbegriff. Das bringt die Stilisierung auf den Wert der Volkseinfalt hinein. Als der noch unverheiratete blonde Rodolfo mit seiner unbändigen Lustigkeit, seiner Allbegabtheit als Sänger, als Koch, als Zuschneider schnell das Herz Catherines, der Nichte, gewinnt, zeigt sich, daß Eddie sie sehr viel tiefer ins Herz geschlossen hat und sie nicht verlieren will, unter den Leiden einer schrecklich anwachsenden Eifersucht. Die unterbewußten Spannungen steigern sich zum drohend stummen Spiel im Boxkampf Eddies mit Rodolfo, im Tanz Catherines mit Rodolfo vor Eddies Augen und zur Kraftprobe zwischen Eddie und dem riesenstarken Marko, dem älteren Bruder, der sich warnend vor den jüngeren stellt. Der II. Akt treibt dann unaufhaltsam der Katastrophe zu.

Eddie, in der Doppelbeleuchtung seiner Frau, die ans Herz appelliert, und des Anwalts, der ihm die Rechtslage klärt, verstockt sich zur undurchsichtigen Figur, die schließlich als anonyme Stimme übers Telefon die Brüder bei der Einwanderungsbehörde anzeigt. Als die Beamten in die Hochzeitsvorbereitungen hereindringen, ist der Verrat allen offenbar. Catherine drückt Eddie die leidenschaftlichste Verachtung aus: „Er ist eine Ratte! In den Kanal gehört er!" Marko spuckt ihm ins Gesicht, vor allen Leuten. Dem Anwalt, der Marko durch eine Kaution vorläufig freibekommt, gelingt es, Markos Rache zurückzudämmen. „Nur Gott kann Gerechtigkeit üben." Aber Eddie, durch die Verachtung Catherines nahezu des Verstandes beraubt, will Marko zwingen, ihm die Ehre zurückzugeben. Zusammengeschlagen, stürzt er sich mit dem Messer auf Marko. Der dreht ihm die Hand mit dem Messer so herum, daß Eddie sich selbst ins Herz stechen muß. In der erbarmungslosen Kraft des großen Rächers spüren wir Gottes Gericht. Das letzte Wort hat der Anwalt: „Aber die Wahrheit ist heilig!" Er findet ein mitleidendes Verstehen auch für den unseligen Eddie. In Furcht und Mitleid erfüllt sich die Katharsis antiker Tragödien.

Auch theoretisch im Vorwort tritt Miller der Epoche des passiven Helden entgegen. Er läßt den „angebornen Wert" triumphieren. Wie bei Faulkner erwächst aus der Stärke der Einfalt das Gericht. Daran schließt sich der Sinn auf.

Schließlich hat Miller noch 1968 mit dem „Theaterstück": „Der Preis" unmittelbar auch auf die deutsche Gegenwart gewirkt, mit

Aufführungen in Berlin, Wien, Zürich, München. Die Struktur hat sich abermals gesteigert. Schon die Überschrift prägt Symbol: Der Preis ist festzusetzen ganz real für das Mobiliar des Hauses, das abgerissen werden soll. Zugleich wird für jeden der feindlichen Brüder der „Preis" festgesetzt, den sie im Leben haben zahlen müssen. Neben die „Sache" tritt die Metapher im Dienst des Symbols.

Dem Rechtsanwalt, der den „Blick von der Brücke" hat, entspricht jetzt der alte Salomon, der Möbelaufkäufer, der den „Preis" für das Familienmobiliar auf 1150 Dollar bestimmt. Der Neunundachtzigjährige ist Neuschöpfung Millers: als Mischung von komischer Figur und Altersweisheit. Sein Realismus durchwirkt das Ganze, auf betont witzige, zugleich die Werte klärende Weise. Von Salomon heißt es: „Sie glauben, was Sie sehen! Oh, das ist wunderbar! Vielleicht sind Sie deshalb so lebendig." Die Brüder, die sich nach 28 Jahren wieder begegnen, beim Möbelverkauf, glauben nicht, was sie sehen. Sie mißtrauen einander, mit dem Freudschen Mißtrauen unsrer Zeit. Beim älteren Bruder Walter hat es als Neid begonnen: er wollte den begabteren jüngeren Bruder, den Mutterliebling, „nicht hochkommen lassen". Als der Vater bankrott machte, entstand für beide Brüder als Mediziner die Frage: was tun? Der Jüngere Victor, noch mitten im Studium, bat den älteren, ihm 500 Dollar zu geben, um zu Ende zu studieren. Das lehnte ihm Walter ab, obgleich er es gekonnt hätte. Victor fühlte sich verpflichtet, dem Vater zu helfen. Er gab das Studium auf, wurde einfacher Polizist. Im Lauf der Jahre hat er mit dem Ressentiment des kleinen Gehaltempfängers gegenüber dem berühmten Chirurgen zu kämpfen, der im Geld schwimmt, sich aber nicht um den Bruder kümmert. Victors Frau hilft sich darüber weg, indem sie trinkt. Im übrigen führen beide eine gute Ehe, haben einen gutgeratenen Sohn.

Bei der Begegnung nach 28 Jahren (der Vater ist nach 16 Jahren der Mutter nachgestorben), zeigt sich, daß Walter im Leben den größeren Preis gezahlt hat. Sein schlechtes Gewissen hat zu einem Nervenzusammenbruch geführt, als Chirurg hat er Fehlgriffe getan, von seiner Frau ist er geschieden. Jetzt erhofft er sich eine Wandlung. Er sucht jetzt den jüngeren Bruder, seine Bruderliebe. Aber vom eingebornen Neid kommt er nicht los. Das Angebot, das er Victor macht, scheint großzügig: statt der 1150 Dollar 12000, aufgestockt zur sozialen Schenkung von 25000, die er von den Steuern abziehen kann. Davon soll dann Victor die Hälfte erhalten. Außerdem bietet er dem Pensionsreifen eine Stellung an unter seiner Einflußsphäre, als Mittelsmann zwischen Wissenschaft und Geschäft. Walter spekuliert dabei unwillkürlich mit dem Ressentiment Victors und vor allem seiner Frau, die zu Geld kommen will. Aber Walters Versuch mißlingt, weil er zugleich noch eine Niedertracht begeht. Er versucht, Victors gutes Gewissen zu zerstören. Er bringt an den Tag, daß der bankrotte Vater noch ein Bankguthaben von 4000 Dollar hatte. Victor hat sich also unnütz geopfert. Hat es überhaupt Sinn, daß Söhne sich für den Vater so aufopfern, wie Victor es getan hat? Hier wird Walter sozusagen zur Stimme Satans, um Victors ganzes Leben zu entwurzeln und dem Nihilismus zuzutreiben. Und doch verhüllt sich hinter Walters Angebot zugleich die Sehnsucht, das eigne verfehlte Leben durch die neuerweckte Bruderliebe aufzufrischen.

In dies verzwickte Zwielicht der Werte bringt der alte Salomon Klarheit hinein. „Was haben Sie davon, fragt er Walter, ihn zu zerreißen in der Luft?" Und Salomon warnt vor der „Schenkung", weil es ein Steuertrick ist, durch den Victor einmal hereinfallen kann. So wird Victors Frau hellhörig, und es kommt zur Aussprache, die alle Untergründe bloßlegt. Als Walter, entlarvt, davon gegangen ist, rät Salomon Victor: „Lassen Sie ihn gehen!" Es bleibt bei den 1150 Dollar, und Miller läßt es offen, ob Walter die Hälfte verlangen wird oder ob Victor sie ihm von selber zuschickt.

Miller hat den kühnen Schnitt getan durch die Zeitneurose unsrer Gegenwart, die auf Freuds Mißtrauen zurückgeht und dazu führt, daß keiner mehr glaubt, was er sieht. Aber in Victors Charakter ist der Gegenhalt geschaffen. Und da tritt Victors Frau neben ihn. Als Walter Victor einreden will, Victor habe sein Leben aus Rache und Neid in eine Opferpflicht gesteigert, um Walter zum Bösewicht zu stempeln, erklärt sie eindeutig: „Nichts ist geopfert worden." Auch Victor hat seinen Preis bezahlt, aber er schließt ein erfüllteres Leben ein.

So ist es Miller gelungen (trotz der Lach-Schallplatte, die ins Komische ablenkt), mit der Durchleuchtung der Zeitneurose ein Generalthema zu bewältigen, auch hier der „Menschheit große Gegenstände" zu berühren: „Verantwortung als Form der Liebe." Die Formel hat Miller selbst im Nachwort geprägt, während er als „Vorbemerkung" fordert, beide Brüder mit gleicher Sympathie darzustellen: „Die Welt braucht beide Brüder" . . . „Ihr Konflikt offenbart den Kern des sozialen Dilemmas." Danach gehören „Neid" und

„Ressentiment" zum Grundbestand der Zeitneurose, ganz im Geiste Freuds. Ausgespart hat Miller dabei die Aufgabe Salomons, das Wertezwielicht zu klären, symbolische Figur zu sein, die dazu hilft, „die Grenze zum Poetischen zu überschreiten".

Millers Antwort auf die Zeitneurose, in der man „vor nichts mehr Respekt hat", ist der Verzicht auf den Tragödienschluß. Insofern zeigt er die Angleichung an die offene Form. Dennoch liegt das Schwergewicht bei Victor und seiner Frau. Sie allein bewähren „Verantwortung als Form der Liebe".

Überschauen wir von daher das Drama der Gegenwart, wie es sich in der Überschau vom „Theater heute" darbietet, dann wird Millers Zwiegesicht der beiden Brüder selber zum Symbolausdruck des Übergangs. Das Universum, wie es sich im „Theater heute" mit virtuoser Organisationsleistung als europäisches Gesamtereignis anbietet, ist eine Art „Universum ohne Herz". Teilhard de Chardin hatte das Wort geprägt für die Welt des Marxismus. Es gilt ebenso für die westliche Welt des Absurden. Der Kritiker von Millers Stück im „Theater heute" Juli 1968 hält Victor für den „Versager", dessen „Leben endgültig verpfuscht sei". So absurd reagiert die zwiespältige Zeit. Wir finden nur einen westdeutschen Dramatiker, der sich von der Moral her dem Absurden entgegenstellt: Rolf Hochhuth. Auf der Suche nach einem in der Sache gegründeten Symbolsinn greift er zu Schreck-Dokumenten unsrer Katastrophenzeit. Sein Drama „Der Stellvertreter" 1962 ist über den Fakten der Judenvernichtung in Auschwitz aufgebaut. Er will in Schillers Sinn die Gestalt und stellt den Menschen zwischen Gott und Satan. Dadurch aber, daß bei ihm der Papst als Stellvertreter Christi unter Anklage steht, verschiebt sich das Gewicht nach dem Triumph des teuflischen Prinzips, wie es im namenlosen SS-Arzt fürchterlich wird. Es ist Hochhuth nicht gelungen, die religiöse Dimension überzeugend in den dramatischen Kern einzuführen. Nach Hochhuth ist Gottes Gegenwart nur noch bei den unterdrückten Juden. Das Verzweiflungs-Gebet des alten Juden im Waggon wird zur einzigen Zwiesprache mit Gott. Aber es bleibt als Monolog dramatisch wirkungslos. Die Kritik hat Hochhuth künstlerische Mängel angelastet. Immerhin hat er die Gewissensfrage gestellt: Hat das Abendland noch die Kraft, die Nachfolge Christi so ernst zu nehmen, daß es ihm gelingt, Satan seine Grenzen zu setzen? Oder schaut uns nur noch das Zwiegesicht von Kain und Abel an? Mit der gleichen moralischen Leidenschaft stellt er in den „Soldaten" 1967 Churchill als die große Gegengestalt zu Hitler auf die Bühne, das geniale Sinnbild der unausschöpflichen politischen Einbildungskraft, ganz individuell: auch im Massenzeitalter. Der Wille, die Deutschen fertig zu machen, treibt ihn zu hemmungslosen Mord-Visionen: Hamburg wird zum „gräßlichsten Pilotenmassaker". „Wir werden Abend für Abend Berlin anzünden, bis es verkohlt ist wie Karthago." Ungeschieden gehen Bewunderung für Churchills Größe und Entsetzen über solche Ausartung des Kriegs zusammen. Das Künstlerische ist dabei im Dokumentarischen nahezu erstickt. Ganz schwach sind Vorspiel und Nachspiel, um die Rote-Kreuz-Idee und den Plan eines Luftkriegsrechts. Alles bleibt umgriffen vom Fragezeichen: Kosmos oder Chaos? Wenigstens aber sind auch hier die Fragen groß gestellt.

Unversehens ist hier der Moralist Zeitspiegel geworden für ein Universum ohne Herz. Wir können daran ermessen, was zwischen West und Ost Brechts Drama bedeutet mit Symbolgestalten wie Galilei, Shen Te als neues Mutterbild. Und wir können ermessen, welche Forderungen unsre Katastrophenzeit dem Dichter abverlangt, damit wir nicht den Verstand verlieren, sondern uns im Umspannen der Lebenswidersprüche unsres symbolischen Vermögens bewußt werden. Darum mußten wir zurückgreifen auf das Zeitalter der Ballade, wo noch alle sprachschöpferischen Energien ungeschieden vereint sind. Es entspricht dem Zustand, den Jakob Böhme, Simplicius unter den Philosophen, die „Einfältigkeit Gottes" nennt, in der noch die ganze Welt eingefaltet bereit liegt. Im Genie des Einzelnen wirkt sich das dahin aus, daß seine Phantasie imstande ist, die polaren Spannungen im Weltgetriebe bis ins Widersprüchliche zu verkraften, dank der Verschmelzungskraft des Herzens, die sich vom Übergreifenden des Lebens mitbewegen läßt. Wenn bei der Urballade der Name des Sängers unwichtig bleibt, so erreicht die Balladeneinlage bei Brecht eine Volksstimmigkeit, die zu jedem spricht. Der Prozeß der sich hier vollziehenden „wahren Symbolik" mit ihrer geheimnisvollen Leistung des „sym" ist überall schon derselbe, wie ihn Goethe später bewußt gemacht hat: „als lebendig augenblickliche Offenbarung des Unerforschlichen." Die Symbolik bewältigt ihre schwierigen Aufgaben aus der ebenso begnadeten wie einfachen Spannung zwischen zusammenziehenden und aufschließenden Vermögen, im Einswerden von Bildmitte und Sinnmitte. In sie vermag alles einzugehen, was sich zwischen Himmel und Hölle im Menschlichen bewegt; was ihn als das „Wahre" anzieht als „die Sache selbst", und was als Bild Sinn-tragende Gestalt werden will. Wie sich ehedem männliche Härte, Wucht und Unerbittlichkeit der Heldenzeit-Ballade mit Aufgeschlossenheit, Gefühls- und Volkseinfältigkeit der gereimten Herderschen Volksballaden in den unerschöpflichen Reichtum der Kunstballade hineinverschmolz, so lebt die Schöpfung selbst aus dem männlichen und weiblichen Pol. Im Roman weitet sich das am greifbarsten zur Breite eines symbolischen Kosmos aus. Als ein Kampf zwischen Licht und Finsternis; und der Spruch des Simplicius könnte über allem stehen:

> „Ach, allerhöchstes Gut, du wohnest so im Finstern Licht,
> Daß man vor Klarheit groß den großen Glanz kann sehen nicht."

Selbst die moderne Formel von der „transzendentalen Obdachlosigkeit" des Romans ließe sich von daher durchtiefen und durchleuchten. Wir haben das durch ein Dutzend Romane verfolgen können bis zum Bibelwort als Romantitel: „Ärgert dich dein rechtes Auge." Die höchste Steigerung der Symbolstruktur bringt das Drama, mit seinem Zwang zu klaren Wertenscheidungen. Der dynamische Charakter des Symbols tritt hier am stärksten hervor. Dynamisch ist der Widerstreit der bewegenden und erstarrenden Kräfte bis zu Wallensteins Untergang: „ein bewundert Meteor". In Kleists „Prinz von Homburg" finden wir wahrhaft exemplarisch die im Lorbeer des Ruhms sich zusammenziehende Bild-Mitte, die im Glanz der die Herzen aufschließenden Lichtsymbolik als Sinnmitte mit einer jeden Augenblick unterschwellig durchhellenden Gegenwärtigkeit. Das Zurücktauchen in die balladische Einfalt des neu heraufdringenden proletarischen Untergrundes verjüngt die idealistische Lichtwelt, bis in die Struktur einer offenen Form. Über die Spaltung West-Ost hinweg gelingt einem deutschen Dichter noch einmal der symbolische Kosmos im Aufeinanderzubewegen des männlichen und weiblichen Pols. Jedem dialektischen Kunstgriff entzieht sich das symbolische Vermögen, das auf die Einheit und Ganzheit der Welt gerichtet ist. Fragen bleiben in die Zukunft gestellt: „Unglücklich das Land, das keinen Helden hat! Unglücklich das Land, das Helden nötig hat." Fragen stellt auch das „neue griechische Drama": zwischen Kain und Abel, zwischen Kosmos und Chaos. Aber ihm gelingt es auch, das Absolute wieder gegenwärtig zu machen als Existenzgericht, als reinigende Katharsis der Tragödie. Auch die Deutschen werden sich wieder darauf zu bewegen.

Wer theoretische Begründungen sucht, wird sie am wirksamsten in praktischen Aussprüchen der Dichter finden. Für Faulkner sind in seinen „Gesprächen" 1959 die wahren Tragödien, wie sie schon Aristoteles sah, „noch heute die gleichen": „Der Mensch, der tapferer zu sein wünscht als er ist und sich im Zwiespalt mit seinem Inneren, mit seinen Mitmenschen oder mit seiner Umwelt befindet und versagt." Alles geht dabei auf die Kraft des Herzens zurück: „Das Herz hat das Verlangen, besser zu sein als der Mensch ist." „Das menschliche Herz halte ich für wichtiger als irgendwelche Ideen."

Arthur Miller im Vorwort zu seinen Werken, 1966, überzeugt vom „evolutionären Charakter des Lebens", sucht die Tragödie, weil sie auf dem Bedürfnis beruht: „dem Tod ins Angesicht zu sehen, um uns Kraft zu geben für das Leben." Wir brauchen die Kraft, um den Menschen als „passives Geschöpf der Umwelt" zu überwinden, aus seinem „angebornen Wert". Miller zielt so auf ein „erhöhtes Bewußtsein". Das rühmt er an Brecht: „daß er im Mittelpunkt der zeitgenössischen Problematik arbeitet am Problem des Bewußtseins." Brechts Grundwort lautet: „Produktivität". Zum eignen jüngsten Drama 1968 sagt Miller: „Verantwortung ist eine Form der Liebe. Nur sie verhindert das allgemeine Gemetzel." Bei Shen Te heißt es: „Wie sollen wir zusammenleben ohne Geduld?" Auf die Kraft des „Sym" kommt es an. Auch der ins Absurde vernarrte Westen mit seinem extremen Individualismus bedarf wieder des Dichters, des Symboleschaffenden Dichters, dem es um der Menschheit große Gegenstände geht. Nur vom symbolischen Vermögen her wird die Wüstenzone jenseits des Symbols, das Universum ohne Herz, überwunden.

Mircea Eliade beschließt seine „Ewigen Bilder und Sinnbilder" mit der Formel: „Das symbolische Denken läßt die unmittelbare Wirklichkeit zum Durchbruch kommen, ohne daß sie ihr eine Entwertung zufügt." Es gelingt dem symbolischen Denken nur, weil es nicht den Anspruch erhebt, bewußt das Bewußtsein zu verändern, sondern weil es sich bewußt bleibt, daß alle Veränderung, auch des Bewußtseins, auf die bewegenden Wirklichkeiten selber zurückgeht, die sich unserem Bewußtsein entziehen, und die wir nur bewegen, soweit wir durch sie mitbewegt sind. Eben das meinte Arthur Miller mit der Forderung: Das künftige Drama wird griechisch sein. Er meint den Menschen in der Polis, den ganzen Menschen, über dem damals wie heute (bei Faulkner) ein homerischer Himmel steht. Solch symbolisches Denken ist rational und irrational zugleich. Das ist allen turbulenten Zerstörern des Westens zugesprochen: daß sie vergessen haben, wie sehr sie nur noch in einer gespaltenen Welt leben. Auch wenn sie sich der dialektischen Methoden des Marxismus bedienen, sind sie negative Dialektiker einer negativen Anthropologie. Nicht indem sie das Bewußtsein experimentell verändern, werden sie mehr als sie sind. Nur in der Zwiesprache, nur im dialogischen Sprachgrund werden sie aufgetan, werden sie mitbewegt in die Ursprünge zurück, aus denen das Leben selbst und alles Schöpferische im geistigen Leben seine Zukunftswürfe tut. Was C. G. Jung aus den polaren Spannungen seines Archetypus-Modells hervorgehen läßt, aus Trieb und Geist, als unerschöpfliches Kräftefeld, wirkt sich im Ingenium des Dichters als das symbolische Vermögen aus, das nichts anderes ist als die „wandelnde Vereinigung des Unvereinbaren", die nur zu bestehen ist aus einer Ekstasis, in der sich die „Reibung des Doppelgeschlechtlichen in uns" ausweitet in ein Sichdurchdringen aller komplexen Anlagen, derart, daß das Sein das Bewußtsein und das Bewußtsein das Sein ergänzt. Wie anders soll das gelingen als aus einer Verschmelzungskraft, an der alle die Elemente mitbeteiligt sind, die den Menschen in der Polis bilden, als Mitbewegungsgrund bis ins kollektive Unbewußte zurück, bis zu den „Müttern", deren Schauder Faust verwandelte. Was hier aufgerufen wird, liegt tiefer als die Spaltung, die einmal aus den Klassenkämpfen des Marxismus hervorgegangen ist und die den Westen in einen apolitischen L'Art pour l'art-Sog abgetrieben hat. Wer anders kann hier West und Ost aufeinanderzuführen als der Dramatiker, der wieder „der Menschheit große Gegenstände" sucht? Und wer kann im Teufelskreis des Absurden dem alles lähmenden Jonesco-Tod überzeugender entgegentreten als der Dichter, der die Zerreißproben der westlichen Intelligenz auffängt und ausbrennt in den Schauern einer unentrinnbaren griechischen Katharsis? Shakespearesche Spannweiten überwölben die Klüfte des technisch unaufhaltsam vordringenden Massenzeitalters. Es gilt, den kosmischen Horizont zurückzugewinnen, mit Ausblicken weit über den sozialistischen Marxismus hinaus. Wer wird Brechts Ruf künftig überhören: „Wie sollen wir zusammenleben ohne Geduld?" Und wer wird zwischen Kain und Abel der Bibel die Entscheidungen suchen, die uns aufgegeben sind: „Unglücklich das Land, das keine Helden hat!" — „Unglücklich das Land, das Helden nötig hat"?

Welche Möglichkeiten hat der große Dichter, das Unvereinbare zu vereinen? Beim „Simplicissimus" ist es uns begegnet, was auf

Shakespeare bezogen war: „das Elementare mit dem Allegorischen" zu verschmelzen. Im Aufbau des symbolischen Vermögens trat es uns entgegen als Spannweite des „zusammenziehenden und des aufschließenden Symbols". Bis ins Einzelelement ließ es sich aufweisen durch hundert Dichtungen: als das Zusammenwirken von Metapher und Symbol. Gehen wir, dieses Werk abschließend, auf ein Beispiel aus, das alles stellvertretend auszusagen imstande ist.

Nachdem Alexander Solschenizyn mit der brutalen Wahrheitskraft des russischen Epikers in der Nachfolge Tolstois und Dostojewskis den „ersten Kreis der Hölle" in einem Danteschen Inferno gegenwärtig gemacht hat, führt er uns in ein Gespräch zwischen Tschelnow und Sologdin, in dem winzigen Zimmer, „Gehirntrust" genannt, in das aber durchs Fenster ein „Hain hundertjähriger Linden", mit ihren „majestätischen Kronen" hineinreicht. Da eröffnet Solschenizyn dies Gespräch zweier genialer Physiker, in dem der Ältere dem Jüngeren Mut zuspricht, mit folgendem Satz: „Es war, als würden sich große Flügel auf das kleine Zimmer herabsenken und in ihm schlagen. Tschelnow sprach nicht länger als zwei Minuten, jedoch so gedrängt, daß es fast unmöglich war, während seiner Ausführungen Atem zu schöpfen." (206)

Die Kühnheit solcher Engelsmetapher ermißt sich nur aus dem Höllenkreis, der mit allen Wirklichkeiten des Stalin-Grauens an hundert Figuren im Gefängnisalltag praktiziert worden ist, und aus den altüberlieferten Glaubenskräften, wie sie Nikolai Lesskow im „versiegelten Engel" (1872) durch alle Wirklichkeitsschichten durchgetrieben hat.

Auch den Dramatiker ziehen wir zum Beispiel heran. Zwar nicht Shakespeare, aber Kleist, der ihm unter den Deutschen am nächsten kommt, auch gerade in der Kühnheit seiner Bildersprache. Im „Prinzen von Homburg" umfaßt Kleist die Welt des Bewußten wie des Unbewußten, und er scheut die grellsten Kontraste nicht. Nachdem der Prinz von Todesfurcht bis zur Unwürde angefallen ist, nachdem er seiner Anverlobten mit unbegreiflicher Herzenskälte das Verlöbnis aufgesagt hat, nur um sich zu retten, während ihm die Frau seiner Wahl in unbeirrbarer Liebestreue sein Selbst zurückgegeben hat mit dem Wort: „Geh, junger Held, in deines Kerkers Haft", da erfährt der Prinz eine innere Verwandlung. Er faltet die Hände wie zum unwillkürlichen Gebet und spricht die Geliebte wie eine Lichterscheinung an:

„Hätt'st du zwei Flügel, Jungfrau, an den Schultern,
Für einen Engel wahrlich hielt ich dich!"

Kleist läßt seinen Helden durch das Flügelbild hindurchsprechen auf die reale Wirklichkeit eines Engels zu, den er in ihrer Seele eben jetzt erfahren hat, der ihm mit seiner Helligkeit die eigne Seele wieder vertraut und bewußt gemacht hat. So unmittelbar fällt im Drama hier Metapher und Symbol zusammen. Und so unmittelbar ist die Engelserfahrung in des Prinzen eigne Seele verwandelnd eingedrungen, daß sich ihm in der letzten Rede, die ihm vor dem versammelten Offizierkorps vergönnt ist, in seiner Hymne auf die Unsterblichkeit, mit der er die Grenze zum Tod überschwingt, das Flügelbild abermals sich verwirklicht:

„Es wachsen Flügel mir an beiden Schultern.
Durch stille Ätherräume schwingt mein Geist."

Das Großgeartete solcher Bildersprache, solches Zusammenfalls von Metapher und Symbol, ist bei den Dichtern unsrer Gegenwart, die sich bis zur Zerreißprobe selbst zu zerreißen suchen, nicht mehr zu finden. Dennoch ist es darum nicht im Universum der Kunst verschwunden. Es wartet nur auf den Augenblick, um wie bei Solschenizyn unversehens wieder hervorzutreten. Wenn nicht im Wohlstandsstaat des Westens, dann im leiderprobteren Osten.

Es gibt nun ein Denkmal, unvergänglich in der Geschichte der abendländischen Kunst, das im Übergang vom Mittelalter zur Neuzeit, von der Andacht, die noch auf Goldgrund malte, zu der Andacht, die sich in Farbenvielfalt spiegelte, beim größten Meister des neuen Beleuchtungslichts, bei Rembrandt, seinen Offenbarungsaugenblick erlebt hat. Es handelt sich um Rembrandts Bildschöpfungen zum Thema: Tobias und der Engel. Zeit seines Lebens ist Rembrandt immer wieder zu diesem Thema zurückgekehrt. Es muß ihn immer wieder gereizt haben, in den Alltag des Tobias-Schicksals, wie es die Bibel festgehalten hat, die Gestalt des Engels mit seinen Engelsflügeln so unmittelbar leibhaftig und gegenwartsnah hineinzubilden, wie es eben nur Rembrandt gelang. Da eben hat die Symbolik, als Götterinstrument im Menschen, ihr unsterbliches Sinnbild gefunden. Darum geht es beim Symbol: beides immer gegenwärtig zu halten: die Rembrandtsche Alltagswirklichkeit und die Offenbarungskraft, die diesen Alltag in den symbolischen Kosmos verwandelt, durch den das Flügelrauschen geht, ob man es leibhaft gewahren kann oder nicht. Unsere labyrinthische Zeit ist imstande, an Rembrandts Bildern nur noch das „Konventionelle" zu sehen. Daß dahinter die Rembrandtsche Lichtsymbolik steht, die den Augenblick ins Unerforschliche verwandelt, wird die Erbschaft der alten Generationen an die Jugend sein, die immer wieder ihren Tobias in die Welt schickt, des geflügelten Schützers bedürftig.

Wem solche Bildwerkbetrachtung, auch wenn es Rambrandt ist, als ein zu starrer Spiegel für Symbol-Dynamik erscheint, dem sei noch folgende Ergänzung an den Schluß gestellt. Es gibt eine Lebensbewegung im Dänemark des 19. Jahrhunderts, die ein einzelner Mann hervorgerufen hat und die zum symbolischen Prozeß geworden ist, der bis in die unmittelbare Gegenwart fortwirkt. Es handelt sich um Nicolai Frederik Severin Grundtvig (1783—1872). Die Kraft, aus der er lebte, faßte sich ihm im Begriff der „Erleuchtung" zusammen. Aus ihr heraus gelang es ihm, Dänemark, das 1864 durch Preußen besiegte, an sich selbst verzweifelnde, so zu verwandeln, daß es, wie von Schutzengeln geführt, wieder ein Volksbewußtsein gewann. Es gelang ihm, weil die „Erleuchtung" nicht bloße Lichtmetapher blieb, sondern sich umsetzte in die kraftvollste Faszination des „sym": Menschen aller Stände faßte der Lebensverdichter im lebendigen Wort zu Heim-Schulkursen zusammen, in denen „das Gespräch erquicklicher wurde als Licht". Das Geheimnis der Wirkung, die bis heute andauert und sich über Norwegen, Schweden, Finnland ausgedehnt hat, geht wohl darauf zurück, daß es sich aus archetypischen Ursprüngen nährt. Das Prophetisch-Pädagogische setzt sich rhythmisch in Lieder um, die auch gemeinsam gesungen wurden. Eins davon sei hier, in deutsche Reime gebracht, angeführt. Die revolutionierende Kraft der „Erleuchtung" spricht hier für sich selbst. Man kann sagen, sie setzt sich in lebendige Symbolbewegung um:

Ist das Licht für Studierte allein?
Daß sie Fach-Gelehrte werden?
Sollte das Licht auf Erden
Nicht Himmelsgabe sein?

Steht die Sonn' nicht mit dem Bauern auf
Wenn die Gelehrten noch schlafen?
Belebt sie nicht alle, die schaffen,
Im ewigen Sphärenlauf?

Sind nicht die Worte im Mund
ein Licht für alle Seelen?
Wem wird der Geist sich vermählen?
Wer mit dem Leben im Bund.

Anmerkungen

Anmerkungen zum Vorwort.

Zum I. Band: Jost Hermand, „Synthetisches Interpretieren" 1968 gibt sich als „Universalist", der durch gründliche Kenntnis der Auslands-Literatur hervorragt. Die eignen Landsleute, soweit sie das Dritte Reich haben durchstehen müssen, behandelt er wenig verständnisvoll. Das „Bild in der Dichtung" Band I. verlegt er vom Jahr 1927 ins Jahr 1935, (125) den Autor als „völkisch" abzutun (76). Die seit 1932 geführte Auseinandersetzung mit der „Ambivalenz" (II. Band) übergeht er ganz, obgleich er vom ambivalenten Zeitgeist überzeugt ist. (Er spricht von „Schizophrenie" 21, 29, 29, 149, von „Ambivalenz" 59, 82, 108, 154, von „Neurosen" 86 ff., 88, 89, 90, 96, von „geistiger Lähmung" 246, „Spaltung" 198, „Atomisierung der Erkenntnis" 206, absoluter Perspektivelosigkeit 174). Sein Schluß-Ausblick „Zur Dialektik der Kulturbewegung" (128 ff.) bleibt im Historisch-Dialektischen", ohne sich dem Symbol auch nur zu öffnen. Dabei schließt er mit einem Brecht-Zitat: „Das Alte und das Neue trennt die Menschen nicht einfach in zwei Haufen, sondern das Neue ringt mit dem Alten in jedem Menschen selber". Brecht bewältigt diesen Kampf durch sein symbolisches Vermögen, das die Widersprüche in Gestalten bannt wie Galilei oder Shen Te. Hermand hätte sich darüber unterrichten können im Buche „Dichtung im gespaltenen Deutschland" 1966.

Mitscherlich: Alexander u. Margarete Mitscherlich, „Die Unfähigkeit zu trauern". 1967. Vgl. Anm. 431.

Tabula-Rasa-Generation: Armin Mohler „Was die Deutschen fürchten" 1965, 135 ff. (Umgedrehte Nationalisten, die sich an ihrer Nation rächen). Urs Widmer „1945 oder die neue Sprache" 1966, 197: „Postulat, tabula rasa zu machen."

FAZ vom 8. Februar 1969, von Jürgen Kolbe. Dazu die Leserstimme vom 15. Februar, von einem Oberstudienrat: „Nie haben wir etwas von der Didaktik unseres Faches erfahren, nichts über die Möglichkeiten und Wege, den Jungen die Muttersprache bewußt werden zu lassen.

Susanne K. Langer „Philosophie auf neuem Wege" dt. 1965 „Symbolische Transformation" 34 ff., Verehrung der Lebenssymbole 289 Kette-Einschlag 275

Susan Sonntag „Kunst und Antikunst" dt. 1968. Leuchtkraft des Gegenstands selbst 17.

II. Band „Bild in der Dichtung" [3]1967, 392 ff.

Vorausgesetzt sind generell meine Arbeiten zum „Bild in der Dichtung" I und II und zum „dichterischen Bild" im Buch „Dichtung im gespaltenen Deutschland" 1966.

1. Symbolon: Zum Wortlaut: Walter Müri „Symbolon" 1931 (Beilage zum Jahresbericht Gymnasium Bern). Erich Przywara, Analogia entis 1962, 346 ff. Photina Rech „Inbild des Kosmos" I, 14 ff. 1966.
   Zur Gesamtsicht: Mircea Eliade „Ewige Bilder und Sinnbilder dt. 1958; „Das symbolische Denken läßt die unmittelbare Wirklichkeit zum Durchbruch kommen" (225). Zum Symbolbegriff von Arnold Gehlen „Der Mensch", 4. Aufl. 1950, 252 ff. vergl. Bild i. d. Dichtung I, 472 ff. („Das Symbol ist zweiseitig: es ist einerseits wie die Sache selbst wahrgenommener Stoff, anderseits selbstverfügt und hervorgebracht").

Das Sammelwerk „Symbolon" I.—V. 1960 ff. (Julius Schwabe). Handb. d. Symbolforschung (F. Herrmann) 1941 Bibliographie d. Symbolkunde (M. Lurker) 1969 mit ergänzendem Jahrbuch 1/1968; 2/1969.
Zur Faszination des sym: Przywara 346 (das vollendete Zusammen im Miteinander). Günter Anders, Kafka, Pro und Contra 1963, 39 ff. (wo die Voraussetzungen zum sym fehlen).
Arnold Gehlen: „Elementare Kommunikation" 208 ff. Mircea Eliade: „Teilhabe"; immer „im Zusammenhang mit den Spannungen, mit den Umbrüchen im Leben der Gesellschaft, und im Zusammenhang mit den kosmischen Rhythmen" (25).
Metapher: Aristoteles, Poetik XXII, 1459a ἐνφνίας σημεῖον = Zeichen der Wohl-Begabung. Zu Metapher-Bild: Pongs, Bild I, 1—24. Max Picard, „Der Mensch und das Wort" 1955: „vorgegeben" 11, „Einheit des einander Entgegengesetzten" 12, 43, Katastrophensprache 61, das Maß 61, Was ist erquicklicher: 54 (Licht als Bewußtseinshelle, ohne die Geheimnisse zu zerstören, braucht das Miteinandersprechen im Gespräch, das im ergänzenden Begegnen das Sein selbst erhellt.) Dazu Pongs, Dichtung im gespaltenen Deutschland 16 ff. Hölderlins Hymne „Germanien", Großausgabe 2, 1, 151. Zur Hymne: Anke Bennholdt-Thomsen, „Stern und Blume" 1967, 163 ff.

2. Martin Heidegger, Unterwegs zur Sprache 1959, 205 ff. (gegen Benns „Probleme der Lyrik" 207).
Karl Bühler, Sprachtheorie 1934, 79 ff., 149 ff.
Zu Bühler: Pongs, Dichtung im gespaltenen Deutschland 20, 58 ff.
3. Cocktailverfahren: Bühler 343.
Marie Luise Kaschnitz, Neue Gedichte 1957, 13.
„Was vom Gedicht der Jetztzeit": M. L. Kaschnitz, „Liebeslyrik heute" (Mainzer Akademierede) 1962, 49 ff.
Weitsprung der Metapher: Hugo Friedrich, Die Struktur der modernen Lyrik Ro 1956. 152.
Welt als Labyrinth: Gustav René Hocke, Manierismus I, 1957, Manierismus II (Literatur) 1959.
Hilde Domin, „Wozu Lyrik heute?" 1968, 53 spricht vom „perfekten Nicht-Gedicht". („Immer mehr Kraft gehört dazu, die Pole noch auseinanderzuspannen . . . wo das Leben selber die dritte Dimension einzubüßen droht, der Mensch zur Marionette wird" 131).
4. Martin Buber, im Sammelwerk: „Wo stehen wir heute? 1960, 54. Urdistanz und Beziehung: Buber, Werke I, 413 ff. Realphantasie 222. Bildzeichen: 417 ff. Bezeichnend, daß sich der modernen Fragestellung: „Wozu Lyrik heute?" (Hilde Domin 1968) der Begriff des Symbols nicht mehr einstellt, nur „Zerreißproben" (130). Dennoch wird als Ziel gesichtet „eine neue Archaik" (142), „eine zweite höchst komplexe Einfachheit" (143).
5. Rilkes Spätfragment: Werke II, 132. Beispiel nicht für das, was Fülleborn die „symbolistische Apperzeption" nennt (Strukturprobleme des späten Rilke 1960), wo der Dichter „Symbole mit höchster Bewußtheit sucht" (233); Beispiel auch nicht für Beda Allemanns Ersatz des Symbols durch „Figur" (Zeit und Figur beim späten Rilke 1961). Sondern Beispiel für Rilkes „kosmomorphes Fühlen", seine „Dauer-Dynamik im Auffangen aller Widersprüche" bis zur Vision der „ewigen Mit-Spielerin". (Pongs Bild II, 616).
Erlebnisbegriff: Hans Georg Gadamer, Wahrheit u. Methode 2. Aufl. 1965, 52 ff. zu Simmels „Momenten des Lebensprozesses selbst" 65.
6. Sinnbilder des reinen In-Bezug-Seins: Pongs II, 612.
Symbolischer Gegenstand: Goethes Briefwechsel mit Schiller I, 378 (Gräf-Leitzmann 1912). Paul Menzer, Goethes Ästhetik 1957, 102. Franz Koch, Goethes Gedankenform 1967, 253 ff.
7. zarte Differenz: Maximen und Reflexionen (Günter Müller 1943, Nr. 635, Hecker Nr. 279. Abdruck: Kunst und Altertum 1825).
es ist ein großer Unterschied: Maximen und Reflexionen s. o. Die Symbolik verwandelt: G. Müller 633, Hecker 1113 Nachl.
Zu Symbolik-Allegorie: G. Müller, Maximen 273 ff.

In der Hamburger Ausgabe sind die Maximen nochmals neugeordnet, Band 12, 365 ff. Nr. 751 und Nr. 749 (1953).

8. Zur Anschauenden Urteilskraft: Hamb. Ausgabe 13, 30 (entstanden 1817, veröffentlicht „Zur Morphologie" 1820). Nachwort C. F. v. Weizsäcker 551 (Das Urphänomen ist die erscheinende Idee).
Jeder neue Gegenstand: Hamb. Ausg. 13, 38 (1823).
Alles, was geschieht, ist Symbol: Brief Goethes an Carl Ernst Schubarth 2. 4. 1818.
Philostraths Gemälde: „Nachträgliches zu Philostrats Gemälden" 1820: Propyläen-Ausgabe Bd. 33, 293.

9. Das ist die wahre Symbolik: Maximen und Reflexionen G. Müller 1002, Hecker 314, Trunz 752 (Kunst und Altertum 1826). Lit.: Pongs, Studium Generale 1960, 689, 725 ff. Pongs, Dichtung im gespaltenen Deutschland 1966, 118, 164, 514.

10. Zur aufschließenden Symbolik: Ferdinand Weinhandl. „Das aufschließende Symbol" 1929. Pongs, Zum aufschließenden Symbol bei Wilhelm Raabe (Jhb. f. Ästhetik 1951, 164 ff.).
Das Polare im zusammenziehenden und aufschließenden Symbolvermögen erfährt seine Goethesche Totalbeleuchtung in Goethes Erfassen einer „vis centripeta" und einer „vis centrifuga" 1823 („Probleme" Hamb. Ausg. 13, 35).

11. Komplementärbegriff: die Physik hat diesem Begriff neuen Inhalt gegeben für „die dualistische Verknüpfung korpuskularer und wellenhafter Eigenschaften in der Natur des Lichtes, die allen klassischen Physik-Vorstellungen zuwiderläuft". (Parcual Jordan, „Anschauliche Quantentheorie" 1936, 115). Komplementär bedeutet darnach ein gesetzmäßiges Zugleich, wobei eins das andre zum Verschwinden bringt. Wie weit läßt sich das in die Geisteswissenschaft übertragen? In seinem Buch „Der Naturwissenschaftler vor der religiösen Frage" 1963 hat Pascual Jordan dem Komplementärbegriff Freuds Begriff der „Verdrängung" an die Seite gestellt (353). Bewußte Absicht wird vom unbewußten Gegen-Antrieb unterlaufen, wird durch ihn zunichtgemacht. Das Unbewußte ist komplementär zum Bewußtsein. Das bedeutet aber nicht völlige Determiniertheit des freien Willens, sondern, wie in der Physik „den Durchbruch in die Lockerung der Kausalität". Denn das Unbewußte besteht nicht nur aus privaten Verdrängungen, sondern aus urtümlich dynamischen Archetypen des kollektiven Unbewußten (Jung). So stoßen wir vielmehr auf ein Zugleich von Kräften, deren Simultanität sich dem Bewußtsein entzieht. Nur das symbolische Vermögen kann hier weiterführen, mit seiner Kraft, Widersprüche zusammenzusehen. Insofern sind Symbol und Kosmos aufeinander angewiesen, auch wenn sie komplementär auftreten sollten.
Kosmos: Reallexikon für Ideologie III.
Christlicher Kosmos: Photina Rech, Inbild des Kosmos 1966.
Kolosserbrief: Ph. Rech 20, 43, 45 Maria „symballusa" 38.

12. Przywara, Analogia entis „Einerseits": 414. Dazu auch: Hans Looff, Symbolbegriff in der neueren Religionsphilosophie (Kantstudien Ergänzungsheft 69, 1955) (Tillich „Selbstoffenbarung des Absoluten im religiösen Symbol" bei Looff 62, 186).
Wilhelm Emrichs aus Vorformen entwickelte horizontale Symbolbetrachtung (Symbolik Faust II 1943) sieht sich der vertikalen Betrachtung der Einzelsymbole als numinos erfahrne gegenüber. Dazu zuletzt Ernst Loeb, „Symbolik des Wasserzyklus bei Goethe" 1967, 13.

13. Licht: Pongs, Dichtung im gespaltenen Deutschland 120 ff.
Ezzos Gesang: Max Ittenbach, Deutsche Dichtungen der Salierzeit 1937. Pongs, Studium Generale 1960, 629.
Lichtsymbolsprache Goethes: Pongs, Dichtung im gespaltenen Deutschland 1966, 120 ff. Alfred Schmid, Traktat über das Licht 1957.

15. Allegorien: Wladimir Weidlé, Sterblichkeit der Musen dt. 1958, 351 ff. Heinz G. Jantsch, Studien zum Symbolischen in Frühmittelhochdeutscher Literatur 1959, 345 ff.

Der geistliche Jäger: Wackernagel, Kirchenlied II, 912 Nr. 1137–1139. Dazu: Jantsch 364 ff.
Walter Benjamin, Ursprung des dt. Trauerspiels 1926 (Werke I: 141 ff.).

16. Urallegorische Figur: Benjamin I, 353. Schein der Freiheit: 355.
Zusammenwurf des Elementarischen: Benjamin I, 353 ff.
Hans Georg Gadamer, „Wahrheit u. Methode" 2. Aufl. 1965, 68–76 behandelt Symbol-Allegorie, ohne auf Goethes „wahre Symbolik" Bezug zu nehmen, ebensowenig auf Benjamins Barock-Allegorie. Dadurch bleiben seine Folgerungen unverbindlich abstrakt, mit der Ablösung von der Genie-Ästhetik erfolge die Aufwertung der Allegorie (76).

16. Eigenlicht-Beleuchtungslicht: Wolfgang Schöne, „Über das Licht in der Malerei" 1954.
Aristoteles, Kunst ist Mimesis: Gudeman, Kommentar 1934, 80, 108.
Mimus: H. Koller, Über Mimesis in der Antike 1954.
Platon, Der Staat. 10. Buch. Werke II, 374 ff. (Hegner 1967) „Schattenbild-Fabrikant" 374.

17. Erich Auerbach, Mimesis 1946, 2. Aufl. 1959, 3. Aufl. 1964 (mit Nachwort). Außerdem: Auerbach, Epilegomena zur M. in Romanische Forschungen 1954 (Bd. 65), 1–18.
Stichwort „Mimesis": Pongs, Kleines Lexikon d. Weltliteratur 6. Aufl. 1967, mit Bibliographie.
„vordergründig": Mimesis 16.

18. Sir Cecile Maurice Bowra, Heroic Poetry 1952 dt. 1964, Seite 51.
Homer „die Natur selbst": Schiller, Über naive und sentimentalische Dichtung, Jub. Ausg. 12. 187 (Einfalt). Goethe-Brief an Knebel 9. 11. 1814: „die immer lebendige Natur." Urmuster: Emil Staiger, Grundbegriffe der Poetik 1946, 127 („Einfalt epischer Dichtung").

19. Reicht immer in die Tiefe: Auerbach 16.
Nikolaus von Kues: Photina Rech 25 ff. Heinz Heimsoeth „Die sechs großen Themen" 1922, 49 ff.
Przywara, Analogia entis 1962, 175, 373, 384 (In-Eins-Fall der Gegensätze) 518: „Gott das unendlich Größte, Gott das unendlich Kleinste".

20. „So im kleinen ewig: Propyläen-Ausgabe 1909, Bd. 18, S. 19. Wilhelm Troll, Goethe u. d. christliche Tradition des Abendlands (Sammelband: Beiträge z. christl. Philosophie Heft 2) 29, komplementäre Modellbilder: Louis de Broglie, Licht und Materie dt. mit Vorwort von Werner Heisenberg 1944.

21. Faustgedicht: Pongs, Dichtung im gespaltenen Deutschland 1966, 133. C. G. Jung, Von den Wurzeln des Bewußtseins 1954, 577 ff. (Atommodell).
Lichtmenschen: Jung, Von den Wurzeln 287 ff.
Rudolf Eppelsheimer, „Mimesis und Imitatio Christi" 1968 (Lörke, Däubler, Morgenstern, Hölderlin). Sonnenlicht-Christuslicht: 66, 118, 161, 176, 201 ff. dialogische Konturen: 98, 108, 115, Ich-Du 160, 172 (Schlüssel zum dialogischen Wesen der Welt). reines elementares Mittönen: 38 echter Mit-Wisser 40 Mitfühlen der Kreatur (Däubler) 117; Miterleiden alles Leidens der Erde (Morgenstern) 163; Eines Gottes Leiden mitleidend (Hölderlin) 202. Friedensfeier: 209 ff., 225 ff.
Emil Staiger, Grundbegriffe der Poetik 1946 Besprechung: Pongs, Jahrbuch für Ästhetik 1951, 213 ff. und Pongs, Dichtung im gespaltenen Deutschland 1966, 496 ff.

22. Sofern alle echte Dichtung: Staiger 54, vom Strom getragen 85, das Flüchtigste 77, Brentano 231, Lyrische Dichtung ... geistlos 87, kein Schicksal 87. Vico, Weltbetroffenheit: Karl Otto Apel, Idee der Sprache in der Tradition des Humanismus von Dante bis Vico 1963, 365.

23. gegen Goethe: Staiger 20.
Ernst Jünger, Sanduhrbuch 1954, 182. Als Stimme der jüngsten Generation: die Amerikanerin Susan Sonntag „Kunst u. Antikunst" dt. 1968, 17: „Der höchste Wert der Kunst: die Transparenz, Erfahrung der Leuchtkraft des Gegenstands selbst."

24. Brentanos Ballade: Staiger 75 ff.

25. Mitbewegungskraft des Ursprungs: Vico nennt das nach dem Prinzip: „homo non intelligendo fit omnia": „ein sympathetisches Darleben der Umwelt durch den ganzen Menschen (Karl Otto Apel, Idee der Sprache bis Vico 1963, 356.)
Dem echten lyrischen Gedicht geht alles Gemeinschaftbildende ab: Staiger 54. Bert Brecht, „gesellschaftliche Praxis": Über Lyrik 1964, 73 (1940) volkstümlich: „Rilke ist nicht volkstümlich." Über Lyrik 31 („Volkstümliche Literatur").
An die Nachgeborenen: Gedichte IV, 143–145 (1938).
26. Einfalt epischer Dichtung: Staiger 127,
ursprüngliche Stiftung: Staiger 142 ff. Vorstellung 99,
Naivität zerstört: 144. So wenig der Mann wieder Kind: 143,
wo die Unmittelbarkeit verletzt ist: Martin Buber, Hoffnung für diese Stunde (Wo stehen wir heute 1960, 54).
gesunde Mitte: 231.
27. Horaz, De arte poetica Vers 23.
Übersetzung von Voss: Reclam, 221.
Übersetzung von RA Schröder: Corona VII 1937.
Winckelmann, Gedanken über die Nachahmung der griechischen Werke in „Malerei und Bildhauerkunst" 1755.
Brief Goethes an Friderike Öser 13. 2. 1769 (Morris, Der junge GoetheI, 324).
Über den Granit: Hamb. Ausg. 13, 254.
Das Urphänomen, das reinste . . . : Sophienausgabe II, 12, 84.
Die Urphänomene, die wir nicht stören sollen: Gespräche (mit Falk) III, 37 (25. 1. 1813).
Brief an Zelter 29. 3. 1827.
Thomas Mann, Joseph u. s. Brüder Band IV, 48, Gesamtausgabe 974.
Herder, Werke XX, 71 (Grimms Wörterbuch)
Zur Einfalt heute: Pongs, Romanschaffen im Umbruch der Zeit 4. Aufl. 1963, 13–22 (13 Zitate), 271–318 (Einfalt und Symbol).
28. Ars Poetica, Texte 1966: Reinheit 2 (im Sinn der Poésie pure), 139 ff. (idealer Grenzwert).
29. Valéry: Ars poetica 214, Klang und Sinn 220.
Wilhelm Raabe, Holunderblüte 1863 Braunschw. Ausg. 9, 85 ff. Dazu: Pongs, Wilhelm Raabe, Leben und Werk 1958, 207 ff.
30. „Des Reiches Krone": Braunschweiger Ausg. 9, 2, 389 f. Pongs, Raabe 290 ff. Heinrich v. Kleist, „Die Marquise von O". Werke Sembdner 1962, II. Band, 104. Dazu Pongs, Bild in der Dichtung, II [3]1967, 107 ff., 155 ff.
32. Goethes „Selige Sehnsucht". Westöstl. Divan, Hamb. A. II, 18. Dazu Pongs, Dichtung im gespaltenen Deutschland 1966, 151 ff. Theologe: Florenz Christian Rang 1949.
33. Ekstasis: Pongs, Bild in der Dichtung I, 454 (2. Auf. 1960) und Bild in der Dichtung II, 421 ff. (1967) .
Rilke, Brief 9. 8. 1924 (An Gräfin M.).
Martin Buber, Urdistanz und Beziehung, Werke I, 422.
Lou Salome, Rilkebuch 1928, 40.
34. Sein-Bewußtsein: Pongs, Bild in der Dichtung II, 398, 541 ff.
Märchen „Der Bärenhäuter": Grimm Nr. 101; bei Von der Leyen II, 120. Dazu: Photina Rech, Inbild des Kosmos I, 15.
Älteste Fassung des Bärenhäuters: Grimmelshausen, Simplicianische Schriften (Kellecat) 1960, 583 ff. Zur Welthaltigkeit des Märchens generell: Max Lüthi, Das europäische Volksmärchen 1947, 89 ff. „Volksmärchen und Volkssage" 1961, 45 ff. „Das Märchen" (3. Aufl. 1968) („Urform der symbolischen Erzählung") 98.
35. Kants „Kritik der Urteilskraft", Studienausgabe Band V (Wilh. Weischedel) 1957. Zum Genie: 405 ff.
Goethe zur anschauenden Urteilskraft: Hamburger Ausg. 13. 30. Dazu das Nachwort von Carl Friedrich v. Weizsäcker 537 ff., der Idee und Phänomen zusammensieht: „Das Urphänomen ist schließlich wiederum die erscheinende Idee" (551). Die Brücke bildet das „Symbol" 552 ff.

Karl Otto Apel, Die Idee der Sprache in der Tradition des Humanismus von Dante bis Vico 1963 (Archiv für Begriffsgeschichte Band 8).
Pongs, Bild in der Dichtung I, 178 (1. Aufl. 1927, 2. Aufl. 1960).
Vico hat gezeigt: Apel 356. Welt-Betroffenheit: Apel 365. Ausdrucksantwort: Apel 364.

36. Vicos phantasiegeschaffene Universalien: „universale Sympathie" 357, Topik der phantasiegeschaffnen Universalien 362.
Vicos Zusammenhänge mit W. v. Humboldts Sprachlehre: Apel 373.
Hans Georg Gadamer „Wahrheit u. Methode" (Grundzüge einer philosophischen Hermeneutik) 1960. 2. Aufl. 1965 (Vorwort XIII–XXIV). Nicht was wir tun: Vorwort XIV.
Heideggers Verstehen als Seinsweise: XVI Grundbewegtheit des Daseins XVI Abkehr vom Subjektiven XVII Erlebnisbegriff Diltheys Text 56 ff., Zu Vico 16–20 (In der Kritik an G. durch Pöggeler, Philos. Lit. Anzeiger 16, 10, 1963 wird gerügt, daß Vicos Topik fehle, die dem Rhetoriker gemäße Bildsprache). Das 19. Jhrh.: Erlebniskunst 66–67 (O. Beckers Kritik Philosoph. Rundschau 10, 237, 1962 findet das 19. J. zu unrecht verächtlich behandelt). Gegen das vom Geniebegriff bestimmte Symbol: 70 ff. Allegorie 68–77 (ohne Goethes wahre Symbolik zu berücksichtigen) das Jahrhundert Goethes: 67 Schwebezustand: Helmut Kuhns Kritik, Histor. Zeitschrift 1961, 387 spricht vom „Moment der Unentschiedenheit" bei Gadamer. Gadamer selbst gesteht im Vorwort, daß Heidegger die Radikalität vermissen werde (XXIII) gnostische Funktion des Symbols: 69 Goethe stets aufs Bedeutende gerichtet: 72. Abkehr vom Bewußtlos-Genialen: 54 ff.

37. Rilkes Gedicht (II, 132) als Leitspruch vor beiden Auflagen, ohne Schlußverse. Sprachlichkeit als Vollzugsform des Verstehens: Vorwort XX. Entwurf: Heideggers Entwurfcharakter alles Verstehens: Vorwort XXIII und Text 246 ff.
Zusammenwurf: Gadamer kennt den „Zusammenfall zweier Sphären" 66 ff. Die Sprache konzipiert er aus dem „sym": „wir denken von der Mitte der Sprache aus" 437. Entgegen der Hegelschen Dialektik betont G. „die Bewegung des Gesprächs" (XXII).
Ernst Cassirer, „Philosophie der symbolischen Formen" 1923 ff. Neudruck 1953 ff. Broch, Briefe (1929–51) 1957 (Einl. R. Pick).
religiösen Roman schreiben: Brief vom 16. 10. 1934 und 16. 1. 1936 (Vgl. Text 504 ff.).
Ebenso fern steht unsrer Darstellung: Käte Hamburger, „Die Logik der Dichtung" 1957. 2. Aufl. 1968. Obgleich in der 2. Auflage die Abwertung der Ballade als „museal gewordene Dichtungsform" (1. Aufl. 240) herausgestrichen ist 216, bleibt die Ballade doch auch jetzt noch als „Sonderform" randhaft abgestellt. Daß sie „Grundstufe des Gesamtkunstwerks" sein könnte, liegt außerhalb der logischen Konstruktion dieser Dichtungstheorie.
Dagegen Susanne K. Langer „Philosophie auf neuen Wegen. Das Symbol im Denken, im Ritus und in der Kunst" dt. 1965, beruft sich zwar auf Cassirer (51), doch entwickelt sie ihre polare weibliche Eigenart zu Formeln, die sich unsrer Darstellung nähern. Wenn sie davon ausgeht, daß das Gehirn die Fähigkeit des Symbolgebrauches als höchste Erfindung der praktischen Intelligenz im Dienst animalischer Zwecke verwirkliche (41), daß die Symbolisierung die letzten Bestimmungsgründe menschlichen Handelns mit den Bedürfnissen des primitiven Lebens in eins setze (36), dann kann es gar keine kühneren Zusammenwürfe des Widersprüchlichen geben. Bis zu der „Möglichkeit, gleichzeitig Gegensätzliches auszudrücken". (257).
Mehr als einmal streift sie die religiöse Dimension: wenn sie ein ganzes Kapitel den „Wurzeln des Sakramentes" als „Lebenssymbole" widmet, von Symbolen spricht, „welche Grundideen von Leben und Tod, Mensch und Welt verkörpern" (153) und darin „Heiligtümer" verehrt. So kann es nicht erstaunen, daß sie bei Rhythmus und Volksweisen auf Goethe geführt wird und bei Volksweisen auf „Träger von Balladen" zurückgreift (250). Auch die Dynamisierung des Symbols ist bereits bei ihr herausgearbeitet: „der nie

still stehende Prozeß des Geistes", der „gänzlich unbewußte geistige Prozesse" einbezieht. Auf der Schlußseite 289 betont sie die „Verehrung der Lebenssymbole, die die Lahmlegung der wohlgeordneten diskursiven Vernunft bewirken". Der Prozeß der symbolischen Transformation (34 ff.) gilt noch heute, wo die „Welt in Tatsachen zerfällt": wo man nur noch durch „Zeichen" reagiert, auch da gilt es, im Sinngewebe den „Einschlag" in der Kette durch Symbole zu vollziehen. (275).

38. Jungs „kollektives Unbewußtes": Im Gegensatz zu Freuds verdrängten Komplexen im privaten Unbewußten entdeckte Jung Seelenenergien, die in die Tiefen des Unbewußten führen, die „niemals vorher im Bewußtsein waren". „Die Inhalte des kollektiven Unbewußten sind „Archetypen". (Von den Wurzeln des Bewußtseins „Studien über den Archetypus" 1954). Dazu: Jolande Jakobi, „Komplex, Archetypus, Symbol" 1957. Aniela Jaffé „Der Mythus vom Sinn bei Jung" 1967.
Universalwissen: Jung spricht vom „multiplen Bewußtsein" des Unbewußten 544 ff., vom „numinosen Charakter der A." 564 ff.
Ererbte Hellsicht: Jung spricht vom „Vorwissen", vom „apriorischen Besitz des Zieles" 570.
Polare Spannungskräfte: Jungs Kompensationen entspringen dem „psychoiden" Charakter der Archetypen: Trieb und Geist zugleich, Stoff und Geist 580.
Struktur eines Zentrums: 576 Atommodell 578.
Darum braucht es des rationalen Elements: Geist als spiritus rector 566 (Aniela Jaffé 29). Hans Driesch (Alltagsrätsel der Seele 1938, 33) stellte schon der „universellen Wissenspotenz die Einschränkung durch die Ratio" gegenüber, da wir „wegen der Fülle der Gesichte nicht leben können". A. Gehlen baut sein „Entlastungsprinzip" ein: der Belastung durch Weltoffenheit begegnet unsre Selbsttätigkeit mit Symbolfeldern des Sehens (Der Mensch 66 ff.). Max Picards „Katastrophensprache der Dinge", gegen die die Sprache ihr Maß aufrichtet (61).
Die Parapsychologie: Beste modernste Übersicht bei Hans von Noorden, Z. f. Parapsychologie u. Grenzgebiete 1968 Band XI, 44–85. Jungs „spiritus rector": Von den Wurzeln 566.

39. Briefwort Teilhard de Chardins: Brief vom 11. April 1953, zitiert nach Alexander Gosztonyi „Der Mensch und die Evolution" (Teilhards philosophische Anthropologie) 1968, 23.
Der Mensch im Kosmos 1959 (Aus dem Französischen).
Zur Noo-Genese: Gosztonyi 121 ff.
„ein in Bewegung befindliches Universum": Teilhard „Die Zukunft des Menschen" dt. 1963 (Franz. Ausgabe der Werke V) 338 (von Galilei gesagt).
Ich bin das Alpha und das Omega: Gosztonyi 204.
Universum ohne Herz: Teilhard, Zukunft des Menschen 349.
Teilhard der Dichtung: Heinrich Schirmbeck, Die Formel und die Sinnlichkeit 1964, 81.
Galilei Bert Brechts: Stücke 8, 137.

Anmerkungen zur Ballade

40. Goethe im Alter: Hamburger Ausg. I, 400 ff.
Goethes Eingangssatz, der im Text fortgelassen ist, lautet: „Die Ballade hat etwas Mysterioses, ohne mystisch zu sein; diese letzte Eigenschaft eines Gedichtes liegt im Stoff, jene in der Behandlung." Das ist nur vom Ganzen her verständlich: das „Mysteriose" fordert die Totalität der gestaltenden Kräfte; es ist nicht zu gewinnen, wenn man sich in den „Stoff" versenkt, auch nicht in mystischer Versenkung wie z. B. beim Legendenwunder.

41. Grundstufe des Gesamtkunstwerks: Goethe-Handbuch, 2. Aufl. Stichwort: Ballade (Zastrau). 598 „universale Wesensart" 599.
Die „Europäischen Balladen", 1967 bei Reclam, lassen die Ahnenreihe offen. Sie beginnen bei den englisch-schottischen Balladen, nehmen aber aus der Heldenliedtradition „Gudruns Gattenklage" und „Hildibrands Sterbelied" auf.

42. Paul Ernst, Weg zur Form, 3. Aufl. 1928, 166.
Schicksal des deutschen Volks: Vorwort zur 3. Aufl.
Otto Höfler, Wege zur Forschung XIV 1961, 330 ff.
Stellung des Kunstwerks innerhalb der Lebensordnung 348.
altiu maere 354, 385 Gestalt der Vorzeitkunde 387.
Miteinbeziehung des Volks: 391.
43. Cecile M. Bowra, Heroic Poetry 1952, Heldendichtung 1964.
Phänomenologie: im Untertitel.
Abgrenzung zur Ballade 41 ff. (Sache der Form, Funktion).
Hildebrandslied: Text bei Georg Baesecke 1944 (Originalphotographie) Abdruck mit Kommentar: Wilh. Braune Ahd. Lesebuch.
44. Hunnenschlachtlied: Edda I, 24 ff. (Genzmer).
Hamdirlied: Edda I, 53 ff. (Genzmer). Dazu: Alois Wolf, Gestaltungskerne und Gestaltungsweisen im germ. Heldenlied 1965, 16–36, betont Streitgespräche, Gelage-Bilder.
45. Das alte Atlilied: Edda I, 39 ff. (Genzmer).
Dazu: Alois Wolf, 37–67. Zwei Gelageszenen. Redeszenen als Prachtstücke altgerm. Dichtung, Gold als roter Faden.
46. Schicksal ließ sie wachsen: Strophe 41 (Eddatext 42).
Wolf: sie ragt ins Mythische, mythischer Typ der totverkündeten Frauen, 60.
Jan de Vries, Geistige Welt der Germanen 1943, 79.
Überlieferung des Hildebrandsliedes: zum Charakter der beiden Schreiber: Pongs, Das Hildebrandslied Diss. 1912. Georg Baesecke gibt Umschrift ins Hochdeutsche 36–37. Zur Zeitbestimmung der bayerischen Vorlage: Ausfall des w im alliterierenden Reccheo = Vertriebener. (Vers 48) um 750.
Zum Geschichtsbild: Frederik Norman, Lied vom alten H. Studi germanici, Rom 1963.
Zum Stil und Aufbau: Ingo Reiffenstein, Festschrift für Heinrich Seidler (Sprachkunst als Weltgestaltung) 1966, 229 ff.
47. Stabreim: Andreas Heusler, Die germanische Dichtung (Handbuch der Lit. Wiss.) 1923, Verskunst 30 ff. Baesecke 17–22.
Wir beschränken uns beim Stabreim auf die Hauptakzente, da es sich um verderbte Überlieferung handelt.
Zur Übersetzung: „Älteste dt. Dichtungen" Insel 1909 (der Dichter Karl Wolfskehl und der Germanist Friedrich von der Leyen), 2–7. Georg Baesecke, Das Hildebrandslied 1944, 37 ff.
48. Die einzige Lücke schließt Baesecke damit, daß er bei cnuosles vorweg „Fađer" als Schreibauslassung einfügt. Hadubrands Antwort ist gut erhalten, wenn auch die Stäbe nicht überall stimmen. (W. P. Lehmann MLN 62, 530 [1947] ersetzt „ûsere liuti" durch „sere liuti" = sorgende Leute.)
49. „Später mußte Dietrich darben lernen meines Vaters." „darbą gistuontun". Es gibt zwei Möglichkeiten 1. Mangel, Entbehrung 2. Bedürfnis nach. Elisabeth Karg-Gasterstädt, Paul und Braunes Beiträge 67 (1945). 357 ff. hat aus dem Ahd. Wörterbuch die hier eingeführte Deutung zwingend gemacht. Hadubrand deutet an, daß Hildebrand nicht mehr lebt.
wettu irmingot: Anruf Gottes verrät, daß bereits das Christentum eingedrungen ist, natürlich das arianische Christentum, für das Theoderich tatkräftig eintrat. (Christus der Sohn, Gott nicht wesensgleich, der vorbildliche Held, der Gefolgschaften um sich sammelt.)
50. Nachdem Hadubrand das „Du" in seiner Antwortrede nicht aufgenommen hat, ist Hildebrands erneute unmittelbare „Du"-Ansprache als die Stimme des Vaters zum Sohn besonders tonlich herausgehoben. Also sollte sie auch den Stab tragen können, um so mehr als sie mit dem schlimmsten Gegenwort alliteriert: das „dinc" als Rechtsgang, Zweikampf vor den Heeren, den es zu vermeiden gilt. „mit sus sippan man" gehört dann zu den Halbzeilen der Spätzeit. W. P. Lehmann, Z. f. d. Phil. 86, 26 (1962). Wichtig jedenfalls, daß Hildebrand noch einmal das „du" in den Vers bringt, diesmal mit „huldî„ alliterierend. (Im Originaltext steht „mit sus sippan man" vor dem Halbvers „dinc ni gileitôs").

51. Hadubrands Antwort ist voll erhalten. Daß er jetzt das „Du" aufnimmt, ist verstärkter Hohn. Die Kurzzeile „ort widar orte" nimmt Baesecke als „rührenden Stabreim", der für sich stehen kann. (Spätzeit nach Lehmann.) Es verstärkt die Härte der Antwortrede.
Über die weitere Redefolge herrscht in der Forschung keine Einmütigkeit. Doch hat Siegfried Beyschlag (Festgabe für L. L. Hammerich 1962) am Wort „reccheo" begründet, warum Hildebrand diese Verse nicht gesprochen haben kann, weil er selbst der einzige reccheo hier ist. Ingo Reiffenstein, Festschrift Seidler 1966 hat Beyschlags Umstellung übernommen, die hier durchgeführt ist. (Braunes Lesebuch behält Urtext bei.)
Um so einleuchtender ist die Umstellung der Verse 45–48, als der Gleichklang: „wela gisihu" und „welaga nu" eine Versverwechslung bei der Vorlage leicht ermöglichen konnte.
Beyschlag hebt besonders heraus, daß Hildebrand in seiner großen Klagerede noch einmal an das Herz des gegenüberstehenden Sohnes appelliert: „nu scal mih suǫsat chind suertu hauwan — Nun soll mich das eigne Kind mit dem Eisen schlagen." Hadubrand aber will nicht der Sohn eines Hunnen sein. (Druckfehler: sertu statt suertu).
52. Hadubrands Antwort ist im Urtext als Hildebrands Antwort (irrtümlich) eingeführt. Wir folgen Beyschlag und Reiffenstein. Der erste Vers wird vollständig, wenn man mit Baesecke die Alliteration: „wela — wic-hrustim einführt.
Beyschlag betont die eisige Haltung Hadubrands, die sich im Hohn dieser Verse verrät.
53. Redeauftritte: Alois Wolf, Zu Gestaltung und Funktion der Rede in germ. Heldendichtung (Lit. wiss. Jahrbuch der Görresgesellschaft 1962 Band 3, 1–28).
sunufatarungo: vergl. Kommentar bei Braune 1907, 179 ff.
54. Weltthema: Vater-Sohn: Georg Baesecke im Text zum Hildebrandslied 1944 hat sich auch mit der „Wanderfabel" bei Persern, Russen, Iren befaßt. Ausführlich geht Jan de Vries auf das „Vater-Sohn-Motiv" ein (Wege der Forschung Band XIV 1961. Urspr. GRM 1953, 257 ff.).
Privatisierung: Andreas Heusler, Die altgerm. Dichtung 154 „aufs Privat-Menschliche eingestellt". Dagegen Hermann Schneider, „Geschichte der dt. Lit." I Heldendichtung 1943 nennt es „Stilisierung": Sippenzwist packt am tiefsten (13).
Zum Schluß: Herm. Schneider 35: „So sehr sind die kraftvoll knappen Wechselreden die Hauptsache, daß der Ausgang kaum vermißt wird."
55. Variation: Ingo Reiffenstein, Festschrift Seidler 1966, 235.
56. Hildebrands Sterbelied: Edda I, 222 ff. (Asmundarsaga kappabana aus dem 14. Jahrh.) (ed. F. Detter, Zwei Fornaldarsögur 1891, 79 ff.)
Fünfzig Heldenfabeln: Andreas Heusler, Die altgerm. Dichtung 1922, 145 ff.
Zum Jüngeren Hildebrandslied: Mustergültige Ausgabe vom Deutschen Volksliederarchiv, John Meier „Deutsche Volkslieder" mit ihren Melodien „I. Balladen" 1935, 1–21.
57. „Volksballaden": Hans Fromm „Deutsche Balladen" 1961 beginnt zwar mit dem „Jüngeren Hildebrandslied", gibt aber im Nachwort klare Auskunft über seine Methode. Für ihn sind die Volksballaden ein geschichtliches Ordnungsschema, das er beginnen läßt, wo der Spielmann „dem Geist des bürgerlichen Zeitalters begegnet, an dem er zerbrach". Fromm hält sich offen der „rauhen Ursprünglichkeit" der schottischen Balladen wie der Geisterwelt im Volkslied, Volksballade und der „geistigen Ordnung" der großen Kunstballaden.
Die Einführung zum Balladen-Deutungsband (Wege zum Gedicht II, Hirschhauer-Weber 1964) von Walter Müller-Seidel geht grundsätzlich vom „gestörten Verhältnis" unsrer Gegenwart zur Ballade aus. Er wendet sich gegen die „nationale Philologie", und ihre Hinwendung zum „Zeitlos-Gültigen". Mit Goethes Begriff vom „Ur-Ei" kann er darum nichts anfangen. Seine Betrachtungsmethode ist historisch relativierend. Zum Begriff eines symbo-

lischen Kosmos der Ballade stößt er nicht vor. Walter Hinck „Die dt. Ballade von Bürger bis Brecht" 1968 geht von zwei „Modellen" aus: die als nordisch empfundene Ballade, die „im vorchristlichen Weltbild 'gründet", und die „legendenhafte Ballade".
Herrenschicht in Schottland: Wolfgang Schmidt, Entwicklung der englisch-schottischen Volksballaden (Anglia XLV, 1) 1933, 42: „Dem Ursprung nach gehört die Ballade großen Stils den höheren Ständen." 43: „jüngere Söhne des niederen Landadels, Ritterbürtige." Wolfgang Schmidt hält am „Menschenbild der großen Ballade" fest auch noch in der Festschrift für Theodor Spira 1961, 108 ff.

58. Edwardballade: Das engl. Original in den „Reliques of Ancient English Poetry" des Bischofs Percy 1765. Neuausg. durch Fr. J. Child „English and Scottish Popular Ballads" 1882–1892 (5 Bde). Abdruck bei Walter Hübner. „Die Stimmen der Meister" 1950, 45 ff. (schwache Übersetzung von Hedwig Lüdecke).
Johann Gottfried Herder, Werke Suphan V (1891) 159 ff. (Bibl. Inst. II, 12 ff.). Edwardballade Suphan 172, (B. J. 29 ff.) Volkslied Suphan 174. Immer die Sache: 181 (B. J. 38) Würfe: Suphan 185, 186, 187 (B. J. 43, 44, 45).
„Von Ähnlichkeit der mittl. engl. u. dt. Dichtkunst": Suphan 9, 522 (B. J. 2, 101 ff.). Grundadern Suphan 526 (B. J. 106). Zeigt unsrer Nation: Suphan 531 (B. J. 113). Volkslieder: Suphan 25 (B. J. 2, 439).
Sigmund Freud Werke II/III 269: „Uns allen vielleicht war es beschieden, die erste sexuelle Regung auf die Mutter, den ersten Haß und gewalttätigen Wunsch gegen den Vater zu richten; unsere Träume überzeugen uns davon." Dazu Ludwig Pongratz, Psychologie menschl. Konflikte 1961, 46 ff.
Goethes Wort: Hamb. Ausgabe 12, 283

59. wie ohne Vorläufer: Wolfgang Schmidt, Anglia XLV, 278 ff. (Entwicklungsgeschichte der Edwardballade): Mord am Bruder.
Pongs, Bild in der Dichtung I, 55 ff. Edward 120 (1927, 1960). Stilisierungen: Wolfg. Schmidt-Hidding, Festschrift für Theodor Spira 1961, 110 ff.

60. Zwiesprache: Wolfg. Schmidt, Entwicklung der engl.-schottischen Volksballaden 1933, 108: „der dramatische Dialog ist letzte Ausprägung einer Richtung, die im Gestaltungswillen des Volkes verwurzelt ist." (Zwischenanreden: Edward-Mother schon vorgebildet in Strophenform Edward-A. Wolfg. Schmidt, Anglia XLV, 297). Die O-Rufe gehören allein der Edwardballade B. (Schmidt deutet sie als „Zeichen für die subjektive Trauer Edwards", glaubt darin „volksfremde Anschauungswelt zu sehen". Schmidt nimmt sogar an, es könne Zutat eines Sir David Dalrymple sein, der die Edwardballade dem Bischof Percy vermittelt hat. Das Ursprüngliche einer elementaren Mitbewegungswelt ist nicht in Betracht gezogen.
Auch die Neu-Interpretation Erich Hocks im Sammelband: „Wege zum Gedicht" II, 1964, 127, sonst der Größe der Ballade voll aufgeschlossen, läßt die andre Dimension nicht erkennen, die in der durchdringenden Monotonie der O-Rufe liegt.

62. Zur Buße: Erich Hock, Wege zum Gedicht II, Ballade 125. Er betont das Nachwirken des germanischen Heldenlied-Geistes.

63. Zu Gotthelfs „Schwarzer Spinne"; Werke XVII, 49: „als nahe sich eine Buße gewaltig und schwer aus Gottes selbsteigner Hand." Pongs, Dichtung im gespaltenen Deutschland 1966, 236 ff.

64. Wolfgang Schmidt-Hidding, Festschrift für Theodor Spira 1961, 108 urtümliche Konflikte, im „Menschenbild der großen Ballade".
Goethes Liedersammlung: abgedruckt bei Minor, Der junge Goethe II, 62–83 (1910). Das Lied vom eifersüchtigen Knaben S. 67–68. Neudruck im Goethejahr 1932 durch Louis Pinck „Goethe, Volkslieder aus Elsaß und Lothringen" S. 47 ff. mit allen lothringischen Varianten.
Außerdem bei Louis Pinck, Verklingende Weisen I, 1926, 122 unter dem Titel „Es stehen drei Sterne am Himmel".
Erk-Böhme, Deutscher Liederhort 1893, I, 163, Abdruck von einer Version,

die Jacobi aufgezeichnet hatte, und Abdruck von Goethes „Der eifersüchtige Knabe". Außerdem „Falsche Liebe" 167.

65. Zum Symbolgefüge der Volksliedzeilen: Max Ittenbach, Die symbolische Sprache des dt. Volkslieds Dt. Vj. XVI 1938, 477 ff.
Herderforschung: Hans Dietrich Irmscher, Probleme der Herderforschung Dt. Vj. XXXVII, 1963, Einfalt 307.
Kurzweil: nach Grimm.
Variante: Pinck, Goethelieder S. 51.

67. Varianten: „mein Herzallerliebschter 49, mein Herzallerliebste": 50.

68. „Mein Feinslieb ist mir gestorben": Ähnlich in Büchners Woyzeck: „Aber, Andres, sie war doch ein einzig Mädel."
Auch im „Woyzeck" ist es so, als wenn die bestrafte Untreue als Verhängnis wirkte, über Woyzeck selbst hinweg. Vgl. unser Text 645.
Varianten: Kausalzusammenhang vereinfacht: Pinck 48 und 49.

69. Gemüt des Ganzen: Jacob Grimm an Arnim 20. 5. 1811 (116).
Walter Wiora, Das echte Volkslied 1950, 46 ff. Jacob Grimm, Vorrede zum 2. Bd der „Märchen" 1815: „Der epische Grund dieser Volksdichtung gleicht dem durch die ganze Natur verbreiteten Grün, das sättigt und sänftigt, ohne je zu ermüden."
Herder, Volkslieder Bibl. Institut II, 144, 280. Goethe Hamb. Ausg. 12, 278, 282 ff.

71. Zu den Ursprüngen der „Lenore": Wolfgang Kayser, „Geschichte der dt. Ballade" 1936 sieht den Ursprung der Kunstballade bei Hölthys „Nonne". Eine Richtigstellung nimmt vor Emil Staiger, studi germanici 1963, 67 ff. Ergänzungen vom Kirchenlied her bringt A. Schöne Dt. Vj. 1954, Band 28, 324: Bürger „rührende Romanze": an Boje 22. April 1773.
uralte Balade: an Boje 19. April 1773.
Erich Schmidt, Charakteristiken I, 219 ff.
Wilhelms Geist-Ballade: Herder, Auszug aus einem Briefwechsel über Ossian 1773 Suphan V, 187 (Bibl. Institut II, 45). Bürger an Boje vom 18. Juni 73. (Vorher bereits durch Hölthy.)

72. Bei Hölthy: Staiger 76 betont das Ausprobieren von Möglichkeiten, er „macht den Leuten das Entsetzliche vor" (80), bald ist ihm diese Art Ballade verleidet.
lutherische Kirchenlied: Schöne 337.
„Volkspoesie": Fragmente und Herzensergießungen über Poesie und Kunst 1776 (Deutsches Museum).
Herders Einwirkung: Brief an Boje 18. Juni 73.
In der Jugend miterlebt: Schöne 329.
Lenorenlieder: Schöne 324 ff.
Ausdeutung der „Lenore": Elsbeth Leonhardt, Die mysteriöse Ballade in ihren Anfängen. Diss. Münster 1936. Herbert Schmidt-Kaspar im Sammelwerk „Wege zum Gedicht II, 130 ff. 1963.

74. Pongs, Bild in der Dichtung I, 97 ff. (2. Aufl. 1960).
Elsbeth Leonhardt 47, Verschmelzung: Walter Hink, Ballade von Bürger bis Brechts 1968 drückt es so aus: die Verbürgerlichung wird rückgängig gemacht (12).
Alliteration: Staiger 92, Herbert Schmidt-Kaspar 139.

75. Spiegelung der Glaubenseinfalt: Elsbeth Leonhardt 55.
Kirchenliedverse: Schöne 331 ff.

76. Steigerungen durch Wiederholungen: Staiger 85.

77. Offenheit des Himmels: An Boje 16. Sept. 73 Einschub. „Ich tue mir nicht wenig darauf zugute."

79. Schock des Gräßlichen: Nach Elsbeth Leonhardt 33: „Rückfall ins Romanzenhafte." „Erbe der Aufklärung."

80. Frühgedicht „Danklied" 1772. Brief Stolbergs 2. Febr. 1787 (Bürgers Werke von A. W. Bohtz 1835, 487).
Graut, Liebchen auch?: Althof, Bürgers Leben 1798, aus der mündlichen Überlieferung. (Bürgers Werke 1835, 435.)

Im Briefwechsel mit Boje: 16. Sept., 20. Sept. 73.

82. Erich Schmidt, Charakteristiken I, 231.
Hans Fromm, Deutsche Balladen 1961, 42.
E. Leonhardt: 37.
83. Goethe-Handbuch, 2. Aufl. 1955, 598 (Zastrau).
Witterung für das Ursprüngliche: 603.
Klagegesang: Morris, Der junge Goethe V, 316 ff. VI, 508, Hamb. Ausgabe I, 82 ff., 454.
84. König in Thule: Urfassung Minor IV, 41 ff., VI, 351, Hamb. Ausgabe I, 79 (beide Fassungen nebeneinander), 454.
Urfaust: Minor V, 396 ff. (Nach dem Druck in Seckendorffs Volksliedern 1782, mit dem Zusatz: aus Goethes Faust.)
Faust Endfassung: Hamb. Ausgabe III, 89.
Shakespeare, Othello (Schlegel) IV. Akt, 3. Szene. Parallele Zastrau 619, Werner Roß, Sammelwerk „Wege zum Gedicht II, 147 ff.
„Romanze": Einzelabschrift der Frl. v. Göchhausen.
„Ballade": 1800 in „Neue Schriften" unter „Gedichte" aufgenommen.
85. Jacob Grimm „Gemüt des Ganzen". Brief an Arnim 20. 5. 1811.
Ernst Beutler, Der König in Thule 1947 (Goetheschriften im Artemisverlag, Zürich), 23 (Desdemona-Parallele 13).
86. Ernst Beutler 7–16, 26.
Rahmen des Faustgedichts: Beutler 17–20, Zastrau 620 ff. Faust Vers 11938.
87. Werner Roß II, 151.
Ernst Beutler 27 ff.
88. Zu den Balladen der Frühweimarer Zeit: Zastrau im Goethe-Handbuch 1955, 622–633.
Dunst und Nebelweg: Brief 22. Juni 97 (Petersen I, 347).
Rückzug: 24. Juni 97 nordische Phantome 5. Juli.
Braut von Korinth: Zastrau 643 ff. Text Hamb. A. I, 268 ff.
Helgilied: Edda I (Genzmer), 151 Aus der älteren Dichtung von Helgi, D.: Helgis Wiederkehr.
89. Goethe selbst 1823: Bedeutende Fördernis durch ein einziges Wort: Hamb. Ausgabe 13, 38.
Quelle zur Braut von Korinth: Johann Prätorius, Anthropodemus plutonicus, das ist eine neue Weltbeschreibung von allerlei wunderbaren Menschen. 1666 (Albert Leitzmann, Quellen zu Schiller sund Goethes Balladen 1923). Die Quelle hält die Namen fest, die Goethe nicht aufgenommen hat: Philinion und Machates. Die Tote erscheint in der Kammer des Gastfreunds, bleibt die Nacht bei ihm, wird von der Magd erkannt, die es der Mutter berichtet. Die Mutter andern Tags stellt den Jüngling zur Rede, erkennt die Geschenke der Tochter, läßt sich versprechen, daß er sie ruft, wenn in der nächsten Nacht das Gespenst wiederkehrt. Als die Mutter erscheint, klagt die Tochter sie an, ihr die kleine Freude nicht zu gönnen und verstirbt abermals und endgültig. Machatas stirbt ihr bald nach.
Zur Strophenform: Emil Staiger, Goethe II, 311 ff.
92. Das ist die wahre Symbolik: Maximen und Reflexionen 314 (Hecker), 752 (Trunz), 1002 (Günter Müller). Zuerst in „Kunst und Altertum" 1826.
95. Überwindung des Vampyrischen: Zastrau, Goethe-Handbuch 653.
Emil Staiger, Goethe 309 (das Stoffliche verschwindet ganz in seinem transparenten Sinn).
„Der Gott und die Bajadere", Text: Hamb. A. I, 273 ff.
Quelle: Albert Litzmann, Quellen von Schillers u. Goethes Balladen 1923, 37 ff.
96. Strophenwahl: Max Kommerell, Gedanken über Gedichte 1944.
Neudruck: Sammelwerk „Wege zum Gedicht II, 186 ff. 1964.
97. zur Faszination des sym: Zastrau, Goethe-Handbuch 665 ff. (Erlösungsidee).
100. Kulturballaden: Zastrau 644 ff. „schlechthin Ungeheures zum Thema". Indische Hintergrund: Zastrau 664 ff.
Hinter dem König in Thule: Zastrau 673.

101. Die Kraniche des Ibykus, Text: Jub. A. I, 62.
Brief an Goethe: Petersen I, 363.
Darstellung von Ideen: Brief vom 23. Juni 97 (Petersen I, 348).
Ideenballade — neue, die Poesie erweiternde Gattung: Brief Schillers an Körner 27. April 97 (Goethes Urteil).
Grundmotiv: Albert Leitzmann, Quellen von Schillers und Goethes Balladen 1923, 9 ff.
Schiller an Goethe 26. Juni 97 bei Übersendung des „Ring des Polykrates": „ein Gegenstück zu Ihren Kranichen." Schiller 21. Juli 97: „will mein Glück an den Kranichen versuchen." Schiller 17. August: „Endlich erhalten Sie den Ibykus. Das angenehmste wäre mir zu hören, daß ich in wesentlichen Punkten Ihnen begegnete."
Zu Schillers Erstversuch: F. W. Wentzlaff-Eggebert im Sammelwerk „Wege zum Gedicht" II, 213 ff.

102. Goethes Antwort 22. August: Petersen I, 384 ff.

105. Schiller an Goethe 4. April 97: Petersen I, 310.

107. Goethe an Schiller 22. August. Petersen I, 385.
Schiller an Goethe 7. September 97. Petersen I, 397.
Vorstöße der Einbildungskraft: Benno v. Wiese, Schiller 1959, 622 ff. (dramatische Kurzgeschichte mit parabolischem Sinn).

110. Goethe, Ballade. „Über Kunst u. Altertum 1821. Hamb. Ausgabe I, 400
Zu dieser Stelle: Zastrau, G-Handbuch 696.

111. Ernst Beutler, Der König in Thule 1947, 21 ff., 40
Lore Lay: Godwi 1802 (Werke II, 546 Viëtor). Gedichte, Werke Viëtor I, 28. 28.
negatives Spiegelbild: Beutler 47.
Die Deutung von Erika Essen, Wege zum Gedicht II, 240 ff. folgt nicht dem Bau des Gedichts, zieht zum „Zeichencharakter" die Volksballade vom Tannhäuser mit heran, als Auslauf ins Offene. Der Gegenhalt des Christlichen ist eingeebnet ebenso wie die Tragik des Schönen.
Emil Staiger, Grundbegriff der Poetik 1946, 75 überbetont „alle Momente des Lyrischen".

117. Brentano „Die Gottesmauer": Werke I (Viëtor) 153 ff.

121. Verflüchtigt sich der balladische Hintergrund: Uhlands „Balladen und Romanzen" (zuerst 1815) wird man heute richtiger als „gemüthafte Erzählgedichte" bezeichnen. Um ihre Würdigung bemühen sich Wolfgang Kayser, „Geschichte der dt. Ballade" 1936, Hermann Korff, „Geist der Goethezeit" IV, 248 ff. Werner Kohlschmidt, Z. f. d. Bildung 14 Jg. 1938 und der Kohlschmidt-Schüler Helmut Thomke, Zeitbewußtsein u. Geschichtsauffassung bei U. 1962. Uhlands Verhältnis zum Biedermeier untersucht die Diss. von Ulrich Eicke 1950 (Masch.).
Fromm, Deutsche Balladen hat die „Gottesmauer" mit aufgenommen.

122. Heines „Grenadiere": Ernst Elster, Werke I, 47, 437 (Bibl. Institut 1924).
Uns ist in alten maeren: Eingangsstrophe des Nibelungenlieds.

124. Werner Weber, Sammelwerk: „Wege zum Gedicht II", 267

126. Mörikes „Schlimme Gret": Harry Maync, Werke I, 24 ff. 413.
Schön Rothtraut: Maync, Werke I, 50. Maync 416 gibt die Entstehung der „Romance" aus einem altdeutschen Wort, aus dem sich alles spinnt in kurzer Zeit.
Die traurige Krönung: Maync, Werke I, 46, (entstanden 1828). Joachim May, Wege zum Gedicht II, 278 gibt sich große Mühe, dies Musterbeispiel für die dem verkürzten Drama eigene Strukturform Schülern nahezubringen (278–288). Er zitiert Kurt Jacob (Diss. 1934) 287. „Werk, das schaudern macht, ohne eine Schauerballade zu sein" 288.
Die Geister am Mummelsee: Maync, Werke I, 62, 420 (entstanden 1828) Lydia Girlinger, Wege z. Gedicht II, 289.
Zu erwähnen wäre noch die „Romanze": „Der Schatten" (entstanden 1955). „Schauerballade" bei Wolfgang Kayser, Geschichte der dt. Ballade 1936, 152.

129. Grotesk-Ballade: Wolfgang Kayser, Geschichte der Ballade 1936, 165 führt sie als „Naturmagische Ballade" ein. Zum Grotesken bei Mörike: Wolfgang Kayser, Das Groteske 1957, 113, 221. Zum Dämonischen im Biedermeier" Pongs, Dichtung u. Volkstum 1935. Bd. 36, 241 ff.
130. „Knabe im Moor" Werke Hanser 83 (Heidebilder).
Wege zum Gedicht II, 1963, Kunisch, 309–45.
Bild in der Dichtung I, 320 (2. Aufl. 1960).
133. Zu „gründet der Boden sich": Kunisch 326.
Droste-Sonderform: Zur „Vorgeschichte" Mondmagie. Pongs, Bild in der Dichtung I, 321.
134. zur „Vergeltung": Wege zum Gedicht II, 299 ff. Otmar Bohusch. Judenbuche 301.
Fontane, „Archibald Douglas": Wege zum Gedicht II, 367 ff. (W. D. Williams).
135. „Die Brück' am Tay": Wege zum Gedicht II, 377 (F. Martini). Text: Gedichte Cotta 1908, 192.
139. C. F. Meyer, Gedichte 244.
Zur eidetischen Anlage: Pongs: Bild in der Dichtung I, 147 (Erich Jaensch).
Quellen zu „Vercingetorix", später „Das Geisterroß": Heinrich Kraeger, Palaistra XVI 1901.
141. „Die Füße im Feuer": Wege zum Gedicht II, 425 (Helmut Breier) Pongs 147.
142. Börries von Münchhausen, Balladen 1901 Balladenbuch 1924 Musenalmanache Göttinger 1898, 1900, 1901, 1905 Münchhausen zu Goethes Poetik: Meister-Balladen, Ein Führer zur Freude 1923, 140, 171.
Der Hunnenzug: Wege zum Gedicht II, 477 (H. W. Döring).
Jekaterinas Bestechung: Balladenbuch 279.
144. Theoretischer Führer: Meister-Balladen 1923, Strachwitz 11 ff., Fontane, Archibald Douglas 157.
Bürgers „Lenore" (Jugend scheitert am Totenritte) 41.
Goethek „Bajadere": zu trocken 79.
Schillers „Kraniche des Ibykus" Theatervorgang 134, 146 (Schlußstrophe überflüssig 127).
untere-obere Vorgang: 91 ff., 126 ff.
Agnes Miegel: Münchhausen, Meisterballaden 105.
„Die Nibelungen": Wege zum Gedicht II, 491 ff. (Eberhard Sitte), Würdigung der Miegel, W. Kayser „Gedichte der dt, B.", 280 ff.
„Schöne Agnete": Gesammelte Gedichte 1927, 52 ff.
145. Wassermannballade: Erk-Böhme I, 1–7.
146. Zur Neuromantik: Helmut Prang, Reallex. d. dt. Lit. Gesch. 2. Aufl. 1963.
Zum Jugendstil: Jost Hermand Dt. Vj. 1964, 70 ff., 273 ff.
147. „Die Mär vom Ritter Manuel": Wege zum Gedicht II, 500 ff. (Ulrich Gollwitzer) Münchhausen, Meisterballaden 103.
Jugendstil-Ornament: Münchhausen: „Schnörkel" 120.
Weltdeutung: Gollwitzer 501.
Die Welt wird bodenlos: Gollwitzer 504.
148. Lady Gwen: Ges. Gedichte 37–42. „Die Fähre": Gedichte 158–163.
Lulu von Strauß und Torney.
Reif steht die Saat 1935. „Der Gottesgnadenschacht": 155. Die Tulpen: 150, Wege zum Gedicht II, 509 (Winfried Reichert).
Auch Rudolf Hagelstange (Jahrgang 1912) mit seiner „Ballade vom verschütteten Leben" 1953 gehört hierher. Wie die Zeitungsnotiz, aus der sich Hagelstange den Stoff holte, später als erfunden aufgewiesen wurde, fehlt der „Ballade" jene Urerschütterung, aus der sich balladisches Zugleich aller elementaren Formkräfte einstellt. Wohl zeigt die vorausgeschickte Ballade vom Staub den abstrakt erschütterten Intellekt, dem der „berstende Kern von Atomen" den Weg gewiesen. Aber wie dann in zehn Teilen sechs Schicksale im verschütteten Bunker herausgearbeitet werden, verliert sich der balladische Impuls. Er weicht dem Ton der von Rilkes Elegien mitbeeinflußten Weltklage. Dahinein läßt sich der abstruse Kontrast des Zeitungsstoffs nicht bändigen: daß der Bunker mit einer riesigen Proviantfülle ausgestattet sein

sollte. (Wenn der „Staub" in unzähligen Säcken Mehl vorliegt, wirkt er nur noch grotesk.) Während Hagelstanges expressiver Stil sich weit von der Neuromantik entfernt, verrät die Unsicherheit der ergriffnen Mischform die neuromantische Zeitverhängtheit.
Dazu August Cloß, Medusas Mirror 1957, 221: „There is a mixture of exalted language, ornate imagery and wise thoughts, which somehow spoils the artistic effect as a whole."

149. Gerrit Engelke, Rhythmus des neuen Europa 1919.
Hans Benzmann, Die soziale Ballade in Deutschland 1912.
„Der Tod im Schacht": Rhythmus des neuen Europa 53.
Julius Bab, Arbeiterdichtung 1920 „das neue große Genie, das die Arbeiterdichtung hervorbrachte." (35).

151. Lied der Kohlenhäuer, Rhythmus d. n. Europa 61–63.
Zu Engelke: Das Engelke-Heft der Städt. Volksbüchereien Dortmund 1958 (Fritz Hüser). Gesamtwerk (Herm. Blome) 1960.

153. Bert Brecht, Werke Suhrkamp 1961.
8 Jahre jünger, nicht 9 Jahre:
Engelke 21. 10. 1890.
Brecht 10. 2. 1898.
Klaus Schuhmann, Der Lyriker Brecht 1913–33 Berlin 1964 (Neue Beitr. z. Lit. Wiss. 20).
Das Lied von der Eisenbahntruppe vom Fort Donald: Gedichte Band 2, 9–11 (Hauspostille Erstausgabe 1927, 72).

154. Legende vom toten Soldaten: Hauspostille Erstausgabe 125.
Gedichte 1, 136.
Als im Mutterschoße aufwuchs Baal: Stücke 1, 19.
Hauspostille: Schuhmann 123 ff.
Das Dämonische im Biedermeier: Dichtung u. Volkstum 1935, 241 ff. (Pongs).
zynische Einfalt: am auffälligsten in dem Bänkelsang von „Apfelböck oder die Lilie auf dem Felde". Hauspostille 5.
„Ballade von den Cortez Leuten" Hauspostille 74. Gedichte Band 1, 85.

155. Ballade von den Seeräubern: Hauspostille 77–83. Gedichte Band 1, 87–92.

156. Wendung zum Marxismus: Schuhmann 241 ff.
Nach dem Originaltext „Die Weltbühne" XXIX, 3, (17. 1. 1933).
Pferdekopfballade: Pongs, Dichtung im gespaltenen Deutschland 373 ff. Gedichte Band 3, 172 (verkürzt).

157. Max Lüthi: „Das weise Pferd als Erscheinungsbild des weisen Unbewußten." (Europ. Volksmärchen 1951, 565)

160. Mutter Courage und ihre Kinder: Stücke 7, 65–66.
Eingangsballade: Wege zum Gedicht II, 537 (Friedr. Wölfel).
„rein merkantiles Wesen des Kriegs": Text des Umschlag Stücke 7.

161. Blüh auf, gefrorner Christ: Angelus Silesius, Der cherubinische Wandersmann Buch III, Nr. 90 (Ellinger I, 113). „Wach auf, du toter Christ": III, Nr. 42.
„Die armen Leut brauchen Courage": Stücke 7, 149.
Dritte Strophe: nach dem Urtext: Stücke 7, 210 (Kehrreim mit der Mundharmonika).

162. „Den Schweizerkas seh ich nicht mehr": Stücke 7, 157.
Wiegelied: Stücke 7, 202.
Mit seinem Glück: Stücke 7, 204.

163. Auch wir sind vor den Wagen gespannt: George Steiner „Der Tod der Tragödie" dt. 1962, 287.
Dritte Strophe ohne Kehrreim: Werke 7, 158.

164. Galilei-Drama: Stücke 8, Bibelzertrümmerer 146
Pongs, Dichtung im gespaltenen Deutschland 1966, 449.
Der gute Mensch von Sezuan: Stücke 8, Lied vom Nimmerleinstag 335, Lied vom achten Elefanten 369.
Untaten: Werke 8, 321, 394.
Legende von der Entstehung: Gedichte Band 4, 51.
Wege zum Gedicht II, 534 (Max Picard).

166. Humor: Jean Paul, Vorschule der Ästhetik § 32 und 33.
Das Mehr ist der Grund der Welt: Wege z. d. Gedicht II, 534.

167. Pablo Neruda „Canto general“ dt. von Erich Arendt (Ostdeutscher) mit ausführlichem Nachwort 1953.
Transit, Lyrikbuch der Jahrhundertmitte Hg. Walter Höllerer 1956 (323 Gedichte von 118 Dichtern).
Neue deutsche Erzählgedichte Hg. Heinz Piontek 1964 (249 Gedichte von 71 Dichtern).
Peter Huchel, Gedichte 1948, 26 (Letzte Fahrt) Erz. G. 274, Transit 182.
Pongs, Dichtung im gespaltenen Deutschland 1966, 343 f.

170. Peter Huchel, Chausseen, Chausseen 1963, 59.
Günter Eich, Abgelegene Gehöfte 1948 („Erwachendes Lager“) Transit 158, Erzählgedichte 197.

173. Günter Eich, „Steh auf!“ Gedichtband „Zu den Akten“ 1964, 17 („Nachhut“).
Vergleich mit Brecht: Pongs, Dichtung im gespaltnen Deutschland 1966, 349 (Brecht Ged. VI, 12).
Paul Celan, „Todesfuge“. Gedichtband „Mohn und Gedächtnis“ 1952 (Transit 177, Erzählgedichte 156).
Pongs, Dichtung im gespaltnen Deutschland 1966, 334.

177. Brechts „Kinderkreuzzug 1939“ geschrieben 1941, veröffentlicht Gedichte VI, 20.
Ballade von den Königskindern: Brecht, Lyrik 16.
Rudolf Frank, Das Ärgernis Brecht 1961, 36.

178. Aufsatz: Volkstümlichkeit u. Realismus: Sinn u. Form 1958, 495 ff., Pongs, Dichtung im gespaltnen Deutschland 337.

180. Zur Wiederholung: Pongs, Bild in der Dichtung I. Band 121 ff. (1927, 1960).
Verkettende Wiederaufnahme des gleichen Motivs, Ausdruck gemeinschaftlichen Lebens, in dem sich das Bleibende, das ewig wiederholend-Menschliche spiegelt.
Thomas Mann, Fruchtboden der Volkseinfalt: „Es gibt zwei Arten der Poesie: eine aus Volkseinfalt ...“ im Roman: „Joseph und seine Brüder“ 1943, IV, 48 (Gesamtausgabe 974).

181. Geisteswelt: Lenorenballade 68 ff., Mörikes „Schlimme Gret“ 119 ff.

182. Ich verkünd euch neue Mär: Graf von Rom: Erk-Böhme I, 93.

184. Bestätigung der Vicoschen Lehre: Karl Otto Apel, Die Idee der Sprache von Dante bis Vico 1963, 356.
Brechts Nachfolge in Ostdeutschland hat Wolf Biermann angetreten mit zwei Sammlungen von Bänkelsangsliedern, die er Balladen nennt: „Die Drahtharfe“ 1965, „Mit Marx- und Engelszungen“ 1968. So kühn der Zugriff dieser Kollektiv-Stimme in Brechts Nachfolge die Sozialprobleme angeht, konnten wir nichts finden, das ihn neben Brecht zu stellen berechtigt.

185. Noten zum Divan: Hamb. Ausg. II, 187.
Emil Staiger, Grundbegriffe der Poetik 1946, 90 ff.
Der Zweck des epischen Dichters: 117 ff.
Einfalt des Epischen 127, Die Hörer anerkennen Homer 142.
Stiftung: 142, Homer der einzige: 143.

186. Georg Lukacs, Theorie des Romans 1921, Weltzeitalter 10, wie kann das Leben wesenhaft werden? 11.
Totalität des Seins 16.

187. Ausdruck der transzendentalen Obdachlosigkeit 23.
Das Subjekt der Epik: 36, Der Roman ist die Epopoe 44.
Brüchigkeit der Welt: 64, Ironie: 67 ff., 79 ff.
Selbstkorrektur der Brüchigkeit: 68.
biographischer Roman 70 ff., Weg zu sich selbst 75.
Seele entweder schmäler: 95.
Erhabenheit wird zum Wahnsinn: 100.

188. genialer Takt des Cervantes: 100 ff.
Es ist der erste große Kampf 105.

negative Mystik 87.
Koskimies, Theorie des Romans dt. 1935, 135 ff.

189. Reflexionen: Lukacs 80 ff.
Die Lukacs-Kritik von Günther Rohrmoser „Dt. Romantheorien“ 1968, 396 ff. überbetont das Negative: daß Lukacs „der Substanz marxistischen Geschichtsdenkens näher stehe“ als der spätere bewußte Marxist. Die „drohende Totalität der Entfremdung“ zwinge zur Veränderung der Gesellschaft, um die Entfremdung aufzuheben (399). Rohrmoser sucht die Ergänzungen nicht beim Humorbegriff (Koskimies, Preisendanz), nicht beim symbolischen Kosmos der Dichtung, wie ihn der deutsche Roman sucht, er zieht mit Auerbachs „Mimesis“ die radikale Desillusion des französischen Gesellschaftsromans heran.

190. Goethe zum Roman: Maximen und Reflexionen Hamb. Ausg. 12, 498 (Nr. 938, Hecker 133) (Kunst u. Altertum).
Lukacs, Welthumor 41.
Wolfgang Preisendanz, Humor als dichterische Einbildungskraft 1963 (nur aufs 19. Jahrh. bezogen, dort genauer heranzuziehen).

191. Grimmelshausen, Der abenteuerliche Simplicissimus Teutsch. Wiss. Erstfassung durch Rolf Tarot (Niemeyer) 1967.
Figur: Günter Rohrbach, Figur u. Charakter 1959.
Narr: Paul Gutzwiller, Der Narr bei Grimmelshausen 1959.
Maske: Hans-Ulrich Merkel, Maske und Identität 1964.
Scholte, Der Simplicissimus und sein Dichter 1950, 83.
Ach, allerhöchstes Gut: Tarot 573, Scholte 103.

192. Scholte zur Quelle 104.

193. Spruch zum Titelkupfer. Spätere Fassung, Ausgabe III, die das Phönix-Gleichnis deutlicher hervortreten läßt.
Wunder-Geschichten Kalender von 1672 (beschrieben nach dem Original). Dazu Hertha von Ziegesar, Euphorion 17, Ergänzungsheft 1924, 53.
Einfalt hat mir stets beliebt: Euphorion 17, Ergänzungsheft 1924, 53 (v. Ziegesar). Werner Welzig, Beispielhafte Figuren 1963, 48 (Im Kapitel: Begriff der Einfalt).

194. Leuchtkäfer: Streller 44 deutet sie als „Allegorie des lebendigen Wortes Gottes“, während die irdischen Fackeln erlöschen.

195. Titel vom Wunderbarlichen Vogelnest I. Teil: Text Abdruck: Simplicianische Schriften (Kellekat) 1960 242. (Doppelpunkt hinter „Schrei“ ist zugesetzt). Das dazu gehörende Titelbild abgedruckt bei Ermatinger, Weltdeutung 1925, 64 (Kind mit Fernglas).
Im 8. Kapitel des II. Buches: Tarot 114 (Pfarrer).

196. Habe Gott stets vor Augen: 18. Kapitel des I. Buchs Tarot 51, 24. Kapitel, Tarot 66.
Einsiedlergestalt: Ilse-Lore Konopatzki, Grimmelshausens Legendenvorlagen 1965, 43 ff.
so verblendet dich: 11. Kapitel II. Buch. Tarot 124.
Ich lebte eben dahin wie ein Blinder: 11. Kapitel III. Buch. Tarot 236.

197. Zum Bauernstand: Renate Brie, Die sozialen Ideen Grimmelshausens 1938, 11 ff. Siegfried Streller, Simplicianische Schriften 1957, 175 (Bauern). (Ostdeutsche Forschung). Den „Bauernpoeten“ braucht man G. nicht abzusprechen, weil er vieles aus Büchern hat (Kochlig, Schiller Jhb. 1965, 33 ff.).
Dagegen Günter Rohrbach, Figur und Charakter 1957, 30 findet es widersprüchlich, daß der einfältige Tölpel das Lied vom Bauernstand singt. (Beweis für die These von der Spaltung: Figur und Charakter).

198. Zum Lied „Komm, Trost der Nacht“: Scholte, Der Simplicissimus und sein Dichter 1050, 84 ff. Scholte hält Grimmelshausen für den Dichter.

199. Selbsthumor: Vordeutung auf den Humor des Dialogs zwischen Einsiedler und Simplex bei Scholte 96.
Aufspaltungssucht: Rohrbach, „Figur und Charakter“ 1959. Gutzwiller, „Der Narr“ 1959, Hans Ulrich Merkel „Maske und Identität“ 1964. Weniger schroff:

Werner Welzig „Beispielhafte Figuren: Tor, Abenteurer, Einsiedler 1963. Gespräch zwischen Einsiedler und Simplex: Tarot 25. (8. Kap. I. Buch).

202. Schrecktraum vom Bürgerkrieg: 15.—18. Kap. I. Buch. Tarot 32—52. Paul Böckmann, Formgeschichte 1949, 459 ff. (Bildmotive).
Eine konstruktive Würdigung des Schrecktraums bringt Siegfried Streller (Ostdeutschland) „Grimmelshausens simplicianische Schriften" 1957, 24—26. Sowohl als „Mittelkapitel" des I. Buches wie als „Sinnbild der irdischen Unbeständigkeit". Gerh. Kühl, Untersuchungen zur Romankunst 1961, 79 betont den Einschnitt: Vorausdeutung späterer Erfahrungen.

203. Carl Gustav Jung, Von den Wurzeln des Bewußtseins 1954, 566 ff.
die drei Lehren: (Tarot 35), Scholte, Simplicissimus und sein Dichter 1950, 146 betont die Lehren, die der Einsiedler Simplex mit auf den Weg gibt, wie Herzeloyde dem Sohn Parcival.
Gerhard Kühl, Untersuchungen zur Romankunst 1961, 28 verweist auf das Exempel des Einsiedlers. Zeichen dafür, wie undogmatisch die Lehren gemeint sind.
Welzig, Beispielhafte Figuren 1964, 175: Erst auf der Insel wird sichtbar, wie die drei Ratschläge innerlich miteinander verbunden sind.

204. „Damals war bei mir nichts Schätzbarliches: Eingang des 24. Kapitels I. Buch (Tarot 66).
Ich wünschte, daß jedermann: 25. Kap. I. Buch (Tarot 73).
Ich glaube, wenn unsre ersten Frommen: 26. Kap. Tarot 74. Rhetorik 72.

205. Wetterauer: 84.
Kontrastsituationen: Siegfried Streller, zum Humor 205.
Ermatinger, Weltdeutung 1925, 98 ff. Gerhard Kühl, Untersuchung zur Romankunst 1961, 41 ff. (der curiose Leser).
alle Torheiten zu bereden: 10. Kap. II. Buch (Tarot 119).
ihn verblende die Begier nach Ehr: 11. Kap. Tarot 124.
gut einsiedlerisch beten: 13. Kap. Tarot 131.
Gutzwiller, der Narr bei Grimmelshausen 1959, 31 deutet das als „Wandlung zum heuchlerischen Mimen". Schon das Erwähnen des Einsiedlers, zweimal, macht das unwahrscheinlich.
Simplicissimus: Tarot 105 (Stammrolle).

206. Blockberg-Traum: 17. Kap. Tarot 143 ff.
Streller 30: „Unwissenheit und mangelnde Weltkenntnis haben verhindert, daß er die Gefahr durchschaut."
Gutzwiller (Der Narr) nennt es zwar eine lebensfremde Konstruktion 29, aber er sieht Simplex als auserwählten Held der Geisterwelt (35).
Judas-Bruder: Ende 21. Kap. Tarot 159.
Daß der Mensch: Tarot 167.

207. Ich spekulierte Tag und Nacht: 30. Kapitel. Tarot 188.
Pfarrerbrief: Ende 31. Kapitel Tarot 195 mit Antwort des Pfarrers, der ihm verziehen. Tarot 196.
Teufelsverführungen: Gutzwiller, Der Narr 34 ff. (Einfalt als verderbende Kraft 38).
Doppelgänger: Jäger von Werle: 2. Kap. III. Buch Tarot 203 ff.
Jupiter-Begegnung: 3.—6. Kapitel. Tarot 208–220.
Gründliche Interpretation und Quellenbezüge bei Julius Petersen, Euporion 17. Erz. Heft 1924, 1–30.
Humor (10): Travestierung in die heidnische Mythologie. Spitze theokratisch, Mittelschicht aristokratisch, Basis demokratisch (22). Grimmelshausens eigne Reformgedanken 1667 (27). Tiefste Sehnsucht der bedrückten Kriegszeit. Ventil der Selbstbefreiung in närrischer Einkleidung. Humor (28). Als erstes Stück in der Wiederentdeckung durch die Romantik ist die Jupiter-Episode durch Tieck 1798 im „Tagebuch" mitgeteilt. P. Böckmann, Formgeschichte 1949, 460 ff. Günter Weydt, Studien zur Herkunft. Euph. 1957, 250 ff.

208. Jupiters Rat: 13. Kap. Tarot 245.
im Herzen verdrießt, daß ich nur Simplicius heißen sollte: 13. Kap. Tarot 244.
„als wenn ich ein Freiherr wär": 17. Kap. Tarot 259.

Arcadia: 18. Kap. Tarot 262 (Roman des Jacopo Sannazaro 1504, des Engländers Sidney 1590, übersetzt durch Opitz 1629).
Der Josephsroman, von Grimmelshausen vor dem Simplicissimus geschrieben, 1666. Hans Ulrich Merkel „Maske und Identität 1964, 59 berührt den Umstand, daß Simplicius als Verfasser des keuschen Joseph im 19. Kap. erscheint. Es gehört zur „Mehrschichtigkeit des erzählenden Ich", dessen „Grundsubstanz" durch alle Maskenspiele „nit verlorn" bleibt. Also die „Identität" von Werk und Dichter einschließt. In diese Spannung von Maske und Identität bleibt Grimmelshausens Übermut mit aufzunehmen, mit dem er als Joseph-Dichter an der Spielfreude des Jägers von Soest teilnimmt und den Leser am Gespräch von Pfarrer und Simplex über den „Joseph" teilnehmen läßt.

209. „Unstern staffelweis": Anfang 23. Kap. Tarot 279.
Die Hoffart hielt ich: 23. Kap. Tarot 283.
Ich hab die Tag meines Lebens: 3. Kap. IV. Buch Tarot 298.
Der verlorne Sohn: „hätte ich wie der verlorne Sohn mit den Säuen vor lieb nehmen sollen" 7. Kap. Tarot 311.
Ich will meine Untugenden so wenig verhehlen wie meine Tugenden: Tarot 319.
daß ich ein recht wilder Mensch war: Tarot 324.

210. Olivier-Kapitel: 14.—24. Tarot 334–363.
Ich höre wol, daß du noch der alte Simplicius bist 337.
wider das Gesetz der Natur, wider Gott: 339.
O himmlischer Vater 342. Simplicius dankt Gott: 355. Du närrischer Simplici: 358.
eines Vaters-Unsers Länge 362–3. Herzbruder: 366 ff.

211. Demnach ich deine Gutherzigkeit sehe: 370. freundlich Gezänk 374.
der Besessene: 378.
Ein shakespearescher Augenblick: Ermatinger, Weltdeutung 1925, 61 ff. im Kapitel „Erlösung" begreift die Bedeutung der Szene, als ersten Schock. Streller, Simplic. Schriften 1957, 36 erwähnt kurz die Stimme des Besessenen als Stimme des Teufels. Welzig, 1963, der das „Beispielhafte" der Figuren zum Thema hat, läßt sich das Beispielhafte dieses shakespearischen Augenblicks entgehen, in dem der Tor, der Abenteurer und der Einsiedler phönixhaft in eines gebrannt sind. Auch Gerhard Kühl (1961), der den „beispielhaften Untergrund des Geschehens" erkennt, läßt eben diesen beispielhaften Augenblick aus. Auch Hans-Ulrich Merkel (1964) nimmt in seine „Mehrschichtigkeit" diese Schicht nicht auf, in der „Maske" und „Identität" verschmilzt.
Für Arbeiten, die den „Kern" aufspalten, kann die Szene nichts bedeuten. (Rohrbach, Figur u. Charakter 1959 und Gutzwiller, Der Narr 1959).

212. Jupiter in Köln: 5. Kap. Tarot 387 ff.
Nachtigallengesang: 7. Kap. Tarot 395 ff. Das Nachtigallenmotiv zuerst im Lied des Einsiedlers: Komm, süßer Trost!"
Dazu Scholte, Der Simplicissimus und sein Dichter 1950, 84 ff., 93 ff.

213. Mir war nit anders zu Sinn: 9. Kap. Tarot 403, melancholischer Humor: 12. Kap. Tarot 413.
O elende Blindheit: 424.
Mummelsee-Motiv: Prätorius, „Von den Undinen" Ermatinger 1925, 57.
Quelle: Paracelsus, Liber de nymphis. Dt. Vj. 1942, 435 ff. (Harry Mielert).
Paul Böckmann, Formgeschichte 1949 463: Wunderwerke der Schöpfung werden allegorisch umspielt. Rückgriff auf heimisches Märchengut.
Siegfried Streller, Simplic. Schriften 1957, 37 ff. Fürwitz, der an Doktor Faust erinnert. Sylphen, als Geschöpfe die nicht sündigen können. Doch ohne unsterbliche Seele.
Gerhard Kühl, Untersuchungen 1961, 79 ff. (Lob Gottes).

214. Sauerbrunnen-Humor: Streller 3: Konfrontatio mit der „verkehrten Welt", wo die Bauern nur Frondienste erwarten. Wiedertäufer: Ermatinger 1925, 67.

Spanier Guevara: Ermatinger 65 (Übersetzung des Ägidius Albertinus). Günter Weydt, Neophilologus 1962, 105 ff.
Kur beim König der Salamander: 431.

215. Continuatio als Fortsetzung der ersten V Bücher:
Manfred Koschlig, „Grimmelshausen und seine Verleger" 1939, 83 sieht die Fortsetzung des fünfbändigen Romans durch die 1. Kontinuatio 1969 (Ostermeßkatalog) als Anregung durch den Verleger.
J. H. Scholte, Simplicissimus und sein Dichter 1950 nimmt die Kontinuatio als Fortsetzung, die aber zur Steigerung wird durch das „finstere Licht" (83–105).
Siegfried Streller sieht die Kontinuatio als allegorische Zusammenfassung des gesamten Gedankengehalts, also als notwendige Weiterführung. (40) Darum wird das „finstere Licht" begriffen als Einheit der höchsten Gegensätze, Symbol des Unbegreiflichen. (44)
unserer Seelen Heil: Tarot 472.

216. Schrecktraum von Lucifer: Streller 40 ff. rechnet zur allegorischen Zusammenfassung auch, wie hier am Beispiel Lucifers Herrschaft über die Welt gezeigt wird.
Gutzwiller, Der Narr 1959, 59 ff.: Steigerung der Narrheit.
Baldanders: Ermatinger, Weltdeutung 1925 hat ihm ein Kapitel gewidmet. Wandelbarkeit als Spannungsfeld von Polaritäten. Hans Sachsens Vorbild (43). Proteus als Wandlungskraft des Lebens. Gutzwiller 60 ff. sieht in Baldanders das Spiegelbild Grimmelshausens, des Gauklerdichters. Dagegen Simplex sieht ihn als „Satan" (Tarot 508).
Zum Spruch: Ermatinger 79. Er folgert, daß nur symbolische Sprache in den Kern führe.

217. Warum werde ich nicht: Tarot 513.
Dauergelächter: Siegfried Streller spricht von einem optimistischen Humor (207). Das trifft eben hier zu, wo sich Simplex über Baldanders erhebt.
Nach Gutzwiller, Der Narr 1959, 62 ist das der höchste Triumph des Baldanders, reißt „den Abgrund des tragischen Nihilismus auf". Aber zugleich ist es „ein pädagogischer Schreckschuß des satirischen Epikers". (63)

218. Welt, in der ihm alles symbolisch wird: 23. Kapitel: „die ganze weite Welt ein großes Buch, darinnen er die Wunderwerke Gottes erkennen und zu dessen Lob angefrischt werden möchte." Tarot 568.
„Hier ist Fried: 27. Kap. Tarot 584.

219. Gleichnis vom Jonas: Prophet Jona 3. Kapitel: „Mache dich auf, gehe in die große Stadt Ninive und predige."
Streller 43 gibt eine Gegendeutung: er bezieht sich auf Jona, I, 3: Und Jona floh vor dem Herrn. Simplicius treffe eine Fehlentscheidung, wenn er nicht nach Europa zurückkehre, darum müsse er durch Wilde geraubt werden.
Kraft der Mitbewegung: Gerhard Kühl, Untersuchungen 1961, 45 spricht von dem „beispielhaften Untergrund des Geschehens". Werner Welzig, Beispielhafte Figuren 1963 vertieft seine drei Figuren ins Beispielhafte: Tor, Abenteurer, Einsiedler, aber den beispielhaften Untergrund, der die drei Figuren verbunden hält, faßt er nicht mit ein.
O elende Blindheit: Tarot 424.

220. Lukacs, Theorie des Romans 80.
Humor: Jean Paul, Vorschule der Ästhetik § 32,
humoristische Totalität: Ermatinger, Weltdeutung 1925, 103 ff. „Humor ist Brechung jenseitigen Lichts an diesseitigen Gestalten." Streller 207 ff.

221. Unendlichkeit der Einzelseele: Lukacs 75 Wanderung des problematischen Individuums zu sich selbst. Koskimies, Theorie des Romans 1935, 136: „Der Sieg des Humors bedeutet im tiefen Sinn eine Apotheose der Persönlichkeit."

222. Lukacs: „Das Subjekt der Epik": Theorie des Romans 36.
Mitbewegung: Ermatinger, Weltdeutung 1925, 5 spricht vom „Welttheater", Shakespeare vergleichbar. Paul Böckmann, Formgeschichte 1949, 448 ff. erkennt, daß erst der Roman bei G. „heimisches Gepräge gewinnt, und deutsches Leben in zeitüberdauernder Weise eingeformt wird".

Gerhard Kühl, Untersuchungen 1961, 45 kommt unserm Begriff nah mit der Prägung: „Kraft aus der deutschen Tradition, die einen beispielhaften Untergrund des Geschehens liefert." Sofern nun dieser Untergrund das Weltgeschehen des Dreißigjährigen Krieges ist, veranschaulicht sich die „Mitbewegung" im Zeichen der Vicoschen „Weltbetroffenheit", oder auch der modernen Entdeckung, daß wir „im Weltprozeß Treibende" sind. (Hermann Wein, Merkur 166, 1106).
durch Wilde rauben lassen: Zweite Kontinuatio in „Simplicianische Schriften". Kellecat 1960, 554 ff.
Siegfried Streller, „Grimmelshausens Simplizianische Schriften" 1957. „idealistisch" 212 guter Kern 155 das idealistische Gerüst 155.
Abenteurer durch die verschiedensten Lebensbereiche 212.

223. Landstörzerin Courage: Streller 47 ff.
Als VII. Buch: Vorrede zum „Wunderbarlichen Vogelnest" II. Teil. (Simplicianische Schriften. Kellecat 1960, 377.)
altes Rabenaas: Simplicianische Schriften, Kellecat 1960, 7.
Springinsfeld: Simpl. Schriften 123 ff.
Das wunderbarliche Vogelnest I: Simplic. Schriften 241 ff. Streller 62.
Nachtigallengesang: Simplic. Schriften 361. Motiv bei Scholte, Simplicissimus und sein Dichter 1950, 91 ff.
Wunderbarliches Vogelnest II: Simplic. Schriften 371 ff.

224. Günter Rohrbach, Figur und Charakter, Strukturuntersuchungen an Grimmelshausens Simplicissimus Diss. Bonn 1959.
„Figurhaftigkeit" 29 ff. (Der Bub, der nicht weiß, was Vater noch Mutter ist, und der Sänger des Bauernlieds können unmöglich ein und dieselbe Person sein).

225. Es fehlt die Glaubwürdigkeit der Gestalt: 31.
Dialektisches Schema von Glück und Unglück: 50 ff.
Paul Gutzwiller, Der Narr bei Grimmelshausen 1959. Weil sein Lehrer Walter Muschg Grimmelshausen unter die Gaukler einreiht, wird Simplex schlechthin als Narr aufgefaßt.
„Das dichterische Unterfangen: 108.
Der Spruch vom finstern Licht: 69 (matte Entschuldigung des beschwörenden Magiers).
Baldanders: 33 (ein Narr, der sich Masken vorhält und dahinter unbändig lacht). Walter Muschg, Tragische Literaturgeschichte 1948, 354: Der Gott der ewigen Verwandlung, der Genius des Simplicius.
Simplicianische Schriften: Gutzwiller 73 „S. läßt sich nicht in die Heuchelei der Südsee-Einsiedelei verbannen".
Hans-Ulrich Merkel, Maske und Identität in Grimmelshausens Simplicissimus. Diss. Tübingen 1964.
Mehrschichtigkeit 33, Maske 36, Chimäre 38 ff., 186.
Maske von Situation zu Situation eine andre: 108.
Der Situationsblinde: 164. Finstere Licht 119, Identität 187.
Werner Welzig. Beispielhafte Figuren: Tor, Abenteurer, Einsiedler 1963, besonders wichtig „Der Tor" 42 ff. mit dem Begriff der „Einfalt" 46 ff (Paulus Simplex als Träger des Humors 53). Welzig läßt nur eines aus: das Beispielhafte der Mitbewegung, die alle drei Figuren verschmilzt.
Ilse-Lore Konopatzki, Grimmelshausens Legendenvorlagen 1965. „Sehnsucht nach dem höchsten Wert als roter Faden durchs ganze Werk: 35. Humor des Überlegenen, der um die letzte Bestimmung des Menschen weiß. 137.
Vertrauen auf den guten Kern des einfachen Menschen 137.

226. Welzig 53.
Die Einfalt ist so wert: Ellinger, 1923, I, 219.
Das überlichte Licht: Ellinger IV, 23.

227. Jakob Böhme, Die Morgenröte im Anfang 1612. Abdruck Werke (Schiebler) I/II. Von der großen Einfältigkeit Gottes: 277 ff. Gottes Zorn: 277. Lucifer: 135 ff.

Dazu: Pongs, Studium Generale 1960, 631 ff. Hans Grunsky, Frommans Klassiker der Philosophie XXXIV 1956.
Grimmelshausen kein Mystiker: Ermatinger, Weltdeutung 1925, 90 ff.

228. Siegfried Streller, Simplic. Schriften 1959, 207 scheidet zwei Arten Humor: Gelächter über menschliche Unvollkommenheit und Erkennen positiver Werte darin. 209: Wissen, daß Simplicius sie später alle überflügeln wird. Unterschied: Satire-Humor. Es fehlt die Dimension des Lichts. Streller 47 ff. findet bei der „Courasche" eines nicht: Gedanken der Reue, der Rückschau (48). Springinsfeld „unverbesserlicher Landsknecht" 56, Vogelnest: Schwanksammlungen 62, Episoden 71 ff, 175 ff.
Courage-Springinsfeld: Simplicianische Schriften (Kellecat) 1960, 69.
Das kam so artlich: Tarot 19.

229. Ists aber ein Weib: Tarot 54.
reines Gewissen, aufrichtig frommes Gemüt: Tarot 66.
Schenket Euer Schindgeld weg: Tarot 245.
Grimmelshausens Humor wirkt sich auch dahin aus, daß er Simplicius den Einfall gibt, zur selben Zeit, wo er sich sagt: „Ich lebte dahin wie ein Blinder" sich ein eignes Wappen zu erfinden: Drei rote Larven im weißen Feld, auf dem Helm das Brustbild eines jungen Narren in Kälbernem Habit mit einem paar Hasen-Ohren, vorn mit Schellen. (Tarot 237). Eine Mischung von Hoffart und närrischem Selbsthumor.

230. Zugab von 1670: Simplicianische Schriften (Kellecat) 1960, 579.
Die Allegorie: Wolfg. Stammler, Allegor. Studien Dt. Vj. 1939. Die ganze Welt ein großes Buch: Tarot 568 (23. Kap.).

231. Goldgrund der Gemälde: Wolfgang Schöne, Über das Licht in der Malerei 1954 (Eigenlicht-Beleuchtungslicht).
Walter Benjamin, Werke I, 141–365 (Erstausgabe 1928).
Allegorie ist am bleibendsten angesiedelt: 348,
christliche Schuldgefühl: 349,
antike Götterwelt: 348.
Dem allegorisch Bedeutenden ist es durch Schuld versagt: 349 Lucifer die urallegorische Figur 353 unterirdisches Leuchten 354.
Das Elementarische mit dem Allegorischen: Benjamin 354.

232. Paul Böckmann, Formengeschichte der dt. Dichtung 1949, 448 ff.
Wissen um die Herkunft aus der Einfalt: 469.
Clemens Heselhaus, Sammelwerk „Der deutsche Roman" Band I, 16 1963. Erstaunlich bleibt es, daß Heselhaus in der ganzen Roman-Darstellung den Begriff des „Humors" vermeidet und einzig vom „satirischen Roman" spricht. (17). Schon im Phönix-Kupfer sieht er den ersten Hinweis auf die „satirische Struktur des Romans". Dennoch beendet Heselhaus seine Darstellung mit einem vergleichenden Hinweis auf den „Don Quichote": „Nicht so glänzend wie des Cervantes Satire auf das amadische Rittertum im „Don Quixote", aber vielleicht ebenso bewegend in der Wahrhaftigkeit des Berichtes und sicher ebenso eindringlich in der tiefen Verantwortung vor der Zeit, die immer die letzte sein kann." Hier sind die Ausblicke auf den Welthumor des Cervantes gegeben. Eben damit die geistigen Kräfte berührt, die Grimmelshausen im „finsteren Licht" meint und die den Simplicissimus-Roman von den simplizianischen Schriften trennen.
Hans Ehrenzeller „Studien zur Romanvorrede von Grimmelshausen bis Jean Paul" 1955 hat den Phönix-Kupfer als die Vorrede Grimmelshausens zu seinem Roman herausgearbeitet: „die schelmisch lachende Chimäre." (49) „Er lacht, weil er allein den Schlüssel zur Chiffrensprache besitzt", die so wirksam wird in ihrer „unausschöpfbaren Vieldeutigkeit". In der „Freude am Chiffrieren und Verhüllen", mit der Grimmelshausen sich durch fast zwei Jahrhunderte den Literaturforschern entzogen, liegt schon etwas von dem Humor, der „die geniale Unschuld" besitzt, den „ersten komischen Roman ohne den Mantel der Moral ausgehen zu lassen" (52). Und der „mit zehn Pseudonymen seine Mummerei getrieben" (55).

233. Friedrich von Blankenburg, Versuch über den Roman. Faksimile-Ausgabe 1965, 24 ff.
Kurt Wölfel, Dt. Romantheorien 1968, 47 ff. (Romanziel die „Veränderung des inneren Zustands" Blankenburg 391) „der eigentliche, wahre Faden dauert ununterbrochen fort" 397 fortschreitende Stetigkeit: „Ich selbst glaube kaum, daß eine andre Einheit als die der fortschreitenden Stetigkeit in dem Buche zu finden sein wird." H. G. Gräf, Goethe über seine Dichtungen 1902, I, 830 (1796).
Theatralische Sendung: Hamb. Ausgabe, Anmerkungen zum Band VII, 611 ff.
welthaltigere Prosa: Jacob Steiner, Goethes W. Meister, Sprache u. Stilwandel 2. Aufl. 1966 (mit Nachwort), 16 ff. (Umgangssprache verleiht ein eigenartig unbekümmert ursprüngliches Gepräge 38).
Wilhelm Meisters Lehrjahre: Hamburger Ausgabe VII (Erich Trunz).
als ewiger Schüler: „Endlich kommt das erste Buch von Wilhelm Schüler, der, ich weiß nicht wie, den Namen Meister erwischt hat. (Brief an Schiller 2. 12. 1794.)
234. ob er sich denn nicht Vater glauben dürfe: VII, 43.
Des Grafen Goldgeschenk: VII, 205 (IV, 1. Kapitel).
235. Ähnlichkeit mit der Stimme des Vaters: VII, 322 (V, 11), 495 (VII, 9),
sich zur Religion gemacht: Brief an Goethe 2. Juli 96.
Schillers Briefe vom 2. Juli bis zum 5. Juli 96.
Ziel mit dürren Worten: 8. Juli 96.
Goethes Antwort: 9. Juli 96.
Fortsetzung: Goethe an Schiller 12. Juli 96.
236. An Eckermann 14. 11. 1823.
Lichtsymbolik: Pongs, Studium Generale 1960, 686 ff.
Wilhelm Meisters Wanderjahre: Hamb. Ausgabe VIII, 459.
237. mich selbst, ganz wie ich da bin, auszubilden: VII, 290 (V, 3).
Traum von Mariane: VII, 117 (II, 9).
komplexer Traum: VII, 425 ff. (VII, 1).
Felix, an Schönheit der Sonne verglichen: VII, 251 (IV, 15).
Retten Sie das Kind: VII, 330 (V, 13).
238. Felix nicht Aureliens Sohn: VII, 468.
Die alte Dienerin: VII, 472 ff.
Turmgesellschaft VII, 493, Morgensonne 494 (VII, 9).
Lehrbrief VII, 496, Felix 497.
239. Urmeister 354. Lehrjahre VII, 228 (IV, 6).
Das Kind sah zum erstenmal: VII, 510.
Sie war ein Licht: VII, 517.
240. So laßt mich scheinen: VII, 515 (VIII, 2).
Dem „vollkommensten Ausdruck eines Lichtsymbols" entspricht Goethes Wort an Kanzler von Müller 29. 5. 1814: „das ganze Werk sei Mignons wegen geschrieben." Auf Mignon läßt sich danach auch das letzte Wort der „Wanderjahre" beziehen: „Wirst du doch immer aufs neue hervorgebracht, herrlich Ebenbild Gottes, und wirst sogleich wieder beschädigt, verletzt von innen und außen." Hellmut Ammerlahn Dt. Vj. 1968: 90 „größte symbolische Dichte".
Makarienlicht: Hamb. Ausgabe VIII, 122 (Wilhelms Traum). Dazu Trunz, 638: „Indem Makarie Gestirn und Licht wird, wird sie zugleich Reinheit, Sitte und Weltgeist." Pongs, Lichtsymbolik seit der Renaissance. Studium Generale 1960, 638.
Böhmes Gottesmystik: Ernst Benz, Der vollkommne Mensch nach Jakob Böhme 1937 (androgyne Ganzheit Gottes).
Wilhelms erste impulsive Tat: VII, 103 (Im „Urmeister" ist es Madame Retti, die Mignon loskauft. Wilhelm bewahrt sie vor dem Fremden, der sie küssen wollte III, 8).
241. Schiller 2. Juli 1796. „Die italienischen Figuren knüpfen wie Kometengestalten und auch so schauerlich wie diese, das System an ein Entferntes und Größeres an."

Solche Lichtsignale: Pongs, Lichtsymbolik seit der Renaissance, Studium Generale 1960, 628–646, 682–706, 707–731, ist auf die späteren Deutungen ohne Einfluß geblieben: Hans Reiss, Goethes Romane 1963. Hans Eichner, Zur Deutung der Lehrjahre. Jahrbuch des Freien Hochstifts 1966, 165 f. Hans-Egon Haß, im Sammelwerk: Der deutsche Roman I, 132–210 1963. Jacob Steiner, Goethes Wilhelm Meister, Sprache und Stilwandel, 2. Aufl. 1966 (Theatralische Sendung und Lehrjahre).
Friedrich Schlegel, Jugendschriften (Minor) II, 165–182. Man lasse sich also dadurch 171; Hat irgend ein Buch einen Genius 172; Äther der Fröhlichkeit 175.

242. Ironie: 171, 175, Wir müssen uns über unsre Liebe erheben: 169. Ursula Cillien, Neue Sammlung 5, 1965, 258. (Zwischen Schlegel und Schiller.)
wilhelm-meister-haft: Zur selben Zeit schreibt Goethe an der „Theatralischen Sendung": November 1785 war das sechste Buch vollendet. 1786 arbeitete er am siebenten Buch, das uns nicht erhalten ist. Am 23. Mai 86 schrieb er an Frau von Stein: „was freiwillig kommt, ist das Beste.."
Von Buch zu Buch: Schlegel „bescheidner Reiz" 181.

243. Hans-Egon Haß, „Wilhelm Meisters Lehrjahre" im Sammelwerk „Der deutsche Roman" I 1963, 132–210.
Ironische Struktur: 134, 135, 136, 142, 145, fortlaufend.
Ironische Konstellation: 140 (ironische Komposition) ff.
ungefiederter Kaufmannssohn: Haß 143 ff.
Organ der Mitbewegung: Haß spricht von „Verfallenheit an das Walten dämonischer Mächte" 135.

244. Erst viel später: VII, 482 (VII, 8) wiederbegegnet: VII, 498 (VIII, 1).

245. Haß gibt fürs zweite Buch 146–155 die zur Zeit ausführlichste Darstellung. Die Überbetonung der ironischen Struktur läßt die Tiefenbewegung der „ironischen Komposition" so weit zurücktreten, daß im Text nicht mehr auf Haß Bezug genommen wird. Die Wellen, die Philines Liebesspiel schlägt, bewegen mehr die äußere Lustspielhandlung, die Wilhelm zur leicht komischen Figur macht. Dagegen treten für Haß die wunderbaren Harfner-Verse zurück, die im Anruf der „Himmlischen Mächte" jede Ironie aufheben. Karl Schlechta, Wilhelm Meister 1953, 111 spricht hier von „Katharsis".
Zum Harfner-Lied vom Sänger: Wilhelm Grenzmann, im Sammelwerk: „Wege zum Gedicht" II, 169–175. Grenzmann bezieht sich nur auf die Situation der „Theatralischen Sendung" (Urmeister 252, IV. 12). Die kunstvolleren Kontraste der „Lehrjahre" schöpft er nicht aus.
Harfner-Lieder: Hamb. Ausgabe VII, 129, 136–138.

246. Glaubenstiefe von Liedern, die an Gemeindesang erinnern: Stimme des Dichters dazu im Text: er erinnert, wie der Liturg seinen Worten den Vers eines Gesanges anzupassen weiß, . . . wie bald ein andrer aus der Gemeinde den Vers eines andern Liedes hinzufügt (138).
Pongs, Bild in der Dichtung I, 104. Das Sinnbildliche der Lautreihen knüpft an das Grundwort „einsam" an. Die Vokalreihen „ei, e, i und a" bauen das Gedicht auf. Die Verdumpfung zum Diphthong: „eu" — „au" deutet den Schicksalseinbruch an. Eben hier wird in Wilhelms Seele die Gestalt Philinens herangerufen.

247. Das III. Buch. Haß 155–164. Wichtiger als die „ironische Struktur" (Haß 161) ist auch hier die ironische Komposition, die der Adelswelt-Satire das Universale der Shakespearewelt entgegenstellt.

248. Ich armer Teufel, Herr Baron! VII, 182 (III, 9).
Nur Karl Schlechta, Meister 1953, 23 nimmt darauf Bezug, um „das Gemeine in der vornehmen Welt" zu illustrieren. Für Schlechta kann es in solchen „Niederungen" keinen Humor geben. Haß 157 ff. spricht wohl vom „Lächeln des Erzählers", doch bleibt er bei der „ironischen Struktur".

249. wie einstimmend mit seinen Empfindungen: VII, 240 (IV, 11).
Buch IV: Haß, 164–178, Buch V: Haß, 178–188.
Haß betont so sehr die „ironische Struktur" der ersten Begegnung Wilhelms mit der Amazone, daß ihm die Lichtsymbolik entgeht, die hier jede Ironie

aufhebt. Ebenso wenig berücksichtigt er das „einstimmende" Sehnsuchtslied Mignons und des Harfners.
Friedrich Schlegel (II, 177) betont mit dem „Gedicht" den Totaleindruck, den Shakespeare auf Wilhelm macht. Haß 171 sucht in Wilhelms Hamletrolle „die verschwiegensten Schichten der Ironie" :daß auch Wilhelm Hamlet ähnlich sei, „der Tat nicht gewachsen", wenn er auch gerade nicht für ein „absolutes Schicksal" bestimmt ist. Karl Schlechta setzt Wilhelm als den Zerrissenen, Tatgelähmten Hamlet gleich und sieht nur Wilhelms „Abstieg". (112, 115).
Aurelie: bei Haß spielt der Dolchstoßschnitt keine Rolle (178). Schlechta 120 ff.: Aurelie trifft in Wilhelm Wahrheit und Lüge zugleich.
Während Haß im V. Buch nur eine Fülle von Beispielen für ironische Struktur sieht, ergibt sich ein vielmehr polares als ironisches Gleichgewicht zwischen dem Shakespearegeist, der Wilhelm steigert bis zur Hamletaufführung und dem Philinengeist, in dem sich die Theater-Scheinwelt spiegelt. Für Schlechta 122 gibt es nur die „völlige Niederlage Wilhelms".

250. Mignons Lied am Ende des V. Buchs, Warnung des Schutzgeists (Haß 188), zeigt, was sich für Wilhelm im Theaterabenteuer verschlossen hat. Zugleich schließt sich als Vermächtnis Aureliens die Beredtheit des Pietismus auf.
Der Einschnitt, den die „Bekenntnisse" bedeuten, ist nirgends bestritten. (Haß 188–193, Schlechta 124).
Was mir am meisten entgegenleuchtete: VII, 518 (VIII, 3).
Friedrich Schlegel, Jugendschr. II, 179.
Der Oheim: VII, 405 (VI. Buch).
ausschließt, die nicht so denken wie er: VII, 420.

251. das Licht: Nataliens Ausspruch VII, 517 (VIII, 3).
Wenn ich an jene Zeit zurückdenke: VII, 422 (VII, 1).
Zum erstenmal kam mir: VII, 443 (VII, 5) (Wilhelm zu Therese).
Zu Buch VII–VIII: Haß 193 ff. Zum komplexen Traum: Haß 194.

252. Mignon: „Der Geist hat mir's gesagt": VII, 473.
Ich hatte keine Macht über ihr Herz: VII, 477.
Weg zum Sohn: Haß 200 betont den „Vatergeist".

253. Schiller an Goethe 2. Juli 96.
Sind wir Männer denn so selbstisch geboren: VII, 503 (VIII, 1).
Sorge: Hans Joachim Schrimpf, Weltbild des späten Goethe 1956, 96 macht die „Sorge" zum neuen Lebensziel.
Unter diesem deutschen Baume: VII, 447 (VII, 6).
unterm Lichtschirm: VII, 513 (VIII, 2).

254. Mit Entsetzen fand er: VII, 530 (VIII, 4).
In seinem Geist war es öde und leer: VII, 545 (VIII, 5).
Phrasen: VII, 530 (VIII, 8).
Friedrichs Eulenspiegelrolle: VII, 555 ff.
das gutmütige Suchen: Therese im Brief VII, 532 (VIII, 4).
Er konnte nichts weder ergreifen noch lassen: VII, 570.
Die Kunstwerke, die sein Vater verkauft hatte: VII, 570.

255. in theatralische Terminologie: VII, 572.
Jeder Gedanke schien seine Empfindung zu stören: VII, 577.
Schiller an Goethe 2. Juli 1796.
Ich überlasse mich ganz: VII, 594 (VIII, 10).
Schock um Mignons Tod: Haß 203 (abgründig spielende Ironie des Erzählers). Schlechta 1953, 133 entzieht die Wirkung der Ironie: „Trümmerfeld seines einstigen Seins."

256. beide teilen die schmerzlichen Sorgen: VII, 602 (VIII, 10).
Wie heißt der Ziegenbart: VII, 606.
Lassen Sie uns zusammen: VII, 608.

257. Werners Antwort: VII, 508 (VIII, 2).
Als wir Bekanntschaft machten: VII, 609 (VIII, 10).
Instrumententasche VII, 227 (IV, 6); VII, 428 (VII, 2); VII, 546 (VIII, 5).

258. Es war gegenwärtig: VII, 546.
Natalie: als Amazone VII, 228; in den Bekenntnissen: 417, als Schwester Lotharios: 513 ff.
Ich möchte behaupten: VII, 527 (VIII, 3).
Mein Dasein ist mit dem Dasein meines Bruders: VII, 539.

259. Kunstwelt des Oheims: VII, 541.
Schiller an Goethe 3. Juli 96.
Ich glaube, du heiratest nicht eher: VII, 565 (VIII, 7).
Sie sind verdrießlich: VII, 547 (VIII, 5).
Goethes Generalformel: Maximen und Reflexionen (Hecker 314), zuerst in „Kunst und Altertum" 1826.

260. Madame de Retti: Urmeister 171 (III, 8).
Aurelie: VII, 258 (IV, 16).

261. Der rohe Mensch ist zufrieden: VII, 98 (II, 3).

263. sie schien fast ihn umschaffen zu wollen: VII, 516 (VIII, 3).
Vormund von vielen: VII, 608.
Jarno: VII, 548 (VIII, 5).
Wilhelm: Phrasen VII, 550.

264. Karl Schlechta, Goethes Wilhelm Meister 1953, 46.

265. Wilhelms Entwicklung als fortdauernder Abstieg 106.
Hauptschuld trifft die Turmgesellschaft, sie zwingt Wilhelm in die „Arbeit an sich", als „gewollte Selbstbetäubung". Makarie ist „krank", Nataliens Reinheit ist „angebornes Unvermögen" 229. „Wilhelm hat keinen Charakter" 11, 137. Schlechtas Methode ist die, daß er Goethes Gerechtigkeit im Verteilen von Licht und Dunkel „rein ästhetisch" analysiert. Schlechta stützt sich auf Goethes Wort an den Kanzler von Müller vom 22. 1. 1821: „Wilhelm ist freilich ein armer Hund". („Aber nur an solchem lassen sich das Wechselspiel des Lebens und die tausend verschiedenen Lebensaufgaben recht deutlich zeigen, nicht an schön abgeschlossenen festen Charakteren.")
Hans Egon Haß, Deutscher Roman I, 132–210. Er verwendet die Ironie der Erzählstruktur nur als „heuristische Begriffshilfe" (134), vertieft sie zur „ironischen Komposition" (140), zur „ironischen Konstellation" (140), bis zu „Umschlägen", ohne doch zu produktiven Differenzierungen zu kommen.
Hans Eichner, Jahrbuch des Freien Hochstifts, Frankfurt 1966, 166–196, heiteres Spiel 192 (Wilhelm unbestimmt und unbestimmbar aus Gerechtigkeit — nach Schlechta 191).
Hans Reiss, Goethes Romane 1963, Hochklassik 140, „Wanderjahre" 206–293, Einheit 272 (in den Schlußgedichten), Gesellschaft im Wandel 281.
Emil Staiger, Goethe II, 1956, 128–175, Genius der Frühe 137, Lichterscheinung der Amazone 166.
Interferenzerscheinungen des Lichts: 172.
Mignons Lied 170.

266. Erich Trunz, Hamb. Ausgabe VII, Symbolsprache 626.
Sankt Joseph der Zweite: Hamb. Ausgabe VIII.
Hans Jürgen Bastian, Weimarer Beiträge 1966, 471 ff.
Begegnung mit Montan: Andreas Bruno Wachsmuth, Weimarer Beiträge 1960, 1091 ff. (Geologische Studien in Karlsbad).

267. „Vielseitigkeit": VIII, 37 Wanderstab: 40.
Letztfassung 1828: Trunz VIII, 576 (Makarie Vorschritt 19. April 1828), alswenn sie die innere Natur 116.
Große Gedanken: 118 wie verhälst du dich? 119.

268. Traum 121–122 Kurt Bimler, Erste und Zweite Fassung Diss. 1907, 38 ff. Hans Reiss, Dt. Vj. 1965, 47 ff. Trunz 603.

269. Makarie erinnert sich: VIII, 449.

270. Brief an Natalie: Abdruck VIII, 643,
daß Makarie nicht das ganze Sonnensystem trage 126.

271. Brief an Natalie: VIII, 268–283 (11. Kapitel).

272. Du mußt dich eben in Geduld fassen: 280.
Die Angelegenheiten unseres Lebens: 280.
Das Besteck leuchtete mir damals: 280.
273. Das Natürlichste jedoch wäre: 269.
274. Das Kästchen. Wilhelm Emrich, Dt. Vj. 1952, 331–352, überbetont das Kästchen zum „Zentralsymbol" 345, indem er es „rein funktional" sieht 349, als „Schlüssel zum Gesamtwerk" 350. Wolfgang Staroste, Orbis Litterarum 15, 1960, 51 ff. nimmt es als „wichtigste Ding-Chiffre", aber dadurch begrenzt für das Labyrinth der Leidenschaften. Im Gegensatz zu Emrich. Meine Auffassung ist bereits gleichzeitig mit Staroste Studium Generale 1960, 642 ff. entwickelt.
Felix sehnte sich von dem Orte weg VIII, 44,
beim Antiquar: VIII, 146 ff.
275. Brief Hersiliens an Wilhelm VIII, 320 ff.
wie eine unschuldige Alkmene: VIII, 265.
276. Wilhelm eindeutig ablehnend: VIII, 322.
Felix: Wutausbruch VIII, 46 ff., Täfelchen 265.
Kästchen in Hersileiens Hand: VIII, 377.
277. Felix Besuch bei Hersilie: VIII, 457.
278. Wilhelms „Blatt": VIII, 423, 425 ff.
Bernd Peschken, Goethe, Neue Folge des Jahrbuchs 1965, 205–230.
262. Reinheit des Herzens VIII, 426; 118; 28.
Gretchen: „hold" A. R. Hohlfeld, Wortindex zum Faust 1940, 68 (40mal).
Zum Begriff des Reinen bei Goethe: Adolf Beck, Goethe-Monatsschrift 1942, 160 ff. und 1943, 19 ff.
279. Novellen: Verwirrung 54, 62, (Pilgernde Törin), 91, 92, 109. Verworrenheit 106, 109, (Wer war der Verräter?), Das Verworrene 196, die Verirrten, Verwirrten 214, einen verworrenen Zustand 215, Verirrung 215, Verwirrung 215, 220, 222, 223, verworrene Gestalt 223 (Der Mann von fünfzig Jahren), Verwirrung 395, 400, Wirrwarr 400. In der Hölle selbst könnten widerwärtig Gesinnte, Verratene und Verräter, so eng nicht zusammengepackt sein 404 (Nicht zu weit). Verwirrung stiften 144 (Das nußbraune Mädchen), Verwirrung 432, verwildert 434 (Tagebuch).
Pädagogische Provinz: Wilhelm Flitner, Goethe im Spätwerk 1957: Erziehung zur Ehrfurcht 255 ff., Heinrich Deiters, Goethes Gedanken über Jugenderziehung in den „Wanderjahren". Goethe, N. F. d. Jahrbuchs 1960, 21 f. W. Flitner, Goethes Erziehungsgedanken in den „Wanderjahren" Goethe 1960, 39 ff.
280. geheimer Genius: VIII, 312.
Lenardo VIII, 142 (uranfängliche Zustände).
281. Bericht zur plastischen Anatomie VIII, 323–333.
282. Lenardos Tagebuch VIII, 338 ff., 415 ff.
Lenardos Rede VIII, 385 ff., Weltbewegung 387.
Leidenschaft aus Gewissen: 448, Reue 134.
Odoards Rede 408 ff.
Odoards Hölle: „Nicht zu weit" 393—404. Der Stil der Novelle ist selbst als Stil der Zerrissenheit ohne Beispiel in der Goethezeit. („In der Hölle Verratne mit Verrätern zusammengepackt"). Trunz VIII, 700 „eminent psychologisch und darin modern".
283. kurzgefaßte Sprüche: 70.
284. Gesuch an den Abbé 225 ff.; Antwort des Abbé 241 ff.
Wenn man einmal weiß, worauf alles ankommt: 263.
285. Weg nach Italien: 226–241, Emil Staiger, Goethe III, 153 „auf durchaus unglaubwürdige Weise herbeigeführtes Zwischenspiel". „Ein Sichverwöhnen in weichlichem Gefühl hebt an." Selbst Arthur Henkel, Entsagung 1954, 100 entdeckt den Ton von „Ironie", der über dieser „unerlaubten Debauche des Gefühls" sich des Entsagungsbegriffs bemächtigt.
Die Gute-Schöne, die darauf besteht, daß Wilhelm sie abholt: VIII, 447.

Halbheit im Hundertfältigen: Weisheit des Antiquars, der Lenardos Jugend beeinflußt hat VIII, 148.
Plan, der an Amerika-Besitzungen anknüpft: VII, 563 ff. (Jarnot) VIII 241 ff. (Abbé an Wilhelm) Makarie VIII, 14. und 15. Kapitel.

286. Würdigung der Novellen: Trunz VIII, 600 ff., Henkel (auf das Thema der Entsagung bezogen) 76 ff.
André Gilg, Wanderjahre und ihre Symbole 1954, Emil Staiger, Goethe III, besonders „Der Mann von fünfzig Jahren 145 ff., Deli Fischer-Hartmann. Altersroman 1941, Zur Heiligen Familie: Hans-Jürgen Bastian, Weimarer Beitr. 12, 1966. 471–488.

287. Mann von fünfzig Jahren. VIII, 167–224. Trunz 664 ff., Staiger III, 145 ff., Erstfassung gibt Einführung der Novelle durch Brief Hersiliens (Kurt Bimler, Erst- und Zweitfassung Diss. 1907, 47). Zweitfassung läßt den Schluß offen und führt Hilarie und die schöne Witwe hinterher mit Wilhelm in Italien zusammen, wo sie lernen, ihrer lyrischen Gefühle zu entsagen. Staiger 153 ff.

288. Die neue Melusine VIII, 354–376 Deli Fischer-Hartmann 50 ff. (einer, der nicht zu entsagen vermag). Henkel 87 ff. (Ironie).

289. Untertitel „Oder die Entsagenden" schon in der Erstfassung 1821.
Sie sehen, daß wir alle Sorgfalt anwenden: 84.
Gott als das allbedingende Wesen: 84.
sich zu den Entsagenden zählen: VIII, 231 (Schmerzen des ersten Grades der Entsagenden 240).

290. Du bist von der Menschart: VIII, 282 (Wilhelm im Brief an Natalie, am Schluß).
Grimms Wörterbuch, Henkel 5 ff.
Weltfrömmigkeit: 243.
Lenardo — Wilhelm 142.
In der alten Welt ist alles Schlendrian 332.

291. eine Art Krankheit 127, 450 eine Art von Wolken 450.
Polarität des Terrestrichen: 452.

292. „Vermächtnis": In der Hamb. Ausgabe nur unter „Gedichte" I (369).
Terzinengedicht: Hamb. Ausgabe nur Gedichte I, 366.
Das Blatt: VIII. 423, 425 ff. Dazu: Bernd Peschken. Das Blatt in den „Wanderjahren" Goethe Bd. 27, 1965, 205–230.

293. Betrachtungen im Sinn der Wanderer: VIII, 283 ff. Nr. 2, 3, 119, 136, 148, 157.
Aus Makariens Archiv: Um sich aus der grenzenlosen Vielfachheit 467 Nr. 48.
Die Menschen sind: 475 Nr. 100.
Was nun die Menschen gesetzt haben: 461 Nr. 9.
Entsagung = Resignation: Henkel 5 ff.
Dichtung u. Wahrheit 10. Buch Hamb. A. X, 77.

294. Wilhelm: VII, 594 ff.
Hans Joachim Schrimpf, Weltbild des späten Goethe 1956, 116 ff. freiwillige Sich-Einstellen 256.
Arthur Henkel, Entsagung. Hermaea 3 1954, Makarie 97, Entsagung als Prozeß 150.
dialektischer Prozeß 98, Dialektik von Anamnesis und Verwirklichung 135, Dialektik der Entsagung 139, Dialektik solchen Weltverzichts 141, daß die Geschichte die Humanität dialektisch aufhebt 156.
Makarie kein eigenes Kapitel. Nur als Beispiel für den „Sinn der Entsagung", wobei Entsagung als Prozeß in reine Begnadung aufgehoben. 149 ff.
Goethe — Frau von Stein: „Liebe ohne Besitz" 125–141.
Gewinn im Verzicht 128 Dialektik von Anamnesis und Verwirklichung als Dialektik der Entsagung aus Hoffnung. 135.
Zweifelstöne einer aufspürenden und zersetzenden Ambivalenz: Ton von Bänglichkeit 41, Zweideutigkeit allen Tuns 163.
Denken und Sein: „Stofflichkeit" 45, „Besonnenheit" 68 bloße Tätigkeit 45 entdämonisiertes Faustisches 163.
Über Henkels Monographie hinaus führt die neue Monographie von Bernd Peschken „Entsagung in W. Meisters Wanderjahren" 1968. (Erst zugänglich

geworden nach Abschluß des Druck-Textes.) Peschkens gründliche Durchleuchtung des Entsagungsbegriffs durch alle Erzählstränge hindurch kommt zu der Formel: „Die Entsagung steht durchgehend in Beziehung zur Erhebung" (215). „Makarie stellt die Sinn gebende Funktion der Erhebung dar" (211). Wilhelm überwindet im „Blatt" die Entsagung durch Erhebung (53). Er erfährt bei Makarie die „Erhebung" (51 ff.). (Ein wichtigstes Wilhelmwort ist der Sorgfalt des Philologen entgangen: „In der alten Welt ist alles Schlendrian.") Pechken erkennt in Wilhelm und Felix den romantischen Faden, der das Ganze bindet (224). Er erkennt, daß seine Methode „nicht die ausschließendste sei". Ausgelassen hat er die Spannungskräfte, die sich in der Lichtsymbolik durchs Ganze ziehen und die Wertakzente setzen.

295. Erich Trunz, VIII, 579–724, Licht u. Finsternis 586, die sich wandelnde Zeit 580, 587 (Einschwingen in den Rhythmus des Weltgeists 587), Bewegung im polaren Kraftfeld 587. Entsagung 586 (Zu-Geist-Machen der Bedingtheit) Makarie 594, Roman ohne Einzelhelden 606.
Wilhelm Flitner, Goethe im Spätwerk 1957.
Hellmut Herman Ammerlahn „Natalie", Untersuchungen zur Morphologie u. Symbolik der „Lehrjahre" Diss. Texas 1965 (DA 26, 1966).
Nataliens Lichterscheinung, Felix als Sonne 120.
Chlorinde als Amazone 130, Makarie 86.
Claude David. Die Wanderjahre als symbolische Dichtung. Sinn und Form 1956, 113–128. vielheitliche Einheit nach Wölfflin 116, 126, Gefahren des Kapitalismus 119.

296. Urformen des Seins 120.
Fehlen des geschichtlichen Standpunkts 119.
reelle Dialektik 118, Makarie 120.
Hans-Jürgen Bastian, Weimarer Beitr. 12, 1966, 471 ff. Sozialbezug 472, Verschrobenheit 476, nichts wunderbar als das Fehlen des Wunders 479, Dokument progressiver Säkularisation 481, Gegengesang zur Bibel 482, Zukunftsidylle Schillers 485, sozialer Lernprozeß 488.

297. A. B. Wachsmuth, Weimarer Beitr. 1960, 1091 ff.
innere Modell 1097, Sieg des Kosmos 1099.
Georg Lukacs, Theorie des Romans 1920, 140 ff.
schmäler-breiter als die Außenwelt 95.
Erziehungsroman 145, ironischer Takt 150.
Geheimnistuerei 155.
Der russische Roman 158 ff. wie der Sand der Wüste die Pyramiden bedeckt 162.

298. Goethe zum Urmeister las den Don Quichote: Werner Brüggemann, Cervantes u. die Figur des Don Quichote in Kunstanschauung u. Dichtung der dt. Romantik 1958, 155 f.

299. bis zur immer subjektiver werdenden Gefolgschaft: Lukacs, Theorie des Romans 147 spricht von der Gefahr einer nicht zum Symbol gewordenen Subjektivität, schon im „Grünen Heinrich". Das Gegengewicht des Humors beleuchtet Wolfgang Preisendanz: Humor als Einbildungskraft 1963, 143–213 und der deutsche Roman II, 76 ff. 1963. Problematisch wird die Er- und Ich-Fassung des „Grünen Heinrichs". Die Auseinandersetzung mit dem Humorbegriff von Preisendanz ergibt sich für uns erst bei Raabe und Fontane. Schlegel, Jugendschriften II, 236 (Minor 1906).

300. Hermann Broch, Essay Band I, (Dichten und Erkennen) 1955, Weltbild des Romans 211 ff. Goethe 236 ff.
Die jüngste Monographie zu den „Wanderjahren" von Manfred Karnik 1968 („Die Kunst des Mittelbaren") löst den Roman an eine fragmentarische „Spiegelstruktur" symbolischer Einzelelemente auf (8). Wilhelm ist „bis zur Standpunktlosigkeit neutralisiert" (37.). Die Umwege, die er im Brief an Natalie einschlägt, werden exemplarisch genommen für das Umwegige der ganzen „Wanderjahre". (158 ff.). „Die zwischenmenschliche Mitteilung" wird verfremdet zur „Sonderform der kosmischen" (190), diese wird ins Chiffrenhafte verflüchtigt (186). Die Vater-Sohn-Klammer als zusammenziehende

Symbolkraft, die Lichtsymbolik als aufschließende Symbolkraft sind beide gleicherweise wirkungslos. Es ist der Versuch, einer jungen Generation das „Ganze" des Goetheschen Alterswerks „ohne systematische Konstruktion" nahzubringen.

Ist fortzusetzen: Peschken „Entsagung in den Wanderjahren" 1968, 222 ff.
Jeremias Gotthelf, Werke in 24 Bänden (Rudolf Hunziker und Hans Bloesch 1921). Uli der Knecht Bd. IV.
Grimmelshausen: F. Sengle, Arbeiten zur dt. Lit. 1965, 142: „Gotthelf steht Grimmelshausen näher als modernen Romanschriftstellern."
Band I: Der Bauern-Spiegel, 7
Shakespeare des Dorfs: Walter Muschg, J. Gotthelf 1954 233, Werner Günther, Wesen u. Werk 1954, 217 u. a.

301. Ulrich Merk: Band IV, 140.
Bauernadel IV, 8. Es war ihm an seiner eignen Seele viel gelegen IV, 16. Ich denke mein Lebtag daran: IV, 30.
302. Werner Kohlschmidt, „Dichter, Tradition u. Zeitgeist" 1965, 253.
Anne Lisi: 37 ff. Wohltat Gottes IV, 32.
303. Ich habe der Sache nachgesinnet: 40.
Ulis Traum: 83 ff. Marianne Baumann „Traum bei G." Diss. 1945.
304. Am Schluß des II. Bandes: Werke 11, 441.
grotesker Stil: Übertreibungen: „Es schien, als ob sie alle Augenblicke auf ihn schließen, ihn kneipen, kratzen oder beißen wollte" 93. Die von Jauche triefende Gestalt 102.
Entscheidung 193 („He, daß Ihr kein Meister seid").
305. der Baumwollene: 273 ff. (Baumwollhändler 266 ff.).
Ich lasse dich nicht gehen: 289.
306. In aller Farbenpracht 310.
Ich lasse mich nicht ausbieten 330 ff.
Streitgespräch: 330—334.
307. Wenn ich dich haben könnte 331.
wenn du mich nicht willst 334.
Durchbruch des Lichts: 334.
308. Brunnenszene: 341 (wie Morgenrot) M. Neuenschwender, G. als Dichter der Ordnung 1966, 130.
Kontrastzene: 351 (wie eine glühende Siegesgöttin)
Über das Ganze war: 144.
309. Da umfaßte schweigend Vreneli seinen Uli: 366.
in einem hellen Morgen Gottes: 369.
Erschrocken fuhren sie zweg: 385.
Als Priesterin Gottes erhob sich die Sonne: 15. Hurnussen 50 ff.
310. Obschon Gotthelfs Geschichten: Walter Muschg, Jer. Gotthelf, Einführung 2. Aufl. 1960, 250. W. Kohlschmidt 1965, 321.
Anmerkend: Martha Glaser „Dichtung vor Gott" 1950, 151 ff., die G. neben Dostojewski stellt (Uli 154 ff.).
312. Uli der Pächter: Werke 11, 7–11 „Betrachtung"
verdüsternder Bauernalltag: „Verdunkelung von Ulis Gemüt 138.
Uli hatte eine der Berner Naturen: 14.
Vreneli hatte aristokratisches Blut: 197.
313. Hagelhans „Knochen wie ein Ochs" 95 ff.
314. Aber ist ein gerechter Gott im Himmel: 297.
Es war merkwürdig am Himmel: 304 ff.
Die Hand des Allmächtigen: 305.
315. Das hat Gott getan: 386.
Heimelicher wird es mir wohl nirgends werden: 393.
ein alter Mann mit einem Kopf: 402.
316. einen Riesen: 404, fast wie ein alter Turm: ein aus einem Hünengrab erstandener Recke 415, als wie von einem greulichen Kobold 417.
Der riesige Hund, der ihr Gesicht leckt: 404.
die kalte Schnauze in Vrenelis Hand: 405.
Der ist ein wüster und struber Mann: 406.

317. die alte Blindschleiche: 407.
eigentlich nur ein Tanzbär: 439.
Streitgespräch Hagelhans — Vreneli: 433.
Und das tust du! 433.
318. Uli nichts sagen: „das Geld käme ihm wieder in Kopf" 441.
319. Der Sonntag des Großvaters: Werke 21 (Kleinere Erzählungen VI), 115 ff.
Der Täufling: 11, 105.
320. Der Junge des Bodenbauern: 345.
321. Oft begreift ein Unmündiges: 246.
Uli der Pächter an einen hochdeutschen Verlag: Walter Muschg, „Gotthelf. Einführung" 1960, 138 ff.
322. Das ist der dümmste Mensch: 11, 383.
Jetzt als Pächter macht er dummes Zeug: 317.
Verteidiger der alten Bauernkultur: am kräftigsten im „Zeitgeist und Bernergeist" 1852. Das Gesamtbild Gotthelfs bei Walter Muschg, Gotthelf 1931, 1967; Werner Günther 1934, 1954; Walter Muschg, G. Eine Einführung (Dalp) 1954, 1960; Werner Kohlschmidt, Dichter, Tradition und Zeitgeist 1965 (Gotthelf-Bild im Säkularjahr 1954, Gotthelfs Gegenwärtigkeit 1954, Vereinsamung und Einsamkeit Gotthelfs 1955). Alfred Reber, Stil u. Bedeutung des Gesprächs bei G. 1967. Würdigung vom marxistischen Standpunkt: Hans Andreas Fleischer „Menschenschilderung" 1959 (positiv).
Zur „Schwarzen Spinne": Pongs, Dichtung im gespaltenen Deutschland 1966, 228–242. Zu Melville: Pongs 243 ff.
323. Zu Immermann: B v. Wiese, Dichtg. u. Volkstum 1935, 179 ff.
Zum Roman des 19. Jhs.: Gotthelf wird weitgehend ausgeschaltet bei W. Killy, Wirklichkeit und Kunstcharakter 1963 und F. Martini, Dt. Lit. im bürgerl. Realismus 1962.
Witiko-Text nach der Inselausgabe.
Brief an Heckenast 8. Juni 1861. Briefwechsel III, 282.
324. Brief an Heckenast 7. März 1860. Briefw. III, 224.
Zum Thema einer Fortsetzung der „Wanderjahre": Publications of the Moderne Language Association of Amerika Bd. 60 (1945), 399 ff. (Hohlfeld, Viëtor).
der Begriff des Rechten: Erik Wolf, Der Rechtsgedanke Stifters 1941, Erich Fechner, Recht und Politik im „Witiko" 1952 Franz Hüller, Stifters „Witiko" 1954, 20 ff.
325. Eingangssatz: Karlheinz Rossbacher, Erzählstandpunkt b. Stifter. Diss. Salzburg 1966. Gekürzte Fassung in der Vierteljahrschr. des Stifter-Instituts 1968, 56.
326. Dingsymbole: Paul Requadt, Sinnbild der Rosen bei Stifter. Akademie der Wiss. u. Lit. Jahrgang 1952, 49 ff. (Erstarrung) Herm. Frodl, Viertelj. St-Institut 1966, 114 ff.
Berta mit den Waldrosen: 26 ff,- 434, 722, Rose im Schild: 275, 436, 776.
Rosen auf den Fahnen 583, 615.
Bertas Vater: 442 ff. heilige Werbung 791.
Rosen zur Vermählung 796, Rose aus Sammet 779.
Rosen aus Juwelen 795, Odolen 641: „Du hast dir eine solche Waldblume gewählt",
Vorfahren, die Waldrosen anpflanzen: 35.
327. Rosengespräch: 26 ff.
328. Eingebung 35.
denken wie der Wald: 51.
329. Jarnos Leitspruch: Werke H. A. VIII, 263.
Vorrede: Inselband „Bunte Steine".
330. Fritz Martini, Dt. Lit. im bürgerlichen Realismus 1962, 511.
331. Karlheinz Rossbacher, Viertelj. Stifter-Institut 1968, 47 ff.
literar. Relativitätstheorie 54. Doppelbödigkeit 55.
Naiv-sentimentalisch: Rossbacher 54 ff.
Hermann Frodl, Viertelj. Stifter-Institut 1966, 97 ff.

Gleichgewichtszustand 100, Ringen um Ordnung 102.
Außensichtsstandpunkt: Rossbacher 55.
Du blickest ehrlich: Insel 112.
humaner Humor: Herm. Frodl, Viertelj. Stifter-Institut 1968, 66 ff.
Jean Paul, Vorschule § 33.

332. Begegnung mit dem Scharlachreiter: Insel 59–90.

334. Auftrag des Herzogs 92 ff.
Versammlung in Prag: 100—143.

335. Ich selber komme nicht in Betracht: 111.
du blickest ehrlich: 112.
Wir sind ihm Mitleid schuldig: 114.
der ich für alle mitsorgen möchte: 115.

336. Bischof Zdik: so begehen wir keine Sünde: 136.
Unterwirf dich: 148.

338. In dem Walde stehen noch viele Dinge bevor: 716.
Im Walde geht es auch vorwärts: 182.
Alle Menschen suchen ihre Zukunft: 200.

339. Dort sollte eine Burg stehen: 210.
So ist meine Bitte erhört worden: 212.

340. Begegnung mit Wladislaw, Sohn des Sobeslaw 244 ff.
Du bist nie an der Spitze eines Volkes gestanden 271.
Witiko und sein Pferd 275.

341. Ihr seid gewesen wie das Pech des Waldes 291.
Männer des Waldes, Ihr habt den Tag gerettet 296.
Wir kleinen Menschen können das Höchste nicht sehen 308.
Witiko als Führer der Vorhut 374–381.

342. Verrat 381. Gericht in Prag 406 ff. der Herzog selbst 639.

343. Wratislaw „Daß du uns verächtlich entrinnen ließt" 765.
Gespräch mit Bischof Sylvester 417–422.
Ich meine, daß es nicht gut war 422.

344. Besuch bei Berta: der Herzog hat dich geehrt 436.
Zdiks Dank: 483.
Swatopluk 463.
Es geschehen Zeichen und Wunder 469.

345. Schrecken im Kaiserhause 499–506.
die Mutter Wentila warnt vor Hoffart 514.
der Kürenberger: er ist nur als Kontrastgestalt zu Witiko angelegt. („Der Krieg ist herrlich, er ist nach dem Sange das Herrlichste und gibt den Ruhm." Dagegen Witiko: „Uns hat er Zerstörung und Jammer gegeben") 532.
Ich diene meiner Heimat 533.
die Waldleute turnieren nicht 537.
Die Waldrose an die Fahnen geheftet 583, 615.
Haltet nur jetzt alle Bewegungen fest 646.

346. das dritte Gespräch 718–719.

347. Martin Buber, „Urdistanz und Beziehung" Werke I, 1962, 423.
Gespräch mit der Mutter: 514.
Goethes Symbolformel: Nachträgliches zu Philostrats Gemälden. 1820 Hamb. Ausgabe bringt es nicht. Propyläen-Ausgabe 33, 293.

349. Gespräch mit Kardinal Guido 768 Herm. Kunisch, A. Stifter, Mensch u. Wirklichkeit 1950, 96 (Dinge im „Nachsommer" und „Mappe meines Urgroßvaters" stellen eine im „Witiko" zurücktretende Überbetonung dar).

350. Richterspruch 738–763.
Sylvester selbst: 421, 764.

351. Wort des Kardinals Guido: 825 (Zum Christentum: Domandl, Zur Lebensanschauung Diss. Wien 1926).
Goethe, Aphorismen zur Farbenlehre: „Licht und Geist, jenes im Physischen, dieses im Sittlichen herrschend, sind die höchsten denkbaren unteilbaren Energien."

mythisches Analogon: Clemens Lugowski, Form der Individualität im Roman 1932; Paul Dormagen, Die epischen Elemente in Stifters „Witiko" Diss. Bonn 1940, 89 ff.

352. Bund der Guten: 640 (Witiko: „und er werde ein immer größerer Bund"), 765. Goethe, Wilhelm Meisters Lehrjahre Hamb. Ausg. VII, 608 (Lothario). Versammlung seiner Großen: 849–870. Wer hat dich genötigt 858.

353. Die Kaiserkrone glänzt über die Völker 864. Witiko — Ruhmesschimmer 866.

354. ländlicher Mann 889. Episode Wolf: 21, 882. Gespräch Berta — Witiko 927. um den Glanz zu schauen 928.

355. Der Kaiser wollte ein Fest feiern 928. Walter Epping, Wiss. Zeitschrift der Universität Rostock, 5. Jahrg. 1955/56. Claudio Magris, Der habsburgische Mythos in der österr. Literatur dt. 1966, 149–152. Epos der grandiosen Statik 151. Erik Wolf, Rechtsgedanken Stifters 1941, 83 ff., Zitat Barbarossa 89.

356. Erich Fechner, Recht und Politik im „Witiko" 1952. Elementarbuch der Politik 76. Der Einzelne, der durch seine Entscheidung das Ganze mitgestaltet 32. Willi Kroll, Das Recht in der Dichtung Stifters" 1958. „Einer der größten dt. Geschichtsromane 72. Rangverschiedenheit der Ordnungsträger 137. die Ehre unseres Reiches 849.

357. Welt der freien Städte Italiens: Krämer, Händler, Handwerker 849. Kaiserkrone glänzt 864. Ich rede noch von einem Dinge: 865. Die Sache ist so schimmerreich 868. Die Rosen der schönste Schmuck: 872.

358. Groß-Unternehmer: Hilfe der Waldleute, wenn Witiko etwas unternimmt 546. 672. Hausbau 707 ff. Einkommen in den Wald leiten 774 ff. Ausfuhr nach Prag. Witiko legt eine Köhlerei an 787. Kohlen brennen, Holz verschwemmen usw. 940 ff. Waldgesänge 913. Brief an Josef Türk 5. Oktober 1866.

359. Brief an Heckenast vom Januar 1861 Briefwechsel III, 265. Dazu Erik Wolf, Rechtsgedanke 59.

360. Doktorarbeiten: Karlheinz Roßbacher, Erzählstandpunkt Diss. Salzburg 1966. Theo Rosebrock, Sprachlicher Stil im „Witiko" Diss. Frankfurt 1954 (Gespräche als handlungsbewegendes Element 48 ff.) Eduard Rückle, Dichterische Wirklichkeit im „Witiko" Diss. Tübingen 1968 Aus dem Nachlaß: Georg Weippert, Stifters Witiko. Vom Wesen des Politischen 1967, 192.

361. Stopfkuchen zitiert nach der Braunschweiger Ausgabe Band 18. 1963. Darstellung: Pongs, Raabe 1958, 552–574. Manesse Bibliothek der Weltliteratur 1932, 2. Aufl. 1938. Romano Guardini, Nachwort 305–370. Wurzelgeflecht 307. Gleichgewichtsstörungen: Rudolf Kassner, Das neunzehnte Jahrhundert. 1947, 208–286. Fritz Martini, Deutsche Literatur im bürgerlichen Realismus 1962, 677.

362. Guardini: Stopfkuchen, Nachwort 308. Ihr Schlaumichel, Schnellfüße: 89. Bradypus: 82.

363. Herr du mein Gott: 27. Und wenn ihr morgen Blechhammern abgegurgelt fändet 27.

364. Auf der untersten Bank zu sitzen: 28.
Briefwort von 1893: 3. Januar, an Paul Gerber. Briefe „In alls geduldig“ 1940, 293.
Beim Stopfkuchen habe ich mich am freiesten über der Welt empfunden. Brief an Prof. G. Klee 15. Juni 1905.
Briefe „In alls geduldig“ 1940, 375.
Im Gespräch: Max Adler, Stopfkuchen. Salzwedeler Gymnasialprogramm Ostern 1911.
365. Wer ist ein Humorist? Klemm-Ausgabe, Dritte Serie VI. Gedanken u. Einfälle. Nachlese 591. Datiert auf 1873 bei Hoppe, Jahrbuch der Raabe-Gesellschaft 1960, 98.
Aber das steht auch fest: 93.
Es geht heute keiner mehr Kienbaums Mörder an den Kragen 102–3.
Wer weiß, ob der höhere und letzte Richter: 149.
366. zum Freidurchgehen: Pongs, Raabe 647–651.
Nicht etwa weil er grade so was Besonderes: 109.
367. In den Mäulern der Unmündigen: 92.
Was kommt dort von der Höh 128.
Du erzählst freilich den ganzen Tag: 150.
368. oben die Sterne 151.
daß Ihr zwei das glücklichste Ehepaar 153.
Macht die Geschichte unter euch dreien aus: 162.
Der Mensch kommt nie über den Egoismus weg: 158.
369. Chorus in der Tragödie 167.
Hegel, Ästhetik hg. Friedrich Bassenge 1955 I, 576.
Die romantische Kunst: I, 582.
370. Zu Hothos Vorlesungen in Berlin: Karl Hoppe, Raabe-Mitteilungen 1956, 2–3. Pongs, Raabe 1958, 79.
Daß ich ihn nicht drei oder drei Dutzend Mal totgeschlagen: 119.
371. Hegel, Ästhetik I, 578.
Vielleicht geht noch ein andrer umher: 173.
372. Kains-Zeichen: 174.
Die Kraniche des Ibykus: 176.
Da, da, da — jetzt, jetzt: 176.
Wirklich, Störzer, sie machen ein Gesicht: 179.
373. Zwiesprache 180.
Ein Gott hätte man sein müssen: 186.
Erinnyen-Eumeniden: 183.
374. Nußknackergesicht: 184.
Beichtvater — Beichtkind: 188.
Lauf dich zum Teckel: 190.
375. durch Gottes und Satans Willen 192.
Wer von beiden war nun der Unbegreiflichste: 195.
376. So wahrscheinlich bald nach Mitternacht: 197.
Eduards Behagen: 12, 22, 29, 32, 52, 58, 60, 63, 73, 80 (unheimlich behaglich, auf Stopfkuchen bezogen) 101, 114 (auf St. bezogen), 123, 197 (behagliche Weltverachtung).
377. Satz vom zureichenden Grunde: 197–198.
378. Ich bin ein wenig breit: 183 (Beim Bericht von Störzers Geständnis — doppelt komischer Kontrast).
379. Hegel, Ästhetik I, 579.
Wolfgang Preisendanz, Humor als dichterische Einbildungskraft 1963 (über Hegel 118–143).
380. zum spekulativen Humor Raabes: 241 ff. Odfeld 243.
zum Stopfkuchen: 264.
381. Brief vom 3. Januar 1893 an Paul Gerber, Briefe 293.
Brief vom 15. Juni 1905 an Prof. Klee, Briefe 375.
Georg Lukacs, Thomas Mann-Essay 1949, 66, 96.
kleine Welt der Raabe-Atmosphäre 66, 67, 96.
daß sie alle Inhalte der großen Welt: 67.

Serenus Zeitblom eine Raabegestalt: 97 widerstandsunfähig 96 (Der Grund ist für Lukacs, daß bei Zeitblom-Raabe „ein archimedischer Punkt" fehle (104). Raabes archimedischer Punkt außerhalb ist eindeutig seine Haltung gegen die „Gesellschaft", das „Säkulum". Vgl. Pongs, Raabe 1958, 26 ff.)

Lukacs hatte im Raabe-Essay 1939, 238 folgendes Wort Stopfkuchens zitiert: „Jeder Blick in eure Gerichtsstuben, auf eure Schulkatheder und Kirchenkanzeln und in eure Landtage und vor allem in den Deutschen Reichstag zeigt, was dabei herauskommt soweit es unsere leitenden gelehrten Gesellschaftsklassen betrifft." Das eben ist in Lukacs' Raabebild 1949 abgeschnitten.

382. Jüngere marxistische Forschung: Peter Goldammer, Weimarer Beitr. III, 1960, 640—648: Irrationalismus 644.

Jüngste Raabeforchung des Westens: Hermann Helmers, W. Raabe. Realienbücher für Germanisten 1968, 81 Seiten. Die Forderung, „mosaikartig" aufzubauen, das Gesamtwerk als „Kontinuum" preiszugeben, erhebt Helmers in der Broschüre: „Die bildenden Mächte in den Romanen Raabes 1960, 105–6. Erziehungsfragen übergreifen schon hier die Symbolik.

„Kritik, Satire, Spott": 79. Das Groteske 77, Ambivalenz 51, 55, Verfremdung 77–78. Helmers hat bereits im Raabe-Jahrbuch 1963, 7–30 den Versuch gemacht, Verfremdungsformen „als Raabes epische Grundtendenz" zu gewinnen. Dagegen in den Raabe-Mitteilungen Ludwig Gerloff, Göttingen: 1965, 19 ff.: daß ihm bisher nie ein gewollter oder ungewollter Verfremdungseffekt spürbar wurde. Gerloffs abschließende Formel lautet: Raabe sei der gestaltende Geschichtsschreiber „mehr als Teilhaber denn als Kritiker". Damit ist gesagt, daß die Verfremdung das wichtigste Gestaltelement in Raabe ausgeklammert hält, die „Teilhabe" als Mitbewegung mit den Grundkräften, aus der die Symbolik hervorgeht.

der geistige Überbau: Helmers 80.

Raabe, Meister Autor": Raabes Brief vom 5. Februar 1890 über den Herrn von Schmidt. Dazu Pongs, Raabe 1958, 328 ff.

346. Hegel, Ästhetik I, 578.

Urs Widmer, „1945 oder die neue Sprache" 1966, 197.

Die Tabula-Rasa-Folgerung hat am radikalsten Helmut Heißenbüttel, Textbücher 1–6 (1960–67) und „Über Literatur" 1966, gezogen. Text S. 520 ff. Armin Mohler, Was die Deutschen fürchten 1965, 133–136. Der Blick des Politikers trifft schärfer. Er deckt den Gemütsschwund der mittleren Generation als richterliche Abkehr vom überforderten Nationalismus auf. Bis zur „Kritik um der Kritik willen".

„Raabe in neuer Sicht". Hg. Hermann Helmers 1968 mit der Zusammenstellung von 17 Aufsätzen aus der Zeit nach 1945. Vorausgegriffen ist dabei noch auf Romano Guardinis Nachwort zur Manesse-Ausgabe des „Stopfkuchen" 1932, der als erster Raabes Stopfkuchen in den Rang der Weltliteratur erhoben hat, aufgrund eines unverfremdeten Ganzen. Sonst noch zu „Stopfkuchen": Hubert Ohl, 247–278 und sein Buch „Bild und Wirklichkeit", Studien zur Romankunst Raabes u. Fontanes 1968. Goethes „wahre Symbolik" wird durch Hegels „bewußte Symbolik" ersetzt, als „Streit der Angemessenheit und der Unangemessenheit", der dialektisch ausgetragen wird.

mit allen Grundwerten Raabes wird tabula-rasa gemacht: Als Beispiel fassen wir Grundwerte verkürzend in Wesensbilder zusammen, in denen sich jeweils ein ganzes Werk Raabes kristallisiert. Alle fehlen bei Helmers oder Ohl.

1. Mutter Unwirrsch: „Sieh, liebes Kind, in meinem schlechten Verstande hab ich mir immer gedacht, daß aus der Welt nicht viel werden würde, wenn es nicht den Hunger drin gäbe. Aber das muß nicht bloß der Hunger sein, der nach dem Essen und Trinken und einem guten Leben verlangt, nein, ein ganz ander Ding." Helmers 30 greift auf Ohl zurück, der die „Metaphorik des Hungers" als Allegorie ablehnt, als „abstrakte Macht", (Ohl, Bild u. Wirklichkeit 1968, 76 ff.).
2. Alte Nester: „Eine Blume, die sich erschließt, macht keinen Lärm dabei." (So sieht der Chronist seinen Helden.) Helmers stellt nur kontrastierende Wirkungen fest. Das Idyll der „Alten Nester" kann nur seinen Hohn hervorrufen. Ohl läßt „Alte Nester" aus.

3. „Ein Stein macht das Gewölbe; jener nämlich, der die zugeneigten Seiten zusammenkeilt und durch sein Dazwischentreten verbindet." (Im „Horn von Wanza" ist dies das Wesensbild Marten Martens, des Nachtwächters, als Hauptthelden). Helmers 49 stellt nur „Fehlinterpretationen" fest, betont die „Schwächen des Werks". Ohl beschränkt sich auf die Technik der Erzählperspektiven. (Fontanes Hochschätzung des Werks wird übergangen.)
4. „wie der Saft wieder in die Bäume steigt" (Fabian und Sebastian. Als Wesensbild für Konstanzes Wirkung auf beide Brüder.). Dies Werk wird übergangen.
5. „daß es im Zusammenhang der Dinge gar kein Eigentum gibt" (Prinzessin Fisch. Grundwesen des Erziehers, des Brusebergers). Helmers 50 vergröbert zur „Erziehung durch die Phantasie". Er bezieht sich auf Martini, der Raabe auf die „Ambivalenz der Widersprüche" hin zu differenzieren sucht. (Raabe in neuer Sicht 153.)

Was generell mit solchen Wesensbildern verloren geht, die in die vergröberte Technik der Verfremdungsdialektik nicht eingehn, ist Raabes Grundwesen selbst, das immer auch mit Metaphern auf Symbolzusammenhänge zielt. Zum Raabewort (Notiz 5. Juli 1875): Das Wesensbild vom Flügelschlag des Schicksals verfremdet nicht, es schließt auf: Bereiche, in denen der, der glaubt die Welt zu bewegen, selber mitbewegt wird aus unvorgreiflichen Kräften.

383. „Der Stechlin" unter der Jahreszahl 1899. Zitiert wird nach der Jubiläumsausgabe Fischer Vlg. 1919 Band V.
der ganz eigentümliche Charme: Fußnote in „Von Zwanzig bis Dreißig" 1898.
Stechlin-Sagen: Julius Petersen, Euphorion 1928, 5 ff.
Wanderungen durch die Mark I, 341 (Hanser Verlag 1966).

384. Nixensage: Petersen, Euph. 1928, 6.
Das mit dem Wasserstrahl: Stechlin 9–10.
Gespräche Melusine-Lorenzen 29. Kapitel 313–321.
Zusammenhang der Dinge: Kluckhuhn-Rolf Krake 306.
Ich sag euch, was sie jetzt die soziale Revolution nennen: 197.
Mitunter erscheint mir: 307.
Die Natur hat jetzt den See überdeckt: 312.

385. Joao de Deus, 1896 gestorben: 185 ff. Bund 186.
Und vor allem sollen wir den großen Zusammenhang nicht vergessen: 316.
Petersen, Euph. 1928, 46.
politischen Roman: 21. Dez. 1895 an Schlenther. Petersen, Euph. 928, 8.

386. Plauderei: 12, 313.
Zu Hermann Lotze und Raabe: Pongs, Raabe 1958, 480 ff.

387. Fontane an seine Frau: 25. 6. 81.
Horn von Wanza: Pongs, Raabe 1958, 462–473.
Gesamtporträt: Stechlin 12.
Nicht als Schwäche: Peter Demetz, Formen des Realismus 1964, 184. „Dubslav durch historisierende en bloc-Lebensbeschreibung vorgestellt."

388. aus dem Herzen kommende Humanität: Stechlin 2.
die Grabrede: Stechlin 441.
Es ist nicht nötig: Stechlin 454.
Ich bin gegen alle falschen Mischungen: Stechlin 58.
Frondeur: Im Roman begegnet er als „Zivil-Wallenstein" 359. Armgard: „Ein starkes Selbstbewußtsein ist nie gerechtfertigt, Bismarck vielleicht ausgenommen. Das heißt also: in jedem Jahrhundert einer" 281.
Zeit vor dem Sturm: Fontanes Erstling „Vor dem Sturm" 1878 unmittelbar vor der Befreiung 1813; mit der Niederlage des Frankfurter Putsches. Der Stechlin-Roman mit der Wahlniederlage der Konservativen, die auf den Einbruch der Sozialdemokratie vorbereitet.
Wolfgang Preisendanz, Humor als dichterische Einbildungskraft, 1963. 233

389. Nach P. „spekulativer Humor". Stechlin 18 (Fahnenstange).
Stechlins Mitbewegtsein: Czako findet, in Stechlin „ein Stück Sozialdemokratie", „was die richtigen Junker alle im Leibe haben" (243).

Bismarckkopf: Stechlin 14, 137.
Bismarckwitz: Stechlin 191.
Ich gehe einem totalen Kladderdatsch entgegen: 211.

390. Preisendanz: 234. Guido Vincenz, Stechlin-Monographie Diss. Zürich 1966 bemüht sich sehr um Fontanes Humor als „schwebende Mitte zwischen Skepsis und Glaube" (67), ohne sich auf Preisendanz zu beziehen.
Czako „schraubt" seinen Freund: Woldemar stellt das fest 29.
Lorenzen meidet kleine „Schraubereien" durch Stechlin 82.
Melusine: „Papa schraubt mich" 253.
Gespräch Lorenzen-Koseleger: 199–206. Das Groteske 203 (W. Kaiser „Das Groteske" erwähnt Fontane nur anmerkend 215 im Sinn von „kurios").
„Unglücklich sind immer bloß die Halben": 204.
Preisendanz 238 (nicht durch Symbolik).

391. Fontanes „verklärender Schönheitsschleier": Brief vom 14. 6. 1883. Preisendanz 215. Horn von Wanza: Preisendanz 214.
unverzerrte Widerspiel des Lebens: Preisendanz 216.
politisch angekränkelter Mensch: Stechlin 53 (Erzähler über Hauptmann v. Czako).

392. Stechlin-Karpfen 33 ff.
Oberklasse gutt: 273 ff.
Bourgeois: Stechlin 34 (Feigling, der sich verkriecht, also ein Bourgeois) Gundermann Bourgeois: 206 (Lorenzen) 29, 32, 40, 45, 226 ff. (Rede) 292 ff. Schickedanz 139–144, Superintendent 200–206, 376 ff.
Wahlkampagne 187–237, Nonne 218, Edle von Alten-Friesack (götzenhaft) 225 ff., Adelsgespräche 230 ff.

393. Tagebuch Woldemars: 136 ff.
Czako: Gottesgnadenschaft 243.
Ideal in Friedrich III.: 358 ff.
General von der Marwitz: 211.
Große Zeit immer, wenn's beinah schief geht: 54.
Mitunter ists mir, als steigen die seligen Quitzows 358.
Vater-Sohn Hirschfeld 15–16.
Wenn ich wähle: 193, Uncke: zweideutig 306.
Krankenbesuch Hirschfeld-Vater: 369 ff.

394. Der Alte liebt ihn: 56, Stechlin: aristokratisch-demokratisch 62, Sie richtiger Revolutionär: 64.
Wenn Koseleger reussierte: 213 (zu Lorenzen).
Lorenzens eigne Paradoxie: 263. Ich liebe ihn: 180, Bund 185–6.
Melusine: der große Zusammenhang 316.
Stechlin: Da haben wir noch unsern Pastor: 293. Brief Melusines 454.
Adel nicht mehr die Säule: 320.

395. Besuch bei der Domina 93–127 (7.–10. Kapitel).
Wer Tante Adelheid geheiratet hätte: 59.
Tafelornament 107 ff. petrefakt: 332. Melusine: vorweltlich: 336.
Ja, da soll doch gleich: 402. Wie Franz Moor? 407.

396. geputzt wie ein Kätzchen: 408.
Wie kommst du zum Kinde? 410, Der Klapperstorch 410.
Er hat eigentlich einen guten Charakter: 29.
daß man sich sein Glück verreden kann 61.

397. Jedes Beisammensein braucht einen Schweiger: 181.
Armgard aus ihrer Kindheit: 254–256. Woldemars Vision: 284.
Elisabeth von Thüringen 286.

398. Sie hat so etwas Unberührtes 406.
Cordelia: 254, freundlich Element 338.
Goethes Novelle: Hamb. Ausg. 6, 439.

399. die große Generalweltanbrennung: 82 (beim Besuch der sozialistischen Glasbläser in Globsow).
daß wir Alten vom Cremmer Damm: 432.

Ob die Gundermanns wohl können: 19.
Hast du noch nicht erlebt: 291.
Und da sind wir wieder bei Gundermann: 292.
Katzler ist ein Schweiger: 293.
Weißt du noch, wie ich mir den ersten Schniepel 366.
Denk dir, Engelke: 386.

400. Wenn Doktor Moscheles wiederkommt? 387.
Wie steht es eigentlich mit der Buschen: 389.
Ja, Herr Graf, wie soll ich darüber denken? 135.

401. Melusine „alles Temperament" 136.
daß sie Böcklins Meerfrau liebt: 241.
Czako: Alles was aus dem Wasser kommt 251.
Ich mag kein Eingreifen ins Elementare 312.

402. Berufe, die eine Zipfelmütze tragen 182.
Streitgespräch mit der Domina: 444–445. (Stiftsdame und Weltdame, Wutz und Windsor).
Das Streitgespräch spielt sich mehr im Dialektischen als im Bildlichen ab, bis zu „Schraubereien":
„Eine Frau nehmen ist alltäglich — keine Frau nehmen ist ein Wagnis." Der natürliche Mensch — das Unnatürliche nach oben oder noch unten rechnen. „Das Leben rechnet nach unten — oder nach oben."
Wer aus der Mark ist, hat meist keine Phantasie 257.
Das ist eine Dame und ein Frauenzimmer dazu 295.
Eine Stakete, lang und spitz 338. Steckerlinge 159.
Es predigt sein Christus allerorten 282.
Preisendanz 236, Guido Vincenz 1966, 67 ff. Melusines „Unfähigkeit zur Bindung" und der Entschluß, sich von Bindungen an die Welt zu lösen, spielen sich in die Hände.

403. Ausspruch Mephistos: Faust 2300.
Josef Hofmiller, Stechlin-Probleme 1932, in dem Sammelband „Die Bücher und wir" 1950, 67–75 (Im Fragment „Oceane von Parceval" hat Fontane solch ein Melusinenschicksal begonnen) Vincenz 90: Fontane selbst zieht sich hinter die Konvention zurück, je mehr ihn die innere Freiheit gefährdet.
Die Zeit wird sprechen 432.
Conrad Wandrey, Fontane 1919, 294 ff. („Das greisenhaft Versteifte").

404. Peter Demetz, Formen des Realismus: Fontane 1964, 177 ff.
additiv 183, Wucherungen 185.
Schickedanz 138–144, Macht gegen Macht 142. Doktor Pusch 347–354.
Demetz 205 (Im Kapitel: Symbolische Motive, die aber generell behandelt werden, nicht auf das Stechlin-Symbol bezogen.)

405. Kritik an Müller-Seidel: 186.
Müller-Seidel, Der Deutsche Roman II, 146–189. Symbolik des großen Stechlin 170 ff. Idee als Gesinnung 195. Unentschiedenheit 186.
Ambivalenz 170 (zweimal), 72, 175 (zweimal), 186 (zweimal).
Zur Ambivalenz: Herm. Pongs, Ambivalenz in der Dichtung 1966 (Festschrift für Herbert Seidler „Sprachkunst als Weltgestaltung") 181 ff.
Gegen die Vermischung von „Ambivalenz" und „Polarität" Albert Wellek, Die Polarität im Aufbau des Charakters 1950, 70, 103 ff. Friedrich Seiffert, Tiefenpsychologie 1955, 67 (Gegen den Ödipuskomplex Freuds stellt er das Weltgesetz der Polarität). Vergl. auch Pongs, Bild in der Dichtung II, 3. Aufl. 1967, 20 ff., 34 ff. u. Anmerkungen. Vgl. in diesem Text noch Anmerkung zu 431.
Wenn Stechlin 291 zu Engelke über „gemischte Gefühle" spricht, so entgiftet er diese akute Mischung dadurch, daß er sie seinem Diener erläutert. Er begrüßt die Verlobung mit der reichen Grafentochter und er spürt zugleich den Komplex des Klein-Adels gegen den Groß-Adel. Eben dadurch befreit er sich davon.
Müller-Seidel 186, Max Rychner, Interpretationen 3, Fischerbücherei 1966, 223.

406. Reinheit des Herzens: Stechlin 12, 86, 180, 183, 185 (Joao de Deus, der „nicht für sich gelebt hat"). 286 (Du bist ein Kind), 254 (Cordelia), 406 (so was Unberührtes), 441 (Er hatte ein Herz), 441 (Lauterkeit des Herzens).
Stechlin-Symbol: Hubert Ohl, Bild und Wirklichkeit, Studien zur Romankunst Raabes und Fontanes 1968, 238 bemüht sich zwar generell darum, die „bewußte Symbolik" Hegels gegen die „wahre Symbolik" Goethes zu stellen, doch sieht er sich genötigt, Fontanes Stechlin-Symbol als „zentralen Symbolkomplex" zu begreifen, der „das individuelle Lebensgeschick der Gestalten und den historischen Hintergrund in eins fasse". Ja, er erkennt an, daß es gelungen sei, „einen Naturvorgang zum Symbol für die Welt des Moralisch-Geschichtlichen zu machen". Eben damit ist Goethes wahre Symbolik zur Wesenformel geworden.
Horst Türk, Realismus in Fontanes Gesellschaftsromanen. Jahrbuch der Wittheit zu Bremen 1965, 407 ff.
„Nicht Ambivalenz": 453.
Heldisch in diesem Sinn: Türk 455.
Verinnerlichung: Türk 453.
Verinnigung im Gegenstand: Hegel, Ästhetik I, 582.
Hegels Formel: Ästhetik I, 576.
407. Krippenstapel 419 ff. Uncke 424 ff.
Zuletzt stirbt selbst die alte Kindermuhme 428.
unser alter König in Thule 428–9.
Und solch unsichere Passagiere: 429 ff.
Dies neue Christentum ist grade das alte 431.
Zur Fontane-Literatur: Thomas Mann, Der alte Fontane (Rede und Antwort 1922) 67: „jene höhere Wiederkehr kindlicher Ungebundenheit, und Unschuld", als Berufung des Alters. Für Thomas Mann ist der „Stechlin" das Meisterwerk des unsterblichen Fontane 68. Scharf wendet Th. Mann sich gegen Wandrey, der den „Stechlin" als altersschwach beurteilt. („Anzeige eines Fontanebuchs. Rede und Antwort 108 ff.). „Während alle seine Menschen Fontanisch reden, so redet doch jeder wie er selbst." (110). Nichts bleibt „schemenhaft".
Hans Heinrich Reuter, Weimarer Beiträge 12 1966, 674–682. (Entwurf eines kritischen Überblicks über den Stand und die Perspektiven der gegenwärgen Fontaneforschung). Der „Stechlin" ist hier die „kompromißlos ausformulierte Überwindung jeder Art von preußischer Paradoxie und die Öffnung auf die neuere bessere Welt. (677). Gemeint ist damit der (vermeintliche) Durchbruch zur Sozialdemokratie, ohne Berücksichtigung des Humors als dichterische Einbildungskraft (ohne Preisendanz zu erwähnen).
Es geht um die Ursprünge: Dazu das Wort Lorenzens: „Einen Brunnen graben just an der Stelle, wo man gerade steht. Innere Mission in nächster Nähe sei's mit dem Alten, sei's mit dem Neuen!" Das ist Lorenzens paradoxe Art, im Geist des Joao de Deus, mitbewegt zu sein. Wie unkonventionell dabei der Christ Lorenzen vorgeht, verrät sein Bericht vom Heldentum des Nordpolfahrers Greely, der den Proviant-Sünder niederschießt, um alle andern zu retten.
Das wohl meinen auch Richard Brinkmanns Differenzierungen des Themas „Über die Verbindlichkeit des Unverbindlichen" (als Buch 1967). Zu Lorenzens Greely-Bericht 107 ff., zu Lorenzens „Dynamik von Alt und Neu" 122–124; das Lorenzen-Zitat: „Was einmal Fortschritt war, ist längst Rückschritt geworden" (120) zielt auf die Grundweisheit Fontanes, daß nur der bewegt, der bewegt wird. Als Quintessenz des Stechlin-Symbols.
Die Buddenbrooks. Fischer Vlg. 2 Bde.
408. Verehrung Fontanes: „Der alte Fontane" in: „Rede und Antwort" 1922, 67 ff. Tatsächlich hat Thomas Mann den „Stechlin", aber auch die „Poggenpuhls" noch nicht gekannt, als er „Die Buddenbrooks" schrieb. (Brief vom 10. 7. 1952, Germanistik 1968, 644).
Goethes Wort: Zur anschauenden Urteilskraft: Hamb. Ausg. 13, 90.
409. „Lübeck als geistige Lebensform" in „Altes und Neues" 1953, 273 ff.
Geschichte des sensitiven Spätlings Hanno: 277.

Prosa-Epos 276. Kein Gedanke: 280.
Wie oft, etwa in der Schweiz: 281.

410. Künstlertum ist etwas Symbolisches 282.
Schopenhauer-Nietzsche: Erich Heller, Der ironische Deutsche 1959, 20 ff.
Hans Mayer, Th. Mann 1950, Sprengkraft der dialektischen Methode 7, Antinomie: 36, Abgründe 44. Typus des echten Bürgers: 26, feuchte Stelle 27.

411. Jürgen Kuczynski, Geschichte der Lage der Arbeiter unter dem Kapitalismus Band 17: Zur westdeutschen Historiographie — Schöne Literatur u. Gesellschaft im 20. Jahrhundert. 1966, 79 ff.
nur medizinisch zu erklären 87.
Entartung ins Subjektiv-Künstlerische: Th. Mann in den „Betrachtungen eines Unpolitischen" 1919, I, 110.
Th. Mann sagt an dieser Stelle, er habe die Entwicklung zum Bourgeois verschlafen.
Kuczynski 100 über Engels. K. kritisiert 94 ff. Hans Mayers Buch, die Buddenbrooks seien nicht exemplarisch. W. Dnepzow 1960: nach Kuczynski 118 ff. (erschienen in Woprossi Literatury 1960, Heft 8) deutsch in „Kunst u. Literatur" 1961, Heft 8 und 9).

412. Erich Heller, Der ironische Deutsche 1959 (Suhrkamp) Reinhard Baumgart, Das Ironische und die Ironie in den Werken Th. Manns 1964 (Hanser), Im Nachwort als Dissertation bei W. Rehm in Freiburg 1952.
Ironie: Thomas Mann selbst in den „Betrachtungen eines Unpolitischen" I. Vorwort XXVII, 1919 kennzeichnet seine Ironie als „Selbstverrat des Geistes zugunsten des Lebens", wobei die Ironie zugleich „für den Geist werbe". Wenn Thomas Mann im Alter (Humor u. Ironie XI, 802 ff.) von der Ironie als dem „Kunstgeist", der nur ein „erasmisches Lächeln entlockt", den Humor abtrennt, der „das herzaufquellende Lachen zeitigt", dann ist grade das dem jungen Ironiker in den „Buddenbrooks" nur ganz selten" (bei Christian und Tony) beschieden.

413. Baumgart: „Gegentypus zur romantischen Ironie" 15. Distanz: 22, 98, 101. Ironie und Dekadenz: 96–105 Sinnbild der eignen Dekadenz-Moral 103 ohne ins Immergültige zu transzendieren 103 unausgespielt 104 Ironie, keine Ironie. Erich Heller: metaphysischer Rausch" 13 (dazu „Betrachtungen eines Unpolitischen I, 34; 1919).
Ideen-Anatomie 14–15. zwischen Schopenhauer und Nietzsche 52.
mit zwiespältiger Sympathie 40, Glieder in der Kette 23.
allem Soziologischen enthebt: 22, 57.

414. Tony die komische Inkarnation 34, Christian 36.
Wolfgang Preisendanz, „Humor als dichterische Einbildungskraft" 1963.
Über die Tatsache, daß der Begriff der „Firma" über 50 Mal seine Realität bekräftigt, geht die Forschung merkwürdigerweise hinweg. So wird der Zusammenhang mit dem Unternehmerroman nirgends berücksichtigt. (Pongs „Der Typus des Unternehmers im Roman" Jahrb. der Absatz- u. Verbrauchs-Forschung 1968, 46–71).
Forschung: Auch die Darstellung im Deutschen Roman II 1963 durch Eberhard Lämmert 190–233 berührt den „Kaufmannsroman" nur am Rande und warnt davor, sich auf ein „Leitthema" festzulegen, dadurch die „Ausgewogenheit des Zusammenspiels zu mißachten". Daß hier mehr wirkt als ein Leitmotiv, daß sich die Symbolkraft des Ganzen mitdahineinbewegt, eben dadurch zur Weltwirkung beigetragen hat, ist aus der „Dialektik" von Geist und Leben, die hier interpretierend praktiziert wird, nicht zu entnehmen.
Gustav Freytag, Soll und Haben 2 Bde. 1855.

415. Ehre des Geschäfts 149, 159, stolze Redlichkeit I, 70.
Reinheit der kaufmännischen Ehre II, 314.
Fabrikant und Kaufmann 357.
Firma als Heimat 358, 492, bravgeblieben II, 320.
Jede fortgesetzte Tätigkeit unter Schwachen: II, 314.
Wo die Kraft in der Familie aufhört: I, 561.
Traurig, dieses Sinken: I, 28.
Ich glaube, daß Dietrich Ratenkamp: 29.

416. Was seid Ihr eigentlich für eine Kompanei: 59.
Er hatte ein Stück von der Welt gesehen: 15.
Es passiert leicht, daß du ratlos bist: 59.
Hang zum Luxus: I, 257.
Ihr ausgeprägter Familiensinn: I, 257.
417. Wir sind, meine liebe Tochter: I, 186, 201.
Alle Welt denkt an nichts als Bergwerke: I, 36.
418. Ihr Vater ist ein großer Herr: I, 175.
auf den Steinen sitzen: 164 (dreimal) 168, 170 (dreimal), 176 (zweimal), 196.
wir können einfach auf den Steinen sitzen: II, 212.
mit fatalistischem Gleichmut I, 257.
Erich Heller, „Der ironische Deutsche" 1959, 34.
verdrossen behagliche Formlosigkeit: I, 419, Der Humor, der hier wirksam wird, geht darauf zurück, daß Permaneder ein „herzensguter Mann" (448) ist, daß es für Tony darauf ankommt, „wie es im Herzen gemeint ist" (I, 422).
419. die vergötterte Firma: I, 95.
Man wird getragen: I, 213.
Die Sehnsucht nach Tat, Sieg und Macht: I, 324.
ein unternehmenderer Geist: I, 337, Tony II, 87 „du bist ein unternehmender Kopf".
Ich liebe sie, aber: I, 367.
der am wenigsten bürgerlich beschränkte Kopf: I, 459.
Wenn das Haus fertig ist: II, 55.
420. wie das Licht eines solchen Sterns II, 55.
der heimliche Skandal I, 487.
Nun mußt du ganz allein zusehen: I, 493.
Und wenn schon, dann auch vornehm: II, 43.
Paroxismus von Entrüstung II, 60.
421. Gespräch Tony-Tom II, 80–92.
Wenn ich mich frage: II, 87.
Eine verteufelt schlaue Person: II, 104.
Gründungsfest II, 113–136.
422. Spruch des Ahnherrn: „Mein Sohn, sei mit Lust: I, 220. und II, 120.
Widerstreit des Bewußten und Unbewußten: beim Hausneubau heißt es zum ersten Mal „seine halbbewußten Bedürfnisse waren stärker" II, 42. Das ganze 4. Kapitel II, 100–113 reflektiert den Widerstreit. („Wie eine Maske fiel die Miene der Wachheit vom Gesichte ab, um es in dem Zustande einer gequälten Müdigkeit zurückzulassen" 100). Thomas wiederholt sich das Wort der Schwester 104: „Man begegnet einem Vorschlag nur dann mit Erregtheit, wenn man sich in seinem Widerstande nicht sicher fühlt" — das ist aufschließende Formel der vorausgenommenen Freudschen Lehre („aufreibender Widerstreit in seinem Innern" 106).
Entfremdung zwischen Vater und Sohn: II, 154 ff., 157 ff.
„Thomas, ein für alle Mal: II, 156.
Streit mit Christian: II, 238–250.
Ich bin geworden wie ich bin: II, 247.
N Aap is hei!: I, 20.
Denkt euch, wenn ich aus Versehen: I, 85.
423. eigentlich sei jeder Geschäftsmann ein Gauner: I, 401.
Du bist ein Auswuchs I, 406.
Ich kann es nun nicht mehr: II, 20, 361.
Gerda findet Geschmack an ihm: II, 81.
Ja, so werden damals die auch gedacht haben: II, 252.
Ironie des Schicksals II, 271.
Lektüre eines Buches: II, 343–349.
424. Lichtvision: II, 345.
ratlos wie sein Vater I, 59, jetzt II, 351.
Travemünde: II, 353–366, Christian 355, Thomas 359, Tony 363 ff., Thomas zur Monotonie des Meeres 365.
Gerdas schönes Gesicht: II, 377.

425. Schlußszene in Raabes „Schüdderump". Beide Dichter haben sich mit Schopenhauer auseinandergesetzt. Raabe stellt ihm seine Wertewelt entgegen: seine „Tonie" entrückt er der Kanaillewelt ins „Geheimnis": Lichttrost für die drei Alten im Siechenhaus. Thomas Mann läßt seine „Tony" überleben, mit der ihres Sinns beraubten Familienmappe. Der Glaubensruf der grotesken alten Lehrerin wird in die Thomas-Mannschen Adjektiva eingeebnet: „bucklig, winzig, bebend vor Überzeugung, eine kleine, strafende, begeisterte Prophetin", mit nichts dahinter als Thomas Mannsche Ironie. Lämmert (Der deutsche Roman II, 191) scheint im Hinweis auf den Katechismus hinter der Ironie einen Ausblick heraussparen zu wollen.
Hannos Taufe II, 9–19.
Tonys Besuch beim schlafenden Hanno: II, 92–99.
Doktor Faustus, Echo-Episode, von Th. Mann die „dichterischste Episode" benannt (Echo als Widerhall einer andern Welt) 745 ff.
Ich bin allein auf weiter Flur II, 125.
Welt der Musik: II, 137–154.
426. albernes Geschwätz: II, 149.
Und nun kam der Schluß: II, 152.
distinguierter Geschmack: II, 154.
Ich glaubte, es käme nichts mehr II, 174.
Herz nur weicher, träumerischer: II, 320.
427. Schultag des Fünfzehnjährigen: II, 402–462. Dazu Th. Mann zu einem Kapitel der Buddenbrooks. (1947) in: „Altes und Neues" 1953, 533 ff.
Signale gleich Angstrufen II, 464.
Christian II, 19–24, gesund 22.
ziemlich ungesund 13.
James Möllendorph 24–25.
Erich Heller, Der ironische Deutsche 1959, 60.
428. Friedrich Schlegel, Jugendschriften II, 169 (1906).
429. Wagners Meistersingervorspiel, Tristan und Isolde II, 141.
parfümierter Qualm 142.
Die Ausweitung in den Unternehmerroman ermöglicht erst die Verschmelzung von Weltironie und Weltsymbol. Baumgart abstrahiert zu sehr auf „Ironien", Heller auf Schopenhauersche Philosophie. Die soziologische Perspektive des Marxismus vereinfacht die bürgerlichen Differenzierungen, unbekümmert um den Eigenwert des Unternehmertypus.
430. seine zu kurzen Nerven: II, 21. 195.
431. Ambivalenz: Eugen Bleuler, Lehrbuch der Psychiatrie 1916, 72; Sigmund Freud, Das Tabu und die Ambivalenz der Gefühlregungen 1911–1912. Werke Londoner Ausgabe IX, 39, 157, 172; X, 224 ff.; XI, 344 ff. Ludwig Pongratz, Psychologie menschlicher Konflikte 1961, 164, Herm. Pongs, Bild in der Dichtung II, 3. Aufl. 1967, 20 ff., 34 ff. u. Anm. Herm. Pongs, „Ambivalenz in moderner Dichtung", Festschrift H. Seidler 1966, 191–228.
Alexander u. Margarete Mitscherlich „Die Unfähigkeit zu Trauern" 1967 bestätigt die entscheidende Bedeutung der Ambivalenz für die Lähmungserscheinungen in der Bundesrepublik, die sich vorerst als „Unfähigkeit" bezeugen, mit der Vergangenheit fertig zu werden. Mehr als 50 mal bezieht sich das Buch auf die Freudsche Ambivalenz, z. B. die „unerträgliche ambivalente Spannung zur Vater-Autorität", die zur Verherrlichung Hitlers führte usw. Ziel ist die Überwindung der Ambivalenzen durch kritische Bewußtmachung" (328) und die Ergänzung durch „Einfühlung", „Mitgefühl" (268). Das Bedeutsamste bleibt die Unberechenbarkeit des Unbewußten im Widerstreit Bewußt — Unbewußt. Unberücksichtigt bleibt, wie bei Freud, der Horizont nach der dichterischen Vision hin. Als Material dienen Neurosen. Schwer verständlich wird nach Mitscherlichs Buch der Versuch von H. Seidler, den durch Freud geprägten Ambivalenzbegriff, von mir seit 1932 auf Dichtung angewandt, aus seiner Eindeutigkeit herauszunehmen und als „Multivalenz" positiv aufzuladen (Österr. Akademie der Wiss. Philosophisch-historische Klasse 262. Bericht 1969). Dabei wird mir als „Begriffsunklarheit" vorgeworfen, was sich aus Freuds bewußtem Ausklammern des Dichterischen

erklärt. Die dadurch entstehenden Ausblick-Möglichkeiten zur Überwindung der Ambivalenz durch dichterische Vision werden nicht berücksichtigt. Schon Mitscherlichs Buch sollte aber davor warnen, den Ambivalenzbegriff kurzerhand auf Goethe, Schiller, Kleist rückwärts anzuwenden. Einer Begriffsklärung dient Seidlers Aufsatz nicht. Wenig erfreulich vielmehr ist es, daß eine Abart Mitscherlichscher A. ausgewirkt wird: Ressentiments dahin zu betätigen, daß versucht wird, „den andern durch Lächerlichkeit zu töten" (Mitscherlich 114).
Goethe, Wilhelm Meisters Wanderjahre, Hamb. Ausg. VIII, 263.
In der alten Welt ist alles Schlendrian: Wilhelms eignes Wort VIII, 332.

432. Spaltung zwischen Geist und Gemüt: Hermann Friedmann „Das Gemüt" 1956 Rudolf Kassner, „Das neunzehnte Jahrhundert" 1947, dazu Pongs, Raabe 1958, 11–17. Zu Raabes Gemüt, Pongs 633 ff.

433. tip-top: Buddenbrooks I, 372.
Revolution 1848: I, 242 ff.

434. Robert Musil „Der Mann ohne Eigenschaften" 192.
Ulrich zur Ambivalenz: 272.
Im Sammelband „Der deutsche Roman" II (Hg. von Wiese). 1963 wird Musils Roman durch Wolfdietrich Rasch zur Darstellung gebracht, ohne auf den Grundbegriff der Ambivalenz einzugehen. Darstellung der Musil-Literatur bis 1963: Herm. Pongs, Romanschaffen der Gegenwart, 4. Aufl. 1963, 321–353 mit nachfolgender Betrachtung über „Abwandlungen des Manns ohne Eigenschaften" 353–367. Unberücksichtigt blieb dabei die wichtige Untersuchung von Albrecht Schöne „Zum Gebrauch des Konjunktivs bei Robert Musil" Euphorion 1961, 196 ff. Neu zugänglich in der Fischerbücherei, Interpretationen 3 1966, 290 ff. Für Musil wird der Konjunktiv potentialis zum „Modus der Existenz" (296). Diesen Konjunktiv in einen „neuen Indikativ" zu überführen, war Musil nicht beschieden. Sein Romanversuch wurde darüber zum Fragment-Schicksal verdammt (301). Schöne hat dabei wie Wolfdietrich Rasch den Ambivalenzbegriff ausgeklammert. Es ist aber offenbar, daß die Ambivalenz als „Schicksal seiner Generation" es ist, die Ulrich scheitern läßt, wie Musil selbst an ihrem Konjunktiv-Zwang gescheitert ist. Die Flucht ins Konjunktiv-Experiment verdeckt die Lebenslähmung, die auf neurotische Ambivalenzzustände zurückgeht. Auch die Flucht in den „Jargon der Dialektik" hat hier ihre Wurzel. Eben darum scheidet Musils Romanexperiment aus der Reihe der Weltromane aus.
Wenn Gerhard Bauer Dt. Vj. 1968, 683 ff. eine Reflexionsformel Ulrichs zum Generalthema macht: „Auflösung des anthropozentrischen Verhaltens", dann ist er sich bewußt, daß es sich bei Ulrich um den Typus des „verbogenen Menschen" handelt, der sich selbst „seines theoretischen Denkens schämt". Das Exemplarische liegt nicht darin, daß sich der dichterische Horizont nach einem symbolischen Kosmos öffnet, sondern im Schwund des Menschenbildes. Im übrigen tritt das Fragmentarische des Romans mit dem Fortschreiten der Forschung nur immer stärker hemmend entgegen. Der Forschungsbericht Dt. Vj. 1965, 441 ff. (Ulrich Karthaus) zeigt, wie fern die historisch-kritische Ausgabe ist und wie weit die Meinungen auseinandergehen. Deutungsversuche verlieren sich ins Einzelne (472), geraten mit der Symbolik in die Tiefenpsychologie (450), keiner stellt sich ernstlich dem Ambivalenzbegriff, den Tiefenzonen des Unbewußten darin, oder auch Hermann Brochs Wort vom „musilesken Abstieg" (1934). Die unermüdliche Bemühung von Heribert Brosthaus Dt. Vj. 1965, 388 ff. der Dialektik des „andern Zustandes" auf den Grund zu dringen, bis zur Skala der Lichtsymbole (409 ff.) scheitert am Fragmentcharakter der „Augenblicke eines Sommertags". Auch die feinfühligste Auslegung stößt sich am Groteskbild des „Appetithaften" und „Nicht-Appetithaften". An den Vorausschatten der Inzestliebe, die zum Scheitern verdammt ist. Vielleicht wird Mitscherlichs Buch von 1967 („Die Unfähigkeit zu trauern") der Breitenwirkung des Ambivalenzbegriffes dienen, der auch Musils Roman zugrundeliegt.

435. Kafka „Das Schloß" Text, Fischer 1935 (Max Brod).
Georg Lukacs, Wider den mißverstandenen Realismus 1958, 49–96, kritischer

Realismus 65, gesellschaftlich-geschichtlich 59: 88, bürgerliche Dekadenz 65, Buddenbrooks 80.
Kafka die größte Gestalt: 45, Umschlag 51.
Allegorie 55, 56, Gespenstigwerden des Alltags 55.
Angst vor der restlos verdinglichten Welt 56.
Kafka der Klassiker: 86, Habsburgische Monarchie 87.
Chiffrezeichen 88. allegorische Diskrepanz: 88.

436. geradezu entpolitisiert: Arnold Gehlen, Zeitbilder 1961. 97, 150.
Thomas Mann, Lübeck als geistige Lebensform („Altes und Neues" 1953, 273 ff.) Künstlertum ist etwas Symbolisches 282.
Kafka, Briefe 1958, 384.
Wilhelm Emrich, Protest und Verheißung 1960, 254.

437. Mythos des 20. Jh.: Emrich 163.
Emrich, Kafka 1958, 81.
Kosmos der Dichtung: Emrich, Kafka 298 ff. behandelt Kafkas „Schloß" unter dem Titel „Der menschliche Kosmos". Kafka selbst: Nachwort zum „Prozeß" nach Max Brod 317. Der erste Roman „Der Verschollene" hat mehrere Monographien erfahren: Klaus Hermsdorf, Kafka 1961, Wolfgang Jahn, Kafkas Roman der Verschollene 1965, Jörg Thalmann, Wege zu Kafka. Interpretation des Amerika-Romans 1966 (Mitte 1962 abgeschlossen).
Der Prozeß: Neuordnung von Herman Uyttersprot, Zur Struktur von Kafkas „Prozeß" Langues Vivantes Nr. 42, 1957. Monographien: Manfred Seidler Diss. 1953. Beda Alleman Der deutsche Roman II, 1963, 234–290. Gesine Frey, Raum und Figuren im „Prozeß" 1965 (Kritik an Uyttersprot 5–9). Zur Textkritik L. Marson. Dt. Vj. 1968, 760 ff.
Das Schloß: Rudolf Kassner, Der Goldne Drachen 1957, 246, 248. Monographien: Homer Swander, Dt. Romane von Grimmelshausen bis Musil (Interpretationen 3) 1966. Klaus Peter Philippi, Reflexion und Wirklichkeit, Untersuchungen zum „Schloß" 1966. Außerdem: W. Emrich, Kafka 1958, 298 ff.;Walter H. Sokel, Kafka, Tragik und Komik 1964, 391 ff. Heinz Politzer, Kafka der Künstler dt. 1965 (amerik. 1962) 316 ff. K. Wagenbach (K-Symposion) 1965, 166: Kindheitserinnerungen an Dorf und Schloß Wohsek.

438. Kafka hat Freud gelesen: Nach der Niederschrift des „Urteils" am 23. 9. 1912 im Tagebuch 1948, 294 („Gedanken an Freud natürlich"). Ausführliche Darstellung der Lektüre:
Freud und über Freud: Hartmut Binder „Motiv und Gestaltung bei K." 1966. Zur Psa.: 92–114.
Zur Ambivalenz: Freud Werke X, 187 ff. Literatur bei Pongs, Bild in der Dichtung II, 3. Aufl. 1967, 669. Gerhard Neumann Dt. Vj. 1968, 716 ff. bemüht sich, das „gleitende Paradox" als Sonderbrechung der Kafkaschen Ambivalenz darzutun.
zur tragischen Ambivalenz: Anm. 455.
Zum Eingangssatz: Politzer 325 ff. Philippi 14, 33 ff.

439. Alptraum einer totalitären Welt: Wolfgang Rothe, „Schriftsteller und totalitäre Welt" 1966, 114 ff. Alptraum 115. Rothe zum Schloß: 65–76.
K. horchte auf: 13. Ich will immer frei sein 15.

440. Der Turm hier oben: 18. Das eigenwillige Bild wird verschieden ausgedeutet: Politzer 329: Grenzphänomen des Wahnsinns, von K. anthropomorph umgesetzt. Zugleich als Warnung drohenden Wahnsinns. Homer Swander (dt. Interpretationen 3, 1966, 271) Turm als Zeichen der Formlosigkeit, ebenso der trübselige Hausbewohner. K. sieht darin seinen Gegner, den er angreifen will. Swander betrachtet alles von K. her. Wir betrachten alle Bilder zugleich als Hinweise Kafkas, über K. hinweg.

441. alptraumartiger Hintergrund: Rothe 128, Politzer 340. Martini (Wagnis der Sprache 1954), 304. Generell: Pongs, Kafka, Dichter des Labyrinths 1960, 47 ff. Wolfgang Kayser, Das Groteske 159 ff.
Ein Mädchen aus dem Schloß: 24.
Die Gehilfen: 29. Sokel hilft sich damit, daß K. die alten Gehilfen gelogen habe (405). Emrich 348 leugnet jeden Widerspruch: „sie repräsentieren Ele-

mentarkräfte, die in jedem Menschen stets vorhanden sind." Im Dienst K.s wirken sie „automatenhaft-mechanisch", sind „unwillkürliche Triebreflexe des Menschen". Man kann sie auch als „Bild der Todverfallenheit" deuten. Solche Vieldeutigkeit kann nur aus dem Traumhintergrund sich erklären.

442. Stil der kalten Groteske: Wolfgang Kayser „Das Groteske" 1957, 160. Kafka als Erzähler „entfremdet sich uns, indem er emotional anders reagiert als wir erwarten". In der Parabel „Die Verwandlung" wirkt die Erzählhaltung „unmenschlich".
Der Wirt: 50. gefürchtete Folgen des Untergeordnetseins 51.
Wollen Sie Herrn Klamm sehen? 53.

443. Dort vergingen Stunden 60.
Die Bedeutung der Bildlichkeit betont Reinhard Klatt, „Bild und Struktur in Kafkas Dichtung 1963 (Diss. Freiburg). Auf den Schloßroman geht K. nicht ein. Fritz Martini, Wagnis der Sprache 1954, hebt die „Traumbilder" hervor. Auf das Systematische gezielter Tiermetaphern für den Aufbau des Schloßromans ist die Forschung bisher nicht eingegangen.
Stimme Klamms: 60.
wie Hunde verzweifelt am Boden scharren: 66.

444. daß meine liebste Kleine: 78.
Wen er nicht mehr rufen läßt: 114.
Zunächst ist Klamm 115.

445. Einmal hatte die Wirtin: 157.
Kutscherepisode: 138–145. Fritz Martini, Wagnis der Sprache 1954, 287–335. Die Großbeleuchtung dieser Episode ist nicht aus dem Gesamt des Schloß-Symbols vorgenommen, dadurch leicht verzerrt. Daß K. auf die Stufe der Gehilfen abgesunken ist, wird nicht ausgewertet. Die entscheidende Frage: „Wem hätte das Licht leuchten sollen?" ist im gewählten Ausschnitt nicht mehr aufgenommen.
Der Kutscher hatte ihn teilnahmlos: 138.

446. Parabel „Die Kreuzung" (Sammlung: „Beim Bau der chinesischen Mauer" 1931, 54 ff.).
Sich so zu benehmen: 141.
Die Gehilfen: Kafka wählt verschiedene Tiermetaphern für sie: „ähnlich wie Schlangen" 30, wie ein hungriger Hund spielt und es nicht wagt, auf den Tisch zu springen 329, die wild gewordenen, hündisch lüsternen Gehilfen 314.
der Kognak: Eine Grotesk-Deutung bei Emrich 317–319, „Man darf ohne Überinterpretation in dem Trank Klamms eine Wiederaufnahme des uralten Märchenmotivs vom Liebestrank sehen."
Wem hätte es leuchten sollen? 144.
Da schien es K.: 145.

447. der Vogelfreie: Politzer 396, „die bittere Freiheit des Vogelfreien". „undurchdringliche Bitternis seines Schicksals." Rothe 67.
Sucht nicht selbst die Nachtmotte? 372.

448. Über ihn hinweg gingen die Befehle: 359.
die Spinne im Netz: 380, 398.
Du bist entweder ein Narr: 415. Die Stelle kann an ein Tagebuchwort erinnern (9. 1. 1915): „Wenn sich die beiden Elemente — am ausgeprägtesten im ‚Heizer' und in der ‚Strafkolonie' — nicht vereinigen, bin ich am Ende. Ist aber für diese Vereinigung Aussicht vorhanden?" Gemeint ist mit dem Heizer der Inbegriff des Einfachen (Narr-Kind) mit der Strafkolonie Inbegriff des Unmenschen. Pongs 85.

449. Wolfgang Rothe, „Schriftsteller und totalitäre Welt" 1966, 115. Heinz Politzer 330 ff., G. R. Hocke, Die Welt des Labyrinths 1957, 102. Emrich 371. Martini 292, 294, 328.
Vieldeutigkeit: Henrike Peters, Die Wahrheit im Werk Kafkas Diss. Tübingen 1967 55 ff.
Rothe 75 (Totale Herrschaft vermag auf jeden physischen Zwang zu verzichten).
Schloßbürokratie: Politzer 331 ff.

Klamm: Emrich 321 (Umklammerung), 309 (Proteus). Sokel: 396. Erich Heller: Enterbter Geist 1954, 318.
Politzer: Kafka-Vater 342 zur Chiffre X: 342.

450. Adlergleichnis (durch die Wirtin): 157, 78.
mythischer Begriff: bei Emrich als „negativer Mythos": Protest und Verheißung 1960, 263.
„Die Verwandlung" aus einer Metapher: Günter Anders, Pro und Contra, 2. Aufl. 1963, 40.
Parodie des Mythos: Kurt Weinberg, Travestie des Mythos 1963, 407 ff, Schloß das verriegelte Paradies 431, lügenhaftes Labyrinth ohne Ausweg zur Wahrheit 432.

451. Untergeordnetsein: K. selbst 51.
Sokel zum Absurden: 444, 456 u. a. (rund 20mal).
Amalia: Text 223–227, 248–289.
Verlangen nach Einsamkeit223. Amalia lächelte 224.
Es ist keine Feindschaft: 225.

452. Olgas Bericht 228 ff.
Sie hat sich ja toll verliebt: 253.
Mißbrauch der Macht 256, heldenhaft 257.
Klamms Grobheiten: 259. Kommandant 260.
Wir aber wissen, daß Frauen: 261.

453. Vielleicht hat Amalia Sortini doch geliebt: 261.
Amalias Tat ist merkwürdig 263.
daß Frieda in ihrer Unschuld: 264.
Frieda nicht aus Feindseligkeit: 275.
Amalia trug nicht nur ihr Leid 278.
Aug in Aug mit der Wahrheit: Emrich 365. Politzer 384–388 (imstande, mit der Verzweiflung zu leben).
Sokel 646 akzeptiert den Vorwurf des Hochmuts (in die eigne Schönheit versunkner Narzißmus). Klaus Peter Philippi 1966, 66: Amalia die Verstoßne. Ganz ausgeklammert bleibt Amalia nur bei Homer Sander (Kafka Today, dt. 1966).
Aphorismus Kafkas: Hochzeitsvorbereitungen 93.
Schloßgeschichten? 271.

455. Du kannst jemanden, der die Augen verbunden hat: 245.
tragische Ambivalenz: Pongs 44 ff, Sokel, Kafka, Tragik und Komik dt. 1964, Kapitel „Tragik der Ambivalenz" 107–298 Politzer 471 (universaler Zwiespalt).
Politzer: 388. Nonne des Nichts 388.

456. Spuren einer Gegenwirkung: Eingangssatz 9.
Kirchturm der Heimat: 18.
Barnabas fast weiß gekleidet: 35.
Mauer des Kirchhofs, lichtüberflutet: 44.
beim Absprung 44, grobes grauschmutziges Hemd 46.
bleiches Schneelicht: 22.

457. Schuljunge: Kann ich dir helfen? 189.
Das bittere Kraut: 194. Politzer 316 gibt seinem Schloßkapitel den Titel: „Das bittere Kraut" 317–399. Dem entspricht die Bedeutung des Motivs leider nicht.
Er wolle ein Mann werden 200, in allerdings fast unvorstellbarer Zukunft 201.

458. Sordinis Zimmer 91–92 (Im Vorstehergespräch, das viele weitere Beispiele bietet 80–103).
Das lächerliche Gewirre: 88.
Die Bürgelszene: 18. Kapitel 338–357.
Bürgel: Nach Politzer 362 „der kleine Bürge, der für nichts bürgen kann".
Körnchen 352.

459. Statue eines griechischen Gottes: 348.
Nacht der Nachtverhöre: Politiker 368: „der hinderlichste Helfer in der Dämmerung von Kafkas Zwischenreich."

Szene der Diener: 19. Kapitel 361–369. letzte Zettelchen 367.
K.s Schicksal entschieden: Politzer 375, Emrich 396.

460. Zum Absurden unsrer Gegenwart: Martin Esslin, Das Theater des Absurden dt. 1964.
Martin Buber, Zwei Glaubensweisen 1950, 167 ff. Dicke Nebelschwaden der Absurdität 170.
Wladimir Weidlé. Die Sterblichkeit der Musen dt. 1959.
die echte Nacht 342.
Kafka-Allegorie 349.
Verfallszeit: Loslösung der Kunst von ihrem Ursprung (Umschlagstext).
Schaffen ohne Wurzeln und Obdach 354.
Insofern die Allegorie: 349.
Jenes verzweifelt ausgesetzte Menschenwesen: 349.
Politzer 497.
Dichter des Labyrinths: Buchtitel von Pongs, Kafka 196. Politzer wirft dem Buch 332 ff vor, daß es zu vereinfacht dem Labyrinth das Licht gegenübergestellt habe. Auch das Labyrinth bereits sei „legitimer Ausdruck der Dialektik zwischen Licht und Finsternis".
Wir begegnen dem Vorwurf durch die Unterscheidung zwischen dem manieristischen Begriff des Labyrinths bei Hocke und dem mythischen Begriff der antiken Mythe vom Ungeheuer des Absurden.

461. Im Prozeßroman: Glanz unverlöschlich 257 (Türhüterlegende) dazu Pongs, 40 ff., 45 (mit Literatur).
Jäger Gracchus im Sammelband: „Beschreibung eines Kampfes 99–105.
„Leuchtet mir oben schon das Tor 103. Dazu Pongs 75 ff. Hartmut Binder 1966, 171 ff.
Lukacs, Wider den mißverstandenen Realismus 1958, 51.
Wolfgang Rothe, 1966, 115.
Angriffe durch Helmut Richter, Z. f. dt. Literaturgeschichte 1959, 570 ff. und in Richters Kafkabuch 1962, 14 ff.
Weitere Angriffe bei Klaus Hermsdorf, Kafka 1961, 15.
Friedrich Beißner „Der Erzähler K." 1952; „Der Dichter" 1958.
Dissertationen: Gerd König, „Kafkas Erzählungen u. kleine Prosa 1953 („eine ganz stillgestellte Welt").
Martin Walser „Beschreibung einer Form" 1961 „technologische Beschreibung", nicht ideologische Deutung. Die Folge: „lückenlos funktionierende Mechanik" 64. Im Schloßroman ruft jede Feststellung notwendig ihr Gegenteil, ihre Aufhebung auf den Plan 80 Totalität, in der „der Sinn eigentlich Sinnlosigkeit ist" 117.
Heinrike Peters „Die Wahrheit im Werk Kafkas" 1967. „Kafka verzichtet auf den Standort des allwissenden Erzählers, er ist mit der Hauptgestalt identisch". So entsteht eine „in höchstem Maße einheitlich strukturierte Welt" (51). Diese Beißnerschen Dogmen liegen zugrund. Es gibt nur „Darstellung des traumhaften inneren Lebens". (48). Folge davon: „keine wirklichen Menschen, nur Figuren." (52) keine Zwiegespräche. Im Zerfall der Wahrheit heute gibt es nur „Vieldeutigkeit" bei „Einsinnigkeit" des Erzählens.
Der abstrakte Wahrheitsgang läßt das „Aug in Aug mit der Wahrheit" aus, ohne das der Schloßroman nicht besteht. Eindeutig ist Held K. nicht identisch mit Kafka, vielmehr wird er gerichtet mit Hilfe gezielter Tiermetaphern, in denen Kafka Abstand hält vom Helden K.
Spannung zwischen dem Stil der Groteske, der dialektischen Reflexionen, aus der Perspektive K.s auf der einen Seite, der Schreckträume Kafkas und ihrer Bildvisionen auf der anderen. Dazu Literatur, die die „Einsinnigkeit" sprengen muß: Wolfgang Kayser verfestigt den Stil der kalten Groteske, die Kafka eine unmenschliche Haltung aufzwingt: Gegenpol zur traumhaft-inneren Kafkawelt, die aus Schreckbildern dichtet. Werner Vordtriede (Kafka Today 1958, 242) vergleicht die Dialektik Kafkascher Helden mit der Sophistik des Eubulides, dessen Fangschlüsse wahr und falsch verwischten. Nach Fritz

Schaufelberger (Trivium 7) klafft zwischen Kafkas Detail-Blick ohne Überschau eines Ganzen und der unter- und hintergründigen Schrecktraumphantasie ein Zwiespalt auf, den keine „Einsinnigkeit" schließt. Nach Günther Anders „Pro und Contra" (2. Aufl. 1963) spricht Kafka eine „Geistersprache aus dem Niemandsland" als Ausdruck „völliger Isoliertheit". (64), eine „Protokollsprache" (67). Da er keinem Grunde zugehört, (durch nichts mitbewegt wird,) fehlt ihm das Sym zum Symbol. Und weil für ihn das einzig Gemeinsame die Sprache ist, bleibt ihm nur der metaphorische Ausdruck, und die daraus erwachsende Schreckvorstellung. Um so einmaliger die im Zentralsymbol des Schlosses als Labyrinth sich ihm aufschließende Mythe.

462. Werner Kraft, „Franz Kafka" (Suhrkamp) 1968, 97 ff.
Unendlichkeit der Deutungsmöglichkeiten: 116 ff.
jeder positiven eine negative: 98, endlos deutbar 112.
für menschliche Vernunft nicht erreichbar 113.
Wirbel eines Urteilswahnsinns 110, Schriftcharakter undurchdringbar 121, Sprache höheren Grades 123.
Fragmentstücke: 97, 102, 117, 120. Außerdem nimmt er im Text gewollte oder ungewollte Lücken an 110, 133.
Klamm 129, Erlöser 109, Tiefe ist 117.
Kraft erwähnt Amalias Lächeln 130, doch verfolgt er nicht die „erhellende" Ausstrahlung, wie er das „Aug in Aug mit der Wahrheit" unberücksichtigt läßt. Er betrachtet Amalia als „Geschlagene", als Schweigende. Daß sie ins Gespräch eingreift mit den Schloßgeschichten und K. ihre Überlegenheit spüren läßt, wird nicht erwähnt. Der Dialektiker Kafka wird hier über den Bildner Kafka gestellt.

463. Th. Mann „Doktor Faustus" Text Suhrkamp 1948.
Günter Anders, Die Antiquiertheit des Menschen 1956, 239 f.
Hans Schwerte, Faust u. das Faustische 1962, 238.

464. Die Entstehung des Doktor Faustus 1949, 80.
Jeremias Gotthelf: Entstehung 60.
Buße aus Gottes selbsteigner Hand: Werke XVII, 49.
Ein schweres Kunstwerk. Entstehung 60.
Golo Mann, Erinnerungen an meinen Vater 1967, 20.

465. Kafka, Briefe 1958, 384 (an Max Brod 5. 7. 1922).
Zwiegespräch. „Doktor Faustus" 1948, 351–397.
Montage-Technik: Entstehung 33. Zitate: Sigrid Becker-Frank Untersuchungen zum Zitat 1963.
Zum „Plagiat": Erich Heller, Der ironische Deutsche 1959, 315.
Schon in diesem Lachen: Entstehung 66.
Ich kenne im Stilistischen: Entstehung 51.
Parodie: Alfred Liede, Reallex. d. dt. Lit.geschichte 2. Aufl. 1966, III, 12–72.
Samuel Szemere, Kunst u. Humanität 1966, 97 ff. („tragische Parodie des Volksbuchs" 99.).

466. Erzähler-Medium Zeitblom: Entstehung 32 („Durchheiterung des düsteren Stoffes"). Margrit Henning, Ich-Form 1966, 34 ff.

467. Georg Lukacs, Thomas Mann 1949 (II. Teil: Doktor Faustus) 63 ff. Zu Marx: 112.
Anna Hellersberg-Wendriner, Mystik der Gottesferne 1960, 119 ff., 161 ff.

468. Lukacs, dialektischer Sprung: Wider den mißverstandenen Realismus 1958, 59.
Raabeatmosphäre: Thomas Mann 66 ff., Raabisch-kaiseracherische Tragödie 111, abgewandelte Raabeatmosphäre 67.
Lukacs, Deutsche Realisten 1953, 259.
Zeitblom eine Raabegestalt: Th. Mann 96.
archimedische Punkt: Th. Mann 104.
Zu Raabe: Pongs, Wilhelm Raabe 1958, 24 ff.

469. allergrimmigster Reichshistoriograph: Pongs, Raabe 408.
Die Nähe der Sterilität: Entstehung 60.
Lebensweg des Doktor Faustus: Anna Hellersberg-Wendriner 1960, 120–128.
In Wahrheit war hier das Parodische: Doktor Faustus 241.
470. Schulmeister des Objektiven: Doktor Faustus 301.
dialektischer Umschlag: 302.
471. dialektischer Prozeß: 768 (Zeitblom).
Leverkühns Brief an den Musiklehrer: 208 ff.
Naturen wie A. haben nicht viel Seele: 234.
Es wird getan, es geschieht: 389 (Satan).
472. Adrians Vater: Ambivalenz: 30.
Es kommt alles von der Osmose: 373. Virus nerveux 371.
Adolf Portmann, Biologie u. Geist 1956, 273 ff.
Engel des Gifts: Faustus 362.
Wahre Leidenschaft gibt es nur: 384.
Und ich wills meinen, daß schöpferische . . . : 384.
Künstler Bruder des Verbrechers: 375.
Seejungfrau: 366, 373, 396 (Leverkühn 545, 790; Zeitblom 550, 598).
Goethe: Faustus 375.
473. Du darfst nicht lieben: 395.
Gewisse Dinge sind nicht mehr möglich: 383 ff.
Goethes wahre Symbolik: Maxime 314 (HA. XII, 471 als Nr. 752).
Dazu: Wladimir Weidlé, Jünger-Festschr. 1965, 554.
474. Dr. Eberhard Schleppfuß: Faustus 157–177.
theologischer Virus: 563.
Rüdiger Schildknapp: 255 ff.; Porträt 264 ff.
Roué des Potentiellen 350. Das Potentielle: Faustus 269.
Peter Härlin, Stuttg. Ztg. 25. 11. 1961.
445. Satan selbst: 374.
Robert Musil, Der Mann ohne Eigenschaften 1930, 1932 und 1952. (Gesamtfragment). Anmerkung 434.
Er weiß in jeder Lage: Musil 172, Ambivalenz 272.
Freud, Totem und Tabu Werke IX, 88 ff.
475. Roman seiner Epoche: Entstehung 38.
der das Leid der Epoche trägt: Entstehung 81.
Du wirst führen: Faustus 386.
Durchbruch: 487 ff.
446. Wie sprengt man die Puppe 489.
Ein Seelentum, bedroht von: 490.
476. Deutschland hat breite Schultern: 489.
Leverkühns Gebärde 491 (Gunilla Bergsten, Doktor Faustus 1963, 264 ff.).
Freischütz-Akkorde: 266 (Gunilla Bergsten 277).
Puppen-Groteske 500 ff.
Was wir die Läuterung des Komplizierten nannten: 510 ff.
477. Eine Kunst, die ins Volk geht: 512.
Es ist die Zeit: Faustus 789.
Vorwürfe des Barbarismus: 591 ff.
Genie aus Krankheit, nach Zeitblom: 563.
Verlangen nach Seele: 598.
daß die Dissonanz: 594.
478. Begegnung mit Echo 731 ff.
dichterische Episode: Entstehung 192.
Freidanks Bescheidenheit: Entstehung 191.
Merkt, wer für den andern bitt: Faustus 745.
479. Bei Goethe: Faust „Trüber Tag" (hinter Vers 4398).
Nimm ihn, Scheusal: Faustus 753.
Zeitblom: dialektischer Prozeß 768.
Denn ich sterbe als ein böser und guter Christ: 770.
480. Dein theologischer Typ: 393.
Leverkühns letzte Spekulation: 794.

Zeitbloms poröse Bildungsschicht: Margit Henning, Ich-form im „Doktor Faustus" 1966, 139, spricht von der Verbrauchtheit der Lebensform".

481. Gott senkt die Strafe: 527.
Hysterie des Mittelalters 60.
altertümlich-neurotische Unterteuftheit: 61. (Dazu Bernh. Blume, Th. Mann und Goethe 1949, 122.)
ein Seelentum: 490.
Eine Kunst, die ins Volk geht: 512.
Gegensatz zu Hermann Hesse: Entstehung 68.
Wir schaffen nichts Neues „Faustus" 376.

482. Erich Heller. Der ironische Deutsche 1959, 317. (Ebenso: Ernst Hoffmann, Th. Mann, Patholog-Therapeut? 1950, 10 ff. Andrew White, Die Verfluchten und Gesegneten Diss Mchn 1960 spricht vom eintönigen intellektuellen Schreibstil.) Ich kenne im Stilistischen: Entstehung 51.
Die Kleinen machen nichts Neues: 376.
ein unerbittlicher Imperativ: 382.

483. der das Leid der Epoche: Entstehung 81.
alles Leben als Kulturprodukt: Entstehung 137.
Josephroman IV. Band: Seite 48. Gesamtausgabe 974.
Herder, Werke XX, 71.

484. Was uns abgeht, ist Naivität: Faustus 97, 211.
Selbstgericht: Lukacs, Th. Mann 1949 wählt als Motto: Ibsens Gerichtstag halten über sich selbst. Hans Mayer, Th. Mann 1950, 362, 374: Selbstgericht als beste Bürgschaft für die Endzeit des Kapitalismus.
Ich frage innerlich: Faustus 334. Verständnis: 328 ff.
Wagniswelt neuen Gefühls 510. Statt klug zu sorgen: 789.

485. Die Ordnung ist alles: Faustus 75 (A. Hellersberg-Wendriner, Mystik der Gottesferne 1960, 130).
Solche Ordnung unter Menschen 789.
verruchte Wettstreit: 794.

486. altertümliches Lutherdeutsch: Paul Altenberg, Romane Th. Manns 1961, 263 ff.
voll, mitmenschlich Geständnis: 784. Gottes armer Mensch: 789.
schnell gesättigte Intelligenz: 211 („Warum müssen fast alle Dinge mir als ihre eigne Parodie erscheinen? 213).
Und woher will deinesgleichen: Faustus 393.

487. Machts, daß weiterkommt: 795.
christushafte Züge: 763, 804 (Ecce homo).
ausgestoßen: Bernt Richter, Th. Manns Stellung zu Deutschland Diss. Berlin 1960, 16 ff.

488. Goethes totales symbolisches Vermögen: A. Hellersberg-Wendriner zitiert 133 Goethes Formel von der wahren Symbolik und bezieht darauf Th. Manns eigne Formel Entstehung 41 (Musik: Paradigma für Allgemeineres).
steht als ein Licht in der Nacht: Faustus 776.
Wann wird aus letzter Hoffnungslosigkeit: 806 (Schluß).

489. Man könnte das Spiel weiter potenzieren: 384.
Durchbruch durch die Parodie: Samuel Szemene, Kunst und Humanität, Studie über Th. Mann 1966, 99 „tragische Parodie des Volksbuchs.
Manierismus: G. R. Hocke, Manierismus 1956–1959, 2 Bände. Pongs, Romanschaffen, 4. Aufl., 1963, 434 ff., 359 ff.
Zu den Gegenkräften: Erich Heller, Der ironischen Deutsche 1959. „Auch stellt sich die Vermutung ein, daß es wohl eine Zeit gegeben haben muß, in welcher der Künstler teilhatte an der Wirklichkeit seiner Mitmenschen." Anna Hellersberg-Wendriner 127, hebt im Gegensatz zum Untergang Leverkühns heraus: „das Talent der Deutschen zur Hingabe an das Letzte, Höchste, Unbedingte", was „die deutsche Geistes- und Gemütsartung zu einem einmaligen positiven Bestandteil der europäischen Kultur macht."
Wutausbrüche Fausts: Szene „Trüber Tag", aus der Urfaust-Prosa ins Versmysterienspiel übernommen.
Sorge: Faust Verse 11 471 ff.

490. Zum Faustmythos: Pongs, Dichtung im gespaltenen Deutschland 1967, 125–169. Vgl. Anm. 493.
Verlangen nach Seele: Zeitblom, Faustus 598 nennt es barbarisch, dies Verlangen, wie es auch die Seejungfrau hat, seelenlos zu nennen.
sentimentale Lebensschicht: Faustus 234.

491. Aquarium einer Endzeit: Entstehung 278 (ein wunderliches Aquarium von Geschöpfen der Endzeit).
Marxismus: Lukacs, Thomas Mann 1949, Hans Mayer, Th. Mann 1950 und „Von Lessing bis Thomas Mann" 1959, 383.
Inge Diersen, Untersuchungen 1959. Ernst Fischer, Kunst und Menschheit 1949.
Bengt Algot Sörensen, Orbis Litterarum 1958, 95 ff.
Erich Heller, Der ironische Deutsche 1959, 326.
Heinz Peter Pütz, Kunst und Künstlerexistenz, bei Nietzsche und Th. Mann 1963, 140 ff.

492. komplexe Erscheinung der Mehrdeutigkeit: 107 ff.
Glissando: Pütz 142, 144.
Anna Hellersberg-Wendriner, Mystik der Gottesferne:
Interpretation Th. Manns 1960, Partizipation 115, 119.
Gegenteil des Goetheschen Faust 119 ff., 126.
Künstler, Leid des weltlosen Schaffens 123.
Aufspaltung Zeitblom-Leverkühn 155. die eigne Stagnation: 158.
Vernichter des Gottbewußtseins: 166. Rückgriff in die Urfrühe 170 ff.
Lichtstrahl 173, krankhafter Versuch 174. Pathologie 120 (des Deutschtums), 127.
generell in dieser Zeit: 128 (natürlicher Zeitgenosse des Dritten Reichs).
Vereinsamung in der Emigration: Bernt Richter, Stellung zu Deutschland 1960 (Diss. Berlin).

493. gemeinsame Ursprünge: A. Hellersberg-Wendriner 127, deutsche Geistes- und Gemütsartung, Talent, der Hingabe an das Letzte, Höchste, Unbedingte.
Faust zurücknehmen: Erich Heller, Der ironische Deutsche 1960, 325, hält es für selbstverständlich, daß Goethes Faust zurückgenommen sei. Metaphorischer Ausdruck, den der symbolische Kosmos der Faustus-Dichtung widerlegt. Goethes Symbolik: zitiert bei Hellersberg. Wendriner 133.
Jeremias Gotthelf: Enstehung 60. Simplicissimus: Entstehung 71.
Unkenrufe über das Ende des Romans:
Robert Musil 1932 (Notizbuch zum „Mann ohne Eigenschaften"): „Die Geschichte dieses Romans kommt darauf hinaus, daß die Geschichte, die in ihm erzählt werden soll, nicht erzählt wird." (Mann ohne Eigenschaften 1952, 1640.)
Thomas Mann, Vortrag über „Joseph und seine Brüder" 1942 (Neue Studien 1948, 167): „Heute sieht es beinahe so aus, als ob auf dem Gebiete des Romans nur noch das in Betracht käme, was kein Roman mehr ist. Vielleicht war es immer so."
Wolfgang Kayser, Deutsche Vierteljahrschrift 1954.
441: „Das ganze Gefüge der Romanform gerät ins Wanken, wenn solche Formen wie ‚Handlung' oder ‚Geschichte' oder ‚Strukturgesetz von Räumlichkeiten' als ungültige Konventionen hingestellt werden."
445: „Der Tod des Erzählers ist der Tod des Romans." Er ist in eine Krise geraten.
Erich Kahler, Neue Rundschau 1953, 42: „Die Epik ist dazu gedrängt, den ‚Roman', die erfundene individuelle Geschichte aufzugeben und mehr und mehr die unmittelbare Realität, oder besser, die neue Realität unmittelbar zu erforschen und darzustellen; sei es in den gewaltigen sozialen und technischen Prozessen, sei es in neu aufgeschlossenen Erscheinungs- und Seelentiefen."

494. Thomas Mann, Joseph-Roman IV, 48. Gesamtausgabe 974.
Walter Nigg, Wallfahrt zur Dichtung 1966, 126. Das ist wie zur Antwort auf Walter Muschgs Versuch gesprochen, im Gotthelfbuch 1931 Gotthelf auf Freudsche Komplexe zu beziehen. Muschg hat sich in seiner „Einführung"

1954, 1962 weithin selbst korrigiert. Dazu Werner Kohlschmidt, „Dichter, Tradition und Zeitgeist" 1965, Gotthelfbild im Säkularjahr 242. Werner Günther, Gotthelf 1934, 1954 als Gegenbuch zu Muschg.

495. Manierismus: Gustav René Hocke „Die Welt als Labyrinth" 1957 als Manierismus I und „Manierismus in der Literatur" 1959 als Manierismus II. Ludwig Binswanger, Drei Formen mißglückten Daseins 1956. Hugo Friedrich, Struktur der modernen Lyrik 1956. Kritische Darstellung: „Manierismus und Dichtung" bei Pongs, Kleines Lexikon d. Weltlit., 6. Aufl. 1967.
Reinhard Baumgart. Aussichten des Romans 1968, 60.
dokumentarischer Roman 47–68. Programm einer dokument. Schule: 59. Individuelle Erfahrung wird ratlos 61.
Experimente: Heißenbüttel (wortwörtlich, nicht symbolisch) 63. Arno Schmidt 58, 64, 65. Alexander Kluge 58, 64.

496. Heinrich Schirmbeck, Akademierede Mainz 1967, 32. Vorher hatte Schirmbeck in: „Die Formel und die Sinnlichkeit" 1964 einen „Teilhard der Dichtung" gefordert (81).
Erich von Kahler, Neue Rundschau 1953, „dynamischer Charakter" 2, Epik bevorzugt: 7.

497. Der Roman wandelt sich zur Parabel: 34 Dostojewski 41 die erfundne individuelle Geschichte 30.
Kunst und Wissenschaft 42. Ganzheit und Einheit 44.
Teilhard de Chardin, Zukunft des Menschen dt. 1963.

498. Universum ohne Herz 349. Liebet einander 104. Kopf und Herz 375. Zu Teilhard: Pongs, Dichtung im gespaltenen Deutschland 1967, 501 ff. Alexander Gosztonyi „Der Mensch u. d. Evolution" 1968.
Gegner: Hans Eduard Hengstenberg, Der Leib und die letzten Dinge 1955. Pongs, Dichtung im gespaltenen Deutschland 1966, zu Uwe Johnson 28 ff.

499. Jaroslav Hasek, Die Abenteuer des braven Soldaten Schwejk, dt. Neuausgabe 1962 nach dem Original, über dessen Fragment H. Januar 1923 starb. Brechts Drama: Stücke X, Kohout „August, August, August." Lübecker Aufführung 1969.
Welterfolg: in 18 Sprachen übersetzt. ein notorischer Idiot: 38.

500. Vergleich mit Don Quichote: Herders Lexikon der Weltliteratur des 20. Jhs. I. 862. Kurt Tucholsky, Werke II, 463: zu tschechisch für einen tschechischen Cervantes III, 1017: Hasek, Vater des göttlichen Schwejk.
Rowohltverlag im Umschlag des Schwejk: „Werk des Humors vom Rang des Don Quichote."
Schwejk und der Feldkurat: 88.

501. Zu Huß und Zižka-Peter Demetz, Merkur 246, 896.

502. Wir sind eine Hand: 404.
Ich bin mal in die Museumsbibliothek gegangen: 423.

503. Furzer 551 ff. Halbfurzer 552. Rapport 553 ff. Steinbeck, Früchte des Zorns 1939.
Alfred Döbin, Berlin Alexanderplatz 1961 (Herausgeber Walter Muschg).

504. Gesellschaft, von Kriminalität durchwühlt: Nachwort von Döblin selbst (1932), 506.
Martin Buber, Wo stehen wir heute? 1960, 54: Muschg, Nachwort 514 ff. Kritik an Döblin: Reinhard Baumgart, Aussichten des Romans 1968. 54: „Allgegenwart des geredeten und gedruckten Gewäsches verwischt die Konturen der Handlung." „Über die Addition von Zeilen kommt die Montage nicht hinaus." Marcel Reich-Ranicki. Deutsche Literatur in West und Ost 1965, 44; „rohes, nahezu unermeßliches Tatsachenmaterial zusammengerafft."
Zu den Hiobzitaten: Fritz Martini, Wagnis der Sprache 1955, der das „Sinnbild der Chaotik" begrüßt 358, findet 351, daß Döblin beim Hiobthema „gänzlich über Biberkopf hinausspricht".
Hermann Broch, Bergroman. Veröffentlicht aus dem Nachlaß als Fragment „Der Versucher" 1953, durch Felix Stössinger, der den Titel selbst einfügte. Zum Text der 3 Fassungen: G. Wienold Dt. Vj. 1968, 773 ff. M. Durzak, ZfdPh. 1967, 594 ff.

Nach Hannah Arendt (Einleitung zu Brochs Essay-Bänden 1955) war als Titel vorgesehen: „Der Wanderer." Das könnte sich sowohl auf den Wanderer-Fanatiker Ratti wie auf den Seelenwanderer und Chronisten, den Landarzt, beziehen, den wir für den Helden halten. Broch selbst spricht in seinen Briefen vom „Bergroman". 1949 kehrte er nochmals zum Bergroman zurück, zum „chthonischen Roman", mit der „Sehnsucht nach Alpengeruch" (15. 2. 1949). religiöser Roman: 16. Oktober 34, 16. 1. 36 (Mutterkult).

505. Dichten heißt: Erkenntnis durch die Form gewinnen, 25. 11. 32.
Umbruch der Welt, 19. 10. 34.
neue Art der Totalität: 19. 10. 34 (beinah religiöse Totalität).
Wahrscheinlich ist es das schlichteste Leben: 20 10. 34 (An Frank Thiess Seite 106).
ländliche Ordnung: Vorwort des Erzählers 7.
Abkehr vom Kunstgewerbe jeder Art: 19. 11. 35.
das homerische mythische Werk: 6. 3. 36 (Gionos Schafsparfümerie). Krampf bei Joyce: 29. 10. 36.
eine unerschütterliche Gesinnung: 29. 10. 36.

506. Wanderschaft der Seele: 139, 203, 323, 327.
Hund Trapp: 326 ff.
Kapitel: „Die Einfalt" 191–241.
daß wir einfältig bleiben müssen: 205.
inneres Leuchten 211.

507. Mutter Gisson: 40 ff., 70 ff., 147 ff., u-ö.
Gnosis: K. A. Horst Kritischer Führer 1962, 391.
diagnostischer Instinkt 41. Wenn die Zeit reif ist: 45.
Die Weiber wissen, daß der Mensch: 283.

508. Du gehst in den Haß: 286. weil der Haß keinen Ausweg mehr hat: 344.
seine Stärke ist das Nichts: 345.
Nichts an dir ist vernichtet: 539.
Die Mitte ist da, wo das Herz ist: 494. in Engels- und Tierblick gespalten: 127.
Trilogie: Die Schlafwandler (Trilogie) 1931. Karl Robert Mandelkow, Brochs Trilogie Diss. 1962. Richard Brinkmann, Dt. Vj. 1957, 169 ff. Pongs, Romanschaffen der Gegenwart 1963, 56–64.
Edzard Schaper, Eigner Lebensumriß: „Bürger in Zeit und Ewigkeit" 1956.
„Dank an E. Schaper" 1969 (Zum 60. Geburtstag).
„Die sterbende Kirche" 1935 („Der letzte Advent" 1949).
„Der Henker" 1940.

509. Mythos vom Henker 467, Henkertragik 356.
Der Henker 249 ff., 296, 321, 342, 397 u. öfter.
Zur Lichtsymbolik: Pongs, Dichtung im gespaltenen Deutschland 1967, 227.
3. Auflage „Sie mähten gewappnet die Saaten" 1956.

511. zum großen religiösen Roman: Schaper schrieb aus der napoleonischen Zeit zwei Romane, die korrespondieren: „Die Freiheit des Gefangenen" 1950 und „Die Macht der Ohnmächtigen" 1952. Antworten auf die Terrorwelt Napoleons, aus religiösen Ursprüngen der Seele, im westlichen Sinn jener Zeit. Ein weiterer Baltenroman „Der Gouverneur" 1954 ist ins Jahr 1709 zurückverlegt, Nachwirkungen der Schlacht von Poltawa, ohne religiöse Einwirkungen.
Unermüdliche Darstellungen des Religiösen in Rußland: Zimmermann Agafanow in der Erzählung „Hinter den Linien" 1953. Ähnlich Diakon Piritim im „Gekreuzigten Diakon" 1957, Vater Tichon im „Großen offenbaren Tag" 1949. „Der vierte König" 1960, 92 ff.
Jungs Modell vom Lichtbringer: Von den Wurzeln des Bewußtseins 287.
Hier ist Christus wie gestern geboren: 91.
Tschechischer Marxist: Vitezslav Gardavsky „Gott ist nicht ganz tot" dt. 1969.
Günter Grass, Die Blechtrommel 1959,
Ein Ausländer: der Belgier Henri Plard, „Text und Kritik" Göttingen 1963.

512. Grimmelshausen, Simplicissimus 573.
Ich erblickte das Licht der Welt: 49.
der Satan in sich: 161 ff (das Böse 154)
ertrommelt sich die Distanz: 71. der Giftzwerg 357.
Lust an der Entstellung: Günter Blöcker, Kritisches Lesebuch 1962, 210.
513. Zeitsatire gelingt: 141–145 (sie fanden Oskar nicht, weil sie Oskar nicht gewachsen waren).
Wechselbalg aus realistischen und phantastischen Elementen: H. E. Holthusen, Avantgardismus und die Zukunft der modernen Kunst (Piperbücherei 1965, 56). H. nennt das Buch repräsentativ für die „Ungesellschaft" der Zeit.
Manieristische Bravour: Graß selbst in der „Blechtrommel 81: „Aus bloßem Spieltrieb, dem Manierismus einer Spätepoche verfallend, dem l'art pour l'art ergeben, sang Oskar sich dem Glas ins Gefüge."
Jerome D. Salinger, „Der Fänger im Roggen" 1962 durch Heinrich Böll übersetzt. Amerikan. Erstausgabe 1951. Im Umschlag wird Holden Caulfield „eine Schlüsselfigur der modernen Literatur" genannt. „Verlogenes" 260.
514. Das hat mich umgeschmissen 8, Frauen bringen mich um 72, „Sensibel? Das warf mich um" 74, Das wirft mich jedesmal um" 90, „Tatsächlich sind die blödesten Mädchen manchmal beim Tanzen umwerfend" 82, Wenn Jane über etwas redete und dabei aufgeregt wurde, bewegten sich ihre Lippen in fünfzig verschiedenen Richtungen gleichzeitig. „Das wirft mich um." 101, Plötzlich fühlte ich Janes Hand im Nacken. Wenn ein Mädchen noch so jung ist und diese Bewegung macht, ist das so nett, daß es mich umwirft. 104, „Kinder sind immer mit irgendwelchen Freunden verabredet". Das wirft mich jedesmal um 153, Sie kann mich umwerfen (Phöbe) 222. Als Phöbe mit dem Koffer kommt: „Ich fiel fast um" 261. Dann — es warf mich fast um — griff sie in meine Manteltasche 268.
Gott seis geklaget, ich bin verrückt 159, 160.
ich bin wahnsinnig 172, typisch Caulfield 183.
Christus und so: 129. Weiteres Beispiel für schwarzen Humor (180): „Jedenfalls bin ich nur froh, daß sie jetzt die Atombombe erfunden haben. Wenn es wieder Krieg gibt, setze ich mich sogleich oben auf die Bombe. Ich melde mich als Freiwilliger dafür, das schwöre ich."
515. Liedvers, den ein kleiner Junge singt: „Wenn einer einen andern fängt, der durch den Roggen läuft" 149. Ein Gedicht von Robert Burns 219.
Holden: „Ich wäre einfach der Fänger im Roggen" 219.
Raabes Phöbe: Pongs, Raabe 499 ff.
Gespräche mit Phoebe: 203–220, 221–228, 260–269.
William Faulkner, „Gespräche mit Faulkner" dt. 1961 (Amerikan. Ausgabe 1959), 255 ff.
Faulkner „Go down. Moses" 1942 deutsch unter dem Titel: „Das verworfene Erbe" 1953 (Herm. Stresau).
Das alte Volk: Sonderkapitel 141–165.
sein eignes Schlachtfeld 146.
516. Begegnung mit dem Hirsch 141–143, 156 ff.
Isaak ein Jäger und ein Mann 155, 156 einig mit der Wildnis 157.
Und dann war der Hirsch plötzlich da: 141.
voll Selbstverleugnung und voller Stolz: 143.
noch siebenmal: 167, 168, 203, 211, 235 ff., 273, 333.
Er hielt den Atem an: 161. der Hirsch 162.
517. daß er dem Geist des Hirschen begegnet ist: 165.
Gottheit des wilden Lebens 170.
Kapitel „Der Bär" 167–232.
Wenn er gestellt wird: 177.
Die Flinte — du wirst schon wählen müssen: 183.
Dann sah er den Bären: 186.
518. Er konnte ihn riechen: 188.
Sams Sterben: 231. Dazu Faulkner selbst in seinen „Gesprächen" 66.
519. Das Gespräch mit dem Vetter: 232–309.
Gott hat die Bibel nur schreiben lassen: 238.

Greuel und Schande: 262 (Einfalt).
Oleh, Chief, Grandfather dt. 163, 309. Gespräche, Leitwort.
Der Bär wird erwähnt 21mal.
Ich werde etwas dagegen tun: Gespräche 257.
William Faulkner, „Requiem für eine Nonne" (Requiem for a Nun 1950), dt. 1956. Dazu: Pongs, Dichtung im gespaltenen Deutschland 1966, 214–224.

520. Leslie A. Fiedler, Freiburger Rede 1968, nach der Besprechung in „Christ und Welt" vom 13. 9. 1968 „Das Zeitalter der neuen Literatur" und fortgesetzt vom 20. 9. 1968.
Tabula-Rasa-Generation: Armin Mohler, „Was die Deutschen fürchten" 1965, 135 ff. Urs Widmer „1945 oder die neue Sprache" 1966, 197 spricht vom Postulat, „tabula rasa zu machen" in der Prosa 1945–1948. Heißenbüttel zieht die bewußten Konsequenzen.
Helmut Heißenbüttel zu Fiedlers Rede: Christ und Welt 4. 10. 1938. „Über Literatur" 1966, 166 ff.
Einheitlich zeigen alle diese Beispiele: 121.
Entlarvung der subjektiven Phänomenologie: 173.
Entlarvung der Einheit des subj. Selbstbewußtseins 202.
Abbreviaturen 180.

521. strategische Sprachbehandlung: 184 ff. (strategische Begabung 176).
Horst Bienek: Textbuch V, Rückumschlag.
Schwejk: Hier wird nachm Krieg eine sehr gute Ernte sein 606.
Demonstration des Nicht-Symbolischen: Über Literatur 198.
Halluzinatorik multipler Welten: „Über Literatur" 204.
Arno Schmidt, „Kaff" 1960.

522. Max Frisch, „Mein Name sei Gantenbein" 1964. Wolfgang Hildesheimer, „Tynset" 1965. Zu beiden Romanen: Pongs, Dichtung im gespaltenen Deutschland 1966, 410 ff.
Zu Heißenbüttel ist noch neu anzuführen sein „Briefwechsel über den Roman" mit Heinrich Vormweg (Akzente 1969, 206–233). Die Frage ist dahin vorgetrieben: „wie weit sich das Außersprachliche, nenne man es nun Leben, Wirklichkeit, Gesellschaft, Materie nur als sprachlich Vermitteltes vorstellen läßt." Da heißt es dann: „Was nicht als außersprachliche Vorstellung gedeckt werden kann ,was nicht sichtbar werden will, wird halluziniert im Medium, aus dem Vorrat und aus der Gesetzlichkeit der Sprache heraus. Der Entwurf der Halluzination ist der Reflex auf Sinnbildlichkeit." (231)
Hier ist die einzige Stelle, die die künftigen Möglichkeiten eines symbolischen Kosmos berührt. Die Antwort des Briefpartners lautet: „Ihre Beschreibung des Entwurfs der Halluzination in der Sprache als eines Reflexes auf Sinnblindheit, der seinerseits Wirklichkeit sozusagen erzeugt, erhellt dabei, in welchem Maße die scheinbar abstrakten Erwägungen direkt auf das zielen, was ist, auf das Wirkliche." (233)
Das Paradoxe dieser Sprachpuristen liegt darin, daß für sie Sinnbildlichkeit und Sinnblindheit offenbar zusammenfallen. Es wäre ihnen zu wünschen, wenn sie ihre gesammelte Sprachenergie einmal auf Stifters „Witiko" richteten, um herauszukommen, warum hier die „außersprachliche Vorstellung" sich als „sprachlich Vermitteltes vorstellen läßt", und zwar im „sanften Gesetz", mit einer Sprachkunst, die „aus Einfalt hervorgeht" (Georg Weippert).
Michail Scholochow, „Der stille Don", 4 Bände, dt. 1957. Jürgen Rühle, Literatur und Revolution 1960, 71–93.

523. Anna Seghers, Der Kopflohn 1933, Der Weg durch den Februar 1935, Die Rettung 1937, Das Siebte Kreuz 1942. Zwischendurch erschien ein Briefwechsel zwischen Anna Seghers und Georg Lukacs: „Es geht um den Realismus" 1938 (Lukacs, Probleme des Realismus 1955).
Erzählungen, 2 Bände, 1963. Transit 1943.

524. Splitter-Existenzen: Anna Seghers im Briefwechsel mit Lukacs, der die „gesellschaftliche Totalität" vermißte: „Uns waren aber Splitterchen, die irgend einen Bruchteil unserer eignen Welt aufrichtig spiegelten, lieber als alle Scheinspiegel."

Zu Anna Seghers: Jürgen Rühle, Literatur und Revolution 1960, 243 ff, Marcel Reich-Ranicki, Dt. Lit. in West und Ost 1963, 354 ff. Pongs, Dichtung im gespaltenen Deutschland 1966, 387 ff., 415 ff.
Anna Seghers „Entscheidung" 1960, Fortsetzung „Das Vertrauen" 1968. Dieselben Figuren weitergeführt auf einen dritten Band zu. Der Sprachstil noch härter, puritanischer, abgezogener geworden.
bei uns wächst: 309.
Pongs, Dichtung im gespaltenen Deutschland 1966, 415 ff.

525. Zum Unternehmer-Roman: Pongs, Jahrbuch der Absatz- und Verbrauchs-Forschung 1968, 46–71.

526. Schrifttum der DDR: Marcel Reich-Ranicki, Dt. Lit. in West und Ost 1963, 305 ff. Zur neusten Literatur: Pongs Dichtung im gespaltenen Deutschland 1966: Erwin Strittmatter, „Ole Bienkopp" 416 ff., Karl-Heinz Jakobs „Beschreibung eines Sommers" (1961) 418 ff., Hermann Kant, „Aula" (1965) 419 ff. Alexander Solschenizyn „Ein Tag im Leben des Iwan Denissowitsch" 1962: Pongs 308–310.

527. Aljoscha 180 Rilke 15. 8. 1903 an Lou.
Danijl Granin „Die Zähmung des Himmels" dt. 1962 Pongs, Typus des Unternehmers 69 ff.

528. Siegfried Lenz, „Deutschstunde" 1966, „Die Freuden der Pflicht" 10, Wit-Wit 61.

529. Dramatiker des Lichts 82, Licht wie ein einziges Loblied 83, Dunkelkammern 212, zweites Gesicht 142 ff. (Kap. VI).
Flammen 14, 470, 496, 538.

530. Internatsleitung: Direktor Himpel 9, 16 ff., 175 ff.–185. 529 ff.
Junger Psychiater Wolfgang Mackenroth 96 ff., 186 ff., 195 ff., 318 ff., 492 ff.
Jepsenphobie 496.
Anarchische Künstlergilde: 520 ff., Urzuständliches 521, kosmischer Dekorateur 521.
Verächter der Städte 198, Telegramm 199.
Opfer der Pflicht 490, was gegen die Pflicht verstößt 208.
Welche Möglichkeiten hat einer 447.

531. Alle bekommen einen Tick 538.
Heinrich Schirmbeck. „Ärgert dich sein rechtes Auge", Darmstadt 1957.

532. Nachfahr des Marcion: 171 (Redner ist nicht die Vatergestalt, sondern ein Seekapitain, sein Freund).
Prinz de Bary (Hauptkriminalszene „Das Schloß" 506 ff.).
Ein verhinderter Dichter: 295.
Seelenkriminalist: Schirmbeck verwendet den Ausdruck in der Novelle „Das Spiegellabyrinth" 1948 (Man müßte den Begriff eines Seelenkriminalisten erschaffen, um Licht in Dinge wie die vorgetragenen zu bringen).

533. eins mit den Dingen 325 (in der Einheit mit den Dingen).
Die Magie der Abbilder zerstört die echten Bilder 365.
Ich weiß, daß mir das Einfache nicht liegt 586.
schizophrene Sybariswelt: Schizophrenen-Camps 563.
Grey ein Schizoider 372. Crispien wenn nicht schizophren so doppelgleisig 389. Es gibt nur noch den gespaltenen Menschen, der sich selbst im Bilde seiner anderen Hälfte diabolisiert 408. War der Akt von Golgatha nicht das Zeugnis einer ungeheuren göttlichen Schizophrenie? 410.

534. Heldendichtung 393. Ehepaar Arthur und Edith Rosenbluet 395.
Gesang vom elektrischen Stuhl 570 ff.
der einzige, der ein reines Gesicht hat 573.
Helles, Strahlendes 569. wie ausgebrannte Krater 572.
Teilhard der Dichtung: Schirmbeck. Die Formel und die Sinnlichkeit 1964, 81.

535. Karl August Horst. „Das Spektrum des modernen Romans" (182 Seiten) 1964. 2. Aufl. der Komplex, die Angstneurose: 139.
der leeren Unendlichkeit des Bewußtseins: 79. wie bei einer Überschwemmung: 95.

Paul Valéry 29, 51, 52, 76 ff., 82, 96, 103–106, 120, 142, 168, 169, 170, 172, 174, 175, 182.
Mechanik eines optischen Kosmos: 96. Universalität: 120, 125, 144, 172, 176.
Kunstwerk als ein gemachtes: 170.
Reinheit: 105, 120, 172, 174, 175. Analogie: 105, 120, 123, 51.
Suche nach dem verlornen Ganzen: 48.

536. Arrangement 53, 119, 122.
Faszination: 97 ff., 104, 105, 107, schwarze-weiße: 84.
Logik-Bildlogik 51, 52, 120. marionettenhaftes Ich: 180.
Ludovic Janvier, „Une parole exigeante" 1967 (Literatur als Herausforderung") Gegen jede Konvention: 170. Antilheld 11 ff.
Chaplinfigur 13, 23, 90. Kunsttrick 20.
Kriminelle Untat 27, 32 ff., 102 ff., 108, 131 ff.
Eifersüchtiger: Robbe-Grillet „La Jalousie" 1957. Seite 28, 112 ff.
Labyrinth 24 ff., 116 ff. (Robbe-Grillet, Dans le labyrinthe).
Faszinatiòn der Dinge 118, Mensch zum Ding reduziert 60 (Dinghaftigkeit eines menschlichen Körpers 132, die Umwelt schickt ihn als etwas Verdingliches zurück 123).
alptraumhafte Hintergründe 34, 116, 145.
Symbol der menschlichen Bedeutungslosigkeit: 23. Gang zum Nichts 24.
Ludwig Pesch „Die romantische Rebellion in der modernen Literatur und Kunst 1962. Abstrakte Kunst 182 ff. Roman ohne Menschengesicht (Rogge-Grillet) 194 ff. Ekstase unterhalb des Gefrierpunkts der Seele 195. Beckett 196.

537. Orestes-Frage: Bruno Snell, Aischylos und das Handeln im Drama 1928, 13. Im 2. Teil der Orestie des Aischylos Choephoroi Vers 899.
Kult-Tanz: Attilo Mordini. Der Logos des Theaters. Zu einer Metaphysik des Schauspiels. Antaios, Nov. 1965, 342 ff.
Arthur Miller, Das soziale Drama der Zukunft (dt. 1956). Abdruck: Siegfried Melchinger, Drama zwischen Shaw und Brecht. 1957, 58.

538. Als Historiker: Klaus Peter Wallraven, Individuum und Revolution, zur Bestimmung einer Kategorie im Historischen, Dramatischen und Philosophisch-Ästhetischen Werk Schillers Diss. Freiburg 1965. Abfall der Niederlande 24 ff. Sak. Ausgabe 14 (Histor. Schriften 2).
„Don Carlos", Säk. Ausgabe 4.
Ein reines Feuer 5316. Lichtsymbolsprache: Pongs, Lichtsymbolik seit der Renaissance, Studium Generale 1960, 637 ff.
Kopernikus: Wallraven 13.
Epilog zu Schillers Glocke: Hamb. Ausgabe I, 259 (3. Fassung 1816), H. A. 532.
Das Bewußtsein des Absoluten: Wolfgang Binder, Schiller Jhb. 1960, 151.
Geschichte des Dreißigjährigen Kriegs, Säk. A. 15 (Hist. Schriften 3), IV. Buch 321 ff.

539. rächende Nemesis: 369. Die Tugenden des Herrschers 375–377.
von einzelnen Fällen zu großen Gesetzen fortzugehen: 18. Juni 1797 an Goethe.
Es ist eine ganz andere Operation: 5. Januar 1798.

540. poetische Fabel: 18. 4. 97 (an Goethe) poetische Ausführung (an Körner, Jonas 5, 171): Brief vom 7. 4. 97.
symbolische Bedeutsamkeit: 23. Juni 97 (an Goethe).
poetische Personen, symbolische Wesen: 24. 8. 98 (an Goethe).
An Körner 28. 11. 1796: Jonas 5, 121.
AW! Schlegel: 7. 4. 97 (an Goethe).

541. Balladen: 2. 5. 97 (an Goethe). Vorspiel: 28. 5. 97.
Beide, der Epiker und der Dramatiker: 25. 4. 97 (an Goethe).
Hans Sachsens poetische Sendung HAI, 135.

542. „Der Hof will einen Teil: Prophyläen-Ausgabe Bd. 12, 184.

543. Prolog: Säk. Ausg. 5, 5 ff. Einleitung J. Minor: gesprochen vom Schauspieler des Max.

544. Zum „Lager": Buchwald, Schiller II, 359 (1954) „das freieste und frohste Spiel, das Schiller geglückt", Th. Mann 1955, 43. „Nie etwas so Lockeres Künstlerisch-Vergnügtes".
falsches Spiel vorwegnehmen: Böckmann, Jhb. Schillergesellschaft IV, 1920, 20.

545. Da geht alles nach Kriegessitt: Vers. 307.
Wer unter seinem Zeichen tut fechten: Vers 350.
Auf der Fortuna ihrem Schiff: Vers 421.
Exempel geben: Vers 439. Hört das Befehlsbuch: Vers 720.
Aufstieg des Friedländers: Vers 448.
Exempel vom kleinen Finger: Vers 757.
Kapuzinerpredigt: Vers 484–624.

546. Reich der Soldaten: Vers 332.
Sagt mir, was hat er an Gut und Wert? Vers 929.
Daß wir zusammen wollen bleiben: Vers 1031.
Reiterlied: 1052–1107.

547. Freiheit ist bei der Macht allein: Vers 1023.
Schlägt er nicht Geld wie der Ferdinand? Vers 875.
Goethe an Schiller: Petersen Briefwechsel 1, 341.
Am 4. November 97: Buchwald, Schiller II, 1954, 363.
die poetisch-rhythmische Sprache: 24. Nov. 97 an Goethe.

548. Ödipus Rex: 2. Okt. 97, Petersen Briefwechsel II, 416.
Richard III: 28. Nov. 97, Petersen II, 436.
Auf Gallas wartet nicht: Vers 22.
Doch alle führt an gleich gewaltgem Zügel: Vers 231.
Buttlers Ausbruch hat Hermann Schneider, Vom Wallenstein bis zum Demetrius 1933, 41. Schiller zum Vorwurf gemacht als Stilbruch.

549. Und hier gelob ichs an: Vers 579.

550. O sie stoßen, sie zwingen mich hinein: Vers 701.
Mich soll das Reich als seinen Schirmer ehren: Vers 835.
Jupiter, der helle Gott: Vers 967.
den Schicksalsmächten: Vers 992.
Ersparen Sie's uns aus dem Zeitungsblatt: Vers 1059.

551. Nein, Herr! seitdem es mir so schlecht bekam: Vers 1177.

552. Wär der Gedank nicht so verwünscht gescheid: Vers 1234.
der astrologische Aberglaube: Goethe an Schiller 8. 12. 98, Petersen II, 174.
Ganz in der Mitte glänzte: Vers 1615.
O nimmer will ich seinen Glauben schelten: Vers 1619.

553. Der Zug des Herzens: Vers 1840.
Es geht ein finstrer Geist: Vers 1899.
Nichts will er: Vers 2333.

554. Was ich dabei zu wagen habe: Vers 2513.
Heut noch werd ich ihn auffordern: Vers 2610.
Denn dieser Königliche: Vers 2639.

555. Der Geist ist nicht zu fassen: Vers 2548.
Und beide Segenssterne: Vers 11 (Wallensteins Tod).
Nicht Zeit ist mehr: Vers 29.
Und eine Lust ists: Vers 424 (Piccolomini).
Er irret sich: Vers 2473 (Piccolomini).

556. Der Monolog: Vers 139–222. Man tut Schiller Unrecht, wenn man Wallenstein psychologisch sieht und im Monolog das Zeugnis eines „Voll-Neurastheniker". (Cysarz, Schiller 1934, 318), eines „Gebrochenen" (Mettin, der politische Schiller 1937, 45). Dagegen stellt Gerhard Storz „die Zweiheit der Ordnungen" (Schiller 1959, 282), Benno v. Wiese den „Mann der Nemesis" (Schiller 1959, 652). Die Monologszene wird zur „Innenbühne", auf der die „widersprüchlichen Kräfte in Wallensteins Seele" sichtbar werden (Pongs, Bild in der Dichtung II, 1939, 565).

557. Entworfen bloß ists ein gemeiner Frevel: Vers 470.
Denn lange, bis es nicht mehr kann: Vers 583.
Sei's denn, behaupte dich: Vers 768.
558. Es gibt im Menschenleben: Vers 897.
559. Dein Weg ist krumm: Vers 1193.
Präzipitation: Petersen, Briefwechsel II, 416.
B. v. Wiese, Schiller 1959, 631 entwickelt die P. zur „Nemesis". Hans Schwerte GRM 1965, 18 findet sie durch „Simultanität" der Handlungen verstärkt.
560. Die Sterne lügen nicht: Vers 1668.
561. Ich stürzte mich auf ihn: Vers 1698.
Es ist entschieden, nun ists gut: Vers 1740.
562. Östreich will keinen Frieden: Vers 1949.
Seht, Fünfzehn Jahr schon brennt: Vers 1981.
563. Gespräch zwischen Wallenstein und Max: 2066–2195.
565. Eile, deine gute Sache: Vers 2353.
Maxens Verzweiflung: 2413–2427.
Wohin denn seh ich plötzlich mich geführt? 155. (Wallensteins Tod)
566. Denn schwer ist mir das Herz: 2993.
Nicht Ruhe find ich: 3143.
Und ich erwart es, daß der Rache Strahl: Vers 647 (Wallensteins Tod).
Ödipus Rex: Brief 2. Okt. 97 an Goethe. Der künftige Stoff zur Tragödie wird „Die Braut von Messina" werden. Den Vergleich mit dem „Ödipus" stellt an B. v. Wiese, Schiller 651 ff. P. A. Bloch „Schiller u. frz. klassische Tragödie" 1968, 252 ff., 268 ff.
567. Bis hieher, Friedland: Vers 2433.
Denn wahrlich, nicht als ein Geächteter: 2458.
568. Szene mit dem Bürgermeister: 2579–2643.
Stifter neuen goldner Zeit: 3218.
Du standest an dem Eingang in die Welt: 3169 ff.
Abschied vom Schönen überhaupt: Schiller deutet selbst auf Racines „Phädra" hin, Hippolyths Ende. (Säk. Ausg. V, 419) Storz, Schiller 1959, 293 sieht nur das Dunkel. Gerhard Kaiser, „Vergötterung und Tod. Die thematische Einheit von Schillers Werk" 1967, 16 betont den Absolutheitsanspruch („Maxens Verzweiflungstod wird durch Theklas Nachfolge zum Erfüllungstod" 17).
569. Er ist der Glückliche: Vers 3421.
Die Blume ist hinweg: 3443.
Der Neid des Schicksals: 3592.
Wer nennt das Glück noch falsch? 3566.
570. Goethes Brief an Schiller 18. 3. 99 Petersen II, 206.
Hegel, Werke (Glockner) 20, 456 ff. Abdruck: H. Mayer, Meisterwerke dt. Literaturkritik I, 1962, 801 ff.
571. Ästhetik 2 Bde. 1955 (Bassenge), tragische Figuren II, 575.
er geht an der Festigkeit der kaiserlichen Gewalt zugrunde: II, 580.
er wirft sich zum Regulator auf: I, 195.
Dergleichen allgemeine Weltzwecke: II, 574.
572. Sie sieht den Menschen: Vers 108.
Goethes Brief an Schiller 18. 3. 99 Petersen II, 206.
finstrer Zeitgrund: Vers 91 (Lager).
Feuerflammen 220, blutigrote Zeichen 508.
573. Jupiter der helle Gott: 967. (Piccolomini).
des Vaters Stern: 1617, Gott 1707.
O wenn ein Haus im Feuer soll vergehn: 1907. (Piccolomini)
Glückseliger Aspekt: Vers 9.
574. Und wie das glückliche Gestirn 757.
Ein glühend, rachvoll Angedenken: 318 (Wallensteins Tod).
Der ersten Jahre denk ich noch mit Lust: 1396 (Wallensteins Tod).
575. Jedwedem zieht er seine Kraft hervor: 428 (Piccolomini).
Unser schnelles Glück: 714 (Piccolomini).
Macht muß es sein: 1743 (Wallensteins Tod).

576. Und wenn der Stern: 2186 (Wallensteins Tod).
Aus der böhmischen Erde: 2434.
577. Goethes Gesamtsicht: Prophyläen Ausgabe 13, 273 (Aufführung vom 30. Jan. 1799). Das fertige Werk geht am 17. März 99 an Goethe.
578. Friedrich Dürrenmatt, Theaterprobleme 1955, 43.
Friedrich Dürrenmatt, Schiller, Eine Rede 1959, Im naiven Theater: 25 nur als Rebell denkbar: 25.
den Menschen für die Freiheit zu ändern: 39.
ein ungeheures Gefälle: 45, kein Revolutionär 32.
579. politisch ohnmächtig: 36.
unser Gewissen: 47, erreicht die Dinge nicht: 45.
nur Symbole und Typen: 43, Welt verändern nur noch ein Schlagwort: 37.
Forschung 1959: Gerhard Storz, Schiller 1959: „Dichtung als Formgebung" 15.
Walter Muschg, Schillerrede 1959: Racine-Dichter 11. O. Seidlin, Von Goethe zu Thomas Mann 1963, „heiter ist die Kunst" 124.
Ostdeutsche Forschung: Horst Hartmann, Weimarer Beiträge Bd. 11 (1965), 29–54. Joachim Müller, Das Edle in d. Freiheit 1960, 129 ff. Hans Mayer, Schiller u. d. Nation 1955, 37 ff.
Generelle Vorwürfe: Neue dt. Literatur 1960, Heft 8: „An der deutschen Wirklichkeit vorbei."
580. Teilhard de Chardin, Die Zukunft des Menschen dt. 1963.
Der Mensch im Kosmos dt. 1959.
die vom Bösen hypnotisierte Zeit: Ernst Benz, Schöpfungsglaube u. Endzeiterwartung 1965, 245.
Evolution: Zukunft des Menschen 257 ff.
Ausbeuter-Arbeiter überlebt: Zukunft d. Menschen 185.
Universum ohne Herz: Zukunft d. Menschen 349.
Schisma: Zukunft d. Menschen 205.
Schiller, Über die ästhet. Erziehung des Menschen. Säk. Ausg. 12, neunter Brief: 30 (1795).
581. Dürrenmatt „Kehraus der weißen Rasse": Theaterprobleme 1955, 47.
Ich kann auch Unmensch sein: Vers 2080 (Wallensteins Tod).
Urkonflikt Väter und Söhne: Julius Schmidhauser, „Revolution. Geschick und Ungeschick der neuen Zeit" 1966.
Väter als „harte Männer der Macht", Söhne revoltierend aus dem „Maß der Mütter".
Zu Dürrenmatt-Brecht: Pongs „Dichtung im gespaltenen Deutschland" 1967, 514 ff. Benno von Wiese, „Schillers Erbe und Aufgabe" 1965.
Willy Tschiedert „Der tragische Held Schillers in der marxistischen Ästhetik" Diss. Marburg 1964.
„Spielball und Täter" Tschiedert 151.
582. Alexander Abusch: Tschiedert 92 ff.
Goethe „Bedeutende Fördernіß durch ein einziges geistreiches Wort" 1823 Hamb. Ausg. 13, 38.
Gustav Adolf: Wallenstein im Gespräch mit dem Kriegsrat von Questenberg: Vers 1220:

„Was machte diesen Gustav
Unwiderstehlich, unbesiegt auf Erden?
Dies: daß er König war in seinem Heer!
Ein König aber (einer, der es ist)
ward nie besiegt noch, als durch seinesgleichen."

Schillerdarstellung: Bibliographie durch Ingrid Bode im Schiller-Jahrbuch 1966 (Bd. 10), 465–505 (Zeit 1962–65). Auch Tschiedert gibt den Forschungsstand für den „Wallenstein" in West und Ost 88 ff.
Die jüngste Darstellung von Emil Staiger, „Schiller" 1967 stellt von vornherein Schiller unter die Beschattung von „Des Lebens Fremde". Er überbetont den Abstand zum Leben. Die Wallenstein-Deutung 300–318 konzentriert sich auf den „Charakter" Wallenstein. Ein großer Verbrecher. Nicht die Elementarsprache der Dichtung wird befragt, briefliche Äußerungen werden zur Kritik herangezogen.

Tschiedert hat den Einblick in die Tragik: „Spielball und Täter zugleich" (151) aus dem „Sternenglauben" hergeleitet. Wallensteins Natur wird in den Satz zusammengesehen: „Wenn ich nicht wirke mehr, bin ich vernichtet." (Vers 528 Wallensteins Tod).

583. Wallenstein ist symbolische Gestalt: Unsrer Darstellung kommt am nächsten Paul Böckmann, Schiller Jhb. IV, 41: „Das Wort als Mittler zwischen Gedanke und Tat macht Freiheit sichtbar." Wallenstein als der, der „Bewegung erzeugt", gerät in das „Walten der Nemesis" 21. B. bleibt mit seiner Konzeption: Wort als Tat im „Dualismus von Natur und Geist" 25, „Zwiespalt zwischen Ideal und Wirklichkeit, Freiheit und Notwendigkeit 440. Nicht ausgeschöpft ist das astrologische Motiv, die Lichtsymbolsprache, der Goethesche Realismus, der Schiller in die unmittelbare Tragik der geschichtlichen Dynamik führt, als Kampf bewegender und erstarrender Kräfte.

583. Schlußszene: V. Akt Wallensteins Tod, Szene 3–10, O bleibe stark 3400.

584. Mir deucht 3415, Abgeleitet ist 3594, Ich sah dich gestern 3471, Gespenst des Messers 3492.

585. Denn dieses Bannes Kraft ist aus 3451, Nichts ist gemein 3570. Die Zeichen stehen 3605, Gordens Kniefall 3636 ff., Blut ist geflossen 3654.

586. Zum Wandel der Stilstruktur: Pongs, Bild in der Dichtung II, Erstaufl. 1939, 533—587.

587. Schiller-Kleist: Ernst Simon. Neue Sammlung 1964, 525–35. D. H. Crosby, Diss. Princeton 1955. Friedrich Koch, Kleist 1958, 203 ff. zieht Wallensteins Traumverblendung heran, als Motiv „eigenmächtiger Weltdeutung" vergleichbar dem Traum des Prinzen. C. Blankenagel, Germ. Review 1962, 1 ff. Kleist-Shakespeare: Meta Corssen, Weimar 1930., Max Lüthi, Shakespeare. Jahrb. 1959, 133–142.
Emil Staiger, Kleist-Rede 1961, Abdruck: Vier Reden zu Kleists Gedächtnis 1962, 56.
Text des Dramas: Neudruck nach der Heidelberger Hds. von Richard Samuel 1964. (Mit Anmerkungen).
Text: Erich Schmidt, Bibliogr. Institut Bd. III, 1905. Helmut Sembdner I. Bd., 1962 (sorgfältigere Interpunktion).

588. Erich Schmidt, III, Einleitung.
Max Kommerell, „Die Sprache u. das Unaussprechliche" 1940. Abdruck „Geist und Buchstabe der Dichtung 4. Aufl. 1956, S. 244. Nachfolge nach dem Pathologischen hin: Hans Heinz Holz, Macht und Ohnmacht der Sprache 1962, 13. Mißverständnis zur Sprache 149, gebrochnes Verhältnis zur Sprache 152, Sprache als Ort der Selbstentfremdung 150.
Martin Buber, Werk I, 423 (Urdistanz u. Beziehung 1951).

589. Blöcker spricht vom „Kasinospaß", von der „Spiellaune eines großen Herrn" (Kleist 1960, 150). G. Fricke betont den Versuch des Kurfürsten, durch eine Pantomime das Unbewußte herauszulocken. (Studien u. Interpretationen 1956, 240). Auf den Hybrischarakter solchen Eingriffs deutet die marxistische Forschung hin: Hans-Günther Thalheim, (Weimarer Beitr. 1965, 494): der Kurfürst „neugierig und zudringlich". harter Humor: Der Kurfürst selbst spricht vom „Scherz, den er sich erlaubt", und verbietet Hohenzollern, irgendetwas darüber dem Prinzen zu sagen. Als Hohenzollern im V. Akt den Prinzen entschuldigt, gibt er dem Kurfürsten die „Schuld". Der Kurfürst selbst: „Hätt ich mit dieses jungen Träumers Zustand zweideutig nicht gescherzt, so blieb er schuldlos." (Vers 1703).
Man sollt ihm helfen: Vers 88.

590. Ins Nichts mit dir zurück: Vers 74.
Das Lorbeersymbol: Den deutlichsten Hinweis darauf gibt Heinz Demisch 1964, 103 ff.
Lorbeermetapher: Brief an Wilhelmine von Zenge aus Würzburg am 19. Sept. 1800 (Briefe Bd. V, 133).

591. Kranzmetapher: Brief an Schwester Ulrike vom 3. Juli 1803: Du wirst mir zu dem einzigen Vergnügen helfen, das in der Zukunft meiner wartet: ich meine, mir den Kranz der Unsterblichkeit zusammen zu pflücken."

Pfuels mündlicher Bericht, aufgezeichnet durch Wilbrant, 1963. Abdruck: Kleists Lebensspuren (H. Sembdner) 1957, 103 (Diederich Bd. 172).
Berliner Abendblätter: Nachdruck 1959, Einleitung.
Welch einen sonderbaren Traum träumt ich: Vers 140.

592. Und er, der Kurfürst: Vers 158.

593. Nun denn, auf deiner Kugel: Vers 355.
Und weil die Nacht so lieblich mich umfing: Vers 120.
Dazu Franz Hafner, Kleists „Prinz Friedrich v. Homburg" 1952, 13: „Einzig Bilder von solch erotischer Dichte entsprechen Kleists Gefühl ganz."

594. Ein schöner Tag: Vers 384, Blöcker, Kleist 1960, 210 (wahrhaft gotterfüllte Worte).

595. Kleistischer Dialog: (Vers 598–608).
Dies Gespräch ist Musterbeispiel für Kleists Aufsatz: „Über die allmähliche Verfertigung der Gedanken beim Reden." Darin der Satz: „Es liegt ein sonderbarer Quell der Begeisterung für denjenigen, der spricht, in einem menschlichen Antlitz, das ihm gegenübersteht" (Werke II, 320). Horst Türk, „Dramensprache als gebrochene Sprache" 1965, 47 ff. klärt (nur an „Penthesilea"), wie „der Dialog das Unaussprechliche offenkundig macht und überwindet". Die Zentralstellung des Bildvermögens bezeugt unser Beispiel. Die fundamentale Bedeutung dieses Liebesdialogs für die künftige Stellung Nataliens und ihre Heilskraft werden in der modernen Forschung kaum beachtet. Nur Hebbel rechnet sie „zum Höchsten der Kunst". Hebbel 1850. Neudruck: Hans Mayer, Meisterwerke dt. Lit. Kritik II, 437 ff.

596. O Cäsar Divus: Vers 713.
Mehr Schlachten noch als die hab ich zu kämpfen: Vers 733.
Mein Vetter Friedrich 777.

597. Schien er am Wachstum meines jungen Ruhms: Vers 833.

598. Er könnte — nein! so ungeheuere Entschließungen: Vers 897.
Ein Rat, wie ihn Mephisto geben könnte: Ingrid Kohrs, Wesen des Tragischen im Drama Kleists 1951, 74: Hohenzollern zeigt den Kurfürsten in niedriger Gesinnung. Franz Hafner, Kleists „Prinz von Homburg" 1952, 39: „die unglaubliche Zuflüsterung Hohenzollerns, der Fürst opfre den Prinzen einem kleinen politischen Vorteil auf." Fricke, Studien 1956, 251: „die kausalischen Gedankengänge Hohenzollerns, daß dem Kurfürsten das Gesetz nur Mittel zu politischen Zwecken.

599. Zu Druck und Aufführung: Eckehard Catholy, Der preußische Hoftheaterstil. (Sammelwerk: Kleist u. d. Gesellschaft) 1965, 75 ff. Bei der ersten Aufführung in Berlin 1828 wurde der Text zusammengestrichen, die Todesfurchtszene durch einen andern Text ersetzt.
Zur Quelle: Erich Schmidt, Einleitung III, 9.

600. Shakespeares „Maß für Maß". Akt III, Szene 1 (Schlegel). Schücking (Engl. Dt) IV, 317.
Marxismus: Hans Günther Thalheim, Weimarer Beitr. 11, 509 f. (1965). Einem toten Gesellschaftsmechanismus geopfert. Auch schon Heinrich Hafner, „Prinz" 1952 betont das Sinnlose im Gesetz, die Rebellion des Prinzen gegen diese Sinnlosigkeit (41).

601. Das Mütterliche: Vers 1007–1009 („Sei ihm die Mutter, wenn ich nicht mehr bin").
Die Unreife: Fricke, Studien 1956, 251, entschlossen, des Prinzen absolutes Gefühl hochzuspielen, geht über die Ausbrüche der Unreife Natalie gegenüber hinweg. Bereits Hebbel 1850 hatte klar gesehen, daß „der Prinz noch kein Held und kein Mann ist", daß erst die Liebesszene begonnen hatte, ihn der „hohlen Scheinexistenz" zu entziehen. Eben darum wird Natalie ihn zu sich zurückführen können. (Hans Mayer, Meisterwerke der Kritik II, 440).
Geh, junger Held: Vers 1053.

602. Hätt'ts du zwei Flügel: Vers 1062, Die Forschung ist der grundlegenden Bedeutung der Bildsprache bisher nicht mit der Entschiedenheit nachgegangen, die Kleist fordern muß. Das gilt auch für die große Gesprächsszene: Natalie —

Kurfürst. Der gröbste Mißgriff hier bei Blöcker, Kleist 69, der von „einer geradezu bravourösen Ambivalenz" Nataliens spricht.
Ich will ihn nicht für mich: Vers 1084.

603. O, dieser Fehltritt: Vers 1095.

604. Mein süßes Kind! Sieh! Wär ich ein Tyrann: Vers 1112.
Hans Günther Thalheim, Weimarer Beitr. 11, 515 (Marxist) stellt fest, daß der Kurfürst hier das Herz negativ bewertet nach dem Launischen, Willkürlichen hin. (Dagegen erscheint Natalie im staatlichen Denken konventionell).

605. Nein, sag, er fleht um Gnade? Vers 1159.
Die höchste Achtung, wie dir wohl bekannt: Vers 1183.
Eine politische Entscheidung: Am Klarsten ist das bei Hans-Günter Thalheim ausgedrückt, der als Marxist alles politisch sieht. Der Kurfürst erkennt, daß es sich nicht um kreatürliche Angst allein handelt, sondern um Rebellion, die das Gesetz als ungerecht und sinnlos sieht und dagegen rebelliert. Weil der Kurfürst „die innere menschliche Erfüllung des Gesetzes will", spricht er den Prinzen frei, wenn er des Kurfürsten Haltung zum Vaterland für unrecht hält. (Weimarer Beitr. 11, 519).

607. Der Monolog des Prinzen: Vers 1286–1296 („Das Leben nennt der Derwisch eine Reise").
Gelassenheit: Franz Hafner, Kleists „Prinz" 1952, 42 ff. Emil Staiger, Vier Reden 1962, 58 (Sinn fürs Allgemeine). Dürst, Kleist 1965, 156 (Ausweitung aufs Allgemeine). Müller-Seidel (Sammelwerk „Das dt. Drama" I, 1962, 398) dagegen spricht vom „Zustand der Resignation".
Nataliens Charakter: Franz Hafner, Kleists „Prinz" 1952, 44 ff: sie lebt wie Alkmene „urgemäß dem göttlichen Gedanken". Ingrid Kohrs, „Wesen des Tragischen im Drama Kleists" 1951, 76 ff.: Schmerzliche Doppelheit in Natalie als Freude um sein Selbstwerden, Wissen um die Todgefahr. Günter Blöcker spricht dagegen von „der geradezu bravourösen Ambivalenz Nataliens" (69). Dadurch wird die ursprüngliche untrügliche Einheitskraft des Gefühls, seine komplexe Größe, aufgehoben. Wäre Natalie ambivalent, würde sie gerade nicht fähig sein, des Prinzen letzte Entschließung jubelnd zu bejahen.

609. der Kurfürst: Franz Hafner, Kleists „Prinz" 1952, 48 ff., der geborne Herrscher. Humor 55. Gesetz und Gefühl bedingen sich 56. (in sich selber gespalten 56?).
Ingrid Kohrs, Das Tragische in Kleists Drama 1951, 86 ff. (Kraft, die das Ganze trägt, auch im Einzelnen).
Hans-Günter Thalheim, Weimarer Beitr. 11, 529 patriarchalischer Absolutismus. Gegenüber Kottwitz „ehr ratlos", auf die Hilfe des Prinzen angewiesen (533).

610. Kottwitz: Franz Hafner 57 ff. (in glücklicher Übereinstimmung mit Gott und Welt 58).

611. Entwicklung des Prinzen: Franz Hafner 65 ff. Erziehung zum „vollendeten Helden" (70) Gerhard Baumgärtel GRM 1966 sieht den Prinzen am Schluß in einem „Sturz aus lichten Höhen", in eine unbefriedigende Wirklichkeit (274), in eine „Situation im Paradoxen" (276), entsprechend der Haltung der Moderne gegenüber dem Idealismus. „Der kriegerisch-vaterländische Lärm" ist ihm ein „Mißton" (274).

613. Lichtfülle der Unsterblichkeit: Emil Staiger, Vier Reden 1962, 58: Auferstanden zu einem überpersönlichen Dasein. Heinz Demisch: Kleist 1964, 110, Symbol der Selbstüberwindung. Fricke, Studien 1956, 262: Triumph des absoluten Selbst, vollkommene Seligkeit des mit seiner Bestimmung einigen Ich. Franz Hafner 1952, 72: Tod des Endlichen Voraussetzung für das unendliche Leben. Gnade.

615. Hans Günther Thalheim, Weimarer Beitr. 11, 483–550 (1965), patriotische Selbstlosigkeit 536, Unsterblichkeit als Welt des Vaterlands 538, alte Feudalordnung unverändert 545, „Harmonie ist Illusion" 545, 548, überalterter Spätfeudalismus 549 signalisiert die Totalität der Spätzeitl. Feudalkrise 549, Prinz Verewigung des preuß. Untertanengeists 546, Kurfürst haftet am Buchstab 543, ähnliche Grundhaltung bei Siegfr. Streller, Das Dramat. Werk Kleists

1966, 221 ff. Eindringlicher als Thalheim arbeitet Streller heraus, daß alle drei Hauptfiguren durch innere Wandlungen hindurchgehen, durch Erschütterungen verwandelt (219 ff.).

616. Evolution Teilhards: Mensch im Kosmos 1959, 206 ff.
Universum ohne Herz: Zukunft des Menschen 349 (1963).
Walter Müller-Seidel, Das deutsche Drama I, 1962, 385–404. Todesfurchtszene 393 ff. alles Schein: Ruhm, Glück, Liebe 394. Im Schatten der M-S-Dialektik auch Arthur Henkel 1962 (Wege der Forschung: Kleist 1967, 576 ff.) ohne Berücksichtigung der Symbolsprache.
Für M.-S. ist auch die berühmte Liebesszene, die Hebbel zum „Höchsten der Kunst" rechnet, „Schein". M.-S. 393 behauptet: „Das jähe Verlöschen der Liebe des Prinzen" (unter der Todesangst) „erweckt den Verdacht, daß es nicht die innerste Wahrheit des Gefühls war, der er folgte". Dabei ist es eindeutig die Einflüsterung Hohenzollerns, der der erschütterte Prinz blindlings folgt. Es ist aber symptomatisch für M.-S., daß er überall „Versehen" aufdeckt und das Freudsche Mißtrauen in jede Seelenregung wirft.
„Zweideutigkeit": M.-S. 390. Bis in die Schlußszene, nach der Hymne auf die Unsterblichkeit, wirft M.-S. sein Mißtrauen in des Prinzen Seele: „ob er an Brandenburg denkt oder an sich selbst."
dialektisches Spiel: M.-S. 397. Das Spiel mit der Gnade, in das Natalie den Kurfürsten verflicht, entspringt dem undialektischsten Wesen im Drama, Natalie, die ganz auf Begegnungen gestellt ist, und die ihr kühnes Spiel nur wagt aus Liebe zum Prinzen.
Schein und Sein: M.-S. 390, 394, 396, 399, 400.
Parallel dazu der Begriff des „Versehens": 388, 392, 393, 400, 403. Kleist selbst braucht das Wort im Drama nur einmal, als der Kurfürst den Vorwurf Hohenzollerns ablehnt und ihn an Hohenzollern zurückgibt: wer das „Versehen" des Prinzen veranlaßt habe. Es ist ein sehr ungenauer Ausdruck für das Traumsehen des Prinzen, das durch den hybrishaften Eingriff seiner Freunde zu Verwirrungen führt, die verhängnisvoll werden.
Ziel der Methode: Kleist vom „Versehen" her zu ergründen, führt zur Zerstörung der Charaktere, der Werte, der Symbole. (Müller-Seidels Buch „Versehen und Erkennen" 1961). Bereits 1954 hatte M.-S. seine Methode angewandt, die Marquise von O in die Zweideutigkeit zu werfen. Dazu meine Klarstellungen Bild in der Dichtung II, 3. Aufl. 1967, Anmerkung 107 (S. 682). Auch hier ist es die Bildersprache, die übergangen wird. Um Müller-Seidel nicht unrecht zu tun, sei noch auf seinen Beitrag zur Borchardt-Festschrift 1962 eingegangen, in der er generell sich zu Kleists Wahrheitsbegriff äußert. „Heinrich von Kleist und die Wahrheit des Menschen" 331–344. Da wird deutlich, daß M.-S. von der Opposition gegen die Verherrlicher des absoluten Gefühls herkommt. Dagegen wendet er Kleists „Unerschrockenheit", sich den Bedrohungen zu stellen, denen das Gefühl ausgesetzt ist. So erscheint Kleist als erster Dichter, der die „Verlorenheit" des Menschen ganz einbezogen hat, nicht um sich „daran zu verlieren" (wie die Modernen), sondern um es zu bewältigen. Dabei kommt M.-S. zu der Einsicht, daß es vor allem die „Konventionen" sind, die das Gefühl verwirren, und gegen die Kleist mit kühner Gesellschaftskritik angeht. Zugleich erkennt M.-S., daß Kleist das untrügliche „Bild vom wahren Menschen" hat, und daß er das Gefühl dafür immer „in Beziehung zum andern Menschen bezeugt". (Kleists Rechtsgefühl). Kleist ist also „mehr als Dichter des absoluten Gefühls", „mehr als Dichter des Nationalen".
Müller-Seidel erkennt weiter, daß das „Humane für Kleist schwieriger geworden sei als für Goethe". Es sei die Enttäuschung der ganzen Generation: „Enttäuschung an der Franz-Revolution, an der idealistischen Philosophie, an der napoleonischen Eroberungspolitik." (343).
Nur die Folgerungen hat M.-S. nicht klar gezogen. Die Enttäuschung seiner Generation sollte ihn nicht verführen, in die urtümliche Dialogik des Kleistschen Geistes dialektische Scheidungen hineinzutragen, mit „Schein und Sein", Versehen usw., um nun seinerseits den Zugang zu Kleists absolutem Gefühl äußerst zu erschweren. Insbesondre beim „Prinzen von Homburg"

übergeht er mit der Symbolsprache die Tiefe des Dialogischen, damit das Innengeflecht des Dramas. Das „Mißtrauen" gegen den Kurfürsten wegen der Schwedenheirat ist des Prinzen unwürdig, und er wird dadurch mit in die Unwürde geworfen. Daß er jugendlich unreif Ruhm und Selbstruhm verwechselt, ist nichts Scheinhaftes, sondern nur etwas Unreifes, und darüber hinwegzureifen hilft ihm Natalie sowohl wie der Kurfürst. Und alles zum Glanze Brandenburgs.

617. Das Tragische gestreift: Ingrid Kohrs, Das Wesen des Tragischen im Drama Kleists 1951.
Müller-Seidel: Versehen und Erkennen 1961, 158.
Günter Blöcker, Kleist 1960, 68, 69, Selbsttod 105.
Zur Ambivalenz: Anmerkung 431.

618. „Woyzeck" als Weltliteratur: Hans Mayer, Büchner u. s. Zeit 2. Aufl. 1960, Fragen der Büchner-Forschung 441 ff.
Marxisten: Hans Mayer, Schiller und die Nation" 1960, 39 erwähnt „Gyges und sein Ring". Da heißt es über Hebbel: Hebbel wird nicht zufällig zum Lieblingsdramatiker des deutschen Bürgertums im Beginn des gesellschaftlichen Niedergangs.
Zur Symbolik von „Gyges und sein Ring": Benno von Wiese, Die dt. Tragödie von Lessing bis Hebbel II, 440 ff. „Der Mythus hat keine eigentlich tragende Bedeutung mehr." „Man kann das feststellen, ohne die Meisterschaft der Symbolfügung als solche zu entwerten." Peter Michelsen, Festschr. Ziegler 1969, 233 ff. („Rhodopes Schleier") legt die „grausame Arithmetik" einer sehr unweiblichen Rache bloß, die beide Frevler straft, indem sie den einen durch den andern töten läßt und dann sich dem Sieger im Selbsttod entzieht. Denn ihr Schleier ist „Einkapselung des Selbst." (266)

619. Arthur Schopenhauer: sein Einfluß bei Robert Mühlher, Büchner u. d. Mythologie des Nihilismus, Dichtung der Krise 1951, Neudruck: Wege der Forschung: Georg Büchner 1965, 261 ff.
Schopenhauer, Welt als Wille und Vorstellung II. Band, III. Buch, Kapitel 37 (Zur Ästhetik der Dichtkunst). Ausgabe der wiss. Buchgesellschaft 1961, II, 559.
Ärztliches Gutachten des Carus 1824: Hist. Kritische Ausgabe Band I (Hamb. Ausg. 487 ff. (1968).
Weltanklage nimmt Marx voraus: Georg Lukacs, Der verfälschte und der wirkliche Büchner (Dt. Realisten des 19. Jhs. 1939), Neudruck: Wege der Forschung: Georg Büchner 1965, 212: (Ein Jahrzehnt später Karl Marx 216). Woyzeck die großartige Gestalt des damaligen Armen.
Hans Mayer, Woyzeck (G. Büchner u. s. Zeit 1946), Wege der Forschung: Büchner 1965, 236: man handelt im Vollzug gesellschaftlicher Vorgänge, von Klassenlagen.

620. Karl Viëtor, Woyzeck (Das innere Reich 1936) Wege z. Forschung 1965, 152 (Ballade), 154 dramatische Ballade. offene Form: Anm. 623.
Volksballade von der Falschen Liebe: Text 64 ff.
Novelle: Lenz Hist. Krit. Ausgabe I, 86 ff.
Karl Viëtor, Woyzeck, Wege d. Forsch. 1965, 174 (Einfalt), 166 (Andres), 167 ff. (Marie).

621. Herderforschung, Hans Dietrich Irmscher, Deutsche Vierteljahrschr. 1963, 307.
Lucile singt: Hist. Krit. Ausgabe 1968, 69.
Eingestreute Volkslieder: Gonthier-Louis-Fink: Volkslied u. Verseinlagen in Dramen Büchners (Dt. Vj. 1961) Wege der Forschung: Büchner 1965, 443–487.

623. offene Form: Volker Klotz, Geschlossene u. offene Form im Drama 1960. Offene Form: 106 ff. Woyzeck metaphorische Verklammerung, 110 ff, (zentrales Ich), 114 Integrationspunkt (Großmuttermärchen) usw.
Ausgaben: Historisch-Kritische Ausgabe (Hamburger Ausg.) (Werner A. Lehmann) I. Bd. 1968 (Anmerkungen vorerst als Paralipomena-Beigabe).
Bergemanns Ausgabe im Insel-Vlg. 7. Aufl. 1958 (mit Paralipomena) zuerst 1922. Kritik: Jhb. Schiller-Gesellsch. 1964, 226 ff.

Ausgabe des Mohnverlags (Hans Jürgen Meinerts) 1963. Ausgabe: Klassische deutsche Dichtung 15 (W. Müller-Seidel) 1964, 264 folgt Lehmanns Paralipomena.

624. Träume von Freimaurern: Gutachten Carus 496.

625. Zwischen Berg und tiefem Tal: Erk-Böhme I, 527.

627. Goethe „Vor Gericht": Ihr gebt mir ja nichts dazu HA 1, 85 (Handschrift 1777, Druck 1815).
Des Fuhrmanns Lust: Erk-Böhme III, 405.

628. Zur Gesprächsstruktur: Helmut Krapp, Dialog bei Büchner 1959 (Diskontinuität). Kritik an Krapp: Franz H. Mautner, Wortgewebe, Sinngefüge und Idee im Woyzeck (Dt. Vj. 1961). Wege z. Forschung: Büchner 1965, 511.

629. Paul Landau, Werke 2 Bde. II, 62.
Bergemann 155.
Histor. Krit. Ausgabe 411.

631. Ausrufer: Im Text folgen wir der Ausgabe von Meinerts, der 179 den satirischen Zusammenhang am klarsten herausstellt. Der von Bergemann und Lehmann gebotene Text macht keinesfalls den Eindruck des Endgültigen.
Beim Gespräch: Tambourmajor-Unteroffizier folgten wir Bergemann in der Verteilung der Reden (156). Bei Lehmann hat der Unteroffizier der ältesten Fassung die Führung (160, 352–356, 412). Meinerts schließt sich Bergemann an.

632. Gespräch Woyzeck — Marie: Was Lehmann hinzu entziffert, verstärkt den Sinn nicht. Wir folgen Bergemann 156, Meinerts 180.
J. Elema, Neophologus 49 (1965). „Der verstümmelte Woyzeck" 131–156 (Handschriftenübersicht 143), Zur Jahrmarktszene 139. Auch Müller-Seidel läßt die Innenbude aus (273).

633. Der andere hat ihm befohlen: Kurzes selbständiges Szenenfragment der ältesten Handschrift.
Hist. Krit. Ausgabe 146, 359, in der Leseausgabe ausgelass. Bei Bergemann unter „Paralipomena" 486. Einleuchtend von Bergemann in den Text eingeordnet als Anfang der Szene „Maries Kammer" 157. Ebenso Meinerts 181. Dann aber bezieht es sich auf Tambour-Unteroffizier, deren Gespräch vorangegangen ist.
Mädel, machs Ladel zu: Nirgends aufzufinden, auch nicht in Lewalter „Kinderlied u. Kinderspiel" 1911.
Gretchens Verse zitiert auch Viëtor, Wege z. Forsch. 167.
Beweis für Maries „Unschuld der Natur".
Text Hist. Krit. Ausg. 413.

635. Drei Großszenen: Hauptmann — Woyzeck Hist. Krit. Ausg. 414–415. Woyzeck — Doktor 417–418. Hauptmann — Doktor — Woyzeck 418–420. Bergemann hat, wenig überzeugend, die Hauptmann-Woyzeck-Szene an den Dramen-Anfang gestellt. (Paul Landau folgend).
Psychologie-Mythologie: Robert Mühlher. Büchner und die Mythologie des Nihilismus (Dichtung der Krise 1951). Neudruck Wege der Forsch. 287: „Nur die Vereinigung von Psychologie u. Mythologie wird Büchner gerecht."

636. Langsam, Woyzeck, langsam: Hist. Krit. Ausg. 171, 360, 414.
wir müßten donnern helfen: Hans Mayer zitiert es, Wege der Forschung 235 und stellt fest, daß hier das Denken bestimmt ist durch das gesellschaftliche Sein, daß die „Ursachen sichtbar werden". (Nach Lehmann-Krolop: Vorbild, Pfeffels Gedicht „Jost".)
Ich bin so schwermütig: Text 418.

637. Woyzeck, der Mensch ist frei: Text 417.

638. Ja und Nein: Text 420. Bergemann 163. Bei Meinerts 203 in den „Anhang" verwiesen. Nach Viëtor 156 reicht die Ja-Nein-Szene „über Woyzecks Denk- und Sagekraft hinaus" (Vielmehr: „Stil von Leonore und Lena). Es betrifft die Grundfrage, ob Woyzeck Psychopath oder Mensch mit eignem Grundwesen, der auf die Entwürdigungen antwortet. Dies bejaht Ursula Paulus, Jb. Schiller G. 1964, 239.

639. Gerhart Hauptmann, Kunst des Dramas 1963, 44.

640. Klaus Zobel, Die innere Form in Büchners Dramen (Innsbrucker Beitr. zur Kulturwissenschaft Bd 6.) 1959, 179 ff. geht von der Messer-Metaphorik aus 180.
Aufbau nach Kontrastszenen: Ingeborg Struthoff, Rezeption Büchners durch das dt. Theater 1957, 36, 43, 44. Eugen Kilian in München 1913 entdeckte zum ersten Mal die großen Kontrastwirkungen Woyzecks fürs Theater. Kontrast-Tabelle Hauptmann-Woyzeck gibt Mautner, Wege d. Forsch. 522.
Kammerszene Tambour-Marie: Text 415. Da Bergemann die Hauptmannszene an den Text-Anfang stellte, blieb ihm nur die Doktorszene, auf die er die Kammerszene folgen ließ (160).

641. Gespräch mit dem Doktor: Die Hist. Krit. Ausg. schiebt vor diesem Gespräch noch die Szene „Auf der Gasse" ein, in der Woyzeck bereits gegen Marie mißtrauisch ist. Meinerts läßt das Doktorgespräch unmittelbar auf das Kammergespräch folgen. Das ist überzeugender, da Woyzecks Mißtrauen erst durch den Hauptmann erweckt werden wird. Unsere Reihenfolge ist daher: Kammergespräch, Gespräch mit dem Doktor. Gespräch zwischen Hauptmann-Doktor-Woyzeck. Auf der Gasse.
Szene: Auf der Gasse. Die Hist. Krit. Ausg. gibt nur den ersten Teil als Lesefassung, 416, als Synopse die ältere Fassung (Louisel-Franz) 377.
Eine Kontamination des ersten Teils mit dem Schluß der älteren Fassung bietet Paul Landau 1909 II, 71. Bergemann folgt hier Landau 163–164. Er läßt auch folgerecht diese Szene auf das Gespräch: Hauptmann-Doktor-Woyzeck folgen, in dem Woyzeck über die Untreue seiner Frau aufgeklärt wird.
Meinerts läßt die Szene: Marie-Woyzeck unmittelbar auf die Doktorszene folgen, bringt aber den Schluß der älteren Fassung nicht und läßt eine verkürzte Fassung des Gesprächs: Hauptmann-Doktor (ohne Woyzeck) auf die Mißtrauensszene Woyzecks folgen. Das ist schwer verständlich.
Wir folgen im Text der Hist. Krit. Ausg. 416 und 377.

642. Messer in den Leib: Bei Zobel 180 einbezogen in die „Innere Form" des Ganzen.
Jeder Mensch ist ein Abgrund: Nach Viëtor wäre das nur glaubhaft in Dantons Mund (156). Mauthner, Wortgewebe 529 hebt das Abgrundbild heraus.
Wachtstube: 420. Bergemann 164.
„Frau Wirtin hat auch eine Magd": die vierte Strophe vom Lied „Es steht ein Wirtshaus an der Lahn", Erk-Böhme II, 653. Der Text etwas verändert:

Die Wirtin hat auch eine Magd,
Sie sitzt im Garten und pflückt Salat;
Sie kann es kaum erwarten,
Bis daß das Glöcklein zwölfe schlägt,
Da kommen die Soldaten.

643. Wirtshaus 177, 421. Bergemann 165.
Ein Jäger aus Kurpfalz: Erk-Böhme III, 315.
Leicht abgewandelt:

Ein Jäger aus Kurpfalz.
Der reitet durch den grünen Wald
Er schließt sein Wild daher
Gleich wie es ihm gefällt
Ju ja, Ju ja, gar lustig ist die Jägerei
Allhier auf grüner Heid.

Kontrastszene: Doktor als Professor: (Hof des Doktors), Text 425. Bergemann 167.
Erfahrungen als Medizinstudent: Hans Winkler, Woyzeck 1925, 118, nach den Lebenserinnerungen von Carl Vogt, Mitstudent in Gießen (1906). Ohrmuskeldemonstration des Prof. Wilbrand S. 55. Zum Verhältnis Vogt zu Büchner S. 121: „Dieser Büchner war uns nicht sympathisch." Er machte beständig ein Gesicht wie eine Katze, wenns donnert, hielt sich günzlich abseits, verkehrte nur mit dem „rote August".

644. Einschub: Histor. Krit. Ausgabe gibt die Szene nach der Szene „Kaserne" 394, 425. Bergemann etwas früher: „Zimmer der Kaserne" 167. Meinerts folgt Bergemann.
Zwei Kurzszenen:
1. Ein Zimmer: 383, Bergemann, Paralipomena 487.
Der ausführliche Messer-Traum gehört in die Vorbereitungen der inneren Form.
2. Kasernenhof: 383. Bergemann 168, 488.
Kurt May, Wege d. Forsch. 245, 250.
645. Wirtshaus 179, 385, 423. Bergemann 169.
Mauthner, Wege d. Forsch. 533 ff.
646. Kramladen 788, 424. Bergemann 169.
Zur Theaterwirkung der Szene: Ingeborg Strudthoff, Rezeption durchs Theater 1957, 34 (sehr beliebte Rolle).
647. Kammer: Marie der Narr 424. Bergemann 170.
(Bergemann zieht die Märchenzitate des Narren vor an den Anfang, ohne Notwendigkeit.)
Zum Narren: Helmut Krapp, Der Dialog bei B. 1959, 87.
Fingerspiel. „Der Satzlauf gerinnt zum Zitat."
648. Kaserne (Woyzecks Testament) 181, 392, 425. Bergemann 170.
Nach der Hist. Krit. Ausgabe hat Büchner zwei fromme Verse in seinen Text aufgenommen. Der andre lautet genau gleich den Versen im „Lenz" (84):
Leiden sei all mein Gewinst,
Leiden sei mein Gottesdienst
Es liegt auf der Hand, daß Büchner für die Endfassung nur einen Vers ausgewählt hätte, und dann nicht die Wiederholung des Verses aus dem „Lenz". Bergemann 170 hat sich für den zweiten Vers entschieden. Ebenso Meinerts 193.
649. Szene vor der Haustür: 151, 397, 426. Bergemann 171. Gonthier-Louis Fink, Volkslied und Verseinlage in den Dramen Büchners (1961). Wege d. Forsch. 449 bestätigt zwar, daß sich hier „die Freude hervorwagt", doch werden die „rote Socken" auf Unheil gedeutet, „Wie sonst bei Büchner zeugt Rot für Blut und Mord". Zur Freude „der trügerische Schatten". Gerade bei Marie hat die Farbe „rot" die Gegenbedeutung: von der Fülle des Lebens: „und doch habe ich einen so roten Mund als die großen Madamen". Wenn Marie in der unheimlichen letzten Wanderung mit Woyzeck den „roten Mond" heranruft, so gewiß nicht, um damit den Mörderdolch auf sich zu ziehen. Die Darstellung von G.-L. Fink erscheint dem Volkslied gegenüber ambivalent. Obgleich die Stelle zitiert wird, in der Büchner das Volkslied neben Shakespeare stellt, wird überall das Zynische, Düstre herausgesucht.
650. Märchen von den Sieben Raben: Jubiläumsausgabe (von der Leyen) I. 209.
651. Diskontinuität: Helmut Krapp, Der Dialog bei Büchner 1959 für den Woyzeck 79 ff. „Auf das Kontinuum der Rede wird verzichtet." „Textur aus Einzelwörtern" „Rhythmus als hemmungslose Dynamik, die Woyzecks Getriebenheit ist." Mauthners Einwand gegen Krapp, Wege d. Forsch. 511 ist der, daß er das „Starre" überbetone, ohne die „Ausdrucks- und Wandlungsfähigkeit" zu berücksichtigen. Das gilt besonders für die innere Bildsprache.
Erste Person: Halt! 152, 401, 428. Bergemann 175.
652. Die andre Szene: (Kinder): 403, 430. Bergemann 494.
(Paralipomena) Meinerts 197.
Die Vordeutung auf Tod durch Ertrinken wird nicht berücksichtigt, insbesondre bei Müller-Seidel nicht (265).
Letzte Wirtshausszene: 401, 429. Bergemann 173. Nach der Hist. Krit. Ausgabe singt Woyzeck dasselbe Lied wie früher Andres (Frau Wirthin hat 'ne brave Magd). Bergemann holt sich aus den ältesten Handschriften eine Wirtshausszene heraus, in der der „Barbier" (damals noch dem künftigen Woyzeck gleichgesetzt) den Vers singt, den der Text bringt.
653. Nach den Lebenserinnerungen von Carl Vogt, dem Studienfreund Büchners in Gießen, gemeinsam in Kneipen gesungen als hessisches Volkslied. Weder

bei Erk-Böhme, Pinck noch bei Otto Böckel, Dt. Volkslieder aus Oberhessen 1885. Vgl. Hans Winkler, Woyzeck 1925, 127.
Die von Woyzeck zum Singen aufgeforderte Käthe singt aus dem schwäbischen Volkslied „Auf dieser Welt hab ich kein Freud" die Schluß-Strophe Als Woyzeck darauf anspielt: „Man kann auch ohne Schuh in die Höll gehn", antworte sie schärfer als im Lied selbst, das nach Böckel Nr. 10 in vierter Strophe lautet:

Mein Schatz wollt mir einen Taler gebn,
Ich sollt mit ihr zu Bette gehn.
Zu Bette gehn, das wär' mir fein,
Behalt Deinen Taler, ich schlaf allein.

Zeugnis für das selbständige und schlagfertige Umsingen von Volksliedern im Dialog.

654. Der is ins Wasser gfall: 406, 431. Nach dem Register von Bergemann singt der Narr ein Fünffingerabzählliedchen (Elsässisches Volksbüchlein).
Bergemann 508 verlegt die Szene in die Paralipomena. Die Hist. Krit. Ausgabe stellt sie an den Schluß.

655. „Das Messer": 430 Bergemann 174.

656. Hans Winkler, Woyzeck 1925, zum „Fall Dieß" 113 ff.

657. Gottesgerichtliche Härte: Was Büchner vorgeschwebt haben mag, hat der moderne Dramatiker Max Frisch in seiner verunglückten Nachahmung von Büchners Woyzeck im Stück „Andorra" 1962 dahin ausgebaut, daß er einzelne Figuren des Stücks vor einen imaginären Zeugenstand fordert, wo sie sich verantworten müssen.
Es handelt sich hier nicht um eine reale Gerichtsverhandlung, wie sie den historischen Woyzeck zum Tode verurteilt hat, sondern um eine überwölbende unsichtbare Möglichkeit des Gerichts. Ihre stärkste Kontrastwirkung würde darin liegen, daß sie angesichts der beiden zugrundegerichteten Leichen vor sich ginge.
Paul Landau, Büchners Werke 1909, Einleitung I, 152, Wege d. Forschung 76.
keine Dichter: der Versuch von Max Frisch, im Stück „Andorra" Woyzecks Stil aufzunehmen und ins Moderne zu überführen, kann nur als gescheitert angesehen werden. Meine Kritik: Dichtung im gespaltenen Deutschland" 1967, 450 ff.
Albert Steinrück: Ingeborg Strudthoff, Rezeption Büchners durch das Theater 1957, 45 ff. der verhinderte Revolutionär 47.
Eugen Klöpfer: Strudthoff 61 ff. Marionette 64.

658. Kontrastwirkungen: Strudhoff 43 ff. (Kilian).
Viktor Klotz, Geschlossene und offene Form im Drama 1960, 103 ff spricht von „komplementären Strängen", Kontrasten 163. „Pluralität der Sprachbereiche 166 ff. Sprechen auf verschiednen Ebenen 193 ff.
zusammenziehende Kraft der Bilder: Klaus, Zur inneren Form in Büchners Dramen 1959 (Innsbrucker Beitr.) 180. Viktor Klotz: Metaphorische Verklammerungen 106 ff.

659. Grund und Abgrund. Die marxistische Gegenposition zeichnet Teilhard de Chardin, wenn er den Kommunismus ein „Universum ohne Herz" nennt. (Zukunft des Menschen 349.) Kinderseele: Strudthoff 61, Viëtor, Wege z. Forsch. 174.

661. Lenz 87.
Max Scheler, Abhandlungen und Aufsätze I, 277 ff. (1915).

662. Georg Lukacs, Wege d. Forschung 199, 206.
die großartigste Gestalt 216, plebejischer Revolutionär 203.
Hans Mayer, Wege f. Forsch. 233, u. „Büchner" Aufs. 1960, 441 ff.
Kurt May, Wege d. Forsch. 245 (zuerst 1950).
Klaus Zobel, Innsbrucker Beitr. 6, 180.
Münchener Diss.: Heinz Fischer, Acedia und Landschaft in Büchners Dramen: 1958 religiöse Wurzeln 123.
numinose Charakter der Landschaft 83.

663. Bodo Rollka, Untersuchungen zur Struktur des Raumes in Büchners Woyzeck 1967. Berlin. Fünf Raumgruppen: der personabestimmte, der institutionali-

sierte, der objektivierte, der Sozialraum, der Naturraum 181, alle als „Lebensräume räumlich symbolisierter Vorgänge" 180.
Viktor Klotz, Geschlossene und offene Form im Drama 1960. Metaphorische Verklammerung 106 ff., das zentrale Ich 108 ff., Integrationspunkte 113 ff. Komposition von unten nach oben, 157 ff. Shakespeares Weltbild 239.
Ost-Westforschung zuletzt bei Hans Mayer, „Büchner", 2. Aufl. 1960 „Fragen der Büchnerforschung" 441 ff. Er schränkt die Angriffe von Lukacs ein, betont die wachsende Weltgeltung des „Woyzeck".

664. Gerhart Hauptmann: sein schärfster zeitgenössischer Kritiker wurde Josef Hofmiller (Zeitgenossen 1910): „Unentschiedenes Schwanken zwischen Extremen, Schielen nach Extremen (43). „Er hat es nie vermocht aus der Fülle zu gestalten" (44). Der ausgesprochene Nicht-Dramatiker, aus den Gleisen seiner novellistischen Begabung herausgerissen (50).
Arno Holz: Paul Fechter, Hauptmann 1922, 10: die Bekanntschaft mit Arno Holz und dem „Papa Hamlet" gibt den letzten Stoß für die Wendung zum Drama. René Hartogs, Theorie des Dramas im dt. Naturalismus 1931. 46 ff.: Hauptmann widmete die erste Auflage von „Vor Sonnenaufgang" 1889. Bjarne P! Holmsen, dem Pseudonym für Holz und Schlaf. „Papa Hamlet" 1889. Der Titel „Vor Sonnenaufgang" stammt von Holz.
Hauptmanns Sinn für das „Urdrama: „Kunst des Dramas" 1963, 44. Über das Urdrama. Aus der amerikanischen Goethe-Rede 1932.
Zu den „Webern": Paul Fechter „Hauptmann" 1922, 82: wenn eine verirrte Preußen-Kugel sinnlos den preußischsten dieser Weber niederstreckt.
Zu den „Ratten": Was Karl Guthke „Geschichte und Poetik der Tragikomödie" 1961, 260–266 als echte Tragikomödie beleuchtet, wird vom Rattensymbol her zum „schattenhaft phantastischen Sinnbild" (Fechter 97). Die Ratten als Zerstörungskräfte der Zivilisation erhalten in der angenagten Ideologie des abgesetzten Theaterdirektors und der christlichen Diskrepanz zwischen Vater und Sohn Spitta metaphorische Randlichter, die der Komik, aber nicht einer überzeugenden Weltsymbolik dienen.
Zu Brechts balladischer Begabung: Klaus Schuhmann. Der Lyriker Brecht 1913–1933, 1964, 14 ff. (der künftige Balladendichter). Die erste schon eigengeformte Brechtballade 1916: „Lied von der Eisenbahntruppe von Fort Donald. Seit 1917 in München: Einfluß Wedekinds (35) († 1918).
Episches Theater: Marianne Kesting, „Das epische Theater" 1959. Franz Hubert Crumbach, Struktur des epischen Theaters 1960.

665. „Vom armen B. B.": Hauspostille 1927, Gedichte I, 147, 140 ff. Entstehung 1921. (Suhrkamp-Ausgabe der Gedichte und Lieder 1956, 8). Klaus Schuhmann, Der Lyriker Brecht 1964, 82 ff. Eine ästhet. Würdigung bringt Clemens Heselhaus, Dt. Lyrik der Moderne 1961, 333. Er stellt das Gedicht unter die „Masken Brechts" ab. Das Gedicht enthält mit dem Hinweis auf die schwarzen Wälder und die Mutter, die für Brecht eins der wenigen Urerlebnisse blieb (sie starb 1920), einen unmittelbaren Zugang zum Brechtschen Kern. Auch die entscheidende Bedeutung der „Kälte" findet bei H. keine Würdigung. Der Schutzmantel der Kälte hat ihn vor dem Expressionismus der Frühzeit ebenso bewahrt wie vor den Übergriffen eines politisch aggressiven Kommunismus.
Kommunismus: Zu Karl Korsch: W. Rasch, Merkur 1963, Nr. 188. Alternative April 1965 (Korsch lebte 1886–1961). Korschs Hauptschrift: Marxismus und Philosophie 1923. Brecht trat der Kommunistischen Partei nicht bei. Er heiratete aber 1928 Helene Weigel, die Partei-Kommunistin war. In den Jahren 1928–1933 ist Brecht am stärksten marxistisch ausgerichtet (Lehrstücke: „Das Badener Lehrstück vom Einverständnis" 1929. Der Jasager und der Neinsager 1929. Die Maßnahme 1930. Die heilige Johanna der Schlachthöfe 1930).
Episches Theater: Anstoß wurde 1919 Lion Feuchtwangers „dramatischer Roman", der unter dem Titel „Thomas Wendt" Brecht selbst zur Hauptfigur machte. Außerdem beeinflußte Brecht Piscators Regie-Stil, insbesondre die Aufführung des „Braven Soldaten Schwejk" (nach Haseks Roman) 1928. Nachwort zur „Dreigroschenoper": Stücke 3, 143 ff.

Anmerkungen zur Oper: Aufstieg und Fall der Stadt Mahagonny, Stücke 3, 266 ff.
Die Maßnahme: Stücke 4, 257 ff. Pongs, Dichtung im gespaltnen Deutschland 1967, 443 ff.

666. Die heilige Johanna der Schlachthöfe. Stücke 4, 7 ff., Pongs, Dichtung im gespaltenen Deutschland 1967, 205 ff., heutige Entwicklungsstufe des faustischen Menschen: Vorwort zu Versuche 13, V (grobe Parodie auf Schillers „Jungfrau". Goethes „Faust II").
Ernst Schumacher, Brechts „Leben des Galilei" 1965 (522 Seiten), 73 ff.
667. Rückwendung zur Historie: Schumacher, 68 ff.
Zum Titel: Schumacher 17 ff.
Volkstümlichkeit und Realismus: Sinn und Form 1958, 495 f. (Zur selben Zeit: „Weite und Vielfalt der realistischen Schreibweise", Versuche 13, 99–114 (1954).
668. Erstfassung: Ernst Schumacher 24 ff. Endfassung: Stücke 8, 141 ff.
Leben des Galilei: Stücke 8, 7–195.
669. Naiv muß jedes wahre Genie sein: Schiller, Über naive und sentimentalische Dichtung. Säk. Ausg. 12, 173 ff.
Brecht: Das Naive ist eine ästhetische Kategorie: Sinn und Form. Brechtheft II, 267 ff. (1957).
Als riesige Figur: Stücke 8, 201 (Nachwort).
670. Gespräch mit Sagredo: 46 ff.
Kontrastszenen: Schumacher 158, spricht bei der amerikanischen Aufführung 1947 davon, daß die „antagonistischen Kräfte" dramatisch gesteigert werden. Kontrastszenen im Sinn des Offenen Dramas: Volker Klotz, Geschlossene und offene Form im Drama 163 ff. Der offenen Form entspricht für den Aufbau vielmehr kontrastierende Widersprüchlichkeit in der Realität als „dialektische Struktur" (Rohrmoser, Das dt. Drama II, 413 ff.) (Werner Zimmermann, Wirkendes Wort 1965).
672. Das hat die Welt noch nicht gesehn 8, 85.
673. Symbol der Perle: Stücke 8, 113.
674. Die Wahrheit im Sacke 8, 118 (9. Szene).
Wer die Wahrheit nicht weiß: 8, 120.
675. Vater sagt: die Theologen haben ihr Glockenläuten 8, 127.
676. Andreas Song: 131.
Volksrevolutionär 8, 136 (daß nichts sich bewegt, was nicht bewegt wird 137).
677. Virginia: Erstfassung: sie selbst löst das Verlöbnis auf, weil ihr Bräutigam erklärt, er habe nicht den Mut Galileis und nicht Vermögen genug.
Die zweite amerikanische Fassung hatte einen eigenen amerikanischen Song: Schumacher 149.
Es soll jetzt die creatio dei: 8, 143.
Bibelzertrümmerer: zum ersten Mal in der amerikanischen Fassung. Schumacher 151.
678. Gespräch mit Vanni: amerikanische Fassung führt das Gespräch mit dem Eisengießer Matti ein. Schumacher 151.
679. Was die Barbaren Rom gelassen haben: Stücke 8, 156.
Galilei im Kerker: Schumacher 26 ff.
Schüler im Palast: 8, 161 ff.
680. Unglücklich das Land, das keine Helden hat 8, 167.
Unglücklich das Land, das Helden nötig hat 8, 168.
681. Schon in der Urfassung: Schumacher 27.
Erstfassung: Schumacher 28 ff.
Letztfassung: 8, 170 ff. als 14. Szene.
untertänige Antworten: wie weit Brecht hier das Untertänige betonen will, wie weit die Ironie, bleibt offen. Schumacher 200 und 240 sieht hier Absichten Brechts, Galileis „Kollaborationsbereitschaft zu unterstreichen". Ausdrücklich aber befragt Galilei seine Tochter, ob „eine Ironie hineingelesen werden könnte".
Discorsi: aus der Erstfassung wieder übernommen. Schumacher 240.

682. Schauspieler Laughton: Schumacher 140–145.
Brecht, Nachwort: Stücke 8, 210.
Der infernalische Effekt der Bombe: 8, 201.
Am Ende betreibt er seine Wissenschaft: 8, 205.
Laughton als Galilei: Schumacher 220 (Irwin Shaw).
683. Verhör: Schumacher 205–216.
Brecht, Nachwort 8, 204: „Erbsünde der modernen Naturwissenschaften."
Schumacher 182: „Kernforschungsutopie."
684. Was die befleckten Hände betrifft: 8, 182.
Laughtons Spiel: Schumacher 200 (Laughton wehrt sich gegen den Anruf: „Willkommen im Rinnstein").
perlmutterner Dunst von Aberglauben: 8, 185, 186.
Das Elend der Vielen: 8, 185.
685. Schumacher behandelt die Realitäten, die Brecht durch Galilei aussprechen läßt, im Kapitel: Brecht und die Gewissensbisse der Kernforscher 177–186. Er zitiert ein Wort Einsteins: „Man muß auf den Marktplätzen der Kleinstädte die Tatsachen über die Atomenergie zur Kenntnis bringen" (187).
686. Ernst Schumacher 168. Ebenso Gerhard Szczesny.
Brecht, Leben des Galilei. Dichtung und Wirklichkeit 1966, 63 ff.
riesige Figur: Brecht, Nachwort 8, 201.
687. Günter Rohrmoser, Das Deutsche Drama (v. Wiese) II, 413 ff. 1962. Ergänzend dazu: Werner Zimmermann, Brechts Leben des Galilei Wirkendes Wort. Beiheft 12, 1965, betont die Elemente des Tragischen, unausgeformt, im offenen Drama 99.
688. Brecht am 30. Juli 1945 im Gespräch mit dem österreichischen Emigranten Hans Winge. Schumacher 145 (nach dem Brecht-Archiv): Gegenbeispiel zu den Parabeln.
Theodor Litt, Technisches Denken und menschliche Bildung 1957, 64 (Sie wollten nicht wissen), (Schicksal der Ambivalenz).
689. Litt ruft den „ganzen Menschen": 89, innere Ordnung 64.
Zur Stellung Brechts zwischen diesen Polen: Max Höger, Brecht 1962, 95: „Brecht wurde zum tragischen Menschen. Er wußte keinen Ausweg aus dem Dilemma zwischen der ethisch-tragischen Anlage seiner großen Figuren, einer Shen Te oder eines Galilei, und der Verneinung alles Tragischen aus ideologischen Gründen." „In diesem Widerspruch ist Brecht sehr modern."
Der Einbruch des Lichts: Schumacher 37.
690. Knittelvers vor der 15. Szene: 8, 190.
als Chorstimme an den Schluß gesetzt:
In der Galilei-Ausgabe, die 1962 als Nachlaß Brechts erschien: „Aufbau einer Rolle Brechts Galilei" (Hanns Eisler).
691. Der gute Mensch von Sezuan (Setschuan): Stücke 8, 217 ff.
Parabel-Symbol: Przywara, Analogia entis. Neudruck 1962,345 ff. In den Schriften zum Theater (Werke VII) 1967, 1157 ff. hat Brecht das Handlungsgeschehen als „Zeitungsbericht" zusammengezogen. Der Vetter kommt sehr viel schlechter weg. Das Ganze wirkt als Fiktion einer Quelle.
Wangs Becher mit doppeltem Boden: 8, 222.
Du schieläugiger Schieler: 224 ff.
692. Seid ihr die Erleuchteten? 229.
Glauben der Einfältigen: Anrede die „Erleuchteten": 218, 219, 220, 229, 230, 231, 250, 279, 281, 282, 283, 337, 338, 359, 388, 401, 404, 406 (Achtzehnmal).
Shen Te, die ihnen mit der Lampe leuchtet 8, 229.
Die Götter selbst: „leuchtete uns mit einer Lampe 249.
die du . . . die kleine Lampe trägst 404.
693. Wir glauben fest: 339.
Die Götter: Die ostdeutsche Forschung, Werner Mittenzweig 1965, 149, nimmt die Götter als gegeben hin, ohne Parodie. Die westdeutsche Forschung will die Götter nur noch parodistisch sehen: Volker Klotz, Brecht 1957, 18, spricht von „Popanzen"; Holthusen vom „dialektischen Grundmuster" (Kritisches Verstehen 1961, 108). Esslin (Brecht 1960 dt.) nennt die Götter „unfähige" (158, 356).

Heilige Johanna der Schlachthöfe: Stücke 4.
erstes antikapitalistisches Kampfstück: Otto Mann, Maß oder Mythos 1959, 82.
Heutige Entwicklungsstufe des faustischen Menschen: Vorwort Versuche 13, 5.
Leider können wir nicht bleiben 8, 406.
Bergschluchten: Faust II, 118, 45 ff.

694. Lied vom Rauch: 8, 246. Rischbieter in seiner Kurzbiographie Brechts 1966. Bd. II, 41 erinnert an 1. Mose 18, 28: „da ging ein Rauch auf vom Lande wie ein Rauch von Ofen." Crumbach, Struktur des epischen Theaters 1960, 205 stellt nur fest: „die Familie hat ihr Schicksal als naturgesetzlich dargestellt."

695. Unterbrechungen: Walter Benjamin „Was ist das epische Theater" sieht die „formale Leistung der Songs mit ihren rüden, herzzerreißenden Refrains" im „retardierenden Charakter der Unterbrechung". (Versuche über Brecht 1966, 10, zuerst 1939.) Ziel solcher Unterbrechung soll sein: „Zustände zu entdecken"; „Staunen" wachzurufen, damit „Interesse". Wir sehen vielmehr in den Songs Steigerungen, die der Gesamtwirkung des Mysterienspiels dienen, balladischem Ursprung gemäß.
Wangs Lied des Wasserverkäufers „im Regen" 8, 276 und nochmals mit der Eingangsstrophe 8, 375.
Lied vom achten Elefanten: 8, 369 mit 4 Strophen.

696. Phantasie: griechisch auch „phantasma" und „phasma" von phano an den Tag bringen. phantos als Adjektiv, verb. von phaino. Derselbe Stamm wie „phoos" = das Licht, das Helle.
Zwei Lieder sind besondrer Art: Lieder der Einzelstimme: Lied Shen Tes „von der Wehrlosigkeit der Götter 8, 296 ff. und Lied Suns" vom Sankt Nimmerleinstag 8, 335. Beide sind besonders zu besprechen.

697. Shen Te im Selbstgespräch: 8, 235, 238.
Shen Te ans Publikum: 239. Faust 382.
Seid willkommen! 8, 236, 242.

698. Da die Forschung Shen Tes Humor bisher nicht voll gewürdigt hat, sei Harald Höffdings „Humor als Lebensgefühl" von 1930 angeführt: „Das Verständnis muß so umfassend und zusammenhängend sein, daß der Mensch die Vorstellung von einer großen Ordnung der Dinge hat." Das hat Crumbach bestimmt (Struktur des epischen Theaters 1960, 213), Brechts Mysterienspiel neben Calderon zu stellen. Rischbieters Kurzbiographie 1966 spricht von der „lustvollen Produktivität" in Shen Tes Freundlichkeit, als „Qualität einer neuen Ethik". Er vernüchtert das Mysterienspiel zum „Theater des Zeigens" als nachgeahmtes China. Daß gerade der Humor deutliches Anzeichen dafür ist, daß Brecht hinter der „Spaltung der Figur" die lebendige Einheit immer festhält, wird bei ihm nicht deutlich. Werner Mittenzwei 1965 als Stimme Ostdeutschlands läßt sich zu sehr von der Formel „Dialektik von Individuellem und Gesellschaftlichem" bestimmen, um dem Humor gerecht zu werden. Er sieht wohl, daß Shen Te ein scharfes Auge hat, auch wenn sie sich nicht in Shui Ta verwandeln muß, und daß umgekehrt Shui Ta nicht „das Böse" schlechthin ist, sondern nur mit geschärfterem Blick das „Deformierende der kapitalistischen Entfremdung" sieht. Der Zusammenhang von Shen Tes komplexem Charakter mit ihrem Humor ebenso wie mit der inneren Sprachform ihrer sich steigernden Bildphantasie findet sich in meiner eignen Darstellung des „Guten Menschen" im Buche „Dichtung im gespaltenen Deutschland" 1967.
Geschenk der Götter (im Zusammenhang mit dem Humor als Ordnungswissen): 247 (Was werden die Götter sagen? 241).
„Der Rettung kleiner Nachen": 248.

699. Der Gouverneur befragt: 8, 253. Reinhold Grimm, Brecht und die Weltlit. 1961, 65 bringt das Originalgedicht und die Umänderung, ohne das Jetzt und Hier der Shen Te-Situation.

700. Die Liebesszene. Mittenzwei läßt diesen Triumph des Dialogischen aus seiner „Dialektik von Individuellem und Gesellschaftlichem" ganz heraus. Crumbach 205 zieht die Liebe nur heran, um zu zeigen, daß „neue Schuld aus selbst-

loser Liebe" entsteht. Rischbieter 1966, II, 35 entnimmt der Szene den Begriff der „produktiven Freundlichkeit", zugleich öffnet er sich der im Regen symbolisierten Überfülle des produktiven Glücks. Auf das Schöpferische in Shen Tes Einfalt als ein Urphänomen, ein Ur-Licht, im symbolischen Kosmos dieser Dichtung will er nicht eingehen. So aber wird der Bezug, der auf den Regen genommen wird, nur zum Randsymbol.

703. Ich habe immer gehört: 8, 286. Die Stelle ist nur der Anfang einer Bilderfülle, die jetzt Shen Te überflutet, und die sie sich dialogisch umsetzt für einen imaginären Hörer: „Ich sage euch ... Ich sage euch." Dazu meine ausführlichere Darstellung: „Dichtung im gespaltnen Deutschland" 189.

704. Das Lied an die Götter 8, 296. Martin Esslin „Brecht das Paradox des politischen Dichters" dt. 1962, 349 nimmt das Lied zum Anlaß, Brechts „Instinkt" gegen die Ratio auszuspielen. Shen Te ist empört, daß sie sich in die Härte Shui Tas verwandeln muß, weil die Götter den Guten nicht helfen. Dabei werden unbesehen die „Tanks und Kanonen", das Terrormittel der Mächtigen, den Göttern zugesprochen.

705. Die Steigerung der Bildkräfte, die aus der Verwandlung Shen Tes in Sui Ta hervorgehen, ist von der Forschung unberücksichtigt geblieben. Holthusen spricht nur von „labyrinthischer Dialektik". (Kritisches Verstehen 1961, 113). Rischbieter, der die „kleine, vorindustrielle Welt" betont, klammert das, was Weite gibt, die Bildsprache, aus (38).
Zonen der Untat: Die Untat: 321, 394 (am Mitmenschen). Noch in der Erstfassung des Epilogs taucht „die Untat" auf, 8, 408.
Schutzgeister im Mysterienspiel: 332.

706. Lied vom Sankt Nimmerleinstag 8, 335. 5 Strophen. Holthusen 111, versteht es als die „männliche Antwort" auf Shen Tes „Notschrei", als „moralische Utopie, Sieg des Guten in der Welt". Wenn man das Lied aus dem Jetzt und Hier seines Entstehungsaugenblicks begreift, ist es das Lied des Manns an die Frau, die ihn verlassen wird. Es verrät zugleich Suns ganzen Charakter: Mensch der Wunschträume, dem alles zufliegen soll, ohne daß er etwas tun muß. Darum bereit zu jeder „Untat". Ein Trotzlied, das mit seinem Verzweiflungston ins Nichts hinein sie aufschrecken und nochmals um sie werben soll. Dafür ist das Schmetternde des Schlußrefrains bestimmend: „Am Sankt Nimmerleinstag." Rischbieter 42, spricht zurecht von einer „wütenden Negation der Utopie", in der „die Produktivität ausgeklammert ist."
Von der Spiel-Einfalt Shen Tes im erwachten Gefühl, Mutter zu sein, hat die Forschung kaum Notiz genommen. Crumbach mag sie mitmeinen, wenn er von der „gewaltigen Ausweitung des Spielhorizonts" spricht (213).

707. Den Mitmenschen zu treten: 8, 348. Das Verwerten der Gesten des Zorns, der Güte geht sichterlich auf chinesische Eindrücke zurück. (Reinhard Grimm, Brecht und Weltliteratur 1961, 21.) Holthusen 109 sieht hier nur den Keim „für weitere dialektische Differenzierungen".
Obgleich Esslin bei Brecht die „Muttergestalt" entscheidend in die Mitte rückt, als „Reintegration einer zwiespältigen Persönlichkeit" (346), spielt sie für ihn keine Rolle, um sich den „Guten Menschen" aufzuschließen. Auch Werner Mittenzwei als Stimme Ostdeutschlands 1965, läßt sich das Zentrale der Muttergestalt entgehen, als lebendigste Mitte seiner „Dialektik von Individuellem und Gesellschaftlichem" (148).
Crumbach, Struktur des epischen Theaters 206 rückt wohl die Mutterliebe ins besondre Licht, doch hat er die Rolle des Vetters so verteufelt ins Böse, die Götter so entwertet zu „Kindern", daß seinen „Figuren des großen Theatrum mundi" nur die Kontrastspannung bleibt. Weil das gute Prinzip geschwächt ist, wird es den Zuschauern überlassen, das Gleichgewicht durch Aufladung des Guten von sich aus sozusagen automatisch herzustellen.

708. Shen Tes Geständnis 8, 401. Die Deutung ist verschieden. Holthusen, Kritisches Verstehen 1961, 115 ff. betrachtet dialektisch Shen Tes Geständnis als „Entmündigung der Götter." „Sie scheiden aus der Diskussion um den Sinn des Guten aus." Richbieter II, 39 (1966) sieht die Götter als „Vertreter einer unwirksamen Ethik", die „die miese Wirklichkeit zur goldenen Legende ver-

klären". Esslin 1962 visiert hinter den „gänzlich unfähigen Göttern" auf die Ambivalenz in Brecht selbst (356, 345). Crumbach Struktur des epischen Theaters 1960, 203 ff. stellt zwar das Mysterienspiel generell neben Calderon, doch überschärft er alle Kontraste so, daß „die Pole der Welt in zerreißender Unversöhnlichkeit" gezeigt werden.
Friedrich Wolfgang Gaede, „Figur und Wirklichkeit im Drama Brechts" 1963 (Diss. Freiburg), überspitzt Crumbach dahin, daß Brecht Calderon umkehre: „am Ende werde nicht der Mensch, sondern die Götter verurteilt." So herrsche „Ironie: Brechung ins Gegenteil" (111).
Allen gemeinsam ist, daß sie weder die Lichtsymbolik noch die Einfalt der Verzweiflung ernst nehmen.
Werner Mittenzwei als Stimme Ostdeutschlands 1965, 150 sieht die „Dialektik eines großen gesellschaftlichen Widerspruchs" ausgetragen. Shen Tes Geständnis zeigt die „Duellsituation" auf (152). Sie ist ihm entscheidender als die „Rhetorik" des Epilogs. Auch für Mittenzwei sagt aber die Lichtsymbolik nichts.

710. Revolutionierende Mutterliebe: Esslin, Brecht 1962, läßt seine Darstellung in der „Muttergestalt" gipfeln 346, 348, 350. In ihrer Schöpfung vollzieht sich bei Brecht die „Re-Integration" seiner zwiespältigen Persönlichkeit (346). Für Esslin ist der Zwiespalt vereinfacht in die Spannung von „Instinkt" und „Ratio", und Brechts Reife sieht er darin, daß die (marxistische) Ratio immer negativer wird. Zu den weiteren Werken der Muttergestalt: Pongs, Dichtung im gespaltenen Deutschland" 452 ff. (Mutter Courage), 457 ff. (Gesichte der Simone Machard), 473 ff. (Kaukasischer Kreidekreis).

711. Neues Mutterbild:
Ernst Jünger, „Der Weltstaat" 1960, 52. Gußform 24. Organismus-Organisation 63, 65, 75. Spiel gewaltiger erdgeistiger Kräfte 59.

712. Die Verfremdungseffekte Brechts hat besonders Reinhold Grimm zur Lebensformel Brechts gesteigert: Revue de Littérature compareé 1961, 210 ff.; Erlanger, Beiträge V, 1960, 64 ff.; Strukturen 1963, 255 ff. Er ignoriert, daß es Brecht um „Produktivität" zu tun ist, balladisch-totale Produktivität, für die die kritische Verfremdungsmethode nur dazu da ist, die Bürger zu schokkieren. So macht Grimm aus Brecht einen Verfremdungsmanieristen, dem beim „Guten Menschen" der „Ausweg des Zuschauers genügt" (Strukturen 255). Grimm liefert damit Brecht dem Marxismus aus und verfremdet uns den Dichter.

713. schizoide Figur: Volker Klotz, Brecht 1959, 16, durch Spaltung verfremdet: Reinhold Grimm, Brecht 1961, 34, dialektisches Gegenmuster: Holthusen, Kritisches Verstehen 1961, 108 ff.
Ostforschung: Werner Mittenzwei, 1965, 149 ff.

714. als Mensch total: Carl Gustav Jung, Von den Wurzeln des Bewußtseins. Stichwort „Anima".
Wüstling des Möglichen: Thomas Mann nennt Leverkühns Begleiter Rüdiger Schildknapp einen „Roué des Potentiellen". Peter Härlin, Stuttg. Ztg. 25. 11. 1961 übersetzte das mit „„Wüstling des Möglichen". Es entspricht dem „Mann ohne Eigenschaften" als Inbegriff westlicher Ambivalenz. (Pongs, Festschrift H. Seidler 1966, 194 ff.)
Galilei als das Einmalig Geniale: Parallelbeispiel ist Höderer in Sartres „Schmutzigen Händen" (Pongs, Dichtung im gespaltenen Deutschland 445 ff. — Galilei 447 ff.).

715. Kleines Organon: Sinn und Form, Brechtheft 1949, 30. Dazu Werner Mittenzwei, Gestaltung und Gestalten im modernen Drama 1965, 30 (Dialektischer Aufbau von Inviduellem und Gesellschaftlichem 48).

679. Ambivalenz der Symbole: Esslin, Brecht, Paradox des politischen Dichters, Englisch 1959, deutsch 1961, 344, zurückgeführt auf Brechts eigne Ambivalenz zum Kommunismus 345 ff.

716. Denkmodell von Widersprüchen: Peter Handtke, „Theater heute" April 1968, 7. Handtke ist bekannt geworden durch seinen rigorosen Sprachpurismus auf der Bühne. („Kaspar") Theater heute Juni 1968, 28.

Rolf Hochhuth, „Theater heute" Februar 1967, 8 (Brief).
Max Höger, Brecht 1962, 95.

717. Gerhard Szszesny „Brechts Galilei. Wirklichkeit und Dichtung" 1966, 80 ff. Gustav René Hocke „Die Welt als Labyrinth". Manierismus I, 190 (Klassismus).
Arthur Miller, „Das soziale Drama der Zukunft" Stuttgarter Ztg. 1956. Abdruck: Siegfried Melchinger, „Drama zwischen Shaw und Brecht" 1957, 98 ff.

718. Brechts Gestalt:
Querschnitte durch Brechts Leben: Kurt Fassmann 1958 und als Kurzbiographie (Kindlers Taschenbücher) 1963.
Max Högel, Brecht 1962 (Bayr. Schwäb. Lebensbilder).
Henning Rischbieter 2 Bde. Kurzbiographie 1966 (Friedrichs Dramatiker der Weltliteratur). Auch Ernst Schumacher, Brechts Leben des Galilei 1965 gibt genaue biographische Durchblicke. Ebenso Martin Esslin, Brecht, Paradox des politischen Dichters dt. 1962.
Als Querschnitt des Westens mag das 100. Heft (Dezember 1968) von „Theater heute" dienen. Wir sind „im angeknacksten Zeitalter spätindustrieller Angestellten-Zivilisation" (Joachim Kaiser), im „Freund-Feind-Denken" Carl Schmitts. „Solange gespielt wird, wird nicht geschossen." Oder Ernst Wendt „Das Theater, das sich Piscator verdankt, ist noch toter als das bürgerliche." Oder Schwab-Felisch: „Unsicherheit und Malaise."
Henning Rischbieter, „Wie tot ist Brecht?": „Theater heute" März 1968, 32 ff.

719. Friedrich Luft, „Theater heute" Mai 1967, 29.
Shen Te als schizoide Figur: Volker Klotz, Brecht 21.
Spaltung: R. Grimm, Erlanger Beitr. V, 1960, 64 ff.
dialektisches Gegenmuster: Holthausen, Kritisches Verstehen 109.

720. Vergleich Brecht-Camus: Norbert Kohlhaase, Brecht u. Camus 1965, 225.
Werner Mittenzwei, Gestaltung und Gestalten im Drama 1965, Theater des Absurden durch Brecht erschüttert 77. Beseitigung des Privateigentums 123.
Zu Faulkners „Requiem": Heinrich Straumann, Faulkner 1968, 139–144. Pongs, Dichtung im gespaltnen Deutschland 1966, 214–224.

723. Zum Werk Arthur Millers: Siegfried Melchinger, Drama zwischen Shaw und Brecht 1957, 259 ff.
Werke I. dt. 1966 (Fischer) mit Vorwort Millers 7–67.

724. Tod des Handelsreisenden: Pongs, Dichtung im gespaltnen Deutschland 1966, 436.

725. Der Blick von der Brücke: Siegfried Melchinger 1957, 260. „Modell des theoretisch geforderten sozialen Dramas in der griechischen Art." Wilperts Lexikon d. Weltliteratur II, 120 sieht nur „das Reißerische der Kolportage". Pongs, Das kleine Lexikon d. Weltliteratur gibt eignes Stichwort als bisherigen Höhepunkt von Millers Schaffen. (Kindler hat das Werk bisher noch nicht.)

726. „Der Preis": Rororo 1968. Erstaufführung New York am 28. Januar 1968. Besprechung durch Rolf Michaelis „Theater heute" Juli 1968 (dt. Aufführung). 34–38. „Kain und Abel in Amerika." Michaelis hält Victor für den Versager. „Sein Leben endgültig verpfuscht."

729. Rolf Hochhuth, Der Stellvertreter. Rororo 1963 Text mit Vorwort von Erwin Piscator, Dokumente 229–275.
Zur öffentlichen Kritik: Broschüre „Durfte der Papst schweigen?" Rororo (235 Seiten). Zum Drama: Pongs, Dichtung im gespaltnen Deutschland 1966, 465 ff.

730. Hochhuth „Soldaten" 1967. Theaterkritik „Theater heute" November 1967. (Was ist Hs. neues Stück wert?).
Universum ohne Herz: Teilhard de Chardin, Zukunft des Menschen 1963.

732. Faulkners „Gespräche": Deutsche Ausgabe: Gespräche mit Faulkner 1961 (Amerikan. Ausgabe 1959). Tragödie, wie sie Aristoteles sah 72. Herz hat das Verlangen 44. Herz wichtiger als Ideen 26.

732. Arthur Miller, Werke I., Vorwort 28. dem Tod ins Angesicht sehen 42. passives Geschöpf 65. erhöhtes Bewußtsein 65. der angeborne Wert 66. Brecht 56. Mircea Eliade, Ewige Bilder u. Sinnbilder (franz. Original 1952, dt. 1958) 225 (das „sie" bezieht sich auf den vorausgegangenen Begriff „Symbolik").

733. Negative Dialektik: Theodor Adorno, Negative Dialektik 1967.
Ulrich Sonnemann, Negative Anthropologie 1969.
der Dramatiker: Arthur Millers Vorwort lebt aus dem „Dynamischen des Dramas" 14, aus dem „evolutionären Charakter des Lebens" 28.

734. Alexander Solschenizyn „Der erste Kreis der Hölle" dt. 1969, 206. Kleist Text 614 ff.

735. Rembrandt, Das Buch Tobias (Württ. Bibelanstalt o. J.).

736. Grundtvig:
Fritz Wartenweiler, Grundtvigs Entwicklung zum Vater der Volkshochschule, Dissertation 1913 (Zürich).
J. Lorentzen, Grundtvig und Claus Harms 1933.
Edvard Lehmann, Grundtvig. dt. 1932, Poul Engberg dt. 1950, Soren Holm, G. und Kierkegaard dt. 1956.
Zum Gedicht: Übersetzung von Christian Tränckner (Engberg 44):

Ward dem Gelehrten nur das Licht,
Recht oder schlecht zu lesen?
Nein, Himmelsgabe ist das Licht
zur Freude aller Wesen.
Die Sonn steht mit dem Bauern auf,
da die Gelehrten schlafen,
durchleuchtet voll auf ihrem Lauf
die voll im Lichte schaffen.

Übersetzung J. Lorentzen (Lorentzen 1933):

Ist das Licht für die Gelehrten allein,
recht oder schlecht zu buchstabieren?
Nein, der Himmel leuchtet den Vielen,
und das Licht ist eine Himmelsgabe.
Die Sonne steht mit den Bauern auf,
durchaus nicht mit den Gelehrten.
Am besten sind gelehrt vom Fuß bis zum Kopf
die am meisten in Bewegung sind . . .
Ist nicht das Wort in unserem Munde
ein Licht für alle Seelen? . . .

Nachtrag.

Nach Abschluß dieses Buches erschien in den „Wegen der Forschung" Band CLIII „Der Simplicissimusdichter und sein Werk". 1969. (Hg. Günther Weydt). Was trägt die hier zusammengebrachte Forschung zum symbolischen Kosmos des „Simplicissimus" hinzu? Zweifellos überragt alle Friedrich Gundolfs Darstellung von 1923 im Großumriß eines Vortrags. Er ordnet den „Weltbildroman" eines „barocken Parzival" unmittelbar zwischen Wolframs Epos und Goethes „Wilhelm-Meister-Roman ein. Als „Ringen des ewig werdenden Jünglings mit der Erscheinung der Welt" durch „Tumbheit, Narrheit, Sünde, Strafe, Buße". Und er begreift, wie hier aus „der Mitte des Herzens heraus" Leben erfahren ist als die „sausende Zeit selbst", in jenem grausamsten „Kriegs-Wirbel", gegen den als mächtigste Läuterungskraft zuletzt die „Weltflucht" erscheinen muß. „Humor" entspringt aus der Spannkraft des Ganz-Darüberseins und des Ganz-Darinseins. Er entspricht dem „Licht über Gerechten und Ungerechten". Wir finden unsere Methode der Symbolbetrachtung durch Gundolfs Darstellung bestätigt.

Der Herausgeber, im eignen Aufsatz über „Planetensymbolik" (1966) um die Randbeleuchtung des symbolischen Kosmos im Roman bemüht, gibt der Vielfalt der biographischen, textkritischen, quellengeschichtlichen, auch der bibliographischen Forschungen Raum, die alle die komplexe Größe verstärken. Schrumpfung des Symbolblicks läßt dich darunter nur bei Günter Rohrbach feststellen, der dem Simplicius-Kern die Individualität abspricht, ihn auf eine Art Rollen-

figur verdürftig. Werner Welzig verstärkt (1959) seine „beispielhaften" Typen (Tor, Abenteurer, Einsiedler) im Rückgang auf das Spannungsfeld von „Ordo und verkehrter Welt". Was in diesem festen Spannungsrahmen verloren geht, ist was Gundolf „die sausende Zeit selbst" nannte. Vermissen muß man unter den aufgenommenen Aufsätzen Scholtes Aufsatz „Das finstere Licht" von 1950.
Zur Literatur dieses Buches generell: August Cloß Twentieth Century, German Literature London 1969.

Personenregister

Mit Stern sind Personen der Anmerkungen bezeichnet. (V. = Vorwort).

Sach-Register